AF238413

ACCESO GRATIS *a la Lectura en la Nube*

Para visualizar el libro electrónico en la nube de lectura envíe junto a su nombre y apellidos una fotografía del código de barras situado en la contraportada del libro y otra del ticket de compra a la dirección:

ebooktirant@tirant.com

En un máximo de 72 horas laborales le enviaremos el código de acceso con sus instrucciones.

DESAFÍOS DEL ARBITRAJE INTERNACIONAL

RINCÓN CUÉLLAR & ASOCIADOS

Edición conmemorativa 10 años

DESAFÍOS DEL ARBITRAJE INTERNACIONAL

RINCÓN CUÉLLAR & ASOCIADOS
Edición conmemorativa 10 años

Luis Fernando Rincón Cuéllar
Sebastián Salazar Castillo
Editores

RINCÓN-CUÉLLAR
& ASOCIADOS

tirant lo blanch
Bogotá D.C., 2020

© Luis Fernando Rincón Cuéllar
Sebastián Salazar Castillo (Editores)

© TIRANT LO BLANCH
EDITA: TIRANT LO BLANCH
Calle 69A No. 4-88, Bogotá D.C.
Telf.: 4660171
Email: tlb@tirant.com
www.tirant.com
Librería virtual: www.tirant.es
ISBN: 978-84-1355-064-0

Si tiene alguna queja o sugerencia, envíenos un mail a: *atencioncliente@tirant.com*. En caso de no ser atendida su sugerencia, por favor, lea en *www.tirant.net/index.php/empresa/politicas-de-empresa* nuestro procedimiento de quejas.

Responsabilidad Social Corporativa: http://www.tirant.net/Docs/RSCTirant.pdf

Tabla de contenido

Prólogo

Dr. Roque J. Caivano[*]

Agradezco el honor que me han hecho los socios de Rincón-Cuéllar & Asociados al invitarme a prologar la obra colectiva "Desafíos del Arbitraje Internacional", editada en conmemoración de su décimo aniversario.

La iniciativa no podía ser más oportuna, y su concreción debe ser aplaudida. Ya transcurrido casi un cuarto del siglo XXI, el arbitraje internacional muestra una saludable evolución, pero al mismo tiempo enfrenta una serie de desafíos que, de no ser convenientemente atendidos, podrían poner en riesgo su crecimiento.

En América Latina, recientemente actualizaron sus normas los dos únicos países que todavía mantenían un régimen legal obsoleto para el arbitraje comercial internacional: Uruguay mediante la Ley 19.636 y Argentina mediante la Ley 27.449[1], ambas puestas en vigor en junio de 2018. Hoy la región presenta un escenario legal armónico: más allá de algunos matices, todas las legislaciones latinoamericanas están basadas en la Ley Modelo de UNCITRAL y, por lo tanto, ofrecen una regulación que brinda condiciones de seguridad jurídica básicas para llevar adelante un arbitraje internacional. Esa condición es el punto de partida necesario. La historia del arbitraje en América Latina demuestra que los avances siempre han venido de la mano de un adecuado soporte legal: la progresiva ratificación de las Convenciones de Nueva York de 1958 y Panamá de 1975, y la paulatina

---

[*] Abogado (Universidad de Buenos Aires). Doctor en Ciencias Jurídicas (Universidad del Salvador). Árbitro independiente y abogado consultor especializado en arbitraje. Profesor de "Contratos", "Sociedades", "Formas Alternativas de Resolución de Conflictos" y "Arbitraje" en la Universidad de Buenos Aires. Profesor de las Maestrías de las Universidades Austral, Di Tella, Siglo 21, La Plata, y Heidelberg. Director de la Diplomatura en Arbitraje de la Universidad Austral. Director de la Revista Argentina de Arbitraje. Presidente del Comité Organizador de la Competencia Internacional de Arbitraje. Autor o coautor de seis libros y más de 200 artículos publicados en revistas legales especializadas, en todo el mundo. Disertante en más de 250 conferencias, seminarios o talleres, en el país y en el exterior.

[1] Cuyo análisis puede verse en la contribución de Guillermo Argerich en esta obra.

adopción de leyes que recogían los principios y reglas de la Ley Modelo fueron sentando las bases para el desarrollo del arbitraje comercial internacional[2]. Pero, con ser necesaria, esa condición no es suficiente. Y allí es donde radican los principales retos que el arbitraje enfrenta, particularmente en Latinoamérica.

Hace casi dos décadas, en ocasión de analizar el estado de situación del arbitraje en la Argentina[3], señalábamos que su desarrollo sustentable depende de una serie de presupuestos. Además del ya mencionado —una legislación apropiada— es también necesario (i) que exista una sociedad culturalmente preparada para entender y aceptar el arbitraje; (ii) abogados técnicamente entrenados para asesorar a sus clientes; (iii) entidades que ofrezcan servicios serios de arbitraje y profesionales preparados para actuar como árbitros; y (iv) un Poder Judicial que comprenda la naturaleza y los alcances del arbitraje.

La oportunidad que me brinda la invitación a presentar esta obra colectiva es propicia para repasar el estado de situación del arbitraje en América Latina. Especialmente porque en ella se examinan —desde distintos ángulos— los temas que hemos identificado como relevantes para sostener la evolución del arbitraje.

El primero de los presupuestos mencionados es apenas obvio. El arbitraje supone una forma de resolver controversias que, aunque comparte con el litigio judicial la condición de ser adversarial y heterocompositivo, tiene diferencias significativas con él. La primera de las cuales es su naturaleza convencional[4]. Y es preciso que quienes deciden someterse a arbitraje tengan clara conciencia de que el arbitraje encarna una justicia administrada por particulares cuyas decisiones son revisables limitadamente, y que las reglas de procedimiento difieren de las típicas del procedimiento judicial[5]. Las partes deben comprender que, aunque no sean magistrados judiciales,

---

[2]   En relación con este tema, Jorge Oviedo Albán ofrece en esta obra un análisis del criterio de internacionalidad contenido en el Estatuto Colombiano de Arbitraje Nacional e Internacional de 2012.

[3]   Caivano, Roque J.: "Arbitraje en Argentina: fortalezas y debilidades", *Revista El Derecho*, tomo 200, pp. 767 y ss.

[4]   En esta obra, Nicolás Rosero destaca la necesidad del consentimiento a arbitrar, en la medida que esa es la fuente de legitimación esencial para los árbitros.

[5]   Los trabajos de Guillermo Ormazábal y Josep María Juliá Insenser en esta obra abordan este tema, al examinar la delicada cuestión de si los árbitros deben tomar la iniciativa, oficiosamente, en la práctica de la prueba y en la aplicación del derecho.

las decisiones de los árbitros son tan vinculantes y obligatorias como las de aquellos[6], y que al aceptar dirimir sus controversias por la vía del arbitraje, están al mismo tiempo asumiendo reglas de juego distintas de aquellas que rigen los procesos judiciales[7].

En este aspecto, a pesar de los avances que se han registrado en la instalación de una "cultura arbitral", todavía queda mucho por hacer. Es conocido que los cambios culturales no son fáciles de lograr, ni las acciones que se realicen para ello producen resultados a corto plazo. La tarea no es sencilla. Hace falta un esfuerzo sostenido de las autoridades y de los representantes de la sociedad civil para que los usuarios del arbitraje sean conscientes de las ventajas y desventajas de someterse a arbitraje, así como de sus características principales y sus limitaciones[8]. Los empresarios que intervienen en transacciones internacionales de cierta importancia —en las cuales el arbitraje es poco menos que inevitable— seguramente conocen lo que un arbitraje puede depararles (para bien y para mal), y están mejor preparados para aceptar su resultado. Probablemente no pase lo mismo con los usuarios del arbitraje doméstico ni con los pequeños y medianos empresarios que, quizá esporádicamente, participan de negocios internacionales, y con quienes es necesario insistir en la tarea de concientización.

Algo similar sucede con los abogados. Nos consta que en todos los países de la región existen abogados altamente preparados para asistir a

---

[6] Cualquier persona entiende que un juez del Estado es una autoridad, y sabe que está obligado a acatar sus decisiones. Esa condición no es tan visible para los árbitros, que carecen de los atributos exteriores del poder propios del Poder Judicial. Y ello hace que, para muchos, sus decisiones no sean directamente vinculantes. No son pocos los que ven al arbitraje como la antesala de un proceso judicial, porque creen que sólo los magistrados judiciales pueden administrar justicia.

[7] A diferencia de las reglas procesales judiciales, esencialmente rígidas e indisponibles, el arbitraje constituye el mejor exponente de la autodeterminación y, por lo tanto, las reglas del proceso son principalmente definidas por las partes. Esta, con ser una de las principales ventajas del arbitraje, en ocasiones representa un problema para sociedades con un fuerte sesgo de paternalismo estatal y ciudadanos poco acostumbrados al ejercicio pleno de la libertad (y a asumir la responsabilidad que de ella se deriva y las consecuencias de sus propias decisiones). Ejemplo de ello es la posibilidad, que algunas leyes ofrecen, de que las partes renuncien al recurso de anulación ante los tribunales de la sede, como analiza en su aporte a esta obra Sebastián Salazar Castillo.

[8] El capítulo a cargo de José Antonio Moreno en esta obra pone de relieve que esa contribución puede, inclusive, provenir de organismos supranacionales.

sus clientes en todas las fases de un arbitraje[9]. Pero esa elite de abogados sofisticados no alcanzará para atender un potencial aumento de la demanda profesional. La insuficiencia de abogados idóneos en arbitrajes internacionales afecta su desarrollo. Porque un asesor letrado que carece de una capacitación técnica adecuada lleva a que el arbitraje se pacte en casos en que no es recomendable hacerlo o en condiciones que no son las apropiadas, a que el procedimiento se contamine con prácticas propias del litigio judicial que hacen perder eficacia al arbitraje[10], o a que se interpongan incidentes y recursos inexistentes que atentan contra sus principales ventajas[11].

Con todo, este es un aspecto en el cual los progresos son alentadores. Como da cuenta el trabajo de Alberto Montezuma en esta obra, la participación de estudiantes en competencias o concursos de arbitraje ha comenzado a dar sus frutos[12], y confiamos en que seguirá dándolos a futuro. Este libro es también una provechosa contribución a ese propósito: a través de él, estudiantes y abogados podrán acceder a concienzudas reflexiones de profesionales destacados en el ámbito del arbitraje sobre temas de actualidad, que les permitirán estar mejor preparados para los desafíos que plantea defender a un cliente en un arbitraje.

El tercer presupuesto para la consolidación del arbitraje es la existencia de entidades arbitrales. Al mismo tiempo que ofrecen un servicio institucionalizado para la administración de los procesos, también contribuyen a mejorar la calidad de árbitros y a la formación de los abogados a través de programas de capacitación. Aun cuando un marco legal adecuado, al

---

[9] Que conocen perfectamente cómo redactar un convenio arbitral que evite dificultades y trabas a la hora de utilizarlo, que están entrenados para aprovechar las ventajas que brinda un proceso flexible y menos atado a formalismos, y que están en condiciones de acompañar al cliente en los eventuales recursos judiciales que puedan plantearse, o en la ejecución de los laudos.

[10] Yaiza Araque analiza esta cuestión, a partir de la posible contribución de las Reglas de Praga a una mayor eficiencia y economía en el arbitraje.

[11] Tema del cual se ocupan Jesús Saracho Aguirre y Rafael Del Rosal en su aporte a esta obra, examinando las atribuciones con que cuentan los árbitros para prevenir y sancionar la mala fe de las partes en el proceso.

[12] Aun careciendo de objetividad por ser parte de ella, la Competencia Internacional de Arbitraje (www.ciarbitraje.org) es un ejemplo de lo que señalamos. Coorganizada por las Facultades de Derecho de la Universidad de Buenos Aires y de Jurisprudencia de la Universidad del Rosario de Bogotá, al cabo de doce ediciones y con un promedio en los últimos años de medio centenar de equipos participando, la Competencia ha contribuido a formar abogados en arbitrajes internacionales.

prever reglas supletorias satisfactorias, hace posible que los arbitrajes *ad hoc* se desenvuelvan con razonable eficacia, la participación de una entidad administrando el arbitraje brinda mayores garantías y soluciona buena parte de las dificultades, especialmente en la etapa previa a la constitución del tribunal[13].

Esta condición no representa mayores problemas. En todos los países de América Latina hay centros de arbitraje confiables, que ofrecen servicios arbitrales eficientes. Muchos de ellos provienen de larga data, y en las últimas décadas se verificó un proceso generalizado de modernización y fortalecimiento, con la actualización de sus reglas y prácticas, y la renovación de sus listas de árbitros. Algunas de ellas, inclusive, ofrecen regularmente capacitación a los árbitros y han elaborado Códigos de Ética destinados a reforzar (y a controlar) su correcto desempeño, tanto técnica como deontológicamente[14]. Es también ostensible la contribución de muchas entidades arbitrales en el fomento de la mediación, y en la implementación de reglas especiales para arbitrajes que versen sobre determinadas materias[15], o que se lleven a cabo a través de comunicaciones electrónicas[16].

El último de los presupuestos mencionados para el desarrollo sostenible del arbitraje es la comprensión de los tribunales judiciales acerca de los límites que un convenio arbitral impone a su actuación. La autonomía del arbitraje —entendida como la posibilidad de llevar adelante el proceso con el menor grado de intervención judicial posible— es una de las aspiraciones de las partes que se someten a arbitraje. Y ha sido uno de los

---

[13]   Es en esta crucial etapa del proceso donde se advierten las principales ventajas del arbitraje institucional por sobre el ad hoc. La intervención de una entidad especializada permite que se alcance, en menor tiempo y con menores costos, uno de los hitos más importantes del arbitraje, que es contar con un tribunal en funciones, que pueda organizar el trámite y resolver las incidencias que se vayan produciendo.

[14]   Sobre estos aspectos versan las contribuciones de Nayiber Febles y José María Figaredo en esta obra, poniendo el acento en los principios éticos en el arbitraje internacional y analizando los sesgos cognitivos en la toma de decisiones de árbitros y abogados.

[15]   Como ilustran los trabajos de Felipe Cárdenas Castro y Juan Pablo Fábrega en esta obra, en relación con el arbitraje deportivo.

[16]   Como analiza Jaime Limón en esta obra, al desarrollar la mediación en el marco de los sistemas de resolución de disputas "en línea".

objetivos de la Ley Modelo[17], que ha procurado reducir las vías de acceso al Poder Judicial antes, durante y después del arbitraje[18].

A pesar del énfasis que las normas legales ponen en este aspecto, los jueces no siempre respetan esos límites y terminan interviniendo en situaciones en que la estricta aplicación de la ley no les permitiría intervenir[19]. En este sentido, hemos abogado porque los jueces actúen de modo de evitar interferencias innecesarias (y no autorizadas por la ley) a la tarea de los árbitros, pero ejerciendo sin dilaciones aquellas atribuciones que la ley les reconoce. Parte del problema, creemos, es la incomprensión de los tribunales judiciales acerca del rol que les corresponde en casos sometidos a decisión de árbitros. Lo que hace necesario implementar programas de capacitación que les permitan familiarizarse con las disposiciones legales y con los principios propios del arbitraje, de modo que se respete la intención de las partes de resolver sus controversias fuera del Poder Judicial, y la del legislador de rodear al arbitraje de un marco de razonable autonomía que preserve la jurisdicción arbitral.

El breve repaso de los presupuestos de los cuales depende la evolución del arbitraje nos permite concluir que, si bien América Latina presenta una aceptable situación general, subsisten algunos retos que requieren atención. Advertimos que la comunidad arbitral tiene conciencia de ello, y se están dando pasos importantes en procura de lograrlo. Por lo que no es utópico pensar que, en el mediano plazo, se podrá lograr que la región ofrezca condiciones realmente atractivas para arbitrar conflictos derivados de relaciones jurídicas internacionales. Y, en cualquier caso, aun si lo fuera, vale la pena caminar en ese sentido porque, al decir del poeta uru-

---

[17]   "Como lo prueban recientes modificaciones de las leyes de arbitraje, existe una tendencia a limitar la intervención judicial en el arbitraje comercial internacional. Al parecer, esta tendencia se justifica porque las partes en un acuerdo de arbitraje adoptan deliberadamente la decisión de excluir la competencia judicial y, en particular en los casos comerciales, prefieren la conveniencia práctica y la irrevocabilidad a prolongadas batallas judiciales" (Notas explicativas de la Secretaría de la CNUDMI sobre la Ley Modelo, parágrafo 14).

[18]   De este aspecto se ocupa el trabajo de Verónica Sandler en esta obra, que describe los únicos casos en que el Poder Judicial está autorizado a intervenir en casos sometidos a arbitraje.

[19]   La colaboración de Gustavo Rivera Ferreyra en esta obra ofrece un ejemplo de ello.

guayo Eduardo Galeano, caminar constituye la razón misma de ser de las utopías[20].

Sin caer en el elogio fácil, el libro que dejamos prologado es un aporte a aquella utopía. Porque a lo largo de sus capítulos, reconocidos académicos y practicantes ofrecen un análisis de tópicos relevantes, que servirán para reflexionar sobre algunos aspectos problemáticos del arbitraje y, eventualmente, para favorecer el debate, sin el cual no se podrán lograr resultados verdaderamente duraderos.

Buenos Aires, noviembre de 2019.

---

[20] "Ella está en el horizonte —dice Fernando Birri—. Me acerco dos pasos, ella se aleja dos pasos. Camino diez pasos y el horizonte se corre diez pasos más allá. Por mucho que yo camine, nunca la alcanzaré ¿Para qué sirve la utopía? Para eso sirve: para caminar" (Eduardo Galeano, "Ventana sobre la Utopía", del libro Las palabras andantes, ed. Catálogos, Buenos Aires, 1993, p. 230).

Presentación y agradecimientos

LUIS FERNANDO RINCÓN CUÉLLAR

Al decidir el título de esta obra, quisimos referirnos a los retos a afrontar por quienes formamos parte del arbitraje local e internacional, y por los futuros profesionales que quieran dedicarse a esta bella materia, la cual está en el corazón de la firma, no solo en lo laboral, sino también en lo académico. Y que mejor que el prólogo sea realizado por una persona de los afectos de esta casa como es Roque Caivano, gran profesor, árbitro de reconocido prestigio alrededor del mundo y alma de la Competencia Internacional de Arbitraje. Agradecemos mucho su colaboración.

Con este libro queremos conmemorar los diez años de la firma RINCÓN-CUÉLLAR & ASOCIADOS, en la cual ha participado gente muy valiosa en su construcción, y a quienes hemos conocido en la academia, en el estudio y en la vida laboral. Todos los colaboradores, quienes enviaron su contribución a lo largo de este año, son académicos distinguidos, abogados destacados, árbitros con gran prestigio y jovenes estrellas montantes del arbitraje a nivel mundial. Muy honrados por tenerlos y agradecemos por su tiempo y paciencia.

Son diez años a celebrar, en donde hay muchas personas cercanas para agradecer, comenzando por mi esposa, Amalia Vásquez Murillo, quien ha sido el soporte, el impulso y mi consejera, y junto a ella Juliana y Mateo, más que justificación para seguir adelante. A mis padres, Pedro y Enelia, quienes siempre creyeron y apoyaron, a mis hermanos Ángela y Pedro, y sus familias, quienes me dan la recarga de alegría para continuar. A Juan Carlos Vásquez y Constanza Palacin, amigos, familia y apoyo durante nuestra larga aventura suiza.

A Sebastian Salazar Castillo, gran abogado, por creer en el proyecto, por ser el compañero de lucha, consejero, y siempre un gran amigo. A Ivonne Barrera, su esposa, quien siempre ha obrado con total apoyo, y a Benjamín, su padre.

A Nicolás Lozada Pimiento, abogado insigne, por sus aportes y por estar al lado de esta gran empresa. Luis Alfonso Gómez, por sus ideas y entusiasmo, siempre acompañándonos. Carlos Augusto Conde, experto en propiedad intelectual, asociado en este proyecto, y a los asociados en Centroamérica, Rodrigo Rivas Melhado y Carlos Salgado Herrarte, por el soporte y colaboración.

Y siempre, siempre, a mis amigos del alma, en Colombia, Suiza, El Salvador y en donde se encuentren. A cada uno los llevo en el corazón.

Esto comenzó con el consejo de un entrañable profesor, Carlos Darío Barrera, quien me insinuó, indujo y facilitó los medios para iniciar la firma. Y durante este tiempo siempre con el consejo de un gran abogado, antiguo jefe y gran amigo, Tulio Cárdenas Giraldo.

Por supuesto es necesario reconocer el aporte de la docencia, eje fundamental en el desarrollo de la firma, y ahí, a la Universidad Nacional de Colombia, que por más de 15 años me ha permitido llegar y conocer a unos alumnos de una calidad excepcional. Del mismo modo en El Salvador, país que llevo en el corazón, a la Escuela Superior de Economía y Negocios (ESEN) y a la Universidad Centroamericana Jose Simeón Cañas (UCA).

Y dentro de la academia, dos profesores excepcionales durante mi estadía en Suiza, Henry Peter, quien me llevo por el mundo del Derecho de Sociedades y quien me apoyó en las prácticas, y Xavier Oberson quien me mostró la pasión por la docencia y por el Derecho Tributario. Y En España, Gonzalo Stampa, gran abogado, excelente escritor y apoyo inmenso en el tema de arbitraje. Gratitud con ellos.

También agradezco a Adriana Polanía, por creer en mis proyectos, y a los Centros de Arbitraje de las Cámaras de Comercio de Bogotá, Medellín, Lima y El Salvador.

Muy necesario el reconocimiento por el trabajo, por la compañía, el humor y la calidad de personas, a mis compañeros y amigos los abogados Felipe López Ramírez, Daniela Romero, Camila Abella, Julián Correa, Oscar Delgado, y Viviana Murillo, quienes además colaboraron para que este libro saliera adelante. Y además a todas las personas que han pasado por nuestra firma, quienes siempre aportaron y construyeron.

Por último quiero agradecer a los directivos de la Editorial Tirant lo Blanch, quienes a través de Tatiana Dangond, su Directora y Editora en Colombia, creyeron en este proyecto desde el inicio, y han tenido la paciencia para acompañarnos en este trayecto de construcción. Muchas Gracias.

Bienvenidos a esta obra.

Sobre la eficiencia y la reducción de costes en arbitraje internacional: las reglas de Praga

RESUMEN

Los usuarios del arbitraje internacional consideran que éste ha devenido un medio lento y costoso y ello no sólo por la actitud de los árbitros a la hora de conducir el procedimiento sino también porque las reglas de soft law más utilizadas son más próximas a la tradición anglosajona. Es por ello por lo que se han creado las Reglas de Praga. Un conjunto de reglas basado en la tradición civilista que intenta incrementar la eficiencia y reducir los costes del procedimiento potenciando la iniciativa del tribunal arbitral. En este artículo, analizaremos el origen de la promulgación de estas reglas, así como su estructura y las novedades que en ellas se incluyen para finalmente ver hasta qué punto difieren de otras normas soft law ya existentes.

Palabras clave: Reglas de Praga, Reglas de la IBA, tradición civilista, influencia anglosajona, práctica de la prueba en el arbitraje internacional, iniciativa del tribunal arbitral, eficiencia y costes del procedimiento.

ABSTRACT

International arbitration is considered by its users as a slow and costly method, and it is not only because of the attitude of the arbitrators when conducting the proceedings but also because the most used soft law rules are closer to the common law system. That is why the Prague Rules have been created. This set of rules, based on civil law system, seeks to increase efficiency and reduce the costs of the proceedings by promoting an active role of the arbitral tribunal. Therefore, this article will analyze the origin of the promulgation of these rules, as well as their structure and their novelties to finally see to what extent they differ from other existing soft law rules.

Key words: Prague Rules, IBA Rules, civil law system, common law system, taking of evidence in international arbitration, proactive role of the arbitral tribunal, cost and efficiency of the arbitration.

---

[*] Abogada y doctorando de la Universidad Complutense de Madrid; Magister para el acceso a la abogacía de la Universidad Complutense de Madrid; MCIArb. Coordinadora del International Arbitration Seminars & Courses IASC.

SUMARIO: I. INTRODUCCIÓN. II. LAS REGLAS SOBRE TRAMITACIÓN EFICIENTE DE LOS PROCEDIMIENTOS EN EL ARBITRAJE INTERNACIONAL: LAS REGLAS DE PRAGA. 1. Ámbito de aplicación. 2. Proactividad del Tribunal Arbitral. III. LAS REGLAS DE PRAGA EN MATERIA PROBATORIA. 1. Prueba documental. 2. Comparecencia de testigos y peritos. 2.1. Comparecencia de testigos. 2.2. Comparecencia de peritos. IV. *IURA NOVIT CURIA* Y ASISTENCIA DEL TRIBUNAL ARBITRAL EN LA SOLUCIÓN AMISTOSA DEL CONFLICTO. 1. Principio *iura novit curia*. 2. Asistencia del Tribunal Arbitral en la solución amistosa del conflicto. V. LAS REGLAS DE PRAGA COMO ALTERNATIVA A OTRAS NORMAS *SOFT LAW*. VI. CONCLUSIONES.

I. INTRODUCCIÓN

Si bien el arbitraje se ha caracterizado históricamente por ser un medio de resolución de disputas flexible, eficiente, ágil y rentable económicamente, el sentir general de los usuarios en estos últimos años es que ha devenido un medio lento y costoso.

Ya en 2009, Gary Born apuntaba que el arbitraje comercial internacional "*is also not always speedy. Outside of some specialized contexts, meaningful commercial disputes often require between 18 and 36 months to reach a final award, with only limited possibilities for earlier summary dispositions*", no obstante, ponía de manifiesto que "*both international arbitration and international litigation can involve significant expense and delay, and it is unwise to make sweeping generalizations about which mechanism is necessarily quicker or cheaper*"[1].

En la actualidad, la realidad es que el *2018 International Arbitration Survey: The Evolution of International Arbitration* —elaborado por White & Case y Queen Mary University of London[2]— al enumerar las "peores características del arbitraje"[3] señala, entre otras, el coste (67%)[4] y la falta de rapidez (34%).

———————

[1]   BORN, G. (2009), *International Commercial Arbitration*, Kluwer Law International, vol. I, pp. 85-86. En este mismo sentido se pronuncia Laurence Shore al señalar que "[p]*uò sembrare poco, a maggior ragione se consideriamo i tempi di alcuni tribunali nazionali. Per alcuni, però, 12/18 mesi sono troppi per ottenere una decisione e un procedimento così lungo non soddisfa il bisogno delle parti di avere efficienza e celerità nella risoluzione delle controversie*". Vid. *La guerra "civile" delle Prague Rules sull'arbitrato*, MAG vol. 117 11.03.2019, pp. 53.

[2]   Accesible en:
https://www.whitecase.com/sites/whitecase/files/files/download/publications/qmul-international-arbitration-survey-2018-18.pdf.

[3]   2018 International Arbitration Survey: The Evolution of International Arbitration, pp. 7-8.

[4]   A este respecto, llama la atención de que ya en 2006 los usuarios identificaban el coste como una de las peores características del arbitraje (2006 International

Pero... ¿cuál es el por qué de esta percepción? ¿Es posible que, tal y como apuntaban Klaus Peter Berger y J. Ole Jensen "*lo que convirtió* [al arbitraje] *en la alternativa más viable respecto del litigio ante los tribunales estatales —procedimientos rápidos a bajo coste— se está convirtiendo actualmente en su principal desventaja*"?[5]

Pueden apreciarse varios motivos a este respecto. Por un lado, una de las razones de este sentir radica en la actitud de los árbitros a la hora de conducir el procedimiento (el denominado "*due process paranoia*"). En ocasiones, un árbitro puede actuar de manera verdaderamente cautelosa permitiendo la práctica de ciertas pruebas que además de desvirtuar lo establecido en el calendario de actuaciones puede que no sean relevantes para la resolución del caso[6] y ello porque teme que una de las partes solicite la anulación del laudo con base en que no ha tenido la oportunidad de presentar completamente su caso. Esta situación, desde el punto de vista de los usuarios, lo que provoca es que las partes incurran en mayores gastos y que el procedimiento se dilate innecesariamente.

Por otro lado, existe el pensamiento de que el arbitraje internacional está americanizado[7], esto es, de los diferentes sistemas jurídicos que existen, hay un predominio del *common law* sobre el *civil law* y ello debido a que las empresas estadounidenses con más frecuencia resuelven sus disputas por medio del arbitraje internacional[8].

Arbitration Survey, pp. 6-7).

[5]   Traducción libre. Vid. BERGER, K. P. & JENSEN J. O. (2016), Due process paranoia and the procedural judgment rule: a safe harbor for procedural management decisions by international arbitrators, Arbitration International 2016, 32, pp. 415-416.

[6]   Podríamos destacar algunos ejemplos como (i) la introducción de una nueva pretensión en el último momento; (ii) la solicitud de una prórroga para presentar algún escrito; o (iii) la presentación de documentos una vez transcurrido el plazo establecido por el árbitro. Para mayor profundidad, *vid.* BERGER, K. P. & JENSEN J. O., *Idem*, pp. 416-420 y KOPECKÝ, L. & PERNT, V. (2016), *A Bid for Strong Arbitrators*, Kluwer Arbitration Blog, disponible en http://arbitrationblog.kluwerarbitration.com/2016/04/15/a-bid-for-strong-arbitrators/.

[7]   *Vid.* ALFORD, R. (2003-2004), *The American Influence on International Arbitration*, 19 Ohio St. J., Disp. Resol. 69.

[8]   Vid. VON MEHREM, G. M. & JOCHUM, A. (2011), *Is International Arbitration Becoming Too American?*, 2 Global Bus. L. Rev. 47 y RESPONDEK, A. (2017), How civil law principles could help to make international arbitration proceedings more time and cost effective, Singapore Law Gazette, pp. 33-34.

No obstante, uno de los aspectos en los que ambos sistemas jurídicos difieren es precisamente la práctica de la prueba[9]. Mientras que en el sistema *civil law* predomina el principio inquisitivo, en el sistema *common law* el principio adversarial o acusatorio es la pieza elemental sobre la que gira todo el proceso. El juez, y por analogía el árbitro, no adquiere un rol activo en la obtención de las pruebas, sino que su misión es la de "*garantizar una confrontación correcta y equitativa* [entre las partes], *pero manteniendo una actitud pasiva en cuanto al desarrollo sustancial de la misma y a su resultado final*"[10].

En el ámbito del arbitraje internacional esta diferencia se intensifica y adquiere mayor relevancia y ello porque nos podemos encontrar con un procedimiento en el que las partes y/o los árbitros pertenezcan a diferentes tradiciones jurídicas y, por tanto, tengan una distinta concepción de cómo conducir el procedimiento en materia probatoria.

Actualmente, el conjunto de reglas más empleado que armoniza la práctica de la prueba en el arbitraje internacional son las Reglas de la *International Bar Association* sobre Práctica de Prueba en el Arbitraje Internacional ("**Reglas de la IBA**"), ya que tal y como se estipula en su preámbulo lo que buscan es "*proporcionar un procedimiento eficiente, económico y equitativo para la práctica de prueba en arbitrajes internacionales, particularmente en aquellos que surgen entre Partes de distintas tradiciones jurídicas*"[11].

Sin embargo, para muchos las Reglas de la IBA siguen estando muy influenciadas por el sistema *common law* y así se manifestó en la *IV Russian Arbitration Association Annual Conference* —que tuvo lugar en Moscú el pasado 20 de abril de 2017— en la que se denominó esta influencia anglosajona como una "[c] *reeping Americanisation of international arbitration*"[12].

---

[9]   Los rasgos diferenciadores que caracterizan cada uno de estos sistemas jurídicos pueden encontrarse en MONTERO, F. & ROMERO, M. (2017), *Anuario de Arbitraje 2017*, Thomson Reuters, pp. 350-351 y en RESPONDEK, A. (2017), *How civil law principles could help to make international arbitration proceedings more time and cost effective*, Singapore Law Gazette, pp. 34-35.

[10]   HERRERA, C. (2016), Reflexiones sobre el Discovery y otros aspectos probatorios del common law en el arbitraje internacional desde la perspectiva del jurista continental, Diario La Ley n° 8829, pp. 2-3.

[11]   Asimismo, se establece en el prólogo de las Reglas de la IBA que éstas "pueden ser de particular utilidad cuando las partes provienen de diferentes tradiciones legales".

[12]   Vid. RIZZO, G. (2018), Prague Rules v. IBA Rules and the Taking of Evidence in International Arbitration: Tilting at Windmills - Part I, Kluwer Arbitration Blog, p. 1.

Esta percepción derivó en una propuesta para elaborar un conjunto de reglas en materia probatoria basadas en la tradición civilista[13] cuyo resultado fue la promulgación el 14 de diciembre de 2018 de las Reglas sobre tramitación eficiente de los procedimientos en el arbitraje internacional ("**Reglas de Praga**").

II. LAS REGLAS SOBRE TRAMITACIÓN EFICIENTE DE LOS PROCEDIMIENTOS EN EL ARBITRAJE INTERNACIONAL: LAS REGLAS DE PRAGA

Las Reglas de Praga[14] son un conjunto de normas *soft law* cuyo objetivo es incrementar la eficiencia en el arbitraje internacional, así como reducir el tiempo y costes del procedimiento arbitral.

Para sus redactores, que el arbitraje internacional esté más arraigado a la tradición *common law* y que la práctica de la prueba se desarrolle siguiendo las disposiciones de las Reglas de la IBA —que recordemos que para muchos siguen estando más cerca del sistema anglosajón que del civilista— conlleva en la práctica numerosas solicitudes de exhibiciones documentales, interminables procedimientos de *discovery* y largas audiencias en las que prestan declaración un número ilimitado de testigos y peritos.

---

[13] En este sentido, uno de los miembros del Grupo de Trabajo de las Reglas de Praga —Vdladimir Khvalei— manifestó que "*the reality is that the majority of the world is made up of countries with civil law-based legal systems*" y explicó que "*having procedures rooted in common law may make sense in some cases, but not for disputes between parties from civil law countries alone*". *Vid.* BALLANTYNE, J. & ROSS, A. (2019), *Keeping it civil: The launch of the Prague Rules*, Global Arbitration Review, vol. 14, issue 1, pp. 16-17.

[14] Se puede acceder al texto definitivo de las Reglas de Praga en: https://pragueru-les.com/prague_rules/.
No obstante, hasta su publicación en diciembre de 2018 se han elaborado varios borradores y a diferencia del último borrador, publicado el 01 de septiembre de 2018, los borradores de 14 de febrero de 2018 y de 11 de marzo de 2018 denominaban a las Reglas de Praga no como "*Rules on the efficient conduct of proceedings in international arbitration*", sino como "*Inquisitorial rules of taking evidence in international arbitration*". Se puede acceder a estos borradores en:
https://praguerules.com/upload/iblock/a00/a00568c6787a8bc955f4fdfe93d-b5a10.pdf y.
https://praguerules.com/upload/iblock/271/271d27c4a412dc4928b7187ea da51865.pdf.

Por todo ello, consideran que el tribunal arbitral debe adquirir un rol más activo en la tramitación del procedimiento.

Como veremos, las Reglas de Praga estaban al principio orientadas únicamente a la producción de la prueba desde un punto de vista civilista o inquisitorial[15], no obstante, una rápida leída de su articulado nos permite apreciar cómo se abordan otras cuestiones, tales como la introducción del principio *iura novit curia* o la posible asistencia del tribunal arbitral para alcanzar un acuerdo transaccional que ponga fin al procedimiento[16].

Por consiguiente, en este punto trataremos (i) el ámbito de aplicación de las reglas; (ii) cómo el tribunal arbitral puede ser más proactivo en la tramitación del procedimiento y cómo se llevaría a cabo la práctica de la prueba y (iv) las novedades que incluyen estas reglas respecto de otras ya existentes.

1. Ámbito de aplicación

El ámbito de aplicación de las Reglas de Praga se encuentra regulado en su artículo 1, si bien, ya en su preámbulo se pone de manifiesto que tanto las partes como el tribunal arbitral pueden (i) acordar su aplicación como un documento vinculante o como directrices, bien para todo o parte del procedimiento arbitral; (ii) decidir su aplicación parcial; o incluso (iii) excluir la aplicación de cualquiera de sus apartados.

Y ello porque al igual que la decisión de someter una determinada disputa a arbitraje, la aplicación de estas reglas está supeditada a la voluntad de las partes. Son ellas las que deben decidir si quieren aplicar estas reglas en cuyo caso pueden hacerlo en dos momentos temporales: o bien antes de que comience el arbitraje —en el convenio arbitral—, o bien posteriormente, en cualquier etapa del mismo.

Cabe decir que el tribunal arbitral, previa consulta a las partes, también puede acordar la aplicación de estas reglas si lo estima conveniente.

---

[15]   PANOV, A. (2018), *Why the Prague Rules may be needed?*, Practical Law Arbitration Blog.

[16]   Tal y como se expone en Nota del Grupo de Trabajo de las Reglas de Praga, su utilización "inicialmente concebida para su aplicación en controversias afectantes a compañías radicadas en jurisdicciones de derecho civil, podía extenderse, de hecho, a cualesquiera otros procedimientos arbitrales en los que la naturaleza de la disputa o su importe justificase una tramitación procedimental más directa, con una mayor involucración activa del tribunal en su gestión".

No obstante, llama la atención el hecho de que pueda acordarlas no sólo cuando haya un acuerdo de las partes, sino también de oficio o a falta de acuerdo (artículo 1.2)[17].

En todo caso, el artículo 1.3 de las Reglas de Praga es muy claro ya que establece un mínimo que siempre se debe respetar y es que "[e] *n todos los casos, se observarán debidamente las disposiciones legales imperativas de lex arbitrii, así como las de los reglamentos aplicables y las de los acuerdos procedimentales de las partes*", esto es, las reglas no van a sustituir las disposiciones legales ni reglamentarias por las que se rige el arbitraje ni tampoco los acuerdos que, con respecto al procedimiento, hayan alcanzado las partes[18].

2. *Proactividad del Tribunal Arbitral*

Uno de los pilares fundamentales de las Reglas de Praga es el rol que tiene que adoptar el tribunal arbitral[19] en la tramitación del procedimiento. Las Reglas de Praga animan al tribunal arbitral a que adopte un rol más proactivo y ello se aprecia en prácticamente todo el articulado de las reglas, si bien los artículos 2 y 3, titulados "[I] *a iniciativa del Tribunal Arbitral*" y "[d] *eterminación de los hechos*" respectivamente, son los que se refieren a ella de una manera directa.

De conformidad con el artículo 2 de las Reglas de Praga, lo primero que tiene que hacer el tribunal arbitral —una vez haya recibido el expediente del caso— es celebrar una reunión preliminar y debe llevarse a cabo lo antes posible, sin demoras injustificadas.

En ella, se deberán tratar diversas cuestiones, tales como (i) la elaboración del calendario de actuaciones[20] (artículo 2.2.a); (ii) la posición de las partes respecto sus pretensiones; (iii) la determinación de los hechos

---

[17]   Y sorprende el contenido de este apartado porque las Reglas de la IBA no prevén que el tribunal arbitral pueda acordar su aplicación sin acuerdo de las partes.

[18]   Tal y como se señala en el preámbulo, las Reglas de Praga "están diseñadas para complementar el procedimiento acordado por las partes o para ser aplicadas por los tribunales arbitrales en una controversia específica".

[19]   Entiéndase "tribunal arbitral" también cuando se trate de árbitro único.

[20]   Con respecto al contenido del calendario de actuaciones, el artículo 2.5 de las Reglas de Praga prevé la posibilidad que tiene el tribunal arbitral de considerar algunas de las cuestiones de hecho o de derecho suscitadas por las partes como cuestiones de previo pronunciamiento, limitar los turnos y la longitud de las alegaciones que las partes realizarán por escrito, así como determinar la forma y el alcance que, en su caso, deberán tener las solicitudes de exhibición documental.

controvertidos y no controvertidos; y (iv) la exposición de los fundamentos legales en los que las partes pretenden basar sus pretensiones (artículo 2.2.b).

No obstante, si se da el caso en el que las partes aún no han expuesto razonablemente sus posiciones, el tribunal arbitral puede abordar los puntos (ii) (iii) y (iv) anteriores en una fase posterior del procedimiento arbitral.

Además de la celebración de una reunión preliminar, el rol activo del tribunal arbitral se refleja en el apartado cuarto de este mismo artículo, ya que, si bien no es un deber que tenga que realizar, el tribunal arbitral podrá indicar a las partes bien en la reunión preliminar o en una fase posterior[21]:

1. Los hechos que considera controvertidos y no controvertidos;

2. Los medios de prueba que consideraría apropiados para que las partes demostraran sus respectivas posiciones en relación con los hechos controvertidos;

3. Su entendimiento de los fundamentos jurídicos en los que las partes pretender basar sus posiciones;

4. Las acciones que tanto ellas como el tribunal arbitral podrían adoptar para acreditar los hechos y fundamentos legales de la demanda y la contestación a la demanda; y

5. Su opinión preliminar sobre (i) la distribución de la carga de la prueba entre las partes; (ii) sus pretensiones; (iii) las cuestiones controvertidas; y (iv) el valor y la relevancia de la prueba aportada por las partes.

En lo relativo a esta última cuestión —la expresión por parte del tribunal arbitral de su opinión preliminar—, las reglas establecen que éstas "*no será*[n] *considerada*[s], *en sí misma*[s], *como una prueba de la falta de independencia o de imparcialidad del tribunal arbitral, y no constituirán motivos de recusación*" (artículo 2.4.e).

---

[21] Para los redactores de las Reglas de Praga, el hecho de que el tribunal arbitral pueda indicar a las partes qué hechos considera no controvertidos, qué prueba considera la apropiada y cuál es la posición inicial de las partes, así como la carga de la prueba que tiene cada una hace que se reduzcan los costes del procedimiento y se agilice su tramitación. En este sentido, *vid.* TEVENDALE, C. (2019), *Are the Prague Rules the answer?*, Global Arbitration Review.

Por su parte, el artículo 3 de las Reglas de Praga alienta al tribunal arbitral para que determine los hechos relevantes del caso y para ello puede, previa audiencia de las partes:

1. Solicitar a cualquiera de ellas que aporte documentos relevantes o que ponga a su disposición a ciertos testigos, que prestarán declaración durante la audiencia[22];

2. Nombrar a uno o varios peritos;

3. Ordenar inspecciones oculares; y/o

4. Adoptar otras medidas que considere apropiadas, todo ello en aras de determinar los hechos relevantes del caso.

Si bien las partes no quedan liberadas de su carga de la prueba, el tribunal arbitral puede adoptar esta iniciativa de oficio y en cualquier momento de la tramitación del procedimiento. Incluso podrá establecer un plazo perentorio en el que las partes deberán remitir lo solicitado[23].

Como hemos enunciado, la actitud proactiva que debe tener el tribunal arbitral en la tramitación del procedimiento se aprecia, además de en los artículos 2 y 3, en los artículos 5.9 (organización y dirección de la audiencia) y 12 (sobre las deliberaciones).

El primero de ellos —el artículo 5.9—, establece que el tribunal arbitral será el que dirija y controle el interrogatorio de cualquier testigo, de manera que podrá rechazar la formulación de una pregunta si considera que la misma es "*irrelevante, repetitiva, innecesaria para la determinación de la controversia o por cualesquiera otras razones*". Además, también podrá adop-

---

[22] Que el tribunal arbitral pueda solicitar la aportación de documentos relevantes a cualquiera de las partes no es algo novedoso en el plano internacional. En este sentido, puede verse el artículo 22.1 (iv) y (v) de LCIA que respectivamente establecen que "[t]*he Arbitral Tribunal shall have the power, upon the application of any party or* [...] *upon its own initiative, but in either case only after giving the parties a reasonable opportunity to state their views and upon such terms* [...] *as the Arbitral Tribunal may decide: (iv) to order any party to make any documents, goods, samples, property, site or thing under its control available for inspection by the Arbitral Tribunal, any other party, any expert to such party and any expert to the Tribunal; (v) to order any party to produce to the Arbitral Tribunal and to other parties documents or copies of documents in their possession, custody or power which the Arbitral Tribunal decides to be relevant*".

[23] Sobre este aspecto, cobra relevancia el contenido del artículo 10 de las reglas, ya que si la parte requerida incumple injustificadamente la solicitud del tribunal arbitral, éste puede derivar conclusiones desfavorables para esa parte.

tar otro tipo de decisiones, tales como (i) el orden de comparecencia de los testigos; (ii) los tipos de preguntas a realizar; o (iii) la posibilidad de realizar careos entre ellos, si bien, necesitará escuchar previamente a las partes.

Por su parte, el artículo 12 de las Reglas de Praga hace referencia al momento en el que el tribunal arbitral debe comenzar con las deliberaciones. En aras de agilizar la tramitación del procedimiento, se establece que el tribunal arbitral "*hará sus mejores esfuerzos para emitir un laudo tan pronto como le sea posible*", por ello, deberá deliberar sobre el asunto "*antes de la audiencia y, una vez finalizada, tan pronto como le sea posible*".

Tal y como veremos en el punto siguiente, las reglas promueven que la controversia se resuelva sobre la sola base de los documentos aportados por las partes. Si ese es el caso, las deliberaciones deberán llevarse a cabo "*tan pronto hayan sido aportados todos los documentos a las actuaciones*".

Por consiguiente, podemos concluir que para mejorar la eficiencia de los procedimientos arbitrales las Reglas de Praga lo que pretenden es potenciar la iniciativa de los tribunales arbitrales en su tramitación[24], de modo que éstos deben celebrar una reunión preliminar en cuanto reciban el expediente arbitral, así como dirigir el interrogatorio de los testigos que declaren en la audiencia y pueden establecer no sólo limitaciones con respecto los turnos de alegaciones o su extensión sino también adoptar todas aquellas medidas que consideren apropiadas para determinar los hechos relevantes del caso.

III. LAS REGLAS DE PRAGA EN MATERIA PROBATORIA

La actitud proactiva del tribunal arbitral también tiene su eco en la práctica de la prueba. Es por ello por lo que en este apartado veremos cuáles son las facultades del tribunal arbitral con respecto a los documentos presentados por las partes, así como los testigos y peritos que tengan que comparecer en el procedimiento. Igualmente, veremos si puede haber una pieza separada de exhibición de documental y, en caso afirmativo, en qué términos.

---

[24] En este sentido, la Nota del Grupo de Trabajo añade que esta iniciativa "*se viene haciendo tradicionalmente en muchas jurisdicciones de derecho civil*".

1. Prueba documental

El precepto al que nos debemos remitir es el artículo 4 de las Reglas de Praga. En él, se hace referencia a la prueba documental y se estipula que son las partes las que deben aportar a las actuaciones los documentos de los que pretendan valerse para fundamentar sus respectivas posiciones.

Lo que más llama la atención es que si bien no excluyen la posibilidad de que las partes soliciten la exhibición de ciertos documentos, las reglas "*invita* [n] *al tribunal arbitral y a las partes a evitar cualquier método de exhibición documental, incluido el discovery electrónico*" (artículo 4.2).

Pero... ¿cuáles son los términos bajo los cuales se podría llevar a cabo esta producción documental?

Lo primero que debemos tener en cuenta es que esta solicitud la debe realizar la parte directamente al tribunal arbitral y en un momento muy inicial del procedimiento, esto es, en la reunión preliminar[25].

En ella, la parte requirente debe justificar los motivos por los que entiende que procede la solicitud de exhibición documental y el tribunal arbitral —habiendo escuchado a la parte requerida sobre su pertinencia y si así lo considera— deberá prever el incidente de aportación documental e incluir su tramitación en el calendario de actuaciones[26].

Con respecto a los requisitos que debe contener el documento solicitado vemos que, a diferencia de lo dispuesto en las Reglas de la IBA, las Reglas de Praga establecen que la solicitud debe versar sobre documentos concretos y éstos deben (i) ser determinantes para la resolución del caso; (ii) no ser de dominio público; y (iii) estar en posesión o bajo el control de la parte contraria[27].

---

[25] También cabe la posibilidad de que una parte realice tal solicitud en una fase posterior, si bien, ello está supeditado a la concurrencia de circunstancias excepcionales. El artículo 4.4 es muy claro en este sentido ya que dispone que el tribunal arbitral sólo estimará la solicitud de producción de documentos si "*resulta convencido de que la parte solicitante no pudo haber previsto tal solicitud en la reunión preliminar*".

[26] Los documentos que, en su caso, se aporten o exhiban serán considerados como copias fieles de los originales, no obstante, el tribunal arbitral bien a instancia de una parte o de oficio puede requerir a la parte que exhiba el original para su comprobación o análisis pericial (artículo 4.7).

[27] Una de las críticas que han recibido las Reglas de Praga gira, precisamente, entorno a esta cuestión y ello porque en la práctica puede darse el caso de que el

Asimismo, nota importante es el deber de confidencialidad sobre el documento exhibido. Así, "[e] l tribunal arbitral y la otra parte mantendrán la confidencialidad de cualquier documento que sea aportado o exhibido por una parte en el arbitraje y que no sea de dominio público, y solo podrá utilizarse en relación con ese arbitraje, salvo en la medida en que una parte sea requerida por la ley aplicable para su divulgación" (artículo 4.8).

Finalmente, cabe destacar que si la parte requerida obstaculizara y/o no exhibiera el documento requerido por el tribunal arbitral, éste, de conformidad con el artículo 10 de las reglas, "*podrá derivar conclusiones desfavorables para esa parte sobre ese aspecto o sobre su asunto*".

En este sentido, traemos a colación el caso ICC núm. 15583[28] en el que el árbitro único entendió que debía tener en cuenta la resistencia del demandado a exhibir el documento requerido por el demandante a la hora de valorar la prueba documental aportada al procedimiento y determinó que su negativa a exhibir los documentos requeridos generaba inferencias negativas.

2. Comparecencia de testigos y peritos

En aras de promover la eficiencia del procedimiento arbitral, el artículo 8 de las Reglas de Praga hace un llamamiento para que en todos los casos que sea posible el tribunal arbitral resuelva la controversia sobre la sola base de los documentos aportados por las partes.

No obstante, se establece que procederá la celebración de una audiencia cuando alguna de las partes lo solicite o cuando el tribunal arbitral así lo considere, pero ésta tendrá que organizarse de la manera más eficiente posible, esto es, se podrá "*limitar su duración y la utilización de video y comunicaciones electrónicas o telefónicas para evitar que los demás miembros del tribunal arbitral, partes y otros participantes incurran en gastos innecesarios de desplazamiento*" (artículo 8.2).

Por ello, veremos a continuación qué establecen las Reglas de Praga con respecto a la práctica de la prueba testifical y pericial, para el caso de que éstas se lleven a cabo en la audiencia.

---

solicitante de una exhibición documental no pueda identificar específicamente documentos que no obran en su poder.

[28]   *Vid.* Extracts from ICC Case Materials on the Taking of Evidence with References to the IBA Rules, ICC Dispute Resolution Bulletin, Issue 1, 2016, p. 139.

2.1. Comparecencia de testigos

Una de las características de las Reglas de Praga a tomar en consideración es que si bien las partes deben identificar a los testigos sobre cuyo testimonio pretenden basar sus pretensiones[29], es el tribunal arbitral el que decide quiénes serán citados para prestar declaración en la audiencia.

Las partes deben comunicar no sólo las circunstancias de hecho sobre las que cada testigo prestará declaración si no también su relevancia para la decisión del asunto e incluso pueden aportar su declaración testifical por escrito.

No obstante, en aras de agilizar el procedimiento y que las partes incurran en los menores costes posibles, el tribunal arbitral tiene la facultad de denegar la práctica del interrogatorio de determinados testigos "*especialmente, si considera que tal declaración es irrelevante, superflua, demasiado gravosa, reiterativa o, por cualquier otro motivo, innecesaria para la resolución de la controversia*" (artículo 5.3).

Eso sí, que el tribunal arbitral decida que un testigo no comparezca en la audiencia a declarar no significa que no pueda valorar el contenido probatorio de su declaración escrita. Es por ello por lo que, *ex* artículo 5.4, una parte podrá aportar a las actuaciones la declaración testifical escrita de un testigo a pesar de que el tribunal arbitral haya denegado su asistencia a la audiencia.

También puede darse el caso en el que el tribunal arbitral considere pertinente valorar la declaración escrita de un testigo antes de decidir si le llama o no para comparecer en la audiencia. En dicho caso, el tribunal arbitral invitará a la parte que proporcione dicha testifical[30].

Finalmente, cabe destacar que una parte puede insistir en la comparecencia de un testigo cuya declaración escrita haya sido aportada por la contraparte. En estos casos, y como regla general, las Reglas de Praga disponen

---

[29]   Por lo general, esta identificación se llevará a cabo en el escrito de demanda y de contestación a la demanda, si bien, también cabe la posibilidad de que se produzca en otra fase del procedimiento, por ejemplo, cuando así lo disponga el tribunal arbitral *ex*. artículo 3.2.a) de las reglas.

[30]   No obstante, ello no significaría que el testigo fuera a declarar en el acto de la audiencia, ya que como se establece en el artículo 5.6 de las reglas, "*el tribunal arbitral, una vez oídas las partes, podrá denegar, pese a todo, la practica de la declaración de ese testigo durante la audiencia*".

que, salvo que concurran razones justificadas, el tribunal arbitral citará al testigo para que preste declaración en la audiencia.

2.2. Comparecencia de peritos

Las Reglas de Praga no contienen restricción alguna sobre la posibilidad que tienen las partes de nombrar a un perito si así lo consideran conveniente, todo lo contrario, en ellas se dispone que el nombramiento de cualquier perito por parte del tribunal arbitral no impide que una parte aporte su propio dictamen pericial (artículo 6.5).

Lo que este artículo pretende es, por un lado, reducir los posibles costes en los que incurrirían las partes si designaran cada una a su propio perito y, por otro, ayudar al tribunal a esclarecer los puntos en los que la opinión de los peritos designados por las partes fuera disidente.

Es por ello por lo que el artículo 6 de las Reglas de Praga se centra en el nombramiento de uno o varios peritos por parte del tribunal arbitral y detalla cuáles serían sus funciones una vez designado.

En este sentido, el tribunal arbitral podrá nombrar uno o varios peritos bien de oficio o porque una de las partes lo solicite, pero siempre tras haberlas escuchado. Así, será éste el que prepare —junto con las partes— la hoja de encargo del perito[31].

Además, deberá aprobar el acta de misión del perito nombrado, así como solicitar a las partes el abono de un anticipo por mitad de los costes del trabajo pericial y supervisar el trabajo del perito para mantener a las partes informadas sobre su progreso.

Por su parte, el perito designado puede solicitar a las partes que le proporcionen la documentación que considere relevante para la emisión del informe pericial y podrá, *ex* artículo 6.4 de las reglas, ser convocado para la ratificación de su informe en la audiencia si así lo solicita alguna de las partes o de oficio por el tribunal arbitral.

Y ¿qué ocurre en caso de que las partes hayan aportado sus respectivos informes periciales? En esos casos, los apartados 6 y 7 del artículo 6 nos di-

---

[31]   El apartado 6.2.a. de las Reglas dispone que el tribunal arbitral deberá recabar las sugerencias de las partes sobre quien deberá ser nombrado perito y con esta información establecerá no sólo los requisitos que debe reunir si no también su disponibilidad o sus costes.

cen que el tribunal arbitral, previa audiencia de las partes, podrá solicitar a los peritos nombrados por las partes y/o por el tribunal que preparen: (i) "*una lista conjunta de preguntas sobre los contenidos de sus respectivos informes periciales, que contemple las cuestiones cuya revisión consideren necesaria*"; o (ii) un dictamen pericial conjunto en el que proporcionen al tribunal arbitral una lista sobre las cuestiones en las que están de acuerdo y en desacuerdo (y respecto de estas últimas que expongan los motivos por los que discrepan).

Por todo lo expuesto, podemos apreciar que en materia probatoria también el tribunal arbitral ejerce un papel fundamental. Así, no sólo puede limitar la producción de documentos —que recordemos que se intentará evitar también el denominado "*e-discovery*"—, sino que es quien decidirá qué testigos son los que van a comparecer en la audiencia, en qué orden, qué tipo de preguntas se les van a realizar y si procede o no la designación de un experto.

Pero hay una cuestión que no abordan las Reglas de Praga y es el posible careo entre testigos o, en su caso, entre peritos. Podemos entender, por tanto, que es un punto que se deja al mejor criterio del tribunal arbitral y que éste será el que decida sobre su procedencia según las circunstancias del caso.

IV. *IURA NOVIT CURIA* Y ASISTENCIA DEL TRIBUNAL ARBITRAL EN LA SOLUCIÓN AMISTOSA DEL CONFLICTO

Otras de las características que más llaman la atención de las Reglas de Praga son las dos novedades que se incluyen en ellas. Por un lado, se introduce el principio *iura novit curia*, y por otro, se establece la posibilidad de que el tribunal arbitral —al menos uno de sus miembros— asista a las partes para que éstas alcancen un acuerdo que ponga fin al procedimiento.

1. *Principio* iura novit curia

Las Reglas de Praga dedican el artículo 7 a este principio y establecen que, aunque cada parte tiene la carga de probar sus pretensiones "*el tribunal arbitral podrá aplicar disposiciones legales que no hayan sido invocadas por las partes si así lo estima necesario, incluyendo, entre otras, normas imperativas*" y para ello "*recabará el parecer de las partes sobre las normas legales que intente aplicar*".

Asimismo, y siempre previa audiencia de las partes, el tribunal arbitral "también podrá apoyarse en antecedentes legales —aunque no hayan sido citados por las partes— si se refieren a disposiciones legales alegadas por [ellas]".

Este principio —puramente de tradición civilista[32]— hace referencia a la posibilidad que tienen los jueces y tribunales "a aplicar las normas jurídicas que estime procedentes, así como modificar el fundamento jurídico en el que se basan las pretensiones de las partes, siempre y cuando la decisión sea acorde con las cuestiones de hecho y de derecho que los litigantes hayan sometido al conocimiento del órgano jurisdiccional"[33]. En otras palabras, el juez es quien "conoce el derecho" y por ello no se debe encontrar restringido por los argumentos que realicen las partes ni por las normas que hayan invocado[34].

No obstante, su aplicación en arbitraje comercial internacional es muy controvertida y ello porque no hay una opinión unánime sobre su procedencia[35]. Hay jurisdicciones en las que el árbitro puede invocar este prin-

---

[32] Tal y como señala Nigel Blackaby y Ricardo Chirinos, el origen de este principio "se remonta al derecho romano y de allí ha transcendido al derecho nacional de diferentes jurisdicciones, especialmente de derecho civil, en donde es considerado como un principio de derecho procesal". Por ello y porque en las jurisdicciones "common law" el principio que predomina no es el inquisitivo sino el adversarial o acusatorio, no veremos que el juez —y por analogía el árbitro— planteen una cuestión de hecho o derecho que no haya sido invocado por las partes. En este sentido, vid. BLACKABY, N & CHIRINOS, R (2013), Consideraciones sobre la aplicación del principio iura novit curia en el arbitraje comercial internacional, ACDI-Anuario Colombiano de Derecho Internacional, vol. 6, p. 81 y KAUFMANN-KOHLER, G. (2005), The arbitrator and the law: Does He/She know it? Apply it? How? And a few more questions, Arbitration International, vol. 21, No. 4, pp. 632-636.

[33] Sentencias del Tribunal Supremo español, Sala 1ª, de 11 de noviembre de 1996 y de 09 de junio de 1998. Asimismo, la Sentencia del Tribunal Supremo español, Sala 1ª, de 20 de mayo de 1985 establece que "[...] *a virtud del en su día aforismo y hoy principio de Derecho «iura novit curia», el juzgador se encuentra autorizado para aplicar la norma adecuada a los hechos ofrecidos por los litigantes, sin necesidad de acomodación estricta a la literalidad de sus solicitudes, bien que sí con respecto a lo por ellas pedido".*

[34] Vid. International Law Association, Final report on ascertaining the contents of the applicable law in international commercial arbitration, 2008, p. 3.

[35] Para Nigel Blackaby y Ricardo Chirinos "la aplicabilidad del principio iura novit curia en el arbitraje comercial internacional debe ser necesariamente producto de su adaptación a las necesidades y características propias de esta disciplina, tomando en cuenta las diferencias entre las circunstancias que rodean el ejercicio de funciones jurisdiccionales por parte de un juez y las que rodean la función de un tribunal arbitral internacional a la hora de dictar un laudo". No obstante, existen diferentes posturas —opuestas entre ellas y totalmente extremas— en las

cipio para abordar una cuestión no planteada por las partes[36] y otras en las que no cabe su aplicación bajo ningún concepto. Incluso, existen varias instituciones arbitrales que parecieran recoger el principio *iura novit curia* en sus respectivos reglamentos.

Así, por ejemplo, podemos destacar el artículo 43 del Reglamento de Arbitraje de CIETAC de 2015[37]; el artículo 27.c del Reglamento de Arbitraje de SIAC de 2016[38] y el artículo 22.1.iii del Reglamento de Arbitraje de LCIA de 2014[39]. En todos ellos, se prevé la posibilidad del tribunal arbitral

---

que se defiende o bien la aceptación o bien el rechazo absoluto del principio iura novit curia en el arbitraje comercial internacional. Para profundizar sobre ellas, vid. BLACKABY, N & CHIRINOS, R., *Ibid.* pp. 82-88 y para extraer una comparativa de cómo se aplica el principio iura novit curia en derecho comparado, véase MOURA, D. (2017), La aplicación del principio *iura novit curia* en el arbitraje internacional, Revista de arbitraje comercial y de inversiones, vol. X, No. 1, pp. 20-28.

[36] En este sentido véase la decisión del Tribunal Federal de Suiza 4A_554/2014, de 15 de abril de 2015 que señala que "[e]n Suisse, le droit d'être entendu se rapporte surtout à la constatation des faits. Le droit des parties d'être interpellées sur des questions juridiques n'est reconnu que de manière restreinte. En règle générale, selon l'adage jura novit curia, les tribunaux étatiques ou arbitraux apprécient librement la portée juridique des faits et ils peuvent statuer aussi sur la base de règles de droit autres que celles invoquées par les parties". Vid. ASA Bull. 2/2015, p. 411.

[37] Este artículo establece que: "1. The arbitral tribunal may undertake investigation and collect evidence as it considers necessary; 2. When investigating and collecting evidence, the arbitral tribunal may notify the parties to be present. In the event that one or both parties fail to be present after being notified, the investigation and collection of evidence shall proceed without being affected; 3. Evidence collected by the arbitral tribunal through its investigation shall be forwarded to the parties for their comments". Ya en el Reglamento de Arbitraje de CIETAC de 2012 se hacía referencia en su artículo 41 a la posibilidad del tribunal arbitral de investigar y recabar pruebas cuando lo considerase necesario.

[38] Este artículo, bajo el título "[a]dditional powers of the tribunal", dispone lo siguiente: "[u]nless otherwise agreed by the parties, in addition to the powers specified in these Rules, and except as prohibited by the mandatory rules of law applicable to the arbitration, the Tribunal shall have the power to: (c) conduct such enquires as may appear to the Tribunal to be necessary or expedient". Al igual que ocurre con el Reglamento de Arbitraje de CIETAC, el artículo 24.d del Reglamento de Arbitraje de SIAC de 2013 ya contemplaba esta provisión.

[39] El artículo 22.1.iii del Reglamento de Arbitraje de LCIA de 2014 establece que el tribunal arbitral "shall have the power, upon the application of any party or [...] upon its own initiative, but in either case only after giving the parties a reasonable opportunity to state their views and upon such terms [...] as the Arbitral Tribunal

de investigar y recabar pruebas, e incluso, el Reglamento de Arbitraje de LCIA alienta al tribunal arbitral a identificar y determinar los hechos pertinentes para la resolución del caso.

Sin embargo, hay que proceder con cierto cuidado, ya que también se han producido anulaciones de laudos por haberse aplicado este principio en arbitraje.

Un claro ejemplo es el caso OAO Northern Shipping Company vs. Remolcaderos de Marín, S.L., de 15 de junio de 2007[40] o el caso RJ and L Ltd vs. HB, de 26 de octubre de 2018[41].

Como vemos, la aplicación del principio *iura novit curia* ha sido y es objeto de diversos debates en el plano internacional. Por ello, no es extraño que una de las críticas que han recibido las Reglas de Praga haya versado precisamente sobre este punto.

2. *Asistencia del Tribunal Arbitral en la solución amistosa del conflicto*

La segunda novedad que incluyen las Reglas de Praga se regula en el artículo 9 y versa sobre la posibilidad que tiene el tribunal arbitral de ayudar a las partes a alcanzar un acuerdo transaccional en cualquier fase del procedimiento.

En este sentido, cualquier miembro del tribunal podría actuar como mediador, lo único que tendría que concurrir es el consentimiento expreso y por escrito de las partes. No obstante, la cuestión se torna más

---

may decide: (iii) to conduct such enquiries as may appear to the Arbitral Tribunal to be necessary or expedient, including whether and to what extent the Arbitral Tribunal should itself take the initiative in identifying relevant issues and ascertaining relevant facts and the law(s) or rules of law applicable to the Arbitration Agreement, the arbitration and the merits of the parties' dispute". Esta provisión ya se incluía en el reglamento de Arbitraje de LCIA de 1998, en concreto, en su artículo 22.1.c.

[40] En esta sentencia, la High Court of England and Wales anuló el laudo arbitral por considerar que el tribunal arbitral se había pronunciado indebidamente sobre el principio *iura novit curia* y ello porque el tribunal arbitral desarrolló un argumento no controvertido para fundamentar su decisión. No había dado audiencia a las partes para que se pronunciaran sobre esa cuestión y, además, una de ellas había formulado sus alegaciones asumiendo que ese mismo argumento al no ser controvertido no debía ser abordado en detalle.

[41] Disponible en: https://www.bailii.org/ew/cases/EWHC/Comm/2018/2833. html.

delicada en el caso de que la mediación fracase y ello porque éstas pueden considerar que el árbitro ya no goza de la misma independencia e imparcialidad.

Por eso, el apartado tercero de este artículo no deja lugar a dudas al establecer que el árbitro que haya actuado como mediador sólo podrá continuar participando en el procedimiento arbitral si obtiene el consentimiento escrito de todas las partes, de lo contrario, finalizaría su mandato.

En la práctica no es extraño encontrar casos en los que un árbitro haya intentado la conciliación de las partes, pero al igual que ocurre con la actitud proactiva del tribunal arbitral o con el principio *iura novit curia*, esta facultad se percibe en mayor medida en jurisdicciones cuya tradición jurídica es la del *civil law*[42].

Así, podemos ver cómo instituciones arbitrales como DIS promueven que los árbitros asistan a las partes para alcanzar la solución amistosa de la controversia[43] o cómo jurisdicciones como Alemania, Suiza, Francia, Brasil o Argentina también contemplan —en sede judicial— esta posibilidad[44].

---

[42] Sobre este aspecto, véase el estudio estadístico llevado a cabo por KAUFMANN-KOHLER, G. & BONNÍN, V. (2007), Arbitrators as Conciliators: A Statistical Study of the Relation between an Arbitrator's Role and Legal Background.

[43] El artículo 26 del Reglamento de Arbitraje de DIS de 2018 dispone —bajo el título "[e]ncouraging Amicable Settlements"— **lo siguiente**: "[u]nless any party objects thereto, the arbitral tribunal shall, at every stage of the arbitration, seek to encourage an amicable settlement of the dispute or of individual disputed issues". No obstante, no es el único precepto que hace referencia a esta cuestión. Así, el artículo 27.4.iii del Reglamento establece el deber del tribunal de discutir con las partes en la case management conference sobre la posibilidad de utilizar la mediación o cualquier otro medio para buscar una solución amistosa de la controversia. E incluso, se contempla la posibilidad de un aumento en los honorarios del árbitro en caso de que haya contribuido y animado a las partes a que resolvieran la disputa mediante un acuerdo transaccional (artículo 2.5 del Reglamento).

[44] En este sentido véanse: (i) el artículo 278 del Código del procedimiento civil alemán (ZPO); (ii) los artículos 62 y 118.1 del Código del procedimiento civil suizo (ZPO Zúrich); (iii) el artículo 1460 del Código de procedimiento civil francés; (iiv) el artículo 125 del Código de procedimiento civil de Brasil y el artículo 21.4 de la Ley de Arbitraje de Brasil; y (v) los artículos 309, 843 y 849 del Código de procedimiento civil de la República de Argentina.

V. LAS REGLAS DE PRAGA COMO ALTERNATIVA A OTRAS NORMAS *SOFT LAW*

No es un hecho controvertido que las Reglas de Praga han sido objeto de debate y críticas desde incluso antes de su promulgación.

Para algunos, las reglas simbolizan un paso en la dirección correcta, ya que proporcionan a los usuarios otra alternativa cuyo objetivo es el de incrementar la eficiencia del procedimiento arbitral a la vez que la reducción del tiempo y los costes en el mismo[45]. No obstante, otros cuestionan su utilidad[46] y, en algunos casos, las reglas son rechazadas radicalmente[47].

Pero... ¿en verdad son tan diferentes a la práctica y a otras normas ya existentes?

Por un lado, hemos visto que bajo las Reglas de Praga el tribunal arbitral adopta una actitud mucho más activa o inquisitorial a la hora de conducir el procedimiento.

Sobre este punto, llama la atención que en el sistema *common law* (en el que, recordemos, el principio adversarial o acusatorio es la pieza elemental sobre la que gira todo el proceso), se solicita desde hace ya tiempo que el tribunal se involucre más y sea "*more muscular*"[48].

Así, podemos citar el estudio que el College of Commercial Arbitrators ("**CCA**") publicó en 2010 sobre "*Protocols for Expeditious, Cost-Effective Commercial Arbitration*". En él, se ponía de manifiesto que los árbitros "*must aggressively manage the process from day one of their appointment*" y todo ello con la premisa de que "[...] *in order to really make arbitration different than litiga-*

---

[45]   Vid. MCLLWRATH, M. (2018), The Prague Rules: The Real Cultural War Isn't Over Civil vs Common Law, Kluwer Arbitration Blog y KHVALEI, V.; TEDER, M.; NICA, A.; PONTY, L. y VALDIVIA, J. P. (2019), Compatibility, novelty, practical corollary? A collective analysis of the Prague Rules, Kluwer Arbitration Blog.

[46]   Vid. RIZZO, G. (2018), Prague Rules v. IBA Rules and the Taking of Evidence in International Arbitration: Tilting at Windmills - Part II, Kluwer Arbitration Blog.

[47]   KOCUR, M. (2018), Why Lawyers from Civil Law Jurisdictions Do Not Need the Prague Rules, Kluwer Arbitration Blog.

[48]   Este término hace alusión a la actitud que solicitan los usuarios de jurisdicciones *common law* que deben tener los tribunales arbitrales a la hora de conducir el procedimiento de una manera más eficaz. Véase, GIARETTA, B. (2019), *Prague Rules ok? A new regime hopes to make its mark*, The Resolver-Spring 2019 CIArb, p. 9 y MARINELLO, M. & MATLIN, R. (2013), *Muscular arbitration and arbitrators self-management can make arbitration faster and more economical*, Dispute Resolution Journal, vol. 67, No. 4.

tion, it is necessary for the arbitrators to manage the process efficiently and to move it forward[49].

Por otro lado, el preámbulo de las reglas ya señala que su finalidad "no es reemplazar las ya facilitadas por varias instituciones, sino que están diseñadas para complementar el procedimiento acordado por las partes o para ser aplicadas por los tribunales arbitrales en una controversia específica".

Es por ello por lo que no debemos tomar estas reglas como si fueran un competidor[50] de las Reglas de la IBA[51] y/o del Informe de la CCI sobre control del tiempo y los costos en el arbitraje.

Tanto las Reglas de Praga como las Reglas de la IBA[52] establecen la obligación del tribunal arbitral de mantener con las partes una *"case management conference"*[53]. Sin embargo, las Reglas de Praga amplían el alcance de la conversación y no sólo se ciñe a la práctica de la prueba. Así, hemos visto que en ese momento se puede discutir, entre otras cuestiones, el calendario de actuaciones, las pretensiones de las partes o los hechos controvertidos y no controvertidos.

---

[49]   De forma paralela al estudio del CCA, la organización JAMS instauró en 2011 el *"optional expedited arbitration procedures"* mediante el cual las partes podían elegir un tipo de procedimiento que limitase el número de escritos, así como las solicitudes de exhibición documental —incluido el e-discovery—. Véase: https://www.jamsadr.com/blog/2011/muscular-arbitration.

[50]   Vid. HENRIQUES, D. (2018), The Prague Rules: Competitor, Alternative or Addition to the IBA Rules on the taking of evidence in international arbitration?, ASA Bull. 2/2018, pp. 351-362.

[51]   Originalmente adoptadas en 1983 como *"IBA Supplementary Rules Governing the Presentation and Reception of Evidence in International Commercial Arbitration"*, las Reglas de la IBA se revisaron pro primera vez en 1999 y, posteriormente, en 2010.

[52]   Recordemos que las Reglas de la IBA —a diferencia de las Reglas de Praga— permiten su adopción total o parcial, pero no prevén que el tribunal arbitral pueda decidir aplicarlas de oficio, esto es, sin acuerdo de las partes.

[53]   Véase el artículo 2 de ambos conjuntos de reglas. Además, esta actuación también se prevé en los reglamentos de diversas instituciones arbitrales, tales como: (i) el artículo 24 del Reglamento de Arbitraje de la CCI —así como el párr. 25 y ss. del Informe de la CCI sobre control del tiempo y los costos en el arbitraje—; (ii) el artículo 19.3 del Reglamento de Arbitraje de SIAC; y (iii) el artículo 14.1 del Reglamento de Arbitraje de LCIA.
       Asimismo, procede decir que, si bien las Reglas de Praga proponen un tribunal más activo en la tramitación del procedimiento y la obtención y práctica de pruebas, en las Reglas de la IBA también se contempla esta actitud proactiva del tribunal arbitral en los artículos 3.10, 4.10, 7 y 8.2.

Con respecto a la determinación de los hechos, el artículo 2.3 de las Reglas de la IBA invita al tribunal arbitral a identificar las cuestiones relevantes del caso, si bien, el artículo 2.4 de las Reglas de Praga va más allá al establecer que el tribunal arbitral puede dar, incluso, su opinión preliminar sobre (i) la distribución de la carga de la prueba entre las partes; (ii) sus pretensiones; (iii) las cuestiones controvertidas; y (iv) el valor y la relevancia de la prueba aportada por las partes y ello sin que pueda ser tomado como una prueba de la falta de independencia o de imparcialidad del tribunal arbitral (artículo 2.4.e).

¿Y qué ocurre si hablamos de materia probatoria? En este plano, ambos conjuntos de reglas difieren.

Mientras que las Reglas de Praga intentan evitar las solicitudes de exhibición documental tanto como sea posible (artículo 4.2), las Reglas de la IBA lo que pretenden es limitar la producción de documentos que conocemos como *discovery* americano. Así, éstas últimas prevén las solicitudes tanto de documentos como de categorías concretas de documentos —artículo 3.3— mientras que las Reglas de Praga únicamente contemplan las solicitudes de uno o varios documentos específicos —artículo 4.5—[54].

En relación con la comparecencia e interrogatorio de testigos, ambos conjuntos de reglas difieren al respecto de la determinación del número que comparecerá a la audiencia como de la forma de conducir la misma.

El artículo 8.1 de las Reglas de la IBA establece que "*cada Parte deberá informar al Tribunal Arbitral y a las otras Partes acerca de los testigos cuya comparecencia solicita*", en otras palabras, son ellas las que libremente deciden quienes van a ir a declarar a la audiencia.

Esto no ocurre en las Reglas de Praga ya que, como hemos visto en el apartado 2.3.2 anterior, será el tribunal arbitral quien decidirá esta cuestión, así como la relevancia de sus declaraciones testificales[55].

---

[54] En ese sentido, cabe decir que la aplicación de las Reglas de Praga conlleva serias decisiones. Una de ellas es precisamente la relativa a la exhibición documental y ello porque puede dificultarse al haber ocasiones en las que la parte solicitante no puede identificar específicamente el documento que no obra en su poder.

[55] Procede mencionar que el tribunal arbitral, al decidir no llamar a un testigo a la audiencia, puede dejar a la parte que no presentó la declaración testifical por escrito sin la posibilidad de interrogar a dicho testigo en la audiencia. Además, se aprecia que las Reglas de Praga van más allá incluso que el Informe de la CCI sobre control del tiempo y los costos en el arbitraje, puesto que en él se estipula

No obstante, las Reglas de la IBA —al igual que las Reglas de Praga— establecen que la audiencia será dirigida por el tribunal arbitral y permiten en su artículo 8.2 que el tribunal arbitral limite el número de preguntas que se pueden formular a los testigos, así como también la derivación de conclusiones desfavorables.

Y con respecto al nombramiento de peritos, cabe decir que los artículos 5 y 6 de las Reglas de la IBA detallan en mayor medida la comparecencia de expertos en el procedimiento y equiparan el trato de los expertos nombrados por las partes con el que, en su caso, nombre el tribunal arbitral. Por su parte, las Reglas de Praga tienden a favorecer el nombramiento del experto por el tribunal arbitral y así se detalla por todas las funciones que debe realizar *ex* artículo 6.2.

Por consiguiente, podemos apreciar que si bien hay aspectos en los que se asemejan, hay otros en los que verdaderamente difieren. Es por ello por lo que será de gran importancia que los usuarios conozcan bien ambos conjuntos normativos —o estén bien asesorados— y escojan el que mejor se adapte a las necesidades de su caso concreto.

VI. CONCLUSIONES

Si realizamos una comparación sobre cómo se conduce un procedimiento arbitral en distintas jurisdicciones, podemos apreciar con claridad que un arbitraje con sede en Nueva York es diferente a uno que pueda llevarse a cabo en Londres, París, Bogotá o Madrid.

Hasta ahora, las Reglas de la IBA eran el conjunto de reglas *soft law* más empleado para armonizar la práctica de la prueba en el arbitraje internacional. No obstante, hemos visto que para algunos todavía éstas están muy americanizadas y consideran que se necesita de un conjunto de reglas alternativo —más próximo a la tradición civilista— para aumentar su eficacia y reducir sus costes.

Con este espíritu nacieron las Reglas sobre tramitación eficiente de los procedimientos en el arbitraje internacional o Reglas de Praga, en las que la cultura jurídica civilista queda reflejada en diversas cuestiones.

---

que los representantes de las partes pueden intentar llegar a un acuerdo respecto de los testigos que vayan a comparecer en la audiencia (pár. 77).

Una de ellas, es el rol activo que debe tener el tribunal arbitral, aunque también hemos visto que desde hace ya una década se solicita en las jurisdicciones del *common law* que los tribunales tengan un comportamiento "*more muscular*".

Otra son los poderes con lo que se les inviste. En la tradición anglosajona un juez, y por analogía, un árbitro no daría su opinión preliminar a las partes respecto de la distribución de la carga de la prueba o las cuestiones que considera controvertidas y no controvertidas. Ni tampoco indicaría a las partes los medios de prueba que consideraría apropiados para demostrar sus respectivas posiciones o aplicaría el principio *iura novit curia*.

Por eso, este conjunto de reglas —alternativo a las Reglas de la IBA— permite que las partes puedan elegir el que más se adapte a las necesidades e intereses de su controversia.

No obstante, lo que hay que tener muy claro es que ambas derivan del consentimiento de las partes y, a este respecto, puede ser muy discutido el hecho de que el tribunal arbitral pueda aplicar las Reglas de Praga de oficio o sin previo acuerdo. Entonces ... ¿puede el tribunal arbitral aplicar una disposición de las reglas que expresamente han excluido las partes si entiende que con su aplicación se pueden reducir los costes y/o el tiempo del procedimiento? ¿Verdaderamente esta iniciativa del tribunal contribuye a mejorar la eficiencia del arbitraje internacional?

La respuesta a éstas y otras cuestiones nos las dará el tiempo y sólo él confirmará si este conjunto de reglas es aceptado y en qué casos utilizado por la comunidad arbitral.

REFERENCIAS

ALFORD, R. (2003-2004), *The American Influence on International Arbitration*, 19 Ohio St. J., Disp. Resol. 69.

BALLANTYNE, J. & ROSS, A. (2019), *Keeping it civil: The launch of the Prague Rules*, Global Arbitration Review, vol. 14, issue 1, pp. 16-25.

BERGER, K. P. & JENSEN, J. O. (2016), Due process paranoia and the procedural judgment rule: a safe harbor for procedural management decisions by international arbitrators, Arbitration International 2016, 32, pp. 415-435.

BLACKABY, N. & CHIRINOS, R. (2013), Consideraciones sobre la aplicación del principio iura novit curia en el arbitraje comercial internacional, ACDI-Anuario Colombiano de Derecho Internacional, vol. 6, pp. 77-93.

BORN, G. (2009), *International Commercial Arbitration*, Kluwer Law International, vol. I.

GIARETTA, B. (2019), *Prague Rules ok? A new regime hopes to make its mark*, The Resolver-Spring 2019 CIArb, pp. 8-10.

HENRIQUES, D. (2018), The Prague Rules: Competitor, Alternative or Addition to the IBA Rules on the taking of evidence in international arbitration?, ASA Bull. 2/2018, pp. 351-362.

HERRERA, C. (2016), Reflexiones sobre el Discovery y otros aspectos probatorios del common law en el arbitraje internacional desde la perspectiva del jurista continental, Diario La Ley nº 8829.

KAUFMANN-KOHLER, G. (2005), The arbitrator and the law: Does He/She know it? Apply it? How? And a few more questions, Arbitration International, vol. 21, No. 4, pp. 631-638.

KAUFMANN-KOHLER, G. & BONNÍN, V. (2007), Arbitrators as Conciliators: A Statistical Study of the Relation between an Arbitrator's Role and Legal Background.

KHVALEI, V./ TEDER, M.; NICA, A./ PONTY, L. y VALDIVIA, J. P. (2019), *Compatibility, novelty, practical corollary? A collective analysis of the Prague Rules*, Kluwer Arbitration Blog.

KOCUR, M. (2018), Why Lawyers from Civil Law Jurisdictions Do Not Need the Prague Rules, Kluwer Arbitration Blog.

KOPECKÝ, L. & PERNT, V. (2016), *A Bid for Strong Arbitrators*, Kluwer Arbitration Blog.

MARINELLO, M. & MATLIN, R. (2013), Muscular arbitration and arbitrators self-management can make arbitration faster and more economical, Dispute Resolution Journal, vol. 67, No. 4.

MCLLWRATH, M. (2018), The Prague Rules: The Real Cultural War Isn't Over Civil vs Common Law, Kluwer Arbitration Blog.

MONTERO, F. & ROMERO, M. (2017), *Anuario de Arbitraje 2017*, Thomson Reuters, pp. 349-365.

MOURA, D. (2017), *La aplicación del principio iura novit curia en el arbitraje internacional*, Revista de arbitraje comercial y de inversiones, vol. X, No. 1, pp. 15-40.

PANOV, A. (2018), *Why the Prague Rules may be needed?*, Practical Law Arbitration Blog.

RESPONDEK, A. (2017), How civil law principles could help to make international arbitration proceedings more time and cost effective, Singapore Law Gazette, pp. 33-37.

RIZZO, G. (2018), Prague Rules v. IBA Rules and the Taking of Evidence in International Arbitration: Tilting at Windmills - Part I, Kluwer Arbitration Blog.

RIZZO, G. (2018), Prague Rules v. IBA Rules and the Taking of Evidence in Internatio-
    nal Arbitration: Tilting at Windmills - Part II, Kluwer Arbitration Blog.
TEVENDALE, C. (2019), *Are the Prague Rules the answer?*, Global Arbitration Review.
VON MEHREM, G. M. & JOCHUM, A. (2011), *Is International Arbitration Becoming Too
    American?*, 2 Global Bus. L. Rev. 47.

La Ley Argentina sobre Arbitraje Comercial Internacional de 2018 y sus desafíos

GUILLERMO ARGERICH[*]

RESUMEN

El 4 de julio de 2018, la República Argentina aprobó la Ley de Arbitraje Comercial Internacional. Si bien Argentina se encontraba integrada a la comunidad arbitral internacional desde hace muchos años por haber aprobado y tener vigente las principales convenciones internacionales en la materia, la situación respecto del arbitraje comercial sigue pendiente de consolidación en la práctica.

Plantearemos algunos de los desafíos que presenta la ley de arbitraje comercial como faro que debe enviar señales y establecer una guía para llegar a buen puerto, tanto a la comunidad arbitral —profesional, académica, científica— como a la comunidad de los negocios y al poder judicial en lo que respecta a su interpretación y aplicación: 1) Lograr el desarrollo del arbitraje en el país; 2) Alejar la mala impresión de la regulación del arbitraje en el CCyC; 3) Afianzar el respeto a la institución del arbitraje por parte del Poder Judicial; 4) Lograr la consolidación de la República Argentina como sede de arbitrajes en la región; 5) Desarrollar el comercio internacional de Argentina.

Palabras clave: Arbitraje comercial, Arbitraje Internacional, Ley de Arbitraje de Argentina, Sede del Arbitraje, Ley Procesal.

ABSTRACT

On July 4, 2018, the Argentine Republic enacted the International Commercial Arbitration Law. Although Argentina was integrated to the international arbitration community for many years, since the country is member of the main international conventions related to arbitration, the situation concerning commercial arbitration is still pending to be consolidated in practice. We will raise some of the challenges presented by the commercial arbitration law as a beacon that should send signals and establish a guide to reach a successful conclusion, both to the arbitration community —professional, academic, scientific— as well as to the business community and to the Judiciary, to its interpretation and application: 1) Achieve the development of arbitration in the country; 2) Vert the bad impression of the regulation of arbitration in the CC&C; 2) Strengthen respect for the institution of arbitration by the Judiciary power;

[*] Abogado y doctorando de la Facultad de Derecho y Ciencias Sociales de la Universidad de (Buenos Aires). Abogado consultor en Derecho Internacional y Arbitraje Internacional; Profesor de la Facultad de Derecho y Ciencias Sociales de la Universidad de Buenos Aires (Argentina).

3) Achieve the consolidation of the Argentine Republic as a strong seat of arbitration in the region; 4) Develop Argentina's international trade.

Key words: Commercial Arbitration, International Arbitration, Argentina Arbitration Law, Seat of Arbitration, Procedural Law.

SUMARIO: I. INTRODUCCIÓN. II. ÁMBITO DE APLICACIÓN - ADOPCIÓN DEL SISTEMA DUALISTA. III. DESAFÍOS DE LA NUEVA LEY. 1. Lograr el desarrollo del arbitraje en el país. 2. Alejar la mala impresión de la regulación del arbitraje en Argentina a partir del nuevo CCYC. 3. Afianzar el respeto a la institución del arbitraje por parte del Poder Judicial. 4. Constituir a la República Argentina como sede de arbitrajes en la región. 5. Desarrollar el comercio internacional del país. IV. CONCLUSIONES.

> *"A todos nos motivan los juegos. Los desafíos".*
> "El asedio" (2010), Arturo Pérez-Reverte

I. INTRODUCCIÓN

El 4 de julio de 2018, la República Argentina aprobó la Ley de Arbitraje Comercial Internacional[1], dando un importante paso, ya que se convierte en la primera norma de fuente interna que regula íntegramente el arbitraje comercial internacional.

La recepción de Ley de Arbitraje Comercial Internacional fue muy buena en la Argentina por diferentes motivos, entre ellos legales, comerciales, económicos y políticos. Desde el sector académico y profesional implicó la concreción de numerosas iniciativas que nunca habían podido realizarse plenamente a nivel legislativo y que, en definitiva, redundan en el acceso a la justicia[2].

La ley argentina reproduce, en gran medida, el texto de la Ley Modelo de Arbitraje Comercial Internacional elaborada por la Comisión de las Na-

---

[1]   La ley, que lleva el número 27.449, fue publicada en el Boletín Oficial el 26 de julio de 2018. Paralelamente la República Oriental del Uruguay sancionó el 3 de julio de 2018 la Ley de arbitraje comercial internacional N° 19.636, publicada el mismo día que la ley argentina. Se ha propuesto la fecha 26 de julio como el Día del Arbitraje Latinoamericano, que este año se conmemorará con un evento el día 22 de agosto de 2019 en la Universidad de Buenos Aires.

[2]   All, Paula M. y Rubaja, Nieve "*Habemus* Ley de Arbitraje Comercial Internacional", La Ley, Buenos Aires, Tomo La Ley 2018-e, p. 5.

ciones Unidas para el Derecho Mercantil Internacional (CNUDMI), con las enmiendas introducidas en 2006. Tiene su estructura casi sin cambios, excepto que ha optado por denominar de diferente forma sus divisiones —la Ley Modelo se refiere a capítulos compuestos por secciones, mientras que la ley argentina se refiere a títulos que contienen varios capítulos— y la numeración de los artículos.

La estructura de la ley argentina es la siguiente: Título I: "Disposiciones generales"; Título II: "Acuerdo de arbitraje"; Título III: "Constitución del tribunal arbitral"; Título IV: "Competencia del tribunal arbitral"; Título V: "Medidas cautelares y órdenes preliminares"; Título VI: "Sustanciación de las actuaciones arbitrales"; Título VII: "Pronunciamiento del laudo y terminación de las actuaciones"; Título VIII: "Impugnación del laudo"; Título IX: "Reconocimiento y ejecución de los laudos"; y Título X: "Otras disposiciones", que entre otras cosas contiene la derogación del art. 519 bis del Código Procesal Civil y Comercial de la Nación (CPCyC)[3], que refería a la eficacia de los laudos de tribunales arbitrales extranjeros.

II. ÁMBITO DE APLICACIÓN - ADOPCIÓN DEL SISTEMA DUALISTA

Haremos una aclaración inicial que consideramos importante, y es que ella sólo se aplica a arbitrajes que se califiquen como comerciales e internacionales. Ello significa que nuestro país adopta en la actualidad un sistema de "dualismo" respecto de la regulación del arbitraje. Los arbitrajes internos quedan sujetos a un régimen distinto del de los internacionales.

Con la entrada en vigor de la ley 27.449, la Argentina abandonó el sistema legal "monista" para el arbitraje: los internos y los internacionales estaban regulados por las mismas normas. Ahora hemos adoptado un sistema "dualista": los arbitrajes comerciales internacionales estarán regidos por la ley en estudio, y aquellos que no presenten esas características, a *contrario sensu*, es decir, los internos, continuarán siendo regulados por las normas del código procesal de la sede del arbitraje y del Código Civil y Comercial de la Nación (CCyCN)[4].

---

[3]   http://servicios.infoleg.gob.ar/infolegInternet/anexos/15000-19999/16547/texact.htm#10 visita del 15-05-2019.

[4]   http://servicios.infoleg.gob.ar/infolegInternet/anexos/235000-239999/235975/norma.htm visita del 15-05-2019.

El ámbito material de aplicación de la ley (art. 1) es el siguiente: se aplica a aquellos arbitrajes que se consideren "comerciales" e "internacionales", los cuales se regirán "en forma exclusiva" por ella. Los criterios para calificarlos así los encontramos en los artículos 3, 4 y 6[5].

En cuanto al ámbito espacial de aplicación, el artículo 2 dispone — como principio— que se aplica a arbitrajes cuya sede se encuentre en la República Argentina, salvo excepciones (arts. 2 y 5).

Volviendo sobre la comercialidad del arbitraje, se dispone que un arbitraje será comercial cuando surja de "cualquier relación jurídica, contractual o no contractual, de derecho privado o regida preponderantemente por él". A ello agrega, una pauta general que dispone que "la interpretación será amplia y en caso de duda, deberá juzgarse que se trata de una relación comercial" (art. 6).

Al respecto, cabe tener en cuenta que, ya al ratificar la Convención de Nueva York, el Estado argentino formuló una declaración que en lo pertinente dice: "...sólo aplicará la Convención a los litigios surgidos de relaciones jurídicas, sean o no contractuales, consideradas comerciales por su derecho interno". Ahora bien, esa reserva argentina a la Convención exige determinar qué es *comercial* para el derecho interno argentino; como obviamente no aparece definido en la misma reserva, ello ha quedado delegado a la doctrina y en definitiva al criterio de los jueces que pudieran intervenir en el reconocimiento o la ejecución de una sentencia arbitral extranjera[6].

El artículo 3 de la ley establece cuándo un arbitraje es internacional: (a) Las partes en un acuerdo de arbitraje tienen, al momento de la celebración de ese acuerdo, sus establecimientos en Estados diferentes; o (b) Si el lugar del arbitraje, el lugar de cumplimiento de una parte sustancial de las obligaciones de la relación comercial o el lugar con el cual el objeto del litigio tenga una relación más estrecha, está situado fuera del Estado en el que las partes tienen sus establecimientos. Se aclara en el artículo 4 que, en el caso de tener alguna de las partes más de un establecimiento, se considerará tal el que guarde una relación más estrecha con el acuerdo de arbitraje, y si una parte no tiene ningún establecimiento, se deberá tener en cuenta su residencia habitual.

---

[5]   Caivano, Roque J. "Arbitraje comercial internacional", Relato de la Sección de Derecho Internacional Privado presentado en el XXX Congreso de la Asociación Argentina de Derecho Internacional, Rosario, Argentina, 2019, en prensa.

[6]   Rivera, Julio César "La Ley de Arbitraje Comercial Internacional" en La Ley, Buenos Aires, Tomo La Ley 2018-e, p. 3.

Siguiendo la Ley Modelo de la CNUDMI, la ley argentina mantiene, en general, sus criterios de internacionalidad, aunque excluye el establecido en artículo 1.3 (c) de dicha ley. Allí se dispone que un arbitraje es también internacional cuando "las partes han convenido expresamente en que la cuestión objeto del acuerdo de arbitraje está relacionada con más de un Estado". Aquí, la normativa argentina ha establecido criterios objetivos para determinar la internacionalidad de un arbitraje, restringiendo la autonomía de la voluntad de las partes, exigiendo puntos de contacto reales (aquellos determinados por la propia ley) entre más de un Estado. No es suficiente que las partes lo califiquen de esa manera si no concurren esos puntos de contacto señalados.

La ley argentina no recogió el tercer supuesto por la Ley Modelo, no se permite que partes locales en una disputa interna conviertan en internacional un arbitraje por el solo hecho de acordar que la sede esté en el extranjero. Esta modificación intentó hacer que el régimen arbitral fuera consistente con lo dispuesto por el artículo 2605 del CCyCN., que expresa: "*Acuerdo de elección de foro.* En materia patrimonial e internacional las partes están facultadas para prorrogar jurisdicción en jueces o árbitros fuera de la República, excepto que los jueces argentinos tengan jurisdicción exclusiva o que la prórroga estuviese prohibida por ley".

Sumado a ello, el artículo 1 del CPCyC dispone que "la competencia territorial en asuntos exclusivamente patrimoniales [...] podrá ser prorrogada de conformidad de partes. Si estos asuntos son de índole internacional, la prórroga podrá admitirse aun a favor de jueces extranjeros o de árbitros que actúen fuera de la República, salvo en los casos en que los tribunales argentinos tienen jurisdicción exclusiva o cuando la prórroga está prohibida por ley".

El precepto que limita el ámbito de aplicación de la ley a arbitrajes comerciales internacionales es, en primer lugar, una decisión de política legislativa, que supone someter a los arbitrajes con sede en la Argentina a un régimen diverso, según sean internacionales o internos. Aunque es posible que esa decisión haya sido consecuencia de las particularidades del sistema constitucional argentino, pudo haber estado inspirada en la conveniencia de mantener a los arbitrajes internos sujetos a un régimen legal que contemple las particularidades y tradiciones del foro local.

Como consecuencia de lo expuesto y el establecimiento del sistema dualista, significa que las normas sobre arbitraje contenidas en los códigos procesales y en el CCyCN, no se aplicarán a aquellos que sean comerciales e internacionales, ni siquiera por remisión o analogía. Esto se reafirma en el artículo 7 inc. g) de la ley, que dispone que para su interpretación e integración deberá tenerse en cuenta, además de su origen internacional y la necesidad de promover la uniformidad de su aplicación, "su carácter especial", y manda suplir las cuestiones que no estén expresamente resueltas en ella con "los principios generales en que se basa".

Hemos mencionado que la "exclusividad" de la ley para regir los arbitrajes comerciales internacionales tiene dos excepciones. Destacamos primero que, el mismo artículo 1° dispone que la ley se aplicará al arbitraje comercial internacional, y lo regirá en forma exclusiva, "sin perjuicio de cualquier tratado multilateral o bilateral vigente en la República Argentina". A ello se agrega la excepción del artículo 5 de la ley, que reproduce el artículo 1.5 de la Ley Modelo, el cual prevé que ella "no afectará a ninguna otra ley argentina en virtud de la cual determinadas controversias no sean susceptibles de arbitraje o se puedan someter a arbitraje únicamente de conformidad con disposiciones que no sean las de la presente".

La primera excepción se basa en la necesaria aplicación de los tratados internacionales sobre la materia impuesta por la superioridad jerárquica dispuesta por nuestra Constitución Nacional (art. 75 inc. 22)[7].

La segunda excepción contempla la aplicación de otras normas del ordenamiento argentino que establezcan qué disputas son susceptibles de ser sometidas a arbitraje (o, más bien, cuáles no lo son). Por lo que la ley no dispone ningún criterio particular para determinar la arbitrabilidad. De ello concluimos que para saber qué materias son arbitrables y cuáles no, habrá que recurrir a otras normas del ordenamiento jurídico.

También sobre esta norma el legislador argentino ha introducido aclaraciones, que también buscan dar mayor precisión y confianza en el sentido de que los arbitrajes comerciales internacionales se regirán por esta Ley. Esas aclaraciones modifican la base de la Ley Modelo, en cuanto: (i) se adiciona que el carácter de la Ley debe ser tomado en cuenta no sólo en su interpretación, sino también en su integración; (ii) al carácter internacional de la Ley se añade su condición especial[8].

En síntesis, el conjunto de estas disposiciones de la Ley nos lleva a concluir que en el actual régimen dualista, a los arbitrajes comerciales interna-

---

[7]   http://servicios.infoleg.gob.ar/infolegInternet/anexos/0-4999/804/norma.htm visita del 15-05-2019.

[8]   Caputo, Leandro "Apuntes sobre la reciente Ley de Arbitraje Comercial Internacional" en La Ley, Buenos Aires, Tomo La Ley 2018-e, p. 1.

cionales sólo se aplicará la nueva ley; y en todo aquello que no esté regulado por ella, principios aceptados del derecho internacional, desplazándose así a otras normas de fuente interna que no tienen las mismas características. De lo que resulta que la ley 27.449 pretende ser un cuerpo hermético, que excluye la aplicación de otros ordenamientos legales, y que se irá nutriendo a sí mismo con los aportes de la doctrina y la jurisprudencia[9].

Destacamos que esta ley implica un cambio legislativo profundo en la Argentina. Existen muchos aspectos que sería interesante profundizar de ella, pero hemos optado por resaltar los desafíos que ella trae aparejados, en consonancia con el espíritu de la obra que contiene este trabajo.

III. DESAFÍOS DE LA NUEVA LEY

Si bien la República Argentina se encontraba integrada a la comunidad arbitral internacional desde hace muchos años por haber aprobado y tener vigente las siguientes convenciones internacionales, la situación en materia de arbitraje comercial sigue pendiente de consolidación en la práctica:

1. Convención sobre el Reconocimiento y la Ejecución de Sentencias Arbitrales Extranjeras, Nueva York, 1958.

2. Convención Interamericana sobre Arbitraje Comercial Internacional, Panamá, 1975.

3. Convención sobre la Ejecución de Sentencias Judiciales y Arbitrales Extranjeras, (CIDIP II) Montevideo, 1979.

4. Acuerdos de Arbitraje del MERCOSUR, Buenos Aires, 1998.

A pesar de que la República Argentina forme parte de la gran Red de Cooperación creada por la Convención de Nueva York de 1958, era necesario este espaldarazo que ha dado la normativa de fuente interna. Nueva York del 58, es considerada como constituiva de una verdadera Red de cooperación jurídica internacional ya que establece un procedimiento que es útil para facilitar la eficacia de un laudo arbitral que debe surtir efecto en una jurisdicción extranjera con la finalidad de arribar a la solución justa del caso con elementos foráneos. Esta Red de cooperación se hace indispensable para garantizar la seguridad jurídica y el acceso a la justicia, generando un impacto concreto en el desarrollo de los negocios internaciona-

---

[9]   Rivera, Julio César *ob. cit.* 4, p. 6.

les. Este espacio de justicia mundial que ha creado la Red de la Convención de Nueva York, donde toda persona tiene garantizado el acceso a la justicia y a una tutela efectiva de sus derechos, se despliega en todos los países parte. Sin lugar a dudas, el arbitraje comercial internacional es una de las piezas fundamentales en la construcción de este gran espacio de justicia[10].

Plantearemos algunos de los desafíos que presenta la ley de arbitraje comercial como faro que debe enviar señales y establecer una guía para llegar a buen puerto, tanto a la comunidad arbitral —profesional, académica, científica— como a la comunidad de los negocios y al poder judicial en lo que respecta a su interpretación y aplicación.

1. Lograr el desarrollo del arbitraje en el país

Expondremos varios desafíos pero al que nos referimos en primer lugar es sumamente importante. La meta es el desarrollo del arbitraje comercial internacional en el país a partir de tener, por primera vez en la historia, la República Argentina un régimen legal completo, coherente y sistemático para regular el arbitraje, superando —en el ámbito de los arbitrajes comerciales internacionales— las ineficiencias legislativas, derivadas de normas dispersas y obsoletas, diseminadas en los Códigos Procesales, que no se lograron solucionar —incluso empeoraron— con la incorporación del capítulo sobre "contrato de arbitraje" al CCyCN.

El propósito de una ley de arbitraje es brindar el marco normativo bajo el cual habrán de desarrollarse, principalmente, los arbitrajes que tengan sede en ese país. Es el ordenamiento que regula las condiciones bajo las cuales el Estado admite la instauración de una justicia administrada por particulares, y reconoce a sus decisiones el valor de la cosa juzgada.

Una legislación sobre arbitraje cumple varias funciones, y sirve a distintos propósitos. El despegue del desarrollo arbitral a nivel internacional se espera produzca un efecto derrame a nivel interno. La consolidación de este método de solución de controversias es considerada fundamental. Para ello, una sumatoria de desafíos y oportunidades que han surgido a partir de la sanción mencionada, se ven como necesarios a este efecto. Entonces el crecimiento del arbitraje interno debería ser impulsado por

---

[10] Argerich, Guillermo "La Convención sobre Reconocimiento y Ejecución de Sentencias Arbitrales Extranjeras Una red de cooperación jurídica internacional", Colaboradora: Paloma Hernández, La Ley, Buenos Aires Volumen: 2018-F, 2018.

el aumento y frecuencia de los arbitrajes internacionales en nuestro país. Hay países que han planificado el desarrollo del arbitraje internacional a partir de la práctica del arbitraje interno e incluso, comenzando desde la mediación.

2. *Alejar la mala impresión de la regulación del arbitraje en Argentina a partir del nuevo CCYC*

Otro gran desafío que presenta esta ley es el de apartarnos de la mala impresión que se ha generado acerca de nuestra legislación arbitral. Los argentinos estamos habituados, a partir de agosto de 2015, a ser consultados en todo tipo de encuentros, conferencias internacionales y cualquier actividad relacionada al arbitraje internacional acerca de la poco feliz regulación arbitral que contiene el CCyC. La comunidad arbitral internacional no dejaba de asombrarse, nosotros tampoco, frente a tan sorprendente normativa sancionada en el Siglo XXI.

Rivera ha expresado que las normas que incluyó el CCyC al regular el arbitraje son disposiciones contrarias a los esfuerzos de modernización en el área. La incorporación de la regulación del contrato de arbitraje en el CCyC fue aplaudida por la comunidad especializada en arbitraje por incorporar los principios de competencia-competencia, separabilidad y pro-arbitraje, y desprenderse del requisito arcaico de un compromiso arbitral una vez suscitada la disputa. Sin embargo, algunas adiciones de último minuto al proyecto de ley del opacaron los esfuerzos de modernización[11].

La cuestión que más controversia produjo fue, claramente, la inclusión de la mención de que en el contrato de arbitraje no se puede renunciar a la impugnación judicial del laudo definitivo que fuera contrario al ordenamiento jurídico (art. 1656).

También se ha limitado la arbitrabilidad, no se permiten las cláusulas arbitrales convenidas en contratos por adhesión, y volviendo sobre el mayor escollo introducido al arbitraje, se establece que no es eficaz la renuncia a los recursos cuando el laudo sea contrario al ordenamiento jurídico.

Esta regulación del CCyC argentino provocó que abogados expertos en la materia desaconsejaran fijar la sede de un posible arbitraje internacional en nuestro país, al momento de pactar una clausula arbitral.

---

[11]   Rivera, Julio César *ob. cit.* 6, p. 2.

Luego de la frustración que significó incluir la regulación del arbitraje en el CCyC, una nueva oportunidad se abre con la nueva ley de arbitraje comercial internacional.

3. *Afianzar el respeto a la institución del arbitraje por parte del Poder Judicial*

Los antecedentes de la Ley de Arbitraje Comercial Internacional se remontan al 2016, año de creación del Programa "Justicia 2020"[12], impulsado por el Ministerio de Justicia y Derechos Humanos de la Nación, con la finalidad de "lograr una transformación integral de las instituciones del sistema de Justicia". Este programa funciona como herramienta de cumplimiento de las metas institucionales incluidas en la Nueva Agenda Mundial para el Desarrollo Sostenible que la Organización de las Naciones Unidas (ONU) adoptó en 2015.

Además de que la ley puede propiciar la mayor utilización del arbitraje como medio de resolver controversias, el objetivo de legitimarlo y contribuir a erradicar posibles recelos o prejuicios del Poder Judicial, es fundamental. Esto a veces no se explicita entre los desafíos al sancionar una ley de arbitraje, pero en definitiva sin el respeto y observancia por parte de los jueces, la institución puede carecer de todo efecto en la práctica.

El acompañamiento de este poder del Estado es fundamental para que sus integrantes, los usuarios del arbitraje, las entidades administradoras y los árbitros mismos convivan en una armonía tal que la práctica arbitral fluya con total normalidad. El Poder Judicial debe advertir que frente a la falta de un marco normativo apropiado para el arbitraje hace que, disputas que en condiciones normales serían sometidas a decisión de particulares, terminen abarrotando los juzgados con juicios. Consecuencia, ello deriva en una sobrecarga de la tarea de los magistrados. Es por eso que estamos atentos al desafío de ver si al contar con una legislación adecuada, ella coadyuva a crear un clima de confianza e incentiva a las partes a pactar arbitraje.

Consideramos que cuantos más sean las controversias que se deriven al arbitraje, mayor será la descompresión de los tribunales judiciales. Si bien sabemos que el contar con una justicia lenta, atrapada en las redes de la multiplicación diaria de causas y expedientes, no ha sido motivo para la derivación de conflictos hacia otros medios que prometieran resultados más

---

[12]   https://www.justicia2020.gob.ar/ visita del 20/05/2019.

rápidos y eficaces. Incluso tampoco las tachas de corrupción que pudieran haber empañado la intervención de los tribunales estatales ha provocado un vuelco de la comunidad de profesionales abogados o de la comunidad empresaria hacia el arbitraje. Para sorpresa de quien indague acerca de este aspecto, vemos que en países donde los tribunales judiciales actúan con eficacia y sin demoras, es donde más se ha desarrollado el arbitraje. Por eso estimamos poco apropiada la creencia de que el arbitraje fructífera en aquellos países donde el Poder Judicial presenta los problemas mencionados.

El arbitraje ya no es percibido como una excepción tolerada al monopolio de la administración de justicia por parte del Estado, sino como un instrumento necesario y pragmático de resolución de disputas. Como afirma Najurieta, la relación entre la jurisdicción arbitral y la judicial "ha pasado de la tensión a la tolerancia y la cooperación"[13]. Allí, en ese punto, es donde creemos ganan todos. El Poder Judicial no debe sentir un cercenamiento de sus facultades o potestades por ceder parte de su jurisdicción, sino en cambio un crecimiento al verse invitado a fomentar un clima de cooperación en aras de la pacificación de la sociedad.

Los tribunales estatales en nuestro país tienen una gran tarea por hacer en el ámbito del arbitraje internacional. Si bien diversas instancias de la justicia nacional en lo comercial de la Capital Federal hasta la Corte Suprema de Justicia de la Nación han tenido un rol significativo en la interpretación favorable de las normas oscuras del CCyC, tienen el desafío de afianzar mediante sus decisiones la institución del arbitraje en nuestro país[14].

4. Constituir a la República Argentina como sede de arbitrajes en la región

La expansión que tuvo el arbitraje a nivel internacional no se vio reflejada en el país. Las causas las encontrábamos en la existencia de un marco jurídico inadecuado, la reticencia mostrada por algunos tribunales locales, el desconocimiento e incomprensión de algunos sectores, los recelos sobre este instituto, y componentes socioculturales. Todas esas variables han pro-

---

[13]   All, Paula M. y Rubaja, Nieve *ob. cit.* 2, p. 6.
[14]   Amallo, Francisco Las reformas al régimen jurídico del arbitraje: la nueva ley y los proyectos de ley en https://www.eldial.com/nuevo/lite-tcd-detalle. asp?id=11996&base=50&id_publicar=&fecha_publicar=24/04/2019&indice=doct rina&suple=Empresarial visita del 30/04/19.

ducido que la Argentina haya quedado desplazada como sede de arbitrajes. No teníamos un entorno demasiado amigable a la institución arbitral.

Posicionarse como sede de arbitrajes en la región es importante. Los centros de arbitraje internacionales administran cada vez más arbitrajes; por ejemplo, la Corte de Arbitraje de la CCI en 2017 aprobó 512 laudos y, a su vez, designó o confirmó 1488 árbitros en ese período, que intervienen en arbitrajes con partes provenientes de 142 países. Obviamente, su actuación es verdaderamente abarcativa de la práctica arbitral de gran cantidad de países, pero lo utilizamos como muestra del avance de esta jurisdicción que consideramos la "natural" para el mundo de los negocios internacionales. Jean-Pierre Ancel, presidente de la Corte de Casación francesa —citado por Rivera—, afirmó en el informe que precede a la sentencia del caso Putrabali que "el árbitro internacional... es el juez natural de la sociedad de comerciantes internacionales"[15].

Los nodos de administración de arbitrajes en nuestros días muestran un notable crecimiento; entre ellos destacamos a los de Hong Kong y Singapur, que por su condición geográfica en relación a los centros comerciales y financieros en oriente, son considerados muy activos y con gran influencia en el desarrollo de los medios alternativos de resolución de conflictos. Tanto es así que se habla de una "batalla de sedes", cómo el panel que se llevará a cabo en Londres, del 6 al 8 de junio en el marco de la 7ma reunión global del YAF ICC, donde se explorarán diferentes aspectos y ventajas de establecer la sede en diferentes ciudades alrededor del mundo[16].

Por ello, el Poder Ejecutivo Nacional expresó que si la Argentina aspiraba a convertirse en un centro de arbitraje internacional, sus normas debían estar en consonancia con las ideas que imperan en el mundo comercial, ámbito donde se considera que la Ley Modelo es una eficiente base de regulación del arbitraje. El Mensaje de Elevación 132 por el cual se envió el Proyecto al Poder Legislativo, transmite la idea de "la necesidad de dotar a la Argentina de un marco normativo que resultara adecuado para favorecer la elección por las partes de Argentina como sede de arbitrajes internacionales y que refleje la moderna concepción de esta forma de resolver conflictos, en sintonía con las legislaciones de la región y de buena parte del mundo".

---

[15]   Rivera, Julio César *ob. cit.* 6, p. 2.
[16]   https://iccwbo.org/event/7th-icc-yaf-global-conference/#1483539125972-12de-17fa-1034cc7e-5a0dece0-8b5e4357-bde48474-13100912-9737 visita del 27/05/19.

¿Quién determina la sede de un arbitraje? La ley establece que "las partes podrán determinar libremente la sede del arbitraje" (artículo 65). Esta es, en la práctica, la forma más frecuente de hacerlo. Pero si las partes no lo previeron, la solución debe buscarse, en primer lugar, en las normas del reglamento al que aquellas se hubiesen sometido, que prevalecen sobre las disposiciones legales. La mayoría de los reglamentos contempla cómo se determina, en ausencia de pacto expreso, en algunos casos la fija la misma institución; en otros, los árbitros; y en algunos lo hace directamente el propio reglamento, generalmente en el lugar donde se encuentra el Centro de Arbitraje elegido[17].

Ahora, cuando carecemos de acuerdo expreso al respecto o de normas reglamentarias, la ley faculta a los árbitros a fijar la sede. Esta facultad no sólo procede cuando las partes omitieron hacerlo, sino en cualquier caso en que el pacto sea confuso o impreciso. Se dan casos, a modo de ejemplo, en que las partes acuerdan que la sede sea una determinada ciudad, sin mencionar el país donde ella se encuentra, y existen varias ciudades con el mismo nombre; o, inclusive, si sólo se refirieron al país sin identificar la ciudad.

Es fundamental que esta ley permita transmitir confianza a los extranjeros que quieran fijar la sede del arbitraje en el país, que les permita comprobar que nuestro país es una plaza neutral a sus jurisdicciones. La sede del arbitraje es relevante para las partes, ya que determina cuál será la legislación que se aplique al procedimiento arbitral y, eventualmente, al recurso de nulidad contra el laudo. La ley de la sede también se la suele denominar como *lex arbitri*. El principio general implica determinar que, conforme el derecho argentino, la *lex arbitrii* es la *lex loci*. Este es el criterio generalmente utilizado en el derecho comparado, y supone que cada país tiene la potestad de regular los aspectos jurídicos de los arbitrajes que (jurídicamente) se llevan a cabo en él y que, inversamente, un país carece de atribuciones para reglar aquellos que no tienen sede en su territorio[18].

Es por ello que tener una buena ley de arbitraje comercial internacional resulta imprescindible para promover la fijación de sedes arbitrales en el país. Hay muchos países que cuentan con una larga trayectoria en materia de legislación arbitral y ello les fue otorgando el prestigio con el que hoy cuentan. Podemos citar, a modo de ejemplo, los casos de Francia, Inglaterra y Suiza, entre otros. De todas maneras, aquellos países que no posean

---

[17]   Caivano, Roque J. *ob. cit.* 5.
[18]   Caivano, Roque J. *ob. cit.* 5.

los mismos antecedentes también pueden contar con una forma de ponerse a la altura de las mejores legislaciones del mundo. Y ello se logra a través
del dictado de leyes de arbitraje basadas en la Ley Modelo de la CNUDMI
sobre Arbitraje Comercial Internacional. Argentina lo ha hecho.

Hoy la realidad muestra que las empresas argentinas que contratan con
otras extranjeras pactan arbitraje con sede en otras jurisdicciones; y luego
esos laudos, si no son cumplidos voluntariamente, se presentan ante la justicia local para ser reconocidos o ejecutados en base en la Red de cooperación de la Convención de Nueva York de 1958 u otro tratado internacional.
Si la sede se establece en nuestro país, cambia la situación.

5. Desarrollar el comercio internacional del país

Un beneficio adicional de una ley moderna, como la que hemos sancionado, es no sólo hacer del país una sede atractiva para arbitrajes internacionales, como hemos explicado en el acápite anterior, sino que ello debería traer aparejados importantes beneficios, en la medida que moviliza
recursos hacia el país.

Para que este efecto se produzca, debemos tener presente que en su
contenido, una ley de arbitraje que pretenda funcionar como instrumento
destinado a crear un ámbito favorable para el desarrollo del arbitraje, tiene que cumplir algunos requerimientos básicos. Son condiciones mínimas
que establecen el clima propicio: facilitar el recurso al arbitraje (y no obs-
truirlo innecesariamente como hace nuestro régimen interno que hemos
explicado), garantizar un eficiente y adecuado control judicial sobre las decisiones de los árbitros, permitir que el proceso arbitral se desarrolle con la
mínima interferencia judicial posible, y no impedir injustificadamente que
los laudos extranjeros tengan efectos jurídicos en el país. Todo lo anterior,
se relaciona con desafíos ya explicitados anteriormente.

Este objetivo se evidenció en forma manifiesta a partir de la decisión
política del Estado Nacional de modernizar la legislación, con el objetivo
de acoplar a la Argentina al comercio global y fortalecer el clima de negocios para quienes inviertan en el país. Así se explicita en los propios con-
siderandos del proyecto elevado por el Poder Ejecutivo Nacional, la Ley
de Arbitraje Comercial Internacional constituye un paso determinante en
esa dirección, en tanto pretende ubicar al país dentro de los países respe-
tuosos de la seguridad jurídica, lo que permitirá, a su vez, a los inversores
extranjeros contar con una herramienta fundamental con la que podrán,
en su caso, hacer valer sus derechos dando prioridad al principio de la

autonomía de la voluntad. Reafirmar la autonomía de la voluntad, que es ya consustancial a nuestro sistema jurídico, es el puntapié inicial para la prosperidad negocial.

All y Rubaja han manifestado que en momentos históricos en los que la previsibilidad, la seguridad, el reparto de riesgos y la celeridad son, entre otros, factores clave en una economía de mercado, resulta obvio resaltar el auge de este mecanismo heterocompositivo de solución de conflictos y el crecimiento exponencial de casos solucionados a través de esta vía, a punto tal que se hable de la eclosión y del éxito avasallador del arbitraje comercial internacional[19]. Precisamente el país atraviesa uno de esos cruciales momentos.

El desarrollo del comercio internacional se da en nuestros días, en un mundo interconectado e interdependiente, donde el flujo de bienes y servicios, de capitales y de personas se acrecienta continuamente. La nueva ley de arbitraje comercial internacional se suma a las herramientas que permiten, no sólo resolver de manera pacífica los conflictos que puedan presentarse dentro de este mundo globalizado, sino también la promoción del comercio internacional de nuestro país acompañando los procesos de importación/exportación necesarios para lograr una balanza comercial equilibrada[20].

Para concluir los comentarios respecto a este desafío, parafraseamos al ministro de Justicia y Derechos Humanos de la Nación, Dr. Germán Garavano, quien sostuvo que la Ley representa un hito fundamental en el fortalecimiento de la institucionalidad, la previsibilidad y solución de controversias rápidamente y con un bajo costo, lo que contribuirá al progreso de la sociedad en su conjunto y al desarrollo económico y social[21].

IV. CONCLUSIONES

Hemos explicado los desafíos que enfrenta la República Argentina y cómo puede encararlos a partir de la sanción de la Ley de arbitraje comercial internacional. La extraordinaria expansión que tiene el arbitraje como

---

[19] All, Paula M. y Rubaja, Nieve *ob. cit.* 2, p. 5.
[20] Colquicocha, Miguel "Análisis de la Ley de Arbitraje Comercial Internacional" en La Ley, Buenos Aires, Tomo La Ley 2018-e, p. 16.
[21] https://www.marval.com/publicacion/nueva-ley-de-arbitraje-comercial-internacional-en-la-argentina-13212 visita el 27/05/19.

medio de resolución de conflictos comerciales con elementos internacionales reafirma que la planificación, diseño y elaboración de esta reglamentación supone un notable paso para afrontar los desafíos planteados.

La sanción de la ley 27.449, en síntesis, implica haber vuelto a poner a la Argentina en el concierto del arbitraje comercial internacional, armonizando su legislación con la del resto del mundo y posicionando al país a la par de otros países de la región. En efecto, la decisión de promover una ley sobre la base de la Ley Modelo de UNCITRAL nos suma a un grupo integrado por más de 80 países.

Creemos que el nuevo régimen aporta previsibilidad en nuestro país y que eso redundará en que la Argentina pueda ser considerada por los actores del comercio internacional como posible sede de procesos arbitrales.

Si bien somos conscientes que las cosas en un país no cambian en forma inmediata o automática por el hecho de tener una nueva ley, es un muy buen comienzo para incentivar a quienes quieran pactar un arbitraje dentro de un marco jurídico adecuado y que podrá llevarse a cabo de manera eficaz.

El futuro del arbitraje comercial internacional no depende únicamente de una ley, pero sí su adopción nos lleva en la senda que nos permitirá afrontar los desafíos de: 1) Lograr el desarrollo del arbitraje en el país; 2) Alejar la mala impresión de la regulación del arbitraje en el CCyC; 3) Afianzar el respeto a la institución del arbitraje por parte del Poder Judicial; 4) Constituir a la República Argentina como sede de arbitrajes en la región; 5) Desarrollar el comercio internacional del país.

El cumplimiento de ellos, o varios al menos, influirá ciertamente en forma positiva en el país.

REFERENCIAS

ALL, P. M. y RUBAJA, N., "*Habemus* Ley de Arbitraje Comercial Internacional", *La Ley*, Buenos Aires, Tomo La Ley 2018-e, p. 5.

AMALLO, F., *Las reformas al régimen jurídico del arbitraje: la nueva ley y los proyectos de ley* en https://www.eldial.com/nuevo/lite-tcd-detalle.asp?id=11996&base=50&id_publicar=&fecha_publicar=24/04/2019&indice=doctrina&suple=Empresarial visita del 30/04/19.

ARGERICH, G., "La Convención sobre Reconocimiento y Ejecución de Sentencias Arbitrales Extranjeras Una red de cooperación jurídica internacional", Colaboradora: Paloma Hernández, La Ley, Buenos Aires Volumen: 2018-F, 2018.

CAIVANO, R. J., "Arbitraje comercial internacional", Relato de la Sección de Derecho Internacional Privado presentado en el XXX Congreso de la Asociación Argentina de Derecho Internacional, Rosario, Argentina, 2019, en prensa

CAPUTO, L., "Apuntes sobre la reciente Ley de Arbitraje Comercial Internacional" en La Ley, Buenos Aires, Tomo La Ley 2018-e, p. 1.

Colquicocha, M., "Análisis de la Ley de Arbitraje Comercial Internacional" en La Ley, Buenos Aires, Tomo La Ley 2018-e, p. 16.

RIVERA, J. C., "La Ley de Arbitraje Comercial Internacional" en La Ley, Buenos Aires, Tomo La Ley 2018-e, p. 3.

Intervención de terceros en el arbitraje

GUILLERMO CÁEZ GÓMEZ[*]

RESUMEN

La extensión de los efectos del pacto arbitral a terceros no signatarios es un tema que úl-timamente ha causado un gran numero de discusiones, tanto en los ámbitos académicos como prácticos. No obstante dicha situación, en Colombia la tendencia ha llevado a que la mayoría haya adoptado la posición de aceptar la intervención de no signatarios en trámites arbitrales domésticos, en los cuales las resultas de la decisión les puede afectar.

En virtud de tal tendencia, en el presente artículo se analizan las vicisitudes propias de este fenómeno bajo el crisol del arbitraje internacional, en donde la aplicación de las normas internas relativas a la concurrencia de *terceros* a un proceso no está dotada con la misma vinculatoriedad.

Palabras clave: Terceros no signatarios del pacto arbitral, extensión efectos pacto arbitral, relatividad del pacto arbitral.

ABSTRACT

The extension of the effects of the arbitration agreement to non-signatory third parties is an issue that has recently caused a great number of discussions in both academic and practical fields.

Notwithstanding this situation, in Colombia the tendency has led the majority to adopt the position of accepting the intervention of non-signatories in domestic arbitration proceedings, in which the results of the decision may affect them.

By virtue of this trend, this article analyzes the vicissitudes of this phenomenon under the crucible of international arbitration, where the application of internal rules regarding the concurrence of third parties to a process is not endowed with the same binding nature.

Key words: Third parties not signatory to the arbitration agreement, extension of arbitration agreement effects, relativity of the arbitration agreement.

[*] Abogado de la Universidad Externado de Colombia, Especialista en Mercados Regulados del Centro de Estudios Garrigues y Magister en Derecho de la Empresa y Negocios Internacionales de la Universidad Católica "Santa Teresa de Jesús" de Avila. Socio en Caez Muñoz Mejía Abogados (Bogotá, Colombia); presidente de la Junta Directiva de la Asociación de Emprendedores de Colombia —ASEC—.

I. INTRODUCCIÓN

La extensión del pacto arbitral a terceros no signatarios no es un asunto nuevo. Sin lugar a dudas ha sido generador de grandes discusiones que se han ido resolviendo a lo largo del debate. En el derecho colombiano, es casi unánime la idea sobre posibilidad de intervención de terceros en el trámite arbitral, terceros entendidos como aquellos sujetos con capacidad para comparecer a un trámite arbitral pero que no fueron signatarios del pacto o contrato que contenía la forma de la resolución de la controversia a través de un tribunal de arbitramento.

De acuerdo con nuestro entender, es imposible no iniciar el análisis de este asunto en arbitraje internacional sin antes haber —por lo menos— abordado la premisa base del derecho interno. Es claro que en Colombia no se permite, de manera directa y sin aceptación del tercero no signatario de la extensión del pacto arbitral (solo de manera excepcional), asunto que pretendió resolver el artículo 36 de la Ley 1563 de 2012. Esta negativa se construye sobre la premisa del principio del efecto relativo de los contratos, el *pacta sunt servanda* y sus consecuentes efectos *inter partes*. No es descabellado que en los derechos internos se piense de esta manera, pues la generación de competencia de lo que ha denominado el profesor Hernán Fabio López los equivalentes jurisdiccionales, en referencia a los mecanismos alternativos de solución de conflictos (M. A. S. C.), es por regla general —para el caso del arbitraje— un pacto en virtud de la autonomía de la voluntad del que deviene consigo la irrefutable e inconfundible decisión de abstraer del conocimiento ordinario un futuro conflicto entre las partes.

II. LA EXTENSIÓN DE CONVENIO EN ÁMBITO DEL DERECHO COMERCIAL INTERNACIONAL

Es indudable que la figura ha suscitado grandes desafíos en cuanto a la posibilidad o no de la extensión del convenio arbitral, pues, a diferencia de lo que sucede con el derecho interno, el cual ha resuelto por mandato legal la participación de terceros en el trámite arbitral, suscitó una gran labor de análisis de esta misma situación en materia internacional, debido a la atomización de las normas del arbitraje comercial internacional y su aplicación relativa en función del pacto arbitral y el contexto de la controversia.

La Ley de Arbitraje Comercial Internacional (LACI) ha establecido muchas diferencias —en especial en el caso de Colombia— en el sistema de actuación del tribunal arbitral y la posibilidad de que sea extendido el pacto a terceros no signatarios. De acuerdo con muchos tratadistas, con los que comparto dicha visión, la normatividad del arbitraje internacional tiene consigo elementos que permiten llegar a la conclusión de que, si cumplidos los supuestos de hecho de la norma, podrán ser incluidos al trámite terceros que no fueron originarios del pacto.

El artículo 19 de la LACI determinó que las partes podrán determinar a su voluntad el procedimiento en la que va a ser llevado el tribunal arbitral, determinando así las reglas aplicables por vía de la autonomía de la voluntad de las partes, margen que ha llevado a algunos a pensar que desde la LACI se ha permitido a las partes vincular a terceros que han sido ajenos a la celebración del pacto arbitral.

Veremos a continuación algunos de los conceptos por los cuales ha sido reconocida la vinculación de terceros no firmantes.

1. Vinculación al mandante

Uno de los casos que se han resuelto de manera pacífica y sencilla en el arbitraje comercial internacional ha sido el de la aplicación del pacto a un tercero no signatario, cuando este ha sido producto de un contrato de mandato, pues quien suscribe el pacto es un mero representante del mandatario, razón por la cual es vinculado sin importar que no haya sido el firmante principal.

2. Vinculación por la representación aparente

Sin embargo, han sido conceptos como el de la representación o autoridad aparente que han permitido que, como afirma Born (2009, p. 1148), "una parte puede ser vinculada por los actos de otra entidad supuestamente en su nombre, aunque esos actos nos fueran autorizados, si el putativo principal creó la apariencia de autorización, llevando a la contraparte a creer razonablemente que la autorización realmente existió" (citado por Gómez Londoño, 2013, p. 22)[1].

Este concepto de la vinculación de terceros al pacto en virtud de la existencia de una apariencia de representación, a mi juicio, debe soportarse sobre la base de la buena fe exenta de culpa. Si en determinado caso se llegara a probar que quien alega la presunta convicción en la representación conoce de manera previa que el representante no cuenta con esas facultades —sin importar los medios de conocimiento—, deberá negarse la extensión o vinculación de un tercero a los efectos del pacto, siendo entonces obligación de los árbitros examinar con sumo detalle las solicitudes, de manera que, con la vinculación, el solicitante no esté abusando de su derecho.

3. Vinculación en virtud del levantamiento del velo corporativo

En algunos países de Latinoamérica y en España, entre otros, ha sido frecuente encontrar la vinculación o extensión del pacto arbitral en virtud de trámites arbitrales en los que se ha hecho la desestimación de la persona jurídica. Esta aplicación se rige bajo la premisa de evitar una *interpretación restrictiva* del convenio arbitral. En Chile, por ejemplo la doctrina propone las siguientes reglas, según Romero Seguel (2012, p. 8)[2]:

> *"1ª Si la estructura formal de la persona jurídica se utiliza de manera abusiva, el juez podrá descartarla para que fracase el resultado contrario a Derecho que se persigue; esto le permitiría, por ejemplo, prescindir de la regla fundamental que establece una radical separación entre la sociedad y los socios.*
> *2ª Si la forma de la persona jurídica ha sido utilizada para ocultar que de hecho existe identidad entre las personas que intervienen en un acto determinado, podrá quedar descartada la forma de dicha persona jurídica cuando la norma que se deba aplicar presuponga que la identidad o diversidad de los sujetos interesados, no es puramente nominal, sino verdaderamente efectiva".*

Dicho de otra manera, serán vinculados los socios de una persona jurídica signataria del pacto que da origen a la competencia arbitral siempre y cuando la sociedad haya sido utilizada abusando del derecho o de manera fraudulenta, así como cuando de la ficción jurídica se deduzca de manera

---

[1] Gómez Londoño, "Intervención de terceros en el arbitraje nacional colombiano a la luz de las experiencias del arbitraje comercial internacional", 22.

[2] Romero Seguel, "La extensión del convenio arbitral a partes no signatarias: límites y posibilidades en Chile", 8.

indefectible que está siendo usada para engañar a un tercero en cuanto a quién es el verdadero originador del pacto.

Estos supuestos de hecho son abarcados en la legislación colombiana, tanto para las sociedades anónimas (S. A.) como para las sociedades por acciones simplificadas (S. A. S.). Dicha validación, además de encontrarse dispersa en nuestro ordenamiento jurídico, ha sido refrendada por la jurisprudencia constitucional del país en cuanto se refiere a la Corte Constitucional:

> *"(...) Cuando se vulnera el principio de buena fe contractual y se utiliza a la sociedad de riesgo limitado no con el propósito de lograr un fin constitucional válido, sino con la intención de defraudar los intereses de terceros, entre ellos, los derechos de los trabajadores, es que el ordenamiento jurídico puede llegar a hacer responsables a los asociados, con fundamento en una causa legal distinta de las relaciones que surgen del contrato social. Es entonces en la actuación maliciosa, desleal o deshonesta de los accionistas generadora de un daño para con los terceros, en donde se encuentra la fuente para desconocer la limitación de la responsabilidad y exigir de los socios la reparación del daño acontecido. Estas herramientas legales se conocen en la doctrina como la teoría del levantamiento del velo corporativo o «disregard of the legal entity» o «piercing the corporate veil» cuya finalidad es desconocer la limitación de la responsabilidad de los asociados al monto de sus aportaciones, en circunstancias excepcionales ligadas a la utilización defraudatoria del beneficio de la separación (...)" (Sentencia C-865 de 2004, citada por la Corte Constitucional de Colombia, C-090, 2014)[3][4].*

Si bien las dos hipótesis en principio no plantean mayores obstáculos, sí llevan a grandes desafíos en la determinación de la vinculación o no de terceros bajo esta figura jurídica, pues será un estricto deber de los árbitros analizar detalladamente cada situación jurídica para evitar consecuencias negativas en las circunstancias en que no sean cumplidos los presupuestos para hacer extensión de los efectos del pacto a quienes son accionistas de un sociedad.

4. *Extensión del pacto entre los grupos societarios*

Sin duda este concepto ha sido uno de los que mayores polémicas ha generado. Esta teoría, denominada por los tribunales arbitrales europeos y

---

[3]   Corte Constitucional de Colombia, Sentencia C-090 de 2014 [MS Mauricio González Cuervo].

[4]   Esta sentencia falla una demanda de inconstitucionalidad frente al Artículo 1o. de la Ley 1258 de 2008.

la Cámara de Comercio Internacional como la "doctrina de los Grupos de Sociedades", implica que "las sociedades de un grupo económico son consideradas como partes no signatarias del acuerdo arbitral y no vinculadas al mismo de manera alguna, pero que manifestaron su consentimiento al arbitraje de manera implícita" (Hunter et al., 2012, p. 220)[5].

En otras palabras, de acuerdo con esta teoría, los grupos de sociedades o económicos que tienen operación en numerosos países y cuyas actividades son desarrolladas por intermedio de sociedades (bien sea subsidiarias, filiales o cualquier otra figura de separación de la sociedad subordinada a la matriz), si bien nuestro conocimiento indica que son personalidades jurídicas con independencia, para los efectos de la competencia del arbitraje comercial internacional son considerados una unidad, contrario a los conceptos que se encontraban ampliamente arraigados en materia de sociedades.

Esta teoría tuvo su origen en el emblemático caso Dow Chemical tramitado en la Cámara de Comercio Internacional, en el cual, según Bouckaert & Romain (2010, p. 87, citado por Gómez Londoño, 2013, p. 26)[6]:

> "(...) un tribunal arbitral retuvo su competencia al considerar que la cláusula compromisoria expresamente aceptada por algunas de la sociedades de un grupo debía vincular a las otras sociedades, que dado el rol que habían jugado en la conclusión, la ejecución o la realización de los contratos que contenían dichas cláusulas; aparecía según la voluntad común de todas las partes partícipes al proceso, como partes verdaderas de los contrato y como interesadas directamente en éstos y en los litigios que pudiesen surgir de aquellos".

La solicitud de vinculación del pacto provino, en este caso, de la solicitud realizada por el Grupo Dow para que sociedades de su grupo —que no fueron signatarias del pacto arbitral pero que estuvieron involucradas en la ejecución de los contratos de manera directa— participaran al interior de las discusiones de las controversias, pues está legitimado su interés y posible afectación con las decisiones que se tomen en el tribunal arbitral. La Cámara de Comercio Internacional resolvió vincular a las sociedades del Grupo Dow, en el entendido de la alta participación en la ejecución de los contratos principales que fueron suscritos por sociedades independientes.

---

5   Hunter, Pineda, y García Olmedo, "La incorporación de partes no signatarias y el carácter consensual del arbitraje: ¿cuál es la posición adoptada por las instituciones arbitrales?", 220.

6   Gómez Londoño, "Intervención de terceros en el arbitraje nacional colombiano a la luz de las experiencias del arbitraje comercial internacional", 26.

Si bien la doctrina se ha llegado a aplicar, según reportes de investigaciones realizadas por Poudret & Besson (2007, paras. 253-254, citado por Hunter et al., 2012, p. 221)[7], tan solo la cuarta parte de los casos en los que se ha solicitado la aplicación de esta doctrina han prosperado. Por otro lado, han sido pocos los países en los que se le ha dado acogida a esta doctrina, teniendo como exponentes a Francia, Inglaterra, Suiza y los Estados Unidos (Park, 2009, p. 24, citado por Hunter et al., p. 221)[8].

Esta teoría es una gran oportunidad para analizar la forma en que en el derecho comercial internacional se le está empezando a restar valor —en algunos casos— al concepto del efecto relativo de los contratos, que está cediendo terreno ante la importancia de la protección del arbitraje como mecanismo de solución de controversias en el comercio internacional.

5. *Doctrina del* estoppel *arbitral*

Se han enumerado algunas teorías relacionadas a las que podrían, en unos supuestos específicos, vincularse a terceros no signatarios del acuerdo. Ha sido la jurisprudencia norteamericana la que ha destacado casos y enumerado los supuestos en los que ha considerado posible la extensión:

> *"(i) En los casos de incorporación por referencia, es decir, si la parte adicional es firmante de un contrato que hace referencia expresa y directa al convenio arbitral contenido en otro contrato, (ii) En los casos de consentimiento tácito, es decir, si de la conducta de la parte adicional puede desprenderse su aceptación de someterse a arbitraje, (iii) en los casos de Agencia, esto es, si existe entre el firmante y el no-firmante, una relación de representación o agencia, (iv) En los casos de levantamiento del velo corporativo, estos es, si la relación con la matriz y su subsidiaria es suficientemente cercana como para justificar el levantamiento del velo corporativo y (v) en los casos de Estoppel, esto es, si quien se niega a la extensión de los efectos de la cláusula arbitral tuvo previamente una conducta contradictoria con dicha negación" (Hunter et al., 2012, p. 223)[9].*

Particularmente la jurisprudencia ha sostenido que "(...) la parte signataria no puede negar la aplicabilidad del arbitraje bajo el argumento de que la contraparte no participó ni firmó el pacto arbitral, y al mismo tiem-

---

7   Hunter, Pineda, y García Olmedo, "La incorporación de partes no signatarias y el carácter consensual del arbitraje: ¿cuál es la posición adoptada por las instituciones arbitrales?", 221.
8   Hunter, Pineda, y García Olmedo, 221.
9   Hunter, Pineda, y García Olmedo, 223.

po pretender que esta última responda por determinadas obligaciones impuestas en el documento que contiene la cláusula arbitral" (Restrepo Orozco, 2010, p. 63, citado en Gómez Restrepo, 2013, p. 29)[10].

En resumidas cuentas, la doctrina Estoppel está basada, a mi juicio, en dos máximas del derecho: la primera es la de los actos propios o *non-venire contra factum propiorum,* que lleva implícita a la parte que pretende excluirse del pacto pero con el mismo argumento pretende que se le responda por un documento del que no fue signataria; y la segunda es la aplicación del contrato realidad, pues dependerá de los actos contractuales y la intima ligación de la parte no signataria con este —incluso a través de contratos accesorios—, ya que la ausencia de su firma no es el elemento que determinará la aplicabilidad del pacto, sino que, por el contrario, la realidad de la ejecución del contrato es la que hará llegar al tribunal arbitral a dicha conclusión.

III. EXTENSIÓN DEL PACTO EN EL REGLAMENTO DE ARBITRAJE DE LA CÁMARA DE COMERCIO INTERNACIONAL DE PARÍS (CCI) - ASUNTOS PROCEDIMENTALES

En ninguno de sus artículos el reglamento de la CCI de 1998 hacía referencia a la extensión del pacto a terceros no signatarios. Con seguridad las dudas hacia esta figura jurídica nacieron producto del desarrollo económico que, con mayor fortaleza y producto de la propia evolución económica, tuvimos en épocas posteriores a su expedición, pues para esa fecha los casos de tribunales arbitrales con multiplicidad de partes que se tramitaron en la CCI no eran lo suficientemente relevantes como para pensar en que era necesaria su regulación.

Por otro lado, a partir del reglamento de arbitraje de la CCI del año 2012 (y en la actualidad, su versión vigente desde el 1 de marzo de 2017), se incluyó en su articulado la previsión de la vinculación de terceros ajenos a la celebración del pacto para que sean partes dentro del trámite arbitral. Así define el reglamento, en su artículo 7, la incorporación de partes adicionales:

> "1. La parte que desee incorporar una parte adicional al arbitraje deberá presentar su solicitud de arbitraje en contra de la parte adicional (la «Solicitud

---

[10]   Gómez Londoño, "Intervención de terceros en el arbitraje nacional colombiano a la luz de las experiencias del arbitraje comercial internacional", 29.

de Incorporación») *a la Secretaría. Para todos los efectos, la fecha en la que la Solicitud de Incorporación sea recibida por la Secretaría será considerada como la fecha de inicio del arbitraje contra la parte adicional. Toda incorporación estará sujeta a las disposiciones de los Artículos 6 (3) -6 (7) y 9. Ninguna parte adicional podrá ser incorporada después de la confirmación o nombramiento de un árbitro, salvo que todas las partes, incluyendo la parte adicional, acuerden lo contrario. La Secretaría podrá fijar un plazo para la presentación de la Solicitud de Incorporación"* (*Cámara de Comercio Internacional, 2019, página 19*)[11].

Uno de los puntos de avance desde el año 2012 fue la regulación del procedimiento por el cual se podrá solicitar a instancias de la CCI la incorporación de una parte adicional, dándole un criterio de temporalidad a la solicitud so pena de ser rechazada por haber precluido la oportunidad para ser presentada. Tal como desarrolla la CCI, el momento para solicitar la inclusión de un tercero no signatario será previo a la confirmación o nombramiento del árbitro, permitiendo excepcionalmente —si las partes, incluida la adicional— que acuerden algo diferente, permaneciendo la autonomía de la voluntad como fuente originadora de la regulación que las partes quieran darle a la resolución del conflicto.

Además, el numeral 2 del artículo 7 del Reglamento de la CCI establece los requisitos mínimos que la solicitud debe cumplir para efectos de que pueda ser estudiada, sin que se limite a las partes a poder allegar cualquier otra documentación o información que consideren que pueda contribuir a la resolución de esa controversia:

"2 La Solicitud de Incorporación contendrá la siguiente información:
a) la referencia del arbitraje existente;
b) el nombre completo, descripción, dirección y otra información de contacto de cada una de las partes, incluyendo la parte adicional; y
c) la información especificada en el Artículo 4 (3) subpárrafos c), d), e) y f).
La parte que presente la Solicitud de Incorporación podrá presentar junto con ella cualquier documento o información que considere apropiado o que pueda contribuir a la solución eficiente de la controversia". (Cámara de Comercio Internacional, 2019, página 19)[12].

---

[11]   Cámara de Comercio Internacional, *Reglamento de arbitraje (vigente a partir del 1 de marzo de 2017)/ Reglamento de mediación (vigente a partir del 1 de enero de 2014)*, 19.

[12]   Cámara de Comercio Internacional (ICC), *Reglamento de arbitraje (vigente a partir del 1 de marzo de 2017)/ Reglamento de mediación (vigente a partir del 1 de enero de 2014)*, 19.

Sin embargo, esta reglamentación de la CCI no restringe el trámite de la solicitud a una actividad limitada a la parte solicitante sino que, por el contrario, permite que el tercero a vincular tenga la oportunidad para contestar de conformidad *mutatis-mutandi*, pudiendo en esta etapa presentar demandas contra cualquier otra parte que confirme el tribunal arbitral, siempre siguiendo las reglas establecidas para estos casos en el artículo 8 del Reglamento de la CCI.

Por su parte, el artículo 9 del Reglamento de la CCI permite la:

> *"Multiplicidad de contratos. Sin perjuicio de lo dispuesto en los Artículos 6 (3) - 6 (7) y 23 (4), las demandas que surjan de, o en relación con, más de un contrato podrán ser formuladas en un solo arbitraje, independientemente de si dichas demandas son formuladas bajo uno o más acuerdos de arbitraje bajo el Reglamento".* (Cámara de Comercio Internacional, 2019, p. 21)[13].

Bajo esta tesis, se refuerza la idea general de este capítulo en la inclusión y permisibilidad de la inclusión o vinculación de terceros no firmantes de los pactos, puesto que de las diferentes relaciones contractuales puede inferirse lógicamente su extensión a quienes no por suscripción pero sí por ejecución pueden verse cobijados por el trámite del tribunal arbitral.

IV. CONCLUSIÓN

Es correcto afirmar que existe, tanto desde el punto de vista sustancial como procesal, la posibilidad, la oportunidad y la viabilidad de la vinculación de terceros no signatarios a los diferentes trámites arbitrales. Esta vinculación puede lograrse a través de las diferentes doctrinas y teorías societarias y contractual comerciales que hemos analizado a lo largo de este escrito, las que, sin duda, deben revisarse, pues la velocidad a la que los negocios evolucionan crea grandes retos para los futuros trámites arbitrales internacionales.

Hoy una buena parte del comercio se puede realizar por intermedio de plataformas que están cambiando dinámicas de mercado internacional y que deben observarse de forma cuidadosa para poder hacer las correspondientes actualizaciones normativas, sumado a la complejidad de las operaciones y la cantidad de intervinientes que pueden confluir en una transacción, nuevas formas o estructuras contractuales asociativas que, como

---

[13]   Cámara de Comercio Internacional, 21.

resultado, buscan evitar la posibilidad de asumir las consecuencias de un arbitraje y que hasta ahora no se han estudiado con suficiencia, a la espera de que la casuística nos lleve inexorablemente a la modificación norma-tiva, que debe ser lo suficientemente abierta para su aplicación a muchas figuras jurídicas que incluso hoy no existen.

REFERENCIAS

CÁMARA DE COMERCIO INTERNACIONAL. Reglamento de arbitraje (vigente a partir del 1 de marzo de 2017)/ Reglamento de mediación (vigente a partir del 1 de enero de 2014). International Chamber of Commerce, 2019. https://iccwbo.org/publication/arbitration-rules-mediation-rules-spanish-version/.

CORTE CONSTITUCIONAL DE COLOMBIA. Sentencia C-090 de 2014 [MS Mauricio González Cuervo] (2014). http://www.corteconstitucional.gov.co/relatoria/2014/C-090-14.htm.

GÓMEZ LONDOÑO, J. E., "Intervención de terceros en el arbitraje nacional colombiano a la luz de las experiencias del arbitraje comercial internacional". *Revista de Derecho Privado*, nº 49 (junio de 2013): 1-40. https://doi.org/10.15425/redepriv.49.2013.05.

MARTÍN, H./ PINEDA, J. y GARCÍA OLMEDO, J., "La incorporación de partes no signatarias y el carácter consensual del arbitraje: ¿cuál es la posición adoptada por las instituciones arbitrales?" *Anuario Latinoamericano de Arbitraje* 2 (septiembre de 2012): 215-30.

ROMERO SEGUEL, A., "La extensión del convenio arbitral a partes no signatarias: límites y posibilidades en Chile". *Anuario Latinoamericano de Arbitraje* 2 (septiembre de 2012): 3-1.

SOTO COAGUILA, C. A., "Presentación". *Anuario Latinoamericano de Arbitraje* 2 (septiembre de 2012): v-x.

¿Se puede controlar el abuso de poder de las grandes entidades deportivas?

Felipe Cárdenas[*]

Con la colaboración de Juan Sebastián Torres Novoa e Ivan Darío Castro Díaz

RESUMEN

A lo largo del presente artículo, y teniendo en cuenta la estructura como está organizado el deporte a nivel mundial, veremos como las principales instituciones deportivas han llegado a tener un nivel tan alto de poder, que dada su posición dominante sobre sus asociados (confederaciones, federaciones, clubes y/o deportistas), en determinadas circunstancias abusan del mismo. Se expondrán diferentes ejemplos de abuso de poder, por acción y omisión, así como casos de éxito y fracaso de los diferentes tribunales arbitrales deportivos existentes, mediante los cuales se ha logrado, parcialmente, controlar dichos abusos de poder.

En esta misma línea analizaremos la viabilidad de crear tribunales arbitrales deportivos de carácter nacional o regional, que atiendan la realidad y las necesidades propias de una industria deportiva latinoamericana que no está siendo atendida por la justicia arbitral, haciendo especial énfasis en los puntos clave que consideramos se deben tener en cuenta para aumentar las posibilidades de que dichos tribunales sean exitosos. Lo anterior significa que más deportistas y clubes comunes y corrientes puedan acceder a este mecanismo alternativo de solución de conflictos, de tal manera que puedan hacer valer sus derechos frente a las grandes entidades deportivas a las que pertenecen por un sistema de adhesión al que están sometidos.

Palabras clave: Arbitraje deportivo, Derecho Deportivo, Tribunal Arbitral Deportivo, Mecanismo alternativo de solución de conflictos, Jurisdicción Ordinaria.

ABSTRACT

Throughout this article, and given the structure of how sport is organized worldwide, where the main sports institutions have a dominant position over their associates (confederations, federations, clubs and/or athletes), we will see how these institutions have reached such a high level of power, that in certain circumstances, they abuse it. Different examples of power

---

[*] Abogado de la Pontificia Universidad Javeriana, MBA en Dirección y Organización de Empresas de la Universidad Politecnica de Cataluña y MBA en Sport Management y Sport Bussines del EAE Bussiness School. Socio en Playlegal y Obando - Cárdenas Abogados Asociados (Bogotá, Colombia).

abuse, by action or omission, will be exposed, as well as cases of success and failure of the various existing sports arbitration tribunals, through which these abuses of power have been partially controlled.

In this same line we will analyze the feasibility of creating national or regional sports arbitration tribunals that address the reality and the needs of the unattended Latin American sports industry. We will emphasize specially on the key points that we consider should be taken into account to increase the possibilities for these tribunals to be successful. This means that more ordinary athletes and clubs should be able to access this alternative mechanism of conflict resolution, so that they can assert their rights against the large sports entities to which they belong by the existent adhesion system.

Key words: Sport Arbitration, Sport Law, Sport Arbitration Tribunal, Alternative dispute resolution mechanism, Ordinary jurisdiction.

I. INTRODUCCIÓN

A lo largo de los últimos años, el deporte a nivel Latinoamericano y mundial ha tenido un desarrollo sin precedentes, influyendo de forma determinante en la sociedad y en todos los aspectos de este mundo globalizado. En esta misma línea, se puede afirmar que las principales organizaciones o entidades deportivas, tanto a nivel nacional como internacional, ostentan tal poder que, en algunos casos termina perjudicando a los principales actores del deporte, los atletas.

A partir de lo anterior, surge la inquietud de cómo y ante quién los deportistas, pueden plantear y dirimir las controversias deportivas que surgen con los organismos deportivos de los cuales hacen parte, sin que en el camino se vea afectada su carrera deportiva, su imagen, sus ingresos o su propia participación en eventos de gran envergadura a nivel nacional o mundial.

Desafortunadamente, en la industria deportiva repetidamente se han venido desarrollando conductas de abuso de poder, de mala administración y de actuaciones en detrimento de los atletas, de parte de las federaciones nacionales o internacionales, sin que los primeros puedan defenderse por medios jurídicamente adecuados, dentro del marco de un debido proceso con garantías propias del acceso a la justicia, pues esta relación entre deportista y organismo deportivo es prácticamente un contrato de adhesión donde, que el deportista jamás lee ni entiende, por lo cual el deportista se queda sin muchas alternativas para luchar contra el poder de las entidades deportivas.

II. ESTRUCTURA DE LA JURISDICCIÓN DEPORTIVA INTERNACIONAL

Hay que tener en cuenta que el sistema deportivo mundial es un sistema piramidal de carácter privado, pues todas las entidades deportivas se constituyen como personas jurídicas del derecho privado, los cuales encuentran respaldo en entidades administrativas de cada país, como consecuencia del reconocimiento como fundamental del derecho al deporte.

El máximo órgano del Movimiento Olímpico (OM, por sus siglas en inglés) es el Comité Olímpico Internacional (IOC por sus siglas en inglés), constituido como organización internacional no gubernamental, sin ánimo de lucro, en forma de asociación dotada de personalidad jurídica, reconocida por el Consejo Federal Suizo, teniendo como función principal ejercer la acción concertada, organizada, universal y permanente, sobre todas las personas y entidades inspiradas por los valores del Olimpismo, de conformidad con el artículo 1 de la Carta Olímpica.

El eslabón más alto del Movimiento Olímpico es el IOC, a partir del cual se ha organizado durante las últimas décadas los demás eslabones que componen la pirámide estructural del deporte a nivel mundial; de esta forma un eslabón por debajo del IOC se encuentran las Federaciones Internacionales afiliadas al IOC, actuando como máximo órgano de cada deporte a nivel mundial. A su vez, las Federaciones Internacionales se encuentran constituidas por las Confederaciones continentales y estas a su vez por las Federaciones deportivas nacionales, siendo estas el máximo órgano de cada deporte en cada país; y aquí es donde, dependiendo de la estructura deportiva nacional, puede variar un poco la organización, ya que las federaciones pueden estar constituidas por ligas deportivas, comunidades autónomas o simplemente por clubes deportivos a los cuales finalmente están adscritos los deportistas.

De este modo, todas las organizaciones deportivas y sus deportistas, además de cumplir con las regulaciones dispuestas por el organismo al cual se afilian, ya sea el club, la liga, la federación nacional, la federación internacional o el propio IOC, deben actuar dentro del marco de la legislación propia de cada país, así como las controversias jurídicas en las que participen deben enmarcarse en la legislación procesal y sustancial de dicho territorio, por regla general.

De acuerdo con lo anterior, la mayoría de las federaciones deportivas nacionales e internacionales cuentan con reglamentos disciplinarios, reglamentos antidopaje y códigos de conducta a los cuales se someten todos sus miembros al momento de afiliarse a la organización o participar en las competiciones organizadas por la misma. Entonces, las entidades y sus deportistas quedan obligados a cumplir dichas disposiciones y, en caso de incumplimiento de las mismas, entrarán a operar los órganos de decisión, ya sean comisiones disciplinaria, ética u otras, o los órganos creados por la respectiva federación, quienes dentro del marco del debido proceso, según los reglamentos propios y/o los de sus respectivas federaciones internacionales, adoptarán una decisión en primera instancia, de acuerdo con las sanciones previstas en la regulación vigente, emanada del máximo órgano de la entidad.

Las federaciones deportivas nacionales, como lo mencionamos anteriormente, se encuentran afiliadas ante la Federación internacional del respectivo deporte, por lo cual en caso que esté previsto en el reglamento de dicha federación internacional que determinados procesos que tengan un carácter internacional, denominados así por la diferencia de nacionalidad de las partes en conflicto, sean resueltos por la respectiva federación internacional en primera instancia; lo que generaría una pregunta para el buen observador del debido proceso, ¿y la segunda instancia?

Esta cuestión ha sido resuelta por las federaciones internacionales al crear Comisiones de apelación, las cuales se han encargado de resolver estas controversias en segunda instancia. Asimismo las federaciones internacionales y el IOC, han permitido que la jurisdicción arbitral pueda resolver controversias relacionadas con el derecho deportivo, teniendo como principal organismo de arbitraje deportivo al Tribunal Arbitral del Deporte con sede en Suiza (TAS o CAS), el cual ha aceptado la competencia para resolver las controversias que se generen entre dichos organismos deportivos y sus respectivos afiliados, siempre que no contraríe el derecho Suizo, legislación a la cual está sometido el CAS.

En ese entendido, el CAS es el organismo encargado de resolver en última instancia, algunas de las controversias sometidas a los órganos o comisiones propias de las Federaciones Internacionales, previamente estudiadas en primera instancia por las mismas. Por otra parte, también es posible que en los reglamentos disciplinarios, antidopaje o éticos de las federaciones internaciones, entre otros, se prevean disposiciones que establezcan que el CAS resolverá determinados conflictos directamente como primera y única instancia.

III. CASOS DE ABUSO DE PODER

Para contextualizar el tema del presente artículo, vale la pena referenciar algunos de los casos más recientes de abusos de poder en detrimento de los deportistas y sus carreras profesionales, ocurridos en Latinoamérica y en el mundo.

A nivel nacional (Colombia), está el caso de la Selección Colombiana de Polo Acuático que durante los Juegos Centroamericanos y del Caribe de 2018 llevados a cabo en Barranquilla se ganó un cupo para la Copa Mundo de Polo Acuático (Máxima Competencia dentro de la disciplina), que se llevó a cabo en Alemania en el mismo año. Una vez el seleccionado obtuvo el cupo tras la competencia deportiva, lastimosamente para los deportistas colombianos, la Federación Colombiana de Natación (FECNA) decidió ceder el cupo obtenido en competencia a la Federación Estadounidense de Natación, por supuesta falta de recursos económicos, y los deportistas colombianos nada pudieron hacer al respecto, pues no tuvieron la posibilidad de recurrir ante ninguna organización deportiva nacional como la Federación Colombiana de Natación (FECNA), Comité Olímpico Colombiano (COC) o COLDEPORTES (máximo ente de inspección, vigilancia y control del deporte en Colombia, que ahora se convertirá en el ministerio del deporte); ni tampoco internacionalmente (FINA o COI) para hacer valer un derecho adquirido y que se resolviera esta situación[1].

A nivel latinoamericano vale la pena señalar que la mayoría de casos de Dopaje que se presentan hoy en día hoy se están resolviendo desfa-

---

[1]   Ver. https://www.elcolombiano.com/deportes/otros-deportes/seleccion-colombia-de-polo-acuatico-no-pudo-participar-en-copa-mundo-en-berlin-HA9156999. Diario El Colombiano. El lío que dejó a la Selección Colombia de polo acuático sin copa mundo. Publicado agosto 13 de 2018.

vorablemente para los deportistas, principalmente cuando se trata de deportistas sin relevancia a nivel internacional. Lo anterior, debido a que es precisamente en estos casos cuando las Federaciones Nacionales, a través de sus respectivas comisiones disciplinarias (Colombia) o sus equivalentes en los diferentes países, obedeciendo a la presión de la Agencia Mundial Antidopaje (WADA) y de sus respectivas federaciones internacionales, sancionan a los deportistas con las penas máximas permitidas, desconociendo las particularidades de cada caso y las situaciones especiales de cada país. Es preciso decir que no ocurre cuando se trata de deportistas reconocidos que tienen relevancia para su respectiva federación nacional o incluso la internacional, donde ahí si las entidades deportivas, abusando de su poder, dilatan los proceso o los aceleran para proteger no a los atletas, sino más bien al negocio que representan estos por su impacto. Basta recordar el caso de Paolo Guerrero donde la Federación Peruana de Fútbol (FPF), la Confederación Suramericana de Fútbol (CONMEBOL) y la Federación Internacional de Futbol Asociado (FIFA), se pusieron todos de acuerdo para que el jugador pudiera participar en el mundial de fútbol de Rusia de 2018, todo en detrimento de la credibilidad de todo el sistema de justicia deportiva existente[2].

Uno de los casos más importantes que recientemente se ha presentado en el deporte mundial, es el denominado "Caso Semenya", el cual consiste en la expedición por parte de la Federación Internacional de Atletismo (IAAF) de una normativa que impediría participar en pruebas de medio fondo a las atletas que no mantengan sus niveles de testosterona por debajo de los cinco (5) nanomoles por litro de sangre durante al menos seis meses antes de la competencia[3], incluso para aquellas deportistas que producen naturalmente en su cuerpo dicha sustancia por encima de los límites que pretende regular la IAFF con la expedición del nuevo reglamento

Para entender este caso hay que tener en cuenta que en la actualidad, el límite de tolerancia para los niveles de testosterona se encuentra en los diez (10) nanomoles por litro de sangre, pero con la nueva reglamentación, este umbral se reduciría a la mitad, ya que según estudios a los que alude la IAAF, una mayor proporción aumenta un 4,4% la masa muscular,

---

[2]   Ver Cas 2018/A/5546 José Paolo Guerrero v. FIFA-2018/A/5571 WADA v. FIFA & José Paolo Guerrero. 30 de julio de 2018.

[3]   Ver Cas 2018/O/5794-2018/O/5798 Mokgadi Caster Semenya y Athletics South Africa v. International Association of Athletics Federations. 30 de abril de 2019.

entre un 12 y un 26% la fuerza y un 7,8% la hemoglobina, generando así una ventaja competitiva.

Bajo el umbral que venía manejando la IAAF antes del mes de noviembre del año 2018, se sustentó la solicitud de nulidad de la regulación por parte de la Atleta Sudafricana, Caster Semenya, campeona olímpica de 800 metros planos en Londres 2012 y Río 2016, con la ayuda de la Federación Sudafricana de Atletismo (FSA), ya que consideraban discriminatorios, desproporcionados, innecesarios y poco fiables los nuevos umbrales propuestos por la IAAF, motivo por el cual decidió recurrir ante el Tribunal Arbitral del Deporte (CAS) para que declarara inválidas y nulas con efecto inmediato las disposiciones proferidas por la IAAF.

El Panel dispuesto por el CAS decidió desestimar las pretensiones de Caster Semenya y la FSA, considerando que, de acuerdo con los elementos probatorios allegados al proceso arbitral, no pudo establecerse que los reglamentos *"difference of sex development"* (DSD) sean inválidos, sin embargo, el panel encontró que los reglamentos si son discriminatorios, pero se logró demostrar prima facie, que dicha discriminación corresponde a un mecanismo necesario, razonable y proporcional para lograr el objetivo de preservar la integridad de las mujeres en el atletismo[4].

Si bien el CAS dispuso que los reglamentos DSD no son inválidos, si evidenció que existe gran incertidumbre respecto a la aplicación de estos reglamentos, ya que los mismos obligarían a las atletas que naturalmente tienen niveles de testosterona superiores a (5) nanomoles por litro de sangre a someterse a tratamientos con medicamentos anticonceptivos que reduzcan los niveles de testosterona al límite permitido, sin conocer con certeza cuáles pueden ser los efectos secundarios que ocasionen en las atletas el consumo de dichas sustancias, motivo por el cual el CAS instó a la IAAF a suspender la aplicación del reglamento DSD hasta tanto no tenga un espectro completo sobre la forma de aplicación del mismo, así como de las consecuencias que puede generar en la salud de las atletas[5].

En desarrollo de lo anterior, expondremos a continuación, los motivos por los cuales la jurisdicción ordinaria no tiene capacidad suficiente para resolver los conflictos de carácter deportivo, así como también explicare-

---

[4]   Ver Eligibility Regulations For The Female Classification (Athletes With Differences Of Sex Development. Published on 1 May 2019.

[5]   Ver. Cas Media Release Cas Arbitration: Caster Semenya, Athletics South Africa (ASA) and International Association of Athletics Federations (IAAF). 1 de mayo de 2019.

mos los mecanismos de solución de controversias de la jurisdicción deportiva, de igual forma, desarrollaremos los beneficios que genera la creación de estos tribunales arbitrales, sustentados en los ejemplos ya existentes en el mundo y, la viabilidad en su aplicación, tanto en el entorno deportivo como en la legislación nacional; todos estos argumentos encaminados a sustentar los motivos por los cuales la creación de estos centros de arbitraje, generaría una protección en favor de los deportistas frente al abuso de poder de los organismos deportivos.

IV. ¿POR QUÉ LA JURIDICCIÓN ORDINARIA NO TIENE LA CAPACIDAD DE RESOLVER LOS CONFLICTOS DE CARÁCTER DEPORTIVO?

Son dos los principales obstáculos que impiden a la jurisdicción ordinaria resolver de forma adecuada y eficaz las controversias que se presentan en el marco del deporte organizado. En primer lugar, se encuentra la falta de conocimiento específico sobre los temas a resolver en materia de derecho deportivo; si bien las relaciones que se presentan en el marco del deporte organizado entre los sujetos que componen este universo se sujetan a las diversas ramas del derecho como el derecho laboral (contratos entre clubes y deportistas), el derecho civil (derechos de imagen e incumplimientos contractuales), derecho comercial (constitución de clubes y ligas deportivas y reforma a sus estatutos), entre otras, no es precisamente estos temas los que requieren de conocimiento específico de la legislación deportiva.

El Derecho Deportivo es una rama específica con reglamentaciones privadas propias y exclusivas del deporte, donde encontramos asuntos como el dopaje, la elegibilidad de deportistas, los derechos de formación y el mecanismo de solidaridad, transferencias, reglamentos de competiciones, entre muchos otros temas, los cuales se distancian abiertamente de la esfera de conocimiento de un juez ordinario, que adicionalmente, por disposiciones de los propios organismos deportivos son asuntos que no pueden ser sometidos a la justicia ordinaria.

El segundo obstáculo que impide que la jurisdicción ordinaria pueda resolver los casos surgidos en el mundo del deporte, tiene que ver con la eficacia con la que se desarrollan los procesos en esta jurisdicción y que va en contra del principio pro competitione que es fundamental en la actividad deportiva. Por lo menos en Colombia, y que seguramente puede aplicarse a otros países latinoamericanos, la cantidad de procesos que actualmente conoce la jurisdicción ordinaria en cada una de sus especialidades presenta una congestión que trae como consecuencia un incumplimiento de los términos dispuestos por la ley para la resolución de los procesos judiciales, por un periodo de tiempo que, para el caso de los deportistas, puede constituir en gran parte de su carrera deportiva.

Para comprender mejor el contexto de la jurisdicción ordinaria en Colombia, nos gustaría mencionar el estudio realizado por Sergio Clavijo "Costos y Eficiencia de la Rama Judicial en Colombia" de octubre de 2011, donde relata perfectamente el costo de Los procesos judiciales en Colombia, así como la duración promedio de los mismos, que excede lo estipulado por la normativa vigente:

> "...Hemos visto que la justicia colombiana adolece de celeridad para evacuar los procesos, luego resulta útil detallar dónde están esos «cuellos de botella». El propio CSJ ha venido estudiando estos temas. Según este organismo, el tiempo promedio de evacuación de los procesos civiles ha sido de 1.448 días (4 años), cifra que multiplica por cinco veces el tiempo «normal». Los procesos ejecutivos hipotecarios han tardado 1.723 días (4 años y 9 meses), cuando éstos no deberían tardar más de un año, y en Chile, de hecho, se realiza en cerca de 3-4 meses (ver BID, 2005).
> El CSJ ha venido ilustrando estudios de casos para alertar sobre estas demoras: un proceso penal de 1998 tardó 3.098 días (8 años y 6 meses), cuando el máximo esperado entonces era de 775 días; otro proceso laboral tardó 588 días, cinco veces el tiempo máximo esperado; un caso de familia tardó 1.295 días (3 años y 6 meses), cuatro veces el tiempo máximo esperado..."[6].

Contrario a lo anterior, tanto la jurisprudencia como la doctrina en materia de derecho deportivo, han concertado la existencia del principio denominado "*pro competitione*" en el marco de los procesos sancionatorios adelantados al interior de las propias federaciones a nivel nacional e internacional; por este principio se entiende que "*los entes sancionadores en materia deportiva deberán tener en cuenta la integridad del torneo o la competición en la que participa el sancionado*"[7], motivo por el cual, estos órganos sancionadores deben proferir con cierta celeridad sus decisiones, siempre salvaguardando el debido proceso y los derechos del sancionado.

---

[6]   Ver CLAVIJO, S. (2011) "Capítulo 3. Análisis del Sector Justicia en Colombia" en el libro *Costos y Eficiencia de la Rama Judicial en Colombia. Políticas de choque.* Editorial Centro de Estudios Económicos. Agencia Nacional de Instituciones Financieras, pp 77.

[7]   Ver GIRALDO, C y Fernández, L (2018). "Principios del Derecho Deportivo". Introducción al Derecho Deportivo y al Derecho del Deporte, pp. 68-69.

V. EJEMPLOS DE TRIBUNALES ARBITRALES DEPORTIVOS

En esta parte expondremos algunos de los tribunales deportivos que se han desarrollado a lo largo de la historia:

1. *Court of Arbitration For Sports-CAS*

Comenzaremos por la *Court of Arbitration for Sports* o Tribunal de Arbitraje Deportivo mejor conocido como el CAS, tribunal pionero y eje de referencia para la jurisdicción deportiva a nivel internacional.

En el año 1980 ante el aumento de disputas en materia deportiva y la ausencia de un organismo especializado y dedicado a esto, surge la idea de la creación de un organismo independiente que pudiera dar solución a dicha problemática, esta idea fue impulsada por el presidente del Comité Olímpico Internacional (COI), desde entonces se iniciaron todas las gestiones para la creación del Tribunal de Arbitraje Deportivo (CAS según sus siglas en ingles), el cual inició operaciones oficialmente en el año 1984 y tenía como particularidad que dependía económicamente del COI. Dos años después de su entrada en funcionamiento, recibió su primer caso y emitió su primer laudo en 1987.

El CAS sufre una serie de cambios en su estructura y nace el International Council of arbitration for sports o ICAS; conformando su estructura por un órgano conocido como ICAS, encargado de "salvaguardar la independencia y derechos de las partes"[8]; su función la cumple por medio de la administración del tribunal manteniendo el control financiero y la organización interna. Por otra parte, está la División de Arbitraje que es la encargada prestar los servicios jurídicos, la cual cuenta con dos divisiones: la división de procesos ordinarios y la división de procesos de apelación. Por último, está la división Ad Hoc, que no es una división permanente, y funciona únicamente en ciertas competencias como lo pueden ser el Mundial, Eurocopa, Juegos Olímpicos de Invierno y Verano entre otros.

Para entender como funciona el CAS, ahora vamos a referirnos a los procesos tramitados ante el Tribunal los cuales se desarrollan a la luz del código de procedimiento del propio CAS. De acuerdo al código, existen dos maneras para acudir al tribunal, por un lado, se tienen a aquellos que acuden por la presencia de una cláusula compromisoria en el contrato firmado entre las partes e inician ante la controversia un proceso ordinario

---

8   Ver. Court of Arbitration For Sport. History of the CAS. Disponible en: https://www.tas-cas.org/en/general-information/history-of-the-cas.html.

ante el CAS[9]; por otro lado, encontramos aquellos que acuden al tribunal como una segunda instancia, es decir, existe una decisión por parte de una instancia deportiva (nacional o internacional) y es el CAS quien la revisa como resultado de un recurso de apelación, esta posibilidad opera gracias a que "las federaciones deportivas le otorgan a sus miembros la posibilidad de acudir al CAS para revisar las decisiones tomadas internamente por dichas federaciones"[10]. En este segundo evento se presenta una particularidad muy especial y consiste en que el tribunal tiene la facultad de decidir el caso sin sujetarse a lo decidido en primera instancia pudiendo transformarse en una especie de instancia única.

En lo que respecta los laudos emitidos por el CAS, estos deben ser por escrito y los árbitros tienen el término de tres meses para pronunciarse y emitir la parte resolutoria y posteriormente pueden emitir la parte motiva. Los laudos del CAS se acogen a la Convención Sobre el Reconocimiento y la Ejecución de las Sentencias Arbitrales Extranjeras o Convención de Nueva York, pero es debido a que a los clubes se les pueden imponer sanciones deportivas en caso de incumplimiento de los laudos, y en gran medida es por esto por lo que se ve un alto grado de cumplimiento en las decisiones del CAS, sin tener que llegar a estos mecanismos para hacerlos cumplir.

Adicionalmente es importante resaltar que el valor para acceder al CAS está dispuesto por el artículo R64 del Código, del cual se extrae que para iniciar el proceso las partes deben hacer un abono inicial mínimo de mil francos suizos (CHF 1.000), tras lo cual las partes tendrán que desembolsar otra suma de dinero que se conocen como los costos administrativos que se generan durante el proceso, para los cuales el tribunal tiene una tabla para definir el monto a pagar que depende del valor de la disputa. Por ejemplo, cuando la disputa tenga una cuantía hasta de cincuenta mil francos suizos (CHF 50.000) el valor de los costos administrativos será entre los cien y los dos mil francos suizos (CHF 100-2000), y teniendo en cuenta la cuantía, la nacionalidad de las partes, el panel de árbitros y las actividades probatorias adicionales que surjan según la controversia se definirán los costos finales

---

[9]   Ver Code: Procedual Rules, R. 27 These Procedural Rules apply whenever the parties have agreed to refer a sports-related dispute to CAS. Such reference may arise out of an arbitration clause contained in a contract or regulations or by reason of a later arbitration agreement (ordinary arbitration proceedings) Disponible en https://www.tas-cas.org/en/arbitration/code-procedural-rules.html.

[10]   Ver. Cámara de comercio de Bogotá y Asociación Colombiana de Derecho Deportivo. Estudio de la Viabilidad del Arbitraje Deportivo en Colombia. Año 2017. Página 5.

del proceso. Cabe resaltar que a lo anterior hay que sumarle los honorarios de abogado, viajes, práctica de pruebas, entre otros, con lo cual es evidente que acudir al CAS por barato que sea o como mínimo no costará menos 10 a 15 mil francos suizos, cifra que muy pocos deportistas pueden pagar.

Finalmente es preciso mencionar que el CAS se considera como el caso de tribunales de arbitraje más exitoso que existe, casi un monopolio que ha manejado desde 1986, año en el que se recibió la primera controversia, hasta 2016 el total de 5057 casos[11], demostrando de esta manera la importancia del CAS como órgano de resolución de controversias deportivas.

2. Tribunal Arbitral de Balonceso-BAT

El Tribunal Arbitral de Baloncesto (BAT, por sus siglas en ingles), es el órgano independiente reconocido por la Federación Internacional de Baloncesto (FIBA) desde el año 2006 para resolver las controversias que surjan entre los jugadores, agentes y clubes de baloncesto. El BAT tiene como características principales que:

A. Es un tribunal que opera bajo la legislación suiza.

B El idioma oficial del tribunal será el inglés.

C. Se realiza ante un único arbitro el cual es designado por el presidente del BAT.

D. Es un proceso escrito y en caso de celebrarse audiencias dependerá de la previa solicitud de las partes.

E. Las decisiones se emiten en un plazo aproximado de seis semanas.

F. Para acudir al BAT, las partes deben acordar una cláusula de arbitraje.

Teniendo en cuenta lo anterior, las partes interesadas en acceder a este tribunal para la resolución de sus conflictos deben pactar una cláusula compromisoria de acuerdo con el numeral 0.3 de las reglas de arbitraje del BAT la cual dice *"Cualquier disputa que surja de o relacionados con el presente contrato deberá ser presentada al Tribunal Arbitrario de Baloncesto (BAT) en Ginebra, Suiza, y se resolverá en conformidad con el Reglamento de Arbitraje de BAT por un solo árbitro designado por el Presidente de la BAT. La sede del arbitraje será Ginebra, Suiza. El arbitraje se regirá por el Capítulo 12 de la ley suiza de Derecho*

---

[11]   Ver. Court of Arbitration For Sport. Statistics. Disponible en: https://www.tas-cas. org/fileadmin/user_upload/CAS_statistics_2016_.pdf.

Internacional Privado, con independencia del domicilio de las partes. El idioma del arbitraje será el inglés. El árbitro deberá decidir la controversia ex aequo et bono"[12].

Aquellos interesados en acceder a los servicios de este tribunal deben diligenciar una plantilla de solicitud de arbitraje, pagar una cuota inicial a la FIBA y una vez surtidos estos requisitos se dará vía libre para el inicio del proceso.

Para fijar los costos del BAT, después de la recepción de la solicitud de arbitraje, la Secretaría BAT fijará un anticipo de los costos en función, entre otras cosas, del valor monetario de la controversia y la complejidad del caso, el cual deberá ser pagado en partes iguales por ambas partes. En los casos con un valor de hasta 30.000 euros la provisión para gastos no podrá en principio exceder de 5.000 euros; en tales casos, el Árbitro podrá un fallo sin la parte motiva a menos que una de las partes solicite un fallo razonado y pague el avance correspondiente en los costos[13].

Este es otro de los tribunales de arbitraje deportivo reconocidos en el mundo, pero al estar adscrito a la FIBA se elimina lo que se llama pesos y contra pesos en el sistema, pues podría resultar siendo juez y parte a la hora de resolver las controversias en las cuales esté involucrada la propia FIBA.

3. Tribunal Arbitral del Deporte de República Dominicana

El Tribunal Arbitral del Deporte (TAD) es el encargado de resolver controversias que surjan como resultado de la práctica del deporte, el cual tras la iniciativa del Comité Olímpico Dominicano (COD) en el año 2011, que suscribe un convenio con la Cámara de Comercio de Santo Domingo, presta sus servicios por medio de la sede del Centro de Resolución Alternativa de Controversias (CRC) adscrito a dicha cámara, lo que permite garantizar así su independencia e imparcialidad para la toma de decisiones. Así las cosas, vamos a ver como se dio origen a este tribunal, su funcionamiento y demás particularidades que se encuentran inmersos en este interesante caso.

El CRC tiene la función de "ofrecer soluciones alternativas a las controversias de índole comercial que pudieran surgir entre dos o más partes

---

[12] Ver Reglas de Arbitraje del Tribunal del Tribunal Arbitral de Baloncesto. Enero 2017. Regla 0.3.

[13] Ver. Tribunal Arbitral de Baloncesto. Presentación. Disponible en: http://www.fiba.com/es/bat.

sean estas físicas o jurídicas, que hayan acordado someter la resolución de las mismas a estos métodos alternos, incluidos entre ellos: el arbitraje, la amigable composición, la conciliación y la mediación"[14]. Asimismo, gracias a la ley 181 de 2009 este órgano "...*también puede fungir como institución sede de diferendos internacionales, ya sea porque las partes así lo hayan previamente convenido o como institución delegada en la República Dominicana de organismos internacionales de solución de diferendos...*"[15].

Una de las particularidades que ha llevado al éxito de este tribunal es la existencia de un convenio entre la CRC y la Major League Baseball (MLB), que consiste en que el CRC será sede de todas las disputas que surjan entre los equipos y, los jugadores dominicanos que hacen parte de la liga aficionada de la MLB.

Adicionalmente, es el Reglamento de Arbitraje Deportivo, aprobado en 2015, por medio del cual se "establecen las reglas que regularan los procesos arbitrales deportivos que sean sometidos bajo el marco del acuerdo suscrito con MLB, así como cualquier otra controversia de índole deportiva y conforme acuerdo de las partes, le sea sometida al CRC"[16].

La modalidad utilizada en Republica Dominicana es sumamente interesante pensando en la creación de un tribunal de arbitraje deportivo en Colombia o en Latinoamérica, pues por medio de la Cámara de Comercio se garantizan los recursos físicos para prestar los servicios, además de ello, al tratarse de un ente independiente al sistema deportivo se garantiza la independencia del panel para la toma de decisiones. Cabe reiterar que el convenio que tienen con la MLB es una manera ingeniosa de atraer casos y además sirve de punta de lanza para buscar buscando firmar nuevos convenios con otros organismos deportivos.

4. *Tribunal Arbitral de Fútbol de Sudamérica - CONMEBOL*

El 14 de marzo de 2014, la Confederación Sudamericana de Fútbol (CONMEBOL) anunció la firma de un convenio con el Centro de Arbitra-

---

14   Ver. Centro de Resolución Alternativa de Controversias. Disponible en: http://www.crcsd.do/Home/AcercaCRC.
15   Ver. Cámara de Comercio de Santo Domingo. Disponible en: www.camarasantodomingo.do/productos-y-servicios/conciliacion-y-arbitraje/.
16   Ver. Centro de Resolución Alternativa de Controversias. Memorias de Gestión. Año 2017. http://www.crcsd.do/Media/assets/images/home/box-panel/Memorias%20de%20Gesti%C3%B3n%20-Manuel%20Luna%202017.pdf, p. 18.

je y Mediación del Paraguay (CAMP) que tenia como fin dar nacimiento al Tribunal Arbitral de Fútbol de Sudamérica (TAFS). Dicho tribunal estaba "llamado a resolver todos los recursos de apelación que los miembros del fútbol sudamericano, sean asociaciones nacionales, clubes, jugadores u oficiales, interpongan contra decisiones de última instancia de los órganos de la CONMEBOL. Se exceptúan aquellas decisiones en materia de dopaje, que seguirán siendo apelables ante el CAS"[17]. La idea inicial de este tribunal era tener conocimiento sobre los casos relacionados con controversias en el fútbol, como segunda instancia de las decisiones tomadas por la Conmebol y adicionalmente tenían la intención de que los miembros de las federaciones vinculadas con la entidad pudieran acceder a los servicios del TAFS para solucionar cualquier diferencia que surgiera en lo relacionado con el fútbol.

El Tribunal Arbitral de Fútbol de Sudamérica, tenía como ideal proponer una serie de ventajas a los clubes del continente como el tema de las distancias; que los procedimientos tendrían como idioma oficial el español y representaría costos menos elevados que acudir al CAS, pero a pesar de ser una iniciativa que facilitaría a los actores del fútbol en Sudamérica, este proyecto quedo tan solo en un anuncio por parte de la CONMEBOL y no fue desarrollado a profundidad por parte de los encargados.

A priori, el TAFS suponía una buena idea, pero al depender de la CONMEBOL, se podría ver afectada la imparcialidad de los árbitros que conformen los paneles dejando en velo de duda las decisiones tomadas por el tribunal. Hoy en día, no se sabe cuales fueron las causas por las cuales no se ejecutó esta idea para crear definitivamente el tribunal.

VI. VIABILIDAD PARA LA CREACIÓN DE LOS TRIBUNALES DEPORTIVOS ARBITRALES

Es necesario revisar la viabilidad de someter las controversias jurídico-deportivas ante los tribunales arbitrales, esto a partir de la reglamentación especial de los organismos más importantes a nivel nacional e internacional.

De acuerdo con lo anterior, la Carta Olímpica, reglamentación que dispone la acción, organización y operación del Movimiento Olímpico,

---

[17]   Ver. Conmebol. Nace el Tribunal Arbitral del Fútbol Sudamericano. Año 2014. Disponible en: http://www.conmebol.com/es/content/nace-el-tribunal-arbitral-del-futbol-sudamericano-0.

además de establecer las condiciones requeridas para la celebración de los Juegos Olímpicos (JJOO), ha reglamentado la resolución de conflictos mediante el CAS de la siguiente forma:

> "...61 Dispute resolution
> 1. The decisions of the IOC are final. Any dispute relating to their application or interpretation may be resolved solely by the IOC Executive Board and, in certain cases, by arbitration before the Court of Arbitration for Sport (CAS).
> 2. Any dispute arising on the occasion of, or in connection with, the Olympic Games shall be submitted exclusively to the Court of Arbitration for Sport, in accordance with the Code of Sports-Related Arbitration..."[18].

Al igual que el Comité Olímpico Internacional, la Federación Internacional de Fútbol Asociado (FIFA), uno de los organismos deportivos más importantes a nivel mundial, también ha previsto mediante sus Estatutos, no solo la forma en la que opera la competencia del CAS, sino que ha estipulado obligaciones específicas para sus miembros, referentes a la resolución de las controversias presentadas dentro del marco de los reglamentos proferidos por la organización, constituyéndose en cláusulas de obligatorio sometimiento a este tribunal arbitral:

> "...59. Obligaciones relativas a la resolución de disputas
> 1. Las confederaciones, las federaciones miembro y las ligas se comprometerán a reconocer al TAD como autoridad judicial independiente. Deberán garantizar que sus miembros, jugadores afiliados y oficiales acaten las sentencias del TAD. Esta obligación será igualmente de aplicación en el caso de los intermediarios y los agentes organizadores de partidos con licencia.
> 2. Queda prohibida la vía del recurso ante los tribunales ordinarios, a menos que se especifique en la reglamentación de la FIFA. Queda excluida igualmente la vía ordinaria en el caso de medidas cautelares de toda índole.
> 3. Las federaciones tendrán la obligación de incorporar a sus estatutos o su normativa una cláusula que, en el caso de litigios internos de la federación o de litigios con ligas, miembros de una liga, clubes, miembros de un club, jugadores, oficiales o cualquier otra persona adscrita a la federación, prohíba ampararse en los tribunales ordinarios, a no ser que la reglamentación de la FIFA o las disposiciones vinculantes de la ley prevean o prescriban expresamente el sometimiento a tribunales ordinarios. En lugar de los tribunales ordinarios, se deberán prever procedimientos arbitrales. Los litigios mencionados se someterán a un tribunal de arbitraje independiente, debidamente constituido y reconocido por la reglamentación de la federación o de la confederación, o al TAD.
> Asimismo, las federaciones se comprometerán a garantizar que esta disposición se cumpla cabalmente en su seno y, siempre que sea necesario, imponiendo una obligación vinculante a sus miembros. En caso de incumplimiento

---

18   Ver Carta Olímpica. Septiembre 27 de 2018. Regla 61.

de esta obligación, las federaciones impondrán a quien corresponda las san-
ciones pertinentes; además, los recursos de apelación contra dichas sanciones
se someterán estrictamente y de igual modo a la jurisdicción arbitral y no a los
tribunales ordinarios...”[19].

De lo anterior vale la pena resaltar que la reglamentación de la FIFA no solo admite el CAS o TAD sino que también deja abierta la puerta para otros procedimientos arbitrales diferentes, siempre y cuando los mismos sean reconocidos por la respectiva federación o confederación. De esta modo es claro que la posibilidad de crear tribunales arbitrales deportivos nacionales o regionales es viable, pero se debe contar con el reconocimiento de las respectivas entidades deportivas.

A nivel nacional, el Comité Olímpico Colombiano (COC) ha previsto en sus estatutos el arbitramento ante el CAS como mecanismo de apelación de las decisiones adoptadas por la Asamblea General:

“...ARTÍCULO 52°.
Cualquier decisión tomada por la Asamblea General podrá ser impugnada
por vía de apelación ante la Corte de Arbitramento para el Deporte, la cual
resolverá directamente la disputa, de acuerdo con el Código de Arbitramento
de eventos relacionado con el deporte. El tiempo límite para la apelación es
de veintiún (21) días, contados a partir del día de publicación del acta...”[20].

Las cláusulas previamente referenciadas constituyen para los miembros afiliados a cada uno de estos organismos deportivos, la obligación de no acudir a la jurisdicción ordinaria para resolver sus controversias, sino que las mismas deben ser resueltas por las instancias federativas y en última instancia por el arbitraje internacional de CAS.

Ahora bien, estos argumentos nos presentan otra incógnita referente a si estas cláusulas de obligatorio sometimiento a la jurisdicción arbitral del CAS, resultan válidas o no. Asimismo hay que analizar la estipulación de cláusulas arbitrales en reglamentos de carácter general a los cuales adhieren las entidades deportivas y en consecuencia sus atletas, son válidas para otorgar competencia al tribunal arbitral, o si por el contrario resultan violatorias de derechos fundamentales como el derecho al acceso a la administración de justicia o como el derecho a la tutela judicial efectiva, al igual que el abuso de una posición dominante.

---

[19]   Ver. Estatutos FIFA. Agosto de 2018. Artículo 59.
[20]   Ver. Estatutos Comité Olímpico Colombiano (COC). Febrero de 2018 Artículo 52.

Al respecto, la Corte de Apelación de Bruselas, en providencia de fecha 29 de agosto de 2018, consideró lo siguiente a la luz artículo 6 del Convenio Europeo de los Derechos Humanos y el artículo 47 de la Carta de los derechos fundamentales de la UE:

> *"...Tal y como prevé el artículo 1681 del Code Judiciaire belga, «el convenio arbitral es aquel en virtud del cual las partes someten a arbitraje todas o algunas controversias nacidas o que podrían nacer entre ellas respecto a una determinada relación jurídica, contractual o no contractual» (itálicas añadidas). Por consiguiente, el Derecho belga únicamente reconoce efectos al convenio arbitral cuando atañe a una determinada relación jurídica..."[21].*

En el mismos pronunciamiento la Corte de Apelación de Bruselas dispuso:

> *"...El requisito está vinculado al derecho a la tutela judicial efectiva (artículo 6.1. del CEDH y artículo 47 de la Carta de los Derechos Fundamentales de la UE), al respeto de la voluntad de las partes (evitar que se vean sorprendidas por la aplicación de la cláusula a litigios que no hubieran anticipado), así como a la preocupación «de evitar que la parte que se encuentre en una situación de mayor poder económico no imponga a la parte contraria un fuero general determinado»*
> *(...)*
> *No obstante, las limitaciones impuestas por estos dos principios no bastan para caracterizar una determinada relación jurídica. Según la tesis de la FIFA, las personas jurídicas podrían acordar válidamente entre ellas en todo momento una cláusula arbitral aplicable a cualesquiera litigios que pudieran sobrevenir entre ellas, por el simple hecho de que sus actividades están delimitadas por sus estatutos, extremo que, precisamente, como se ha indicado con anterioridad, no está admitido.*
> *(...)*
> *Por cuanto antecede, procede desestimar la excepción de arbitraje alegada por la FIFA, la UEFA y la URBSFA, puesto que la cláusula invocada no se refiere a una determinada relación jurídica y, por ende, no puede ser reconocida como un convenio arbitral en el sentido de los artículos 1681 y 1682, párrafo 1, del Code Judiciaire belga..."[22].*

---

[21]   Ver. Tribunal de Apelación de Bruselas. 18ª sala F Sección Civil. 2016/AR/2048. La Union Royale Belge Des Sociétés De Football Association Asbl (URBSFA) vs. La Federation Internationale De Football Association (FIFA), La unión Europea De Federaciones De Fútbol (UEFA) y La Federación Internacional De Futbolistas Profesionales (FIFPRO). Sentencia del 29 de agosto de 2018, p. 10.

[22]   Ver. Tribunal de Apelación de Bruselas. 18ª sala F Sección Civil. 2016/AR/2048. La Union Royale Belge Des Sociétés De Football Association Asbl (URBSFA) vs. La Federation Internationale De Football Association (FIFA), La unión Europea De Federaciones De Fútbol (UEFA) y La Federación Internacional De Futbolistas Profesionales (FIFPRO). Sentencia del 29 de agosto de 2018, pp. 11-14.

En este orden de ideas y, teniendo en cuenta que el arbitraje resulta del mutuo acuerdo de las partes de una misma relación jurídica que, previa o con posterioridad al surgimiento de un conflicto originado en la relación jurídica principal, deciden acudir a un mecanismo alternativo de resolución de conflictos diferente a la justicia ordinaria para dirimir la controversia, debe existir entonces una *relación jurídica* específica y no una previsión de los posibles conflictos a presentarse, en el marco de los estatutos de una determinada federación internacional.

Ahora bien, las obligaciones dispuestas por la FIFA para sus confederaciones y federaciones nacionales, así como para todos los sujetos que se afilien a las mismas, resultan abiertamente contrarias a los derechos al acceso a la administración de justicia y a la tutela judicial efectiva, toda vez que de manera expresa está prohibiendo a los sujetos que hacen parte de estos organismos a nivel nacional, que acudan a la justicia ordinaria, disponiendo que además de los mecanismos federativos, el CAS será el organismo indicado para resolver los conflictos presentados.

Si bien somos conscientes que el establecimiento de las cláusulas de obligatorio sometimiento a tribunales arbitrales constituye un mecanismo de coacción a nivel deportivo por parte de las federaciones internacionales a sus afiliados, consideramos que el debate debe plantearse, en la forma en que estas cláusulas se acerquen al mutuo acuerdo entre dos partes en conflicto a partir de las ventajas que presenta el arbitraje sobre la jurisdicción ordinaria.

VII. ESTUDIO DE LOS CONFLICTOS QUE PODRÍA RESOLVER UN TRIBUNAL ARBITRAL DEL DEPORTE DE ACUERDO CON LA LEGISLACIÓN COLOMBIANA

Hemos hablado hasta aquí de los distintos tribunales de arbitraje y como es su funcionamiento, pero es hora de aterrizar al modelo colombiano y tratar cuales serían los casos o asuntos de los cuales puede tener conocimiento el tribunal de arbitraje deportivo en Colombia, para ello, es menester remitirnos a la ley 1563 de 2012, en la cual en el artículo 1 dispone que mediante un tribunal de arbitraje, "las partes defieren a árbitros la solución de una controversia relativa a asuntos de libre disposición o aquellos que la ley autorice"[23]. Partiendo de este punto, tenemos dos posibilidades,

---

[23]   Ver Ley 1563 de 2012 Artículo 1.

por un lado, las partes que acudan al Tribunal de Arbitraje Deportivo Colombiano podrán resolver todas aquellas controversias que por la voluntad de las partes se pacten; pero adicionalmente, surge la posibilidad de que sea la misma ley la que diga cuales serán las controversias por las cuales se puede acudir a un tribunal de arbitraje.

De esta manera, vemos que la voluntad de las partes es un elemento sumamente importante y fundamental pues son estas quienes definen las características que tendrá el tribunal, son quienes designan al arbitro y esta en ellas establecer cuales serán las controversias a resolver en el proceso arbitral; en virtud de lo anterior, las partes podrían acudir a un Tribunal de Arbitraje Deportivo para que este resuelva todas aquellas disputas que consideren pertinentes siempre y cuando esto no sea contrario a la ley. No obstante lo anterior, como limitante a esta amplia libertad dada a las partes, únicamente "los asuntos susceptibles de trámite arbitral son aquellos que pueden ser objeto de transacción, es decir, aquellos derechos y bienes patrimoniales respecto de los cuales las partes pactantes tienen capacidad legal de disposición"[24] como por ejemplo podría ser el caso de un contrato de patrocinio o una transferencia, pero en ningún temas laborales, como las pensiones, que la ley colombiana considera derechos intransigibles e irrenunciables.

Teniendo en cuenta lo anterior, habría que organizar de dos maneras los asuntos a conocer por el tribunal en Colombia, por un lado tendríamos aquellos que de acuerdo a su jurisdicción y competencia llegarían a este como una primera instancia como por ejemplo pueden ser las disputas que surjan de los contratos de los deportistas y los clubes; por otro lado, tenemos aquellos casos ante los cuales el tribunal actúe como una segunda instancia en caso de que exista decisión previa por parte de alguna de las federaciones deportivas.

De este modo, estos son alguno casos, entre otros, que por competencia podrían resolverse ante el tribunal:

1. COMO PRIMERA INSTANCIA:

A. Las que surjan del incumplimiento, interpretación y ejecución de los contratos con los clubes a los cuales pertenezcan los deportistas y técnicos.

---

[24]   Ver. Pineda, Nelson. El Arbitraje Comercial en Colombia - Pacto Arbitral en el Estatuto de Arbitraje Nacional e Internacional Frente a la Jurisdicción Ordinaria a Partir del Código General del Proceso. Año 2017. Página 37.

B. Aquellas que se deriven del incumplimiento, interpretación y ejecución de los contratos de patrocinio.

C. Disputas relacionadas con el incumplimiento, interpretación y ejecución de los contratos de los árbitros con sus respectivas federaciones.

D. Los problemas que surjan en la aplicación de las disposiciones contenidas en los reglamentos de las federaciones deportivas.

E. Aquellas que surjan respecto a la ejecución e interpretación de contratos celebrados por entidades deportivas.

F. Controversias respecto a los ingresos económicos que se generen por los derechos de televisión.

G. Por otro lado, para las controversias que puedan ser conocidas en segunda instancia pueden ser, entre otras las que provengan de decisiones relacionadas con:

H. Decisiones derivadas de sanciones impuestas por una federación o entidad deportiva.

I. Decisiones respecto a la violación de la regulación antidopaje.

J. Decisiones relacionadas con las apuestas ilegales en el deporte.

Los asuntos anteriores surgen en relación con algunas de las controversias resueltas a lo largo de estos años por el CAS y que a la luz de la legislación colombiana podrían ser resueltos por medio de la creación del Tribunal de Arbitraje Deportivo en el país. No obstante, lo anterior, a esta lista pueden sumarse muchos más asuntos de acuerdo a la libertad que da la ley 1563 de 2012 a las partes para fijar a estudiar por el panel.

Como se dijo anteriormente, la ley 1563 de 2012 dispone que los asuntos por los cuales se puede acudir a un tribunal de arbitraje son de libre disposición de las partes y aquellos que la ley autorice, pero esta libertad otorgada por la ley no es absoluta.

Las partes podrán fijar el objeto sobre el cual versará el proceso arbitral siempre y cuando gire en torno a aquellos bienes y derechos sobre los cuales las partes tienen libre capacidad de disposición es decir aquellos asuntos que puedan ser negociados, lo que nos lleva a decir que conflictos netamente laborales donde existen derechos irrenunciables a la luz de la legislación colombiana, o temas como el estado civil de una persona, son ejemplos de una controversia que no puede ser resuelta por medio de un tribunal de arbitraje en Colombia debido a que sus efectos son indisponibles e intransigibles.

Como referencia, de conformidad con la normatividad colombiana, existen ciertos asuntos que no pueden ser propuestos a un panel arbitral, son aquellos derechos o bienes que no son transigibles por las partes, es decir aquellos a los cuales las partes no pueden efectuar la renuncia de sus derechos; teniendo en cuenta lo anterior, los deportistas se verán obligados a acudir a la jurisdicción ordinaria cuando surjan controversias de asuntos como:

A. Los que involucren derechos hereditarios.

B. Aquellas controversias que surjan de acuerdo con los derechos patrimoniales personalísimos.

C. Aquellos que no versen sobre asuntos patrimoniales o económicos.

D. Delitos no querellables y con pena privativa de la libertad o violencia intrafamiliar.

E. Los relacionados con la insolvencia económica de las empresas o insolvencia de persona natural no comerciante.

F. Cambios en el estado civil.

G. En materia laboral, cuando la disputa verse sobre aquellas prerrogativas que por disposición legal son irrenunciables.

H. Conflictos de carácter tributario.

I. Los demás en los que la ley obligue a acudir a la justicia ordinaria.

Así las cosas, a modo de ejemplo, nos remitimos al Estatuto del Jugador de la Federación Colombiana de Fútbol, en el cual, por medio del artículo 36, se le da al futbolista la posibilidad de acudir a la jurisdicción ordinaria para resolver asuntos que surjan en materia laboral.

> *"Sin perjuicio del derecho de cualquier jugador a elevar un caso ante la jurisdicción laboral ordinaria, los clubes, ligas, jugadores, un director técnico y agentes de partidos, deberán someter sus diferencias laborales o deportivas a los organismos jurisdiccionales de COLFUTBOL según las competencias designadas en este estatuto"*[25].

En conclusión, los deportistas podrán acudir a la jurisdicción ordinaria cuando los asuntos sobre los cuales vaya a ser la disputa sean asuntos intransigibles y no negociables bien sea por disposición legal o por los efectos que estos produzcan para las partes.

---

[25]   Ver Estatuto Del Jugador de la Federación Colombiana de Fútbol, artículo 36.

VIII. CONCLUSIONES

En primer lugar hay que decir que dada la estructura absolutamente piramidal como esta organizado el deporte a nivel mundial, si se dan muchos abusos de poder por parte de los superiores jerárquicos hacia sus subordinados o asociados, bien sea por acción u omisión, quienes adicionalmente tienen prohibido acudir a la justicia ordinaria para la mayoría de las controversias que puedan surgir entre ellos, razón por la cual la realidad es que para los deportistas no existen muchas mas herramientas para hacer valer sus derechos que los tribunales arbitrales deportivos, ya que las instancias propiamente deportivas adolecen de la característica principal que debe tener cualquier persona u órgano que imparta justicia, que no es otra que la independencia.

El ejemplo perfecto de el control que puede ejercer un tribunal arbitral deportivo es el caso ya comentado de Semenya, que de no ser por la existencia del CAS, su derecho fundamental y humano a competir en el deporte que practica y en la categoría femenina a la que pertenece, se habría visto vulnerado por cuenta de la arbitrariedad de su propia federación internacional que pretendía, por medio de un reglamento privado en contra de los derechos humanos a la igualdad y no discriminación, obligarla a hacerse unos tratamientos médicos cuyas consecuencias son desconocidas, para modificar una sustancia que se cuerpo produce naturalmente.

En este punto es preciso señalar que los organismos deportivos como el COI, la misma FIFA y muchas federaciones nacionales e internacionales de las diferentes disciplinas deportivas, permiten acudir a la justicia arbitral de manera general y no únicamente al CAS, organismo que hoy en día tiene casi un monopolio de lo que se puede llamar la justicia arbitral deportiva, y como es obvio, por el poder y el negocio que esto representa, no le interesa que haya más competidores, pero la realidad es que si existe la posibilidad y si las cosas se hacen bien es posible crear entidades similares al CAS en Latinoamérica que puedan suplir y atender las necesidades de un mercado que no está atendido. El mejor ejemplo de esto es el tribunal arbitral deportivo de República Dominicana, que mediante iniciativa del comité olímpico de su país y gracias a un convenio con la Cámara de Comercio, garantizó la viabilidad e independencia del tribunal, y posteriormente a través de otro convenio con la MLB, tiene asegurado que el tribunal tenga casos que atender de manera permanente, de tal manera que este es un caso de éxito que debe ser tomado como referencia para toda la región.

Finalmente, una vez hecho el estudio sobre el sistema de justicia arbitral deportivo existente en el mundo, se puede concluir que si es necesario que existan más tribunales arbitrales deportivos regionales y/o nacionales que permitan a los deportistas o clubes comunes y corrientes, no únicamente a los de élite que tiene con capacidad económica, tener escenarios o espacios para hacer valer sus derechos que les sean asequibles. Para estos efectos, considero que los elementos principales a tener en cuenta a la hora de pensar en crear esto tribunales arbitrales deportivos nacionales o regionales, sin perjuicio de que existen otros. son los siguientes:

1. Lo primero es garantizar la independencia del tribunal y sus decisiones, por lo cual este, bajo ninguna circunstancia puede crearse al interior ni depender económicamente de las propias entidades deportivas, como es el caso de los tribunales arbitrales deportivos ad hoc creados por la Federación Colombiana de Fútbol, pues precisamente esto va en contra de la esencia misma de lo que es la justicia arbitral.

2. Las listas de árbitros deben estar conformadas por personas especializadas y con experiencia en derecho deportivo, preferiblemente de origen latinoamericano para que entiendan el contexto local, ya que el deporte en nuestra región tiene unas particularidades que no basta con ser un jurista consagrado con excelente criterio para resolver las controversias que se presenten en la industria deportiva latinoamericana. Estos árbitros deben ser remunerados para poder exigir la calidad y dedicación que se requiere para resolver dichos casos.

3. Los costos del arbitraje deben ser ajustados para que puedan acudir todo tipo de deportistas, clubes o cualquier parte interesada, no solo aquellos pocos que tienen muchos recursos económicos, pues la realidad de la economía latinoamericana que es muy diferente a la europea, razón por la cual gran parte de los casos nunca llegan al CAS, pues la parte interesada en convocarlo no tiene como asumir sus costos.

4. El idioma oficial, en el caso latinoamericano, debe ser el español para facilitar la comunicación. Asimismo se debe permitir la realización de audiencias por medios tecnológicos, pues solo con estos dos elementos se logra reducir sustancialmente los costos del tribunal, ya que se evitan traductores y viajes innecesarios para casos que teniendo partes hispanohablantes no tiene ningún sentido adelantar procedimientos en otro idioma y fuera del continente.

5. Es indispensable trabajar de la mano con las entidades deportivas y no en contra de ellas, para que estas reconozcan los tribunales y los vean como un escenario válido para darle transparencia al propio

sector. Esto permitirá hacer convenios con las diferentes federaciones, comités olímpicos naciones, las confederaciones y/o otras entidades deportivas, de tal manera que se garantice que lleguen casos para resolver en esta instancia, pues de lo contrario estos tribunales nacerían muertos, y

6. Es clave que se analice la legislación sobre la cual va a regir el tribunal, pues por una parte en cada país o región las materias que se pueden llevar a un tribunal de arbitramento no son las mismas, y por otra parte, hay que determinar si las cláusulas arbitrales que se pactan vía reglamentos privados a los cuales adhieren las diferentes entidades deportivas y los deportistas, efectivamente son válidas o no, pues como ya vimos en el caso que llegó hasta la corte de apelación de Bruselas, dicha entidad determinó que a la luz de la legislación belga éstas no son válidas, pues no atañen a una relación jurídica determinada.

De este modo, reiteramos que si es necesaria la creación de más tribunales arbitrales deportivos que permitan seguir controlando el abuso de poder de las grandes entidades deportivas, pero esto se debe hacer de tal manera que no resulte en tribunales arbitrales deportivos inoperante por no tener casos para resolver, o aún peor, que una vez resueltos los casos y emitidos los laudos, estos sean inaplicables.

REFERENCIAS

CÁMARA DE COMERCIO DE BOGOTÁ Y ASOCIACIÓN COLOMBIANA DE DERE-
CHO DEPORTIVO. Estudio de la Viabilidad del Arbitraje Deportivo en Colombia.
Año 2017.

CLAVIJO, S. (2011) "Capítulo 3. Análisis del Sector Justicia en Colombia" en el libro
Costos y Eficiencia de la Rama Judicial en Colombia. Políticas de choque. Editorial Centro
de Estudios Económicos. Agencia Nacional de Instituciones Financieras.

CODE: Procedual Rules. CAS.

ESTATUTOS COMITÉ OLÍMPICO COLOMBIANO (COC). Febrero de 2018.

ESTATUTO DEL JUGADOR, FEDERACIÓN COLOMBIANA DE FÚTBOL. Noviembre 2011.

ESTATUTOS FEDERACIÓN INTERNACIONAL DE FÚTBOL ASOCIADO (FIFA).
Agosto de 2018.

GIRALDO, C. y FERNÁNDEZ, L. (2018). "Principios del Derecho Deportivo".

http://www.conmebol.com/es/content/nace-el-tribunal-arbitral-del-futbol sudameri-
cano-0. Conmebol. Nace el Tribunal Arbitral del Fútbol Sudamericano. Año 2014.

https://www.elcolombiano.com/deportes/otros-deportes/seleccion-colombia-de-
polo-acuatico-no-pudo-participar-en-copa-mundo-en-berlin-HA9156999. Diario El
Colombiano. El lío que dejó a la Selección Colombia de polo acuático sin copa
mundo. Publicado agosto 13 de 2018.

https://www.tas-cas.org/fileadmin/user_upload/CAS_statistics_2016_.pdf. Court of
Arbitration For Sport. Statistics.

https://www.tas-cas.org/en/general-information/history-of-the-cas.html. Court of Arbitration For Sport. History of the CAS.

INTRODUCCIÓN AL DERECHO DEPORTIVO Y AL DERECHO DEL DEPORTE.

LEY 1563 de 2012.

MEDIA RELEASE CAS ARBITRATION: CASTER SEMENYA, ATHLETICS SOUTH
AFRICA (ASA) and International Association of Athletics Federations (IAAF). 1
de mayo de 2019.

PINEDA, N., El Arbitraje Comercial en Colombia - Pacto Arbitral en el Estatuto de
Arbitraje Nacional e Internacional Frente a la Jurisdicción Ordinaria a Partir del
Código General del Proceso. Año 2017.

REGLAS DE ARBITRAJE DEL TRIBUNAL DEL TRIBUNAL ARBITRAL DE BALON-
CESTO. Enero 2017. Disponible en: http://www.fiba.com/es/bat. Tribunal Arbitral de Baloncesto. Presentación.

TORRES NOVOA, J. (2018). A Court of Arbitration for the Sport, the hope against the
bad management of the Sports Federations in Latin America? (Tesis de Maestría).
Universidad de Lleida (INEFC Lleida).

TRIBUNAL DE APELACIÓN DE BRUSELAS. 18ª sala F Sección Civil. 2016/AR/2048.
La Union Royale Belge Des Sociétés De Football Association Asbl (URBSFA) vs.
La Federation Internationale De Football Association (FIFA), La unión Europea
De Federaciones De Fútbol (UEFA) y La Federación Internacional De Futbolistas
Profesionales (FIFPRO). Sentencia del 29 de agosto de 2018.

www.camarasantodomingo.do/productos-y-servicios/conciliacion-y arbitraje/.Cámara
de Comercio de Santo Domingo. http://www.crcsd.do/Home/AcercaCRC. Centro
de Resolución Alternativa de Controversias. Carta Olímpica. Septiembre 27 de 2018.

El arbitraje en Panamá como jurisdicción autónoma e independiente de la justicia ordinaria; su reconocimiento constitucional y marco legal

JUAN PABLO FÁBREGA[*]

RESUMEN

Mediante la Ley 131 de 2013 de Panamá (en adelante la "Ley de Arbitraje") se adoptó un nuevo precepto constitucional en virtud del cual "la administración de justicia también podrá ser ejercida por la jurisdicción arbitral conforme lo determine la ley". Un innovador cuerpo legal para regir el arbitraje nacional e internacional en Panamá, al que se le atribuyeron importantes efectos sustantivos y procesales a la cláusula arbitral y se les otorgó a los árbitros capacidad plena y potestad discrecional para la toma de sus decisiones, en atención a la autonomía que les ha dado el nuevo precepto constitucional, poniendo fin a la intromisión judicial en los procesos arbitrales y a la sumisión de los árbitros a la jurisdicción ordinaria.

Palabras clave: Árbitro, Ley de Arbitraje, Corte Suprema de Justicia de Panamá.

ABSTRACT

Through Panama's Law 131 of 2013 (hereinafter the "Arbitration Law") a new constitutional provision was adopted under which "the administration of justice may also be exercised by the arbitral jurisdiction as determined by law". An innovative legal system to govern national and international arbitration in Panama, to which important substantive and procedural effects were attributed to the arbitration clause and the arbitrators were granted full capacity and discretionary power to adopt their decisions, in attention to the autonomy that the new constitutional precept has given them, putting an end to judicial interference in arbitration proceedings and the submission of controllers to ordinary jurisdiction.

Key words: Arbitrator, Arbitration Law, Panama's Supreme Court of Justice.

---

[*]   Abogado de la Universidad Santa María La Antigua (Panamá) y Magister en Derecho Internacional Comparado de Southern Methodist University (EEUU). Socio en Fabrega Molino (Ciudad de Panamá, Panamá).

Antes de la aprobación del Decreto Ley No. 5 de 8 de julio de 1999 (en adelante el "Decreto Ley 5"), por el cual se adoptó un marco legal especial con el que se desarrolló la institución arbitral en reemplazo de las regulaciones contenidas en el Código Judicial, el arbitraje estaba concebido como un proceso alternativo de solución de controversias adscrito a la jurisdicción ordinaria, regentado por el Órgano Judicial, revestido de la rigurosidad procesal propia del procedimiento civil. No se le concebía como una administración de justicia privada gobernada por la voluntad de las partes.

La adopción del Decreto Ley 5 tuvo su sustento en el artículo 200 de la Constitución Nacional, vigente en aquel entonces, según el cual "El Órgano Judicial está constituido por la Corte Suprema de Justicia, los tribunales y los juzgados que la Ley establezca".

Este nuevo cuerpo normativo introdujo una regulación moderna, pero manteniendo al arbitraje bajo el sometimiento de la jurisdicción ordinaria como regente de la administración de justicia al amparo de la citada disposición constitucional. Ello daba lugar a la interposición de recursos y acciones judiciales contra las actuaciones de los centros administradores de arbitrajes y las decisiones de los tribunales arbitrales, con lo que se le restaba autonomía e independencia a la institución arbitral.

I. FUNDAMENTO CONSTITUCIONAL DE LA JURISDICCIÓN ARBITRAL EN PANAMÁ

Dicho entorno legal sufriría un cambio significativo a principios del siglo, que transformaría la institución arbitral en Panamá de manera radical. Mediante Acto Legislativo No. 1 de 2004, por el cual se adoptaron modificaciones a la Constitución Nacional, se introdujo una trascendental modificación a la tradicional conformación de la administración de justicia con la incorporación de la jurisdicción arbitral a la misma. El citado texto constitucional reformado, ahora identificado como artículo 202, dispone que

> *"El Órgano Judicial está constituido por la Corte Suprema de Justicia, los tribunales y los juzgados que la Ley establezca. La administración de justicia*

> *también podrá ser ejercida por la jurisdicción arbitral conforme lo determine la ley. Los tribunales arbitrales podrán conocer y decidir por sí mismos acerca de su propia competencia".* (El resaltado es nuestro y corresponde al texto de la modificación introducida).

Al dársele rango constitucional con la institucionalización de la jurisdicción arbitral como parte de la administración de justicia y conferirle a los árbitros capacidad para decidir por sí mismos sobre su competencia, el arbitraje logró autonomía e independencia frente a la jurisdicción ordinaria, con lo que ambas jurisdicciones se encuentran en un plano de igualdad respecto del ejercicio de sus competencias.

Esta particular condición fue ratificada por la Sala Cuarta de Negocios Generales de Corte Suprema de Justicia en Sentencia de 14 de febrero de 2005, al dictaminar que

> *"Nuestro derecho positivo recientemente ha elevado al rango constitucional la institución del arbitraje al reconocer, en el artículo 202 de la Constitución nacional, la jurisdicción arbitral como medio de administrar justicia [...]; En consecuencia, los árbitros se configuran en jueces de pleno derecho y sus decisiones tienen fuerza coercitiva frente al resto de la comunidad judicial y administrativa, dándole a las partes mayor seguridad de que sus pretensiones, reconocidas en los laudos arbitrales serán respetadas. Esta seguridad jurídica promoverá en la sociedad la búsqueda de mecanismos alternativos de solución de conflictos que redundará en beneficio de todos; una justicia más rápida y expedita; un descongestionamiento del sistema de administración de justicia ordinaria; y, una ampliación en la posibilidad del acceso a la justicia".*

Sobre la potestad jurisdiccional de los árbitros el Pleno de la Corte Suprema de Justicia ha indicado que:

> *"[...] el arbitraje es un medio o cauce reconocido para que tanto los particulares como el Estado puedan resolver sus controversias, cuya esencia radica en la identidad de fondo de la función jurisdiccional otorgada a los tribunales, instituida por ley y de modo excepcional a los jueces privados que son los árbitros. Es decir que el arbitraje constituye un verdadero juicio, cuyo resultado es un laudo con autoridad de cosa juzgada, igual a lo que acontece con las sentencias proferidas por los jueces estatales. Vemos, entonces, que el arbitraje es un auténtico proceso en el cual las partes tienen la oportunidad de reclamar sus derechos y en el cual los árbitros se encuentran investidos de carácter jurisdiccional para proferir una decisión que será de obligatorio cumplimiento para las partes"*[1].

---

[1]   Sentencia de 22 de junio de 2010.

De estas consideraciones deriva que, si de conformidad con el artículo 228 del Código Judicial, "Jurisdicción es la facultad de administrar justicia" (jurisdicción deriva del latín "juris dictio" —dictar el derecho—), por jurisdicción arbitral debe entenderse la atribución de los árbitros de resolver de manera privativa las controversias que se sometan a su decisión, "conforme lo determine la ley", como señala la norma constitucional, es decir, en, lo procesal, en apego a las disposiciones de la Ley de Arbitraje y, en lo sustantivo, observando las normas de derecho que se apliquen al fondo de la disputa, si las partes no hubiera acordado que el arbitraje no fuera en equidad, en cuyo caso, los árbitros emitirían su decisión de conformidad con su leal saber y entender. Así lo ha consignado el Pleno de la Corte Suprema de Justicia en Sentencia de 14 de febrero de 2011 al indicar que "Tal como hemos señalado en ocasiones anteriores, nuestro derecho positivo ha elevado a rango constitucional la institución del arbitraje, siendo la jurisdicción arbitral un medio de administrar justicia, de conformidad con lo dispuesto en el artículo 202 de la Constitución Política".

II. MARCO LEGAL DEL ARBITRAJE EN PANAMÁ

En desarrollo de este nuevo precepto constitucional, en virtud del cual "la administración de justicia también podrá ser ejercida por la jurisdicción arbitral conforme lo determine la ley", se adoptó mediante Ley 131 de 2013 (en adelante la "Ley de Arbitraje")[2] un innovador cuerpo legal para regir el arbitraje nacional e internacional en Panamá en el que, entre otras cosas, se le atribuyeron importantes efectos sustantivos y procesales a la cláusula arbitral y otorgó a los árbitros capacidad plena y potestad discrecionalidad para la toma de sus decisiones en atención a la autonomía que les ha dado el nuevo precepto constitucional, poniendo fin a la intromisión judicial en los procesos arbitrales y a la sumisión de los árbitros a la jurisdicción ordinaria. Así, el artículo 11 de la Ley de Arbitraje establece que "En los asuntos que se rijan por esta Ley, no intervendrá ni tendrá competencia ningún tribunal judicial, salvo en los casos en que esta así lo disponga".

---

[2]   Por lo reciente de la Ley de Arbitraje, nuestros tribunales de justicia no han tenido oportunidad de pronunciarse sobre todos los aspectos de la misma, por lo que en este ensayo hacemos referencia a pronunciamientos de la Corte Suprema de Justicia que guardan relación con disposiciones el Decreto Ley 5 por tratar la misma materia.

El alcance de este precepto normativo ha sido validado por la Sala Civil de nuestra máxima corporación de justicia, al señalar que,

> *"A juicio de la Sala, el efecto procesal que produce una cláusula arbitral en un proceso tramitado en la jurisdicción civil es la consecuente declaratoria de nulidad por distinta jurisdicción, tal como acertadamente lo resolvieron los Juzgadores de la Primera y Segunda instancia, toda vez que, en la reforma constitucional de noviembre del año dos mil cuatro (2004), el legislador panameño instituyó la jurisdicción arbitral como una jurisdicción especializada, separada y excluyente de la jurisdicción civil"*[3].

Como complemento de dicha norma, el artículo 17 de la Ley de Arbitraje señala que

> *"El efecto sustantivo obliga a las partes a cumplir lo pactado y a formalizar la constitución del tribunal arbitral, colaborando con sus mejores esfuerzos de manera expedita y eficaz, para el desarrollo y finalización del procedimiento arbitral. El efecto procesal consiste en la declinación de la competencia, por parte del tribunal judicial, a favor del tribunal arbitral y la inmediata remisión del expediente al tribunal arbitral. El juez o tribunal ante quien se presente una demanda, acción o pretensión relacionada con una controversia que deba resolverse mediante arbitraje, se inhibirá del conocimiento de la causa, rechazando de plano la demanda, sin más trámite, y reenviando de inmediato a las partes al arbitraje, en la forma que ha sido convenido por ellas y de conformidad con lo previsto en la presente Ley. En todo caso, si se ha presentado ante un tribunal judicial cualquier reclamación sobre un asunto que sea objeto de arbitraje, se podrá iniciar o proseguir las actuaciones arbitrales y dictar un laudo mientras la cuestión esté pendiente ante el tribunal judicial, sin perjuicio de la competencia del tribunal arbitral para juzgar acerca de su propia competencia en la forma establecida en la presente Ley y de los recursos contra el laudo que se establecen en esta. También deben inhibirse los organismos o entes reguladores estatales, municipales o provinciales, que deban intervenir dirimiendo controversias entre las partes, si existiera un convenio arbitral previo".*

En atención a esta autonomía jurisdiccional, la Corte Suprema de Justicia ha establecido que,

> *"[...] aun cuando las normas procesales son de orden público, el Código de Procedimiento Civil es un cuerpo normativo de carácter general, mientras que el arbitraje, como jurisdicción especial y autónoma, además de contar con un sustento constitucional, está regulado por un texto legal propio, que le hace independiente, por lo que ante cualquier controversia que surja de una relación en la que medie una cláusula compromisoria, el juez de la jurisdicción ordinaria tendría que declinar competencia sin que siquiera tengan que alegarle falta de competencia, de manera que, en virtud del efecto procesal,*

---

[3]   Corte Suprema de Justicia. Sala Civil. Sentencia, 22 de enero de 2014.

108 JUAN PABLO FÁBREGA

*el tribunal ordinario debe remitir sin mayor reparo el expediente a la juris-
dicción arbitral, sin observar siquiera en el estado en que se encuentre el
proceso ordinario ni tampoco entrar a verificar si existe o no prórroga tácita
de la competencia. Es decir que la existencia de un convenio arbitral genera
consecuencias jurídicas inmediatas por cuanto todo tribunal ordinario deberá
abstenerse de aprehender el conocimiento de una causa en donde exista un
convenio arbitral y declinar de inmediato la competencia a favor del tribunal
de la jurisdicción arbitral"[4].*

El citado artículo 17 fue objeto de una advertencia de inconstitucionalidad bajo el argumento de que, no obstante la existencia de una cláusula
arbitral, la forma como está redactada la norma

*"no permite al Tribunal de la jurisdicción ordinaria determinar, al igual que
el Tribunal arbitral, si la causa sometida a él es o no de su competencia y
establecer si la cláusula arbitral obliga o no a las partes a tener que cumplir lo
pactado y formalizar la constitución arbitral".*

El Pleno de la Corte Suprema de Justicia desestimó la pretensión y reconoció el derecho privativo de los tribunales arbitrales de decidir sobre su
propia competencia bajo los siguientes argumentos:

*"Este Tribunal constitucional debe indicar que el arbitraje es un mecanismo
establecido en la Constitución y en la Ley, mediante el cual las partes involucradas en un conflicto delegan expresamente su solución a un Tribunal arbitral, el cual se encuentra investido de la facultad de administrar justicia y emite
una decisión a la cual se le denomina laudo arbitral y tiene los mismos efectos
de una Sentencia proferida por los Tribunales ordinarios.
Así las cosas, al existir un pacto entre las partes, en el cual se conviene someter
a arbitraje las controversias que hayan surgido o puedan surgir entre ellas con
respecto a una determinada relación jurídica, esta Corporación de Justicia
debe indicar que comparte los señalamientos del Procurador de la Administración en cuanto a que el efecto procesal que se le otorga al convenio arbitral
contenido en la norma demandada no es más que el reconocimiento de la
supremacía del principio de la autonomía de la voluntad de las partes, que les
permite sustraerse de la jurisdicción ordinaria de justicia y dirimir sus controversias a través de la institución del arbitraje, la cual se encuentra contenida
en nuestra Carta Magna"[5].*

La referida autonomía del arbitraje y su independencia de la instancia
jurisdiccional no se pierde por el hecho de que una de las partes solicite la
práctica de medidas precautorias ante la jurisdicción ordinaria. El artículo
18 de la Ley de Arbitraje preceptúa que

---

[4]   Sala Cuarta, Sentencia. 8 de mayo de 2015.
[5]   Sentencia. 22 de octubre de 2015.

"No será incompatible con un acuerdo de arbitraje ni se entenderá como una renuncia a ese convenio que una parte, ya sea con anterioridad a las actuaciones arbitrales o durante su transcurso, solicite de un tribunal judicial la adopción de medidas cautelares y/o provisionales de protección, ni que el tribunal judicial conceda esas medidas".

En desarrollo de la constitucionalización de la capacidad de los árbitros, de decidir de manera privativa acerca de su propia competencia respecto de las controversias que se sometan a su consideración, conocida en la doctrina como el principio "kompetenz-komptenz", contemplada en la última oración del artículo 202 de la Constitución Nacional, el artículo 30 de la Ley establece que

*"El tribunal arbitral estará facultado para decidir acerca de su propia competencia, incluso sobre las excepciones relativa a la existencia o a la validez de acuerdo de arbitraje. Para este efecto, **una cláusula compromisoria que forme parte de un contrato se considerara como un acuerdo independiente** de las demás estipulaciones del contrato. La decisión del Tribunal arbitral de que el contrato es nulo **no entrañará ipso jure la nulidad de la cláusula compromisoria"** (el resaltado es nuestro)*

Esta disposición resulta de trascendental importancia para el arbitraje panameño porque reconoce la autonomía de la cláusula arbitral, como un contrato separado e independiente respecto del contrato en el cual está inserta, dando como resultado, tal cual no destaca la norma que, aun cuando se pueda decretar la nulidad del contrato principal, la cláusula arbitral mantiene su vigencia, haciendo obligante que las partes deba someter a arbitraje cualquier controversia que surja del contrato cuya nulidad se haya decretado.

Al respecto, la Sala Cuarta de la Corte Suprema de Justicia ha expresado lo siguiente:

"En vista de lo anterior, la contraparte afirmó que la cláusula compromisoria tiene existencia autónoma y no depende del contrato principal; que las falencias del convenio principal pueden ser subsanadas y, que éstas cuando se refieren al convenio arbitral, fueron convalidadas por el recurrente en la medida que dentro del procedimiento arbitral, no cuestionó el compromiso arbitral. Procediendo al análisis de la causal, podemos iniciar indicando que, el arbitraje es la manifestación de dos convenios o contratos: en primer lugar está el convenio arbitral en virtud del cual las partes se comprometen a recurrir a un tercero o árbitro en caso de suscitarse algún conflicto. Por su parte, el contrato es la obligación que adquieren las partes frente a terceros a fin de dar, hacer o no hacer alguna cosa.
[...]
Considera este despacho, necesario hacer mención de lo establecido Decreto Ley Nº 5/99 en su artículo 17 y ss., referencia a esta materia. Dicha normativa

> señala que, el tribunal arbitral tiene la facultad para determinar la existencia o
> validez del convenio arbitral. La cláusula compromisoria que forma parte del
> contrato principal, es un acuerdo independiente de las demás estipulaciones
> del mismo, pues en caso tal, el Tribunal Arbitral declarase nulo el contrato,
> dicha actuación no acarrea la extinción de la cláusula compromisoria.
> En concordancia con lo anterior, podemos concluir entonces que la nulidad
> del contrato principal puede ser por muchas causas, pero al acordar las partes
> una cláusula arbitral, el deseo de las mismas es que toda controversia, incluso
> la nulidad de dicho contrato, sea resuelta mediante arbitraje.
> Por tanto, la Sala considera que lo indicado como primer argumento por la
> parte actora, carece de todo sustento jurídico"[6].

Observamos que, aun cuando dichas consideraciones se refieren al Decreto Ley 5, derogado, las mismas tienen igual aplicación en la actualidad
por cuanto, como se vio, Ley 131 preservó los mismos efectos principios de
independencia y autonomía de la cláusula arbitral.

En tal virtud, como probablemente la nulidad del contrato sea una de
las pretensiones objeto del proceso arbitral, la decisión final respecto de la
nulidad sea resuelta en el laudo final. De ahí que, la declaratoria en cuestión no afecte la vigencia de la cláusula arbitral. Esta podría ser declarada
nula si, a criterio del tribunal arbitral, la misma adolece de alguna de las
causales que establece el artículo 1141 del Código Civil para que tenga lugar la nulidad absoluta de los contratos[7].

Las atribuciones privativas que le confiere este marco legal a los tribunales arbitrales se hacen extensivas para dictar medidas cautelares. Por disposición del artículo 33 de la Ley de Arbitraje, salvo acuerdo en contrario
de las partes, los árbitros podrán ordenar medidas cautelares. Dicha norma
define estas como

> "toda medida temporal, otorgada en forma o no de laudo, por la que, en
> cualquier momento previo a la emisión del laudo por el que se dirima definiti-
> vamente la controversia, el tribunal arbitral ordene a una de las partes alguna

---

[6]   Sentencia. 29 de diciembre de 2010.
[7]   "Hay nulidad absoluta en los actos o contratos:
      1. cuando falta alguna de las condiciones esenciales para su formación o para su
      existencia;
      2. cuando falta algún requisito o formalidad que la ley exige para el valor de cier-
      tos actos o contratos, en consideración a la naturaleza del acto o contrato y no a
      la calidad o estado de la persona que en ellos interviene;
      3. cuando se ejecuten o celebren por personas absolutamente incapaces, enten-
      diéndose únicamente por tales, los dementes, los sordomudos que no puedan
      darse a entender por escrito y los menores impúberes".

o algunas de las siguientes medidas: 1. Que mantenga o restablezca el estatus quo en espera de que se dirima la controversia. 2. Que adopte medidas para impedir algún daño actual o inminente del procedimiento arbitral, o que se abstenga de llevar a cabo ciertos actos que probablemente ocasionarían dicho daño o menoscabo. 3. Que proporcione medios para preservar ciertos bienes que permitan ejecutar todo laudo subsiguiente. 4. Que preserve elementos de prueba que sean relevantes para resolver la controversia".

La amplitud de los efectos procesales de la cláusula arbitral a favor de los árbitros frente a las actuaciones de la justicia ordinaria llega al extremo de permitirle el artículo 38 de la Ley de Arbitraje al tribunal arbitral "modificar, suspender o revocar toda medida cautelar u orden preliminar que haya otorgado el tribunal arbitral o un tribunal judicial, ya sea a instancia de alguna de las partes o, en circunstancias excepcionales, por iniciativa propia, previa notificación a las partes".

Dicha independencia jurisdiccional de los tribunales arbitrales en asuntos cautelares es validada por el artículo 42 de la Ley de Arbitraje al señalar que

"Toda medida cautelar u orden preliminar ordenada por un tribunal arbitral cuya sede del arbitraje se encuentre en la República de Panamá se reconocerá como vinculante y, salvo que el tribunal arbitral disponga ejecutarla por sí mismo, será ejecutada de inmediato al ser solicitada tal ejecución ante el tribunal judicial competente. [...] Cuando se requiera el auxilio judicial para la ejecución de una medida cautelar u orden preliminar, la petición será dirigida al juez competente del lugar donde se ejecutará la medida, quien procederá a ejecutarla con simple presentación de copias de los documentos que acrediten la existencia del arbitraje y de la decisión cautelar. El juez competente contará con un término no mayor de diez días, contado a partir de la recepción de la solicitud, para ejecutar la medida sin admitir recursos ni oposición alguna. El tribunal judicial no tiene competencia para interpretar el contenido ni los alcances de la medida cautelar ordenada. Cualquier solicitud de aclaración o precisión sobre la orden o sobre su ejecución cautelar será solicitada por el tribunal judicial o por las partes al tribunal arbitral. Ejecutada la medida, el tribunal judicial informará al tribunal arbitral y remitirá copia certificada de lo actuado".

La práctica de pruebas tampoco se escapa de la autonomía e independencia del tribunal arbitral. El artículo 53 de la Ley de Arbitraje señala que

"El tribunal arbitral tiene la facultad para determinar de manera exclusiva la admisión, pertinencia, actuación y valor de las pruebas y para ordenar en cualquier momento la presentación o la actuación de los medios probatorios que estime necesarios. El tribunal arbitral está facultado así mismo para prescindir de las pruebas ofrecidas y no actuadas, según las circunstancias del caso. El tribunal arbitral, salvo acuerdo en contrario de las partes, podrá por iniciativa propia ordenar pruebas como: 1. Nombrar uno o más peritos o citar *testigos para que le informen sobre materias concretas que determinará el tribunal arbitral. 2. Solicitar a cualquiera de las partes que suministre al perito toda la información pertinente o que le presente para su inspección todos los documentos, mercancías u otros bienes pertinentes, o le proporcione acceso a ellos. Salvo acuerdo en contrario de las partes, cuando una parte lo solicite o cuando el tribunal arbitral lo considere necesario, el perito, después de la presentación de su dictamen escrito u oral, deberá participar en una audiencia en la que las partes tendrán oportunidad de hacerle preguntas y de presentar peritos para que informen sobre los puntos controvertidos".*

De dicha norma deriva que son los árbitros quienes tienen el control y la administración de la instancia probatoria. Salvo pacto en contrario de las partes, o en el evento de que el reglamento que pudiera aplicarse al proceso, si este fuera administrado, dispusiera otra cosa, la propuesta, aducción, presentación, admisión o rechazo de las pruebas, la forma y procedimiento de practicarse y la decisión sobre la valoración de las mismas se encuentra libre de rigurosidades y formalismos, al contrario de lo que suele ocurrir en la jurisdicción ordinaria, siendo potestad del tribunal arbitral darle a todo lo relativo a las pruebas el tratamiento que estime conveniente.

Ello comprende, también, la capacidad de limitar la cantidad de peritos o testigos propuestos por las partes e, incluso, designar peritos propios, y de requerir por adelantado la indicación del objeto de la prueba y las preguntas que se les harán, a fin de que la contraparte pueda preparar sus repreguntas. La **fase probatoria del arbitraje** está, en consecuencia, gobernada por la máxima libertad de las partes y de los árbitros, siempre que se respeten el derecho de defensa y el principio de igualdad. Esta flexibilidad no constituye una limitación al derecho de defensa de las partes al no violarse el debido proceso legal.

Esta potestad discrecional en materia probatoria ha sido reconocida en Sentencia de la Sala Cuarta de la Corte Suprema de Justicia de 8 de mayo de 2015, distinta a la previamente citada, al señalar que "[...] no podemos entrar a valorar las pruebas presentadas, porque estaríamos conociendo el fondo del fallo emitido por el Tribunal Arbitral, y eso nos está vedado por Ley".

La independencia arbitral también está consignada en la conducción del proceso y determinación de todas las cuestiones relativas a la forma y fondo del mismo. El artículo 46 señala que

"Con sujeción a las disposiciones de la presente Ley, las partes tendrán libertad para convenir el procedimiento a que se haya de ajustar el tribunal arbitral en sus actuaciones, pudiendo someterse al procedimiento contenido en un reglamento de una institución de arbitraje. A falta de acuerdo, el tribunal arbi-

tral podrá, con sujeción a lo dispuesto en la presente Ley, dirigir el arbitraje de la forma que considere apropiada y sin necesidad de acudir a las normas procesales de la sede del arbitraje. En ningún caso, las partes podrán interponer incidentes o cualquier acción judicial ante los tribunales judiciales respecto de las decisiones tomadas por los árbitros o por una institución arbitral durante el curso del proceso arbitral".

No obstante la claridad y precisión de esta disposición legal, en no pocas ocasiones, árbitros con formación procesal y poca experiencia arbitral, pretenden aplicar de manera supletoria las disposiciones del Código Judicial para regular aspectos no contemplados en la Ley de Arbitraje, en particular, lo relativo a admisión, práctica y valoración de pruebas.

Como cualquier sentencia dictada por un tribunal ordinario, los laudos arbitrales también pueden ser objeto de impugnación, pero únicamente ante la Sala Cuarta de Negocios Generales de la Corte Suprema de Justicia y solo por aspectos de forma, como señala el artículo 66 de la Ley de Arbitraje. La impugnación se formalizará mediante recurso de anulación y solo por alguna de las siguientes circunstancias, tipificadas en el artículo 67 de la Ley de Arbitraje:

"1. Que una de las partes en el acuerdo de arbitraje a que se refiere el artículo 15 estaba afectada por alguna incapacidad, o que dicho acuerdo no es válido en virtud de la ley a que las partes lo han sometido o, si nada se hubiera indicado a este respecto, en virtud de la ley panameña; o 2. Que no ha sido debidamente notificada de la designación de un árbitro o de las actuaciones arbitrales o no ha podido, por cualquier otra razón, hacer valer sus derechos; o 3. Que el laudo se refiere a una controversia no prevista en el acuerdo de arbitraje o contiene decisiones que exceden los términos del acuerdo de arbitraje; no obstante, si las disposiciones del laudo que se refieren a las cuestiones sometidas al arbitraje pueden separarse de las que no lo están, solo estas últimas podrán anularse; o 4. Que la designación del tribunal arbitral o el procedimiento arbitral no se han ajustado al acuerdo entre las partes, salvo que dicho acuerdo estuviera en conflicto con una disposición de esta Ley de la que las partes no pudieran apartarse o, a falta de dicho acuerdo, que no se han ajustado a esta Ley; o 5. Que los árbitros han decidido sobre cuestiones no susceptibles de arbitraje; o 6. Que el laudo internacional es contrario al orden público internacional. En el caso de laudo nacional, el orden público a considerar será el orden público panameño".

Obsérvese, que el recurso de nulidad aludido no comprende la revisión de fondo del laudo ni las consideraciones del tribunal arbitral para la valoración de las pruebas y la interpretación y aplicación de las normas sustantivas aplicables a la solución de la controversia, en caso de que el arbitraje fuera en derecho, o de los criterios de los árbitros para emitir su decisión según su libre apreciación, si el arbitraje fuera en equidad. De ello deriva que el proceso arbitral es de única instancia, ya que la revisión por la Sala Cuarta no constituye una apelación. Así lo ha declarado la Corte Suprema de Justicia de manera uniforme y sistemática.

La aludida autonomía de la jurisdicción arbitral ha sido reconocida por el Pleno de la Corte Suprema de Justicia, al señalar que

> *"En la promoción de este mecanismo alterno de solución de conflictos, le corresponde al Estado acatar al máximo el principio de intervención mínima de la justicia ordinaria y constitucional en las actuaciones arbitrales, limitando éstas a las funciones de apoyo (práctica de pruebas y medidas cautelares) y de control (anulación, reconocimiento y ejecución de laudos arbitrales). En razón de la naturaleza especial que envuelve el arbitraje y la importancia de mantener incólumes los principios en los cuales se sustenta, el Pleno estima necesario indicar, que como medio eficaz de solución de conflictos, la institución del arbitraje no debe ser penetrada por acciones judiciales dilatorias, más allá de las previstas en su normativa reguladora y las que puedan promoverse en sede judicial de anulación"[8].*

Resulta oportuno hacer un alto para advertir que no todo conflicto es arbitrable. Por virtud del primer párrafo del artículo 4 de la Ley de Arbitraje, "Pueden someterse a arbitraje las controversias sobre **materias de libre disposición** de las partes conforme a Derecho, así como aquellas que la ley o los tratados o acuerdos internacionales autoricen" (el énfasis es nuestro)

La legislación nacional, incluyendo la Ley de Arbitraje, no tipifica ni hace referencia conceptual a lo que comprenden las "materias de libre disposición" que permite arbitrar el artículo 4 citado. Tampoco hemos encontrado precedentes judiciales que den luz sobre su alcance.

Como antecedente comentamos que el artículo 2 del Decreto Ley 5 no establecía las materias arbitrables. Siguiendo un criterio prohibitivo señalaba, únicamente, que no podían someterse a la instancia arbitral

> *"las siguientes controversias: 1. Las que surjan de materias que no sean de la libre disposición de las partes. Se entiende por tales, entre otras, todas aquellas afectas al desempeño de potestades públicas o las que derivan de funciones de protección o tutela de personas o que están reguladas por normas de imperativas de Derecho. 2. Cuestiones sobre las que haya recaído resolución judicial que hagan tránsito a cosa juzgada".*

Por lo tanto, debía entenderse que se podía someter a arbitraje cualquier controversia que no se encontrara en ninguno de los supuestos establecidos en la norma y no hubiera sido cosa juzgada.

---

8   Sentencia. 30 de septiembre de 2015.

Sobre el alcance de dicha disposición, el jurista Gilberto Boutin comentó que

> *"El proceso de arbitraje recae sobre materia dispositiva. Es dispositiva la materia cuando la misma no está gobernada por leyes de interés público, mejor conocida en el Derecho Internacional Privado como lois pólice, en inglés llamado super mandatory law, que representan justamente los límites a la autonomía de la voluntad de las partes donde no puede ser descartada o derogada o sustraerse los particulares ya que dicha materia está gobernada por leyes de interés político del Estado. Así, por ejemplo: el Derecho de Familia, todo lo atinente a las causales de divorcio, adopción, alimentos, el Derecho Penal, el Derecho Fiscal, el Derecho Administrativo, éste último, en cuanto a su carácter organizativo. Las materias arbitrables son todos aquellos negocios que no entran en la esfera de la aplicación de leyes políticas de aplicación inmediata que impiden sustraerse de ellas, es decir, la materia arbitrable tiene que ser dispositiva, permisible el recurso al foro arbitral o bien una prórroga de competencia dependiendo de una u otra alternativa que prevé al momento de la interpretación de la cláusula compromisoria de arbitraje frente a la ley u ordenamiento jurídico afectado"[9].*

La Ley de Arbitraje viene a introducir, así, el criterio general positivo, de permitir el arbitraje de materias sobre las que las partes puedan disponer libremente, incluyendo aquellas que hayan sido autorizadas para ser conocidas en sede arbitral por una ley o de un tratado o de un acuerdo internacional —como suelen ser los de promoción o protección recíproca de inversiones o tratados bilaterales de inversión— que haya suscrito Panamá, apartándose de la modalidad prohibitiva contemplada en el artículo 2 del Decreto Ley 5 que, no obstante, en cierta medida, también giraba en torno a la idea de la libre disposición, en adición a la prohibición de revisar pretensiones que hubieran sido previamente resueltas por decisión judicial y que hubieran quedado ejecutoriadas.

De ello deriva que, de la letra del artículo 4 de la Ley de Arbitraje, no son arbitrables conflictos o materias que guarden relación con derechos regulados o resguardados por normas de orden público, como las relativas a la protección de los consumidores, materias que versen sobre delitos o faltas, derechos de menores, asuntos de familia, estado civil y capacidad de las personas; cuestiones sobre bienes y derechos de incapaces; atribuciones o funciones de imperio del Estado o de personas o entes de derecho público; ciertos asuntos de naturaleza laboral y actos tipificados como delitos, entre muchos otros, que gozan de una tutela superior, o materias que

---

[9]   Del Arbitraje Comercial. Decreto Ley 5 de 1999; Editorial Mizrachi & Pujol, S.A.; 2001.

afecten el interés u orden público o involucren derechos de terceros que no han convenido el arbitraje, dado que ninguna de estas materias pueden ser objeto de transacción o de libre disposición conforme al derecho local por ser de resguardo especial.

Puede concluirse, entonces, que una controversia será arbitrable en Panamá, de conformidad con el marco legal expuesto, en la medida en que se satisfagan los siguientes criterios: i) que no sea un área expresamente excluida por una ley; ii) que verse sobre derechos que son de libre disposición o transables por voluntad de las partes; iii) que no afecten el interés público y iv) que no involucre derechos de tercero.

III. DE LA NATURALEZA JURÍDICA DE LOS ÁRBITROS Y DE LOS CENTROS ADMINISTRADORES DE ARBITRAJES

Dada la característica privada del arbitraje, los árbitros no tienen la condición de funcionarios o servidores públicos, aun cuando administran justicia, así como tampoco los representantes o funcionarios de los centros administradores de procesos arbitrales, al no constituir entidades públicas, sino solo facilitadores del tribunal arbitral para la eficiente ejecución de gestiones de procedimiento.

De conformidad con el artículo 299 de la Constitución Nacional, "Son Servidores Públicos las personas nombradas temporal o permanentemente en cargos del Órgano Ejecutivo, Legislativo y Judicial, de los Municipios, entidades autónomas y semiautónomas y, en general, las que perciban remuneración del Estado".

Por su parte, el numeral 105 del artículo 201 de la Ley 38 de 31 de julio de 2000, por la cual se aprobó el estatuto orgánico de la Procuraduría de la Administración y se reguló el procedimiento administrativo general en Panamá, define al "Servidor Público" como la "Persona que ejerce funciones, temporal o permanentemente, en cargos del órgano ejecutivo, legislativo y judicial, de los municipios, entidades autónomas o semiautónomas, que presta un servicio personal, o aquellos particulares que por razones de su cargo manejan fondos públicos y, en general, la que perciba remuneración del Estado".

El Pleno de la Corte Suprema de Justicia, en Sentencia de 3 de abril de 2009, señaló que "...servidor público es el que ha sido nombrado para un cargo en los entes estatales que menciona la norma (constitucional) y que además, percibe un ingreso del Estado".

En tal virtud, ni las decisiones de los árbitros ni de los administradores de los centros de arbitraje podrán ser objeto del recurso de amparo de garantías constitucionales que contempla el artículo 54 de la Constitución Nacional, por el cual

> *"Toda persona contra la cual se expida o se ejecute, por cualquier servidor público, una orden de hacer o de no hacer, que viole los derechos y garantía que esta Constitución consagra, tendrá derecho a que la orden sea revocada a petición cuya o de cualquier persona. El recurso de amparo de garantías constitucionales a que este artículo se refiere, se tramitará mediante procedimiento sumario y será de competencia de los tribunales judiciales".*

Así lo ha validado el Pleno de la Corte Suprema de Justicia en la citada Sentencia de 30 de septiembre de 2015, al señalar que

> *"No es correcto otorgar al servicio de administración de justicia la función arbitral que desarrollan los árbitros como función privada, ya que dicha función tiene lugar por razón de la atribución que se les confiere en virtud de la voluntad de las partes, quienes deciden mediante un convenio o cláusula arbitral, sustraer sus conflictos de la jurisdicción ordinaria para someterlos a un Tribunal Ad-hoc escogido por ellas. [...] Es por ello que pretender someter las decisiones del Tribunal Arbitral al conocimiento de los Tribunales Ordinarios mediante la Acción de Amparo de Garantías Constitucionales es desnaturalizar ese mecanismo auto-compositivo privado de decisión, cuyo éxito radica en el absoluto respeto y sumisión a lo pactado por las partes, es decir, el efectivo cumplimiento de la cláusula compromisoria".*

En dicho pronunciamiento, con que se resolvió un amparo de garantías constitucionales interpuesto contra la decisión de un tribunal arbitral, de negar una solicitud de levantamiento de secuestro decretado por un juzgado de la jurisdicción ordinario, la máxima instancia jurisdiccional concluyó que

> *"En el caso que nos ocupa, la iniciativa constitucional se interpone dentro del proceso arbitral promovido por Fundación Don James contra la amparista Jeanine Schnapik Gurian, lo que a criterio de este Pleno constituye manifestaciones de un interés de no someterse al arbitraje pactado, por lo que es de suma importancia para el éxito de la institución arbitral en Panamá, que se siente el criterio jurisprudencial en torno a la imposibilidad de interponer acciones de Amparo en sede arbitral"[10].*

Aun cuando la Corte Suprema de Justicia no lo señaló, es de observarse que el legislador se preocupó por hacer la precisión expresa en la Ley de Arbitraje para impedir interpretaciones sobre la naturaleza de los árbitros

---

[10]   *Op. cit.*

dentro del marco constitucional del arbitraje y no dar paso a la interposición de recursos y acciones contra las actuaciones de los árbitros por circunstancias distintas a las establecidas en el citado artículo 67, al disponer en el artículo 20 de la Ley de Arbitraje que "[...] los árbitros y los funcionarios de las instituciones arbitrales no son servidores públicos".

Esta consideración fue avalada, también por el Pleno en Sentencia de 31 de julio de 2017, as indicar:

> "Tal como fue advertido en párrafos anteriores, el acto que se ataca fue dictado por un Tribunal Arbitral, cuyos miembros que la conforman no tienen el carácter de «servidores públicos», a pesar que la Constitución de la República de Panamá establece que también puede la administración de justicia ser ejercida por la jurisdicción arbitral.
> Ello en atención a que el artículo 299 de nuestra Carta Magna dispone, que los servidores públicos son aquellas personas que han sido nombradas temporalmente o de manera permanente en cargos del Órgano Ejecutivo, Legislativo y Judicial, de los Municipios, entidades autónomas, y de forma general, las que perciben una remuneración por parte del Estado, lo que no ocurre con los miembros que conforman un Tribunal Arbitral".

Queda claro que ni los árbitros ni los funcionarios de las entidades administradoras de arbitraje reúnen los perfiles consignados en las dos normas citadas, por lo que sus decisiones son autónomas.

Si bien, en nuestro derecho, los salvamentos de voto o los votos razonados de los Magistrados no tienen fuerza vinculante, de los mismos se pueden extraer corrientes de pensamiento que pueden tener incidencia en pronunciamientos futuros. En ese contexto, es de destacar el razonamiento que hicieron los magistrados Gerónimo Mejía y Abel Augusto Zamorano en la referida Sentencia de julio de 2017, por la cual se rechazó un amparo de garantías constitucionales contra decisiones adoptadas por un tribunal arbitral.

El Magistrado Mejía consignó:

> "Me parece que la no admisión del amparo ha debido sustentarse en que dicha iniciativa constitucional no es procedente debido a que de conformidad con la Ley 131 de 31 de diciembre de 2013 "...el recurso de anulación del laudo es la única vía específica e idónea para proteger cualquier derecho constitucional amenazado o vulnerado en el curso del arbitraje o en el laudo" (Cfr. Art. 66 lex cit) y los tribunales judiciales no intervendrán ni serán competentes en los asuntos que se rijan por dicha Ley "salvo en los casos en que esta así lo disponga" (Cfr. Art. 11 lex cit. El destacado es mío).
> De acuerdo a lo anterior, el único recurso específico e idóneo para tutelar derechos constitucionales amenazados o vulnerados en el curso del procedimiento arbitral o en el laudo arbitral es el recurso de anulación, cuyo conocimiento compete a la Sala Cuarta de la Corte Suprema de Justicia, conforme

a lo previsto en el artículo 68 de la Ley 131 de 2013. En esas condiciones, no tiene el Pleno competencia para conocer un amparo".

Por su parte, el Magistrado Zamorano, expresó:

"En segundo lugar, es importante destacar que el Pleno de la Corte Suprema de Justicia, no puede ignorar que es evidente que el arbitraje ha tomado un papel sobresaliente en la resolución de los conflictos en la actualidad; de allí que su importancia se incremente cada día más y que se utilice como mecanismo de resolución de conflictos, sobre todo de carácter comercial y civil en el mundo moderno globalizado. Por eso es que nuestra Máxima Corporación de Justicia no puede cuidar la seguridad jurídica que conlleva los resultados de los procesos arbitrales, y el respeto a la decisión de las particulares que han escogido este instituto jurídico para solucionar sus conflictos en lugar de los tribunales judiciales.

En ese sentido, considero que el éxito de la institución del Arbitraje radica en la absoluta autonomía de la voluntad de las partes y que expresan en el convenio arbitral, de allí que debe ser respetado, pues así ha sido pactado por las partes y el efectivo cumplimiento de dicho convenio debe ser respetado como se expresa en la Constitución Política, en el artículo 202 que establece que los tribunales arbitrales deben conocer de su competencia, con esto se le reconoce a la independencia a la jurisdicción arbitral.

En la promoción de este mecanismo alterno de solución de conflictos, le corresponde al Estado acatar al máximo el principio de intervención mínima de la justicia ordinaria y constitucional en las actuaciones arbitrales, limitando éstas a las funciones de apoyo (práctica de pruebas y medidas cautelares) y de control (anulación, reconocimiento y ejecución de laudos arbitrales); pero de la misma manera el tribunal arbitral de justicia entre particulares debe respetar el instituto de Debido Proceso".

Con este nuevo marco constitucional y legal se ha desjudicializado el arbitraje y puesto fin a la intervención de la jurisdicción ordinaria en los conflictos que deben resolverse ante la jurisdicción arbitral, con lo que se legitima el objeto del arbitraje: ser un mecanismo expedito de solución de conflictos dentro del marco del debido proceso, que garantiza el derecho de defensa y contribuye con la democratización del Estado al reconocerle a las partes en conflicto el derecho de decidir la forma de resolver sus diferencias.

IV. ARBITRAJE Y DEBIDO PROCESO

El Diccionario de Ciencias Jurídicas, Políticas y Sociales, de Manuel Osorio, define el debido proceso legal como el "Cumplimiento con los requisitos constitucionales en materia de procedimiento, por ejemplo, en cuanto a la posibilidad de defensa y producción de pruebas"[11].

Al respecto de este concepto constitucional, el autor peruano César Landa explica en su ensayo Derecho Fundamental al Debido proceso y a la Tutela Jurisdiccional que

> *"El debido proceso tiene su origen en el due process of law anglosajón; se descompone en: el debido proceso sustantivo, que protege a los ciudadanos de las leyes contrarias a los derechos fundamentales y, el debido proceso adjetivo, referido a las garantías procesales que aseguran los derechos fundamentales. [...] En consecuencia, el debido proceso encierra en sí un conjunto de garantías constitucionales que se pueden perfilar a través de identificar las cuatro etapas esenciales de un proceso: acusación, defensa, prueba y sentencia, que se traducen en otros tantos derechos que enunciativamente a continuación se plantean"[12].*

El debido proceso y el derecho de defensa se encuentran consagrados en el artículo 32 de la Constitución Nacional, según el cual "Nadie será juzgado, sino por autoridad competente y conforme a los trámites legales, y no más de una vez por la misma causa penal, administrativa, policiva o disciplinaria".

En el ámbito nacional, el connotado jurista Dr. Arturo Hoyos ha expresado en su obra El Debido Proceso que

> *"[...] nosotros entendemos que la garantía constitucional del debido proceso es una institución instrumental en virtud de la cual debe asegurarse a las partes en todo el proceso —legalmente establecido y que se desarrolle sin dilaciones injustificadas— oportunidad razonable de ser oídas por un tribunal competente, predeterminado por la ley, independiente e imparcial, de pronunciarse respecto de las pretensiones y manifestaciones de la parte contraria, de aportar pruebas lícitas relacionadas con el objeto del proceso y de contradecir las aportadas por la contraparte, de hacer uso de los medios de impugnación consagrados por la ley contra resoluciones judiciales motivadas y conforme a derecho, de tal manera que las personas puedan defender efectivamente sus derechos"[13].*

De dichos conceptos se desprende que el debido proceso es un reconocimiento jurídico *procesal* de naturaleza humana, según el cual toda perso-

---

11   Osorio, Manuel. Diccionario de Ciencias Jurídicas, Políticas y Sociales; Editorial Heliasta SRL, 1979; Argentina; p. 275.

12   Pensamiento Constitucional, Año VIII N° 8 Pontificia Universidad Católica del Perú, Fondo Editorial. Lima, 2002, pp. 445-461.

13   Editorial Temis, S.A.; Colombia; 1995; pp. 54-55.

na tiene derecho a ciertas garantías mínimas de defensa, tendientes a asegurar un resultado justo y equitativo dentro del *proceso*, a permitirle tener oportunidad de ser oído y a hacer valer sus pretensiones legítimas frente al *juzgador*.

No hay duda, en consecuencia, que el arbitraje es consistente con el derecho al debido proceso consagrado en la Constitución Nacional, porque, como ha quedado sustentado, cuenta con todos los elementos para garantizar a las partes la adecuada defensa de sus pretensiones, por "autoridad competente" a la que alude el artículo 32 de la Constitución Nacional, de conformidad con trámites legales claramente establecidos, en un plano de igualdad que los tribunales de justicia, en los términos expuestos por el jurista Hoyos.

En Sentencia de 22 de junio de 2010, la Sala Cuarta de la Corte Suprema de Justicia reconoció que

> *"el arbitraje es un medio o cauce reconocido para que tanto los particulares como el Estado puedan resolver sus controversias, cuya esencia radica en la identidad de fondo de la función jurisdiccional otorgada a los tribunales, instituida por ley y de modo excepcional a los jueces privados que son los árbitros. Es decir que el arbitraje constituye un verdadero juicio, cuyo resultado es un laudo con autoridad de cosa juzgada, igual a lo que acontece con las sentencias proferidas por los jueces estatales. Vemos, entonces, que el arbitraje es un auténtico proceso en el cual las partes tienen la oportunidad de reclamar sus derechos y en el cual los árbitros se encuentran investidos de carácter jurisdiccional para proferir una decisión que será de obligatorio cumplimiento para las partes".*

Al reconocer la Corte Suprema de Justicia que el arbitraje constituye un auténtico proceso en que las partes tienen la oportunidad de reclamar sus derechos y en el cual los árbitros se encuentran investidos de carácter jurisdiccional para proferir una decisión que será de obligatorio cumplimiento para las partes, con autoridad de cosa juzgada, igual a lo que acontece con las sentencias proferidas por los jueces de la jurisdicción ordinaria, se valida que el arbitraje satisface los presupuestos del debido proceso.

La garantía del debido proceso arbitral se encuentra consagrada en el artículo 45 de la Ley de Arbitraje, al ordenar que "Deberá tratarse a las partes con igualdad y darse a cada una de ellas plena oportunidad de hacer valer sus derechos". Ello corrobora que, a través del proceso arbitral convenido por las partes, éstas obtienen la tutela de sus derechos, con lo que se cumple con el debido proceso tutelado en el artículo 32 de la Constitución Nacional, que comprende que la defensa de los derechos sean atendidos por una autoridad competente, como lo es un tribunal arbitral, en apego a los trámites legales, lo que se cumple con la observancia de la Ley de Arbitraje y el reglamento del centro de arbitraje seleccionado por las partes para administrar el proceso, o que adopte el tribunal arbitral, si el arbitraje no fuera administrado.

Así lo ha validado la Sala Cuarta de la Corte Suprema de Justicia en Sentencia de 12 de febrero de 2012 al señalar que "Si conforme al Artículo 32 de la Constitución Política

> *«Nadie será juzgado, sino por autoridad competente y conforme a los trámites legales es evidente que en el caso particular, la garantía citada no ha sido vulnerada, pues el laudo que se pretende anular fue dictado por un tribunal arbitral competente y debidamente constituido, previo desarrollo y cumplimiento de los trámites legales, tal como ha sido constatado, al examinarse y descartarse cada una de la causales de anulación que antecedieron»"*.

Si bien, dicho pronunciamiento se dio con ocasión a la aplicación del Decreto Ley 5, sus señalamientos preservan su validez y consideración en el tiempo con respecto a la Ley de Arbitraje por preservar esta los mismos fundamentos, principios y naturaleza que el Decreto Ley 5.

Como quedó dicho, la protección del debido proceso se encuentra garantizada en la Ley de Arbitraje al permitirse revisar el laudo arbitral a través de recurso de nulidad cuando alguna de las partes no hecho valer sus derechos, como lo indica el artículo 67 de la Ley de Arbitraje.

V. ARBITRAJE Y ORDEN DE INTERÉS PÚBLICO

El citado autor Manuel Osorio conceptualiza el orden público como

> *"El conjunto de condiciones fundamentales de vida social instituidas en una comunidad jurídica, las cuales, por afectar centralmente a la organización de esta, no pueden ser alteradas por la voluntad de los individuos ni, en su caso, por la aplicación de normas extranjeras (J. C. Smith). El concepto de orden público ofrece especial importancia con respecto a las cuestiones de índole política y de Derecho Administrativo, pero también la ha adquirido, de un tiempo a esta parte, en materia de Derecho Social, por cuanto se ha atribuido a sus normas la condición de afectar al orden público, por lo cual son irrenunciables"*[14].

El artículo 201 de la Ley 38 de 31 de julio de 2000, por la cual se aprobó el estatuto orgánico de la Procuraduría de la Administración y se regula el

---

[14]   *Op. cit.* p. 685.

procedimiento administrativo general define el orden público sin establecer parámetros sobre cómo se contraviene. De conformidad con la norma, orden público,

> *"En sentido negativo, es el desarrollo de las actividades sociales de acuerdo a lo establecido en el ordenamiento jurídico y en acatamiento a lo que disponen las autoridades públicas. En sentido positivo, es equivalente a interés público". Este cuerpo legal conceptúa en el mismo artículo 201 el interés público como "Como finalidad del Estado, es el propio interés colectivo, de la sociedad en su conjunto, en contraposición al interés individual".*

Como ha señalado nuestra más alta corporación de justicia,

> *"[...] el orden público comprende las normas y principios que defiende los intereses de los particulares y que garantiza la convivencia en sociedad, busca la seguridad social y colectiva, donde se destacan los principios de justicia y moral que deben regir en lodo Estado; además de concebirse como los principios fundamentales estipulados en nuestra constitución"[15].*

En Sentencia de 12 de febrero de 2009 la Sala Cuarta de la Corte Suprema de Justicia expuso que

> *"La doctrina indica que la causal de Orden Público es la más abarcadora, lo que da lugar a que se dé una errada interpretación o aplicación de la misma al momento de su sustentación. En el sentido más amplio debe entenderse que, un laudo es contrario al orden público cuando se vulneran los derechos y las libertades señaladas en la Constitución Panameña, así como las normas de seguridad y convivencia social; no obstante, si bien las normas constitucionales conforman el patrón normativo original de lo que se conoce como «Orden Público», existen normas de inferior jerarquía que por vocación directa o por encargo del legislador se le ha otorgado el carácter de «normas de orden público»".*

La Corte Suprema de Justicia ha señalado que

> *"[...] el orden público panameño se estimaría vulnerado, si los árbitros dentro del proceso hubiesen ejecutado un acto contrario a los principios fundamentales de interés general de un Estado, principios que se encuentran consagrados en la Constitución Política, en las Leyes y Reglamentos de nuestro ordenamiento jurídico interno, no obstante, esta no es la conducta observada, sino más bien como mencionamos con anterioridad, lo que vemos es simplemente la falta de acuerdo, con la postura del Tribunal en cuanto a este punto"[16].*

---

[15]   Sala Cuarta. Sentencia. 9 de junio de 2015.
[16]   Sala Cuarta. Sentencia. 21 de julio de 2015.

En otro pronunciamiento, de igual fecha, la Sala Cuarta de la Corte señaló que "[...] tratándose de un arbitraje en equidad, el orden público panameño a considerar será en relación a los derechos fundamentales de las partes en todo proceso; es decir, ser juzgado por autoridad competente y conforme a los trámites legales correspondientes"[17].

Dentro de ese contexto, dada la naturaleza de las controversias que pueden someterse a decisión arbitral, que guardan relación con cuestiones de libre disposición por las partes, para ser dirimida por una instancia jurisdiccional con regulación propia y plena capacidad de decisión, los laudos dictados por los tribunales arbitrales no suelen quebrantar normas de orden público patrio por enmarcarse dentro de los presupuestos de dichas normas.

VI. DIFERENCIAS CON EL PROCESO ORDINARIO

1. Por ser una justicia de naturaleza privada, las partes son "dueñas de su proceso" y, en tal virtud, cuentan con capacidad para seleccionar sus administradores de justicia y establecer el procedimiento que regirá su tramitación. En la jurisdicción ordinaria las partes están subordinadas a los dictámenes del juez y sometidas a la rigurosidad y formalismo del proceso ordinario recogido en el Código Judicial.

2. El proceso arbitral es más flexible que el ordinario, al estar investidos los árbitros con facultades para establecer los trámites y procedimientos que no estén regulados en la ley y no hayan sido establecidos por las partes. En el proceso ordinario, los jueces están regidos por los dictámenes de la ley procesal.

3. Las entidades del estado pueden someterse a la justicia arbitral en un plano de igualdad que los particulares, sin gozar de prerrogativas o consideraciones procesales especiales, como les confiere la justicia ordinaria.

4. La Ley de Arbitraje ofrece a las partes un abanico de medidas cautelares o precautorias para asegurar los resultados del proceso, que no contempla el Código Judicial.

5. La admisión y la práctica de pruebas no están sometidas a una rigurosidad legal, como preceptúa la legislación procesal aplicable en la jurisdicción ordinaria.

---

[17]   Sala Cuarta. Sentencia. 21 de julio de 2015.

6. Las partes pueden optar por resolver sus controversias en derecho; aplicando normas sustantivas, o en equidad, de conformidad con el leal saber y entender de los árbitros. En la jurisdicción ordinaria las pretensiones se resuelven en derecho.

7. En el arbitraje las partes no pueden interponer excepciones ni recursos contra las actuaciones de los árbitros, al contrario de lo que sucede en la jurisdicción ordinaria.

8. Ni las decisiones ni las actuaciones de los árbitros o los centros administradores de procesos arbitrales son objeto de amparos de garantías constitucionales al no ser funcionarios públicos, al contrario de lo que ocurre en la jurisdicción ordinaria con los jueces.

9. El arbitraje es un proceso de única instancia, mientras que las sentencias de primera instancia dictadas por los jueces en la jurisdicción ordinaria pueden ser objeto de apelación y revisión posterior en casación ante la sala civil de Corte Suprema de Justicia. El laudo dictado por un tribunal arbitral solo es objeto de recurso de nulidad ante la Sala Cuarta de la Corte Suprema de Justicia por aspectos formales, solo por circunstancias establecidas en la Ley de Arbitraje. El laudo arbitral, en consecuencia, no es revisable por aspectos de fondos, como ser la valoración dada por los árbitros a las pruebas o la aplicación e interpretación de una disposición legal.

10. Las partes pueden decidir si el arbitraje será administrado, establecer su propio procedimiento o si el tribunal arbitral fijará el mismo. En la jurisdicción ordinaria el juez está obligado a aplicar el Código de Procedimiento Civil.

11. La Ley de Arbitraje y los reglamentos de los centros de arbitraje establecen términos perentorios para concluir las actuaciones procesales, so pena de terminación del proceso, sin decisión, y sanción para los árbitros. Los jueces en la jurisdicción ordinaria no tienen término fatal para dictar sus sentencias, lo que hace que los procesos arbitrales se tramiten mucho más rápido que los procesos judiciales.

12. El acceso a la justicia ordinaria es gratuita, mientras que en el arbitraje las partes deben asumir los honorarios de los árbitros y, de ser el proceso administrado, los costos de la entidad administradora del arbitraje.

REFERENCIAS

BOUTIN, G., Del Arbitraje Comercial. Decreto Ley 5 de 1999; Editorial Mizrachi & Pujol, S.A.; 2001.

FÁBREGA POLLERI, J. P., El Arbitraje Como Medio Para la Solución de Controversias que Derivan de las Relaciones Intra-societarias Entre Accionistas de Sociedades Anónimas Panameñas; Entre Estos y/o Sus Órganos Sociales; Editorial Fábrega, Molino y Mulino; Panamá; 2016.

HOYOS, A., El Debido Proceso en el Sistema Jurídico Panameño, de su obra "El Debido Proceso"; Editorial Temis, S.A., Colombia; 1995.

LANDA, C., Derecho Fundamental al Debido Proceso y a la Tutela Jurisdiccional; Derecho Fundamental al Debido proceso y a la Tutela Jurisdiccional; Pensamiento Constitucional, Año VIII N° 8 Pontificia Universidad Católica del Perú, Fondo Editorial. Lima, 2002.

OSORIO, M., Diccionario de Ciencias Jurídicas, Políticas y Sociales; Editorial Heliasta SRL, 1979; Argentina.

LEGISLACIÓN DE LA REPÚBLICA DE PANAMÁ

Código Judicial de Panamá; Editorial Mizrachi & Pujol, S.A.; vigésima primera edición; 2011.

Constitución Política de la República de Panamá; editorial Mizrachi & Pujol, S.A.; 10ª ed., 2009.

Decreto Ley No. 1 de 8 de julio de 1999, modificado mediante Ley No. 67 de 1 de febrero de 2011, que adopta la regulación de valores.

Decreto Ley No. 5 de 10 de julio de 1999, mediante el cual se establece el régimen general de arbitraje, la conciliación y la mediación en Panamá.

Ley 38 de 31 de julio de 2000, por la cual se aprueba el estatuto orgánico de la Procuraduría de la Administración y se regula el procedimiento administrativo general.

Ley 131 de 31 de diciembre de 2013, por la cual se regula el arbitraje comercial nacional e internacional en Panamá.

SENTENCIAS JUDICIALES DE LA CORTE SUPREMA DE JUSTICIA

Sala Cuarta. 12 de febrero de 2009.
Pleno. 3 de abril de 2009.
Pleno. 22 de junio de 2010.
Sala Cuarta. 22 de junio de 2010.
Pleno. 14 de febrero de 2011.
Sala Cuarta. 12 de febrero de 2012.
Sala Civil. 22 de enero de 2014.
Sala Cuarta. 8 de mayo de 2015.
Sala Cuarta. 9 de junio de 2015.
Sala Cuarta. 21 de julio de 2015.
Pleno. 30 de septiembre de 2015.
Pleno. 31 de julio de 2017.

Los principios éticos en el arbitraje internacional: la independencia y la imparcialidad del árbitro

NAYIBER FEBLES POZO[*]

RESUMEN

El presente artículo presenta uno de los problemas a los que se ha tenido que enfrentar el arbitraje internacional y es la falta de credibilidad en el arbitraje como mecanismo de solución de controversias. Esto se debe, entre otras razones, a la falta de mecanismos efectivos para garantizar la independencia e imparcialidad de los árbitros. Por lo anterior, se sugiere que los principales reglamentos de arbitraje internacional delimiten los conceptos de "imparcialidad" e "independencia", e incluyan verdaderos mecanismos para que estos principios se garanticen en el trámite arbitral.

Palabras clave: Arbitraje internacional, imparcialidad, independencia, seguridad jurídica.

ABSTRACT

This article presents one of the problems that international arbitration has had to face and is the lack of credibility in arbitration as a dispute resolution system. This is due, among other reasons, to the lack of effective mechanisms to guarantee the independence and impartiality of the arbitrators. Therefore, it is suggested that the main international arbitration regulations delimit the concepts of "impartiality" and "independence" and include genuine mechanisms to ensure that these principles are guaranteed in the arbitration process.

Key words: International arbitration, impartiality, independence, legal certainty.

---

[*] Profesor de Derecho internacional privado de la Universidad Internacional de Valencia-VIU y del Centro de Estudios Universitarios CEDEU, adscrito a la Universidad Rey Juan Carlos, Madrid. Doctor (Sobresaliente-Cum Laude) en el Programa de doctorado conjunto en Derecho, Economía y Empresa por la Universidad de Girona y la Universidad de Vic - Universidad Central de Cataluña, España. Autor de tres monografías y una decena de artículos científicos publicados en revistas nacionales e internacionales. Ha impartido cursos y seminarios en universidades españolas y extranjeras. Actualmente es Director Académico de REDIJEA (Red Iberoamericana de Investigación Interuniversitaria para el Diálogo Jurídico entre Europa y América).

I. A MODO DE INTRODUCCIÓN

El arbitraje internacional es muy utilizado por los actores del comercio y los negocios internacionales en la solución de sus disputas, tanto en el arbitraje comercial en el que la inmensa mayoría de los contratos contienen cláusulas o convenios arbitrales para dirimir sus controversias como en el arbitraje de inversiones, siendo incorporado en contratos o cláusulas de TBI entre Estados e inversionistas. Es escogido el arbitraje, entre otras razones, por ser un foro en "teoría" neutral, despojado de toda injerencia que pueda poner en duda la imparcialidad e independencia del árbitro. Sin embargo, no está exento de críticas y problemas relacionados con la parcialidad y dependencia de los árbitros, dudas que ponen en peligro la credibilidad del sistema arbitral y la confianza de las partes en el instituto del arbitraje, piedra angular del mismo.

El arbitraje como mecanismo de solución de controversias, coincidiendo con la primera sección del Código de Buenas Prácticas Arbitrales del Club Español del Arbitraje (CEA), debe garantizar la posibilidad de generar decisiones arbitrales que sean percibidas por las partes como imparciales[1]. Las normas de ética profesional, "principio de orden moral por el que debe regirse la actuación de todo profesional"[2], deben estar presentes en toda profesión. Sin embargo, adquieren mucha más relevancia en el desempeño del ejercicio profesional del árbitro, teniendo en cuenta las particularidades del arbitraje que lo hacen ser distinto del resto de especialidades en el ámbito jurídico, principalmente a partir de la función cuasi judicial que desarrollan los árbitros.

Las características que se valoran en los árbitros son semejantes a las que aspiramos que tengan los jueces nacionales, no basta con que los árbitros sean capaces de contar con una renombrada carrera profesional o gran

---

[1] Código de Buenas Prácticas Arbitrales del CEA, 2005, p. 3. Disponible en: www.clubarbitraje.com, consultado 05/04/2019.

[2] FIGUEROA VALDES, J. E.: "La etica en el arbitraje internacional", *XXXIX Conferencia de la Inter-American Bar Association*, New Orleans, 2003, p. 3.

prestigio internacional, sino también que cuenten con amplios conocimientos del Derecho en la especialidad más relevante del litigio, así como su formación integral, la imparcialidad y la independencia. Una de las reglas fundamentales en todo reglamento arbitral es que el árbitro actúe siempre de manera imparcial, independiente, diligente y eficientemente durante todo el procedimiento, para que pueda brindarle a las partes una resolución justa y efectiva de la disputa[3].

Desde el momento en que el nombramiento de los árbitros se funda en la confianza y seguridad de las partes en litigio, el obligado respeto y cumplimiento de las normas de ética profesional por parte de los árbitros reviste una trascendental importancia, de ello depende no solo la dignidad del árbitro y la integridad del procedimiento arbitral, sino también el prestigio del instituto del arbitraje como mecanismo alternativo de solución de conflictos[4].

El desarrollo de la profesión legal y la del árbitro a nivel internacional han tenido que ir perfeccionándose con el decursar del tiempo para poderse adaptar a los imperantes cambios de un mundo cada vez más globalizado, en el que las relaciones comerciales transfronterizas se han multiplicado en las últimas décadas, favoreciendo, en gran medida, no sólo el auge del arbitraje y su perfeccionamiento como institución, sino también que profesionales del Derecho con sobrada experiencia en el quehacer de su profesión puedan actuar como representantes legales de las partes y, en determinadas ocasiones, desempeñarse también como árbitros.

Esta dualidad de roles en el ejercicio profesional ha sido muy criticada a nivel internacional, por las dudas que puede generar respecto al cumplimiento de los requisitos de imparcialidad e independencia por parte de abogados y árbitros en el arbitraje internacional[5], lo que puede traer a colación el surgimiento de situaciones o ciertas circunstancias en el marco del arbitraje internacional generadoras de conflicto de interés[6].

---

[3]   PARK, W. W.: "Arbitrators and Accuracy", *J. Int'l Disp. Settl.*, Vol. I, N° 1, 2010, pp. 25-53.

[4]   NOEMÍ PUCCI, A.: "O Arbitro Na Arbitragem Intenacional Principios Éticos", en NOEMÍ PUCCI, A.: *Arbitragem Comercial Internacional*, Editora LTR, Sao Paulo, Brasil, 1998, p. 118.

[5]   FIERRO VALLE, E. J.: "Conflicto de intereses en el arbitraje internacional: el fenómeno del Double-Hatting", *Arbitraje PUCP*, 2014, p. 59.

[6]   CARLEVARIS, A.: "Global Development: The 1998 ICC Rules and Some Recent Trends in International Commercial Arbitration", *Croatian Arbitration Yearbook*, 2002, p. 9.

Es por ello, que en el arbitraje internacional la exigencia de neutralidad de los árbitros es siempre máxima, tanto es así que la búsqueda de un estándar de neutralidad en el arbitraje internacional se ha convertido en una de las principales reclamaciones a nivel mundial, lo que no deja de tener grandes complejidades[7] en el arbitraje de inversiones a partir del reducido número de árbitros especializados que condiciona una repetición en el nombramiento de los mismo.

Dicho esto, el objetivo fundamental en el presente capítulo es realizar un análisis de la independencia e imparcialidad como principios éticos del actuar del árbitro en el procedimiento arbitral. Para ello, se parte de una concepción amplia de ambos principios, para adentrarnos posteriormente, y cumpliendo con las normas de extensión establecidas en el trabajo, en el análisis de los mencionados principios en las reglas arbitrales de la CCI, la CNUDMI y el CIADI.

II. LOS PRINCIPIOS ÉTICOS EN EL ARBITRAJE INTERNACIONAL: LA INDEPENDENCIA Y LA IMPARCIALIDAD DEL ÁRBITRO

La estricta observancia de requisitos éticos está presente en todas las ramas de la ciencia, en cualquier actividad profesional[8], las instituciones universitarias, sus planes de estudios de pre y postgrados, las empresas, las instituciones y organismos internacionales y los propios Estados, hacen eco de ello. Por supuesto, el Derecho no está aislado, el conocimiento jurídico y las distintas especialidades en las que se ejerce tan importante profesión también han sido objeto de transformación desde el punto de vista ético.

No existe un área del Derecho en la que las normas éticas no estén presentes, e incluso en algunas hasta han proliferado Códigos Éticos o de Buenas Conductas, como puede ser en el ámbito del arbitraje internacional. Son varios los Códigos de Éticas existentes en un muchas de las instituciones arbitrales[9], gran parte de ellos con el objetivo de homologar

---

[7]   ROGERS, C. A.: "Regulating International Arbitrators: A Functional Approach to Developing Standards of Conduct", *Stan. J int'l L.*, Vol. 41, 2005, p. 56.

[8]   SERRANO RUIZ-CALDERÓN, J. M.: "Ética del árbitro", *Arbitraje Revista de arbitraje comercial y de inversiones*, Vol. IV, No. 1, 2011, pp. 31-33, 40.

[9]   Entre otros códigos, cabe destacar: el Código Ético del Tribunal Arbitral de Barcelona, 2009. Disponible en: http://tab.es/index.php?lang=es. El Código CEA de Buenas Prácticas Arbitrales, 2005. Disponible en: https://www.clubarbitraje. com/sites/default/files/090216_buenas_practicas_arbitrales_castellano_1.pdf.

y elevar sus propios estándares éticos en la práctica arbitral se adhieren a otros con mayor relevancia y connotación a nivel internacional, como puede ser el Código Ético para el Arbitraje Internacional de la *International Bar Association*.

La importancia que ha adquirido el arbitraje internacional como principal forma de solución de controversias en las relaciones comerciales internacionales y la inversión extranjera, ha favorecido no solo la existencia de acérrimos defensores del instituto del arbitraje, sino también de quienes critican, en ocasiones con discutible fundamento, esta forma de resolución de diferencias.

Es por ello, que con el aumento de la brecha existente entre ambas partes, entre defensores y detractores del arbitraje internacional, la existencia de Códigos Éticos resulta imprescindible[10]. Cabe recordar que estos códigos o directrices que rigen la conducta de las partes en el arbitraje no son normas obligatorias de carácter general ni prevalecen sobre las normas que rigen el arbitraje, surten sus efectos una vez que las partes así lo acuerdan, permaneciendo dichas normas éticas y obligaciones desde el propio nombramiento del árbitro y durante todo el procedimiento arbitral.

En este sentido, existen dos etapas del procedimiento perfectamente identificables en las que pueden jugar un papel importante el cumplimiento de los principios de independencia e imparcialidad en el arbitraje internacional, la etapa de nombramiento del árbitro y durante la celebración del procedimiento, y una vez concluido el procedimiento arbitral, con la anulación del laudo, éste último recurso se encuentra sujeto a estrictos requisitos.

El Código de Ética del Centro de Arbitraje de la Cámara de Comercio de Lima, 2008. Disponible en: https://www.camaralima.org.pe/principal/categoria/codigo-de-etica/524/c-524. Las Rules of Ethics for International Arbitrator de la IBA, 2014. Disponible en: https://www.ibanet.org/Publications/publications_IBA_guides_and_free_materials.aspx#Standards,%20Principles%20and%20Ethics y, el propio Code of Ethics for Arbitrators in Commercial de la American Arbitration Association, 2004. Disponible en: https://www.adr.org/sites/default/files/document_repository/Commercial_Code_of_Ethics_for_Arbitrators_2010_10_14.pdf. Todos los sitios web han sido consultados el 05/04/2019. Se recomienda también, CREMADES, B. M.: "Nuevo Código ético para los árbitros internacionales", *Revista de la Corte Española de Arbitraje*, Vol. IV, 1987, pp. 9-14.

10 VEEDER, V. V.: "Is there any Need for a Code of Ethics for International Commercial Arbitrators?", *Les arbitres internationaux: Colloque du 4 fevrier 2005*, Centre Français de Droit Comparé, 2005, pp. 187-194.

En el ejercicio del arbitraje y, especialmente, por la función cuasi juris-diccional que ejercen los árbitros en base a la autonomía de la voluntad de las partes que los han nombrado, los principios éticos juegan un papel trascendental, teniendo en cuenta la labor encomendada a los árbitros[11] que no sólo realizan exclusivamente la función arbitral, es evidente la se-mejanza existente con la función judicial[12]. Estos principios se encuentran fuertemente arraigados a dos pilares básicos del actuar de los árbitros: la independencia y la imparcialidad[13]. Tanto es así, que en la práctica actual la calidad del arbitraje se encuentra también condicionada a las caracte-rísticas de los árbitros, un buen procedimiento arbitral depende, sin duda alguna, del buen comportamiento ético de los árbitros elegidos por las partes[14], teniendo en cuenta el origen consensuado del mismo.

A diferencia de lo que ocurre en el ámbito judicial[15] en el que los jue-ces son asignados a un caso concreto, su autoridad les viene por mandato constitucional, son funcionarios públicos que asumen grandes responsabi-lidades estrechamente relacionadas con las políticas públicas y la soberanía

---

[11] ANDRIGHI, F. N.: "A ética como pilar de segurança da arbitragem", *Revista de Doutrina e Jurisprudência*, No. 53, 1997, pp. 24-26; MITCHARD, P.: "Ethics in Eu-ropean Arbitration", *The European & Middle Eastern Arbitration Review*, 2009. Dis-ponible en: http://www.globalarbitrationreview.com/reviews/14/sections/53/chapters/509/ethics-european-arbitration/, consutado el 05/04/2019; MULLE-RAT BALMAÑA, R.: "Ethical Rules for Arbitrators", *Anuario de Justicia Alternativa*, No. 6, 2005, pp. 77-117.

[12] JIJÓN LETORT, R.: "La Independencia e Imparcialidad de los Árbitros", *Revista del colegio de Jurisprudencia de Quito*, Año VII, No. 11, 2007, p. 26. En este sentido, ESCOBAR-MARTÍNEZ, afirma que, "un árbitro es un juez privado, cuya jurisdic-ción deriva de la voluntad de las partes"; ESCOBAR-MARTÍNEZ, L. M.: "La in-dependencia, imparcialidad y conflicto de interés del árbitro", *International Law, Revista colombiana de Derecho Internacional*, No. 15, 2009, p. 196.

[13] FERNÁNDEZ ROZAS, J. C.: "Contenido ético del oficio de árbitro", *Congreso de Ar-bitraje de La Habana*, 2010, p. 3; MANZANARES BASTIDA, B.: "The independence and impartiality of arbitrators in international commercial arbitration", *Revist@ e-Mercatoria*, Vol. 6, Nº 1, 2007, p. 1.

[14] Es un axioma muy citado en la comunidad arbitral que un procedimiento arbitral es tan bueno como la calidad de los árbitros que lo conducen; SANDERS, P.: *Quo vadis arbitration? Sixty years of arbitration practice*, Kluwer Law International, The Hague, Netherlands, 1999, p. 224; FERNÁNDEZ ROZAS, J. C.: "Contenido ético del deber de revelación del árbitro y consecuencias de su trasgresión", *Arbitraje*, Vol. VI, No. 3, 2013, p. 800.

[15] DEZALAY, Y., GARTH, B. G.: Dealing in Virtue. International commercial arbitra-tion and the construction of a transnational legal order, The University of Chica-go Press, 1996, p. 8.

de los Estados, muy distantes de las funciones propias de un árbitro que les vienen encomendadas por las propias partes o las instituciones arbitrales.

La necesidad de normas éticas en el arbitraje internacional ha generado siempre un debate constante en el ámbito internacional[16], lo que ha favorecido que la independencia y la imparcialidad del árbitro tenga una amplia acogida en las reglas arbitrales como principios intrínsecos al arbitraje.

No existe un solo reglamento arbitral en el que no se regulen, al menos, uno de los dos principios, tanto es así, que los propios reglamentos les confieren a los árbitros, ya sea explícita e implícitamente, facultades para garantizar una plena integridad del proceso[17], lo que no puede garantizarse sin la debida ejecución de los valores éticos y morales que entrañan el arbitraje como institución. Es por ello, que la observancia de los principios éticos de independencia e imparcialidad del árbitro constituye el factor más importante dentro del proceso[18].

Las reglas arbitrales están dirigidas a la mejora constante de las actuaciones de las partes en la práctica del arbitraje. De ahí que existan mecanismos sancionadores que son activados en caso de un quebrantamiento de los principios éticos en el arbitraje no sólo a nivel internacional sino también en el ámbito nacional. Estas exigencias obedecen ineludiblemente a la necesidad de que el arbitraje se adecue a las necesidades sociales actuales y, a la vez, ante la crisis de confianza a nivel internacional que afecta al sistema alternativo de resolución de diferencias, fortalecer la confianza en el arbitraje. Que las partes en el procedimiento puedan disfrutar de una mayor seguridad jurídica, de un proceso despojado de toda práctica desleal y que pueda sustentarse en reglas y normas que surjan de los principios fundamentales de la buena fe. Existe una obligada necesidad de consolidar la transparencia, la legitimidad y una mayor publicidad en el arbitraje internacional. De ahí que, la diligencia, eficiencia, independencia e imparcialidad, constituyan principios inquebrantables en la correcta actuación

---

[16] SUSSMAN, E.: "Can Counsel Ethics Beat Guerrilla Tactics?: Background and Impact of the New IBA Guidelines on Party Representation in International Arbitration," *New York Dispute Resolution Lawyer*, Vol. 6, No 2, 2013, p. 47.

[17] GUAIA, C. I.: "Facultades implícitas del tribunal arbitral en cuestiones éticas". *Arbitrajes PUCP*, No. 6, 2016, p. 89.

[18] En este sentido, GRIGERA NAÓN comenta, "arbitral impartiality and independence constitute the moral or ethical aspect of arbitral fairness"; GRIGERA NAÓN, H.: "Factors to Consider in Choosing an Efficient Arbitrator". *ICCA Congress Series*, No. 9, 1999, p. 289.

de los árbitros, su incumplimiento puede condicionar la integridad del procedimiento arbitral[19].

Sin embargo, cabe señalar que los reglamentos arbitrales establecen que los árbitros deben actuar siempre con imparcialidad e independencia. Pero al igual que gran parte de las legislaciones nacionales[20], se carece de un concepto de los mencionados principios. Los reglamentos de arbitraje de la CCI, UNCITRAL y el CIADI adolecen de una definición de la imparcialidad e independencia del árbitro, sólo se limitan a reconocer que los árbitros deben cumplir con dichos principios durante todo el procedimiento, divulgando o revelando cualquier circunstancia que atente contra la imparcialidad e independencia de éstos.

Pero dicha obligación como requisito inmutable del árbitro durante todo el procedimiento carece de un estándar en los códigos o normas arbitrales a nivel internacional, lo que trae como consecuencia una diferencia en la regulación de tal obligación entre las propias instituciones arbitrales[21]. No obstante, somos partidarios de que los buenos hábitos y la correcta práctica arbitral, "la virtud en la actuación arbitral"[22], no es el resultado del cumplimiento mecánico de los Códigos Éticos, la no existencia de los mismos no es un presupuesto que asegure la ausencia de una correcta actuación y administración de justicia por los árbitros, ni mucho menos una garantía del férreo cumplimiento del deber ético por parte de todos los árbitros.

---

[19]   FERNÁNDEZ ROZAS, J. C.: Contenido ético del oficio de árbitro..., *op. cit.*, p. 1.

[20]   En este sentido, DE TRAZEGNIES reconoce que: "Sin embargo, la mayor parte de los ordenamientos legales no precisan estos términos «imparcial e independiente», como no lo hace la nueva ley peruana [de Arbitraje]. De ahí la importancia de ensayar un desarrollo al nivel de principios aplicados a situaciones específicas, a fin de permitir su aplicación más segura y objetiva a los casos concretos"; DE TRAZEGNIES GRANDA, F.: "Artículo 28.– Motivos de abstención y de recusación", en SOTO COAGUILA, C. A., BULLARD GONZÁLEZ, A.: Comentarios a la Ley Peruana de Arbitraje, Instituto Peruano de Arbitraje, Lima, Tomo 1, 2011. P. 343. Sin embargo, en el ámbito del poder judicial y del Estado de Derecho, son muy bien conocidos los conceptos de impacrialidad e independencia en las legislaciones nacionales; SCHACHERER, S.: "Independence and Impartiality of Arbitrators. A Rule of Law Analysis", Seminar: International Investment Law and the Rule of Law, 2018, p. 3.

[21]   MANZANARES BASTIDA, B.: The independence and impartiality..., *op.cit.*, p. 10.

[22]   DEL ÁGUILA RUIZ DE SOMOCURCIO, P.: "Árbitros, ética y administración de justicia", *Arbitraje PUCP*, 2014, p. 53.

1. La independencia del árbitro

La independencia es considerada como una de las principales "garantías básicas del arbitraje"[23]. El principio de independencia del árbitro en el arbitraje internacional es una situación de carácter estrictamente objetiva, su análisis debe basarse en criterios objetivos[24]. Se caracteriza por la ausencia de control o presión externa que puedan ejercer sobre el árbitro en la toma de decisiones[25].

La independencia es considerada como un derecho imperativo de las partes[26]; para algunos autores[27], es la cara legítima del árbitro internacional. La independencia está relacionada con la ausencia o falta de vinculación entre los propios árbitros que forman parte del tribunal y de estos con el resto de las partes en el procedimiento, incluyendo los abogados que representan a las partes. Vínculos que no solo se deben a las posibles relaciones de carácter personales, sino también económicas, financieras, sociales o de cualquier otra naturaleza[28]. O sea, la independencia requiere que todo árbitro divulgue toda circunstancia o hecho que pueda ser constitutivo de conflicto de interés ya sea con las partes en litigios o con terceros.

---

[23]   CREMADES, B. M.: "El Arbitraje en la Doctrina Constitucional Española", *Lima Arbitration*, No. 1, 2006, p. 196.

[24]   Al respecto, ESCOBAR-MARTÍNEZ, afirma que "la dependencia, para ser tal, debe ser determinable por un test objetivo"; ESCOBAR-MARTÍNEZ, L. M.: La independencia, imparcialidad..., *op. cit.*, p. 191.

[25]   Tal y como ha sido reconocido en la decisión sobre descalificación de uno de los árbitros en el caso, *Abaclat and Others vs Argentina Republic*, en la que se reconoce que: "*Impartiality refers to the absence of bias or predisposition towards a party. Independence is characterized by the absence of external control. Independence and impartiality both protect parties against arbitrators being influenced by factors other than those related to the merits of the case*"; *Abaclat and Others vs Argentina Republic*, ICSID Case No ARB/07/5, Decision to Disqualify a Majority of the Tribunal, 2014, paragraph. 75.

[26]   LALIVE, P., POUDRET, J. F., REYMOND, C.: *Le Droit de l'Arbitrage Interne et International en Suisse*, Payot S. A., Lausanne, La Haya, 1989, pp. 338-339.

[27]   DE BOISSÉSON, M.: *Le Droit francais del'arbitrage interne et international*, GNL Editions, París, 1990, p. 778.

[28]   En cuanto a los vínculos o contenidos del deber de independencia del árbitro, véase: TRAKMAN, L.: "The Impartiality, and Independencia of Arbitrators Recosidered", *Int'l Arb'n L. Rev.*, Vol. 10, No. 4, 2007, pp. 124-134; ALAM, N.: "Independencia and Imparciality in International Arbitration. As Assessment", *Transnational Dispute Management*, Vol. I, No. 2, 2004. Disponible en: http://www.transnational-isputemanagement.com/samples/freearticles/tv1-2-article205b.htm#_ftn2, consultado el 05/04/2019.

En cuanto a la relación con algunos de los abogados de las partes la cuestión debe ser analizada en términos generales, es decir, no ceñirse únicamente a la relación personal que pueda existir, sino también debe tenerse en cuenta la relación entre el árbitro y el despacho de abogados al que pertenece el representante legal de la parte. Resulta aconsejable que los árbitros en la declaración de independencia que realizan manifiesten también las veces que han sido nombrados por los abogados que los han propuesto.

De esta forma, se reduce aún más el marco del deber de independencia del árbitro y se proporciona un ámbito diferencial en cuanto a la participación como árbitro nombrado por los grandes despachos, lo que nos lleva a considerar el alcance que debemos proporcionarle al despacho al que pertenece el abogado de la parte, si es una firma internacional con representación en varios países o un despacho miembro de una red internacional, asociación o alianza de despachos jurídicos internacionales. Ahora bien, cabe insistir en que la pertenencia a un mismo despacho de amplias dimensiones, con varias representaciones y especializaciones no significa la existencia de una agrupación o comunidad de intereses que sea motivo de recusación del árbitro, aunque estos tipos de despachos sean más proclives al mantenimiento de conflictos de intereses.

La independencia del árbitro no puede verse solamente con relación a las partes en el proceso, sino también con la propia institución arbitral respecto a su facultad para decidir, es decir, el árbitro no puede delegar en terceros la posibilidad de decidir o resolver el litigio, siendo el máximo responsable de la decisión de dictar el laudo y de todo lo expresado en el mismo, lo que equivale a decir que la independencia se caracteriza por la carencia de cualquier control externo que pueda ejercerse contra el árbitro. Además, es de vital importancia que las propias instituciones arbitrales también se mantengan independientes al momento de administrar justicia[29]. De ésta manera, la independencia cumple dos objetivos principales:

---

[29] En este sentido el CEA, en su Código de Buenas Prácticas Arbitrales establece varios parámetros que deben ser cumplido por las propias instituciones, como pueden ser; la prohibición de asesoría jurídica sobre asuntos que estén o puedan estar bajo conocimiento de la institución; prohibición de recomendación de abogados por parte de la institución; la revelación por parte de la institución a las partes de todas las circunstancias que puedan afectar la independencia e imparcialidad, entre otras.

garantizar la transparencia necesaria para las partes[30] y la integridad del procedimiento.

2. La imparcialidad del árbitro

La selección del árbitro es un eslabón fundamental en la cadena procesal del arbitraje, cobrando especial importancia la imparcialidad en todas sus actuaciones. La imparcialidad del árbitro exige la ausencia de predisposición subjetiva hacia una de las partes. La imparcialidad del árbitro se presupone por las partes desde el inicio del procedimiento arbitral, con el objetivo de que el mismo pueda establecerse válidamente[31], se refiere a la ausencia de sesgo del árbitro hacia una de las partes[32], que no exista un previo posicionamiento del árbitro por la materia en disputa. En relación con este último, algunos autores destacan la distinción de dos conceptos: predilección y parcialidad.

El primero, significa que "el árbitro favorezca a una de las partes sin provocarles perjuicios a la otra, mientras que el segundo significa lo contrario, o sea, que al favorecer a una de las partes ocasione daños a la otra"[33].

La imparcialidad tiene una fuerte incidencia subjetiva, implica que la actuación del árbitro debe carecer subjetivamente de cualquier interés a favor o en contra de las partes[34], en no tener un criterio anticipado que le

---

[30] La falta de transparencia puede ser manifiesta por el árbitro de varias formas, véase: FERNÁNDEZ ROZAS, J. C.: Contenido ético del oficio de árbitro..., *op. cit.*, p. 20.

[31] FERREIRA LEMES, S. M.: "Arbitragem. Princípios jurídicos fundamentais. Direito brasileiro e comparado", *Revista de la Corte Espanhola de Arbitraje*, Vol. VII, 1991, p. 47.

[32] *Burlington Resources Inc. vs. Ecuador*, Caso CIADI No. ARB/08/5, Decision on the Proposal for Disqualification of Professor Francisco Orrego Vicuña, 2013, paragraph 66.

[33] FERNÁNDEZ ROZAS, J. C.: Contenido ético del oficio de árbitro.... *op. cit.*, p. 14; BRANSON, D. J.: "American Party-Appointed Arbitrators -Not the Three Monkeys", *University of Dayton L. Rev.*, Vol. 30, No. 1, 2004, pp. 1-62.

[34] Al respecto, GOLDSCHMIDT reconoce que "La imparcialidad consiste en poner entre paréntesis todas las consideraciones subjetivas del juzgador. Este debe sumergirse en el objeto, ser objetivo, olvidarse de su propia personalidad"; GOLDSCHMIDT W.: "Conducta y Norma, La Imparcialidad como principio básico del proceso", Revista Justicia y Verdad, 1978, p. 153; SINGHAL, S.: "Independence and impartiality or arbitrators". International Arbitration Law, 2008, pp. 124-141.

impida su función de juzgar[35], tiene relación con la actitud, con un estado mental del árbitro. Por su propio carácter subjetivo resulta muy difícil de probar.

Tal y como lo reconoce la doctrina, "la imparcialidad, en la medida que es un estado de la mente, es un concepto subjetivo y bastante abstracto muy difícil de probar"[36]. Sin embargo, la imparcialidad solo puede ser identificada desde el punto de vista práctico[37], es decir basándose en situaciones de hechos objetivos que demuestren los vínculos del árbitro con algunas de las partes que den indicios al cuestionamiento de la imparcialidad y, por supuesto, al desarrollo de un procedimiento arbitral justo[38].

Por lo tanto, se establece una relación de complementariedad entre el aspecto subjetivo, el estado mental del árbitro y la evaluación objetiva, mediante la cual es posible vincular la falta de imparcialidad del árbitro, lo que trae como consecuencia que la imparcialidad y la independencia tengan un marcado carácter subjetivo, de ahí su vaguedad[39].

La imparcialidad tiene gran relación con la motivación. El árbitro debe anteponer a sus consideraciones personales las condiciones subjetivas en relación con los hechos, el objeto. La imparcialidad "es, en la esfera emocional, lo que la objetividad es en la órbita intelectual"[40], lo que permite que el laudo dictado por el árbitro esté correctamente fundamentado en la verdad, lo justo, resolviendo legalmente la controversia, debido a que la principal garantía de las partes para asegurar la plena efectividad del postulado que tratamos es la impugnación del laudo ante la existencia de indicios de parcialidad.

---

[35] JIJÓN LETORT, R.: "Independencia de los árbitros", en SOTO COAGUILA, C. A. (Dir.): *Arbitraje comercial y arbitraje de inversión. El arbitraje en el Perú y el Mundo*, Instituto peruano de arbitraje, Perú, 2008, p. 348.

[36] LEW, J. D. M., MISTELIS, L. A., KRÖLL, S. M.: *Comparative International Commercial Arbitration*, Kluwer Law International, London, 2003, p. 258.

[37] FERNÁNDEZ ROZAS, J. C.: Contenido ético dearbl oficio de árbitro..., *op. cit.*, p. 13.

[38] BISHOP, D., REED, L.: "Practical Guidelines for Interviewing, Selecting and Challenging Party-Appointed Arbitrators in International Commercial Arbitration", *Arb. Int'l*, Vol. 14, No. 4, 1998, pp. 407-423.

[39] CLEIS, M. N.: The Independence and Impartiality of ICSID Arbitrators: Current Case Law, Alternative Approaches, and Improvement Suggestions, Brill Nijhoff, Leiden | Boston, Vol. 8, 2017, p. 22.

[40] FERNÁNDEZ ROZAS, J. C.: Contenido ético del oficio de árbitro..., *op. cit.*, p. 14.

Parcialidad del árbitro que, en el procedimiento arbitral, puede ser considerado como un quebrantamiento del orden público[41]. Así, lo ha confirmado, en reiteradas ocasiones, la jurisprudencia española al reconocer; *"(...) deberá denegarse la ejecución cuando el contenido sea contrario al orden público, entendido, desde la perspectiva constitucional, como el conjunto de principios jurídico públicos, privados, políticos, morales y económicos que son absolutamente obligatorios para la conservación de un modelo de sociedad en un pueblo y época determinados"*[42].

El principio de imparcialidad no deja de tener sus complejidades en la actuación del árbitro. Los árbitros no solo deben manifestar su imparcialidad desde el punto de vista intelectual, sino también mostrar cierta apariencia de imparcialidad[43], es decir, tener buena reputación moral, actuar siempre honestamente. De esta forma, se evita que ocurran hechos como el que tuvo lugar en el Tribunal Irán-EEUU, en el que varios árbitros iraníes llegaron a declarar amenazas de muerte y atacaron violentamente al árbitro sueco, el Sr. Nils Mangard, al considerar que éste era parcial y carecía de la necesaria independencia, que la falta de neutralidad y la sumisión del Sr. Mangard a los intereses del gobierno y las empresas estadunidenses, causaba un daño irreparable a Irán[44].

El cumplimiento de las normas éticas y la buena reputación moral del árbitro son cuestiones trascendentales para el arbitraje internacional, teniendo en cuenta que en el procedimiento el árbitro se enfrenta a dos partes totalmente distintas, con intereses y culturas jurídicas diferentes, por lo que una actitud determinada del árbitro puede ser asumida como imparcial por una de las partes mientras que para la otra pude no serlo[45], lo que

---

[41]   GIOVANNUCCI ORLANDI, C.: "Ethics for International Arbitrators", *University of Missouri-Kansas City L. Rev.*, Vol. 67, 1998, pp. 93-109.

[42]   Véase, Auto de la Audiencia Provincial de Madrid, No. 184/2005, Sección: 14, de 29 de julio de 2005, Roj: AAP M 7137/2005, en el que se cita las sentencias, STC 11/87, de 11 de febrero, STC 116/1988, de 20 de junio y STC54/1989, de 23 de febrero.

[43]   SERRADA, J., "Designación de árbitros. Cuestiones que suscitan", en JIMÉNEZ-BLANCO, G., *Anuario de Arbitraje*, Aranzadi, 2016, p. 202.

[44]   BROWER, C., BRUESCHKE, J.: *The Iran-United States Claims Tribunal*, Martinus Nijhoff Publishers, Leiden, 1998, p. 169. Además, ha sido citado por ABERCROMBIE BAKER, S., DAVIS, M. D.: *The UNCITRAL arbitration rule in practice, the experience of the Irán-U.S. claims tribunal*, Kluwer Law and Taxation Publishers, Deventer/Boston, 1992, pp. 40-41.

[45]   SALVANESCHI, L.: "Sull'imparzialità dell'árbitro", *Riv. Dir. Proc.*, Vol. 59, 2004, pp. 409-434.

provoca una colisión entre costumbres, y dificulta a nivel internacional la creación de un estándar ético en el arbitraje.

En este sentido, los árbitros quedan obligados a cumplir un riguroso estatus de imparcialidad y hasta de su propia manera de conducir sus actuaciones. Un tribunal arbitral puede ser dependiente, pero nunca parcial. Un árbitro imparcial con algún sesgo de dependencia en sus actuaciones, se puede considerar, mientras que un árbitro independiente, pero parcial, debe ser automáticamente descalificado[46]. Sin embargo, debe reconocerse que cuánto más dependiente sea un árbitro de una de las partes, menos posibilidades tendrá de ser considerado como imparcial, resultando muy difícil para las instituciones arbitrales y los propios tribunales nacionales poder determinar, objetivamente, el grado de compromiso de la imparcialidad[47]. En este sentido, algunos autores consideren que "la parcialidad expresada a través de un prejuzgamiento del caso crea un innecesario costo social"[48]; la pérdida de la confianza en el arbitraje.

Es por ello, que el árbitro no solo debe ser imparcial sino también parecerlo, por la sencilla razón que "el arbitraje se basa en la confianza"[49], de ahí la función principal del árbitro, la búsqueda de un acuerdo entre las partes[50]. Con la garantía de un árbitro imparcial el procedimiento arbitral no solo es efectivo técnicamente, sino también ético, lo que permite que las partes puedan obtener una resolución justa del litigio[51].

La imparcialidad del árbitro constituye una garantía procesal de la cual depende la propia existencia de la función arbitral y así ha quedado demostrado en el ámbito jurisdiccional. La Audiencia Provincial de Madrid, en el ya citado Auto No. 184/2005, de 29 de julio, reconoce:

"(...) No obstante, si algo caracteriza a la institución arbitral, como órgano privado de heterocomposición, es la exigencia de imparcialidad, y esa imparciali-

[46] BISHOP, D., REED, L.: Practical Guidelines for Interviewing...,*op. cit.*, p. 399.
[47] RUBINS, N., LAUTERBURG, B.: "Independence, Impartiality and Duty of Disclosure in Investment Arbitration", en KNAHR, CH., KOLLER, CH., RECHBERGER, W., REINISCH, A. (Eds.): *Investment and Commercial Arbitration-Similarities and Divergences, Eleven International Publishing*, The Netherlands, 2010, p. 156.
[48] FIERRO VALLE, E. J.: Conflicto objetivo de intereses..., *op. cit.*, p. 83.
[49] GONZÁLEZ DE COSSÍO, F.: "Independencia, imparcialidad y apariencia de imparcialidad de los árbitros", *Anuario del Departamento de Derecho de la Universidad Iberoamericana*, 2002, p. 460.
[50] FERNÁNDEZ ROZAS, J. C.: Contenido ético del oficio de árbitro..., *op. cit.*, p. 1.
[51] ALONSO, J. M.: "La independencia e imparcialidad de los árbitros", *Revista Peruana de Arbitraje*, No. 2, 2006, p. 97.

> *dad debe exigirse a todos los que intervienen en las funciones arbitrales; tanto a los árbitros como a las instituciones administradoras del arbitraje, de forma que su misión de administración, control y prestación del arbitraje no se solape con otras de asesoramiento previo a una de las partes en el conflicto. En los diversos sistemas de designación de árbitros siempre hay un componente importantísimo de imparcialidad: se buscan árbitros de común acuerdo, se encomienda a un extraño el nombramiento del tercer árbitro que equilibre la composición del colegio arbitral cuando cada parte haya elegido uno, se confía el arbitraje a institución ajena al interés de las partes en la confianza de su imparcialidad, se fuerza la intervención de la autoridad judicial que los insacula, o se toma otra medida para preservar al órgano decisorio del conflicto de las influencias de uno de los intereses en juego"[52].*

Los principios de independencia e imparcialidad del árbitro siempre se han visto como ambas caras de una misma moneda, lo que ha propiciado, erróneamente, que en la práctica sean utilizados como equivalentes. Pero ambos principios difieren entre sí, las circunstancias, hechos o situaciones a través de los que se manifiestan son totalmente distintas, lo que ha sido perfectamente reconocido no sólo en el ámbito doctrinal[53], sino también por el precedente arbitral. Por ejemplo, en los casos *Suez, Sociedad General de Aguas de Barcelona S.A., InterAguas Servicios Integrales del Agua S.A. vs. Argentina y, Suez, Sociedad General de Aguas de Barcelona S.A., Vivendi Universal S.A. vs. Argentina,* en los que la Demandada (República de Argentina) presentó solicitud de recusación de un árbitro, la Prof. Gabrielle Kaufmann-Kohler, en virtud de la existencia objetiva de dudas justificadas respecto de su imparcialidad, fundamentando dicha solicitud en que Kaufmann-Kohler había sido miembro de otro tribunal en el que se dictó laudo contra Argentina y que presentaba errores en sus conclusiones respecto de los hechos y las pruebas, motivos por los cuales consideran que su participación en la elaboración de esa decisión de por sí *"(...) demuestra prima facie falta de imparcialidad de la mencionada árbitro, manifestándose a través de las inconsistencias más salientes del laudo que generan una plena falta de confianza"*[54].

---

52 Véase, cita 43, *supra.*
53 TRAKMAN, L., The impartiality and Independence..., *op. cit.,* p. 6; GONZÁLEZ DE COSSÍO, F.: Independencia, imparcialidad..., *op. cit.,* p. 460.
54 Véase, Suez, Sociedad General de Aguas de Barcelona S.A., InterAguas Servicios Integrales del Agua S.A. vs. Argentina, Caso CIADI No. ARB/03/17 y, Suez, Sociedad General de Aguas de Barcelona S.A., Vivendi Universal S.A. vs. Argentina, Caso CIADI No. ARB/03/19. Decision on the proposal for the disqualification of a member of the arbitral tribunal, 2007.

En la decisión que resolvió la solicitud de recusación, aun y cuando el tribunal rechazó la solicitud de descalificación presentada por la Demandada, al considerar que no se presentó de manera oportuna y por la falta de hechos que demostraran una manifiesta falta de independencia o imparcialidad del árbitro, se reconoció que:

> *"independencia e imparcialidad, aunque mutuamente relacionados, con frecuencia se consideran claramente diferentes, aunque no siempre es fácil percibir con precisión la naturaleza de la distinción. El concepto de independencia se refiere a la inexistencia de relaciones con una parte, que pueda influir sobre la decisión del árbitro. Por imparcialidad, en cambio, se entiende la inexistencia de un sesgo o predisposición favorable hacia alguna de las partes"[55].*

Sin embargo, consideramos que para ambos principios resulta necesaria la existencia de sesgo, sesgo que rara vez puede ser probado en la práctica[56].

En este sentido, coincidiendo con algunos autores[57], cabe destacar algunas consideraciones en relación con los principios de independencia e imparcialidad: i) ambos principios son complementarios entre sí, pero la existencia de uno no es condición que garantice la existencia del otro, son conceptos absolutos[58], es decir, "o se es completamente independiente e imparcial o no"[59], ii) los dos principios deben ser analizados según el caso y las circunstancias específicas de éste, no pueden verse de forma general

---

[55]   Ibídem, Decisión sobre la propuesta de recusación de un miembro del tribunal arbitral, párraf. 29, 2007.

[56]   La jurisprudencia ha reconocido, reiteradamente, lo difícil que resulta poder probar el sesgo, al punto de que lo ha considerado como algo imposible de lograr. Al respecto, puede verse: *Morelite Construction Corp., Morelite Electric Service, Inc. vs. NY City District Council Carpenters Benefit Fund.* 748 F. 2d 79. U.S. Court of Appeals for the 2nd Circuit, 1984. En el presente caso, desde sus inicios, se admitió la apariencia de sesgo para admitir la parcialidad del árbitro; sin embargo, se reconoció finalmente la dificultad de probar el sesgo, al punto de considerarse como imposibilidad, debido a la propia dificultad en la obtención de prueba. Salvo que el propio árbitro reconociera y comentara su parcialidad.

[57]   DEL AGUILA RUIZ DE SOMOCURCIO, P.: Árbitros, ética y administración de justicia..., *op. cit.*, p. 54.

[58]   ESTÉVEZ SANZ, M., MUÑOZ ROJO, R.: "La independencia e imparcialidad del árbitro: una visión práctica comparada", *Revista de Arbitraje de la Comunidad Iberoamericana*, 2017, p. 3.

[59]   GONZÁLEZ DE COSSÍO, F.: "Imparcialidad", *Revista del Club Español del Arbitraje*, No. 17, 2013, pp. 17-41.

ni mucho menos pensarse que tienen igual acogida en todos los litigios y iii) la falta de independencia o imparcialidad en un árbitro no presupone, *ipso facto,* un cuestionamiento de las cualidades profesionales o morales del árbitro, debe existir un razonamiento y análisis previo que así lo demuestre. Los principios de imparcialidad e independencia también abarcan la ausencia de apariencia de parcialidad o dependencia del árbitro.

En suma, la obligación de los árbitros de mantenerse imparciales e independientes es un principio fundamental del procedimiento arbitral, le confiere legitimidad al proceso y, a la vez, es inherente a la propia función arbitral. Ambos principios blindan a las partes contra posibles árbitros que puedan estar influenciados, o que carezcan de un reconocimiento moral y ético en los que no pueden confiar la resolución de su controversia[60], es decir, "protegen a las partes contra los árbitros influenciados por factores distintos a los relacionados con los méritos del caso"[61].

La contravención de dichos principios genera graves consecuencias para el árbitro, su recusación, lo que evidencia la responsabilidad que asume al árbitro durante todo el procedimiento hasta la conclusión del mismo, teniendo en cuenta que, una vez emitido el laudo, el conocimiento de cualquier circunstancia no conocida previamente durante el procedimien-

---

[60] DE LA JARA PLAZA, J. M., OLÓRTEGUI HUAMÁN, J.: "La contaminación de la confianza. los árbitros tóxicos y la deliberación arbitral en Latinoamérica", *Revista Ecuatoriana de Arbitraje,* No. 8, 2016, p. 41.

[61] En este sentido, en el caso *Urbaser S.A. and Consorcio de Aguas Bilbao Bizkaia, Bilbao Biskaia Ur Partzuergoa vs. Argentine Republic,* en la decisión que resolvió la solicitud de recusación del árbitro Campbell McLachlan, se reconoció que: "*The requirements of independence and impartiality serve the purpose of protecting the parties against arbitrators being influenced by factors other than those related to the merits of the case. In order to be effective this protection does not require that actual bias demonstrate a lack of independence or impartiality. An appearance of such bias from a reasonable and informed third person's point of view is sufficient to justify doubts about an arbitrator's independence or impartiality. Claimants refer to the decision made on December 8, 2009, by the Secretary General of the Permanent Court of Arbitration (PCA) upon the challenge of Judge Charles N. Brower. This decision states that a point of view expressed in an interview gave rise to an appearance that this arbitrator prejudged the issue of an arbitration proceeding although he had not given a specific opinion on the outcome of the pending arbitral proceedings. The issue in the instant case, however, is that the appearance of doubt in regards to the independence and impartiality of Prof. McLachlan is directly linked to the statements quoted by Claimants as grounds for their challenge*"; *Urbaser S.A. and Consorcio de Aguas Bilbao Bizkaia, Bilbao Biskaia Ur Partzuergoa vs. Argentine Republic,* ICSID Case No. ARB/07/26, Decision on Claimants' Proposal to Disqualify Professor Campbell McLachlan, Arbitrator, paragraph 43, 2010.

to puede dar motivos a la anulación del mismo, afectando la viabilidad del arbitraje como instituto[62].

Cuando un Estado reconoce la justicia arbitral, se obliga al reconocimiento de los laudos siempre y cuando el procedimiento arbitral se haya celebrado cumpliendo con todos los requerimientos legales necesarios que les asegure a las partes las garantías del debido proceso. Es por ello, que la independencia e imparcialidad de los árbitros constituyen requisitos fundamentales para que los Estados puedan reconocer y ejecutar el laudo arbitral. La credibilidad del arbitraje se basa en la percepción que tengan las partes de que el procedimiento arbitral ha sido justo, que los laudos obtenidos sean acatados por las partes sin que vean vulnerados sus derechos, siendo los árbitros la pieza clave y fundamental en la que se sostiene todo el razonamiento que fundamenta el laudo.

En la práctica, como hemos comentado antes, ambos principios se complementan entre sí, persiguen un mismo objetivo, garantizar un procedimiento justo, en igualdad de partes y el estricto cumplimiento del debido proceso. Factores estos que contribuyen a una mayor legitimidad del arbitraje internacional. La mínima existencia de signo de parcialidad en el actuar del árbitro constituye una contravención grave como regla esencial del procedimiento[63].

III. LA INDEPENDENCIA Y LA IMPARCIALIDAD DEL ÁRBITRO EN LOS PRINCIPALES REGLAMENTOS DE ARBITRAJE A NIVEL INTERNACIONAL: LA CCI, LA CNUDMI Y EL CIADI. UNA MIRADA PRÁCTICA DE LA CUESTIÓN

Las instituciones arbitrales, como era de esperar, también han manifestado su interés en las cuestiones relativas a la actuación de los árbitros. En consecuencia, los principios de imparcialidad e independencia han encontrado un lugar destacado en las distintas reglas arbitrales de la inmensa mayoría de las instituciones de arbitraje a nivel internacional. Tal es el caso

---

[62] CALADO, D., JÚDICE, J. M.: "Independencia e imparcialidad del árbitro algunos aspectos polémicos, mediante una visión ibérica", *Arbitraje. Arbitraje Comercial y de Inversiones*, 2015, pp. 750-751; ESTÉVEZ SANZ, M., MUÑOZ ROJO, R.: La independencia e imparcialidad del árbitro..., *op. cit.*, p. 2.
[63] CLEIS, M. N.: The Independence and Impartiality of ICSID Arbitrators..., *op. cit.*, p. 15.

de las reglas de la CNUDMI que no solo reconocen el deber de revelación al que se deben los árbitros, también la obligación de actuar plenamente imparciales e independientes[64]. En ese mismo sentido, el Reglamento de Arbitraje de la CCI establece la obligación del árbitro de permanecer imparcial e independiente en el arbitraje[65].

Este último ha incluido en sus últimas modificaciones el principio de imparcialidad del árbitro, que no estaba establecido en los anteriores reglamentos de la CCI, los cuales sólo establecían la obligación de independencia del árbitro durante todo el procedimiento.

Por otro lado, el Convenio CIADI también prohíbe la parcialidad y la falta de independencia en el actuar de los árbitros. En este sentido, se requiere que los árbitros sean de alto nivel moral y que puedan las partes confiar en ellos al emitir un juicio imparcial o independiente, según la traducción del Convenio que se utilice. El artículo 14 (1) del Convenio CIADI presenta algunas particularidades, el mismo difiere entre las diversas traducciones oficiales, se usa tanto el término de independencia como el de imparcialidad de manera indistinta[66], cuestión que en la práctica no ha ocasionado grandes problemas, se ha exigido el cumplimiento de ambos principios a la hora de decidir sobre un conflicto de interés del árbitro. Tal y como sucedió en el caso *Suez, Sociedad General de Aguas de Barcelona S.A. y Vivendi Universal S.A. vs. Argentina*, en el cual el tribunal determinó im-

---

[64] Al respecto, el Art. 12 de las Reglas de la CNUDMI reconocen que: "Un árbitro podrá ser recusado si existen circunstancias de tal naturaleza que den lugar a dudas justificadas respecto de su imparcialidad o independencia".

[65] En este sentido, el Art. 11.1 del Reglamento de Arbitraje de la CCI, establece que: "Todo árbitro debe ser y permanecer imparcial e independiente de las partes en el arbitraje".

[66] El Art. 14(1) del Convenio CIADI, en su traducción al español reconoce que: "Las personas designadas para figurar en las Listas deberán gozar de amplia consideración moral, tener reconocida competencia en el campo del Derecho, del comercio, de la industria o de las finanzas e inspirar plena confianza en su imparcialidad de juicio (...)", en su traducción al inglés, establece que: "Persons designated to serve on the Panels shall be persons of high moral character and recognized competence in the fields of law, commerce, industry or finance, who may be relied upon to exercise independent judgment (...)" y, en su version al francés reconoce: "Les personnes désignées pour figurer sur les listes doivent jouir d'une haute considération morale, être d'une compétence reconnue en matière juridique, commerciale, industrielle ou financière et offrir toute garantie d'indépendance dans l'exercice de leurs fonctions (...)".

poner ambas obligaciones de imparcialidad e independencia al reconocer que:

> *"la versión española del artículo 14 (1) se refiere a una persona que inspira plena confianza en su imparcialidad de juicio. Dado que el tratado por sus términos hace que ambas versiones sean igualmente auténticas, aplicaremos los dos estándares de independencia e imparcialidad en la toma de nuestras decisiones. En efecto, tal enfoque concuerda con muchas normas de arbitraje que requieren que los árbitros sean independientes e imparciales"*[67].

El propio Convenio CIADI enfatiza en la importancia que tiene el cumplimiento de las normas éticas y el buen comportamiento moral de los árbitros para enfrentar un procedimiento arbitral cuando, en su artículo 57 prevé la descalificación del árbitro ante la existencia de hechos que demuestren la carencia de alguna de las cualidades mencionadas en el precitado artículo 14 (1)[68], estando en relación con la Regla 6 del Reglamento de Arbitraje de dicha institución, en la que se establece que el árbitro en su declaración debe comprometerse a declarar cualquier circunstancia que pudiera cuestionar su imparcialidad.

En la práctica, la jurisprudencia del CIADI carece de un enfoque coherente que permita determinar un umbral aplicable a la independencia e imparcialidad de los árbitros. Algunos autores consideran que los estándares reconocidos en las reglas del CIADI son iguales, que no varían[69].

---

[67] Véase, el caso Suez, Sociedad General de Aguas de Barcelona S.A., y Vivendi Universal S.A. vs. Argentina, caso No. ARB/03/19, Decisión sobre la propuesta de recusación de uno de los árbitros, párraf. 28, 2007. "The Spanish version of Article 14(1) refers to a person who ...inspira[r] plena confianza en su imparcialidad de juicio. (i.e. who inspires full confidence in his impartiality of judgement.) Since the treaty by its terms makes both language versions equally authentic, we will apply the two standards of independence and impartiality in making our decisions. Such an approach accords with that found in many arbitration rules which require arbitrators to be both independent and impartial".

[68] Al respecto, el Art. 57 del Convenio CIADI establece que: "Cualquiera de las partes podrá proponer a la Comisión o tribunal correspondiente la recusación de cualquiera de sus miembros por la carencia manifiesta de las cualidades exigidas por el apartado (1) del Artículo 14. Las partes en el procedimiento de arbitraje podrán, asimismo, proponer la recusación por las causas establecidas en la sección 2 del Capítulo IV".

[69] BERNASCONI-OSTERWALDER, N., JOHNSON, L., MARSHALL, F.: "Arbitrator Independence and Impartiality: Examining the dual role of arbitrator and counsel", *IV Annual Forum for Developing Country Investment Negotiators*, Background Papers, 2010, p. 6.

Por nuestra parte, creemos que los criterios para determinar la independencia e imparcialidad del árbitro varían teniendo en cuenta las particularidades del caso, basándose desde las exigencias de una prueba estricta[70] a dudas razonables, o un enfoque mixto que incluya ambos criterios, ejemplo de ellos tenemos el caso *Amco vs. Indonesia,* en el que ante la descalificación de uno de los árbitros se exigió como estándar la "falta manifiesta" y, por otro lado, la exigencia de pruebas no solo de los hechos que indicaban una falta de independencia sino también de la falta real de independencia, que tenía que ser manifiesta o altamente probable y no solo posible[71].

Este caso fue duramente criticado por haber asumido una posición débil en el tema del conflicto de interés. Sin embargo, en el caso Aguas *del Aconquija S.A., Vivendi Universal vs. Argentine Republic,* ante la impugnación de uno de los árbitros se tuvo en cuenta en la decisión final un umbral mucho más amplio que el caso anterior, exigiéndose la existencia de "dudas razonables" y una prueba estricta de sesgo real en relación con el Código IBA de Ética[72].

Hecho similar ocurrió en el caso *Caratube International Oil Company LLP y Devincci Salah Hourani vs. Republic of Kazakhstan*[73]. La controversia surgió a raíz de un contrato de exploración y producción de petróleo celebrado entre el Ministerio de Energía y Recursos Minerales de Kazakhstan y Contratistas Consolidados (CCC) en 2002. Pasados unos meses, CCC cedió el contrato a Caratube. En el mismo se disponía una fase de exploración de cinco años (con la posibilidad de dos prórrogas) y una posterior fase de producción. Por recomendaciones de la fiscalía, la parte Demandada (República de Kazakhstan) notifica al Demandante (Caratube Internatio-

---

[70] REINISCH, A., KNAHR, CH.: "Conflicts of Interests in International Investment Arbitration", in PETERS, A., HANDSCHIN, L. (Eds.): *Conflict of Interest in Global, Public and Corporate Governance,* Cambridge University Press, 2012, p. 121.

[71] *Amco Asia Corporation and others vs. Republic of Indonesia,* ICSID Case No ARB/81/1, Decision on Proposal to Disqualify an Arbitrator (not public), 1982, citado por, SCHACHERER, S.: "Independence and Impartiality...", *op. cit...,* p. 11.

[72] En este caso se reconoció que: "the circumstances actually established (and not merely supposed or inferred) must negate or place in clear doubt the appearance of impartiality. If the facts would lead to the raising of some reasonable doubt as to the impartiality of the arbitrator or member, the appearance of security for the parties would disappear and a challenge by either party would have to be upheld"; Compañia de Aguas del Aconquija S.A., Vivendi Universal vs. Argentine Republic, ICSID Case No ARB/97/3, Annulment Proceeding, 2001, paragraph. 20, 22 y 25.

[73] Caratube International Oil Company LLP y Devincci Salah Hourani vs. Republic of Kazakhstan, Caso CIADI No. ARB/13/13, 2013.

nal Oil Company LLP y Devincci Salah Hourani) la existencia de ciertos incumplimientos del contrato, específicamente el incumplimiento de algunas obras de exploración por su parte, y decide unilateralmente cancelarlo, decisión ésta con la que no estaban de acuerdo los Demandantes, los cuales argumentaron que la situación generada una vez cancelado ilícitamente el contrato por parte de la Demandada tuvo como principal motivo las relaciones existentes entre el presidente de Kazakhstan y el Sr. Rakhat Aliyev, socio de la familia Hourani. La controversia dio origen a varios procedimientos ante el CIADI.

En el caso que nos ocupa, los Demandantes alegaron, además, que la demanda se basa principalmente en un incumplimiento contractual, teniendo en cuenta que la Demandada no les ofreció un trato justo y equitativo al expropiar sus inversiones, por lo que carecieron de plena seguridad. La Demandada, oponiéndose a los argumentos expuestos por los Demandantes, alega que la cancelación del contrato se debió a una violación material.

Una vez designados los árbitros por las partes y durante el transcurso del procedimiento, los Demandantes manifestaron su inconformidad con el árbitro, el Sr. Boesch, designado por la Demandada, alegando, entre otras cuestiones, que la participación del Sr. Boesch como árbitro en otro caso parecido (*Ruby Roz Agricol vs. Kazakhstan*), generaba un riesgo manifiesto de prejuzgamiento por su parte en virtud de las similitudes entre el caso *Ruby Roz* y el presente arbitraje *Caratube International Oil Company LLP y Devincci Salah Hourani vs. Repubic of Kazakhstan*. En enero de 2014, los reclamantes enviaron una carta a la Secretaría del CIADI, solicitando al Sr. Boesch que renunciara al tribunal de conformidad con el artículo 8 de las Reglas de Arbitraje del CIADI[74]. El Sr. Boesch se consideraba independiente e imparcial y, por lo tanto, dio a conocer que no tenía intención de renunciar al tribunal. Los Demandantes luego propusieron su descalificación conforme al artículo 57 del Convenio del CIADI. La Demandada argumentó que los motivos invocados por los Demandantes carecían de fundamento y debían ser rechazados.

Los coárbitros que conocieron de la solicitud de recusación del Demandante reconocieron que el caso alegado por aquel (*Ruby Roz Agricol vs.*

---

[74] El cual establece que, "Un árbitro puede presentar su renuncia a los otros miembros del Tribunal y al Secretario General. Si el árbitro fue nombrado por una de las partes, el Tribunal considerará sin dilación las razones de su renuncia y decidirá si la acepta. El Tribunal notificará su decisión sin demora al Secretario General".

Kazakhstan) surgió del mismo contexto fáctico que el presente caso. Por lo tanto, concluyeron que el presente caso mostraba un desequilibrio debido a la participación del Sr. Boesch en *Ruby Roz*. Por lo que se puede esperar que un tercero razonable e informado consideraría altamente probable que el Sr. Boesch pudiera prejuzgar cuestiones jurídicas en el presente arbitraje sobre la base de los hechos del caso *Ruby Roz*, que un tercero podría fácilmente determinar la apariencia de falta de independencia e imparcialidad sobre la base de una "evaluación razonable de los hechos"[75], concluyéndose que el Sr. Boesch carecía manifiestamente de una de las cualidades exigidas por el Artículo 14 (1) del Convenio CIADI, motivo por el cual fue recusado.

La decisión en este caso tuvo una gran importancia por dos razones. En primer lugar, por primera vez en la historia del CIADI fue aceptada una propuesta de descalificación de un árbitro. Ante los desafíos cada vez más comunes, aunque por lo general no tienen éxito, ésta decisión ha demostrado que el sistema CIADI responde acertadamente ante el cuestionamiento de los méritos de los árbitros. En segundo lugar, el umbral que los árbitros aplicaron para evaluar los motivos de la impugnación se basó en la evaluación de las pruebas por un tercero razonable. En este sentido, la decisión reafirma otras decisiones anteriores de tribunales arbitrales en casos del CIADI[76].

Otro ejemplo es el caso *Vito G. Gallo vs. The Government of Canada*[77] en el marco del Tratado de Libre Comercio de América del Norte (TLCAN), en el que se tiene en cuenta la existencia de dudas justificables. Los hechos del presente caso trataron sobre la revocación de ciertos permisos reglamentarios otorgados al reclamante (Vito G. Gallo) para el uso de una mina a cielo abierto promocionada previamente como un sitio potencial para la eliminación de desechos para la basura del área metropolitana de Toronto. Sin embargo, la ciudad de Toronto y los municipios regionales circundan-

---

[75] *Caratube International Oil Company LLP y Devincci Salah Hourani vs. Republic of Kazakhstan*, Caso CIADI No. ARB /13/13, Decisión sobre la propuesta de descalificación del Sr. Bruno Boesch, 2014, párraf. 91.

[76] GIORGETTI, C.: "Caratube v. Kazakhstan: For the First Time Two ICSID Arbitrators Uphold Disqualification of Third Arbitrator", *ASIL Insights*, Vol. 18, No. 22, 2014. Disponible en: https://www.asil.org/insights/volume/18/issue/22/caratube-v-kazakhstan-first-time-two-icsid-arbitrators-uphold, consultado el 05/04/2019.

[77] Vito G. Gallo vs. The Government of Canada, UNCITRAL, PCA Case No. 55798, 2006.

tes habían rechazado esta propuesta varias veces por temor a contaminar el agua potable local.

Pero el Demandante continuó promoviendo el sitio a estos municipios para este propósito a pesar de las preocupaciones ambientales, alegando en su solicitud de arbitraje que la Ley promulgada por la Demandante incumplía las obligaciones establecidas en el TLCAN en cuanto a expropiación y el estándar de trato mínimo. Canadá argumentó que la revocación de los permisos a través de la Ley promulgada no equivalía a una expropiación de una "inversión" de la Empresa según el Capítulo 11 del TLCAN.

Además, incluso si la Ley expropiaba estos permisos, Canadá argumentó que esta expropiación era una expropiación legal de conformidad con al artículo 1110 del TLCAN. Argumentó también que la Ley no infringió los artículos del TLCAN alegados por el Demandante, ya que se le había consultado previamente, cumpliendo así con el debido proceso con respecto a la legislación.

Una vez constituido el Tribunal, el Demandante solicita que el árbitro nombrado por la Demandada, el Sr. J. Christopher Thomas, se retirara del procedimiento, impugnó su nombramiento argumentando que "*existen circunstancias que dan lugar a dudas justificables en cuanto a la imparcialidad e independencia del Sr. Thomas para continuar actuando como árbitro designado por el Gobierno de Canadá*"[78].

La Demandada, oponiéndose a la impugnación del árbitro, alegó que no "*creía que existieran circunstancias suficientes para crear dudas justificables en cuanto a la imparcialidad e independencia del Sr. Thomas*"[79] como árbitro. Ante tal situación, el árbitro Sr. Thomas, decidió no presentar su renuncia. Así las cosas, el Demandante solicita al Secretario General del CIADI, como autoridad nominadora, que resuelva la solicitud planteada, el cual rechazó la impugnación presentada por el Demandante, declarando que bajo las Reglas de la CNUDMI las dudas son justificables si dan lugar a la apariencia de sesgos objetivos, razonables[80].

---

[78] Ibídem, Decision on the Challenge to Mr. J. Christopher Thomas, QC, 2009, paragraph. 12. "circumstances exist that give rise to justifiable doubts as to [Mr. Thomas'] impartiality and independence to continue serving as arbitrator appointed by the Government of Canada".

[79] Ibídem, paragraph. 13. "believe that there exist circumstances sufficient to create justifiable doubts as to [Mr. Thomas'] impartiality and independence as an arbitrator".

[80] Ibidem, paragraph 19.

El mismo estándar establecido en el caso anterior, se puede presenciar en el análisis del caso *ICS vs. Argentina*[81]. La controversia está relacionada con el trato brindado por la Argentina (Demandada) a ICS (Demandante) en relación con el contrato celebrado por ICS y el Ministerio de Economía y Obras y Servicios Públicos sobre la prestación de servicios de auditoría. Desde el comienzo del contrato, fue evidente que la Demandada no había establecido un marco adecuado que rigiera la prestación de los servicios que ICS debía prestar, preocupación que el reclamante le comunicó en varias ocasiones a la Demandada.

No obstante, ante tal situación, el Demandante prestó los servicios solicitados por la Demandada una vez prorrogado el contrato. Sin embargo, después de haberse decretado varias medidas por el Gobierno argentino que modificaron los intereses a obtener por los servicios prestados por el reclamante, la Demandada no efectuó los pagos de dichos servicios, ni siquiera de los servicios prestados por el reclamante desde el inicio del contrato, acumulándose así una gran cantidad de facturas por cobrar. Ante la deuda generada por la Demandada, el reclamante inició los trámites de reclamación pertinente ante las instituciones acreditadas a tales efectos en la Argentina, obteniendo sólo el pago de una parte de los servicios.

Ante tal situación, la Demandante sostiene que las medidas tomadas por la Argentina a lo largo de este período han violado las normas básicas y fundamentales de protección que amparan a ICS de conformidad con el tratado bilateral de inversión aplicable a esta controversia, motivos por los cuales decide iniciar un procedimiento arbitral de conformidad con el Reglamento de arbitraje de la CNUDMI ante la Corte Permanente de Arbitraje.

Durante el transcurso del procedimiento, las partes acuerdan aplicar las Directrices de la IBA en caso de conflicto de interés o vulneración de los principios de imparcialidad e independencia del árbitro. Nombrados los árbitros, la Demandada recusó el árbitro, Sr. Andandandrov, nombrado por el reclamante, argumentando su posible relación con otro caso distinto también en su contra. Para lo cual se crea una autoridad nominadora que resuelve sobre la solicitud de recusación, la cual decide que "*los hechos subyacentes a la revelación del Sr. Andandandrov pueden dar lugar a dudas justificables en cuanto a la imparcialidad e independencia del mismo, el conflicto en cuestión es suficientemente grave como para dar lugar a dudas objetivamente*

---

[81] ICS Inspection and Control Services Limited (United Kingdom) vs. The Republic of Argentina, UNCITRAL, PCA Case No. 2010-9.

justificables en cuanto a la imparcialidad e independencia del Sr. Alexandrov"[82], concluyendo que, aunque no se encuentra razón alguna para dudar del actuar de manera imparcial e independiente del árbitro recusado, considera prudente que el Demandante designe otro árbitro[83].

Estos son algunos, entre muchos otros casos que demuestran que los estándares para determinar la independencia e imparcialidad de los árbitros en la jurisprudencia arbitral han seguido criterios muy dispares. Ninguna de las reglas analizadas especifica qué situaciones pueden dar lugar a la pérdida de imparcialidad e independencia[84].

Las diferentes instituciones solo son capaces de exigir una declaración del árbitro comprometiéndose a no ser parcial en el procedimiento y a actuar independiente, aun y cuando la independencia y la imparcialidad en el arbitraje internacional constituyen requisitos esenciales para lograr la integridad y eficacia de los procedimientos[85], lo que no puede ser posible sin la existencia de una verdadera transparencia manifiesta a través del cumplimiento del deber de revelación o divulgación del árbitro a todas las partes en el procedimiento[86].

IV. VALORACIÓN FINAL

Ante la crisis de confianza a nivel internacional que afecta al sistema alternativo de resolución de diferencias, se hace imprescindible la existencia

---

[82]   Ibídem, Decision on challenge to Mr. Stanimir A. Alexandrov, 2009, paragraph. 2. "Given that the facts underlying Mr. Alexandrov's disclosure are reflected in both of these scenarios, I am of tne opinion that the conflict in question is suffrciently serious to give rise to objectively justifiable doubts as to Mr. Alexandrov's impartiality and independence".

[83]   Ibídem, paragraph. 5. "I wish to add that I find no reason to doubt Mr. Alexandrov's personal intention to act impartially and independently but that, for the reasons stated above, it is prudent that another arbitrator be appointed by the Claimant".

[84]   BERNASCONI-OSTERWALDER, N., JOHNSON, L., MARSHALL, F.: Arbitrator Independence and Impartiality..., *op. cit.*, p. 7.

[85]   FERNÁNDEZ ROZAS, J. C.: "Jurisprudencia extranjera Alcance del deber de revelación del árbitro (Sentencia de la Cour d'appel de París, de 12 de febrero de 2009)", *Arbitraje: revista de arbitraje comercial y de inversiones*, 2010, pp. 600-602.

[86]   PEDROSO, S.: "Independence and impartiality: third-party funding in international investment arbitration", *Leiden University Law School*, 2017, p. 6. Disponible en: Electronic copy available at: https://ssrn.com/abstract=2964236, consultado el 05/04/2019.

de normas o principios éticos que fortalezcan la confianza en el arbitraje. Las normas actuales no son consistentes en cuanto a la regulación de los principios de independencia e imparcialidad. Pese a que las reglas existentes permiten la recusación del árbitro cuando se infringe alguno de los principios mencionados, en muchos casos es impredecible, teniendo un papel trascendental la interpretación del propio tribunal arbitral que decide el caso y la práctica más frecuente a través de la aplicación de fuentes como las Directrices de la IBA.

En este sentido, se carece de una aplicación clara y uniforme de los principios de independencia e imparcialidad tanto a nivel nacional como internacional, influyendo, además, la insuficiente publicación y el poco conocimiento de la información relacionada con los conflictos de intereses de los árbitros.

La independencia y la imparcialidad del árbitro constituyen un principio, una garantía fundamental del procedimiento arbitral. Pero el árbitro debe saber encontrar el justo equilibrio según las particularidades de cada caso concreto, debido a que tanto el exceso como el defecto en el ejercicio del deber de revelación pueden ocasionar efectos negativos para el procedimiento arbitral.

Sigue latente la preocupación en el arbitraje internacional, con especial énfasis en el arbitraje de inversiones, en cuanto a la independencia e imparcialidad de los árbitros, siendo el mecanismo de nombramiento de los árbitros la principal fuente de cuestionamiento, debido a la falta de garantías suficientes de imparcialidad e independencia, la falta de transparencia en el proceso de nombramiento y el reducido número de árbitros. Lo que ocasiona una constante repetición en el nombramiento de éstos, permitiendo que actúen, en ocasiones, como abogados y árbitros en distintos procedimientos a la vez.

Las instituciones arbitrales carecen de verdaderos mecanismos efectivos que les permitan no solo controlar la independencia e imparcialidad de los árbitros, sino también su eficacia en el desarrollo de su función arbitral. La declaración de los árbitros una vez designados no puede seguir siendo la única opción de control de sus actuaciones durante el procedimiento arbitral. Las instituciones arbitrales deben implementar un control, una supervisión reguladora más activa y transparente en cuanto a la conducta del árbitro.

REFERENCIAS

ABERCROMBIE BAKER, S. y DAVIS, M. D., *The UNCITRAL arbitration rule in practice, the experience of the Irán-U.S. claims tribunal*, Kluwer Law and Taxation Publishers, Deventer/Boston, 1992.

ALAM, N., "Independence and Impartiality in International Arbitration. As Assessment", *Transnational Dispute Management*, Vol. I, No. 2, 2004.

ALONSO, J. M., "La independencia e imparcialidad de los árbitros", *Revista Peruana de Arbitraje*, No. 2, 2006.

ANDRIGHI, F. N., "A ética como pilar de segurança da arbitragem", *Revista de Doutrina e Jurisprudência*, No. 53, 1997.

BERNASCONI-OSTERWALDER, N./ JOHNSON, L. y MARSHALL, F., "Arbitrator Independence and Impartiality: Examining the dual role of arbitrator and counsel", *IV Annual Forum for Developing Country Investment Negotiators*, Background Papers, 2010.

BISHOP, D., REED, L., "Practical Guidelines for Interviewing, Selecting and Challenging Party-Appointed Arbitrators in International Commercial Arbitration", *Arb. Int'l*, Vol. 14, No. 4, 1998.

BRANSON, D. J., "American Party-Appointed Arbitrators -Not the Three Monkeys", *University of Dayton L. Rev.*, Vol. 30, No. 1, 2004.

BROWER, C. y BRUESCHKE, J., *The Iran-United States Claims Tribunal*, Martinus Nijhoff Publishers, Leiden, 1998.

CALADO, D., JÚDICE, J. M., "Independencia e imparcialidad del árbitro algunos aspectos polémicos, mediante una visión ibérica", *Arbitraje. Arbitraje Comercial y de Inversiones*, 2015.

CARLEVARIS, A., "Global Development: The 1998 ICC Rules and Some Recent Trends in International Commercial Arbitration", *Croatian Arbitration Yearbook*, 2002.

CLEIS, M. N., The Independence and Impartiality of ICSID Arbitrators: Current Case Law, Alternative Approaches, and Improvement Suggestions, Brill Nijhoff, Leiden | Boston, Vol. 8, 2017.

Código de Buenas Prácticas Arbitrales del CEA, 2005.

Convenio CIADI, 1966.

CREMADES, B. M., "El Arbitraje en la Doctrina Constitucional Española", *Lima Arbitration*, No. 1, 2006.

CREMADES, B. M., "Nuevo Código ético para los árbitros internacionales", *Revista de la Corte Española de Arbitraje*, Vol. IV, 1987.

DE BOISSÉSON, M., Le Droit français de l'arbitrage interne et international, GNL Éditions, Paris, 1990.

DEL AGUILA RUIZ DE SOMOCURCIO, P., "Árbitros, ética y administración de justicia", *Arbitraje PUCP*, 2014.

DE LA JARA PLAZA, J. M. y OLÓRTEGUI HUAMÁN, J., "La contaminación de la confianza. Los árbitros tóxicos y la deliberación arbitral en Latinoamérica", *Revista Ecuatoriana de Arbitraje*, No. 8, 2016.

DE TRAZEGNIES GRANDA, F., "Artículo 28.– Motivos de abstención y de recusación", en SOTO COAGUILA, C. A., BULLARD GONZÁLEZ, A.: *Comentarios a la Ley Peruana de Arbitraje*, Instituto Peruano de Arbitraje, Lima, Tomo 1, 2011.

DEZALAY, Y. y GARTH, B. G., Dealing in Virtue. International commercial arbitration and the construction of a transnational legal order, The University of Chicago Press, 1996.

ESCOBAR-MARTÍNEZ, L. M., "La independencia, imparcialidad y conflicto de interés del árbitro", *International Law, Revista colombiana de Derecho Internacional*, No. 15, 2009.

ESTÉVEZ SANZ, M. y MUÑOZ ROJO, R., "La independencia e imparcialidad del árbitro: una visión práctica comparada", *Revista de Arbitraje de la Comunidad Iberoamericana*, 2017.

FERNÁNDEZ ROZAS, J. C., "Contenido ético del deber de revelación del árbitro y consecuencias de su transgresión", *Arbitraje*, Vol. VI, No. 3, 2013.

FERNÁNDEZ ROZAS, J. C., "Contenido ético del oficio de árbitro", *Congreso de Arbitraje de La Habana*, 2010.

FERNÁNDEZ ROZAS, J. C., "Jurisprudencia extranjera Alcance del deber de revelación del árbitro (Sentencia de la Cour d'appel de París, de 12 de febrero de 2009)", *Arbitraje: revista de arbitraje comercial y de inversiones*, 2010.

FERREIRA LEMES, S. M., "Arbitragem. Princípios jurídicos fundamentais. Direito brasileiro e comparado", *Revista de la Corte Espanhola de Arbitraje*, Vol. VII, 1991.

FIERRO VALLE, E. J., "Conflicto de intereses en el arbitraje internacional: el fenómeno del Double-Hatting", *Arbitraje PUCP*, 2014.

FIGUEROA VALDES, J. E., "La ética en el arbitraje internacional", *XXXIX Conferencia de la Inter-American Bar Association*, New Orleans, 2003.

GIORGETTI, C., "Caratube v. Kazakhstan: For the First Time Two ICSID Arbitrators Uphold Disqualification of Third Arbitrator", *ASIL Insights*, Vol. 18, No. 22, 2014.

GIOVANNUCCI ORLANDI, C., "Ethics for International Arbitrators", *University of Missouri-Kansas City L. Rev.*, Vol. 67, 1998.

GOLDSCHMIDT W., "Conducta y Norma, La Imparcialidad como principio básico del proceso", *Revista Justicia y Verdad*, 1978.

GONZÁLEZ DE COSSÍO, F., "Imparcialidad", *Revista del Club Español del Arbitraje*, No. 17, 2013.

GONZÁLEZ DE COSSÍO, F., "Independencia, imparcialidad y apariencia de imparcialidad de los árbitros", *Anuario del Departamento de Derecho de la Universidad Iberoamericana*, 2002.

GRIGERA NAÓN, H., "Factors to Consider in Choosing an Efficient Arbitrator". *ICCA Congress Series*, No. 9, 1999.

GUAIA, C. I., "Facultades implícitas del tribunal arbitral en cuestiones éticas". *Arbitrajes PUCP*, No. 6, 2016.

JIJÓN LETORT, R., "Independencia de los árbitros", en SOTO COAGUILA, C. A. (Dir.): *Arbitraje comercial y arbitraje de inversión. El arbitraje en el Perú y el Mundo*, Instituto peruano de arbitraje, Perú, 2008.

JIJÓN LETORT, R., "La Independencia e Imparcialidad de los Árbitros", *Revista del colegio de Jurisprudencia de Quito*, Año VII, No. 11, 2007.

LALIVE, P./ POUDRET, J. F. y REYMOND, C., *Le Droit de l'Arbitrage Interne et International en Suisse*, Payot S.A., Lausanne, La Haya, 1989.

LEW, J. D. M./ MISTELIS, L. A. y KRÖLL, S. M., *Comparative International Commercial Arbitration*, Kluwer Law International, London, 2003.

MANZANARES BASTIDA, B., "The independence and impartiality of arbitrators in international commercial arbitration", *Revist@ e-Mercatoria*, Vol. 6, Nº 1, 2007.

MITCHARD, P., "Ethics in European Arbitration", *The European & Middle Eastern Arbitration Review*, 2009. Disponible en: http://www.globalarbitrationreview.com/reviews/14/sections/53/chapters/509/ethics-european-arbitration/.

MULLERAT BALMAÑA, R., "Ethical Rules for Arbitrators", *Anuario de Justicia Alternativa*, Nº 6, 2005.

NOEMÍ PUCCI, A., "O Arbitro Na Arbitragem Intenacional Principios Éticos", en NOEMÍ PUCCI, A., *Arbitragem Comercial Internacional*, Editora LTR, Sao Paulo, Brasil, 1998.

PARK, W. W., "Arbitrators and Accuracy", *J. Int'l Disp. Settl.*, Vol. I, Nº 1, 2010.

PEDROSO, S., "Independence and impartiality: third-party funding in international investment arbitration", *Leiden University Law School*, 2017.

REINISCH, A. y KNAHR, CH., "Conflicts of Interests in International Investment Arbitration", in PETERS, A., HANDSCHIN, L. (Eds.): *Conflict of Interest in Global, Public and Corporate Governance*, Cambridge University Press, 2012.

ROGERS, C. A., "Regulating International Arbitrators: A Functional Approach to Developing Standards of Conduct", *Stan. Jint'l. L.*, Vol. 41, 2005.

RUBINS, N. y LAUTERBURG, B., "Independence, Impartiality and Duty of Disclosure in Investment Arbitration", en KNAHR, CH., KOLLER, CH., RECHBERGER, W., REINISCH, A. (Eds.), *Investment and Commercial Arbitration-Similarities and Divergences, Eleven International Publishing*, The Netherlands, 2010.

SALVANESCHI, L., "Sull'imparzialità dell'árbitro", *Riv. Dir. Proc.*, Vol. 59, 2004.

SANDERS, P., *Quo vadis arbitration? Sixty years of arbitration practice*, Kluwer Law International, The Hague, Netherlands, 1999.

SCHACHERER, S., "Independence and Impartiality of Arbitrators. A Rule of Law Analysis", *Seminar: International Investment Law and the Rule of Law*, 2018.

SERRADA, J., "Designación de árbitros. Cuestiones que suscitan", en JIMÉNEZ-BLANCO, G., *Anuario de Arbitraje*, Aranzadi, 2016.

SERRANO RUIZ-CALDERÓN, J. M., "Ética del árbitro", *Arbitraje Revista de arbitraje comercial y de inversiones*, Vol. IV, Nº 1, 2011.

SINGHAL, S., "Independence and impartiality or arbitrators", *International Arbitration Law*, 2008.

SUSSMAN, E., "Can Counsel Ethics Beat Guerrilla Tactics?: Background and Impact of the New IBA Guidelines on Party Representation in International Arbitration," *New York Dispute Resolution Lawyer*, Vol. 6, No 2, 2013.

TRAKMAN, L., "The Impartiality and Independencia of Arbitrators Reconsidered", *Int'l Arb'n L. Rev.*, Vol. 10, No. 4, 2007.

VEEDER, V. V.,"Is there any Need for a Code of Ethics for International Commercial Arbitrators?", *Les arbitres internationaux: Colloque du 4 fevrier 2005*, Centre Français de Droit Comparé, 2005.

CASOS CONSULTADOS

Amco Asia Corporation and others vs. Republic of Indonesia, ICSID Case No ARB/81/1, Decision on Proposal to Disqualify an Arbitrator, 1982.

Burlington Resources Inc. vs. Ecuador, Caso CIADI No. ARB/08/5, Decision on the Proposal for Disqualification of Professor Francisco Orrego Vicuña, 2013.

Caratube International Oil Company LLP y Devincci Salah Hourani vs. Republic of Kazakhstan, Caso CIADI No. ARB/13/13, 2013.

Compañía de Aguas del Aconquija S.A., Vivendi Universal vs. Argentine Republic, ICSID Case No ARB/97/3, Annulment Proceeding, 2001.

ICS Inspection and Control Services Limited (United Kingdom) vs. The Republic of Argentina, UNCITRAL, PCA Case No. 2010-9.

Morelite Construction Corp., Morelite Electric Service, Inc. vs. NY City District Council Carpenters Benefit Fund. 748 F. 2d 79. U.S. Court of Appeals for the 2nd Circuit, 1984.

Suez, Sociedad General de Aguas de Barcelona S.A., InterAguas Servicios Integrales del Agua S.A. vs. Argentina, Caso CIADI No. ARB/03/17.

Suez, Sociedad General de Aguas de Barcelona S.A., Vivendi Universal S.A. vs. Argentina, Caso CIADI No. ARB/03/19. Decisión sobre la propuesta de recusación de un miembro del tribunal arbitral, 2007.

Urbaser S.A. and Consorcio de Aguas Bilbao Bizkaia, Bilbao Biskaia Ur Partzuergoa vs. Argentine Republic, ICSID Case No. ARB/07/26, Decision on Claimants' Proposal to Disqualify Professor Campbell McLachlan, Arbitrator, paragraph 43, 2010.

Vito G. Gallo vs. The Government of Canada, UNCITRAL, PCA Case No. 55798, 2006.

JURISPRUDENCIA

Auto de la Audiencia Provincial de Madrid, No. 184/2005, Sección: 14, de 29 de julio de 2005, Roj: AAP M 7137/2005.

Los sesgos cognitivos y sus efectos en la toma de decisiones de árbitros y abogados

JOSÉ MARÍA FIGAREDO ÁLVAREZ-SALA[*]

RESUMEN

Las decisiones que día a día enfrenta el ser humano son afectadas por el inconsciente de cada ser y los árbitros, como todos los mortales, no son ajenos a esta afectación. Si bien es cierto que dicha afectación facilita y simplifica la toma de decisiones, esta tiende a generar errores, a veces repetitivos e inconscientes, en la toma de una decisión. Estos son los llamados sesgos cognitivos.

El sesgo retrospectivo, aquel que hace referencia a la afectación generada por lo ya ocurrido; el sesgo confirmatorio como aquel que afecta nuestra decisión bajo la influencia de un recuerdo o conclusión; las falacias narrativas y de conjunción, y la aversión a los extremos son algunos de los sesgos que son objeto de análisis en el presente escrito, para enunciar algunos de los muchos riesgos a los que se enfrenta un árbitro a la hora de tomar una decisión y cómo los abogados, al identificarlos y entenderlos, pueden verse favorecidos en su estrategia de litigio.

Palabras clave: Sesgos cognitivos, heurísticos, falacias, toma de decisiones, árbitros, abogados.

ABSTRACT

The decisions that human beings face every day are affected by the unconscious of each being and the referees, like all mortals, are not oblivious to this affectation. While it is true that such involvement facilitates and simplifies decision making, it tends to generate errors, sometimes repetitive and unconscious, in making a decision. These are the so-called cognitive distortions.

Retrospective distortion, the one that refers to the affectation generated by what has already happened; Confirmatory distortion as the one that affects our decision under the influence of a memory or conclusion; the narrative and conjunctive fallacies, and the aversion to extremes are some of the distortions that are the subject of analysis in the present writing, to state some of the many risks that an arbitrator faces when making a decision and how lawyers, by identifying and understanding them, can be favored in their litigation strategy.

---

[*]   Abogado y Administrador de Empresas Universidad Pontificia Comillas (España) MCIArb. Diputado por Asturias en el Congreso de los Diputados, Reino de España; Abogado-Árbitro de González-Bueno SLP (Madrid, España).

Key words: Cognitive distortions, heuristics, fallacies, decision making, arbitrators, lawyers/counsel.

I. INTRODUCCIÓN

Este artículo no pretende ser un análisis doctrinal profundo de los heurísticos sino una primera toma de contacto para abogados y árbitros con el concepto y con algunos concretos sesgos cognitivos. En él examinaré brevemente algunos de los sesgos cognitivos que la doctrina ha definido y razonaré cómo de forma autónoma o combinada pueden afectar la toma de decisiones de los árbitros y en qué medida los abogados pueden tenerlos en cuenta al plantear sus estrategias procesales.

Comienzo esta nota con una reflexión que Robert Coulson, quien fuera presidente de la American Arbitration Association, planteó en 1990 en su artículo "The Decisionmaking Process in Arbitration"[1]:

> *"Most studies of arbitration are devoted to discussions about the applicable law or the various procedural rules. It seems far more important to try to analyze how and why arbitrators make up their minds".*

Pues bien, Coulson, en su artículo, es uno de los primeros autores que relaciona directamente los heurísticos (en inglés "heuristics") con la toma de decisiones de los árbitros y recomienda a los abogados que, teniéndolos en cuenta, adapten sus discursos y estrategias procesales.

II. LOS HEURÍSTICOS Y LOS SESGOS COGNITIVOS

Para abordar esta cuestión es necesario examinar primero qué son los heurísticos y cuáles son esos sesgos que podrían afectar la toma de decisiones de los árbitros.

---

[1]   R. Coulson; *The Decisionmaking Process in Arbitration*; Arbitration Journal; sept. 1990; volumen 45(3); pp. 37-41.

Lo cierto es que, al tomar cualquier decisión, la mayoría de las personas no es tan racional como cree. Esta afirmación es especialmente cierta con respecto a los pequeños dilemas a los que nos enfrentamos en nuestro día a día de forma casi inconsciente. También las decisiones más meditadas y cuidadosas pueden verse afectadas por ese "inconsciente" —aunque quizás en menor medida—. Así las cosas, los árbitros no serán invulnerables a esta "irracionalidad".

La teoría psicológica —y un mero análisis empírico lo confirma— nos indica que los seres humanos cuando adoptamos decisiones no barajamos todos los datos —potencialmente infinitos—, calculamos todas las probabilidades, valoramos todas las consecuencias de cada posible vertiente de nuestra decisión —de nuevo, potencialmente infinitas— y, en consecuencia, actuamos.

Al contrario. Los humanos basamos nuestras decisiones en razonamientos parcialmente subjetivos e intuitivos. Los heurísticos son precisamente los métodos por los que alcanzamos esa parte de nuestra decisión subjetiva o intuitiva. El ejemplo clásico: si percibo un objeto muy nítidamente daré por hecho que está cerca; si lo percibo más borroso, intuiré que está más lejos[2]. Esto no tiene por qué ser cierto sistemáticamente. Habrá ocasiones en las que el objeto sea en sí borroso y en realidad esté más cerca. Nuestra mente nos juega una mala pasada y nos hace tomar por lejano algo que en realidad es cercano.

Pero lo cierto es que este tipo de razonamientos simplifican nuestra toma de decisiones[3]. No obstante, en ocasiones, esa simplificación puede generar errores que de forma más o menos sistemática se repiten[4]. Ese tipo de errores es lo que la doctrina ha llamado sesgos cognitivos[5].

---

[2] A. Tversky y D. Kahneman; *Judgment under uncertainty: heuristics and biases*; Oregon Research Institute Research Bulletin; Ag. 1973; Volumen 13(1).

[3] C. Guthrie; Misjudging; Nevada Law Journal, (UNLV William S. Boyd School of Lay; 2007; Volumen 7(2), p. 428: "Psychologists have discovered that people do not make decisions based on a thorough accounting and rational calculation of all available information. Rather than behaving like fully rational actors, people use «heuristics» or simple mental shortcuts to make decisions".

[4] C. Guthrie; Misjudging; véase la nota 3; p. 428: "These heuristics often lead to good decisions, but they can also create cognitive blinders that produce systematic errors in decision making".

[5] En la doctrina anglosajona también se les ha calificado como "blinders" para evitar la connotación negativa que el sustantivo sesgo implica en la jerga jurídica. No obstante, en este artículo, adhiriéndome a la nomenclatura hispana, me referiré

Si reducimos la cuestión al mínimo común denominador, estos sesgos son una muestra del protagonismo del inconsciente en el sistema de toma de decisiones. Es la lucha entre dos sistemas o *modos* de funcionamiento de nuestro raciocinio:

Sistema 1: rápido, automático, de alta capacidad; *modo* intuitivo y de bajo esfuerzo;

y

Sistema 2: pausado, deliberativo, de capacidad limitada; *modo* racional y de alto esfuerzo[6].

El clásico ejemplo de cómo nos afectan estos sesgos cognitivos es el siguiente ejercicio[7]:

(A) Un bate y una bola cuestan 1.10$ en total. El bate cuesta 1.00$ más que la bola. ¿Cuánto cuesta la bola?

---

a ellos exclusivamente como sesgos cognitivos. Véase, entre otros, a: C. Guthrie; *Misjudging*; véase la nota 3; p. 420; o a E. Sussman; *Arbitrator deliberations: the impact of the unconscious on decision making*; American Review of International Arbitration; 2013; Volumen 24(3).

[6]   Esta division de los mecanismos de le mente en sistema 1 y 2 parte de D. Kahneman; *Thinking, fast and slow* (2011).
Posteriormente ha sido acogido por sucesivos autores. Entre ellos R. H. Thaler y C. R. Sunstein; *Nudge: improving decisions about health, wealth, and happiness* (2009); pp. 19-105:
"The human brain has both an intuitive and a deliberative component, a fact long known and discussed as far.
back as Plato. It has been now scientifically proven. Recently Nobel Prize winner Daniel Kahneman popularized what he refers to as System 1, our fast, automatic, high capacity, low effort, and intuitive mode, and System 2, our slow, deliberate, limited capacity and high-effort mode".
También toman las conclusiones de la anterior división entre pensamiento *racional* e *irracional* autores posteriores. Entre otros T. Baer, S. Heiligtag y H. Samandari; *"The business logic in debiasing"*; McKinsey & Company; mayo 2017), p. 3: *"these kinds of biases are not cognitive in nature - they do not relate, in other words, to the acquisition and assimilation of knowledge"*.
O L. Reed; The 2013 Hong Kong International Arbitration Centre Kaplan Lecture - Arbitral Decision-Making: Art, Science or Sport?; Journal of International Arbitration, Kluwer Law International; 2013; Volumen 30(2) p. 86.

[7]   S. Frederick; *Cognitive reflection and decision making*; Journal of Economic Perspectives (American Economic Association; 2005; volumen 19(9); p. 27.

(B) Si 5 máquinas tardan 5 minutos en fabricar 5 artefactos, ¿cuánto tardarían 100 máquinas en fabricar 100 artefactos?

(C) En un lago hay un lirio de agua. Cada día, el lirio duplica el número de hojas. Si en 48 días el lirio cubre con sus hojas todo el lago, ¿cuánto tardaría el lirio en cubrir la mitad del lago?

Invito al lector a tratar de responder rápidamente a estas preguntas antes de continuar leyendo.

Pues bien, si respondemos rápidamente a esta pregunta utilizando nuestro *Sistema 1* es probable que lleguemos a las siguientes conclusiones:

(A) 0.10$;

(B) 100 minutos; y

(C) 24 días.

Si repensamos lentamente la respuesta anterior y empleamos el pensamiento lógico-deductivo-analítico sobre el irracional-intuitivo-automático caeremos en la cuenta de lo siguiente[8]:

(A) La bola costará 0.05$, más otro 1.05$ del bate;

(B) Tomará 5 minutos a 100 máquinas para fabricar 100 artefactos; y

(C) El lirio de agua tardará 47 días en cubrir la mitad del lago, cubriendo la otra mitad el 48° día.

Este ejercicio se planteó en un cuestionario a 252 jueces del Estado de Florida. El 30.6% de ellos respondió erróneamente todas las preguntas. Sólo el 14.7% de ellos las acertó todas. Así las cosas, queda patente que los jueces —como todos los mortales— se ven afectados por los sesgos cognitivos[9].

No tenemos motivos para pensar que los árbitros sean inmunes a la amenaza de los sesgos cognitivos[10]. Por lo que, sabiéndose acechados por este peligro, deberán someter su pensamiento a constantes pruebas para

---

[8]   E. Peer y E. Gamliel; *Heuristics and Biases in Judicial Decisions*; Court Review, (American Judges Association); 2013; volumen 49(2), p. 114.

[9]   C. Guthrie, J. J. Rachlinski y A. J. Wistricht; *Blinking on the Bench: How Judges Decide Cases*; Cornell Law Review, (Cornell Law School); 2007; volumen 93(1), pp. 14-15.

[10]   C. R. Drahozal; *A Behavioral Analysis of Private Judging*; Law and Contemporary Problems, (Duke Lay); 2004; volumen 67(1); p. 107: "Nevertheless, assuming arbitrators are more like judges than jurors in their decisionmaking-a seemingly reasonable assumption-studies comparing the effect of cognitive illusions on judges

huir de ellos, o al menos, mantenerlos bajo control[11]. Ahora bien, la duda que nos asalta es la siguiente: ¿existe algún método para alcanzar la inmunidad frente a los riesgos negativos de esos sesgos cognitivos?

Los autores que han analizado la cuestión llegan a una conclusión común que puede parecer evidente: la clave está en dedicar el tiempo suficiente a la toma de decisiones para poder sopesar, analizar y refutar los motivos que nos lleven a ellas[12] —sea antes, durante o después de la redacción de Laudo—[13].

El ejercicio clásico entre los juristas, tradicionalmente aplicado a los abogados, pero que también sirve como herramienta a los árbitros, es la técnica del "pre mortem"[14]. Consiste en analizar desde todos los posibles

---

and jurors provide at least a starting point for making predictions about arbitral decisionmaking".

[11]   L. Reed; The 2013 Hong Kong International Arbitration Centre Kaplan Lecture - Arbitral Decision-Making: Art, Science or Sport?; véase la nota 6; p. 95.

[12]   C. Guthrie, J. J. Rachlinski y A. J. Wistricht; *Blinking on the Bench: How Judges Decide Cases*; véase la nota 9; pp. 35-36.
R. Friedman, W. Liu, C. C. Chen, S. C. Chi; *Causal attribution for interfirm contract violation: a comparative study of Chinese and American commercial arbitrators*; The Journal of applied psychology (American Association for Applied Psychology); 2007; volumen 92(3) pp. 862-863.

[13]   L. Reed; The 2013 Hong Kong International Arbitration Centre Kaplan Lecture - Arbitral Decision-Making: Art, Science or Sport?; véase la nota 6; p. 96:
The Reed Retreat: The idea is that, in complex disputes, time be scheduled in the procedural timetable for the tribunal to meet in person to study the file, with the goal of arriving together at targeted directions to the parties for the hearing. On such a retreat, away from the demands and distractions of their offices, the arbitrators could concentrate on the case, brainstorm and test their intuition about the facts, the witnesses and the law with each other. Rather than waiting until the day before the hearing (or, in some notorious cases, the morning of the hearing), the tribunal could (bravely) agree on questions to pose to counsel, and indicate what issues they would like to see further developed and which witnesses they would most like to hear. This must, of course, be without prejudice to the parties to present their cases as they see fit.
Y las 16 recomendaciones para los árbitros de E. Sussman; *Arbitrator Deliberations: The Impact of the Unconscious on Decision Making*; New York Dispute Resolution Lawyer (New York State Bar Association); (2014); volumen 7, p. 10.

[14]   T. Baer, S. Heiligtag, y H. Samandari; *The business logic in debiasing*; véase la nota 6; p. 6.
O. M. Leathes; *Chapter 10: Techniques*; Negotiation: Things Corporate Counsel Need to Know but Were Not Taught; Kluwer Law International; Kluwer Law International; (2017); pp. 191-204:

puntos de vista las flaquezas de una tesis. En el caso de los abogados, este ejercicio examinaría qué contraargumentos llevarían a desestimar las peticiones. En el caso del árbitro, podría analizar con ojos críticos su laudo buscando potenciales motivos de anulación o denegación de ejecución, valorando —por ejemplo— las circunscripciones relevantes para ello.

La anterior sería una técnica genérica para contrarrestar los sesgos cognitivos. Algunos autores, además, han examinado técnicas concretas para cada sesgo o categoría de sesgos.

III. CASOS CONCRETOS Y SU RELACIÓN ENTRE SÍ

Así las cosas, la doctrina ha identificado, definido y analizado numerosos heurísticos y sesgos cognitivos —y falacias— que pueden lastrar nuestro razonamiento traicionando el funcionamiento de nuestro *sistema 1* —rápido, automático, de alta capacidad; *modo* intuitivo y de bajo esfuerzo—.

En ocasiones, los casos analizados guardan entre sí una estrecha relación por lo que los métodos para compensar unos y otros pueden estar también muy relacionados. A continuación, analizo brevemente algunos de estos heurísticos y la interacción entre ellos:

1. El sesgo retrospectivo y el sesgo confirmatorio

El *sesgo retrospectivo* se define como la tendencia a ver aquello que ya ha ocurrido como algo relativamente inevitable y evidente, sin percatarnos de que el conocimiento retrospectivo del resultado está influyendo en nuestro juicio[15]. Nuestra mente sobreestima su propia capacidad para haber predicho, desde el pasado, el presente, y nos hace creer que los observadores deberían haber predicho tales resultados, desde el pasado[16].

Roleplays are just one way to conduct a pre-mortem - an attempt to envisage all the things that could go wrong in a negotiation, leading to failure. If you can identify those things, you may be able to anticipate and, if possible, address them in advance.

[15] S. Plous; *The psychology of judgment and decisionmaking*; McGraw-Hill Education; (1993); p. 35.

[16] S. J. Hoch y G. F. Loewenstein; *Outcome Fedback: Hindsight and Information*; Journal of Experimental Psychology: Learning Memory & Cognition; Volumen 15(4); octubre 1989; pp. 605-619.

Los árbitros —o abogados— se enfrentarán con frecuencia a situaciones en las que el valor de las acciones subyacentes de una opción de compra cayó tras la perfección de la operación; en las que el siniestro asegurado efectivamente sucedió y el aislamiento de la obra era de dudosa calidad; etc. En tales situaciones, se verá obligado a decidir —o intuir— si la correlación equivale a causalidad o no —*"causation is no correlation"*—. Es decir, deberán resolver si tal actuación de la vendedora determinó la caída del valor de las acciones, o si el aislamiento de la obra determinó que se produjese el siniestro.

Un concreto estudio sobre el efecto del sesgo retrospectivo en las resoluciones sobre responsabilidad concluía que los participantes otorgaban una u otra probabilidad al resultado en función de si habían tenido o no contacto con dicho resultado[17]. Se dividió a los participantes en dos grupos: uno sesgado —una riada efectivamente había sucedido— y otro no sesgado —desconocían si la riada sucedería o no—. A los participantes sesgados se les indicaba que la riada había provocado daños por 1MM$ y que las cautelas contra ella no se habían tomado.

A continuación, pedían a los participantes que calificasen como culpables a los demandados si consideraban que la probabilidad de que efectivamente se produjese la riada era superior a un 10%[18]. A los participantes no sesgados se les preguntó si consideraban que la probabilidad de que la riada efectivamente sucediese era superior o inferior a un 10%. Asimismo, se les indicaba que la decisión de tomar o no precauciones podría basarse en la relación entre el coste de dichas precauciones y el daño que una hipotética riada produciría[19].

Ambos grupos examinaron los mismos informes para valorar la probabilidad de que la riada sucediese. El 57% de los sujetos sesgados concluyeron que la riada era tan probable que no haber tomado precauciones debía

---

B. Fischhoff; *Hindsight ≠ Foresight: The Effet of Outcome Knowledge on Judgment Under Uncertainty*; Journal of Experimental Psychology: Human Perceptions & Performance; volume 1(3); 1975; pp. 288-299. Este artículo es el primero que identifica los efectos del sesgo retrospectivo en la toma de decisiones empíricas.

[17]   K. A. Kamin y J. J. Rachlinski; *Ex Post # Ex Ante: Determining Liability in Hindsight*; Law and Human Behavior; Volumen 19(1); 1995; pp. 89-104.

[18]   K. A. Kamin y J. J. Rachlinski; *Ex Post # Ex Ante: Determining Liability in Hindsight*; véase la nota 17; pp. 95-97.

[19]   K. A. Kamin y J. J. Rachlinski; *Ex Post # Ex Ante: Determining Liability in Hindsight*; véase la nota 17; p. 97.

calificarse como una negligencia. Sin embargo, sólo el 24% de los sujetos no sesgados llegó a esa conclusión[20].

Lo cierto es que los árbitros, en multitud de ocasiones se ven obligados a tomar sus decisiones con carácter *ex post* por lo que las consecuencias de los hechos que fundamentan las demandas ya han desplegado sus efectos[21]. Ese es precisamente el caldo de cultivo del sesgo retrospectivo.

El *sesgo confirmatorio* está muy relacionado con el anterior. Provoca que las personas que influidas por él vean más sencillo validar y aceptar aquellas teorías que confirman sus propios recuerdos, tesis o conclusiones. Por lo tanto, hace que les resulte más sencillo rechazar aquellas argumentaciones que van en contra de la tesis que ya han interiorizado[22].

En el sesgo retrospectivo es la realidad la que condiciona nuestro pensamiento. Mientras que, en el sesgo confirmatorio, la imagen que lastra nuestro pensamiento tiene un origen subjetivo. El juzgador se autoproduce una imagen mental concreta —la toma por cierta, como si ya hubiera sucedido—. A partir de ahí, cada detalle que descubre parece una pieza que conduce a la imagen preconcebida —la confirma—[23]. En definitiva, cada evidencia que el juzgador descubre solo parece avalar la tesis que previamente se había producido a sí mismo[24].

---

[20]   K. A. Kamin y J. J. Rachlinski; *Ex Post # Ex Ante: Determining Liability in Hindsight*; véase la nota 17; p. 98.

[21]   J. J. Rachlinski; *A Positive Psychological Theory of Judging in Hindsight*; The University of Chicago Law Review; volumen 65; 1998; pp. 571-625.

[22]   S. Plous; The psychology of judgment and decision making; McGraw-Hill; 1993; p. 233.

[23]   P. C. Wason; On the failure to eliminate hypotheses in a conceptual task; Quarterly Journal of Experimental Psychology (Psychology Press); volumen 12(3); 1960; pp. 129-140.

P. C. Wason; *Reasoning about a rule*; Quarterly Journal of Experimental Psychology (Psychology Press); volumen 20(3); 1968; 273-281.

H. R. Arkes, D. Faust, T. J. Guilmette y K. Hart; *Elimination of the hindsight bias*; Journal of Applied Psychology; volumen 73(2); 1988; pp. 305-307.

[24]   R. S. Nickerson; *Confirmation Bias: A Ubiquitous Phenomenon in Many Tufts University*; Review of General Psychology (Tufts University); volumen 2(2); 1998; pp. 175-220:

"This tendency in turn can lead to the confirmation bias, in which we search for and interpret evidence in a way that supports the conclusions we favored at the outset". Pp. 210 a 211.

2. La falacia narrativa y la de la conjunción

La *falacia narrativa* provoca que una vez que nuestra mente ha visualizado e interiorizado una línea argumental le cueste mucho ver las evidencias que la desmientan. Así, las evidencias que avalen esa narrativa serán acogidas mientras. Las restantes serán rechazadas —o se las valorará menos—[25].

Esta falacia tiene una estrecha relación con el sesgo confirmatorio. Lo cierto es que esa narrativa —falaz— habrá sido pre-acogida por el juzgador, al igual que la opinión que en el sesgo confirmatorio se trata de validar.

Este fenómeno hace que a nuestra mente le resulte muy difícil acoger aquellas situaciones para las que no encuentra una narrativa. N. Taleb compila el término y se refiere a él a través de nuestra capacidad limitada para observar secuencias de hechos sin buscar una explicación para ellos. Buscamos las explicaciones hasta el punto de que, a falta de ellas, las fabricamos.

De forma similar, se ha definido la falacia del jugador —gambler's fallacy— en la que el jugador del ejemplo considera que las probabilidades de los eventos se van compensando entre sí. En este caso, un jugador de póker que había obtenido varias manos muy malas, cree que las probabilidades de conseguir una mano buena se van incrementando. El otro caso, es el de la ganadora de la lotería de Pennsylvania que tras ganar el premio va cambiando a diario el número al que juega porque ¿qué probabilidad hay de que vuelva a resultar ganador el mismo número?[26]

La probabilidad es vista como un proceso que se auto-corrige en el que cada desviación en una dirección induce otra de sentido contrario que reestablece el equilibrio. La realidad es que las desviaciones no se corrigen cada vez que el proceso probabilístico se desarrolla —cada tirada de dados—, simplemente se diluyen —empiezan desde cero con cada nueva jugada—[27].

---

[25]   R. C. Waites y J. E. Lawrence; *Psychological Dynamics in International Arbitration Advocacy*; Capítulo 4 en The art of advocacy in international arbitration; (D. Bishop y E. G. Kehoe eds., 2010); pp. 69-120:
"Once a narrative has become firmly visualized, arbitrators will rarely change their opinions about what happened although they will occasionally change their minds about how the events in the case should be legally classified". P. 114.

[26]   M. H. Bazerman y D. A. Moore; Judgment in managerial decision making; John Wiley & Sons, 2009; p. 24.

[27]   A. Tversky y D. Kahneman; *Judgment under uncertainty: heuristics and biases*; véase la nota 2; pp. 1124-1131.

La actividad jurídica —arbitraje y litigios en general— se enfrenta al peligro de la falacia narrativa en cada disputa. Cada demandante tratará de ofrecer una narrativa a su suplico. Pretenderá justificar la base de sus peticiones con una narrativa que los avale y los haga parecer lógicos. Si quien plantea esa narrativa consigue que los árbitros —o jueces— las acojan, puede hacerles caer, a través de una falacia narrativa, en el sesgo confirmatorio de forma que ya sólo acojan las pruebas y argumentos que avalen la citada narrativa.

Por su parte, la *falacia de la conjunción* nos hace considerar más probable un suceso particular que el suceso general —dentro del cual el particular estaría ya incluido—. Esta falacia fue estudiada por A. Tversky y D. Kahneman en 1983 y ejemplificada con el siguiente caso[28]:

Linda es una joven de 31 años, soltera, brillante y muy inteligente. Se licenció en filosofía. Cuando era estudiante, estaba muy involucrada en plataformas anti-discriminación y de justiciar social. También participó en manifestaciones *anti-nucleares*.

A continuación, se facilitaba a los participantes un listado de descripciones de Linda y se les pedía que las ordenasen en función de cuál tenía una probabilidad superior de ser un reflejo fiel. Estas alternativas se podían resumir en dos:

a. Linda es cajera de un banco;

b. Linda es cajera de un banco y activista feminista.

Invito al lector a que haga ese ejercicio antes de seguir leyendo. Trate de otorgar una probabilidad a cada uno de los calificativos de que sean una descripción más certera de Linda.

En el caso de estudio, el 85% de los participantes optó por la alternativa b. Ahí reside la falacia de la conjunción.

Una de las normas más básicas de la probabilidad es que una porción de la muestra —ser cajera de un banco *y* activista feminista— no puede tener mayor probabilidad de suceder que la muestra completa —ser cajera de un banco—. Es decir, una conjunción —*combinación* de dos adjetivos— no puede ser más probable que cada uno de ellos de forma independiente —todas las feministas *y* cajeras de banco son *per se* cajeras de banco—.

---

[28] A. Tversky y D. Kahneman; *Extensional versus intuitive reasoning: The conjunction fallacy in probability judgment*;. Psychological Review; volumen 90(4); 1983; pp. 293-315.

Sin embargo, cuando caemos en la falacia de la conjunción, vemos como más probable la conjunción de factores que uno de los factores por sí solo. Esta cuestión ha sido muy estudiada en relación al derecho penal y la teoría de la culpa —probabilidad de que un sujeto acusado de dos crímenes sea culpable de ambos, la condena por uno de ellos arrastra la del segundo—[29].

No obstante, también afectará a los procedimientos civiles y arbitrajes comerciales o de inversión. Así, en numerosos casos de construcción el demandado es acusado de sucesivos incumplimientos aparentemente relacionados entre sí. El árbitro, si cae en este sesgo de la conjunción, corre el riesgo de considerar más probable que habiendo incumplido en una ocasión haya incumplido en sucesivas ocasiones.

3. El efecto anclaje, el efecto marco y la falacia del punto medio

La explicación sencilla del *efecto anclaje* afirma que el número que inicia la toma de una decisión causa una mayor impresión que las cifras alegadas con posterioridad[30].

Los árbitros pueden sufrir los efectos de este sesgo, no sólo en términos estrictamente cuantitativos[31], sino también al interiorizar las tesis de la parte que plantea sus argumentos en primer lugar[32]:

– La propia cuantificación de la demanda podría ser el ejemplo más evidente. Así las cosas, lo árbitros deben ser conscientes del riesgo de caer en el efecto anclaje, pero los abogados también deben tenerlo

---

[29]   B. W. Wojciechowski y E. M. Pothos; *Is There a Conjunction Fallacy in Legal Probabilistic Decision Making?*; Front Psycholgy; volumen 9; 2018; p. 391.

[30]   F. Strack y T. Mussweiler; Heuristic strategies for estimations; capítulo de Foundations of Social Cognition (G. V. Bodenhausen y A. J. Lambert eds.); Psychology Press; 2003; pp. 79-80.

[31]   J. Astigarraga; *A few words on the tension between efficiency and justice*; Kluwer Arbitration Blog; 15 de junio de 2011:
"«Anchoring» is a phenomenon whereby the mind's reasoning process is affected by an irrelevant deliberately-suggested number. In its basic form, a claimant demands an inflated amount in order to move a negotiation's center of gravity towards the number the claimant really seeks. In that form, it is recognizable and simplistic, but as explained below, there are subtler forms that can artificially impact a decision".

[32]   Este aspect del *efecto anclaje* está relacionado con el *efecto marco* el cómo se formule una pregunta puede afectar a su respuesta.

en cuenta: *"Counsel must think carefully about the numbers used in estimating damages in initial requests for arbitration"*[33].

— La fijación del wacc (weighed average cost of capital) para el cálculo de una ecuación de descuento de flujos de caja.

Además, si la cantidad resultante de ese cálculo del DFC resulta avalada por una valoración por comparadas, además del efecto anclaje, surgiría un riesgo de caer en la falacia narrativa o en el sesgo confirmatorio...

— La parte que primero plantee su tesis puede *anclar* tanto a los árbitros como a los abogados contrarios a ella. Si los abogados contrarios no son capaces de huir de esta situación, se encontrarían discutiendo los términos y cuestiones que pueden no resultarle favorables.

Así las cosas, el abogado debería ser capaz —si así fuese necesario— de *desanclar* los términos del debate para plantearlo en los términos que interesen a su cliente.

El efecto anclaje aparecería muy relacionado con la falacia narrativa y con el sesgo confirmatorio. El abogado *anclador* podría hacer al árbitro —o juez— sucumbir al sesgo confirmatorio o a la falacia narrativa.

El ejemplo más clásico de este sesgo fue planteado por A. Tversky y D. Kahneman[34]. Estudios posteriores, más centrados en el ámbito jurídico, acreditan también que el efecto anclaje puede afectar a las decisiones de abogados, jueces y árbitros[35].

---

[33]   L. Reed; The 2013 Hong Kong International Arbitration Centre Kaplan Lecture - Arbitral Decision-Making: Art, Science or Sport?; véase la nota 6, p. 90.

[34]   A. Tversky y D. Kahneman; *Judgment under uncertainty: heuristics and biases*; véase la nota 2; págs 20-21:
A los participantes de un estudio se les lanzaron una batería de preguntas sobre los países africanos y su pertenencia a la Sociedad de las Naciones Unidas. Entre esas preguntas, se les interrogaba sobre si el porcentaje de países africanos que pertenecían a la ONU era superior o inferior a un número arbitrario (el ancla): 65 o 10. Algunas preguntas después de eso, se pedía a los participantes que indicasen el porcentaje de países africanos que efectivamente pertenecían a la ONU. Pues bien, estas respuestas probaron el *efecto anclaje*. La media de ese porcentaje dado por los participantes anclados a 65 fue el 45%. Los participantes anclados al 10 estimaron que el 25% de países de África pertenecían a la ONU.

[35]   C. Guthrie, T. Jeffrey, J. Rachlinski y A. J. Wistrich; *Inside the Judicial Mind*; Cornell Law Review, (Cornell Law School; volume 86(4); 2001; pp. 788-789.

La definición del *efecto marco* supone que el entorno subjetivo en que se plantea una pregunta determina la respuesta[36].

El ejemplo planteado por A. Tversky y D. Kahneman ofrecía las siguientes dos alternativas para un programa de crisis por una enfermedad en la que se han infectado 600 personas[37]:

Programa	Probabilidad	Personas salvadas
A	100% de probabilidad	200\
B	0.3333% de probabilidad	600
	0.6666% de probabilidad	0

A continuación, se pedía a los participantes del estudio que indicasen qué programa favorecerían. La mayoría, elegía el programa A. Lo cierto es que, si analizamos esta cuestión con las probabilidades sobre la mesa, el programa B de media salvará al mismo número de personas que el programa A:

(P) =100% * 200pers. = 200 pers.

(P) =0.3333% * 600 pers. = 200 pers.

A otro grupo de sujetos, se planteaba la situación con un ligero cambio. La elección de uno u otro programa determinaría el número de víctimas de la plaga de entre esos 600 infectados:

Programa	Probabilidad	Víctimas de la plaga
C	100% de probabilidad	400
D	0.3333% de probabilidad	0
	0.6666% de probabilidad	600

Las alternativas en esta segunda pregunta se formulan en términos opuestos a las de la primera pregunta. Sin embargo, su contenido es

[36] A. Wistrich, C. Guthrie y J. Rachlinski; *Can Judges Ignore Inadmissible Information? The Difficulty of Deliberately Disregarding*; University of Pennsylvania Law Review; volumen 153; 2005; p. 1266.

[37] D. Kahneman y A. Tversky; *The framing of decisions and the psychology of choice*; Science; volumen 211; 1981; pp. 453-458.

idéntico. La primera alternativa nos da un 100% de probabilidades de que fallezcan 400 personas y se salven 200. La segunda alternativa nos da un 0.6666% de probabilidades de que fallezcan la totalidad de los infectados.

Sin embargo, en este segundo planteamiento, la mayoría de los intervinientes eligió la opción D pese a que es, a todos los efectos, idéntica a la anterior. La respuesta pasaba a ser la opuesta sin ninguna base objetiva que determinase dicho cambio.

Es decir, el marco subjetivo en que se efectúa la pregunta condiciona la respuesta.

El efecto marco debe ser tenido en cuenta por los abogados para elegir cómo contextualizan sus demandas o cómo responden a ellas. Asimismo, los árbitros deben ser conscientes del riesgo de caer en este sesgo y, teniéndolo en cuenta, deberán examinar las alternativas que se les faciliten de forma objetiva.

Esta estrategia parece sencilla, pero el efecto marco, como si de un efecto anclaje subjetivo se tratase, puede lastrar decisiones mínimas que poco a poco vayan inclinando la balanza en favor de una de las partes. De nuevo, el ejemplo del wacc como una pequeña cifra que puede sesgar totalmente el resultado de una ecuación.

La ***aversión a los extremos*** —en inglés *extremeness aversion*— es la resistencia del individuo a elegir los resultados extremos cuando dispone de alternativas intermedias[38]. Algunos experimentos han estudiado cómo, añadiendo una tercera opción muy extrema a una lista de dos, hace que la opción central resulte más admisible de lo que lo era al principio. Incluso cuando la tercera opción extrema resulta manifiestamente absurda[39].

---

[38] S. E. Keer y R. W. Naimark; *Arbitrators Do Not "Split the Baby" - Empirical Evidence from International Business Arbitration*; Journal of International Arbitration; Volumen 18(5); 2001; pp. 573-578.

[39] S. Benartzi y R. H. Thaler; *How Much is Investor Autonomy Worth?*; Journal of Finance (American Finance Association; Volumen 57(4); 2002; p. 1610: "consistentemente con la aversion a los extremos [in concreto programa de inversion] será el menos atractivo si se le etiqueta en uno de los extremos que si se le etiqueta como una opción centrada".

Para estudiar este sesgo, se dividió a los participantes de un experimento en dos grupos y se les indicaban dos posibles precios de una cámara fotográfica[40]:

a. 169.99$

b. 239.99$

A uno de los dos grupos se les ofrecía un tercer precio:

c. 469.99$

Pues bien, en el grupo con dos alternativas, las respuestas se repartieron de forma más o menos equitativa entre las dos. En el grupo con tres alternativas, la b. resultó la más elegida. Si no operase la aversión a los extremos, en el grupo con tres alternativas, las respuestas se habrían repartido equitativamente entre las tres.

Este sesgo ha sido muy analizado en el mundo arbitral[41]. Así las cosas, existe la tesis de que los árbitros sufren de esta aversión a los extremos y que por lo tanto tratan de conceder puntos intermedios entre las peticiones de una y otra parte. A este fenómeno se le ha bautizado como el *"split the baby"* en referencia al juicio salomónica[42].

Sobre esta cuestión se ha debatido abundantemente y es, de hecho, una de las críticas contra el arbitraje que se escuchan desde el lado de los detractores. Pues bien, parafraseando las conclusiones de un estudio de 2001, "los resultados (...) muestran claramente que los árbitros no incurren en la práctica de *«splitting the baby»* "[43].

---

[40]   I. Simonson y A. Tversky; *Choice in Context: Tradeoff Contrast and Extremeness Aversion*; Journal of Marketing Research (American Marketing Association; volume 29(3); 1992; p. 290.

[41]   C. R. Drahozal; A Behavioral Analysis of Private Judging; Law and Contemporary Problems; volumen 67; 2004; p. 115: One area in which some empirical work has been done is in testing whether arbitrators have a tendency to reach compromise awards-to split the baby.

[42]   Libro de los Reyes 1, capítulo 3 versículos 22 a 25: "Entonces la otra mujer dijo: No; mi hijo es el que vive, y tu hijo es el muerto. Y la otra volvió a decir: No; tu hijo es el muerto, y mi hijo es el que vive. Así hablaban delante del rey. (...) Y dijo el rey: Traedme una espada. Y trajeron al rey una espada. En seguida el rey dijo: Partid por medio al niño vivo, y dad la mitad a la una, y la otra mitad a la otra".

[43]   S. E. Keer y R. W. Naimark; *Arbitrators Do Not "Split the Baby" - Empirical Evidence from International Business Arbitration*; véase nota 38; p. 574: "the results (...) show emphatically that arbitrators do not engage in the practice of «splitting the baby»".

El Chartered Institute of Arbitrators[44] elaboró en 2011 una encuesta interrogando a los usuarios del arbitraje (inhouse lawyers)[45]. Entre otras cuestiones, se les preguntaba qué importe del reclamado habían sido reconocido por el laudo. Se dividió las reclamaciones en cinco grupos según su cuantía. Dentro de cada grupo se preguntaba a los participantes si el laudo dictado les había reconocido un importe dentro de su categoría. El resultado fue el siguiente:

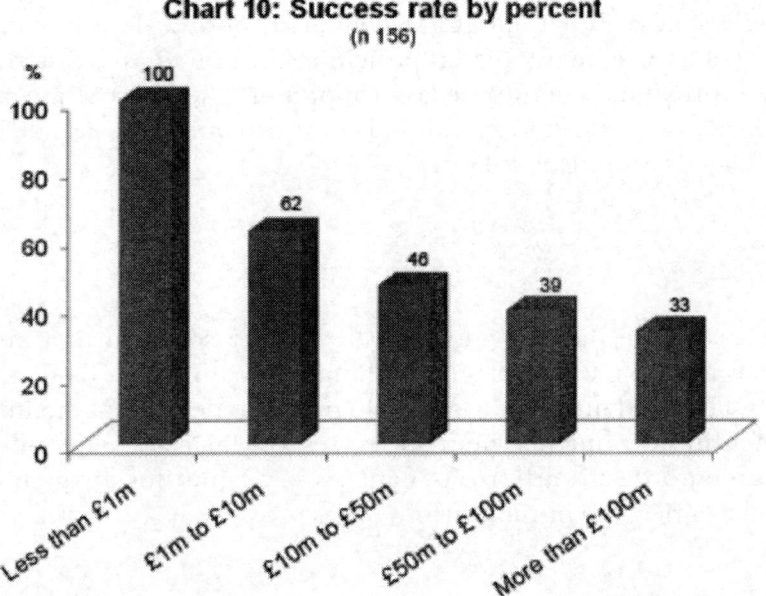

Chart 10: Success rate by percent
(n 156)

Esto quiere decir que el 33% de quienes plantearon una demanda por más de 1M de libras obtuvo un laudo reconociendo una cantidad en ese rango; el 39% de quienes reclamaron entre 50M y 100M de libras, obtuvieron un laudo dentro de ese rango; etc. Lo cierto es que los datos obtenidos por el CIArb ni confirman ni desmienten la duda de si efectivamente el *"splitting the baby"* es un riesgo real o no.

Una demanda que reclama cien m de libras y obtiene cincuenta quedaría incluida en ese 39% que aparece en la gráfica y, sin embargo, podría ser un ejemplo claro de laudo salomónico.

---

44   https://www.ciarb.org/.
45   CIArb Costs of International Arbitration Survey 2011.

En los sesenta, se había elaborado otro estudio que analizaba todos los procedimientos tramitados por la American Arbitration Association (AAA) entre 1947 y 1950[46]. Los resultados arrojaron que el 50% de los laudos reconocían al demandante o todo o nada de lo que había reclamado. Este estudio sí obtuvo un resultado definitivo. De hecho, concluye que tales resultados demostrarían que los árbitros no practican el *"split the baby"*.

Esta misma conclusión se alcanzó en otro estudio elaborado en 2001. Sus autores analizaron 54 procedimientos de la AAA[47]. El 31% de los laudos desestimaba íntegramente la demanda, el 35% la estimaba íntegramente y el 34% se mantenía en posiciones intermedias[48]. Esta división en tercios (aproximadamente) de las proporciones demuestra que la aversión a los extremos no está operando —al contrario que en el caso de la cámara fotográfica de Simonson y Tversky—[49].

IV. CONCLUSIONES

Los casos que he recogido en este artículo son sólo una muestra de todos los riesgos a los que la mente humana se enfrenta. La doctrina y los autores, tanto del mundo de la psicología como del estrictamente jurídico, han identificado muchos heurísticos, sesgos, falacias... que amenazan al razonamiento de los árbitros —y jueces— y cómo los abogados pueden favorecer el riesgo o minimizarlo.

---

[46]   S. Mentschikoff; Commercial Arbitration; Columbia Law Review; Volume 61; 1961; p. 861: In the first place, in 50 per cent of the cases decided, the award was in full either for the plaintiff or for the defendant. Obviously such awards can not be the result of compromise.

[47]   S. E. Keer y R. W. Naimark; *Arbitrators Do Not "Split the Baby" - Empirical Evidence from International Business Arbitration*; véase nota 38; p. 574: "Data for this study was taken from international business arbitration cases that were awarded through the American Arbitration Association (AAA) during the years 1995-2000. The cases included in this study were those where the parties had completed a questionnaire exploring their perceptions of the arbitration process. Of the 85 questionnaires completed, analysis of claim amounts and award amounts was possible in 54 cases. The remaining 31 cases were not included because of the incompleteness of the records of these cases".

[48]   S. E. Keer y R. W. Naimark; Arbitrators Do Not "Split the Baby" - Empirical Evidence from International Business Arbitration; véase nota 38; p. 574.

[49]   Véase nota al pie 40.

Ahora bien, la doctrina hasta ahora ha estudiado —en gran profundidad— los sesgos y falacias de forma autónoma. La realidad es que estos análisis no dejan de ser casos de laboratorio.

En el día a día, un árbitro se enfrentará de forma combinada:

- Al sesgo retrospectivo, porque ya sucedió el evento que motiva la reclamación;

- Al sesgo confirmatorio, a la falacia narrativa, al efecto anclaje y al efecto marco, porque el demandante dibujará un escenario en el que su tesis parece absolutamente lógica y el incumplimiento del demandado flagrante;

- Al efecto anclaje porque el resultado de la ecuación de descuento de flujos de caja, avalada por una valoración por comparadas, arrojará una cuantificación de los daños altísima;

- Al efecto marco, falacia narrativa y sesgo confirmatorio porque el estado demandado —en un arbitraje de inversión— tiene un historial de infracciones en la materia que motiva la reclamación;

En definitiva, los sesgos y falacias no aparecerán de forma autónoma sino que el árbitro se enfrentará a ellos de forma combinada. Por ello, será muy favorable examinar cada litigio desgranando los potenciales sesgos o falacias que puedan afectarnos y así tratar de desgranarlos y desenmarañarlos uno a uno.

En el mismo sentido, para los abogados también será importante conocer los sesgos y las falacias que pueden afectar al árbitro o a los abogados contrarios. Así, podrán beneficiarse de ellos y tratarlos como un elemento más en su estrategia procesal, o tenerlos en cuenta para desactivar aquellos que puedan perjudicarle.

REFERENCIAS

ARKES, R./ FAUST, D./ GUILMETTE, T. J. y Hart, K., *Elimination of the hindsight bias*; Journal of Applied Psychology; volumen 73 (2); 1988;

ASTIGARRAGA; *A few words on the tension between efficiency and justice*; Kluwer Arbitration Blog; 15 de junio de 2011.

BAER, S. HEILIGTAG y SAMANDARI, H., *"The business logic in debiasing"*; McKinsey & Company; mayo 2017).

BAZERMAN, H. y MOORE, D. A., Judgment in managerial decision making; John Wiley & Sons, 2009.

BENARTZI y THALER, R. H., *How Much is Investor Autonomy Worth?*; Journal of Finance (American Finance Association; Volumen 57 (4); 2002.

COULSON, R., *The Decisionmaking Process in Arbitration*; Arbitration Journal; sept. 1990; volumen 45 (3).

DRAHOZAL, R., *A Behavioral Analysis of Private Judging*; Law and Contemporary Problems, (Duke Lay); 2004; volumen 67 (1).

DRAHOZAL, R., A Behavioral Analysis of Private Judging; Law and Contemporary Problems; volumen 67; 2004.

FISCHHOFF, *Hindsight ≠ Foresight: The Effet of Outcome Knowledge on Judgment Under Uncertainty*; Journal of Experimental Psychology: Human Perceptions & Performance; volume 1 (3); 1975.

FREDERICK, *Cognitive reflection and decision making*; Journal of Economic Perspectives (American Economic Association; 2005; volumen 19 (9).

FRIEDMAN/ LIU, W./ CHEN, C. C. y CHI, S. C., *Causal attribution for interfirm contract violation: a comparative study of Chinese and American commercial arbitrators*; The Journal of applied psychology (American Association for Applied Psychology); 2007; volumen 92 (3).

GUTHRIE/ RACHLINSKI, J. J. y WISTRICHT, A. J., *Blinking on the Bench: How Judges Decide Cases*; Cornell Law Review, (Cornell Law School); 2007; volumen 93 (1).

GUTHRIE/ JEFFREY, T./ RACHLINSKI, J. y WISTRICH, A. J., *Inside the Judicial Mind*; Cornell Law Review, (Cornell Law School; volume 86 (4); 2001.

GUTHRIE, *Misjudging*; Nevada Law Journal, (UNLV William S. Boyd School of Lay; 2007; Volumen 7 (2).

HOCH, J. y LOEWENSTEIN, G. F., *Outcome Fedback: Hindsight and Information*; Journal of Experimental Psychology: Learning Memory & Cognition; Volumen 15 (4); octubre 1989.

KAHNEMAN, *Thinking, fast and slow* (2011).

KAHNEMAN y TVERSKY, A., *The framing of decisions and the psychology of choice*; Science; volumen 211; 1981.

KAMIN, A. y RACHLINSKI, J. J., *Ex Post # Ex Ante: Determining Liability in Hindsight*; Law and Human Behavior; Volumen 19 (1); 1995.

KEER, E. y NAIMARK, R. W., *Arbitrators Do Not "Split the Baby" - Empirical Evidence from International Business Arbitration*; Journal of International Arbitration; Volumen 18 (5); 2001.

LEATHES, M., *Chapter 10: Techniques*; Negotiation: Things Corporate Counsel Need to Know but Were Not Taught; Kluwer Law International; Kluwer Law International; (2017).

MENTSCHIKOFF, Commercial Arbitration; Columbia Law Review; Volume 61; 1961.

NICKERSON, S., *Confirmation Bias: A Ubiquitous Phenomenon in Many Tufts University*; Review of General Psychology (Tufts University); volumen 2 (2); 1998.

PEER y GAMLIEL, E., *Heuristics and Biases in Judicial Decisions*; Court Review, (American Judges Association); 2013; volumen 49 (2).

PLOUS, *The psychology of judgment and decision making*; McGraw-Hill; 1993.

PLOUS, *The psychology of judgment and decisionmaking*; McGraw-Hill Education; (1993).

RACHLINSKI, J., *A Positive Psychological Theory of Judging in Hindsight*; The University of Chicago Law Review; volumen 65; 1998.

REED, L., *The 2013 Hong Kong International Arbitration Centre Kaplan Lecture - Arbitral Decision-Making: Art, Science or Sport?*; Journal of International Arbitration, Kluwer Law International; 2013; Volumen 30 (2).

SIMONSON y TVERSKY, A., *Choice in Context: Tradeoff Contrast and Extremeness Aversion*; Journal of Marketing Research (American Marketing Association; volume 29 (3); 1992.

STRACK y MUSSWEILER, T., Heuristic strategies for estimations; capítulo de Foundations of Social Cognition (G. V. Bodenhausen y A. J. Lambert eds.); Psychology Press; 2003.

SUSSMAN, *Arbitrator deliberations: the impact of the unconscious on decision making*; American Review of International Arbitration; 2013; Volumen 24 (3).

The Impact of the Unconscious on Decision Making; New York Dispute Resolution Lawyer (New York State Bar Association); (2014); volumen 7

THALER, H. y SUNSTEIN, C. R., *Nudge: improving decisions about health, wealth, and happiness* (2009).

TVERSKY y KAHNEMAN, D., *Extensional versus intuitive reasoning: The conjunction fallacy in probability judgment*;. Psychological Review; volumen 90 (4); 1983.

TVERSKY y KAHNEMAN, D., *Judgment under uncertainty: heuristics and biases*; Oregon Research Institute Research Bulletin; Ag. 1973; Volumen 13 (1).

WAITES, C. y LAWRENCE, J. E., *Psychological Dynamics in International Arbitration Advocacy*; Capítulo 4 en The art of advocacy in international arbitration; (D. Bishop y E. G. Kehoe eds., 2010).

WASON, C., On the failure to eliminate hypotheses in a conceptual task; Quarterly Journal of Experimental Psychology (Psychology Press); volumen 12 (3); 1960.

WASON, C., *Reasoning about a rule*; Quarterly Journal of Experimental Psychology (Psychology Press); volumen 20 (3); 1968.

WOJCIECHOWSKI, W. y POTHOS, E. M., *Is There a Conjunction Fallacy in Legal Probabilistic Decision Making?*; Front Psycholgy; volumen 9; 2018.

WISTRICH/ GUTHRIE, C. y RACHLINSKI, J., *Can Judges Ignore Inadmissible Information? The Difficulty of Deliberately Disregarding*; University of Pennsylvania Law Review; volumen 153; 2005.

Sanciones derivadas del incumplimiento de cláusulas escalonadas de ADR en conflictos mercantiles

Reynaldo Alfonso Herrera Chavarría[*]

RESUMEN

Es común en las relaciones comerciales que las partes pacten un contrato que incluya una cláusula por medio de la cual se establezcan otros medios alternos de resolución de disputas o Alternative Dispute Resolution (ADR por sus siglas en inglés) tales como negociación y/o mediación obligatoria previo al inicio del arbitraje; lo cual, en la práctica, puede representar ventajas y desventajas a la hora de hacer valer estas cláusulas escalonadas. Una de las desventajas más típicas se presenta cuando la parte demandada alega ante el Tribunal Arbitral, que no es posible iniciar el arbitraje, pues aún no se han cumplido las etapas previas y obligatorias pactadas en la cláusula ADR; ante esto, pueden surgir dos posibilidades: 1) que el Tribunal Arbitral entienda que ya se cumplieron las etapas previas y decida seguir adelante con el arbitraje; 2) que el Tribunal Arbitral decida que no es posible continuar con el arbitraje. La fundamentación y forma en que los tribunales arbitrales adoptan dichas decisiones y las consecuencias que estas tienen para las partes son el objeto del presente artículo.

Palabras clave: Medios Alternos de Solución de Controversias (MASC), heterocompositivos, Mediación, Conciliación, cláusula arbitral, cláusulas escalonadas.

ABSTRACT

It is common in business relationships that parties agree on a contract that includes a clause by means of which they are established Alternative Dispute Resolution such as negotiation and/ or mandatory mediation prior to the commencement of the arbitration; which, in practice, can represent advantages and disadvantages when enforcing these multi-tier arbitration clauses. One of the most typical disadvantages arises when the defendant alleges before

---

[*] Abogado de la Universidad Dr. Jose Matías Delgado (El Salvador); Magister en Derecho Empresarial por el Instituto Superior de Economía y Administración de Empresas (ISEADE) y la Escuela Superior de Economía y Administración de Empresas (ESEADE). Socio fundador de Herrera Chavarria Abogados, Arbitro de la Comisión Interamericana de Arbitraje Comercial (CIAC) y ante el Centro de Mediación y Arbitraje de la Cámara de Comercio e Industria de El Salvador.

the Arbitral Tribunal, that it is not possible to initiate arbitration, because the previous and mandatory stages agreed in the ADR clause have not yet been fulfilled; Given this, two possibilities may arise:1) that the arbitral tribunal understands that the previous stages have been completed and decide to proceed with the arbitration; 2) that the Arbitral Tribunal decides that it is not possible to continue with the arbitration. The rationale and manner in which the arbitral tribunals adopt these decisions and the consequences they have for the parties are the object of this article.

Key words: Alternative Dispute Resolution (ADR), heterocompositive, mediation, conciliation, arbitration clause, multi-tier arbitration clauses.

I. INTRODUCCIÓN

Los Medios Alternos de Solución de Controversias (MASC) o Alternative Dispute Resolution (ADR) son formas o procedimientos distintos al tradicional o judicial, que las partes pueden voluntariamente adoptar en búsqueda de una solución más rápida y menos onerosa para la resolver las diferencias derivadas de una relación comercial. Los ADR suelen clasificarse en métodos autocompositivos y heterocompositivos. Los autocompositivos son aquellos en que la solución al conflicto se origina en las partes, y pueden o no contar con la intervención de un tercero como facilitador de la comunicación.

Los ejemplos más comunes son la negociación y la mediación/conciliación. Por el contrario, los métodos heterocompositivos son aquellos en los que la decisión del conflicto es encomendada a un tercero neutral y calificado; el ejemplo más común es el arbitraje.

1. *La negociación*

Cada vez es más frecuente que las partes traten de resolver la controversia por la vía de la negociación, entendida como un esfuerzo mutuo y voluntario de éstas para resolverla amistosamente sin dar entrada a nadie que sea ajeno al asunto. Las ventajas de este mecanismo son suficientemente conocidas: carácter voluntario, económico, antiformalista y con mínimo riesgo para la parte que no esté satisfecha de cómo se desarrolla. No obstante, si tal operación fracasa y se descarta la opción jurisdiccional, como es bastante habitual, es factible recurrir, a otros mecanismos de solución de controversias (FERNÁNDEZ PÉREZ, 2017, p. 101).

El éxito de la negociación dependerá, en primera instancia, de la voluntad que tengan las partes de llegar a un acuerdo por esta vía. Seguidamente, de cómo se desarrolle la negociación, pues por más voluntad que se tenga, aquí pueden suceder distintos factores que pueden llevar a su fracaso. Estos factores van desde las posiciones altamente encontradas hasta los malos caracteres de las partes, como ejemplo.

2. *La mediación/conciliación*

Es el procedimiento mediante el cual las partes intentan solucionar el conflicto con la intervención de un tercero que actúa como facilitador del diálogo entre ellas. En algunas jurisdicciones mediación y conciliación no son lo mismo, pues se entiende a la conciliación como una etapa procesal del juicio o del arbitraje; y a la mediación como un procedimiento independiente previo a aquellos. Para efectos prácticos, en el presente artículo nos referiremos a ellas como una sola cosa entendiéndolas como un proceso independiente[1].

Los elementos diferenciales de la mediación/conciliación respecto del arbitraje pueden sintetizarse de la siguiente manera. En primer lugar, en la

---

[1]   De conformidad con el art. 1.3° de la Ley modelo UNCITRAL sobre conciliación comercial internacional de 2002 se entenderá por "conciliación": "...todo procedimiento, designado por términos como los de conciliación, mediación o algún otro de sentido equivalente, en el que las partes soliciten a un tercero o terceros («el conciliador»), que les preste asistencia en su intento por llegar a un arreglo amistoso de una controversia que se derive de una relación contractual u otro tipo de relación jurídica o esté vinculada a ellas. El conciliador no estará facultado para imponer a las partes una solución de la controversia". Los redactores de la Ley modelo se inclinaron por este concepto amplio consciente de que no era oportuno distinguir entre estilos ni criterios de mediación. Se incluyen, pues, dentro del término "conciliación" todos los métodos de solución de controversias en que las partes solicitan la ayuda de un tercero neutral, aunque esos métodos pueden diferir en cuanto a la técnica y a la medida y la forma en que el tercero participa en el proceso de arreglo de la controversia. Esos métodos pueden diferir en cuanto a la técnica y a la medida y la forma en que el tercero participa en el proceso (Cf. "Guía para la incorporación al Derecho interno y utilización de la Ley Modelo Uncitral sobre conciliación comercial internacional (2002)", párrafo, 32)

mediación/conciliación domina el proceder amistoso y voluntario a través del cual las partes abandonan recíprocamente sus pretensiones: si en el arbitraje el árbitro "impone" soluciones, el mediador/conciliador se limita a formular recomendaciones que no tienen contenido obligatorio para las partes. En segundo lugar, el mediador/conciliador se limita a facilitar el diálogo entre las partes y al no adoptar decisiones, no se necesitan garantías procesales como las que existen en el arbitraje, por ejemplo, la prohibición de que el mediador/conciliador se reúna sólo con una de las partes o la obligación incondicional de revelar a una parte toda la información recibida de la otra. Por último, el arbitraje entraña la exigencia de una serie de plazos necesarios que se establecen para proteger los derechos de las partes y frente a él la mediación/conciliación tiene la ventaja de que si las recomendaciones se cumplen los problemas de las partes son susceptibles de resolverse en un plazo muy breve (FERNÁNDEZ PÉREZ, 2017, p. 102).

3. El arbitraje

Procedimiento por medio del cual las partes en conflicto facultan a un tribunal arbitral para que adopte una decisión vinculante denominada laudo arbitral. Como es bien sabido, el arbitraje es un tipo de resolución de litigios más cercano a un procedimiento judicial que a los ADR autocompositivos (JARROSSON, 2001, pp. 5-41), por el simple hecho de que el objetivo del laudo arbitral es sustituir a la sentencia del juez. No pueden desconocerse las múltiples críticas contra la formalidad, costo y demora inherentes a muchos arbitrajes comerciales internacionales de los que se ha dicho, a partir de la figura retórica del vino desalcoholizado, que se han convertido en una parodia de los procesos judiciales, pero sin el poder inherente a estos últimos (FERNÁNDEZ PÉREZ, 2017, p. 101).

Como tampoco pueden desconocerse sus múltiples ventajas si se le compara con los procesos judiciales: procedimientos más flexibles donde las partes pueden participar ampliamente en las decisiones procedimentales, posibilidad de escoger a los árbitros, confidencialidad, etc.; por lo que hoy en día a pesar del surgimiento de nuevas formas de ADR, el arbitraje sigue estando allí como la opción más viable si no se quiere recurrir al sistema tradicional. Lo único que ha cambiado en las últimas décadas es su posición como primera opción de ADR, ya que ha pasado en buena medida a la última posición.

4. Otros ADR

Hoy en día, cuando nos encontramos en el auge de las transacciones comerciales que se generan desde distintos lugares del planeta, la solución de controversias transfronterizas permite a las partes optar por el método de solución que estimen más conveniente. Es así como las características propias del comercio electrónico han llevado a la necesidad de crear medios de solución de conflictos acordes al mismo. Como ejemplo de ello, tenemos versiones en línea de las formas típicas de ADR, llámense negociación on line, mediación/conciliación on line, arbitraje on line.

Asimismo, la práctica apunta a la especialización de los ADR como una extensión de la autonomía de la voluntad acorde a las nuevas necesidades de la contratación. Es válido el ajuste del arreglo de controversias en función de sus expectativas y necesidades, siempre que se garanticen los derechos procesales fundamentales, lo que implica que el mecanismo elegido para resolver un futuro conflicto entre las partes puede ser muy simple o muy complejo dependiendo, las más de las veces, de la especialidad de la materia involucrada (FERNÁNDEZ PÉREZ, 2017, p. 101). Es así como se han visto surgir diversos ADR, cuyo uso es cada vez más frecuente, tales como: la evaluación neutral o early neutral evaluation, fact-finding, mesas de adjudicación o dispute boards, expert determination, y mini-trial, entre otros.

II. LA CLÁUSULA O CONVENIO ARBITRAL

Siendo el arbitraje una institución que se funda en la autonomía privada y la libertad contractual de las partes, es mediante el convenio arbitral que los sujetos declaran libremente su voluntad de someter sus controversias a una jurisdicción extraordinaria y privada: el arbitraje, excluyendo por lo tanto la intervención de la jurisdicción del Poder Judicial (SOTO COAGUILA, 2011, p. 154).

Como señala Eduardo SILVA ROMERO, "es menester subrayar una vez más, in limine, que el arbitraje es, en una de sus acepciones más puras y precisas, un contrato" (SILVA ROMERO, 2005, p. 15). En la misma línea, Francisco GONZÁLEZ DE COSSÍO señala que "el acuerdo arbitral es un contrato por virtud del cual dos o más partes acuerdan que una controversia, ya sea presente o futura, se resolverá mediante arbitraje" (GONZÁLEZ DE COSSÍO, 2004, p. 56).

Como el convenio arbitral es un contrato, se le aplican *mutatis mutandi*, los principios contractuales de: (i) la autonomía privada (toda persona tiene libertad para contratar y libertad para pactar los términos del contrato), (ii) el *pacta sunt servanda* (los contratos son obligatorios y son ley privada entre las partes) y (iii) el efecto relativo de los contratos (los contratos sólo generan efectos entre las partes y no pueden afectar a terceros ajenos al contrato).

En consecuencia, el convenio arbitral será obligatorio sólo para las partes que han expresado su consentimiento (expreso o tácito) de someter sus controversias al fuero arbitral.

Una vez celebrado un convenio arbitral, las partes contratantes están obligadas a:

– Someter sus controversias a un proceso arbitral (obligación de hacer).

– Cumplir con los mandatos impuestos en el laudo arbitral (obligación de hacer).

– No acudir a los tribunales judiciales para resolver sus controversias, pues al celebrar el convenio arbitral han renunciado a la competencia del Poder Judicial (obligación de no hacer) (SOTO COAGUILA, 2011, p. 155).

Cabe precisar que cuando se pacta que una controversia será resuelta en la vía arbitral, no se dispone del derecho sustantivo sino de un medio procesal, de un vehículo para su solución (SOTO COAGUILA, 2011, p. 161).

En efecto, de acuerdo con lo manifestado por los autores citados, lo que buscan las partes mediante la suscripción de la cláusula o convenio arbitral es dotar al eventual tribunal arbitral de las facultades necesarias para llevar a cabo la misión encomendada, cuál es decidir el conflicto; aun y cuando una vez surgida la disputa, una de las partes se muestre renuente a acudir al arbitraje. Por el otro lado, los jueces estarán en la obligación de respetar la competencia que las partes han concedido a los árbitros rechazando la intervención de aquellos. De allí, la importancia que las partes establezcan claramente los alcances del acuerdo arbitral, es decir, cuáles serán los conflictos que serán sometidos a decisión de los árbitros y de qué manera los árbitros realizarán su función.

III. LA CLÁUSULA ESCALONADA DE ADR

El término "cláusula escalonada", también llamada "cláusula multinivel" o "pacto de negociar previamente", se usa para describir "una cláusula arbitral combinada por estipulaciones propias de otros métodos alternativos de solución de controversias, que buscan proveer escenarios y etapas iniciales y previas al arbitraje" (BERNAL GUTIÉRREZ, 2012, p. 170).

El origen de las cláusulas escalonadas se encuentra, fundamentalmente, en la necesidad de una resolución a los conflictos más económica, rápida y eficiente, considerando, además, que ciertos conflictos son muy técnicos y complejos, especialmente en áreas como la ingeniería y la construcción. Es así, como se han ido incorporando estos pactos que buscan un acercamiento previo para evitar que el conflicto escale, durante el cual los involucrados se obligan a hacer sus mejores esfuerzos para negociar y lograr acuerdos, buscando así transformar al arbitraje en la última instancia (FIGUEROA VÁLDES, p. 49).

Así como las partes son libres para someter a arbitraje determinada controversia, también tienen, en uso de su autonomía privada, la posibilidad de establecer pasos previos obligatorios o no. De allí que se distinga entre cláusulas voluntarias o facultativas y cláusulas obligatorias. Mientras en las primeras la voluntad y buena fe de las partes juega un papel fundamental a la hora de negociar, en las segundas, se trata de forzar hacia la negociación como una forma de escalón que debe necesariamente ser cumplido por las partes previo a acudir al arbitraje.

Cada vez es más común observar, este tipo de cláusulas en la contratación privada, debido a los buenos resultados que su implementación viene dando, contribuyendo significativamente al fomento de la cultura de la solución pacífica de los conflictos e impactando positivamente en la economía nacional y global al permitir resolver de manera rápida y eficiente los conflictos, lo que redunda, la mayoría de las veces en la continuidad de la relación comercial y del negocio.

Sin embargo, para lograr la plena efectividad de estas cláusulas a pesar de su complejidad, es necesario que se encuentren libres de patologías, para evitar dar lugar a diversas situaciones limitantes, principalmente si las partes se niegan a cooperar, o en el caso que haya que resolver cuestiones incidentales al arbitraje por la propia incertidumbre del contenido de la cláusula.

IV. POSIBLES SANCIONES A SU INCUMPLIMIENTO

Para efectos prácticos en adelante se usará el término "cláusula escalonada" para referirse a aquellas que contienen etapas previas de carácter obligatorio.

La cuestión esencial que subyace cuando se estudia el funcionamiento de estas cláusulas es la de determinar cuáles son las consecuencias si una parte hace caso omiso de los escalones iniciales y pone en marcha un proceso arbitral sin haber participado en las negociaciones o en la mediación, o sin que éstas hayan concluido. De hecho, las legislaciones nacionales no suelen establecer sanciones claras en orden a su incumplimiento. La respuesta no es fácil pues, en determinadas situaciones, limitar el derecho de las partes a entablar procedimientos arbitrales o judiciales, puede reducir el propio ámbito de la conciliación y, si no suscitar incluso problemas constitucionales por vulnerar el postulado de la tutela judicial efectiva. (FERNÁNDEZ PÉREZ, 2017, p. 115).

En la práctica, las consecuencias generadas por el anuncio del demandado de la falta de cumplimiento de una cláusula escalonada ha generado dos tipos de decisiones por parte de los tribunales arbitrales: 1) que el Tribunal Arbitral entienda que ya se cumplieron las etapas previas y decida seguir adelante con el arbitraje; 2) que el Tribunal Arbitral decida que no es posible continuar con el arbitraje. Estas decisiones, a su vez, han tomado dos variables, dependiendo de lo que la parte que se opone al arbitraje ha solicitado o de la manera que cada tribunal arbitral decida abordarlo. La primera, por medio de un examen de su propia competencia; y la segunda, como un examen de admisibilidad.

Estas cuestiones implican conceptos teóricos (competencia, admisibilidad) que pueden variar de una jurisdicción a otra y que tienen implicaciones prácticas radicalmente opuestas: por regla general, la decisión del tribunal arbitral sobre la admisibilidad de la demanda es una decisión final, que no puede ser objeto de un recurso de anulación, mientras que una decisión de los árbitros en materia de competencia sí es objeto de control por el juez de la anulación (CREMADES, 2016, p. 58).

1. Incompetencia del Tribunal Arbitral

Se refiere a la declaratoria que en el ejercicio del principio universal de Kompetenz-Kompetenz, realiza el tribunal arbitral luego de examinar exhaustivamente la cláusula arbitral y las alegaciones de las partes, y por medio de la cual pone fin al proceso advirtiendo la falta de competencia para decidir el asunto que se le ha encomendado. Para el caso que nos ocupa, la falta de competencia radica en que aún no se ha cumplido la etapa o etapas previas y obligatorias establecidas por las partes en la cláusula escalonada.

En la práctica la casuística es amplia en cuanto a las situaciones que los tribunales arbitrales han tenido que examinar, entre las cuales podemos mencionar: ¿se ha cumplido la etapa previa obligatoria cuando una de las partes la ha iniciado pero la otra no ha participado?; ¿Qué pasa si iniciada la negociación o mediación previas una de las partes decide darla por terminada?; ¿se ha cumplido el tiempo establecido en la cláusula escalonada para tener por agotado el escalón previo?; si no se estableció un plazo para el agotamiento del escalón previo, ¿cuándo se entenderá agotado?

Como regla general, la declaratoria de incompetencia del tribunal arbitral trae como consecuencia la imposibilidad de continuar con el proceso arbitral, lo que implica que, la parte que inició el arbitraje se vea obligada a iniciar y terminar la etapa previa que se ha pactado en la cláusula escalonada. Muchas veces esta declaratoria incluye una condena en daños y perjuicios contra la parte que ha iniciado el arbitraje ante la inobservancia del escalón. Y es que, las implicaciones que tiene una declaratoria de incompetencia no son del todo amigables, pues conlleva en principio, el costo económico de iniciar un nuevo arbitraje, muy probablemente ante un nuevo tribunal arbitral. Sin embargo, muchos tribunales arbitrales en distintas jurisdicciones han optado por una salida más viable y menos onerosa para las partes, cual es la suspensión temporal del arbitraje mientras se cumple la etapa previa correspondiente.

Pero ¿qué sucede si el tribunal arbitral decide que la etapa obligatoria ya se ha cumplido y decide continuar con la tramitación del arbitraje?, es decir, ¿qué acciones tiene la parte que alegó la incompetencia ante dicha decisión? La respuesta en principio dependerá de los recursos o acciones que establezca la ley de la sede del arbitraje o *lex loci arbitri*; sin embargo, siguiendo la ley modelo UNCITRAL sería posible la impugnación del laudo en cualquier jurisdicción que la haya adoptado, bajo el motivo de nulidad iv), es decir, que el procedimiento arbitral no se ha ajustado al acuerdo entre las partes. En vista de lo anterior, el tribunal arbitral deberá tomar con absoluta seriedad el examen de competencia.

2. Inadmisibilidad de la demanda

El fundamento de esta variante radica en considerar el escalón pre-arbitral obligatorio como un requisito de admisibilidad de la demanda; es decir, el tribunal debe determinar si el escalón previo acordado por las partes constituye un motivo de admisibilidad contractual o si a la luz de la ley local se exige el cumplimiento previo de aquel para poder iniciar el proceso arbitral. Las consecuencias de una declaratoria de inadmisibilidad definitiva conllevan principalmente que el tribunal arbitral archive el expediente y que las partes tengan que ir a cumplir con la etapa previa y posteriormente iniciar un nuevo arbitraje si la negociación o mediación pactada no prosperan.

Al igual que en el caso de la declaratoria de incompetencia, algunos tribunales arbitrales, conscientes de las repercusiones económicas que tiene dicha decisión para las partes, han optado por dar a las partes la oportunidad de subsanar el defecto procesal mediante la suspensión temporal del arbitraje hasta que se cumpla la etapa faltante, lo que evita que las partes tengan que constituir un nuevo tribunal arbitral en caso de que fracase la negociación o mediación.

Por el contrario, si el tribunal arbitral considera desde un inicio que la etapa obligatoria previa ya fue cumplida y decide admitir la demanda, las opciones de impugnación de la parte que pide el cumplimiento del escalón se ven reducidas o más bien son inexistentes, ya que en la mayoría de las jurisdicciones la admisibilidad de la demanda de arbitraje carece de medios de impugnación. Es decir, que la voluntad de las partes de instaurar un escalón previo obligatorio puede quedar letra muerta en caso de violación por el demandante. La falta de sanción parece ir contra corriente de la tendencia actual a favor de los métodos alternativos de solución de conflictos. Además, una cláusula escalonada no es una estipulación cualquiera; pertenece a la familia de las cláusulas de resolución de controversias. Cuando las partes han erigido un escalón específico como condición previa y obligatoria a la implementación del convenio arbitral, el juez de anulación debería poder operar un cierto control sobre la manera en la que el tribunal arbitral ha aplicado ese mecanismo (CREMADES, 2016, p. 60).

V. ESTUDIO DE ALGUNOS CASOS RELEVANTES
EN DISTINTAS JURISDICCIONES

Como el lector podrá notar, las complejas circunstancias anteriormente anotadas han sido examinadas por distintos tribunales arbitrales y jueces alrededor del mundo, por lo que cada caso ha tenido sus particularidades, pero también similitudes y por tanto es meritorio hacer un breve repaso de algunos casos relevantes en aquellas jurisdicciones con larga tradición arbitral.

En cuanto a tribunales arbitrales me referiré a algunos casos tramitados ante la Corte de Arbitraje de la Cámara de Comercio Internacional:

1. En caso de la CCI 8462 de 199796[2] la cláusula de arbitraje establecía una primera etapa de negociación ("les parties chercheront une solution à l'amiable") y, si después de 30 días no se podía llegar a un acuerdo, la controversia sería sometida a arbitraje. Cuando el demandante presentó la solicitud de arbitraje, el demandado se opuso alegando que el demandante no le había notificado al demandado acerca de las cuestiones precisas que se someterían a arbitraje y que no había tenido oportunidad de alcanzar una solución amistosa. Esta pretensión fue rechazada considerando el tribunal que había suficientes indicios para concluir que el demandante había hecho esfuerzos para cumplir con la obligación de negociación de primer nivel y por lo tanto tenía competencia sobre el litigio. En definitiva, será factible entablar un procedimiento judicial o arbitral cuando una de las partes se mantuviera pasiva u obstaculizara la puesta en práctica del mecanismo contemplado en el escalón inferior.

2. En el laudo CCI n° 9977 de 1999101[3] el árbitro único tuvo que decidir si las partes habían cumplido sus obligaciones en el primer escalón, consistente en someter la controversia a los representantes de alta dirección de las partes para que alcanzasen a una solución amistosa dentro de los catorce días naturales después de la presentación. No obstante, el demandado en el proceso arbitral argumentó que en las reuniones únicamente habían acudido los representantes legales de las partes y no los representantes de alta dirección. El árbitro consideró que la alegación de la demandada había sido posterior a los hechos y que se debería haber planteado en el momento de las

---

2   *ICC Int'l Arbitration Bull.*, vol. 14, n° 13, 2003, pp. 82-83.
3   *ICC Int'l Arbitration Bull.*, vol. 14, n° 13, 2003, pp. 84-85.

negociaciones y al efecto afirmó, que la puesta en práctica de fase previa del arbitraje implica una actitud de las partes inspirada en el verdadero y honesto propósito de llegar a un acuerdo; por esa razón si una de las partes considera de buena fe que la otra no está comprometida en fomentar las posibilidades de solución, debe manifestarlo durante el proceso.

3. El Laudo parcial CCI n° 6276 de 1999864. En el caso concreto, las partes habían acordado que con anterioridad al arbitraje deberían recurrir a la solución amistosa tras someter la controversia a un ingeniero para su revisión y si una parte no estaba de acuerdo, podría poner en marcha el arbitraje dentro de los 90 días de la decisión del ingeniero. Entablado éste, el tribunal encontró indicios suficientes en el expediente para justificar la conclusión de que el demandante había hecho auténticos esfuerzos con miras a una solución amistosa. En lo que respecta a la segunda condición, el demandante sostuvo que, debido a la finalización de las operaciones y la recepción definitiva de la obra, ya era demasiado tarde para solicitar el nombramiento de un ingeniero. El demandante también alegó que había sido dispensado de este requisito contractual por el hecho de que el acusado le informó por escrito del nombre del ingeniero autorizado para cumplir con esa función de pre-arbitral, pero dicha alegación tampoco fue admitida por el tribunal declarando que el procedimiento ante el ingeniero había sido acordado de manera voluntaria y fijado por las partes mediante reglas precisas y plazos delimitados. Para el tribunal el proceso de revisión pre-arbitral era estrictamente vinculante para las partes y condicionaba su conducta antes de recurrir al arbitraje.

4. En las controversias concernientes a contratos de construcción el cumplimiento o incumplimiento con lo establecido en el primer escalón, condiciona decisivamente la competencia del tribunal arbitral. En el Laudo CCI n° 6535 de 1992[5] el tribunal arbitral trató el significado de "diferencia" en las condiciones de la FIDIC. En ese caso, el contratista había enviado una serie de cartas al ingeniero indicando la necesidad de extender los plazos y el pago de las variaciones de la obra.. La cuestión era determinar si el contenido de esas

---

[4]   *ICC Int'l Arbitration Bull.*, vol. 14, n° 13, 2003, pp. 71-88.
[5]   Collection of ICC Arbitral Awards (1991-1995), J. J. Arnaldez, Y./ Derains y D. Hascher (eds.), ICC Publication n° 553, 1997, p. 495.

cartas, que no había sido rechazado por el ingeniero, había puesto en marcha el mecanismo de arreglo previsto en la cláusula. El tribunal arbitral consideró que, como quiera que el ingeniero no había desestimado las reclamaciones, no tenía competencia para entender del asunto. Por su parte en el Laudo nº 6238 de 1989[6] el tribunal arbitral también tuvo que pronunciarse sobre la eventual corrección de la solicitud de intervención del ingeniero de conformidad con las condiciones de la FIDIC, concluyendo que dicha solicitud debía individualizar claramente la controversia, no siendo suficiente que una parte mostrase su intención de someter la controversia al ingeniero. Finalmente, por sólo citar otro caso en el Laudo preliminar CCI nº 9984 de 1999 también tuvo que pronunciarse sobre su propia competencia, a propósito del cumplimiento del escalón previsto en la cláusula de intentar resolver la controversia de manera amistosa, llegando a la conclusión que este se había efectuado y que era factible iniciar el procedimiento de arbitraje.

En EEUU el asunto *White v. Kampner*[7] donde el Tribunal consideró que las sesiones de negociación obligatorias constituían una condición previa al arbitraje y que era esencial la determinación de si las sesiones eran necesarias. Al determinar positivamente este último extremo, confirmó la anulación del laudo (FERNÁNDEZ PÉREZ, 2017, p. 115). Asimismo, algunos tribunales norteamericanos en distintos fallos han ordenado la suspensión del juicio arbitral, por considerar que la cláusula acordada establecía el paso previo por una mediación, la que era una condición precedente del arbitraje[8]. En otro caso, en las mismas circunstancias, se declaró inadmisible la acción y se ordenó a las partes cumplir previamente con el procedimiento de mediación pactado.

En el mismo orden de ideas, un tribunal inglés sostuvo que "una cláusula en que las partes se comprometen a seguir un método alternativo de resolución de disputas es análoga a una cláusula arbitral y, como tal, es un acuerdo que puede hacerse cumplir mediante la suspensión del procedimiento judicial iniciado en contravención a ella". Cabe hacer notar que

---

6   *ICC Int'l Arbitration Bull.*, vol. 14, nº 13, 2003, pp. 85-87.
7   Sentencia del Tribunal Supremo de Connecticut de 18 febrero 1994 [229 Conn. 465 (1994) http:// www.leagle.com/. decision/1994694229Conn465_1666/WHITE%20v.%20KAMPNER].
8   Caso HIM Portland LLC v. DeVito Builders Inc., citado en artículo de López Argumedo Piñeiro., Alvaro. "Multi-Step Dispute Resolution Clauses", *Liber Amicorum Bernardo Cremades*, Madrid, La Ley, 2010, pp. 733 ss.

dicho criterio es el consagrado en la Ley Inglesa de Arbitraje de 1996 (FI-GUEROA VÁLDES, pp. 62-63).

La Corte de Casación Francesa en una decisión del 12 de diciembre de 2004, ha afirmado de manera muy solemne que el incumplimiento de una cláusula de mediación previa obligatoria no es susceptible de ser regularizado por el inicio de una mediación durante el procedimiento. Se considera ahora que la admisibilidad de la demanda derivada del cumplimiento de la cláusula de mediación previa obligatoria se debe apreciar en el momento de interposición de la demanda, y no cuando el juez decide la disputa. Por consiguiente, el incumplimiento conlleva a hora a la inadmisibilidad definitiva de la demanda. El demandante tendrá que iniciar una nueva acción judicial después de haber cumplido el requisito de mediación previa (CREMADES, 2016, p. 59). Sin embargo, esta sentencia no es vinculante para los tribunales arbitrales con sede en Francia.

Contrariamente a la jurisprudencia francesa, el Tribunal Federal suizo controla si el demandante ha cumplido, o no, con la cláusula escalonada pactada antes de acudir al arbitraje, desde una decisión destacada del año 2007. Opera este control bajo el motivo de anulación relativo a la competencia del tribunal arbitral (art. 190 al 2 let. B de la Ley de Derecho Internacional Privado suiza, "LDIP"). Se niega a distinguir las nociones de inadmisibilidad de la demanda y de incompetencia del tribunal arbitral. Considera que estas dos nociones no se excluyen mutuamente y que, al contrario, existe una estrecha correlación entre ellas. Toma el ejemplo del derecho procesal suizo, bajo el cual la competencia del tribunal constituye una condición de admisibilidad de la demanda y, correlativamente, la falta de competencia es un motivo de inadmisibilidad de la demanda (CREMA-DES, 2016, p. 61).

VI. CONCLUSIONES

En virtud de la variedad de circunstancias que pueden darse en cada caso en particular en donde se ha incumplido una etapa previa obligatoria pre arbitral, las partes y el tribunal arbitral deberán examinar concienzudamente las variantes que el caso puede tomar de conformidad con la ley de la sede del arbitraje o *lex loci arbitri*, pues de ella dependerá si debe abordarse el caso como incompetencia o inadmisibilidad, inclusive ambos (como en el caso suizo) y la posibilidad de impugnación que se tenga ante le decisión del tribunal arbitral de fijar su competencia o admitir la demanda, en su caso.

Considero que, la opción de suspender temporalmente el arbitraje con el fin de dar oportunidad a las partes de cumplir la etapa previa acordada es la solución más amigable y eficiente, en concordancia con el principio *favor arbitri* o principio de conservación del acuerdo de arbitraje.

REFERENCIAS

BERNAL GUTIÉRREZ, R. y otros (2012), "Las cláusulas escalonadas o multinivel: su aproximación en Colombia", artículo publicado en Revista de Arbitraje Comercial y de Inversiones, del Centro Internacional de Arbitraje, Mediación y Negociación, Volumen 5, Bogotá.

CREMADES, A. C. (2016), "¿Qué sanción en caso de incumplimiento de una cláusula escalona de resolución de controversias?", artículo publicado en Spain Arbitation Review, Revista del Club Español del Arbitraje. Madrid: Campillo Nevado S.A.

FÉRNANDEZ PÉREZ, A. (2016), Cuadernos de Derecho Transnacional, Vol. 9, N° 1, www.uc3m.es/cdt - DOI: https://doi.org/10.20318/cdt.2017.3615.

FIGUEROA VÁLDEZ, J. E. (2018), "El Uso de las Cláusulas Escalonadas de Solución Alternativa de Conflictos en los Contratos de Construcción: utilidad, problemas y soluciones". Derecho de la Construcción: Análisis Dogmático y Práctico. Santiago: Ediciones DER.

GONZÁLEZ DE COSSÍO, F. (2004), Arbitraje. México: Porrúa.

JARROSSON, C. (2001), "Les frontières de l'arbitrage", Revue de l'arbitrage. Paris.

SILVA ROMERO, E. (2005), "Introducción. El arbitraje examinado a la luz de las obligaciones". En: SILVA ROMERO, Eduardo (Director Académico) y MANTILLA ESPINOSA, Fabricio (Coordinador Académico). El contrato de arbitraje. Bogotá: Universidad del Rosario - Legis

SOTO COAGUILA, C. A. y otros (2011), Comentarios a la Ley Peruana de Arbitraje, Lima: OPENSAC.

El principio *iura novit curia* en el arbitraje internacional

Josep Maria Julià Isenser[*]

RESUMEN

La aplicación por los árbitros de normas, precedentes o razonamientos legales que no han sido invocados por las partes resulta necesaria en el arbitraje internacional. Sin embargo, las peculiaridades del arbitraje internacional desaconsejan replicar la aplicación del principio *iura novit curia* en la litigación nacional. Aunque es rara la regulación expresa en la legislación y reglamentos y no existe una práctica uniforme internacional, las distintas jurisdicciones intentan verificar el respeto de la voluntad de las partes, de los límites del mandato de los árbitros y del derecho de contradicción, para que las partes puedan razonablemente prever y abordar todas las cuestiones legales relevantes. Las mejores prácticas recomiendan que las partes retengan el papel principal en la acreditación del derecho aplicable, pero también aconsejan que los árbitros planteen cuanto antes a las partes las cuestiones jurídicas relevantes que no hayan sido invocadas, estableciendo un procedimiento para que puedan aportar la prueba y alegaciones que consideren pertinentes. Como las demás facultades de los árbitros, la aplicación del principio *iura novit curia* exige cautela para garantizar la eficacia del laudo arbitral.

Palabras clave: *Iura novit curia, Iuria novit arbiter*, arbitraje internacional.

ABSTRACT

Application by arbitrators of rules, precedents or legal arguments that have not been invoked by the parties is necessary in international arbitration. However, the peculiarities of international arbitration advise against replication of the application of the principle *iura novit curia* in national litigation. Even though express regulation in laws and rules is rare and there is no uniform international practice, various jurisdictions aim to control the respect of the will of the parties, the scope of the powers of arbitrators and the right to be heard, so that parties can reasonably foresee and address all relevant legal issues. Best practices recommend that parties retain the main role in proving the applicable law, but they also advise that arbitrators raise as soon as possible with the parties any relevant legal issues that have not been invoked,

---

[*] Abogado de la Universidad Autonoma de Barcelona (España), Magister en Derecho Europeo de College of Europe, Magister en Derecho Internacional Comparado de la Université libre de Bruxelles, Magister en Derecho Comercial Internacional del London School of Economics and Political Science. Socio fundador de Delegaltessen (Madrid, España).

establishing a procedure so that they may submit whatever evidence or pleadings they deem appropriate. As any other powers of arbitrators, the application of the principle *iura novit curia* requires caution to ensure the enforceability of the arbitration award.

Key words: Iura novit curia, Iuria novit arbiter, International Arbitration.

Las exigencias actuales de eficiencia del arbitraje internacional son la versión contemporánea de la tradicional tríada de rapidez, economía y flexibilidad. Este loable objetivo puede convertirse en una rémora si desnaturaliza las demás peculiaridades del arbitraje. La aleación adecuada debe fundir en el crisol la eficiencia con la justicia, la voluntad de las partes y la diversidad. El equilibrio entre estos elementos es esencial para la aplicación del principio *iura novit curia*, según el cual "el tribunal conoce el derecho", también conocido en el arbitraje como *iura novit arbiter*.

I. UN PRINCIPIO VÁLIDO Y NECESARIO

La Retórica de Aristóteles ya propone que las partes se limiten a acreditar los hechos y que corresponde al juez determinar el derecho[1]. El principio se recogió en el derecho romano, que aplicó la máxima *da mihi factum, dabo tibi ius*[2], y fue heredado por las jurisdicciones de derecho civil[3]. El principio *iura novit curia* no se limita a describir al tribunal sino que establece un reparto de responsabilidades[4], en virtud del cual corresponde al tribunal determinar las normas jurídicas que debe aplicar para resolver

---

[1]   Aristóteles, "La retórica", Editorial Gredos, 1994, p. 164.
[2]   Dame los hechos, yo te daré el derecho.
[3]   Nigel Blackaby y Ricardo Chirinos, "Consideraciones sobre la aplicación del principio iura novit curia en el arbitraje comercial internacional", Anuario Colombiano de Derecho Internacional, vol. 6, 2013, p. 81.
[4]   Friedrich Rosenfeld, "*Iura Novit Curia in International Law*", en "*Iura Novit Curia in International Arbitration*", F. Ferrari y G. Cordero-Moss, Juris, 2018 ("INCIIA"), cap. 16, p. 428.

la controversia, estableciendo los hechos relevantes para la aplicación de dichas normas y su calificación jurídica, interpretando y aplicando las normas jurídicas pertinentes, sin estar vinculado por las normas, precedentes o razonamientos jurídicos invocados por las partes.

Las distintas funciones de los actores del procedimiento en las jurisdicciones del *common law*, con abogados asistentes del tribunal, con jueces legos y jurados, justificaron que el principio no fuera acogido aparentemente por estas jurisdicciones[5]. Sin embargo, dichas jurisdicciones también han desarrollado jurisprudencia o mecanismos como la *judicial notice* que cumplen una función similar[6].

El principio *iura novit curia* responde a una cuestión clave del arbitraje como mecanismo de resolución de controversias: que la disputa sea decidida por una persona experimentada, con criterio y autoridad, elegida por las partes. La máxima de "el arbitraje vale lo que vale el árbitro" justifica la necesidad de este mecanismo. Si la intención de las partes fuera simplemente elegir entre dos posturas, sería más eficiente lanzar una moneda o reducir el arbitraje a alguna fórmula de *baseball arbitration*[7]. Las partes quieren seleccionar unos árbitros capacitados que analicen y justifiquen la decisión que toman.

Tal como juiciosamente indicaron los jueces ingleses Ackner o Bingham[8], es inevitable que en ocasiones el árbitro considere que ninguna de las partes ha entendido correctamente la cuestión o que ni siquiera han planteado alguna cuestión necesaria para decidir la controversia.

---

[5]	Mark W. Friedman y Luca G. Radicati di Brozolo, "*Ascertaining the Contents of the Applicable Law in International Commercial Arbitration*", informe del Comité de Arbitraje Comercial Internacional de la *International Law Association*, Río de Janeiro, 2008, publicado en *Arbitration International*, Oxford University Press, vol. 26, n° 2, 2010, p. 202; Friedrich Rosenfeld, *ob. cit.*, p. 427; Luís Gómez-Iglesias Rosón, "*Iura novit curia* y principio de contradicción: su aplicación en el arbitraje en España", Arbitraje, vol. IX, n° 1, 2016, p. 58.

[6]	J. Brian Casey y Shunghyo Kim, "*Jura Novit Arbiter in Canada*", en INCIIA, cap. 4, p. 92; Aaron D. Simowitz, "*Jura Novit Arbiter in the United States*", en INCIIA, cap. 15, p. 407; Luís Gómez-Iglesias Rosón, *ob. cit.*, p. 62.

[7]	En el *baseball arbitration*, el árbitro debe escoger en bloque las peticiones de una parte o de otra parte.

[8]	Cita de los casos The Vimeira ([1984] 2 Lloyd's Rep 66, 76) y Zermalt Holdings S.A. vs. Nu Life Upholstery Repairs Ltd ([1985] 2 EGLR 14) en el párrafo 21 de la sentencia del Tribunal Superior de Inglaterra de 26 de julio de 2007 en OAO Northern Shipping Company vs. Remolcadores De Marin SL (Remmar) ([2007] EWHC 1821 [Comm]).

Debe existir una válvula de escape que, respetando los derechos y la voluntad de las partes, permita al árbitro decidir la controversia conforme a su convicción.

No se puede exigir que el árbitro decida algo que no piensa o que se abstenga de decidir. No existe una decisión unívoca pero el árbitro debe poder asumir la decisión como propia. El principio *iura novit curia* permite al árbitro afrontar esta vicisitud.

A pesar de ser una herramienta necesaria para que el árbitro pueda desempeñar su función, la singularidad del arbitraje internacional desaconseja limitarse a trasplantar la regulación y aplicación del principio en la litigación nacional o internacional. El árbitro no es un funcionario que deba conocer y aplicar el ordenamiento jurídico de una jurisdicción determinada, ni debe velar por intereses públicos como la aplicación uniforme y transparente del derecho nacional[9].

Tampoco se espera que el árbitro internacional domine especialmente el derecho nacional aplicable, ni tal conocimiento es determinante de la elección del árbitro[10]. El árbitro internacional se refiere al derecho aplicable, no distingue entre derecho nacional y extranjero, ni tampoco dispone de un derecho nacional que aplique subsidiariamente si desconoce el derecho aplicable, ni es garante de las normas imperativas de un Estado en particular[11].

Tampoco existe una práctica internacional uniforme sobre la aplicación y determinación del derecho extranjero por las jurisdicciones nacionales[12]. A pesar de las diferencias, el arbitraje internacional comparte con

---

[9]   Mark W. Friedman y Luca G. Radicati di Brozolo, *ob. cit.*, p. 206; Phillip Landolt, "*Arbitrators' Initiatives to Obtain Factual and Legal Evidence*", *Arbitration International*, Oxford University Press, vol. 28, n° 2, 2012, p. 185.

[10]   Phillip Landolt, *ob. cit.*, p. 185; Gabrielle Kaufmann-Kohler, "*The Arbitrator and the Law: Does He/She Know It? Apply It? How? And a Few More Questions*", *Arbitration International*, Oxford University Press, vol. 21, n° 4, 2005, p. 631.

[11]   Mark W. Friedman y Luca G. Radicati di Brozolo, *ob. cit.*, p. 206; Nigel Blackaby y Ricardo Chirinos, *ob. cit.*, p. 83; Claus Von Wobeser, "*The Effective Use of Legal Sources: How Much Is Too Much and What Is the Role for Iura Novit Curia*", documento para la conferencia "*Arbitration Advocacy in Changing Times*", International Council for Commercial Arbitration, 23-26 de mayo de 2010, p. 2.

[12]   Mark W. Friedman y Luca G. Radicati di Brozolo, *ob. cit.*, p. 205; Nigel Blackaby y Ricardo Chirinos, *ob. cit.*, p. 83; Julian Lew, "*Iura Novit Curia and Due Process*", en "*Liber Amicorum for Serge Lazareff*", 2011, Queen Mary School of Law Legal Studies Research Paper n° 72/2010.

los ordenamientos procesales nacionales algunas preocupaciones y necesidades funcionales propias de todo sistema de resolución de controversias, pudiendo ser instructivo considerar cómo se han abordado estas cuestiones comunes[13].

La regulación legal de la aplicación específica del principio *iura novit curia* al arbitraje internacional es escasa, prácticamente inexistente. La cuestión ha sido ampliamente tratada indirectamente al analizar los límites que imponen otros elementos básicos del arbitraje internacional: el respeto de la voluntad de las partes, los poderes e imparcialidad de los árbitros, la igualdad y derechos de defensa de las partes. A pesar de las razones que desaconsejan la importación de la regulación nacional, es común que los jueces nacionales intenten trasladar prácticas del principio *iura novit curia* en la litigación civil de su jurisdicción u obvien las circunstancias que distinguen el arbitraje internacional del doméstico. La comunidad arbitral internacional no ha ignorado los desafíos del principio *iura novit curia* y ha elaborado propuestas que, respetando las necesidades propias del arbitraje internacional, parecen reunir un amplio consenso y consolidarse como buenas prácticas.

II. UN PRINCIPIO DISCRETO PERO NO DISCRECIONAL

El principio *iura novit curia*, como tal o bajo otras figuras, se aplica al arbitraje internacional en casi todas las jurisdicciones. Sin embargo, esta aplicación no es fruto de una regulación legal específica sino de la aplicación de otras normas que rigen el arbitraje internacional en la jurisdicción respectiva, ya sean instrumentos internacionales, como la Convención sobre el Reconocimiento y la Ejecución de las Sentencias Arbitrales Extranjeras de 1958 (la "Convención de Nueva York"), o la correspondiente legislación nacional sobre arbitraje, inspirada a menudo en la Ley Modelo de la Comisión de las Naciones Unidas para el Derecho Mercantil Internacional sobre Arbitraje Comercial Internacional (la "Ley Modelo").

1. *Ausencia de regulación expresa*

Son raros los casos en que la legislación nacional aborda expresamente la facultad de los árbitros para aplicar y determinar el contenido del dere-

---

[13]   Phillip Landolt, *ob. cit.*, p. 180.

cho aplicable sin estar vinculado por las normas, precedentes o argumentos legales alegados por las partes. Por ejemplo, la sección 34 de la Ley de Arbitraje inglesa establece:

> *"34 Cuestiones procesales y probatorias*
> *(1) Corresponderá al tribunal decidir todas las cuestiones procesales y probatorias, sujeto al derecho de las partes a acordar cualquier cuestión.*
> *(2) Las cuestiones procesales y probatorias incluyen:*
> *[...]*
> *(g) si y en qué medida el tribunal debe asumir por sí mismo la iniciativa de determinar los hechos y el derecho;*
> *[...]".*

La sección 56.7 de la Ordenanza de Arbitraje de Hong Kong también reconoce que:

> *"Salvo que las partes acuerden lo contrario, el tribunal arbitral podrá, al tramitar las actuaciones arbitrales, decidir si y en qué medida debe asumir por sí mismo la iniciativa de determinar los hechos y el derecho relevante para esas actuaciones arbitrales".*

La sección 12.3 de la Ley de Arbitraje Internacional singapurense contempla que:

> *"Salvo que las partes de un convenio arbitral hayan acordado lo contrario (ya sea en el convenio arbitral o en cualquier otro documento escrito), el tribunal arbitral tendrá poder para adoptar procedimientos inquisitoriales si lo estima conveniente".*

Sin embargo, algunas de las principales instituciones arbitrales de estos tres países se han mostrado más prudentes. Así, el artículo 22.1. (iii) del reglamento de arbitraje de la Corte de Arbitraje Internacional de Londres ("LCIA") requiere que se dé a las partes la oportunidad de alegar su postura antes de que el tribunal ejerza dicho poder adicional *"para identificar las cuestiones relevantes y determinar los hechos relevantes y las leyes o normas jurídicas aplicables al Convenio Arbitral, el arbitraje y el fondo de la controversia entre las partes".*

La regla 27.m del reglamento de arbitraje del Centro de Arbitraje Internacional de Singapur ("SIAC") igualmente condiciona el poder del tribunal para *"decidir, cuando sea apropiado, cualquier cuestión que no haya sido expresamente o implícitamente planteada en las alegaciones de una parte"* a que dicha cuestión se notifique claramente a la otra parte y se le conceda una oportunidad adecuada de responder. Los tribunales singapurenses parecen interpretar restrictivamente la sección 12.3 de su Ley de Arbitraje Internacional, considerando incluso que no es razonable el ejercicio tardío de dicha iniciativa en el procedimiento[14].

Curiosamente el artículo 35.3 del reglamento de arbitraje de la Comisión de Arbitraje Económica y Comercial Internacional de China ("CIETAC") recoge una disposición similar a la sección 12.3 singapurense: "*salvo que las partes acuerden lo contrario, el tribunal arbitral podrá adoptar un método inquisitorial o contradictorio en la tramitación del caso en función de las circunstancias del caso*".

A falta de una regulación expresa, el poder de los árbitros para indagar de oficio el contenido de la ley aplicable y aplicarla puede considerarse parte de otros deberes o poderes expresamente reconocidos:

A. El artículo 28.1 de la Ley Modelo, así como las normas equivalentes adoptadas por los Estados, establecen que el tribunal arbitral debe decidir conforme a las normas de derecho elegidas por las partes como aplicables al fondo del litigio. Encorsetar dicha aplicación por las alegaciones jurídicas de las partes, supondrían invalidar la elección de las partes cuando dichas alegaciones son insuficientes o incorrectas. Aunque está base legal es contestada por la virtualidad de una interpretación jurídica uniforme o el incentivo de las propias partes en aplicar la ley[15], esta interpretación es coherente con el papel de tercero decisor atribuido al árbitro y con la exigencia de autorización expresa para el arbitraje de equidad en el artículo 28.3 de la Ley Modelo, que también justificarían la iniciativa en la aplicación del derecho cuando los propios árbitros eligen el derecho aplicable en ausencia de elección de las partes. En el arbitraje ante el Centro Internacional de Arreglo de Diferencias Relativas a Inversiones ("CIADI"), el artículo 42.2 impone implícitamente al tribunal una obligación de aplicar el derecho porque no le permite "*eximirse de fallar so pretexto de silencio u oscuridad de la Ley*".

B. El artículo 19.2 de la Ley Modelo y las normas similares que, en ausencia de acuerdo contrario de las partes, facultan al tribunal para dirigir el arbitraje del modo que considere apropiado, es posible-

---

14 Sentencia del Tribunal Superior de Singapur en JVL Agro Industries Ltd vs. Agritrade International Pte Ltd ([2016] 4 SLR 768) sobre aplicación tardía por el tribunal de una excepción no alegada por la demandada. Véase Koh Swee Yen y Kenny Law, "*The Incidence of Iura Novit Arbiter in Singapore Arbitration Law*", en INCIIA, cap. 11, p. 312.

15 Phillip Landolt, *ob. cit.*, p. 183.

mente la fuente que mejor justifica la aplicación del principio *iura novit curia*. La icónica flexibilidad del arbitraje respalda el principio y, al mismo tiempo, sus limitaciones para respetar la voluntad y derechos de las partes.

C. El principio *iura novit curia* también se ha considerado incluido en aquellas regulaciones que reconocen al árbitro una iniciativa en la práctica de la prueba o el impulso del procedimiento. Algunos autores han defendido que la facultad de practicar prueba de oficio, reconocida en el artículo 25.2 de la Ley de Arbitraje española, acogería la eventual aplicación del principio[16]. Normas semejantes han sido incorporadas en diversas legislaciones[17]. Esta interpretación dependerá a su vez de la consideración del derecho aplicable en el arbitraje internacional como un hecho u otro elemento susceptible de prueba[18].

D. Algunos aspectos de la aplicación del principio *iura novit curia*, en particular la obligación de aplicar normas imperativas o de orden público, pueden imponerse por la ley aplicable al fondo de la controversia o al arbitraje independientemente de la voluntad de las partes. Algunas leyes y reglamentos de arbitraje contemplan expresamente el deber de aplicación de las normas imperativas[19]. Indirectamente, el artículo 34.2.b de la Ley Modelo y el artículo V.2 de la Convención de Nueva York contemplan la falta de arbitrabilidad y la infracción del orden público como causas respectivamente de anulación o no reconocimiento del laudo arbitral. A este respecto, diversos reglamentos de arbitraje contemplan la obligación de los árbitros de intentar que el laudo sea reconocido y ejecutable[20]. La obligación o

---

[16] Luís Gómez-Iglesias Rosón, *ob. cit.*, p. 51.
[17] Artículo 30 del Estatuto de Arbitraje Nacional e Internacional colombiano, artículo 95.III de la Ley de Conciliación y Arbitraje boliviana o artículo 43.1 del Decreto Legislativo que Norma el Arbitraje peruano.
[18] Gisela Knuts, "Jura Novit Curia and the Right to Be Heard - An Analysis of Recent Case Law", Arbitration International, Oxford University Press, vol. 28, nº 4, 2012, p. 672.
[19] Artículo 138 del Código Civil alemán, artículo 169 del Código Civil ruso, artículo 20 del Código de Obligaciones suizo, artículo 49.2 del reglamento de CIETAC o artículo 21.4 del reglamento del Instituto Alemán de Arbitraje ("DIS").
[20] Artículo 32.2 del reglamento de la LCIA (limitado a ejecutabilidad en la sede del arbitraje), artículo 42 del reglamento de la Cámara de Comercio Internacional ("CCI") y artículo 2.2 del reglamento de la Cámara de Comercio de Estocolmo ("SCC").

poder de aplicar normas imperativas también ha sido confirmada por los tribunales de muchas jurisdicciones[21].

2. *La voluntad de las partes*

Como fundamento último del arbitraje, la voluntad de las partes se manifiesta en el reconocimiento unánime de su libertad para regular el procedimiento arbitral[22]. Aunque venga limitada por otros principios básicos, dicha libertad permite a las partes modular la aplicación del principio de *iura novit curia* en el arbitraje internacional:

A. Las partes pueden optar expresamente por un procedimiento inquisitorial, como contemplan las leyes de Inglaterra, Hong Kong o Singapur, reglamentos como los de CIETAC, LCIA o SIAC o la mera libertad procedimental de las partes. La opción puede ser la contraria y las partes pueden decantarse por aplicar un procedimiento contradictorio estricto.

B. Las partes pueden pactar reglamentos o principios que regulan expresamente la aplicación del principio *iura novit curia*. Por ejemplo, el artículo 7 de las Reglas Sobre la Tramitación Eficiente de los Procedimientos en el Arbitraje Internacional (las "Reglas de Praga") o el principio 22 de los Principios ALI/UNIDROIT del Proceso Civil Transnacional (los "Principios ALI/UNIDROIT").

C. Las partes pueden delimitar de forma específica la controversia en relación con una norma o conjunto de normas particulares, res-

---

21   Sentencia de la Cámara Nacional Comercial Argentina de 14 de julio de 2013 en caso Algavi S.A. vs. Esso SRL; sentencia del Tribunal Superior de Justicia de Cataluña de 17 de julio de 2014 (Aranzadi RJ\2014\4919); sentencias del Tribunal de Apelación de Inglaterra en Soleimany vs. Soleimany ([1998] 3 WLR 811, [1999] QB 785 [CA]), respecto a un norma imperativa de la sede inglesa, y sentencia de 12 de mayo de 1999 en Westacre Investments Inc vs. Jugoimport-SDRP Holding Company Ltd ([1999] 3 All ER 864), rechazando aplicar una norma imperativa kuwaití pero no de la sede suiza; sentencias del Tribunal Supremo de los EEUU en los casos Scherk vs. Culver Co [417 U.S. 505 (1974)], Mitsubishi Motors Corp vs. Soler [473 U.S. 614 (1985)] y Shearson/American Express Inc vs. McMahon [482 U.S. 220 (1987)]; sentencia del Tribunal de Apelación de París de 24 de noviembre de 2005 en Société BVBA Interstyle Belgium vs. Société Cat et Co; sentencia del Tribunal de Apelación de Svea de 21 de junio de 2011 (T 2375-08).

22   Véase el artículo 19.1 de la Ley Modelo y disposiciones equivalentes en las diversas legislaciones nacionales.

tringiendo necesariamente la aplicación del principio de *iura novit curia*. Esta limitación total o parcial puede surgir en diversas situaciones: una cláusula contractual para determinadas disputas ligadas a una norma específica (reclamaciones de indemnización en virtud de la ley de agencia); tras una mediación, las partes pactan un arbitraje sobre una norma específica relevante para una cuestión pendiente de resolución; el arbitraje resulta de un compromiso de indemnización derivado únicamente de la aplicación de un cuerpo legal concreto (daños por infracción del derecho de la competencia).

D. Algunas decisiones pueden afectar indirectamente la aplicación del principio. Si las partes pactan un laudo no motivado[23], podría defenderse que aceptan implícitamente la aplicación del principio, siendo probable que sea imposible verificar si el árbitro ha aplicado una norma, precedente o argumento legal no invocado por las partes. Si las partes optan por un arbitraje de equidad, la aplicación por el tribunal de normas jurídicas podría ser contrario a la voluntad de las partes salvo que las partes pacten también una ley aplicable al contrato o sean normas imperativas de obligada aplicación.

3. *Los derechos de audiencia y contradicción de las partes*

Uno de los pilares del arbitraje internacional es, como requiere el artículo 18 de la Ley Modelo, que las partes gocen de la "*plena oportunidad para hacer valer sus derechos*" o, según el artículo V.1.b) de la Convención de Nueva York, que éstas puedan "*hacer valer sus medios de defensa*".

---

[23]   Posibilidad contemplada en el artículo 31.2 de la Ley Modelo y en diversas legislaciones nacionales (Chile, Venezuela, Perú, Inglaterra, China, Hong Kong, Singapur) y reglamentos de arbitraje [LCIA, CIETAC, SCC, SIAC, Centro Internacional de Resolución de Disputas ("ICDR"), Centro de Arbitraje Internacional de Hong Kong ("HKIAC"), Instituto de Arbitraje de las Cámaras Suizas ("IACS"), Comisión de las Naciones Unidas para el Derecho Mercantil Internacional sobre Arbitraje Comercial Internacional ("CNUDMI")]. Otras legislaciones (España para el arbitraje doméstico, Argentina, Bolivia, Brasil) y reglamentos [CCI, CIADI, Instituto de Arbitraje de los Países Bajos ("NAI")] no permiten laudos sin motivación salvo laudos por consentimiento entre partes o consentimiento de partes una vez iniciado el arbitraje.

El exigente requisito de *"plena oportunidad"* de la Ley Modelo se atempera en la mayoría de legislaciones nacionales[24], más cercanas al concepto de posibilidad de defensa de la Convención de Nueva York[25], la oportunidad *"razonable"*[26] o *"suficiente"*[27] o una enunciación general del derecho de contradicción o garantías procesales[28]. La gran mayoría de los reglamentos arbitrales acogen esta obligación de contradicción[29]. El principio de audiencia y contradicción se regula con carácter general en el artículo 10 de la Declaración Universal de Derechos Humanos, el artículo 14.1 del Pacto Internacional de Derechos Civiles y Políticos, el artículo 8.1 de la Convención Americana sobre Derechos Humanos y el artículo 6.1 del Convenio Europeo de Derechos Humanos.

Al implicar la aplicación de normas, precedentes o argumentos legales no invocados por las partes, el principio *iura novit curia* plantea inexorablemente la cuestión de su conformidad con el principio de audiencia y contradicción. A diferencia de la litigación o el arbitraje domésticos, el arbitraje internacional no asume que los árbitros, ni siquiera los asesores legales de las partes, sean conocedores y expertos en el derecho aplicable.

---

[24] *"Plena oportunidad"* en el artículo 62 de la Ley de Arbitraje Internacional argentina, el artículo 91 del Estatuto de Arbitraje Nacional e Internacional colombiano y el artículo 18 de la Ley sobre Arbitraje Comercial Internacional chilena.

[25] Artículo 44.b) de la Ley de Arbitraje Comercial venezolana y artículo 34.2.(a).(ii) de la Ley de Arbitraje Internacional singapurense.

[26] Artículo 33.1.(a) de la Ley de Arbitraje inglesa y artículo 46.3.(b) de la Ordenanza de Arbitraje de Hong Kong.

[27] Artículo 34.2 del Decreto Legislativo que norma el Arbitraje peruano y artículo 24.1 de la Ley de Arbitraje española.

[28] Artículo 1 de la Ley de Arbitraje de Colombia, artículo 21.2 de la Ley de Arbitraje brasileña, artículo 3 de la Ley de Conciliación y Arbitraje boliviana, artículos 16 y 1.464 del Código de Procedimiento Civil francés y artículo 182.3 de la Ley sobre el Derecho Internacional Privado suiza.

[29] Requisito de oportunidad *"plena"* en artículo 12.1 del reglamento de la Comisión Interamericana de Arbitraje Comercial ("CIAC") y artículo 3.21 del reglamento de la Cámara de Comercio de Bogotá; oportunidad *"razonable"* en artículo 17.1 del reglamento de la CNUDMI, artículo 23.1 del reglamento de la Cámara de Comercio de Lima, artículo 14.4.(d) del reglamento de la LCIA, artículo 13.1 del reglamento del HKIAC, artículo 23.2 del reglamento de la SCC y artículo 35.1 del reglamento de CIETAC; oportunidad *"suficiente"* en artículo 22.4 del reglamento de la CCI y artículo 20.1 del reglamento de la Cámara de Comercio de Madrid; oportunidad "justa" en artículo 20.1 del reglamento del ICDR; artículo 16 del reglamento de la Corte Española de Arbitraje, artículo 15.1 del reglamento de IACS y artículo 21.2 del reglamento del NAI.

Así, tampoco cabe presumir sin más que las partes y sus asesores podían contemplar de antemano la aplicación por el tribunal de normas, precedentes o argumentos legales. Sin embargo, si toda inferencia legal del tribunal precisase de un previo pronunciamiento por las partes, el riesgo de tácticas dilatorias sería incontrolable y reduciría la función decisora del árbitro a la mera elección entre dos posturas.

Esta cuestión ha sido tratada por los tribunales de diversas jurisdicciones, sin un tratamiento uniforme pero examinando reiteradamente el carácter previsible o no sorpresivo de la aplicación principio de *iura novit curia*:

A. El Tribunal de Casación francés declaró en el caso CNN que, aunque el tribunal arbitral no estaba obligado a someter previamente la argumentación jurídica que fundamentaba su motivación a las partes, debía respetar el principio de contradicción[30]. Por este motivo, anuló un laudo basado en el artículo 1.843 del Código Civil francés, que no había sido invocado por las partes. En el caso Overseas Mining Investments, el Tribunal de Casación confirmó la anulación de un laudo porque los árbitros, sin solicitar alegaciones de las partes, habían otorgado una indemnización por pérdida de oportunidad en lugar de la indemnización reclamada por pérdida de beneficios[31]. Cuando se solicitó el exequatur en Francia de un laudo egipcio en el caso Malicorp[32], el Tribunal de Casación confirmó la denegación de exequátur porque el tribunal arbitral había declarado la nulidad del contrato de acuerdo con las normas de error del código civil egipcio, que no habían sido alegadas, en lugar de la infracción contractual reclamada. El Tribunal de Apelación de París también ha confirmado en varias ocasiones que el principio *iura novit curia* debe respetar el principio de contradicción[33].

B. El Tribunal Federal suizo es muy restrictivo para admitir la anulación de laudos por infracción del principio de contradicción cuando el tri-

---

[30]   Sentencia del Tribunal de Casación de 14 de marzo de 2006, recurso 03-19.764, Consehlo Nacional de Carregadores vs. M. X.

[31]   Sentencia del Tribunal de Casación de 29 de junio de 2011, recurso 10-23.321, Overseas Mining Investments Limited vs. Commercial Caribbean Niquel S.A.

[32]   Sentencia del Tribunal de Casación de 23 de junio de 2010, recurso 08-16.858 09-12.399, Malicorp vs. Egypte.

[33]   Sentencias del Tribunal de Apelación de París de 15 de marzo de 2016 (Madagascar vs. De Sutter) y 25 de noviembre de 1997 (VRV vs. Pharmachim).

bunal arbitral ha aplicado el principio de *iura novit curia*[34]. En el caso Tvornica[35], el Tribunal Federal declaró que el árbitro puede aplicar de oficio, sin llamar previamente la atención de las partes sobre la existencia de un problema jurídico, una disposición de derecho material. Tampoco debe advertir especialmente a una parte del carácter decisivo de un elemento de hecho sobre el que va a fundamentar su decisión, siempre que este haya sido alegado y probado. Sin embargo, existe una excepción cuando el árbitro se dispone a fundar una decisión sobre una norma o principio jurídico no evocado en el procedimiento y del que ninguna de las partes se ha prevalido ni podía suponer su pertinencia para el caso. La decisión sobre la previsibilidad es una cuestión de apreciación y el tribunal debe mostrarse más bien restrictivo en el arbitraje internacional para evitar el abuso de la imprevisibilidad para intentar una revisión del fondo del laudo. El Tribunal Federal anuló así un laudo que resolvía un contrato por una infracción del derecho de la competencia en Croacia en virtud de una cláusula contractual de obtención de autorizaciones en lugar de las cláusulas de fuerza mayor y *rebus sic stantibus* alegadas para justificar dicha resolución[36].

C. El único otro caso en que el Tribunal Federal ha considerado infringido el derecho de contradicción al aplicar el principio *iura novit curia* es el caso Goitia vs. Liedson[37]. Un agente español reclamó su comisión frente a un futbolista brasileño con el que tenía un contrato exclusivo y que había fichado por un club portugués. El Tribunal Arbitral del Deporte en Lausana rechazó la reclamación porque una ley suiza prohibía la exclusividad en las relaciones laborales. Sin embargo, el Tribunal Federal declaró que dicha ley solo se aplicaba si existían vínculos con Suiza. Las partes no pudieron prever que se les aplicaría dicha legislación suiza y, por tanto, existió una infracción del derecho de contradicción que supuso la anulación del laudo. En

---

34 Andrea Bonomi y David Bochatay, "*Iura Novit Arbiter in Swiss Arbitration Law*", en INCIIA, cap. 14, p. 389.

35 Sentencia del Tribunal Federal suizo de 30 de septiembre de 2003 (4P.100/2003).

36 Laurent Lévy ("*Jura Novit Curia? The Arbitrator's Discretion in the Application of the Governing Law*", Kluwer Arbitration Blog, 20 de marzo de 2009) defiende que el caso Tvornica no aplica el principio *iura novit curia* y que el caso Goitia v. Liedson sería el único caso.

37 Sentencia del Tribunal Federal suizo de 9 de febrero de 2009 (4A 400/2008).

todos los demás casos, el Tribunal Federal ha rechazado la anulación porque la aplicación del principio al caso era previsible[38].

D. El Tribunal Comercial de Inglaterra ha recordado la necesidad de consultar previamente a las partes cuando el árbitro considere que ninguna de las partes ha entendido correctamente la cuestión o que ni siquiera han planteado alguna cuestión necesaria para decidir la controversia[39]. Según dicho tribunal en el caso OAO Northern Shipping Company[40], esta obligación no solo se aplica a los hechos sino también al derecho, debiendo dar el tribunal a las partes *"una oportunidad justa de abordar sus argumentos sobre todos los pilares de las conclusiones del tribunal"*. En ese caso, el Tribunal Comercial anuló un laudo y lo devolvió al tribunal arbitral porque se fundamentó en la ausencia de una garantía del vendedor sobre la potencia del barco vendido, que no había sido discutida porque las partes asumieron su existencia.

E. Los tribunales de Canadá han limitado la aplicación del derecho por el árbitro para salvaguardar el derecho de contradicción. En el caso Dreyfuss vs. Tusculum[41], el Tribunal Superior de Quebec anuló por falta de contradicción un laudo que aplicaba la doctrina de frustración del contrato e imponía una valoración y compra en lugar de las opciones alegadas por las partes. El mismo tribunal, en el caso Balian vs. Morneau[42], remitió el laudo al tribunal arbitral porque había aplicado un método de valoración no alegado por las partes. El Tribunal Superior de Ontario en el caso Consolidated vs. Ambatovy también contempló la posibilidad de anulación de un laudo por falta de con-

---

[38]   Sentencia del Tribunal Federal suizo de 9 de agosto de 2018 (4A 525/2017, aplicación de regla de moderación de indemnización de daños por equidad en el código civil argelino), de 15 de abril de 2015 (4A 554/2014, aplicación de norma de prórroga implícita del contrato en derecho francés) y de 3 de agosto de 2010 (4A 254/2010, invalidación de segundo contrato por una simulación no alegada de contrato).

[39]   Véase nota 8.

[40]   Párrafo 22 de la sentencia del Tribunal Superior de Inglaterra de 26 de julio de 2007 en OAO Northern Shipping Company vs. Remolcadores De Marin SL (Remmar) ([2007] EWHC 1821 [Comm]).

[41]   Sentencia del Tribunal Superior de Quebec de 8 de diciembre de 2008 en Louis Dreyfus, SAS vs. Holding Tusculum, BV (2008 QCCS CanLII 5903).

[42]   Sentencia del Tribunal Superior de Quebec de 30 de noviembre de 2006 en Balian vs. Morneau (2006 QCCS CanLII 6249).

tradicción si se basaba en una teoría de responsabilidad o del caso que las partes no alegaron ni tuvieron la oportunidad de abordar[43].

F. En Alemania, los árbitros deben respetar el derecho de contradicción exigido por el artículo 103.1 de la Ley Básica, que es menos estricto que el artículo 139 del Código de Procedimiento Civil alemán[44]. Aunque el tribunal arbitral no está obligado a explicar o consultar las cuestiones legales previamente con las partes[45], si así lo hace y luego cambia su opinión legal, debe informarlas para no confundirlas y que puedan alegar los hechos y derecho que crean relevantes[46]. El Tribunal Superior de Frankfurt anuló por falta de contradicción un laudo que admitió unas reclamaciones de pago sin advertir a las partes tras haberles indicado anteriormente que consideraba que dichas obligaciones no estaban vencidas[47].

G. El Tribunal de Primera Instancia de Hong Kong anuló un laudo por falta de contradicción porque aplicaba normas de derecho chino no alegadas por las partes[48]. Siendo discrecional la anulación, anuló el laudo solo parcialmente respecto a aquellos aspectos en que la aplicación del derecho chino había resultado relevante para el pronunciamiento del laudo. Aunque el Tribunal de Apelación de Hong Kong validó este criterio en un caso de aplicación de precedentes no alegados de la ley de Nueva York[49], algunos autores critican que se rechazase la anulación porque los árbitros habían sido elegidos por su especial conocimiento de dicha ley, ya que esta excepción podría convertirse en regla en perjuicio de la contradicción[50].

---

[43] Sentencia del Tribunal Superior de Ontario de 28 de noviembre de 2016 en Consolidated Contractors Group SAL vs. Ambatovy Minerals S.A. (2016 ONSC CanLII 7171).

[44] Burkhard Hess y Leon Marcel Kahal, "Iuria Novit Curia in International Arbitration - The German Perspective", en INCIIA, cap. 8, p. 192.

[45] Sentencia del Tribunal Federal alemán de 8 de octubre de 1959 (VII ZR 87/58).

[46] Sentencia del Tribunal Federal alemán de 21 de diciembre de 1989 (III ZR 44/89).

[47] Sentencia del Tribunal Superior de Frankfurt de 30 de marzo de 2006 (26 Sch 12/05) citada en Burkhard Hess y Leon Marcel Kahal, *ob. cit.*

[48] Caso Brunswick Bowling & Billiards Corp vs. Shanghai Zhonglu Industrial Co Ltd ([2009] 5 HKC 1 [CFI]).

[49] Caso Grand Pacific Holding Ltd vs. Pacific China Holding Ltd ([2012] 4 HKLRD 1 [CA]).

[50] Z. J. Jennifer Lim y Nathaniel J. Lai, "*Iura Novit Curia in Hong Kong Arbitration Law*", en INCIIA, cap. 9, p. 237.

H. El Tribunal de Apelación de Singapur afirmó en el caso Soh Beng
Tee que el árbitro debe permitir nuevas alegaciones cuando el laudo
supone una desviación dramática de las alegaciones de las partes[51].
El Tribunal Superior de Singapur ha seguido esta línea en diversos
casos[52], precisando que no limita al árbitro a escoger entre lo alegado por las partes. No son necesarias nuevas alegaciones si las partes
pueden prever el razonamiento del tribunal arbitral o si éste dedu-
ce razonablemente alguna premisa no alegada de otras premisas
alegadas.

I. En Suecia, en el caso de un laudo que aplicó analógicamente la ley
de agencia sin consultar a las partes para completar un contrato conforme a lo solicitado[53], el Tribunal de Apelación de Svea confirmó
que no es necesario consultar a las partes para aplicar una norma no
alegada por estas salvo que pille por sorpresa a las partes y afecte al
resultado del arbitraje.

J. El Tribunal Supremo finlandés optó por una interpretación restrictiva del derecho de contradicción en el criticado caso Werfen Austria
vs. Polar Electro Europe, rechazando la anulación de un laudo, que
aplicó una regla de equidad del derecho contractual finlandés no
alegada en lugar de la ley de agencia para otorgar una indemnización por la resolución de un contrato de administración, por entender que no fue una sorpresa para las partes[54].

K. Aunque los tribunales españoles han admitido teóricamente en ocasiones el derecho de contradicción como límite del principio *iura novit curia*[55], sus razonamientos se concentran en la indefensión y sor-

---

[51]   Caso Soh Beng Tee & Co Pte Ltd vs. Fairmont Development Pte Ltd ([2007] 3
SLR(R) 86). Véase Koh Swee Yen y Kenny Law, *ob. cit.*, p. 303.

[52]   Sentencias del Tribunal Superior de Singapur en los casos JVL Agro Industries Ltd
vs. Agritrade International Pte Ltd ([2016] 4 SLR 768), AMZ vs. AXX ([2016] 1
SLR 549) y TMM División Marítima S.A. de CV vs. Pacific Richfield Marine Pte Ltd
([2013] 4 SLR 972).

[53]   Sentencia del Tribunal de Apelación de Svea de 9 de marzo de 2017 (caso
T-1968-16).

[54]   Gisela Knuts, *ob. cit.*, p. 677; Petra Kiurunen y Hanna Koskivirta, "*The Finnish Supreme Court sets high threshold for setting aside awards*", en *Arbitration Newsletter*, IBA,
marzo 2009, p. 50.

[55]   Sentencia de la Audiencia Provincial de Barcelona de 29 de octubre de 2009
(Aranzadi JUR\2010\45890), que anula un laudo fundamentado en la existencia
de dos contratos de transmisión de activos y arrendamiento en lugar de un solo

presa propia del desbordamiento del mandato al tribunal —es decir, la incongruencia—, en lugar de la inesperada aplicación de una norma o razonamiento legal no alegados[56]. Siendo probable un laudo que infrinja el derecho de contradicción por aplicación del principio *iura novit curia* a pesar de respetar la congruencia, no cabe descartar que sentencias similares sean recurridas en el futuro por infracción del artículo 6.1 del Convenio Europeo de Derechos Humanos por privar a las partes del conocimiento y debate contradictorio de una cuestión determinante para la resolución del procedimiento[57].

L. En el caso CICE vs. Bauer[58], la Corte Suprema de Justicia colombiana también parece restringir el respeto de la contradicción en el laudo al respeto de la congruencia por dicho laudo. Así, reconoce la prohibición de revisión del fondo y de las valoraciones e interpretaciones del tribunal arbitral, limitándose a verificar que "*los raciocinios expuestos como sustento de la decisión arbitral se corresponden en líneas generales con la controversia plasmada en la demanda*".

M. Algunas decisiones de comités *ad hoc* en arbitrajes de inversión del CIADI han confirmado que el tribunal arbitral puede aplicar sus propios argumentos legales dentro del "*marco legal*" discutido por las partes y, por tanto, sobre aspectos sobre los que se podía razonablemente esperar que las partes hubieran realizado alegaciones. En el

---

contrato de transmisión de negocio según lo alegado; sentencia del Tribunal Superior de Justicia de Cataluña de 17 de julio de 2014 (Aranzadi RJ\2014\4919), que rechaza anular un laudo que aplicó la legislación de protección de consumidores no alegada en relación con el carácter abusivo de una cláusula de honorarios; sentencia del Tribunal Superior de Justicia de Cataluña de 29 de abril de 2013 (Aranzadi RJ\2013\7851), que rechaza anular un laudo que anula una opción por ausencia sobrevenida de causa por inexistencia de las fincas objeto de opción en lugar de la petición de resolución por incumplimiento.

[56] Luís Gómez-Iglesias Rosón, *ob. cit.*, p. 87; Pedro A. De Miguel Asensio, "Iura Novit Curia and Commercial Arbitration in Spain", en INCIIA, cap. 12, p. 339.

[57] Sentencia del Tribunal Europeo de Derechos Humanos de 16 de febrero de 2006 en Prikyan y Angelova vs. Bulgaria (Aranzadi JUR 2006\83512) y sentencia del Tribunal de Justicia de la Unión Europea de 2 de diciembre de 2009 en Comisión Europea vs. Irlanda (Aranzadi TJCE 2009\367); véase Luís Gómez-Iglesias Rosón, *ob. cit.*, p. 88.

[58] Sentencia de la Corte Suprema de Justicia Colombiana de 18 de abril de 2017 (SC5207-2017, radicación n° 11001-0203-000-2016-01312-00), que rechaza anular un laudo que determina daños por abuso de derecho en lugar del incumplimiento contractual alegado.

caso Klöckner[59], el laudo CIADI había efectuado una aplicación directa de un artículo de un protocolo que no había sido alegada por las partes. En el caso Caratube[60], el laudo CIADI se fundamentaba en la noción de inversión de acuerdo de inversión en lugar del artículo sobre nacionalidad.

4. El mandato del Tribunal Arbitral

La aplicación del principio *iura novit curia* debe respetar los límites del mandato de las partes. Tal como establecen respectivamente el artículo 34.2.iii) de la Ley Modelo y el artículo V.1.c) de la Convención de Nueva York, el exceso del mandato por el tribunal arbitral, resolviendo controversias no previstas por el convenio arbitral o tomando decisiones que exceden los términos del convenio arbitral, puede suponer la anulación o falta de reconocimiento del laudo.

Al margen de los supuestos de infracción de una voluntad específica de las partes de prohibir o limitar la aplicación del principio[61], muchas jurisdicciones abordan el control de la aplicación del derecho de oficio por el árbitro desde una perspectiva de congruencia, es decir, del alcance de la sumisión pactada, la controversia sometida a los árbitros o las pretensiones reclamadas:

A. La Corte Suprema de Justicia colombiana declaró en el caso CICE vs. Bauer que, a diferencia de la litigación, el control de congruencia del laudo internacional no se refería a la conformidad con las peticiones de las partes sino con el convenio arbitral[62]. La conformidad en líneas generales con dichas peticiones relevaría en su caso del derecho de contradicción.

---

[59] Decisión del comité *ad hoc* de CIADI en Klöckner vs. Camerún de 3 de mayo de 1985, que cita como ejemplo de exceso del marco legal la aplicación de responsabilidad extracontractual si las partes solo han reclamado la responsabilidad contractual.

[60] Decisión del comité *ad hoc* de CIADI en Caratube International Oil Company LLP vs. Kazajistán de 21 de febrero de 2014.

[61] Véase el anterior apartado II.2.

[62] Véase nota 58 y Luis Alfredo Barragán e Irma Rivera, "Iura Novit Arbiter in Colombia: Supreme Court Considerations on the Principle of Congruence in International Arbitration", en ICC Dispute Resolution Bulletin, 2017, Issue 3, p. 22.

B. La aplicación del principio *iura novit curia* al arbitraje en Perú parece estar igualmente limitada por la congruencia[63]. En el laudo de 19 de abril de 2010 en el caso Pisersa vs. Poder Judicial[64], el tribunal arbitral declaró aplicable el principio al arbitraje para justificar la aplicación del abuso de derecho no alegado por las partes en lugar de la excesiva onerosidad, pero asumiendo asimismo el límite impuesto por la congruencia con los hechos alegados y las pretensiones de las partes.

C. Las limitaciones al principio *iura novit curia* en el arbitraje en España son escasas. No solo el control de su aplicación se centra en la congruencia con los hechos alegados y las pretensiones de las partes[65], sino que dicha congruencia es interpretada de forma flexible en el arbitraje al entender que "*la naturaleza y finalidad del arbitraje permite una mayor elasticidad en la interpretación de las estipulaciones que describen las cuestiones a decidir, las que deben apreciarse no aisladamente sino atendiendo a aquella finalidad y a sus antecedentes, pudiendo reputarse comprendidas en el compromiso aquellas facetas de la cuestión a resolver íntimamente vinculadas a la misma y sin cuya aportación quedaría la controversia insuficientemente fallada*"[66]. La petición de anulación de un laudo por incongruencia requiere que se solicite previamente al tribunal arbitral la corrección de dicha extralimitación[67].

---

[63] Oswaldo Hundskopf Exebio, "Aplicación del principio iura novit curia en el arbitraje" en Ius et Praxis, nº 44, 2013, p. 48.

[64] Laudo de 19 de febrero de 2010 en Promotora Interamericana de Servicios SAC vs. Poder Judicial (Contrato N20PP000J1).

[65] Sentencia de la Audiencia Provincial de Madrid de 2 de febrero de 2007 (ECLI: ES:APM:2007:1255), que anula un laudo por otorgar intereses de demora según el código civil pero no solicitados; sentencia del Tribunal Superior de Justicia de Madrid de 10 de febrero de 2016 (Aranzadi JUR\2016\79067), que valida un laudo que aplica la doctrina de actos propios en lugar de la compensación alegada; sentencia del Tribunal Superior de Justicia de Madrid de 9 de junio de 2015 (Aranzadi JUR\2015\184546), que valida un laudo que indemniza daños por competencia desleal a pesar de haberse reclamado solo daño moral.

[66] Sentencia del Tribunal Supremo de 25 de octubre de 1982 (Aranzadi RJ\1982\5573), citada a su vez en la sentencia del Tribunal Superior de Justicia de Cataluña de 17 de julio de 2014 (Aranzadi RJ\2014\4919), que valida un laudo que aplica de oficio la legislación imperativa de protección de consumidores, y en la sentencia del Tribunal Superior de Justicia de Madrid de 3 de diciembre de 2013 (Aranzadi JUR\2014\261144), que valida un laudo que anula un contrato por aplicación de un artículo de la Ley de Sociedades de Capital distinto del alegado.

[67] Sentencia del Tribunal Superior de Justicia de Madrid de 15 de julio de 2016 (Aranzadi JUR\2016\203482), que valida un laudo que otorga intereses de demora

D. En los Estados Unidos, el caso Irán vs. Gould estableció que la aplicación del derecho de oficio por los árbitros depende del ámbito de alcance de los poderes de los árbitros y no de las alegaciones de las partes[68]. Este caso ha sido citado en otras ocasiones para confirmar laudos que, aunque no se fundamentaban en teorías legales planteadas en las alegaciones, se referían a cuestiones que entraban dentro del alcance del convenio arbitral o el acta de misión[69].

E. El Tribunal Supremo de Canadá confirmó en el caso Desputeaux vs. Éditions Chouette que, además de lo contemplado expresamente en el convenio arbitral, el mandato de los árbitros incluye todo lo que está estrechamente conectado con él, asumiendo una interpretación liberal del mismo que justificó un laudo sobre la autoría de unos derechos de autor en un arbitraje en el que se reclamaba el canon derivado de los mismos[70]. En el caso Dreyfuss vs. Tusculum[71], el Tribunal Superior de Quebec anuló el laudo, además de por falta de contradicción, porque establecía una valoración y compra no reclamadas por las partes, siendo una disputa no contemplada por las partes y fuera del alcance del acta de misión.

F. En Francia, la imposición por el laudo de remedios distintos de los solicitados por las partes supone la anulación del laudo[72]. En el caso

---

conforme al código civil en lugar de la Ley del Contrato de Seguro alegada.

[68] Sentencia del Tribunal de Apelación del 9º circuito de los EEUU de 30 de junio de 1992 en Ministry of Defense of the Islamic Republic of Irán vs. Gould Inc (969 F2d 764); véase Aaron D. Simowitz, *ob. cit.*, p. 403.

[69] Sentencia del Tribunal de Apelación del 6º circuito de 3 de julio de 1996 en M & C Corp. vs. Erwin Behr GmbH & Co. (87 F. 3d 844), en la que se validó un laudo que otorgaba daños dobles previstos en una norma no alegada de Michigan por considerarlos daños compensatorios incluidos en el acta de misión; sentencia del Tribunal Federal del Distrito Sur de California de 7 de diciembre de 1998 en Ministry of Defense and Support for the Armed Forces of the Islamic Republic of Irán, vs. Cubic Defense Systems, Inc. (29 F. Supp. 2d 1168, S. D. Cal. 1998), en la que se validó un laudo CCI que utilizó argumentos legales distintos de las partes pero sobre las cuestiones incluidas en el acta de misión.

[70] Sentencia del Tribunal Supremo de Canadá de 21 de marzo de 2003 en Desputeaux v. Éditions Chouette (1987) Inc. (2003 SCC 17, [2003] 1 SCR 178).

[71] Véase nota 41.

[72] Gilles Cuniberti y Nicolina Bordian, *"Jura Novit Arbiter in France"*, en INCIIA, cap. 7, p. 170.

VRV vs. Pharmachim[73], la anulación no fue provocada por el cambio de calificación jurídica del contrato de obra en contrato de venta sino por la aplicación de responsabilidad extracontractual en lugar de responsabilidad contractual.

G. Mientras los árbitros decidan sobre la base de los hechos alegados por las partes, los tribunales suecos entienden que no hay impedimento para aplicar el principio *iura novit curia*[74].

H. El Tribunal de Apelación de Hong Kong, en el caso Tronic International vs. Topco Scientific[75], confirmó que, si el reglamento de arbitraje CCI aplicable permitía una nueva reclamación y las partes tuvieron oportunidad de alegar, el tribunal arbitral podía plantear de oficio la aplicación de una ordenanza no alegada ni prevista en el acta de misión sin que ello constituyera un exceso de mandato.

I. Aunque en el caso PT Prima entendió que no había un exceso de mandato porque la pretensión de daños era suficientemente amplia para incluir hechos nuevos o cambios de derecho que afectasen a su derecho[76], el Tribunal de Apelación de Singapur declaró que el exceso de mandato debía verificarse en función de las cuestiones de hecho y de derecho en las alegaciones de las partes y, en caso de que el árbitro plantease una nueva cuestión, debía darse una nueva oportunidad de alegación y prueba. En cuanto a la determinación de cuál es el derecho aplicable, el Tribunal Superior de Singapur consideró en el caso Quarella que no era revisable como exceso de mandato del tribunal arbitral[77].

---

[73] Sentencia del Tribunal de Apelación de París de 25 de noviembre de 1997 (*Revue de l'Arbitrage*, 1998, *Issue* 4, p. 684).

[74] Sentencia del Tribunal de Apelación de Svea de 29 de abril de 2013 (T 6198-12), en que se confirmó un laudo obligando al repago por un principio general de derecho en lugar de la norma contractual alegada; de 25 de junio de 2015 (T 2289-14), en la que anuló un laudo fundamentado en la información falsa sobre reservas de petróleo en lugar de la información sobre ratios de flujo de petróleo incluida en el resumen de cuestiones legales acordado conjuntamente por las partes; de 9 de marzo de 2017 (caso T-1968-16), en el que se validó un laudo que aplicó analógicamente la ley de agencia no alegada.

[75] Caso Tronic International Pte Ltd vs. Topco Scientific Co Lted ([2016] HKCA 371). Véase Z. J. Jennifer Lim y Nathaniel J. Lai, *ob. cit.*, p. 244.

[76] Cita y comentario del caso PT Prima International Development vs. Kempinski Hotels S.A. ([2012] 4 SLR 98) en Koh Swee Yen y Kenny Law, *ob. cit.*, p. 308.

[77] Sentencia del Tribunal Superior de Singapur en Quarella SpA v Scelta Marble Australia Pty Ltd ([2012] SGHC 166), que validó un laudo CCI que aplicó la ley italiana en virtud de una cláusula que pactaba como aplicable en un contrato de

5. *Irregularidades del procedimiento*

El artículo 34.2.a).iv) de la Ley Modelo contempla la anulación del laudo si el procedimiento no se ajusta al acuerdo de las partes o la ley, motivo
que también contempla el artículo V.1.d) de la Convención de Nueva York
para rechazar su reconocimiento. Salvo por infracción del derecho de contradicción, son pocos los casos en que la aplicación del principio *iura novit
curia* se concibe como una irregularidad procesal suficiente para impedir
la eficacia del laudo:

A. Algunos tribunales han considerado que la inaplicación de la ley escogida por las partes puede justificar la anulación del laudo, por ejemplo,
en el caso EDF Internacional vs. Endesa Internacional en Argentina o el
caso Quarella en Singapur[78]. En Inglaterra, el Tribunal Superior entendió
que la anulación exigía una decisión consciente de ignorar las disposiciones de la ley escogida[79].

B. Varios tribunales han recordado el requisito de una infracción grave
que ponga en cuestión la integridad del procedimiento y sea relevante para
el laudo, como en los casos Popack vs. Lipszyc y Consolidated vs. Ambatovy
en Canadá[80] o los casos OAO Tyumenneftegaz vs. First National Petroleum
Corporation y City Säkerhet vs. SafeTeam en Suecia[81].

---

distribución la Convención de las Naciones Unidas sobre los contratos de compraventa internacional de mercaderías y, subsidiariamente, la ley italiana. Véase
Andrew Battisson y Sunil Mawkin, *Mealey's International Arbitration Report*, vol. 27,
diciembre 2012.

[78] Sentencia de la Cámara Nacional Comercial Argentina de 9 de diciembre de 2009
en EDF International vs. Endesa Internacional, que anula un laudo CCI por aplicar normas distintas de la ley aplicable argentina pactada en el acta de misión;
véase nota 77 sobre caso Quarella.

[79] Sentencia del Tribunal Superior de Inglaterra en B vs. A ([2010] EWHC 1862,
citada por Julian Lew, *ob. cit.*), en el que se validó un laudo CCI al entender que
los árbitros creían haber aplicado el derecho español escogido aunque el árbitro
disidente consideraba que no fue así.

[80] Sentencia del Tribunal de Apelación de Ontario en Popack v. Lipszyc (2016
ONCA 857), citada en la sentencia del Tribunal Superior de Ontario de 28 de no-
viembre de 2016 en Consolidated Contractors Group SAL vs. Ambatovy Minerals
S.A. (2016 ONSC CanLII 7171).

[81] Sentencias del Tribunal de Apelación de Svea de 25 de junio de 2015 (T 2289-14)
y de 9 de marzo de 2017 (T-1968-16).

6. Imparcialidad del árbitro e igualdad de las partes

Tanto la Ley Modelo, en los artículos 12, 18, 34.2.a).iv) y 34.2.b).ii), como la Convención de Nueva York, en sus artículos V.1.d) y V.2.b), establecen la igualdad de las partes y la imparcialidad del árbitro como elementos básicos del arbitraje, cuya infracción supone la anulación o falta de reconocimiento del laudo. Los reglamentos de arbitraje también exigen dicha igualdad e imparcialidad y la mayoría de países las consideran parte de su orden público. Como la aplicación de oficio de una norma, precedente o argumento legal no invocado por las partes normalmente favorecerá a una de ellas, es legítimo preguntarse si la aplicación del principio *iura novit curia* puede suponer una infracción de la igualdad entre las partes o de la obligada imparcialidad del árbitro. Evidentemente la infracción del derecho de contradicción supone en sí misma una desigualdad, pero son raros los precedentes que traten esta cuestión más allá de la contradicción.

Incluso si se invita a las partes a alegar sobre la nueva cuestión jurídica, puede ser difícil hacerlo de una forma perfectamente neutra. Algunos autores afirman que, si los árbitros respetan la contradicción, ofreciendo a las partes una oportunidad de alegar y probar lo que estimen necesario, conservan su imparcialidad siempre y cuando mantengan una posición provisional sobre la cuestión jurídica planteada de oficio y exista una oportunidad real para las partes de confirmar o refutar esa posición provisional[82]. Aun así, para evitar la desigualdad y parcialidad, los árbitros deben ser cautos y evitar cubrir las carencias de las partes o suplir su carga de acreditar y argumentar sus defensas[83].

III. UN PRINCIPIO DE ACUERDO

La ausencia de regulación específica y tratamiento uniforme por las distintas jurisdicciones nacionales, así como la conciencia de la importancia de abordar una cuestión recurrente, explican los esfuerzos de la comunidad arbitral para fijar unos parámetros que acomoden la aplicación del principio *iura novit curia* a las peculiaridades del arbitraje internacional.

---

[82] Gisela Knuts, *ob. cit.*, p. 687; Luís Gómez-Iglesias Rosón, *ob. cit.*, p. 54; Aaron D. Simowitz, *ob. cit.*, p. 422; Burkhard Hess y Leon Marcel Kahal, *ob. cit.*, p. 199.

[83] Nigel Blackaby y Ricardo Chirinos, *ob. cit.*, p. 86.

En 2004, se elaboraron los Principios ALI/UNIDROIT[84], cuyo principio 22 contempla:

> *"22. Responsabilidad por las decisiones sobre los hechos y el derecho*
> *22.1 El tribunal tiene el deber de considerar todos los hechos y pruebas rele-*
> *vantes y de determinar los fundamentos jurídicos correctos para sus decisio-*
> *nes, inclusive las cuestiones a resolverse sobre la base del derecho extranjero.*
> *22.2. El tribunal puede, siempre que conceda a las partes el derecho a*
> *responder:*
> *22.2.1. Permitir o invitar a una parte a modificar sus argumentos de he-*
> *cho o de derecho y a ofrecer argumentos jurídicos adicionales y prueba en*
> *consecuencia;*
> *22.2.2. Ordenar la producción de prueba no ofrecida previamente por una*
> *parte; o*
> *22.2.3. Basarse en una teoría jurídica o en una interpretación de los hechos o*
> *de una prueba que no ha sido propuesta por una parte.*
> *[...]".*

Aunque escueto, este principio 22 sirve para aclarar la facultad del árbitro para establecer el contenido de la ley y el respeto del derecho de contradicción.

La Conferencia de la *International Law Association* en Río de Janeiro en 2008 aprobó la recomendación sobre la determinación del contenido del derecho aplicable en el arbitraje comercial internacional. Hasta la fecha, dicha recomendación constituye posiblemente el instrumento que aborda de forma más comprehensiva las mejores prácticas en la aplicación del principio de *iura novit curia*:

A. La obligación del árbitro de identificar la ley o normas jurídicas que es necesario aplicar y de determinar su contenido.

B. La obligación de respetar las garantías procesales y el orden público, así como la imparcialidad, igualdad y el alcance de la sumisión acordada.

C. Si el contenido del derecho aplicable es significativamente relevante para el resultado del arbitraje, el árbitro deberá rápidamente plantearlo a las partes y establecer los trámites apropiados para la determinación de dicho contenido.

---

[84] Principios adoptados en 2004 por el Instituto de Derecho Americano ("ALI") y el Instituto Internacional para la Unificación del Derecho Privado ("UNIDROIT"), cuyo apartado P-E establece su aplicación al arbitraje internacional.

D. No se debe asumir que las reglas para la determinación del contenido de la ley aplicable en la litigación nacional son apropiadas al arbitraje internacional, ni fundamentarse en presunciones no declaradas
sobre dicho contenido, como la presunción de que es igual que la ley
de la sede arbitral o con la que está familiarizado el tribunal o alguno
de sus miembros.

E. La información sobre el contenido de la ley aplicable debe provenir
principalmente de las partes y, en general, los árbitros deben evitar plantear nuevas cuestiones jurídicas que afecten al resultado del
arbitraje.

F. Los árbitros no están limitados por las alegaciones de las partes sobre
el contenido de la ley aplicable. Pueden interrogar a las partes sobre
las cuestiones jurídicas que plantean y sobre la prueba y alegaciones sobre dicho contenido, revisar fuentes no invocadas sobre dichas
cuestiones y, de manera transparente, confiar en su propio conocimiento sobre la ley aplicable a dichas cuestiones.

G. Antes de emitir el laudo, los árbitros deben dar a las partes una oportunidad razonable de alegar sobre las cuestiones jurídicas relevantes
para la decisión de la controversia. No deben tomar decisiones que
cabe esperar razonablemente que sorprendan a las partes o fundamentadas en cuestiones legales no planteadas a las partes.

H. Los árbitros pueden utilizar y ponderar fuentes razonables, incluyendo leyes, precedentes, alegaciones, dictámenes e interrogatorio de
expertos o artículos doctrinales. Si utilizan una fuente no invocada,
deben solicitar comentarios de las partes sobre todo si difieren de las
alegadas y son relevantes para el resultado del arbitraje. Pueden utilizar fuentes que simplemente corroboren o refuercen otras alegadas.

I. Si durante las deliberaciones, los árbitros creen que falta información
sobre el contenido de la ley, deben considerar reabrir las actuaciones
para permitir nuevas alegaciones necesarias sobre las cuestiones jurídicas abiertas, teniendo en cuenta su relevancia, tiempo y coste.

J. Deben tener en cuenta la información disponible sobre la aplicación
de las normas en la jurisdicción de la que emanan dichas normas.

K. Respecto al orden público o normas imperativas, los árbitros pueden
tomar medidas para determinar su aplicación y contenido, incluso
de forma independiente, planteando nuevas cuestiones fácticas o
jurídicas o medidas para cumplir dichas normas y evitar la impugnación del laudo.

L. Deben considerar la naturaleza del procedimiento, pudiendo tomar una postura más activa sobre las alegaciones legales en caso de rebeldía o procedimientos abreviados.

M. Si no logran establecer el contenido de la ley aplicable, deben aplicar la ley o normas que consideren apropiadas de forma motivada y tras permitir a las partes una oportunidad razonable de alegar al respecto.

Las recientes Reglas de Praga incluyen también un artículo 7 sobre *iura novit curia*, preocupado principalmente por el derecho de contradicción:

> *"7.1. Cada parte tiene la carga de probar sus pretensiones.*
> *7.2. Sin embargo, el tribunal arbitral podrá aplicar disposiciones legales que no hayan sido invocadas por las partes si así lo estima necesario, incluyendo, entre otras, normas imperativas. En estos supuestos, el tribunal arbitral recabará el parecer de las partes sobre las normas legales que intente aplicar. El tribunal arbitral también podrá apoyarse en antecedentes legales —aunque no hayan sido citados por las partes— si se refieren a disposiciones legales alegadas por las partes y siempre que las partes haya tenido oportunidad de expresar su parecer sobre su contenido".*

El nuevo modelo de reglamento arbitral del Club Español del Arbitraje de junio de 2019 también contempla en su artículo 26.2.d) el poder del árbitro para "*determinar las normas aplicables al caso, aunque no hayan sido alegadas por las partes, siempre que se les conceda la oportunidad de pronunciarse sobre la aplicabilidad de esas normas*".

No siendo habitual que las cláusulas de arbitraje o reglamentos de arbitraje contengan una regulación específica o la incorporación de las anteriores recomendaciones, principios o reglas, las partes deben considerar la incorporación al acta de misión o primera orden procesal de algún texto escueto que confirme la iniciativa de las partes en la determinación del contenido de la ley aplicable, pero con la facultad, no obligación, de los árbitros de investigar dicho contenido con el debido respeto del derecho de contradicción de las partes[85].

---

[85]   Gabrielle Kaufmann-Kohler, *ob. cit.*, p. 636; Claus Von Wobeser, *ob. cit.*, p. 4; Mark W. Friedman y Luca G. Radicati di Brozolo, *ob. cit.*, p. 210. Julian Lew, *ob. cit.*

IV. CONCLUSIÓN

A pesar de las distintas tradiciones jurídicas en relación con la aplicación del principio *iura novit curia,* parece necesario que los árbitros internacionales puedan intervenir en la determinación del contenido de la ley aplicable. Sin perjuicio del papel primordial de las partes en dicha determinación, el árbitro no puede estar obligado a asumir una postura legal que estima errónea o incompleta, en cuyo caso deberá asegurarse de identificar puntualmente las cuestiones legales relevantes que no han sido alegadas y permitir a las partes aportar la prueba o alegaciones que consideren oportunas sobre las normas, precedentes o razonamientos legales que el árbitro haya considerado relevantes. Esta facultad debe ejercerse con cautela para respetar no sólo el derecho de contradicción sino también el alcance del mandato de los árbitros, la igualdad de las partes, la imparcialidad y la aplicación de las normas imperativas o el orden público que pueden afectar la eficacia del laudo.

REFERENCIAS

ARISTÓTELES, "La retórica", Editorial Gredos, 1994, p. 164.

BARRAGÁN, L. A. y RIVERA, I., "*Iura Novit Arbiter in Colombia: Supreme Court Considerations on the Principle of Congruence in International Arbitration*", en *ICC Dispute Resolution Bulletin*, 2017, *Issue* 3, p. 22.

BATTISSON, A. y MAWKIN, S., *Mealey's International Arbitration Report*, vol. 27, diciembre 2012.

BLACKABY, N. y CHIRINOS, R., "Consideraciones sobre la aplicación del principio iura novit curia en el arbitraje comercial internacional", Anuario Colombiano de Derecho Internacional, vol. 6, 2013.

BONOMI, A. y BOCHATAY, D., "*Iura Novit Arbiter in Swiss Arbitration Law*", en INCIIA, cap. 14.

Caso Brunswick Bowling & Billiards Corp vs. Shanghai Zhonglu Industrial Co Ltd ([2009] 5 HKC 1 [CFI]).

Caso Grand Pacific Holding Ltd vs. Pacific China Holding Ltd ([2012] 4 HKLRD 1 [CA]).

Caso Soh Beng Tee & Co Pte Ltd vs. Fairmont Development Pte Ltd ([2007] 3 SLR (R) 86).

Caso Tronic International Pte Ltd vs. Topco Scientific Co Lted ([2016] HKCA 371).

CUNIBERTI, G. y BORDIAN, N., "*Jura Novit Arbiter in France*", en INCIIA, cap. 7.

Decisión del comité *ad hoc* de CIADI en Caratube International Oil Company LLP vs. Kazajistán de 21 de febrero de 2014.

GÓMEZ-IGLESIAS ROSÓN, L., *ob. cit.*, p. 87; Pedro A. De Miguel Asensio, "Iura Novit Curia and Commercial Arbitration in Spain", en INCIIA, cap. 12.

HESS, B. y KAHAL, L. M., "*Iuria Novit Curia in International Arbitration - The German Perspective*", en INCIIA, cap. 8,

HUNDSKOPF EXEBIO, O., "Aplicación del principio iura novit curia en el arbitraje" en Ius et Praxis, n° 44, 2013, p. 48.

JENNIFER LIM, Z. J. y NATHANIEL J. L., "*Iura Novit Curia in Hong Kong Arbitration Law*", en INCIIA, cap. 9.

KNUTS, G., "*Jura Novit Curia and the Right to Be Heard - An Analysis of Recent Case Law*", *Arbitration International*, Oxford University Press, vol. 28, n° 4, 2012.

KNUTS, G., *ob. cit.*, p. 677; Petra Kiurunen y Hanna Koskivirta, "*The Finnish Supreme Court sets high threshold for setting aside awards*", en *Arbitration Newsletter*, IBA, marzo 2009.

Laudo de 19 de febrero de 2010 en Promotora Interamericana de Servicios SAC vs. Poder Judicial (Contrato N20PP000J1).

LAURENT LÉVY ("*Jura Novit Curia? The Arbitrator's Discretion in the Application of the Governing Law*", Kluwer Arbitration Blog, 20 de marzo de 2009).

MARK, W./ FRIEDMAN y LUCA, G., Radicati di Brozolo, "*Ascertaining the Contents of the Applicable Law in International Commercial Arbitration*", informe del Comité de Arbitraje Comercial Internacional de la *International Law Association*, Río de Janeiro, 2008, publicado en *Arbitration International*, Oxford University Press, vol. 26, n° 2, 2010.

PT Prima International Development vs. Kempinski Hotels S.A. ([2012] 4 SLR 98) en Koh Swee Yen y Kenny Law, *ob. cit.*, p. 308.

ROSENFELD, F., *"Iura Novit Curia in International Law"*, en *"Iura Novit Curia in International Arbitration"*, F. Ferrari y G. Cordero-Moss, Juris, 2018 ("INCIIA"), cap. 16.

Sentencia de la Audiencia Provincial de Barcelona de 29 de octubre de 2009 (Aranzadi JUR\2010\45890).

Sentencia de la Audiencia Provincial de Madrid de 2 de febrero de 2007 (ECLI: ES:APM:2007:1255).

Sentencia de la Cámara Nacional Comercial Argentina de 9 de diciembre de 2009 en EDF International vs. Endesa Internacional.

Sentencia de la Corte Suprema de Justicia Colombiana de 18 de abril de 2017 (SC5207-2017, radicación n° 11001-0203-000-2016-01312-00), Decisión del comité *ad hoc* de CIADI en Klöckner vs. Camerún de 3 de mayo de 1985.

Sentencia del Tribunal de Apelación de París de 25 de noviembre de 1997 (*Revue de l'Arbitrage*, 1998, *Issue* 4, p. 684.

Sentencia del Tribunal de Apelación de Svea de 29 de abril de 2013 (T 6198-12).

Sentencia del Tribunal de Apelación de Svea de 9 de marzo de 2017 (caso T-1968-16).

Sentencia del Tribunal de Apelación del 6° circuito de 3 de julio de 1996 en M & C Corp. vs. Erwin Behr GmbH & Co. (87 F. 3d 844).

Sentencia del Tribunal de Apelación del 9° circuito de los EEUU de 30 de junio de 1992 en Ministry of Defense of the Islamic Republic of Irán vs. Gould Inc (969 F2d 764).

Sentencia del Tribunal de Casación de 14 de marzo de 2006, recurso 03-19.764, Conse-hlo Nacional de Carregadores vs. M.

Sentencia del Tribunal de Casación de 23 de junio de 2010, recurso 08-16.858 09-12.399, Malicorp vs. Egypte

Sentencia del Tribunal de Casación de 29 de junio de 2011, recurso 10-23.321, Overseas Mining Investments Limited vs. Commercial Caribbean Niquel S.A.

Sentencia del Tribunal Europeo de Derechos Humanos de 16 de febrero de 2006 en Prikyan y Angelova vs. Bulgaria (Aranzadi JUR 2006\83512) y sentencia del Tribunal de Justicia de la Unión Europea de 2 de diciembre de 2009 en Comisión Europea vs. Irlanda (Aranzadi TJCE 2009\367);

Sentencia del Tribunal Federal alemán de 21 de diciembre de 1989 (III ZR 44/89).

Sentencia del Tribunal Federal alemán de 8 de octubre de 1959 (VII ZR 87/58).

Sentencia del Tribunal Federal suizo de 30 de septiembre de 2003 (4P.100/2003).

Sentencia del Tribunal Federal suizo de 9 de agosto de 2018 (4A 525/2017, aplicación de regla de moderación de indemnización de daños por equidad en el código civil argelino), de 15 de abril de 2015 (4A 554/2014, aplicación de norma de prórroga implícita del contrato en derecho francés) y de 3 de agosto de 2010 (4A 254/2010, invalidación de segundo contrato por una simulación no alegada de contrato).

Sentencia del Tribunal Federal suizo de 9 de febrero de 2009 (4A 400/2008).

Sentencia del Tribunal Superior de Frankfurt de 30 de marzo de 2006 (26 Sch 12/05).

Sentencia del Tribunal Superior de Inglaterra de 26 de julio de 2007 en OAO Northern Shipping Company vs. Remolcadores De Marin SL (Remmar) ([2007] EWHC 1821 [Comm]).

Sentencia del Tribunal Superior de Inglaterra en B vs. A ([2010] EWHC 1862, citada por Julian Lew, *ob. cit.*).

Sentencia del Tribunal Superior de Justicia de Madrid de 15 de julio de 2016 (Aranzadi JUR\2016\203482).

Sentencia del Tribunal Superior de Ontario de 28 de noviembre de 2016 en Consolidated Contractors Group SAL vs. Ambatovy Minerals S.A. (2016 ONSC CanLII 7171).

Sentencia del Tribunal Superior de Quebec de 30 de noviembre de 2006 en Balian vs. Morneau (2006 QCCS CanLII 6249).

Sentencia del Tribunal Superior de Quebec de 8 de diciembre de 2008 en Louis Dreyfus, SAS vs. Holding Tusculum, B. V. (2008 QCCS CanLII 5903).

Sentencia del Tribunal Superior de Singapur en JVL Agro Industries Ltd vs. Agritrade International Pte Ltd ([2016] 4 SLR 768).

Sentencia del Tribunal Superior de Singapur en Quarella SpA v Scelta Marble Australia Pty Ltd ([2012] SGHC 166),

Sentencia del Tribunal Supremo de 25 de octubre de 1982 (Aranzadi RJ\1982\5573), citada a su vez en la sentencia del Tribunal Superior de Justicia de Cataluña de 17 de julio de 2014 (Aranzadi RJ\2014\4919),

Sentencia del Tribunal Supremo de Canadá de 21 de marzo de 2003 en Desputeaux v. Éditions Chouette (1987) Inc. (2003 SCC 17, [2003] 1 SCR 178

Sentencias del Tribunal de Apelación de París de 15 de marzo de 2016 (Madagascar vs. De Sutter) y 25 de noviembre de 1997 (VRV vs. Pharmachim).

Sentencias del Tribunal de Apelación de Svea de 25 de junio de 2015 (T 2289-14) y de 9 de marzo de 2017 (T-1968-16).

Sentencias del Tribunal Superior de Singapur en los casos JVL Agro Industries Ltd vs. Agritrade International Pte Ltd ([2016] 4 SLR 768), AMZ vs. AXX ([2016] 1 SLR 549) y TMM División Marítima S.A. de CV vs. Pacific Richfield Marine Pte Ltd ([2013] 4 SLR 972).

SWEE YEN, K. y LAW, K., "*The Incidence of Iura Novit Arbiter in Singapore Arbitration Law*", en INCIIA, cap. 11.

The Vimeira ([1984] 2 Lloyd's Rep 66, 76) y Zermalt Holdings S.A. vs. Nu Life Upholstery Repairs Ltd ([1985] 2 EGLR 14).

WOBESER, C. V., "*The Effective Use of Legal Sources: How Much Is Too Much and What Is the Role for Iura Novit Curia*", documento para la conferencia "*Arbitration Advocacy in Changing Times*", International Council for Commercial Arbitration, 23-26 de mayo de 2010.

Mediación en el marco de los sistemas online Dispute Resolution

Jaime Alberto Díaz Limón[*]

RESUMEN

Los *Online Dispute Resolution*, particularmente la mediación, representan una herramienta muy útil para facilitar la resolución de controversias a través del internet, ya que este medio cada vez va adquiriendo mayor popularidad, principalmente por las facilidades de acceso que se le ha brindado a los usuarios para su acceso, lo que ha generado la implementación de mecanismos de resolución de controversias vía online para que de esta manera se satisfagan las necesidades de administración de justicia presentes en la sociedad.

Palabras clave: Resolución electrónica de controversias, internet, redes sociales, mediación.

ABSTRACT

The *Online Dispute Resolution*, particularly mediation, represents a very useful tool to facilitate the resolution of disputes through the internet, since this scenario is becoming increasingly popular, mainly due to the ease of access that has been given to users for their access, which has generated the implementation of dispute resolution mechanisms via online so that the needs of administration of justice present in society are met.

Key words: Online dispute resolution, internet, social networks, mediation.

---

[*] Abogado en Derecho por la Universidad Autónoma Metropolitana (México), Magister en Derecho Administrativo y Fiscal por la Facultad de Derecho de la Barra Nacional de Abogados, Especialista en Propiedad Intelectual en el ámbito digital. Coordinador de las columnas de Propiedad Intelectual y Abogado Digital de la revista Foro Jurídico; coordinador de la Antología Iberoamericana de Propiedad Intelectual (Tirant lo Blanch, 2018) Presidente del Instituto Nacional de Ciberseguridad MX.

En palabras de los Doctores Wendolyne Nava González y Jorge Antonio Breceda Pérez, según su texto *México en el contexto internacional de solución de controversias en línea de comercio electrónico,* es permisible definir a los *online dispute resolution* ("ODR" por sus siglas en inglés), como procesos de resolución de controversias que se desarrollan en el ámbito extrajudicial y/o parajudicial y que incorporan el uso de Internet o cualquier otro tipo de tecnología de la información y/o comunicación *on-line* y *off-line*[1]. Procedimientos que cada vez adquieren mayor popularidad, derivado de los bajos costos en resolución de conflictos, de la celeridad con la que estos se resuelven y que, en la mayoría de los casos, brindan una salida que satisface el interés jurídico de las partes involucradas y que ceden sus derechos litigiosos a favor de los grandes titanes tecnológicos como lo son *Amazon, Bestbuy, Twitter, Youtube* y *Facebook;* tres últimos sobre los cuales enfocaremos las presentes líneas.

I. YOUTUBE Y CONTENT ID[2]

Youtube es una plataforma que brinda servicio de almacenamiento y distribución de obras audiovisuales y musicales, así como cinematográficas (largo y cortometrajes); misma que se fundó en el año 2005 por Steve Chen, Chad Hurley y Jawed Karim y cuyos ingresos le permitieron reportar para el año 2009 una pérdida de casi 500 millones de dólares[3], a causa de las infracciones en materia de derecho de autor. A pesar del auge de servicios de *streaming* y redes sociales que reproducen contenido multimedia, se mantiene como un sitio web que logra generar entre 174 y 470 millones de dólares anuales, sólo gracias al contenido de sus usuarios.

---

[1]   NAVA GONZÁLEZ, Wendolyne, BRECEDA PÉREZ, Jorge. *México en el contexto internacional de solución de controversias en línea de comercio electrónico.* México, 2015. Anuario mexicano de derecho internacional. Volumen 15, enero/diciembre. Visible el 26 de julio de 2019 a través del vínculo http://www.scielo.org.mx/scielo.php?script=sci_arttext&pid=S1870-46542015000100019.

[2]   LIMÓN, Jaime. *El Proceso de Autorregulación Autoral en Youtube.* Publicado originalmente el 05 de mayo de 2017, en la edición impresa de mayo y en la edición digital de la revista Foro Jurídico. Consultable en línea a través del portal https://www.forojuridico.org.mx/proceso-autorregulacion-autoral-youtube/ Visto el 03 de junio de 2017.

[3]   TARTAKOFF, Joseph. *Forbes.* "Analyst: YouTube Will Lose Almost $500 Million This Year". Publicación del 4 de marzo de 2009. Consultado el 20 de abril del año 2017 a través del vínculo https://www.forbes.com/2009/04/03/youtube-loses-money-technology-paidcontent.html.

Respecto al tema de Derechos de Autor, Youtube ha pagado la cantidad de 2 000 millones de dólares a los titulares, tan sólo para julio de 2016, a aquéllos que aceptaron monetizar su contenido con la herramienta *Content ID*. Actualmente, *Content ID* cuenta con más de 8 mil *partners* (entre ellos cadenas televisivas, estudios cinematográficos y sellos discográficos) y quizá es una de las bases de datos más grandes de las redes sociales en materia de derechos de autor, ya que cuenta con más de 50 millones de archivos de referencia activos[4], que permiten detectar en tiempo real, violaciones o infracciones en materia de Derechos de Autor.

Content Id es la herramienta que utilizan los titulares de contenido para identificar y reclamar su contenido en videos subidos a Youtube; misma que se ha constituido en el mecanismo de autorregulación autoral por excelencia en las redes sociales, el cual ya ha sido emulado por los beneficios obtenidos. Verbigracia, en Facebook se desarrollaron las herramientas *1) Audible Magic*: mecanismo implementado para detectar coincidencias en materia de derechos de autor[5] y *2)* Rights Manager: una tecnología de administración de Derechos de Autor, que permite a los titulares generar una biblioteca de referencias.

¿Cómo puedo obtener la protección de *Content Id*? El criterio principal que determina la inclusión en la base de datos radica en la necesidad real del titular legítimo y *partner*; es decir, se toma como referencia la cantidad de derecho legítimo generado en la plataforma y en su caso, el riesgo de violación que éste puede enfrentar.

Una vez determinado el grado de necesidad, el solicitante debe contar los elementos probatorios idóneos, en cada Nación, que permitan acreditar la explotación exclusiva de la obra original. En caso que los solicitantes del sistema de identificación de contenido fueren rechazados, deberán sujetar sus reclamaciones a los mecanismos tradicionales de *Copyright Basics* y el Programa de verificación de contenido[6].

Si es que se cumplen con las medidas de ingreso al sistema de identificación, el portal requerirá que el autor o el titular de los derechos de

---

[4] Estadísticas. Invertimos en los creadores y Derechos de Autor. Consultado en línea a través del vínculo https://www.youtube.com/yt/press/es/statistics.html el 19 de abril de 2017.

[5] Esta herramienta será objeto de un estudio ulterior, sin embargo, se recomienda su consulta a través del portal web www.audiblemagic.com.

[6] Para mayor información sobre herramientas de protección básicas puede consultar el portal http://www.youtube.com/t/content_management.

emisión *online* especifique los territorios en los que cuenta con protección, asimismo: *1)* Nombre del autor, *2)* Tipo de obra, *3)* Cantidad de derechos de autor exclusivos que se posee[7], *4)* Calidad jurídica frente a la obra y *5)* Exposición de motivos que justifique la inclusión al sistema[8]. Una vez que se logra ingresar al sistema de protección *Content Id,* la herramienta se encargará de encontrar coincidencias de audio, video, inclusive parciales o sobre *Cargas* que resulten de menor calidad de la obra artística original.

En términos de lo anterior, ¿qué ocurre si la herramienta encuentra una coincidencia? El titular del derecho podría iniciar un proceso de reclamación de *Content Id* el cual inicia con un aviso de incumplimiento de derechos de autor a cargo del presunto infractor. El titular podrá optar por dos salidas: *1)* La facultad de **silenciar** o **bloquear** el contenido coincidente o *2)* **Obtener ingresos** mediante anuncios, compartir los ingresos con la persona que lo ha subido **y hacer seguimiento** de las estadísticas de reproducción; a través de esta propuesta de acción autocompositiva, el portal respeta uno de sus principios: "La máxima difusión posible de las obras artísticas"; así las cosas, el autor o titular pudiere obtener una mayor exposición y mejores espacios para lucrar con sus derechos patrimoniales (ganar-ganar).

Desde el otro lado del monitor, Youtube se ha convertido en un gran vigilante de protección autoral, que invita a los probables infractores a respetar las reglas de la comunidad y las leyes autorales; estos pueden optar por aceptar la decisión del *Content Id,* cambiar la música del video reclamado, compartir los ingresos a través de la política de *Partners* y si lo estimare procedente, impugnar la reclamación por contar con derechos legítimos para el uso de la obra *sub judice.*

---

[7]   El sistema de protección Copyright respeta que la cantidad de derechos de explotación sobre una obra es relativo a la voluntad del autor o titular, resultando en un numerus apertus de posibilidades de explotación, a diferencia de lo que ocurre en el sistema latinoamericano de protección, como el caso mexicano, en el cual, se podrá contar únicamente con derechos de explotación —exclusiva o no exclusiva— en términos del *numerus clausus* de derechos patrimoniales, según lo dispone el artículo 27 de la Ley Federal del Derecho de Autor.

[8]   Si usted desea presentar la solicitud de participación en el programa de identificación de contenido, debe llenar el formulario que se encuentra disponible a través del vínculo https://www.youtube.com/content_id_signup Esto no substituye la solicitud de registro autoral que cada Nación brinda, en el caso mexicano, a través del Instituto Nacional del Derecho de Autor.

Puede ser que Youtube no hubiese descubierto el hilo negro de Ariadna en tratándose de resolución de conflictos fuera de tribunales e implementar la *Digital Millennium Copyright Act* como su aliado en el proceso, pero sus métodos han resultado exitosos y sin incurrir en pago de tasas u honorarios especiales, como los que se determinan en los métodos alternativos de solución de controversias (*alternative dispute resolution*). Es pertinente aseverar que el *Content Id* es el inicio del panoptismo autoral, gracias a su vigilancia, control y corrección de violaciones en tiempo real.

II. TWITTER Y EL PRINCIPIO SCÉNES Á FAIRE

Las redes sociales permiten la concepción de diversas formas originales de fijar ideas en soportes electrónicos que suelen llamarse comentarios, tweets o contenido multimedia en forma de audio o video que permite a los usuarios generar expresiones que podrían considerarse protegidas por las diversas legislaciones en materia de derechos de autor. En particular, redes como Twitter o Facebook han determinado seguir las reglas de la Organización Mundial de la Propiedad Intelectual (OMPI), aquellas a cargo de la Oficina de Derechos de Autor de los Estados Unidos y, en su caso, a través de los agentes designados en términos de la Ley Digital Millennium Copyright Act (DMCA), para proteger la original fijación del comportamiento de sus usuarios.

Sin embargo, no todo el contenido que se genera a través de estas plataformas, ha alcanzado la protección y el reconocimiento de "original" que exige la doctrina y la normatividad internacional para considerar que una idea es susceptible de protección autoral; tal es el caso de los mensajes que se publican a través de Twitter, ya que desde su origen los 140 caracteres y los recientemente actualizados 280 (septiembre de 2017), no permiten reconocer a los "tweets" como objetos de protección, empero, asuntos de relevancia jurídica como los reclamos de Mark Cuban, dueño del equipo de baloncesto Dallas Mavericks, por infracciones de *copyright*, sostenida contra la cadena deportiva ESPN en materia de derechos de autor, por la indebida reproducción de sus tweets sin reconocimiento de paternidad adecuada, permiten abrir el debate en materia de propiedad intelectual, a pesar de la renuencia que persiste en el gremio jurídico.

Sin embargo, ello no resuelve el complejo negocio jurídico que surge en torno a esta plataforma de texto corto, ya que hoy en día existen elementos suficientes para preocupar a los expertos en materia de Derecho Mercantil y Derechos de Autor, ante escenarios tan extravagantes como irreconocibles en otras épocas; verbigracia, un tweet de la estrella deportiva Cristiano Ronaldo se valora actualmente en 1.6 millones de dólares[9], que le siguen a los ingresos absurdos que puede generar Lebron James, con 123 mil euros, Neymar por 100 mil euros; en ese mismo tenor, según datos de *Captiv8* —citados en *The New York Times*— un influencer o famoso que tenga entre tres y siete millones de seguidores puede cobrar por un video con publicidad orgánica, alrededor de los 167 mil euros y casi 27 mil euros por tweet[10]; que podrían captar la atención de los especialistas en materia de propiedad intelectual, ante posibles violaciones al contenido de los mensajes emitidos por dichas figuras mediáticas.

Prima facie parecería que los elementos de *i)* tamaño, *ii)* contenido y *iii)* El principio *scénes á faire*[11], descartan la posibilidad jurídica para que Twitter entre en la discusión en materia de Derechos de Autor. En primer lugar, las condiciones de la plataforma dictan que:

> *"Twitter responde a las notificaciones de infracción de derechos de autor que se hayan enviado según la Ley de Derechos de Autor del Milenio Digital («DMCA», por sus siglas en inglés). La Sección 512 de la DMCA describe los requisitos legales necesarios para denunciar formalmente la infracción a los derechos de autor y también brinda instrucciones sobre cómo una parte afectada puede apelar a una eliminación mediante el envío de un recurso de reclamación.*
> *Twitter responderá a las denuncias de supuesta infracción a los derechos de autor, como denuncias sobre el uso no autorizado de una imagen con derechos de autor como **foto de perfil** o foto de encabezado, denuncias sobre el uso no autorizado de un **video** o una imagen con derechos de autor que se hayan cargado mediante nuestros servicios de alojamiento de **contenido multimedia** o **Tweets que contengan vínculos a supuestos materiales infractores.** Tenga en cuenta que no todos los usos no autorizados de materiales con*

[9]   FOX SPORTS. *Entérate cuánto sale aparecer en un tweet de Cristiano Ronaldo.* Columnistas. La Liga. Fox Sports. Junio de 2017. Buenos Aires. Visto el 18 de noviembre a través del vínculo https://www.foxsports.com.mx/blogs/view/310064-enterate-cuanto-sale-aparecer-en-un-tweet-de-cristiano-ronaldo.

[10] *ABC España.* "Vale, ¿pero cuánto cobran los famosos por un «tuit»?" 24 de enero de 2017, Madrid, España. Visto el 18 de noviembre de 2017, a través del vínculo http://www.abc.es/tecnologia/redes/abci-vale-pero-cuanto-cobran-famosos-tuit-201701240234_noticia.html.

[11] REINBERG, Consuelo. "¿Están los tweets protegidos por derechos de autor?" *Revista de la OMPI.* Número 4/2009. Julio de 2009. Visto el 18 de noviembre de 2017 a través del vínculo http://www.wipo.int/wipo_magazine/es/2009/04/article_0005.html.

*derechos de autor son infracciones (consulte nuestra página de **Uso justo**[12] para obtener más información)".* (El énfasis es añadido)[13].

Norma que permite advertir que la propia plataforma elimina la posibilidad de reconocimiento y protección autoral a los tweets por no considerarlos dentro de la categoría de obras; condiciones que fortalecen la doctrina aceptada hasta ahora, la cual defiende que la cantidad de texto que se permite agregar (hasta ahora 280 caracteres) no es elemento que sugiera la posibilidad de reconocimiento autoral, salvo que del contenido del mismo, de forma accidental o incidental, se haga referencia a obras efectivamente protegidas, sin que se cite el hipervínculo (*derecho de cita en el ámbito digital*) o no se indique el origen de la fotografía, video o contenido multimedia, con el debido reconocimiento de derechos de autor, en tanto se permanezca las hipótesis de "uso justo/permitido", según lo establece la doctrina a nivel internacional.

Otro elemento que descarta la posibilidad de considerar un Tweet como obra susceptible de protección autoral, versa sobre su contenido, no sólo por considerarse una frase aislada, sino porque gran parte de ellos se emiten conforme a hechos, mismos que no se protegen conforme a las reglas de derechos de autor. Lo anterior, en el entendido que no basta la personalidad o carisma que pudiere utilizarse para fijar su contenido.

Bajo tal premisa, el abogado y especialista en propiedad intelectual, Brock Shinen, manifiesta que si bien es cierto Twitter no posee los tweets de sus usuarios, ello no reconoce de forma automática sentido de propiedad intelectual a favor del cibernauta por considerarse contenido no *copyrightable*[14].

---

[12]   Los "Usos Justos" o permitidos que reconoce la plataforma tienen su base en tratados internacionales como lo es el Convenio de Berna, ya que determina que estos pueden ser: i) Sin fines de comercio, tales como comentarios, crítica, educacional o para ejemplos/referencias; ii) Es un hecho real o de ficción dentro de una novela o libro, iii) La cantidad del texto que se reprodujo, siempre que se vincule al autor del mismo; y iv) Que la cantidad de texto copiado no permita considerar que existe una simulación de reproducción. Puede consultar el documento original en inglés, a través del vínculo https://support.twitter.com/articles/20171959 visto el 18 de noviembre de 2017.

[13]   TWITTER. *Política de derechos de autor.* https://support.twitter.com/articles/20170921#3 Visto el 18 de noviembre de 2017.

[14]   SHINEN, Brock. *The Misunderstandings of Ownership.* Twitter Logical. Shinen Law Coporation. 2009. Visto el 18 de noviembre de 2017, a través del vínculo http://canyoucopyrightatweet.com/.

En ese tenor, la Ley Federal del Derecho de Autor (México) prescribe que: "No son objeto de protección como derecho de autor a que refiere esta Ley: I. Las ideas en sí mismas...; V. Los nombres y títulos o frases aisladas..."[15]. Legislación que elimina la posibilidad para considerar hechos o frases, susceptibles de protección de derechos de autor, empero, ello podría cambiar en corto plazo debido las reglas modernas de la economía digital.

Por último, el principio *scénes á faire* alude a una locución francesa para dar a entender los elementos esenciales para describir una "escena", de forma habitual o natural, sin los cuales sería imposible describir un hecho; desde el escenario jurídico, implica la imposibilidad legal para reconocer protección a adjetivos, adverbios o elementos incidentales en la emisión de una idea presumiblemente original; de tal suerte, agregar descriptivos como "brillante" o "reluciente" a la forma en que se explica la apariencia de una estrella, no son consideraciones originales y personalísimas de un autor que lo lleve al debate materia de propiedad intelectual.

El experto internacional Ivan Hoffman invoca este principio para explicar cierto tipo de ideas que no podrían describirse de otra forma y que, en su caso, no alcanzan elementos suficientes para obtener la protección del sistema autoral, correspondiente. En ese mismo tenor, invoca el criterio de la Corte de Apelaciones del Noveno Circuito de los Estados Unidos de América, al referirse a dicha doctrina en el caso Ets-Hokin vs. Skyy Spirits, Inc., et. *Al*[16].; en el cual analizan la demanda del fotógrafo Ets-Hokin contra la empresa productora del famoso Vodka, por contratar a otros artistas que fotografiaron la icónica botella azul, de una forma "sustancialmente similar" al estilo con lo que él lo realizara antes. La corte de segunda instancia finalmente resolvería que resulta imposible fotografiar dicha botella sin la presencia de las "similitudes inevitables" a las características de fotografías previas, en términos de la doctrina que nos ocupa:

> *"Under the merger doctrine, courts will not protect a copyrighted work from infringement if the idea underlying the work can be expressed only in one way, lest there be a monopoly on the underlying idea. In such an instance, it is said that the work's idea and expression «merge» ...Under the related doctrine of scenes a faire, courts will not protect a copyrighted work from infringement if*

---

[15] CONGRESO DE LA UNIÓN. Artículo 14 de la Ley Federal del Derecho de Autor. México. http://www.diputados.gob.mx/LeyesBiblio/pdf/122_130116.pdf.

[16] HOFFMAN, Ivan. *Scenes a faire Under Copyright Law*. Estados Unidos, 2003. Puede consultar el texto íntegro a través del vínculo http://www.ivanhoffman.com/scenes.html, visto el 18 de noviembre de 2017.

> *the expression embodied in the work necessarily flows from a commonplace idea... Though the Ets-Hokin and Skyy photographs are indeed similar, their similarity is inevitable, given the shared concept, or idea, of photographing a Skyy bottle. When we apply the limiting doctrines, subtracting the unoriginal elements, Ets-Hokin is left with only a «thin» copyright, which protects only against virtual identical copying... The less developed the characters, the less they can be copyrighted; that is the penalty an author must bear for marking them too indistinctly".*

Este criterio jurisdiccional que advierte la existencia de dicha doctrina en sentencias con relevancia internacional, no sólo como un elemento para fijar límites a la originalidad, sino como un duro análisis a la similitud que puede estar presente en distintas obras, que pierden posibilidad de protección, ante la inevitable forma en que pudieren ser fijadas por diversos autores.

En conclusión de Hoffman, destaca que la originalidad es un elemento necesario para gozar de la protección autoral, sin embargo, cuando no existe otra forma de "decir, fotografiar o crear una idea", la Corte —y la doctrina— previenen la posibilidad de monopolización de un elemento que pudiere generar similitudes substanciales e imposibilidad para fijar obras de la misma categoría, a otros artistas.

Esta doctrina resulta enteramente aplicable al universo de Twitter, en la que casi 41 millones de usuarios cariocas (primer lugar), 36 millones de usuarios mexicanos y los 11 millones de usuarios argentinos (segundo y tercero, respectivamente)[17], más el resto de sus cibernautas alrededor del globo, pudieren replicar bajo la modalidad de "retweet" lo contenido en mensajes de terceros o bien, simplemente desconocer la protección autoral que pudieren merecer y con "supuesta originalidad" fijar sus tweets en búsqueda de efímera popularidad.

Las condiciones anteriores parecen determinar la corriente doctrinal que rige en el mundo moderno, bajo el entendimiento que un simple tweet no merece protección en materia de derechos de autor, lo cual reconoce la propia plataforma, lo que trae como consecuencia ausencia de mecanismos avanzados de autorregulación autoral presentes en otras redes como Facebook o Youtube, sin embargo, compilación de tweets o mensajes

---

[17] TCM/ *EL UNIVERSAL*. "Twitter tiene 35.3 millones de usuarios en México". Notimex. 16 de marzo de 2016. Visto el 18 de noviembre de 2017 a través del vínculo   http://www.eluniversal.com.mx/articulo/cartera/negocios/2016/03/16/twitter-tiene-353-millones-de-usuarios-en-mexico.

valorados en cifras millonarias, podrían ser el camino para abrir el futuro debate a favor de los *autores de 280 caracteres.*

Empero, ello no implica abandono total de regulación autoral en la plataforma, ya que tal como se indicó con anterioridad, reconocen las obras susceptibles de protección bajo la corriente tradicional de las fotografías, videos, audios o cualquier contenido multimedia que permita percibir la originalidad con la cual se fijó. Conforme lo anterior, la plataforma permite la denuncia de contenido que se presuma infringe derechos de autor de sus cibernautas, siempre que se proporcione la siguiente información:

1. Una firma física o electrónica (escribir el nombre completo será suficiente) del titular de los derechos de autor o de una persona autorizada para actuar en su nombre;

2. La identificación de la obra con derechos de autor que se ha infringido (p. Ej., un vínculo a la obra original o una descripción clara de los materiales supuestamente víctimas de la infracción);

3. La identificación del material infractor e información que sea razonablemente suficiente para permitir que twitter localice el material en el sitio web o los servicios del mismo;

4. Información de contacto de quien presenta la reclamación, incluyendo dirección, número telefónico y una dirección de correo electrónico;

5. Una declaración en la que usted manifieste de buena fe que el uso del material en la forma indicada no está autorizado por el titular de los derechos de autor, su agente o la ley; y

6. Una declaración que la información que se incluye en la notificación es exacta y, siendo consciente de las penas por falso testimonio, que está autorizado para actuar en representación del titular de los derechos de autor[18].

Una vez que se proporcionan los elementos suficientes para fijar el inicio de la investigación por parte de la plataforma, ésta confirma la recepción mediante el levantamiento de un *ticket* de atención, posteriormente, se pronuncia sobre la eliminación o deshabilitación del acceso al material. Como conclusión al procedimiento, se notifica a las partes el contenido

---

[18] TWITTER. *Política de derechos de autor.* https://support.twitter.com/articles/20170921#3 Visto el 18 de noviembre de 2017.

que se considera infractor, se brindan instrucciones para presentar un recurso —similar a la impugnación en lenguaje procesal— y se divulga el resultado en el sitio público Lumen[19] para la consulta general, sin la información personal o confidencial.

III. FACEBOOK, AUDIBLE MAGIC Y RIGHTS MANAGER

El origen de una de las plataformas más poderosas hasta nuestros días, trae consigo dudas y reclamaciones en materia de Derechos de Autor. Desde su efímero paso como "Facemash" y el supuesto robo de Código Fuente a los hermanos Winklevoss y Divya Narendra, en perjuicio del proyecto *HarvardConnection.com*, permitieron el lanzamiento de *TheFacebook* en el año 2004 entre demandas y reclamaciones en materia de *copyright*. Para el año 2005 ya lucía como una de las compañías de mayor fortaleza y potencia alrededor del globo; en mayo de 2006 tuvo un lanzamiento exitoso en la India y para el ciclo entre 2007 y 2008 se liberó la plataforma en español, lo que permitió la expansión de la red social en Latinoamérica y España.

Este último capítulo resulta un punto medular en la historia económica del bolsillo de Mark Zuckerberg —su creador, fundador y presidente— al permitir sumar al proyecto a *Microsoft,* universidades en Alemania, la India y la empresa *Greylock Venture Capital* con 27.5 millones de dólares. No sólo el poder económico ha crecido con su expansión por el mundo, sino la preferencia de los usuarios por compartir contenido multimedia a través de la plataforma, respecto de cualquier otra aplicación en el mercado.

Tan sólo en el año 2015, Facebook anunció que ya contaban con 1 490 millones de usuarios activos, lo que podría traducirse como la "nación más grande del planeta", por encima de China[20]. A pesar de las teorías apocalípticas en contra de la plataforma, similares a la de Karsten Gerloff, Presidente de la Fundación de Software Libre de Europa, quién anunció

---

[19]   En esta base de datos global pública, usted puede consultar los procedimientos y recursos que se han levantado ante la Twitter, sobre todo en términos de la DMCA, desde su fundación, hasta el día de hoy: https://lumendatabase.org/.

[20]   *EL NACIONAL.* "Facebook llega a 1,500 millones de usuarios". Histórico. 03 de agosto de 2015, actualizado el 09 de diciembre de 2016. Colombia. Visto el 24 de noviembre de 2017 a través del vínculo http://www.el-nacional.com/noticias/historico/facebook-llega-1500-millones-usuarios_45960.

la muerte de la red social para el año 2016[21], ésta no sólo sobrevive a sus vaticinios, sino que ha tomado fuerza incalculable con la adquisición de otras redes sociales de gran poder mediático: WhatsApp, Instagram y Twitter, entre otras.

Así las cosas, el crecimiento tecnológico, la adquisición de plataformas hermanas y el titánico movimiento de datos en esta red social, ha traído consigo conflictos de naturaleza parecida a los que ocurren en cualquier Nación, verbigracia, robos (hurto de contraseñas), amenazas (cyberbullying), suplantación de identidad (suplantación de usuario), homicidios y suicidios a través de *Facebook live*[22], y violación en diversas ramas del derecho, entre ellas, propiedad intelectual. Como reflejo del último sector, tribunales alrededor del globo comparten el criterio sobre la importancia de prestar atención a la conducta de los cibernautas, sobre todo en tratándose de violaciones en materia de Derechos de Autor; verbigracia, tan sólo en 2017 existen dos casos icónicos al respecto: i) El Tribunal Superior de Nueva Zelanda condena al Partido Nacional a pagar la cantidad de 350 mil euros, por violaciones al Derecho de Integridad sobre la obra *"Lose Yourself"*, escrita por Eminem y cuya titularidad de derechos pertenece a la disquera *Eigh Mile Style*.

El monto de la indemnización fue calculado, tomando como base la herramienta de "alcance" de publicidad que ocupa la plataforma Facebook[23]; ii) Arresto del FBI en Fresno, California sobre el hombre de 21 años, Trevon Maurice, por difundir ante 5 millones de usuarios de Facebook la película *Deadpool* a tan sólo una semana de su estreno y dejarla dis-

---

[21] Palacio, Guillermo. "Presidente de la Fundación de Software Libre de Europa: a Facebook le quedan 3 años (sic)". *Hipertextual*. Economía y empresas. Internet. 29 de julio de 2013. Visto el 24 de noviembre de 2017 a través del vínculo https:// hipertextual.com/2013/07/opinion-de-karsten-gerloff-sobre-facebook.

[22] En enero de 2017, la joven americana de 12 años, Katelyn Nicole Davis cometió suicidio a través de la herramienta Facebook Live. Esto no sólo sirvió de alerta sobre el contenido en materia de derechos de autor, sino como un catalizador alarmante de lo que podría implicar si otros jóvenes intentaran conductas parecidas. Puede consultar la nota completa a través del vínculo https://www.lainformacion. com/mundo/suicida-directo-Facebook-confesar-sufrio_0_989901580.html (*LA INFORMACIÓN*. "Una niña de 12 años se suicida en directo en Facebook Live tras confesar que sufrió abusos". España 2017. Mundo).

[23] EFE/ *20 Minutos*. "El partido Nacional de Nueva Zelanda deberá compensar a Eminem por derechos de autor". Música. España. 25 de octubre de 2017. Visto el 24 de noviembre a través del vínculo http://www.20minutos.es/noticia/3169586/0/ nueva-zelanda-partido-nacional-compensar-eminem-derechos-autor/.

ponible en su muro para futuras vistas. Por ahora, cumple una pena de tres años en prisión por infracciones en materia de Derechos de Autor[24]. Conductas que parecen agravarse con la oportunidad que brindó Facebook a sus usuarios, para transmitir obras audiovisuales en vivo, que bien podrían infringir derechos de autor sobre obras musicales, auditivas, audiovisuales o artísticas ["multiobras" u "Obras multimedia"], complicando el proceso de búsqueda respecto de los 1 500 millones de usuarios, contra los 3 mil monitores de vigilancia que ha colocado Zuckerberg, tan sólo en esta materia. Por ahora, su política de Propiedad Intelectual dicta:

Facebook se compromete a ayudar a las personas y organizaciones a proteger sus derechos de propiedad intelectual. La Declaración de derechos y responsabilidades de Facebook no permite publicar contenido que vulnere los derechos de propiedad intelectual de otra persona, incluidos los derechos de autor y de marca comercial.

1. Derechos de autor

Los derechos de autor son los derechos legales que tienen por objeto proteger las obras originales (por ejemplo, libros, música, películas y arte). Por lo general, los derechos de autor protegen una expresión original, como palabras o imágenes. No protegen hechos ni ideas, aunque pueden proteger las palabras o imágenes originales utilizadas para describir una idea. Los derechos de autor tampoco protegen elementos como nombres, títulos y eslóganes; sin embargo, estos podrían estar amparados por otro derecho legal denominado marca comercial.

A su vez, en el capítulo respectivo sobre Derechos de Autor, prescribe lo siguiente:

Derechos de autor
[...]
Ten en cuenta que la legislación puede variar de un país a otro. Para obtener más información sobre la ley de derechos de autor, visita el sitio web de la U.S. Copyright Office o de la Organización Mundial de la Propiedad Intelectual (WIPO) [...].

---

[24]　*UNOCERO.* "Ni se te ocurra transmitir una película en Facebook. Un joven es arrestado por haber transmitido Deadpool en vivo". España. 18 de junio de 2017. Visto el 24 de noviembre de 2017, a través del vínculo https://www.unocero.com/ noticias/cine/se-te-ocurra-transmitir-una-pelicula-facebook/.

1.1. ¿Qué son los derechos de autor y qué protegen?

En la mayoría de los países, los derechos de autor son los derechos legales que protegen las obras originales. Por lo general, si creas una obra, recibes los derechos de autor desde el momento en el que la produces. Los derechos de autor abarcan una gran variedad de tipos de obras, entre las que se incluyen las siguientes:

a) **Visuales**: vídeos, películas, programas y emisiones de televisión, videojuegos, pinturas, fotografías

b) **Sonoras**: canciones, composiciones musicales, grabaciones de sonidos, grabaciones de viva voz

c) **Escritas**: libros, obras teatrales, manuscritos, artículos, partituras de música

Recuerda que solamente las obras originales pueden estar sujetas a la protección de los derechos de autor. Para que una obra se considere original y, por consiguiente, pueda estar amparada por los derechos de autor, debe haberla creado el propio autor y tener un nivel mínimo de creatividad[25].

Elementos normativos que permiten comprender la naturaleza rígida que ofrece Facebook sobre el comportamiento de sus usuarios en la plataforma, sin embargo, ello no ha detenido las diversas denuncias que se presentan diariamente en términos de la DMCA que rige su actuar conforme al sistema *Copyright*. Esto no se debe a un sistema ineficiente, sino al comportamiento incesante que presentan los millones de usuarios en la plataforma, por lo que Facebook se vio obligado a presentar mecanismos de autocomposición por encima de las vías jurisdiccionales tradicionales y ordinarias.

Al respecto, Zuckerberg presentó la unificación de su plataforma con *Audible Magic* y la creación de *Rights Manager*. Empero, la protección y regulación que la plataforma brinda, no resulta un acto de caridad y bondad a favor de los usuarios, ya que la "Declaración de Derechos y Responsabilidades"[26] deja en claro que todo el contenido de Propiedad

---

[25]   FACEBOOK. Políticas. *Propiedad Intelectual. Derechos de Autor.* https://www.facebook.com/help/1020633957973118.

[26]   FACEBOOK. *Declaración de Derechos y Responsabilidades. Compartir el contenido y la información.* Última versión de 30 de enero de 2015. Visto el 21 de noviembre de 2017, a través de https://www.facebook.com/legal/terms.

Intelectual que carguemos en la plataforma, permite a la red social gozar de una licencia no exclusiva, transferible, con posibilidad de ser subotorgada, libre de regalías y aplicable globalmente para utilizar cualquier contenido que se publique en Facebook o en conexión con Facebook.

Esta licencia finalizaría con la eliminación del perfil o el propio contenido, a menos que el contenido se haya compartido con terceros y estos no lo hayan eliminado. La última afirmación implica un grave retroceso para el universo de los derechos morales, en particular, sobre el derecho de retiro de cualquier obra, facultad exclusiva e irrenunciable del autor.

En ese tenor, parece claro que los mecanismos de autorregulación autoral no sólo fungen como substitutos o amigables composiciones que invitan a abandonar los tribunales, sino como un fuerte escudo que pretende proteger el interés económico del gran monstruo de la web. Sobre ese mismo camino, es que Facebook respeta la posibilidad de presentar reclamaciones bajo la mecánica ofrece la *DMCA* (a cargo de la oficina *Copyright U.S.*), empero, brinda un peso específico a herramientas que permiten identificar publicaciones que podrían incluir contenido sujeto a derechos de autor pertenecientes a terceros.

De esta forma, las herramientas de autorregulación autoral en Facebook, previenen violaciones en materia de derechos de autor, sobre la posibilidad de iniciar engorrosos procedimientos de denuncias en términos de la legislación aplicable:

a) **Audible Magic.–** La compañía pionera en la herramienta de Automatic Content Recognition (ACR) se fundó en el año de 1999, con la finalidad de permitir a los usuarios de la web una mejor experiencia de reconocimiento de audio. Para el año 2000, ya contaba con 30 patentes alrededor de Estados Unidos de América y relaciones comerciales con *NBCY, Fox, Viacom, Warner Bros, Sony Pictures* y *Disney*. Aumentó su fortaleza jurídica y comercial, debido al uso obligatorio de la Federación Internacional de la Industria Fonográfica (*IFPI* por sus siglas en inglés) y de la *Recording Industry Association of* America, para la búsqueda de violaciones en materia de derechos de autor dentro de la web; que lo han convertido en el motor de búsqueda por excelencia. Dentro de Facebook, la herramienta le permite detener la publicación de videos no autorizados, mediante la adición de una "huella digital" a los archivos de medios. De esta forma, cuando un usuario pretende subir un video a la plataforma, la herramienta *AM* lo analiza y busca probables coincidencias. En caso de encontrarlas, la "subida" se detiene y se envía una notificación al usuario.

La herramienta *AM* funciona bajo las reglas de *Content ID*, es decir, la generación de una base de datos para la búsqueda de coincidencias parciales y totales que evita infracciones en derechos de autor; en la mayoría de los casos ese registro se puede obtener de forma gratuita y, en otros diversos, a un costo muy bajo. Hasta ahora, la herramienta permite la protección del contenido digital bajo cuatro modalidades: i) *Bulk Submission.–* Diseñado para compañías con un amplio catálogo de obras. En esta modalidad, Audible Magic provee una ubicación en un servidor para colocar los archivos y en éste, se plasma la "huella digital" que permitiría su fácil detección dentro de Internet; ii*) Live Submission.–* Modalidad que se sugiere para titulares de derecho de transmisión, similares a televisoras; iii) *Content Aggregator.–* Recomendado para pequeñas casas disqueras o compañías con recursos técnicos limitados.

En este caso, el usuario cuenta con la posibilidad de agregar su contenido autoral a bases de datos de FUGA, CI y SONY DADC; y iv) *Content Registration Portal for Music and Video.–* Recomendado para pequeñas disqueras o artistas, que no sólo generan obras musicales, sino contenido en video y que además pudieren poseer derechos de explotación de terceros. Este sistema permite el registro manual de las obras a favor de los usuarios que cuentan con los derechos patrimoniales suficientes para su divulgación y defensa en Internet[27]. Quizá la elección de esta herramienta por parte del equipo técnico de Zuckerberg, se debe a que la misma construyó su software con tecnología licenciada por IBM[28]. Ahora bien, en caso que el aplicativo encuentre una coincidencia en la web, su primera respuesta siempre invita a evitar que el nuevo contenido infractor permanezca en la red, sin embargo, en caso de no lograr la suspensión del *Upload*, el registro de la infracción permite iniciar una reclamación en términos de la *DMCA* o bien, en seguimiento a las reglas autorales en cada país.

b) Rights Manager.– Esta tecnología pertenece enteramente a Facebook y funciona como una herramienta de administración de derechos de autor. Los titulares pueden subir y mantener una biblioteca de referencias de contenido de video que desean supervisar y proteger, incluidas las trans-

---

[27]   AUDIBLE MAGIC. Help Desk. *Registering Your Content with Audible Magic.* Noviembre 13 de 2017. Visto el 24 de noviembre de 2017 a través del vínculo https://audiblemagic.zendesk.com/hc/en-us/articles/201232220-Registering-my-content-with-Audible-Magic.

[28]   IBM. News Room. News Releases. *IBM and Audible Magic Team to protect video content.* California, 23 de octubre de 2008. Visto el 24 de noviembre de 2017 a través del vínculo https://www-03.ibm.com/press/us/en/pressrelease/25741.wss.

misiones en vivo. Se considera tecnología para autores que publican su contenido en Facebook y también para aquéllos que no lo hacen, pero desean evitar que terceros realicen uso indebido y no autorizado de sus obras dentro de la red social, sin su consentimiento. La herramienta es completamente gratuita y se activa para las páginas creadas dentro de la plataforma, lo que permite crear bibliotecas de referencia para monitoreo, especificar usos permitidos, identificar probables coincidencias y, en su caso, designar usuarios con licencia dentro de Facebook[29].

En caso que algún video coincida con el contenido registrado de un autor/usuario o autor/no usuario, *RM* permite: i) Bloquear el video a nivel nacional o internacional para evitar su divulgación; de esta forma dicho contenido audiovisual sólo estará disponible para el usuario que pretende difundirlo a través de la red social; ii) Reclamar ingresos por publicidad, respecto de aquellos videos que hubiesen utilizado contenido protegido por leyes autorales y que contengan pausas publicitarias, respecto de las visualizaciones nacionales o internacionales; iii) Aplicar atribución para insertar un *banner* en la parte inferior del video; a esto se le podría considerar un caso ejemplar para el ejercicio del derecho moral de paternidad que reconocen los sistemas subjetivos de protección autoral; y iv) Denunciar las infracciones en materia de derechos de autor para que se retire el contenido, sin necesidad de iniciar reclamaciones en materia de derechos de autor que pudieren originar una pugna jurídica.

Un examen sucinto sobre las herramientas propuestas, permitiría distinguir que Facebook apuesta por construir un propio sistema normativo, con reglas particulares que lo conviertan en el juez de control y proceso, que le permita tener en sus manos la vigilancia de la conducta de sus "ciberpatriotas" (usuarios), y la implementación de condenas que pudieren permitir la expulsión de cualquier ciudadano/usuario de dicha plataforma; en beneficio de la propiedad intelectual que colocamos dentro de dicha red social y, que con un "click", otorgamos en licencia a favor de Zuckerberg y compañía. Premisa que no resulta inverosímil, si la analizamos a la luz del reciente acuerdo comercial que celebró con la *UEFA,* lo que le permitirá transmitir 32 partidos en vivo para Latinoamérica, incluyendo la final, a través de su plataforma; ello atiende al combate abierto contra las transmisiones ilegales y al vasto control que Facebook ha logrado en materia de derechos de autor y *live streaming.*

---

[29]   FACEBOOK. *Rights Manager.* Visto el 24 de noviembre de 2017 a través del vínculo https://rightsmanager.fb.com/.

En términos de las políticas de **Transparencia** que propugna Facebook, es posible consultar los reportes en materia de Propiedad Intelectual, que se han presentado a través de los mecanismos que dispone la red social. Hasta ahora, se encuentran disponibles los reportes de julio a diciembre de 2017, en los que es posible a analizar los reclamos que ha visto, revisado y, en su caso, eliminado de Facebook e Instagram en materia de **copyright, Trademark y Counterfeit.**

Con fines de referencia, reproduzco la gráfica de julio-diciembre 2017, que incluye las métricas por reclamos presentados en Facebook. El usuario está en facultad de analizar meses anteriores y lo relativo a Instragram en el portal de **Transparencia**[30].

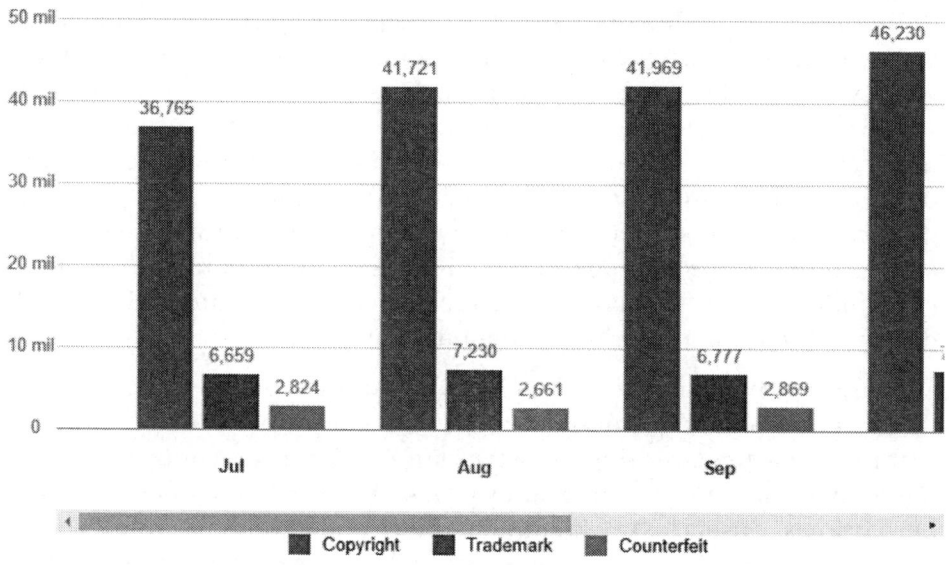

2. *Autocomposición en materia de derechos de autor*

Los Derechos de Autor —entre las varias esferas de protección—, quizá sean de los más afectados con la amplia exposición digital que enfrentan en internet y las redes sociales, pero su efecto positivo también permite la mejor percepción de regalías a favor de los autores y, en su caso, pronta

---

30   FACEBOOK. *Transparency. Intellectual Property.* Estados Unidos de América. Visto el 14 de octubre de 2018 a través del vínculo https://transparency.facebook.com/intellectual-property.

detección de infracciones que pudieren vulnerar los derechos morales y patrimoniales de estos.

En el caso de Facebook, dedica un apartado específico a los Derechos de Autor, bajo el marco de interpretación de la Ley de Derechos de Autor americana disponible en la U.S. Copyright Office; es decir, las obras de carácter visual, sonoro o escrito que se divulguen a través de su plataforma se entenderán por protegidas en términos del sistema americano/objetivo de protección. Además de la originalidad sobre las obras que se produzcan en el ámbito digital, Facebook reconoce otras categorías similares como la propia imagen en fotografías o videos. Indiscutiblemente, el factor que analizaremos en el presente parágrafo es el uso legítimo de las obras, los procedimientos para recuperar publicaciones eliminadas por supuestas infracciones y el procedimiento de denuncia que brinda Facebook.

A. Eliminación automática del contenido. Tal como referí en el capítulo de Propiedad Intelectual de la presente Obra, Audible Magic y Rights Manager siguen las estrictas reglas del DMCA, lo que permite una vigilancia irrestricta sobre el uso de las obras digitales en Facebook. Ello pudiere generar que el contenido de un vídeo se identificare como contenido sujeto a derechos de autor de otra persona, por lo que el contenido afectado (vídeo, audio o ambos) se eliminaría de inmediato. En este caso, Facebook notificará vía correo electrónico y a través de la "campanita" las razones por las cuales se eliminó el contenido y en su caso, podrás optar por dos caminos: reiterar tus deseos de publicar, en el entendido que podrías generar una infracción susceptible de generar una indemnización a favor del titular; o aceptar la decisión de Facebook.

B. Bloqueo de cuentas infractoras. En afán de permitir un espacio libre y pacífico, Facebook ha determinado la reincidencia en infractores en materia de derechos de autor, como una causal suficiente para provocar la desactivación o eliminación de cuentas y páginas. La baja sólo se podría reconsiderar si se ha presentado una contra notificación con arreglo a la DMCA, siempre que se ha iniciado un procedimiento de denuncia en su contra, tal como se describe a continuación.

a) La contranotificación se presenta ante eliminación errónea o confusión del denunciante; según lo determina la DMCA. El proceso para restituir el contenido y, en su caso, el perfil pudiere demorar 14 días laborales/hábiles. Si se ha restituido contenido en términos de una contranotificación fundada, esta no se contabiliza en consideración de la reincidencia.

b) Adicionalmente, la reincidencia en infracción autoral permite a Facebook limitar el uso de las herramientas que dispone la plataforma, tales como la capacidad para publicar fotos o vídeos, así como limitar el acceso a determinadas funciones o características de la red social.

C. Eliminación por denuncia de infracción. Es indiscutible que los usuarios cuentan en todo momento con los canales oficiales para solucionar sus conflictos en materia de Derechos de Autor, sin embargo, Facebook pone a disposición el procedimiento de **Denuncia** en términos de la sección 512 (f) de la *Digital Millenium Copyright Act (DMCA)*. Este procedimiento permite a los titulares de derechos de autor (morales o patrimoniales) exigir la reparación de su calidad y, en su caso, exigir la determinación de responsabilidad por daños. Para ello, se debe llenar el formulario que dispone la plataforma[31] y aportar información mínima indispensable para procurar su trámite (según lo exige la DMCA).

a) **Distinción de derechos de autor de otros de diversa especie.** El primer factor a analizar es la necesidad de identificar el tipo de reclamo que se está planteando, para ello, Facebook solicita estar seguros de identificar los derechos de autor frente a otras categorías como el hackeo de la cuenta, bullying, acoso, reportar contenido inapropiado, contenido que vulnera la marca o indebido uso de nombre.

b) **Información de contacto.** Facebook no supone que el correo de contacto es el mismo que se registra en la cuenta, por lo que se deberá determinar el canal para recibir notificaciones y, si en su caso, se actúa en representación de un tercero; esto quiere decir que un abogado, sociedad de gestión colectiva o perito en la materia, podría coadyuvar en la presentación de la denuncia.

c) **Contenido infractor y razones.** Se debe indicar la naturaleza de la obra (foto, video, publicación, álbum de fotos) y la forma en que se presume la infracción (copia no autorizada, uso no autorizado de nombre o aparición no autorizada de obra o nombre).

d) **Legitimación.** Si bien Facebook no requiere información sobre el autor o documento idóneo que acredite la titularidad de derechos, sí solicita la dirección URL para consulta de la obra que se ha vulnerado o, en su caso, el archivo a través de la opción *Upload file*.

---

[31]   FACEBOOK. *Formulario de Denuncia de Derechos de Autor.* Estados Unidos de América. Disponible en https://www.facebook.com/help/contact/634636770043106?h elpref=page_content el 01 de agosto de 2018.

e) **Confirmar declaración.** Bajo penas de "perjurio" y en comprensión de los alcances legales de la denuncia, el denunciante debe confirmar el contenido de su requisición y manifestar que cuenta con derechos suficientes para iniciar cualquier reclamación.

D. Denuncia completa en materia de derechos de autor.– Facebook brinda el formulario que hemos descrito anteriormente para presentar denuncias en la materia que nos ocupa, sin embargo, en caso de que el contacto con el usuario infractor resulte inútil frente a la probable amigable composición, la DMCA obliga a las plataformas digitales contar con un *Agente Designado* para el cumplimiento de la Ley de referencia; quien deberá atender cualquier solicitud de denuncia por vulneración a los derechos de autor. Si bien es cierto, el canal más económico para presentar la denuncia es el procedimiento anteriormente descrito, el titular vulnerado también puede dirigirse al agente designado por otros métodos convencionales (más lentos) a través de correo postal y electrónico —ambos— e incluir una denuncia completa que deberá incluir:

a) Datos de contacto.

b) Descripción de la obra cuyos derechos de autor se estiman vulnerados.

c) Información suficiente para localizar la obra infractora en la plataforma.

d) Declaración que incluya:

    i. Afirmación de buena fe sobre el uso indebido de la obra vulnerada.

    ii. Afirmación de notificación correcta en términos del DMCA.

    iii. Bajo pena de "perjurio" que se cuenta con legitimación procesal o titularidad.

e) Firma electrónica o física.

2.2. ¿Cuáles son las ventajas de la denuncia DMCA frente a procesos tradicionales?

Por lo que refiere al procedimiento de denuncia que hemos referido en el inciso inmediato anterior, existen diversas consideraciones que vale la pena atender, frente a cualquier procedimiento ante autoridades oficiales.

a) Celeridad. Una vez que se presenta la denuncia, el contenido es suspendido temporal o definitivamente, sin embargo, esta medida provisional sólo está en vigor de 24 a 48 horas, ya que la resolución final, una vez oídos los argumentos del presunto infractor, no supera las 72 horas. Es decir, en menos de 4 días se obtiene resolución sobre la infracción.

b) Gratuidad. Si bien es cierto, procedimientos como la Avenencia son gratuitos ante el Instituto Nacional del Derecho de Autor, otros como el Arbitraje y el Juicio Ordinario Civil requieren la inversión mínima de consultores y abogados; en el primer caso, se requiere cubrir los honorarios del árbitro autorizado del INDAUTOR, mientras que el procedimiento ordinario civil requiere cubrir gastos y costas en largos procesos de 2 a 3 años.

c) Ofrecimiento de pruebas. El ofrecimiento es sencillo y atiende a las necesidades digitales del proceso, pues sólo se requieren URL's o archivos que permitan el cotejo de la obra original con aquella que se presume infractora.

d) Legitimación. A diferencia de cualquier procedimiento de orden análogo, la denuncia que propone Facebook, sólo requiere indicar, a través de casillas *check*, que se cuentan con derechos legítimos para iniciar el proceso y, en su caso, que se cuentan con la autorización del titular o autor.

e) Amigable composición. La autocomposición permite a las partes, libremente, llegar a un acuerdo antes o durante el proceso de denuncia; por lo que el denunciante puede desistirse de su solicitud si es que ha llegado a un amigable acuerdo con el presunto infractor, en cualquier momento antes de la determinación de Facebook. Esto deberá notificarse a Facebook a través del correo electrónico que proporciona el número de folio/expediente.

2.3. ¿Cuáles son las desventajas de la denuncia DMCA frente a procesos tradicionales?

No todo es oro en tratándose de mecanismos de autocomposición, pues a pesar de las amplias virtudes que presentan este tipo de procedimientos, existen áreas de oportunidad que podrían dejar sin reparación los derechos de autor, sobre todo de índole patrimonial, a favor del titular.

a) Indemnización. Procedimientos como la Avenencia y el Arbitraje, cuentan con reglas claras —previstas en Ley— que permiten al autor conocer los límites mínimos en la reparación de sus derechos patrimoniales. Verbigracia, la Ley Federal del Derecho de Autor vigente en México, sostiene que la indemnización por daños y perjuicios por violación a los derechos que confiere la ley en ningún caso será inferior al cuarenta por ciento del precio de venta al público del producto original o de la prestación original de cualquier tipo de servicios que impliquen la violación a alguno o algunos de los derechos tutelados por la Ley (artículo 216 Bis de la Ley Federal del Derecho de Autor). Empero, procedimientos de autocomposición como el que nos ocupa no permiten o brindan espacio para solicitar la indemnización pertinente, pues sólo se detienen a buscar la pronta solución a favor de la obra y no del autor; de ahí la diferencia del sistema objetivo de protección que ocupa Facebook (copyright) frente a un sistema subjetivo como el mexicano, que defiende al autor en primer término.

b) Falta de legitimación procesal. Si bien es cierto, los mecanismos de autocomposición tienen como característica el estimar la buena fe del solicitante al momento de plantear su pretensión, por lo que no requieren mecanismos de legitimación, ello puede generar diversas solicitudes frívolas que pretendan afectar el comportamiento de páginas, fan page o perfiles. Es decir, a pesar de que las resoluciones no resulten favorables ante el denunciante, la suspensión provisional podría afectar al denunciado, sin que se hubiere requerido mayores elementos de autenticación para acreditar la legitimación procesal.

c) Sistema subjetivo de protección autoral. En términos del inciso "a" anterior, se acredita la desventaja que sufre el autor frente a la probable reparación en materia de derechos patrimoniales a la cual tiene derecho; ya que el sistema objetivo de protección pretende repara la obra y permitir su correcta difusión, en tanto que sistemas subjetivos —como el mexicano/ latinoamericano— pretenden reparar la esfera jurídica del autor mediante el pago de indemnizaciones, la cual no se puede exigir en el proceso de denuncia que propone Facebook.

2.3.1. *Autocomposición en materia de Marcas Comerciales*

En el universo de propiedad intelectual, se desprende la rama de propiedad industrial. Entre las figuras que protege esta rama se encuentran los signos distintivos que distinguen a bienes o servicios de otros similares en el mercado. Estos signos pueden ser marcas nominativas, innominadas, tridimensionales, sonoras, olfativas o mixtas, así como nombres comerciales, denominaciones de origen y avisos comerciales. Para Facebook, se entiende por marca comercial una "palabra, eslogan, símbolo o diseño (como un nombre de marca o un logotipo) que una persona o empresa utiliza para diferencias sus productos o servicios de los que ofrecen otros"[32]; normativamente atiende a la ley de marcas comerciales que regula el comportamiento de la Oficina de Patentes y Marcas Comerciales de Estados Unidos.

El uso indebido de una marca comercial, el uso no autorizado de una marca para fines comerciales o la probabilidad de confusión entre marcas comerciales similares se consideran infracciones, para efectos de las políticas de Facebook. Cada una de estas hipótesis, permite al propietario de una marca el iniciar los procedimientos tradicionales para resolver la presunta infracción, sin embargo, la red social propone la autocomposición a través de mecanismos digitales; si bien Facebook reconoce que no puede juzgar disputas entre terceros, sobre todo en el análisis de disputas que requieran examen exhaustivo de la marca comercial o una disputa en el "mundo real" fuera de Facebook; no menos cierto es que estos mecanismos de autocomposición presentan ventajas frente a procedimientos de corte análogo.

A. Nombres de usuario contra marcas. Facebook reconoce la máxima "primero en tiempo, primero en derecho" para otorgar nombres de usuario sobre los solicitantes, por lo que se entiende de buena fe cualquier página de Facebook que incluya, dentro de su nombre de usuario, una marca comercial. Sin embargo, dependiendo del contexto y el uso que el cibernauta realiza sobre el perfil, esta conducta podría considerarse infractora de derechos marcarios. En caso de considerar que existen infracciones a los derechos de marca comercial, Facebook te invita a contactar al dueño del perfil para llegar a una amigable composición o bien, presentar una denuncia mediante el formulario dispuesto para tales fines.

B. Denuncia por infracción de marca comercial. De forma similar a la denuncia por infracción en materia de Derechos de Autor, Facebook propone el llenado del formulario para presentar la denuncia respectiva, sin embargo, en atención a la naturaleza peculiar de los signos distintivos, adicional a la información que hemos referido en el parágrafo anterior, se requerirá:

---

[32] FACEBOOK. *Marcas Comerciales. Más información sobre las marcas comerciales. ¿Qué son las marcas comerciales y que protegen?* Estados Unidos de América. Disponible a través del vínculo https://www.facebook.com/help/507663689427413/?helpref= hc_fnav visto el 01 de agosto de 2018.

a) **Principio de territorialidad.** En materia de protección de signos distintivos, la marca sólo otorgará la protección para el uso exclusivo, en el país en cuyo registro se otorgó; es decir, una marca sólo protegerá a su titular respecto del país del cual cuente con título legítimo. En ese tenor, el formulario de denuncia de Facebook solicita al denunciante informar el espacio territorial (jurisdicción) en que se otorgó el registro.

b) **Principio de especialidad.** El denunciante deberá informar las categorías de productos o servicios que incluyen el registro; esto implica que un signo distintivo sólo obtendrá la protección de la institución registradora, sobre las clases que correspondan al uso exclusivo que se solicitó, sin que se permita solicitar una amplísima protección de la marca comercial en perjuicio de terceros que pudieren usar el signo distintivo, legítimamente, en otras categorías.

c) **Principio de temporalidad.** Si bien gran parte de las legislaciones alrededor del globo, sobre todo aquellas que se encuentran vigiladas por la Organización Mundial de la Propiedad Intelectual, permiten la renovación del registro marcario, no menos cierto lo es, que si no ocurre dicho acto, el título de uso exclusivo perderá vigencia y la marca comercial podría considerarse de dominio público, lo que impediría realizar solicitudes de infracción por uso indebido o ilegítimo. En ese tenor, Facebook solicita el número de registro de marca, de tal suerte que se encuentre en facultad de consultar el expediente electrónico que, dicho sea de paso, se encuentra disponible en diversos Estados que respetan los protocolos de la OMPI.

Adicionalmente a los mecanismos de autocomposición que hemos invocado, es relevante recordar que redes sociales como Twitter y Youtube cuentan con catálogos públicos para consultar las resoluciones que se han emitido en términos de la DMCA; es decir, existen registros disponibles para conocer el criterio de las plataformas al momento de dictaminar sobre probables infracciones en materia de Derechos de Autor y Propiedad Industrial (marcas comerciales).

En el caso de Twitter puede consultar las resoluciones a través de https://lumendatabase.org/twitter. Asimismo, es prudente distinguir los mecanismos de autocomposición de aquellos que se consideran de autorregulación, ya que los primeros permiten a los usuarios buscar soluciones amigables mediante mecanismos digitales propuestos por la plataforma, en tanto que los segundos, tienen fines preventivos que pretenden hacer cumplir las normas de la comunidad sin la intervención activa de los usuarios, en afán de contar con una constante vigilancia de esferas delicadas del cibernauta, como lo son los derechos de autor.

REFERENCIAS

ABC España, "Vale, ¿pero cuánto cobran los famosos por un «tuit»?" 24 de enero de 2017, Madrid, España. Visto el 18 de noviembre de 2017, a través del vínculo http://www.abc.es/tecnologia/redes/abci-vale-pero-cuanto-cobran-famosos-tuit-201701240234_noticia.html.

AUDIBLE MAGIC, Help Desk. *Registering Your Content with Audible Magic*. Noviembre 13 de 2017. Visto el 24 de noviembre de 2017 a través del vínculo https://audiblemagic.zendesk.com/hc/en-us/articles/201232220-Registering-my-content-with-Audible-Magic.

CONGRESO DE LA UNIÓN, Artículo 14 de la Ley Federal del Derecho de Autor. México. http://www.diputados.gob.mx/LeyesBiblio/pdf/122_130116.pdf.

EFE/ *20* Minutos, "El partido Nacional de Nueva Zelanda deberá compensar a Eminem por derechos de autor". Música. España. 25 de octubre de 2017. Visto el 24 de noviembre a través del vínculo http://www.20minutos.es/noticia/3169586/0/nueva-zelanda-partido-nacional-compensar-eminem-derechos-autor/.

EL NACIONAL, "Facebook llega a 1,500 millones de usuarios". Histórico. 03 de agosto de 2015, actualizado el 09 de diciembre de 2016. Colombia. Visto el 24 de noviembre de 2017 a través del vínculo http://www.el-nacional.com/noticias/historico/facebook-llega-1500-millones-usuarios_45960.

Estadística, Invertimos en los creadores y Derechos de Autor. Consultado en línea a través del vínculo https://www.youtube.com/yt/press/es/statistics.html el 19 de abril de 2017.

FACEBOOK, Declaración de Derechos y Responsabilidades. Compartir el contenido y la información. Última versión de 30 de enero de 2015. Visto el 21 de noviembre de 2017, a través de https://www.facebook.com/legal/terms.

FACEBOOK, *Formulario de Denuncia de Derechos de Autor.* Estados Unidos de América. Disponible en https://www.facebook.com/help/contact/634636770043106?helpref=page_content el 01 de agosto de 2018.

FACEBOOK, *Marcas Comerciales. Más información sobre las marcas comerciales. ¿Qué son las marcas comerciales y que protegen?* Estados Unidos de América. Disponible a través del vínculo https://www.facebook.com/help/507663689427413/?helpref=hc_fnav visto el 01 de agosto de 2018.

FACEBOOK, Políticas. *Propiedad Intelectual. Derechos de Autor*. https://www.facebook.com/help/1020633957973118.

FACEBOOK, *Rights Manager*. Visto el 24 de noviembre de 2017 a través del vínculo https://rightsmanager.fb.com/.

FACEBOOK, Transparency. Intellectual Property. Estados Unidos de América. Visto el 14 de octubre de 2018 a través del vínculo https://transparency.facebook.com/intellectual-property.

FOX SPORTS, Entérate cuánto sale aparecer en un tweet de Cristiano Ronaldo. Columnistas. La Liga. Fox Sports. Junio de 2017. Buenos Aires. Visto el 18 de noviembre a través del vínculo https://www.foxsports.com.mx/blogs/view/310064-enterate-cuanto-sale-aparecer-en-un-tweet-de-cristiano-ronaldo.

HOFFMAN, Ivan. *Scenes a faire Under Copyright Law*. Estados Unidos, 2003. Puede consultar el texto íntegro a través del vínculo http://www.ivanhoffman.com/scenes.html, visto el 18 de noviembre de 2017.

IBM, News Room. News Releases. *IBM and Audible Magic Team to protect video content*. California, 23 de octubre de 2008. Visto el 24 de noviembre de 2017 a través del vínculo https://www-03.ibm.com/press/us/en/pressrelease/25741.wss.

LIMÓN, J., *El Proceso de Autorregulación Autoral en Youtube*. Publicado originalmente el 05 de mayo de 2017, en la edición impresa de mayo y en la edición digital de la revista Foro Jurídico. Consultable en línea a través del portal https://www.forojuridico.org.mx/proceso-autorregulacion-autoral-youtube/ Visto el 03 de junio de 2017.

NAVA GONZÁLEZ, W. y BRECEDA PÉREZ, J., México en el contexto internacional de solución de controversias en línea de comercio electrónico. México, 2015. Anuario mexicano de derecho internacional. Volumen 15, enero/diciembre. Visible el 26 de julio de 2019 a través del vínculo http://www.scielo.org.mx/scielo.php?script=sci_arttext&pid=S1870-46542015000100019.

PALACIO, G., "Presidente de la Fundación de Software Libre de Europa: a Facebook le quedan 3 años (sic)". Hipertextual. Economía y empresas. Internet. 29 de julio de 2013. Visto el 24 de noviembre de 2017 a través del vínculo https://hipertextual.com/2013/07/opinion-de-karsten-gerloff-sobre-facebook.

REINBERG, C., "¿Están los tweets protegidos por derechos de autor?" *Revista de la OMPI*. Número 4/2009. Julio de 2009. Visto el 18 de noviembre de 2017 a través del vínculo http://www.wipo.int/wipo_magazine/es/2009/04/article_0005.html

SHINEN, B., The Misunderstandings of Ownership. Twitter Logical. Shinen Law Coporation. 2009. Visto el 18 de noviembre de 2017, a través del vínculo http://canyoucopyrightatweet.com/.

TARTAKOFF, J. F., "Analyst: YouTube Will Lose Almost $500 Million This Year". Publicación del 4 de marzo de 2009. Consultado el 20 de abril del año 2017 a través del vínculo   https://www.forbes.com/2009/04/03/youtube-loses-money-technology-paidcontent.html.

TCM/ EL UNIVERSAL, "Twitter tiene 35.3 millones de usuarios en México". Notimex. 16 de marzo de 2016. Visto el 18 de noviembre de 2017 a través del vínculo   http://www.eluniversal.com.mx/articulo/cartera/negocios/2016/03/16/twitter-tiene-353-millones-de-usuarios-en-mexico.

TWITTER, Política de derechos de autor. https://support.twitter.com/articles/20170921#3 Visto el 18 de noviembre de 2017.

UNOCERO, "Ni se te ocurra transmitir una película en Facebook. Un joven es arrestado por haber transmitido Deadpool en vivo". España. 18 de junio de 2017. Visto el 24 de noviembre de 2017, a través del vínculo https://www.unocero.com/noticias/cine/se-te-ocurra-transmitir-una-pelicula-facebook/.

La resolución electrónica de conflictos en Colombia: la esperanza de la justicia

NICOLÁS LOZADA PIMIENTO[*]
JOSÉ DANIEL SÁNCHEZ QUIÑONES[**]

RESUMEN

El presente artículo pretende acercar al lector a los sistemas de resolución de controversias en línea, sistemas que han tenido avances en muchos países del mundo, dentro de los que se encuentra Colombia. Se profundiza en el arbitraje online para garantías mobiliarias que implementó Colombia y se exponen sus grandes beneficios, sin dejar atrás los retos que se deben afrontar. Se concluye con un análisis sobre el futuro del arbitraje online en Colombia.

Palabras clave: Arbitraje online, garantías mobiliarias, resolución de conflictos, justicia.

ABSTRACT

This article aims to bring the reader closer to online dispute resolution systems, systems that have made progress in many countries of the world, within which Colombia is located. It goes deeper in the online arbitration for secured transactions implemented by Colombia and present its great benefits, without leaving behind the challenges to be confront. It concludes with an analysis of the future of online arbitration in Colombia.

Key words: Online arbitration, secured transactions, dispute resolution, justice.

---

[*]   Nicolás Lozada Pimiento es abogado de la Universidad Externado de Colombia. Cuenta con maestrías en Derecho Internacional y Comparado de la Universidad Nacional de Singapur, y en Derecho y la Economía Global de la Universidad de Nueva York. Es socio de la firma Rincón Cuéllar & Asociados y profesor de arbitraje, comercio internacional y derecho de los negocios en las universidades Externado de Colombia, Javeriana, de la Sabana y Santo Tomás. Actualmente, se desempeña como árbitro y secretario de los Centros de Arbitraje de las Cámaras de Comercio de Bogotá, Medellín y Bucaramanga, y ha sido consultor en asuntos de arbitraje internacional.

[**] José Daniel Sánchez es abogado y politólogo de la Universidad Javeriana. Actualmente se desempeña como abogado junior de Gómez Pinzón Abogados, donde centra su práctica en resolución de disputas y protección de inversiones.
Quiero expresar mis agradecimientos especiales a Laura Leal, Jose Chamorro y Lucía Cervantes por su valioso aporte investigativo.

I. INTRODUCCIÓN

Cuando estaba terminando mi carrera se acercó uno de mis tíos y me dijo que tenía un problema y necesitaba de mi ayuda. Le estaban incumpliendo un contrato y quería acudir a la justicia. Yo no había tenido un acercamiento al mundo legal y me imaginaba que todo funcionaba como lo mostraban en las series norteamericanas. Sin embargo, lo que me terminé encontrando fueron arrumes de papel y una cantidad de exigencias y trámites, como poderes, memoriales, contestaciones, recursos entre otros. Esto fue en el 2006 y el caso de mi tío aun no se ha resuelto.

Al hablar de justicia, el primer escenario que viene naturalmente a nuestra mente es el mecanismo ordinario de solución de conflictos: "La justicia ordinaria", la cual se desarrolla a través de las cortes, formalidades, audiencias, recursos, etc. El juez y la toga. Sin embargo, por el apego acérrimo a estas figuras tradicionales, no vamos a la par con los grandes avances tecnológicos de la actualidad y, por consiguiente, la aparición de nuevas necesidades que demandan nuestra capacidad de adaptabilidad.

Una de las mayores demandas y paradójicamente, de las más grandes carencias en la sociedad actual es la justicia, pero no de cualquier tipo, sino de una justicia rápida, económica y eficaz. Según cifras expedidas por el Banco Mundial, la justicia en Colombia es una de las más ineficaces en el mundo. De 190 países analizados, ocupamos el puesto número 170. Según estudios estadísticos en Colombia 3 de cada 10 personas prefieren recurrir a la venganza antes que al mismo sistema judicial para resolver sus conflictos.

El Banco Mundial establece que la justicia, además de ineficiente, es costosa. De acuerdo con el organismo internacional, el capital a invertir necesario para acceder a la justicia es de por lo menos el 46% de lo pretendido ante ella.

Estas cifras prueban la poca seguridad y confianza que la justicia ordinaria brinda a la sociedad. La mayoría de las personas prefieren evadir el sistema judicial, solo por el desgaste de tiempo y dinero que representa acudir a él. Ello sin mencionar la negativa percepción respecto a la corrupción, efectividad y falta de justicia material, que en la práctica parecieran ser elementos inherentes a dicho sistema.

Por lo anterior, se ha hecho necesario buscar soluciones que enfrenten la crisis por falta de acceso a la justicia. La búsqueda de resolución de conflictos ha sido una de las primigenias necesidades del hombre en sociedad, pues se ha reconocido la importancia de resolver controversias, incluso antes de la consolidación de los Estados organizados como los conocemos. Las soluciones deben ir encaminadas, tanto a evitar conflictos jurídicos, como a buscar vías más eficaces para resolverlos.

Recientemente, múltiples mecanismos de solución de conflictos han surgido en los distintos modelos jurídicos. Una de las principales bases en la búsqueda de evitar conflictos, es la negociación, en donde las partes llegan a un acuerdo que se ajuste a las necesidades de ambas. En la negociación no hay presencia de terceros facilitando la resolución del conflicto.

La negociación se posiciona como uno de los más efectivos métodos de resolución de controversias en cuanto al costo-beneficio. Sin embargo, debido a la creencia de estar en mejor posición que la contraparte, el querer lograr siempre mayores beneficios, el menospreciar a la contraparte, entre otras, hacen que las negociaciones fracasen y se resuelvan mediante disputas legales.

También está la mediación como mecanismo de solución de conflictos, en el cual, sus participantes en conjunto y con la intervención de un tercero imparcial, proponen alternativas en búsqueda de lograr consensualmente un arreglo que se ajuste a sus necesidades. Es decir, toma como base la negociación, pero agregando como nuevo elemento la presencia de un tercero neutral. Uno de sus principales obstáculos es la necesidad de que las partes acudan y estén dispuestas y preparadas para, de buena fe, lograr un arreglo, pues en la práctica muchas veces no lo hacen.

Ante este escenario, aparece el arbitraje como uno de los mecanismos de resolución de conflictos más relevantes y ha sido utilizado, incluso en el ámbito internacional, hace casi más de un siglo.

II. EL ARBITRAJE

Se concibe como un proceso adversarial donde un tercero independiente llamado árbitro, luego de escuchar a cada una de las partes, toma una decisión vinculante para estas. Para tales efectos, esta institución procesal toma múltiples elementos de la justicia ordinaria, tales como principios, interrogatorios, practica de pruebas, entre otros.

La vía para llegar a este mecanismo alternativo de solución de conflictos es la existencia de un pacto arbitral, el cual puede consistir en un compromiso o en una cláusula compromisoria. Este mecanismo hetero-compositivo es ampliamente utilizado alrededor del mundo, debido a la posibilidad de resolver asuntos que requieren experticia y conocimientos en temas especializados.

La decisión tomada al finalizar el proceso se denomina laudo, el cual puede ser en derecho, equidad o técnico. Lo anterior recordando sus conocidas características, como lo son el prestar mérito ejecutivo y el hacer tránsito a cosa juzgada.

En el año 2017, el Ministerio de Justicia y Derecho reportó la existencia de 1.728 árbitros y 341 secretarios de tribunal de arbitraje registrados, pero a pesar del creciente número, una de las mayores deficiencias era una cobertura territorial correspondiente al 4% de los municipios del país.

1. Aparición de la tecnología en la resolución de controversias

Las tecnologías de la información son una de las herramientas mas útiles para la resolución de conflictos. Los grandes avances tecnológicos del último siglo imponen la necesidad de su implementación, no solo en actividades cotidianas, sino en tareas más complejas, como la administración de justicia.

Debido a lo anterior, nació la solución de controversias en línea u Online Dispute Resolution (—ODR— por sus siglas en inglés). Los sistemas ODR han sido definidos por la Comisión de las Naciones Unidas para el Derecho Mercantil Internacional —CNUDMI—, como un "mecanismo para resolver controversias facilitado mediante el empleo de las comunicaciones electrónicas y demás tecnología de la información y las comunicaciones"[1].

Según esta comisión, el ODR es una opción para resolver litigios de manera sencilla, rápida, exigible y segura. Según las Notas Técnicas de la CNUDMI para la Resolución de Controversias en Línea, para su introduc-

---

[1]   La resolución 67/97 de la Asamblea General "Notas técnicas de la Comisión de las Naciones Unidas para el Derecho Mercantil Internacional sobre la solución de controversias en línea" A/RES/71/138 (13 de diciembre de 2016), disponible en: https://undocs.org/es/A/RES/71/138.

ción se debe guardar un balance entre eficiencia y respeto a los principios de equidad, transparencia, debido proceso y rendición de cuentas. Estas plataformas aplican no solo en el arbitraje sino también en otras metodologías de resolución de conflictos como las juntas de reclamaciones, el defensor del pueblo (ombudsman), la negociación, la conciliación, la mediación, el arreglo facilitado y procesos híbridos.

Así, este mecanismo nació, en principio, sin la intención de desplazar, desafiar o interrumpir el régimen legal existente de los métodos alternativos de solución de disputas. De hecho, su objetivo era llenar el vacío existente respecto de la utilización de la tecnología y su correspondiente aplicación al régimen legal. Además, por medio de este mecanismo se buscaba proveer nuevas y mejores formas de resolver las disputas que se suscitaran en relación con la actividad en la red[2].

El progresivo desarrollo de los sistemas ODR y la necesidad de utilizar las tecnologías de comunicación en los diferentes ámbitos humanos, han llevado a que estos sistemas sean aplicados en una amplia gama de contextos. Lo anterior, con independencia de si las controversias se originaron en línea o en entornos presenciales.

A la fecha, se han identificado tres etapas en la evolución del ODR en el mundo: la primera consistió en tecnología de apoyo para los ya existentes métodos alternativos de solución de conflictos —MASC—. La segunda evolucionó en una categoría procesal autónoma que asiste proactivamente a las partes en conflictos surgidos online u offline, es decir, se amplió la posibilidad de resolver en internet disputas ajenas a la actividad en internet. La tercera supuso la introducción de nuevos desarrollos para resolver conflictos exclusivamente automatizados mediante inteligencia artificial.

Como primer caso registrado de lo que serían llamados mecanismos de solución de controversias en línea, se encuentra eBay. Esta compañía buscó por medio de las tecnologías de las telecomunicaciones solucionar las disputas que se suscitaran en su plataforma de comercio electrónico. Ello por medio de un proceso compuesto de dos etapas. La primera etapa consistía en una negociación asistida por el sistema, mediante el cual se hacían reclamos y se intercambiaban demandas. En caso de no acceder al arreglo sugerido, le seguía una etapa de mediación online asistida por un humano.

---

2   Digital Justice, Technology and the Internet of Disputes. Ethan Katsh and Orna Rabinovich.

Esta metodología le permitió a eBay resolver más de 60 millones de disputas al año, más que todo el sistema judicial civil de los Estados Unidos.

Lo interesante es que fue un sistema ajustado específicamente a las necesidades de eBay, como la devolución de dinero al comprador por artículo no recibido o defectuoso, la reclamación de dinero al vendedor por artículos no pagados y la protección de derechos de propiedad intelectual. Ello supuso una capacidad aumentada para identificar circunstancias litigiosas para mejorar sus procesos y prevenir conflictos a futuro.

Paralelamente, la empresa de pagos online Paypal diseñó un sistema similar y condujo un estudio junto con eBay en 2010 para medir el nivel de satisfacción de sus usuarios. Este estudio comprobó que la justicia retrasada equivale a ser denegada toda vez que los usuarios que dejaron de utilizar la plataforma fueron aquellos quienes el proceso tomó más de seis semanas, dejando claro que los compradores preferían perder su caso rápidamente en lugar a que el proceso se extendiera en el tiempo[3].

Otro ejemplo notable es el sistema empleado por la Corporación de Internet para la Asignación de Nombres y Números (ICANN). Este servicio es dirigido a aquellas controversias que versen sobre los nombres de dominio y compromete a que quien registra un nombre de dominio acuda al Tribunal de Arbitraje cuando otra persona establece una queja con respecto a dicho nombre. Este servicio comenzó a ofrecerse a finales de la década de los noventa con el objetivo de que el proceso de arbitraje fuera más rápido y menos costoso para los usuarios.

Vale decir que el mentado proceso se adelanta sin perjuicio de que si alguna de las partes no está satisfecha con el resultado entonces pueda acudir a un proceso judicial ordinario. La ejecución del fallo consiste en que si aquel que inició la disputa tiene un fallo desfavorable, quien solicitó el nombre de dominio se queda con él y, por el contrario, si quien solicitó el nombre de dominio obtiene un fallo desfavorable, entonces ICANN transfiere ese nombre de dominio a quien inició la disputa. Antes este servicio era ofrecido por el National Arbitration Forum, la Organización Mundial de la Propiedad Intelectual (WIPO) y eResolution. Sin embargo, estas dos últimas ya no ofrecen dicho servicio.

Además, parece bastante prometedor el sistema del Cybersettle, un sistema web lanzado en 1998 principalmente para controversias monetarias

---

[3]   Digital Justice, Technology and the Internet of Disputes. Ethan Katsh and Orna Rabinovich.

en las que se involucran aseguradoras y que establece un sistema de pujas "a ciegas". Este software identifica los valores más altos o más bajos que estarían dispuestos a pagar o recibir las partes y, si coinciden, se propone una alternativa para el logro de un acuerdo inmediato. Existen otros ejemplos tales como, Split-up, BEST-project, Smartsettle, Family_Winner y Family_Mediator, INSPIRE, GearBi, entre otros.

Los mecanismos de solución de controversias en línea avanzan cada día más. Se espera que incluyan algoritmos más sofisticados que, al destacar los intereses de las partes, potencien las negociaciones, propongan soluciones benéficas para los diferentes involucrados y agilicen el proceso[4].

Los sistemas ODR no son una simple herramienta útil para el comercio electrónico. Son una tendencia que se dirige hacía el uso de enfoques alternativos para el litigio en una amplia gama de asuntos civiles, comerciales y de familia[5].

En este sentido, el Reino Unido ha avanzado notablemente, pues el Ministro de Justicia de Inglaterra y Gales estableció en 2002, el Money Claim Online System[6]. Este sistema permite a usuarios sin experiencia legal recuperar el dinero que se les debe sin necesidad de acudir a un proceso judicial. El demandante puede presentar su demanda en línea y verificar el estado del proceso por el mismo medio, brindándole un mejor rendimiento que cualquier otra Corte en Inglaterra.

Las plataformas de ODR han impactado positivamente una amplia gama de MASC, incluyendo el arbitraje. GearBi fue un gran ejemplo de prototipo de una aplicación de arbitraje online, la cual concluyó que para su implementación debía existir información clara y precisa respecto del sistema utilizado, pues las personas suelen dejar de utilizar aplicaciones cuyo entendimiento tome demasiado tiempo. Además, las instrucciones deben ser cortas porque las personas no quieren perder tiempo leyendo manuales, y las partes deben mantenerse informadas de las etapas y el estado del proceso.

---

[4]   Digital Justice, Technology and the Internet of Disputes. Ethan Katsh and Orna Rabinovich.

[5]   Ebner, Noam and Zeleznikow, John (2015) "Fairness, Trust and Security in Online Dispute Resolution," Hamline University's School of Law's Journal of Public Law and Policy: Vol. 36: Iss. 2, Article 6.
       Disponible en: http://digitalcommons.hamline.edu/jplp/vol36/iss2/6.

[6]   Susskind, Richard, "Tomorrow's lawyers", *Oxford University Press*, 2013.

La CNUDMI, en sus notas técnicas del año 2016 sobre la solución de controversias en línea, ha hecho referencia a la importancia de la actualización y modernización de los mecanismos de solución de conflictos. Estos deben acoplarse al rápido aumento de las negociaciones transfronterizas en línea y de la relevancia de los sistemas ODR, que abarcan una amplia gama de enfoques y formas como el *ombudsman*, las juntas de reclamaciones, la negociación, conciliación, mediación, el arreglo facilitado y el arbitraje. Estos mecanismos comienzan a desarrollarse en diferentes partes del mundo, pero en Colombia, junto con varios países, apenas se están abriendo camino.

2. *Las nuevas tecnologías y el arbitraje en Colombia*

Con el ánimo de atender las necesidades de eficiencia de los centros de arbitraje, el Estatuto Arbitral dispuso en el artículo 23, la posibilidad de utilizar medios electrónicos. El apartado es una aproximación en Colombia a los ODR de primera generación, toda vez que el legislador habilita el apoyo de medios electrónicos para todas las diligencias procesales.

Esta disposición fue reglamentada por el Gobierno Nacional mediante el Decreto 1829 de 2013, que en su artículo 18, se refiere a la utilización de medios electrónicos, así:

> *Los Centros de Arbitraje y cualquier interviniente en un arbitraje podrán utilizar medios electrónicos en todas las actuaciones, sin que para ello se requiera de autorización previa y, en particular, para llevar a cabo todas las comunicaciones, tanto del Tribunal con las partes como con terceros, para la notificación de las providencias, la presentación de memoriales y la realización de audiencias, así como para la guarda de la versión de las mismas y su posterior consulta.*

Los registros de tales actuaciones durante el proceso arbitral se podrán realizar en el Sistema de Información de la Conciliación, el Arbitraje y la Amigable Composición —SICAAC—, que es una herramienta tecnológica en la que los centros de arbtiraje, los conciliadores y notarios registran información de sus actividades.

Este avance se vio antecedido por una variedad de reformas al interior de la justicia ordinaria. Especialmente desde la Ley Estatutaria de Administración de Justicia se ordenó la incorporación de tecnología al servicio de la administración de justicia. Vale resaltar que gracias a la Ley 527 de 1999, que introdujo el principio de equivalencia funcional, consistente en equiparar el documento electrónico al documento manuscrito y darle un mismo valor probatorio, fue procedente en Colombia la utilización de firmas digitales, expediente electrónico, factura electrónica, estampado cronológico, certificaciones electrónicas, entre otras. Este principio eliminó la necesidad de estatutos electrónicos especiales para cada actividad reglada, y se instituyeron la fiabilidad, inalterabilidad y rastreabilidad como requisitos de forma igualmente aplicables para documentos consignados en papel.

Vale decir que estos esfuerzos para digitalizar la justicia han orbitado principalmente en torno a los actos de comunicación procesal y a la aplicación de tres atributos claves de seguridad jurídica en entornos electrónicos: autenticidad, integridad y disponibilidad, que se han aplicado extensivamente al arbitraje por medios electrónicos.

3. Arbitraje online en garantías mobiliarias

En virtud de la ley 1676 de 2013, las garantías mobiliarias pasaron a ser un contrato principal. Esta evolución, que ha sido tema de discusión extensa, permitió la creación de un registro electrónico para garantías mobiliarias que permite, de manera general, publicar la existencia y cuantía de una garantía mobiliaria, dispuesta para su prenda en contratos futuros e independientes. Además, regula la prenda sin tenencia, otra innovación cuya relevancia escapa al alcance de este artículo, pero que, para lo que nos concierne, permite que la garantía se mantenga en depósito o en poder del garante.

Por esta figura, se eliminan costos de transporte, guardia, caución, y otros análogos a los ahorrados de los procesos llevados a cabo por medios electrónicos. Lo mismo ocurre por el reconocimiento del derecho de retención en el acreedor prendario con tenencia, que puede ejecutar o hacerse dueño de la prenda mediante proceso especialmente regulado.

Por todo lo anterior, la constitución sustancial de una garantía mobiliaria y la solución jurisdiccional de la relación de garantía, se acoplan naturalmente alrededor de los mecanismos electrónicos de resolución de conflictos.

Uno de los importantes proyectos referente a los avances tecnológicos en los mecanismos de solución de conflictos es el arbitraje online, más específicamente el arbitraje online para las garantías mobiliarias. Este significó la introducción de los mecanismos de resolución de conflictos online de segunda generación en Colombia, y específicamente del arbitraje online, mediante la expedición del Decreto 1829 de 2013 por el Gobierno Nacional. Por medio de este, se reglamenta el arbitraje virtual en Colombia y se pone a la vanguardia al país en uno de los métodos ODR.

Este decreto definió al arbitraje virtual como aquella modalidad de arbitraje "en la que el procedimiento es administrado con apoyo en un sistema de información, aplicativo o plataforma y los actos procesales y las comunicaciones de las partes se surten a través del mismo".

Cuando se habla de "Arbitraje en línea para las garantías mobiliarias", se hace referencia a acudir al arbitraje como forma de solución de las controversias que se susciten respecto de garantías mobiliarias. Dicho arbitraje, que se lleva a cabo por medios electrónicos, es decir que, desde la presentación de la demanda hasta la práctica de pruebas, pueden efectuarse por medio de un dispositivo electrónico con acceso a internet.

El reconocimiento de que todos los centros de arbitraje y los intervinientes podrían utilizar medios electrónicos en sus actuaciones fue un gran avance para Colombia. Además, por estos medios se podrán surtir no solo las comunicaciones, tanto del Tribunal con las partes, como con terceros, sino también la presentación de memoriales y realización de audiencias.

> *"La constancia logra lo que la dicha no alcanza". Tras varias reuniones y consensos se logró la expedición del "Reglamento Modelo de Arbitraje Online de Garantías Mobiliarias".*

Este Modelo de Reglamento fue llevado a cabo con esfuerzos de entes multilaterales. La intervención del Ministerio de Justicia, de la Dirección de Regulación del Ministerio de Comercio, Industria y Turismo, de la Dirección de Investigaciones de Protección al Consumidor de la Superintendencia de Industria y Comercio, de la Dirección del Centro de Estudios de la Universidad Javeriana, la intervención y apoyo de los docentes de la Universidad Nacional y Externado de Colombia, de los miembros de la comisión redactora de la Ley 1563 de 2012 y de la Secretaria Técnica del Comité de Implementación de la Reforma de Garantías Mobiliarias, fueron la clave para el desarrollo del proyecto.

El Reglamento Modelo es el reflejo del trabajo realizado por la Comisión de las Naciones Unidas para el Derecho Mercantil Internacional (CNUDMI), pues en el 2016, esta desarrolló un compilado de notas técnicas sobre la resolución online de controversias[7].

---

[7]   https://www.uncitral.org/pdf/english/texts/odr/V1700382_English_Technical_Notes_on_ODR.pdf.

Todos los trámites que se llevan a cabo en un arbitraje serán realizados por medio de una plataforma REC, es decir, "una plataforma administrada por un Centro de Arbitraje para la solución de controversias en línea (...)"[8].

Para que una controversia se adelante a través de esta plataforma virtual es necesario que:

1. Se trate de un conflicto sobre garantías mobiliarias o martillo electrónico.

2. Que se haya establecido previamente un pacto arbitral por medios virtuales.

Se necesita como base fundamental una plataforma online y la creación de un usuario, en donde se utiliza el estándar de la factura electrónica, para dar 100% de veracidad sobre la persona que se registra.

Para la creación de este usuario es necesario transmitir algunos datos personales como: identificación de persona natural o jurídica, nombre o razón social, domicilio, correo electrónico, teléfono, entre otros. A partir de este proceso, el Centro de Arbitraje verificará la identidad de la persona con la información del Registro de Garantías Mobiliarias.

A continuación, se presenta la demanda, que se realiza a través de un formulario que la misma plataforma otorga. Las partes que comparezcan al procedimiento REC, deberán hacerlo con un abogado si así lo ha determinado la ley; en cuyo caso tendrán que comunicar todos los datos del apoderado judicial a la contraparte del proceso a través del Centro de Arbitraje.

La demanda se presenta con el diligenciamiento de un formato expedido por la misma plataforma. De esta manera, se busca facilitar el ingreso de la información y a su vez evitar la inadmisión de la demanda por falta de algún anexo o documento relevante para el proceso.

La demanda debe contener los datos básicos del demandante, conjuntamente con lo que se pretenda en el proceso expresado con precisión y claridad. También, se deben determinar los hechos que sirvan como fundamento de las pretensiones, las pruebas que se quieran hacer valer y en general, todos los elementos que deba contener una demanda ordinaria.

---

[8] Artículo 2 del Reglamento de Arbitraje Para La Resolución Electrónica de Controversias Sobre Garantías Mobiliarias.

Además de lo anterior, se deberá anexar con la demanda el contrato en donde conste la constitución de una garantía mobiliaria y el pacto arbitral.

Una vez se admite la demanda, el demandado tiene un término de 15 días para contestarla. Para la contestación de la demanda también hay un formulario que deberá ser diligenciado. En este deberá consignarse información básica del demandado, la oposición o allanamiento a las pretensiones presentadas por el demandante, las pruebas que quiera hacer valer y cualquier solución que proponga para resolver la controversia a efectos de la negociación en el procedimiento.

Dentro del término de contestación de la demanda, el demandado también puede presentar una demanda de reconvención. Esta será admitida, siempre y cuando la controversia esté comprendida en el ámbito del pacto arbitral y se haya originado en el mismo contrato sobre el que versa la controversia.

En caso de que esta no se conteste, las partes no continuarán con la negociación automatizada y deberán pagar los gastos y honorarios del proceso. Si se contesta la demanda, la parte contraria debe crear su usuario y a partir de allí comenzar la negociación.

La etapa de negociación se lleva a cabo por medio de la plataforma REC, en donde las partes intercambian directamente comunicaciones con el fin de buscar un arreglo que ponga fin a su controversia. El uso de nuevas tecnologías en esta negociación, de vocación vinculante, sugiere un mecanismo que deja el control humano jurisdiccional para una segunda instancia. Sin embargo, hay que aclarar que el sistema actualmente concebido no implica decisiones automatizadas, sino mecanismos electrónicos que facilitan a las partes para llegar a un acuerdo.

La negociación consta de un término de diez días hábiles, tiempo en el cuál las partes deberán realizar el intercambio de comunicaciones. Si dentro de los primeros tres días de la etapa de negociación, alguna de las partes no ha iniciado un intercambio de comunicaciones, o estas se realizan, pero no ha sido posible alcanzar una solución por las partes, se da paso a la escogencia del árbitro y el inicio del proceso.

Una de las ventajas de terminar el conflicto en la etapa de negociación es que no hay costo alguno asociado a los trámites adelantados con anterioridad. En caso de solucionarse la controversia en la negociación, se expide un documento de transacción el cual consiste en un formulario, que deberá ser diligenciado por las partes de común acuerdo. En este formato de transacción se delimitarán las obligaciones de las partes y se renuncia a la presentación de demandas futuras sobre los mismos puntos de hecho o de derecho que se plantearon en el acuerdo.

Es importante aclarar que no solo se logra un ahorro de tiempo y dinero para las partes, sino que también para la misma administración. Debido a la aplicación de sistemas automatizados, la administración de justicia resulta más económica para las instituciones.

En cuestión de arbitraje virtual, Colombia se adelantó al régimen del estándar internacional de la CNUDMI que no ha regulado esta previsión como un arbitraje, sino como un procedimiento de negociación facilitada.

El proceso arbitral asegura una solución de carácter definitivo a través de un laudo arbitral, promoviendo clara y eficientemente la seguridad jurídica. Para que esto se pueda llevar cabo, es necesario que se paguen las sumas de dinero que correspondan a los gastos del proceso y los honorarios del árbitro, que son sustancialmente inferiores a los del arbitraje nacional.

Quien convoca al arbitraje es quien debe pagar enteramente los honorarios de los árbitros, para lo cual tiene diez días contados a partir del requerimiento. En caso de que la parte convocante resulte vencedora, en las costas se le reconocerán los pagos adicionales que hizo al inicio del proceso. Cuando no se han pagado los honorarios en el término estipulado, la ley entenderá que hay un desistimiento del proceso y se da por terminado de forma automática.

Posterior al pago de los gastos y los honorarios del proceso, este continúa con la escogencia de los árbitros. La designación puede ser de mutuo acuerdo, siempre y cuando se le haya informado al Centro de Arbitraje de dicha escogencia en la demanda o en la contestación de la misma. De no ser así, la plataforma de REC designará por sorteo de la lista especial de árbitros en materia de garantías mobiliarias. Los árbitros deberán aceptar o rechazar su designación dentro de los tres días siguientes a la comunicación respectiva.

Luego de aceptada la solicitud por el árbitro se corre traslado a las partes por un término igualmente de tres días para que se pronuncien sobre la revelación del deber de información sobre los árbitros. Si no hay ningún tipo de objeción o recusación, la escogencia del árbitro quedará en firme.

Al inicio del procedimiento, el árbitro asume una postura de conciliador. Si bien hay críticas de la conciliación como una etapa procesal, debido a que de manera previa se ha agotado ya una etapa de negociación entre las partes, no desaparece la posibilidad de que en esta etapa se logren acuerdos, pues muchas veces la negociación en sí misma no es suficiente y se necesita de un tercero mediador que genere un ámbito de conciliación. En este caso, el árbitro ganará honorarios en su totalidad si logra que las partes concilien. Esto resulta en un gran incentivo para lograr la conciliación y acabar el conflicto en esta etapa procesal en un término de diez días hábiles.

Se puede realizar por mensajes de datos si se prefiere, aunque el Reglamento no elimina la posibilidad de que el árbitro invite a las partes a tomar un café, hacer teleconferencias o reuniones presenciales. No se excluyen estas formas porque lo que se busca es que los escenarios de conciliación sean una alternativa distinta a los convencionales. Las partes, al igual que en la fase de negociación, podrán pedir una prórroga para poder llegar a un acuerdo. Esta no podrá exceder el término de diez días.

En caso de éxito se obtiene un acta de conciliación, cuyo diligenciamiento es responsabilidad del árbitro y prestará mérito ejecutivo. Suponiendo que las partes no pudieran conciliar o llegaran a un acuerdo parcial sobre sus disputas, se continuará el procedimiento con el llamado auto de misión, que se expide dentro de los cinco días siguientes a la finalización de la etapa de conciliación.

Este auto tiene como finalidad definir el litigio, resolver sobre las pruebas pedidas por las partes, fijar un cronograma con las actuaciones siguientes y resolver sobre la propia competencia del árbitro. El auto de misión es susceptible de recursos y con este se iniciará la etapa de arbitraje.

A partir de la expedición del auto de misión, inicia a correr el término con el que cuentan los árbitros para proferir el laudo. Este dependerá de lo establecido por las partes en el pacto arbitral o, en caso de no haberlo previsto, no podrá exceder de tres meses.

Estando en firme el auto de misión, inicia la etapa probatoria. Los medios de prueba que se pretendan hacer valer dentro del proceso, deberán aportarse a través de la plataforma REC y deberán ser compatibles con la naturaleza electrónica del proceso.

Se estima que, por regla general, la mayoría de las pruebas de garantías mobiliarias sean documentales, las cuales se deberán aportar en un formato digital y en el tiempo procesal pertinente. Lo anterior, no impide la práctica de otros medios de prueba como la prueba pericial, las declaraciones de partes y de terceros, la inspección, los indicios, etc.

Sin embargo, teniendo en cuenta que todo el trámite se lleva a cabo por medios electrónicos, algunos medios de prueba como las declaraciones de parte, declaración de terceros y la inspección se han modificado. Es así como la declaración de parte y de terceros deben ser aportadas de manera escrita y se entenderán rendidas bajo la gravedad de juramento. Para llevar a cabo una inspección, las partes podrán aportar videos u otra evidencia documental de los bienes o lugares objeto de la prueba.

Terminada la fase probatoria, se da paso a los alegatos finales y el laudo arbitral. Las partes realizan sus alegatos finales a través de la plataforma y luego, el Tribunal de manera sucinta dictará un laudo arbitral donde, además de resolver de fondo la controversia, deberá pronunciarse sobre las costas.

Luego de la expedición del mismo, las partes tendrán cinco días para solicitar la corrección, aclaración o adición del laudo arbitral. El laudo tendrá efecto de cosa juzgada y prestará mérito ejecutivo conforme a las disposiciones de la Ley.

Si el árbitro no emite el laudo dentro de los tres meses, además de perder la competencia, también perderá la totalidad de los honorarios. En este caso, se nombrará un nuevo arbitro que tendrá tan solo dos meses para solucionar el conflicto y con esto se busca evitar la reincidencia en los errores de la justicia ordinaria para asegurar la eficacia del proceso.

4. Ventajas del arbitraje online

El arbitraje online es útil para la solución de conflictos porque un proceso electrónico es más económico en recursos y en tiempo. En ocasiones el arbitraje es percibido como una herramienta costosa por los interesados, pero el arbitraje online pretende asegurar el acceso a la justicia de la sociedad.

Con el arbitraje en línea se eliminan los gastos de traslado a los juzgados y el desgaste administrativo, el tiempo de espera y el tiempo de las diligencias presenciales. Esto no solo beneficia a las partes, sino que alivia la congestión judicial y abarata su costo para la administración.

Además, el arbitraje online fomenta la actividad económica, promueve el acceso al crédito y el aumento del comercio electrónico, que es vital para los negocios y las grandes transacciones en la realidad actual. Dentro de los beneficios del uso de las tecnologías de la información se pueden encontrar las soluciones más expeditas, mayor flexibilidad que la justicia ordinaria, menos formalidades en las diligencias, posibilidades de arreglo orientadas, privacidad reforzada, las partes no deben desplazarse porque se comunican asíncronamente, la mediación puede ocurrir en cualquier momento del proceso, etc.

Entre estas se destaca que el uso de tecnologías de la comunicación puede lograr un mayor acceso a la justicia pues los ciudadanos pueden ser aconsejados y ser beneficiarios de conflictos resueltos de manera rápida y a bajo costo. La Unión Internacional de Telecomunicaciones (UIT) reveló que más de la mitad de la población utiliza internet en su diario vivir[9]. Por ello, en la actualidad es más sencillo acceder a internet que asistir a los despachos judiciales. Los aparatos móviles, como los celulares, computadores, relojes digitales, entre otros, permiten que el acceso a internet esté a la mano de los ciudadanos y que los sistemas digitales se conviertan en una herramienta de uso cotidiano.

Finalmente, el ODR contiene un enorme potencial para prevenir conflictos, pues no solo evita que las personas tomen justicia por mano propia porque tienen un fácil acceso a la justicia, sino que permite a empresas y entidades públicas gestionar la información de la actividad litigiosa para identificar patrones de disputas y ajustar aquellos procesos generadores de desacuerdos.

5. Retos del arbitraje online

El arbitraje online, se opone a los sistemas tradicionales de justicia. Esto ha generado múltiples críticas. Una de ellas es que con el arbitraje online no se garantizan los principios constitucionales. Sin embargo, a pesar de los obstáculos a los que se ha enfrentado este paradigma, lo cierto es que la mayoría de los principios constitucionales para el debido proceso en la práctica son garantizados, como ocurre con la forma de notificación de las actuaciones procesales a través del correo electrónico certificado por los usuarios, que resulta más rápido y en múltiples ocasiones es más eficiente y seguro que la notificación en un juzgado.

De la misma forma se salvaguarda el criterio del árbitro. Se protege la imparcialidad de este en el proceso. Cuando se desarrolla la resolución de una controversia en una plataforma electrónica como esta, se evitan los inconvenientes que se derivan de las malas interpretaciones de expresiones verbales, faciales o gestos corporales entre las partes, las amenazas y los actos violentos que eventualmente pueden producirse dentro del proceso

---

[9]   https://www.itu.int/es/mediacentre/Pages/2018-PR40.aspx.

y que terminan por afectar no solo el criterio del árbitro o del juez, sino también el trámite y avance del proceso mismo.

También existe un propósito adicional de asegurar un control respecto del proceso informático que es un asunto vigente en las discusiones sobre la aplicación y regulación de nuevas tecnologías a la vida cotidiana de las sociedades[10]. Mientras que el mecanismo electrónico se sirve de estas tecnologías, y en virtud de su aplicación se recolecta una base de datos significativa, todo el proceso de resolución de conflictos está sometido a control, impulso y decisión humanas en todo momento.

También han existido algunos reparos a la utilización de las tecnologías de la información en el campo jurídico, pues el que una controversia sea resuelta de forma tan cómoda y rápida podría llegar a generar desconfianza en las personas que aspiran a que sus controversias sean juiciosamente estudiadas a profundidad. Sin embargo, las controversias que se ponen de presente ante la justicia ordinaria ascienden a cifras incalculables y, si cada uno de los usuarios aspira a un estudio minucioso de su caso, lo cierto es que sería casi imposible resolverlos en un margen de tiempo prudente.

Otro de los obstáculos que se presentan al momento de acudir a plataformas virtuales es la desconfianza que genera a los ciudadanos el uso indiscriminado de sus datos personales. Sin embargo, este tipo de plataformas cuenta con procedimientos seguros y confidenciales que se pueden evidenciar en diferentes figuras presentes en otras plataformas electrónicas, como lo son la encriptación de datos y la firma digital. Estas figuras propenden por asegurar la veracidad de la identidad de los usuarios que participan dentro del proceso y un manejo seguro de sus datos personales.

Considerando que estas plataformas se sustentan en sistemas de software online, se presenta una oportunidad para el procesamiento optimizado de datos. En la actualidad el Registro Público de Arbitramento y el Sistema de Información de la Conciliación, el Arbitraje y la Amigable Composición —SICAAC—, son reconocidos por estar desactualizados. Ello ha ralentizado la generación de políticas públicas porque no se conoce con precisión el funcionamiento de las autoridades jurisdiccionales a nivel nacional. Además de ello, como fue ilustrado con la experiencia de eBay, las plataformas ODR no están diseñadas con una dinámica adversarial. Por el contrario, son una oportunidad para identificar patrones de disputa y así reducir el daño antijurídico generado en una actividad concreta. Por tan-

---

[10] Principio de Tokio, Control.

to, persiste el reto de implementar dichas plataformas de arbitraje online y generar metodologías de procesamiento de datos adecuadas.

Ahora bien, aseguradas las garantías constitucionales mediante un marco regulatorio que logre balancear la eficiencia y el debido proceso, y siguiendo las previsiones de códigos internacionales de buenas prácticas, es relevante considerar la importancia de un cambio cultural para que la ciudadanía apropie nuevos mecanismos para la resolución de conflictos. Ciertamente, a través de prácticas colectivas se legitiman estas herramientas y se fortalecen con el tiempo. Por ello, la transformación digital no es tanto acerca de la introducción de nuevas tecnologías, sino de la generación de un cambio cultural que despierte el interés de la opinión pública, empodere a los ciudadanos, fortalezca la transparencia y el goce de derechos fundamentales.

A pesar de las críticas que se puedan presentar, el arbitraje en línea es una alternativa real que busca acercar la tecnología al país. Nos encontramos ante un mecanismo ágil, fiable y más cercano de lo que podrían ser los procedimientos y el desgaste administrativo ante los despachos judiciales.

6. Cómo opera en otros procedimientos

Además de adelantar el proceso ordinario de las garantías mobiliarias, el arbitraje online se puede aplicar a los procesos ejecutivos judiciales o especiales de dichas figuras.

Este proceso no se tramita en su totalidad como un ejecutivo, sino que sale del ejecutivo y una vez terminada esta etapa vuelve nuevamente a él. Se trata de una etapa declarativa en el proceso ejecutivo, donde se presentan las objeciones y se diligencia el formulario dentro de los siguientes 15) días. En caso de no hacerlo, se entiende el desistimiento del arbitraje.

Luego de que el demandado contesta las objeciones, tiene 15 días para pedir información adicional. En este proceso no hay auto admisorio, simplemente se cuenta el término de un mes para surtir la contradicción de las pruebas y, de esta forma, el árbitro entra a resolver sobre lo que se ha presentado.

El árbitro tiene un plazo de dos meses para dar una solución. El laudo arbitral debe contener una decisión sobre la competencia del tribunal arbitral, una valoración de las pruebas y del expediente, y una decisión sobre si las objeciones se encuentran probadas o no.

Cuando analizamos el reglamento es menester señalar la posibilidad que este mismo confiere de que el laudo arbitral sea susceptible de recurso de reposición, que se podrá interponer por las partes dentro de los tres días siguientes a su expedición, y que será resuelto por el Tribunal en un término de diez días.

Esta norma se presenta en el proceso debido a que se trata de un trámite expedito y, por tanto, debe otorgársele la oportunidad al árbitro mismo de reconsiderar su decisión en caso de que se advierta algún error en su decisión.

III. ¿CUÁL ES EL FUTURO DEL ARBITRAJE ONLINE?

El arbitraje por medios electrónicos es un proyecto reciente en la realidad jurídica del país y, en general, de la solución de conflictos. Hasta el momento, se ha llevado a cabo el procedimiento únicamente cuando se trata de garantías mobiliarias. Sin embargo, se busca ampliar este mecanismo a la solución de conflictos de otra índole.

Es necesario seguir el avance de la plataforma REC, la forma en que será utilizada y la acogida por la sociedad, y, a partir de allí, realizar un proyecto escalonado que pretenda ampliar este mecanismo a diferentes ámbitos del derecho.

En el caso colombiano, se han adelantado diferentes proyectos y plataformas para la solución virtual de controversias. La Superintendencia de Industria y Comercio —SIC—, adelantó un procedimiento conocido como Sic Facilita, que se puede complementar con el arbitraje virtual. Esta plataforma busca facilitar la comunicación entre consumidores y proveedores, agilizar los procesos y evitar llegar a una demanda, de forma que las controversias se diriman a través de una conciliación con contacto directo entre las partes y mediadores de la Superintendencia, los cuales luego de programar una fecha determinada para un chat de conciliación, impulsan a las partes a llegar a un arreglo luego de que cada una exponga sus argumentos y objetivos de manera rápida y sin necesidad de mayores formalidades ni de asistir presencialmente.

La plataforma ha avanzado notablemente desde su creación y ha llegado a conseguir importantes logros. Uno de los más relevantes hace referencia a la descongestión judicial que, en comparación con el año 2013, la Sic facilita ha reducido en un 15% las demandas. Una de las grandes ventajas de esta herramienta es que se solucionan los problemas cotidianos del consumidor que corresponden a un 85% de los casos que llegan a la superintendencia, los cuales por lo general suelen tener fáciles soluciones.

Por otro lado, la Superintendencia de Sociedades tiene a disposición del público un sistema automatizado de asesoría en solución de controversias conocido por el nombre de SIARELIS[11]. A diferencia del arbitraje tratado en este artículo, el sistema de la Súper Sociedades brinda una asesoría con base en sistemas de inteligencia artificial que suprimen la intervención humana. El sistema pretende prevenir y reducir los conflictos societarios en Colombia, brindando información oportuna sobre posibles alternativas para la clarificación de obligaciones y derechos relacionados.

Un ejemplo menos cercano pero relacionado es el del Banco de la República, que a través de redes neuronales examina el comportamiento del mercado para determinar y prevenir el default de las empresas que, junto con la Superintendencia Financiera, vigila esta entidad. La utilización de esta tecnología de punta revela la aplicación de los sistemas informáticos en el extremo preventivo de la resolución de conflictos.

Entonces, ¿El arbitraje en línea tiene un futuro en la realidad del país?

Es necesario que, en una sociedad como la actual, los mecanismos de justicia no sean los únicos que se encuentren relegados al acceso electrónico y que vean en las plataformas virtuales una oportunidad para simplificar la vida de muchos usuarios que no encuentran solución en lo que hoy en día conocemos como justicia.

Los mecanismos facilitadores y arbitrales están siendo exigidos por una sociedad que necesita que las herramientas de justicia se acoplen a su nueva realidad y a las diferentes necesidades que han surgido con el avance tecnológico en todos los ámbitos de la vida de los ciudadanos.

Parece claro que los mecanismos de resolución de conflictos ordinarios no darán abasto a la creciente demanda por acceso a la justicia. El arbitraje en línea es una alternativa atractiva y eficiente para tramitar una masiva cantidad de procesos "fast-track" con potencial de aplicación ilimitado, que de seguro cambiará la cara de la justicia como la conocemos en la actualidad. Reconociendo la utilidad del arbitraje para asuntos comerciales, la doctrina ha estudiado la posibilidad de acogerlo en asuntos adminis-

---

[11]   https://www.supersociedades.gov.co/delegatura_mercantiles/Paginas/siarelis. aspx.

trativos e, incluso, se propone actualmente para la resolución de causas querellables de tipo penal.

Es necesario poner de presente que la tecnología se ha convertido en una parte necesaria en la sociedad, y la internet ha dejado de ser simplemente una infraestructura para ver videos, compartir fotos o realizar compras. Incluso, los desarrollos tecnológicos han llevado a la aparición de mundos virtuales a los cuales a diario acceden millones de usuarios alrededor del mundo, donde usuarios se gastan varias horas al día y los cuales consideran incluso como el mundo real. La UIT estima que más de la mitad de la población mundial tiene acceso a la internet, es por ello que por lo menos en las grandes ciudades la mayoría de personas cuentan con una conexión activa 24 horas a la internet. Por lo cual, es muy probable que con el paso del tiempo se logre una mayor utilización de los ODR, siendo un gran alivio para los sistemas judiciales de la actualidad, muchos de ellos congestionados en niveles realmente alarmantes pues, con que un pequeño porcentaje de procesos fueran solucionados online, se contribuiría a descongestionar en gran manera, mejorando la efectividad y logrando una mayor justicia material.

Estos mecanismos permiten que muchas mas personas puedan resolver sus conflictos. Con un sistema de justicia online lo que estamos logrando es una verdadera convergencia entre la tecnología y la capacidad humana. Esto permitiría que el caso de mi tío no fuera de 20 años sino de 20 minutos. Así, la justicia se haría cada vez mas accesible y por eso, nunca, como hasta ahora, la justicia había estado en la palma de nuestras manos.

Tras siete años de trabajo, puedo decir que los sistemas ODR evolucionarán la justicia. Como dice el fragmento bíblico: *Voz que clama en el desierto: Preparad el camino del ODR*[12].

---

[12]   Isaías 40:3.

REFERENCIAS

Digital Justice, Technology and the Internet of Disputes. Ethan Katsh and Orna Rabinovich

Digital Justice, Technology and the Internet of Disputes. Ethan Katsh and Orna Rabinovich

Digital Justice, Technology and the Internet of Disputes. Ethan Katsh and Orna Rabinovich

Disponible en: http://digitalcommons.hamline.edu/jplp/vol36/iss2/6.

EBNER, Noam and Zeleznikow, John (2015) "Fairness, Trust and Security in Online Dispute Resolution", Hamline University's School of Law's Journal of Public Law and Policy: Vol. 36: Iss. 2, Article 6.

https://www.itu.int/es/mediacentre/Pages/2018-PR40.aspx.

Reglamento de Arbitraje Para La Resolución Electrónica de Controversias Sobre Garantías Mobiliarias, Artículo 2.

SUPERINTENDENCIA DE SOCIEDADES, https://www.supersociedades.gov.co/delegatura_mercantiles/Paginas/siarelis.aspx.

Suskind, Richard, "Tomorrow's lawyers", Oxford University Press, 2013.

UNCITRAL, La resolución 67/97 de la Asamblea General "Notas técnicas de la Comisión de las Naciones Unidas para el Derecho Mercantil Internacional sobre la solución de controversias en línea" A/RES/71/138 (13 de diciembre de 2016), disponible en: https://undocs.org/es/A/RES/71/138.

UNCITRAL, https://www.uncitral.org/pdf/english/texts/odr/V1700382_English_Technical_Notes_on_ODR.pdf.

Sembrar para cosechar, las competencias internacionales de arbitraje y los estudios de abogados

ALBERTO J. MONTEZUMA CHIRINOS[*]

RESUMEN

El presente artículo, a partir del objetivo educativo que plantean las competencias de arbitraje, explica cómo estas se desarrollan en sus distintas fases y la utilidad que estas representan asi como la posibilidad que existe de involucramiento en ella y el efecto que va mas allá de la competencia, para finalmente sugerir la participación de los profesionales del derecho a fin de generar un entorno cuyo signo de competencia y competitividad sea el indicativo del desarrollo del ejercicio profesional que se puede alcanzar en esta clase de actividades.

Palabras clave: Competencias de arbitraje, Competencia internacional, Moot, Arbitraje internacional, Objetivo educativo, Responsabilidad social.

ABSTRACT

The present article, based on the educational objective that is raised in the arbitration competitions, explains how these scenarios develop in their different phases and the usefulness they represent as well as the possibility of involvement on them and the effect that goes beyond of the competition itself, to finally suggest the participation of legal professionals in order to generate an environment marked by the sign of competence and competitiveness, be the indicator of the development in the professional exercise that can be achieved with this kind of activities.

Key words: Arbitration competition, International competition, Moot, international arbitration, educative objective, social responsibility.

[*]   Abogado de la Universidad de San Martín de Porres (Perú); Magister en Derecho Civil de la Universidad Católica del Perú; Especialista en Arbitraje Comercial del Centro de Arbitraje de la Camara CL y la Comisión Interamericana de Arbitraje Comercial —CIAC—. MCIArb. Socio Fundador y Arbitro de Montezuma Abogados; Profesor de Derecho Procesal Civil y Resolución de Conflictos —Arbitraje— de la Facultad de Derecho de la Universidad ESAN (Lima, Perú).

I. INTRODUCCIÓN

Con motivo de la celebración del Décimo Aniversario del estudio Rincón Cuéllar; escribo el presente trabajo, con el cual doy mi agradecimiento en particular a los socios a don Luis Fernando Rincón Cuéllar y a don Sebastián Salazar Castillo y a todos los socios incorporados y miembros de la firma por permitirme compartir esta gran celebración con ellos.

El tema que trataré esta referido como lo menciona el título a las "Competencias internacionales de Arbitraje", como medio para el aprendizaje mediato en la práctica del ejercicio profesional. Veo oportuno tratarlo ya que es este medio lo cual me ha permitido conocer y tener contacto con ahora dilectos amigos y profesores de distintos países, crecer y ver crecer a jóvenes estudiantes, muchos de ellos abogados, y el esfuerzo de profesores por contribuir a la enseñanza de esta noble profesión de abogado, con miras de crear un entorno competente y competitivo que va corriendo al ritmo de las necesidades de estos tiempos, donde la especialización y los conocimientos profundos y el trabajo fuerte y denodado son camino seguro al éxito.

Este trabajo es un testimonio de la experiencia que he venido viviendo desde hace siete años cuando tuve la posibilidad de participar como Arbitro en la Competencia de Arbitraje Internacional organizado por la Universidad de Buenos Aires, Argentina y la Universidad del Rosario de Colombia, lo que me ha llevado a participar también en la Competencia de Arbitraje de Inversión que realiza la American University —College of Law— con la Universidad del Externado de Colombia, en el Moot Madrid, organizado por la Universidad Carlos III, todas estas competencias son en idioma castellano; y habiendo podido actuar como uno de los entrenadores del Equipo de la Universidad Nacional de Colombia, gracias a la amable invitación de los profesores de la Facultad de Derecho de esa casa de estudios, en el Vis Moot-Viena, la competencia de arbitraje internacional más grande y antigua en la cual participan equipos de Universidades de todo el mundo, que es desarrollada en idioma inglés.

Por que considero que este tema es oportuno para dar homenaje a esta celebración, porque dentro de la labor social que desarrolla el Despacho Rincón Cuéllar es, en el silencio, apoyar por distintos medios a estudiantes y equipos con la participación en estos concursos, algo que es preciso reconocer, y da pie felizmente para dar a conocer mas esta clase de competiciones, la importancia que tiene y que ha tomado en el aprendizaje de esta profesión, y como es que estimo los Despachos de abogados o practicantes individuales del derecho pueden contribuir a su desarrollo logrando un beneficio directo de esta clase de competencias.

II. ¿PARA QUE SON LAS COMPETENCIAS DE ARBITRAJE COMERCIAL INTERNACIONAL?

En general las competencias de arbitraje buscan difundir y fomentar el estudio del derecho comercial internacional y del arbitraje, planteando este objetivo como una propuesta educativa que permite al estudiante dentro de un escenario planteado a partir de un caso imaginario, actuar como abogado de las partes involucradas en una disputa hipotética propuesta, que debe ser resuelta mediante un arbitraje.

Lo curioso de esta experiencia, es que es como un juego, como la practica de algún deporte, como el fútbol, el basquetbol o el tenis, que siendo juegos, la seriedad de su práctica la imponen los competidores que desean ganar la contienda. El caso es imaginario, los problemas jurídicos pueden ser reales o irreales pero son problemas jurídicos, que transportan a los competidores a campos quizá nunca transitados, en busca de una respuesta y que esta pueda ser la mejor de todas.

La ventaja de la creación de estos escenarios en las competencia es que no son casos reales con efectos reales en si mismos, pero no dejan de serlos por los efectos que este ejercicio genera en todos los participantes; indique al principio en los alumnos, a quienes va dirigido, sino que me refiero también a todos los demás participantes, como son los entrenadores de los equipos, los árbitros que intervienen en las audiencias, la organización y cada uno de los demás interesados en este evento.

El propósito es totalmente educativo, diseñada para formar a los alumnos en la teoría y práctica del arbitraje internacional haciendo que los participantes se involucren en la defensa de las partes que componen la problemática planteada en el caso, actuando como abogados, redactando memorias de demanda y contestación, diseñando estrategias de defensa y ataque de posiciones, sustentando argumentos de orden formal que pueden ser asuntos relacionados con la arbitrabilidad, con la competencia y jurisdicción del tribunal arbitral, con la existencia o inexistencia del convenio arbitral; o respecto al fondo del asunto desentrañando el caso para postular una teoría que posibilite defender al demandante como también defender al demandado, es decir estar en ambos lados frente a un Tribunal arbitral.

Pero como lo he indicado este propósito educativo si bien va dirigido a los estudiantes de derecho, la participación de distintos otros actores resulta también influenciada y estimulada, ya que importa de parte de los que actúan como entrenadores, a también estudiar el caso, guiar y seguir al alumno en la creación de la teoría del caso, la orientación de las fuentes que sostenga la teoría propuesta, sopesar los argumentos con los alumnos y hasta guiarlos en la forma de redactar las memorias acorde, no sólo con las reglas del proceso, sino de acuerdo con los estilos y usos del arbitraje moderno. Los árbitros por su lado su actuación es participar en las audiencias, escuchar a los competidores, calificar sus cualidades apreciando y elogiando su actuación en la audiencia y recomendar desde el punto de vista que cada arbitro tiene cual puede ser el mejor desempeño que pueden tener ante una situación similar dentro de la competencia.

El efecto propuesto de la competencia, impone la adquisición de habilidades de distinta clase, sean estas "habilidades blandas" o conocimientos concretos del derecho y su aplicación como por ejemplo cuando se acude al uso de reglas de procedimiento y normas aplicables a los casos dependiendo de las circunstancias que formulen los casos, pudiendo introducirse en el estudio de la Ley Modelo de Arbitraje Comercial de CNUDMI, reglamentos de arbitraje que haya lugar, y las distintas convenciones internacionales relacionadas con el caso propuesto.

Un aspecto sumamente importante de este ejercicio es el desarrollo de las habilidades blandas —soft skills— que son aquellas competencias sociales que se adquieren en la vida diaria que permiten a la persona desenvolver de modo exitoso en el ambiente en el cual se desarrolla. Así los estudiantes al experimentar con el caso imaginario e involucrarse por el efecto que causa asumir una defensa, desarrollan habilidades de comunicación sea esta oral o escrita, de trabajo en equipo, y el liderazgo, produciendo en ellos una mejor interrelación, sostenida en la solidaridad, compañerismo, búsqueda de intereses comunes, facilidad de palabra, mejora de la autoestima, y de la personalidad en general, que le permiten no solo enfrentar el caso sino que le da herramientas para ir forjando un perfil profesional exitoso.

Por otra parte en cuanto a la habilidades duras —Hard Skills— tenemos que el reto que da el caso para su desarrollo, confiere al estudiante la oportunidad realizar análisis de problemas complejos que necesitan una respuesta jurídica, de conocer, estudiar y para ello investigar acercándose a la doctrina, trabajar sobre jurisprudencia local e internacional, revisar tendencias doctrinarias y conocer su desarrollo en el tiempo y los factores que han influenciado en ellas, luego de ello volcarla en escritos desarrollando para ello la técnica de escritura de documentos legales, en suma da al estudiante la posibilidad de desarrollar una tarea muy completa y aprender a adquirir conocimiento a partir de la investigación de modo que esta práctica se incorpore como una actividad usual para el enfrenamiento de retos y solución en el ejercicio de su vida profesional.

En suma como lo señala la profesora María Blanca Noodt Taquela[1], al referirse al aprendizaje, citando de manera muy acertada a Pedro Lafurcade: *"es un proceso dinámico de interacción entre algún sujeto y algún referente y cuyo producto representará un nuevo repertorio de respuesta o estrategias de acción o de ambas a la vez, que le permitirán al primero de los términos, comprender y resolver eficazmente situaciones futuras que se relacionan de algún modo con las que produjeron dicho repertorio".*

III. ¿COMO SE VIVE ESTA EXPERIENCIA?

En estos tiempos, los productos se conocen a partir de lo que ellos nos permiten sentir porque se trata de un ejercicio que pretende hacer concurrir todos los sentidos que sean posibles, es decir experimentar pues, así el acercamiento a la realidad es total y nos permite apreciar en toda su expresión lo que queremos conocer.

Como lo referimos en líneas anteriores la experiencia comienza con un caso imaginario y a partir de allí nos introducimos de un modo real en un mundo imaginario. El formato en general es similar en casi todas las competencias, la diferencia esta en el caso, que es lo que da el punta pie de inicio de la competencia.

Así la organización en determinado mes del año hace de conocimiento el inicio de la competencia, publicando el caso y el cronograma en el cual se desarrollará toda la competencia. Debo llamar la atención respecto

---

[1]   Maria Blanca Noodt Taquela. La participación en competencias internacionales de arbitraje como estrategia de enseñanza-aprendizaje del derecho y como modo de iniciación en la investigación. Academia. Revista sobre enseñanza del derecho. Nº 14. Año 2016, p. 159. Buenos Aires. Argentina.

a dos competencias que he tenido y tengo la oportunidad de asistir entre otras, esta es la co-organizada por la Universidad de Buenos Aires con
la Universidad del Rosario de Bogotá y la de American University con la
Universidad del Externado de Colombia, que tiene la particularidad de
realizarse anualmente pero no en una única sede, así las primera de las
nombradas tiene la feliz idea de lanzarse para que esta se lleve a cabo en
distintos países que del Continente Americano, y la segunda se realiza de
modo alternado en la ciudad de Washington DC —Estados Unidos— y en
la Ciudad de Bogotá —Colombia—. Este importante aporte da la primera
pintura de internacionalidad, esto porque tratándose de arbitrajes internacionales es conocido que estos se pueden llevar a cabo en el lugar donde
las partes acuerden sea la sede del arbitraje. Los participantes integrantes
de Facultades de Derecho de distintos países forman un equipo que representa a su Universidad en la competencia, pudiendo participar cualquier
numero de universidades de un país.

IV. ¿LAS FASES DE LA COMPETENCIA?

La competencia se desarrolla en dos importantes e indesligables seg-
mentos o fases, el primero es el escrito y el segundo es el oral. El primero
referido a la fase escrita consiste en el análisis del caso y la propuesta de
teoría del caso desde una visión de ida y vuelta. Señalo que se trata de
una visión de ida y vuelta pues el equipo debe preparar una Memoria de
Demanda y también una Memoria de Contestación. Para ello en esta etapa las habilidades para la comprensión de la problemática del caso y su
escudriñamiento es crucial, luego el estudio de las instituciones jurídicas
que pueden ser la respuesta a la posición de defensa, para ello la investigación y estudio de las doctrina jurisprudencia internacional y local, como
también interesarse por aspectos técnicos que pueda contener el caso para
comprender la mecánica del negocio jurídico que esta involucrado en la
problemática que refiere el caso, se convierten en el derrotero de las actividades de esta fase. Reunida la información necesaria esta parte se complementa con la redacción del documento —Memoria de Demanda y Memoria de Contestación— que debe ser presentado a la organización quien lo
tramitará en dirección a la contra parte.

Todo parece estar claro, el ejercicio se hace mas interesante cuando,
como lo he señalado, es preciso también redactar una contestación refu-
tando los argumentos que el mismo equipo ha considerado como argumentos de demanda. Esto hace que la propuesta en el análisis nos lleve a

pensar en la tesis como la antítesis de un mismo problema jurídico, lo que enriquece y orienta inculcando al estudiante a siempre analizar los pro y contras de una posición y cuál es el límite y éxito de su propuesta. Es decir recorrer la vía de ida y vuelta, siempre de manera contraria pero con quizás con mayor intensidad que la usada cuando se hizo el recorrido contrario. Esto enseña a romper la inercia que causa el sentir que un caso es redondo, y se abandona el análisis critico que puede hacer la parte contraria cuando tiene que defenderse del ataque.

Esta etapa escrita a veces viene adornada con otros elementos que se producen en el intermedio, cuando la Organización decide "aderezar" el caso con elementos como denuncias periodísticas, procesos paralelos que tienen alguna relación o incidencia en la posición de una de las partes, es decir como puede suceder en la vida real. Esto ocupa un nuevo esfuerzo de análisis para buscar la forma que los hechos no perjudiquen la posición que se tiene como tal o cual parte, provocando respuestas dentro del contexto de nuestro proceso arbitral.

Producida la Memoria de Demanda esta es remitida por vía electrónica a la Organización de la Competencia dentro del plazo fijado para su presentación. La Organización al cabo de unos días redirecciona estas Memorias distribuyéndolas entre los participantes de la competencia a fin de que preparen las Memorias de Contestación, las cuales deberán ser remitidas a la Organización nuevamente, quedando concluida esta etapa escrita de la competencia.

El ejercicio de la contestación de la memoria, será similar al de elaboración de la memoria de demanda, ya que si bien es posible que los escenarios propuestos como contenido de la demanda sea similar, nada asegura que así lo sea y es preciso darle una respuesta que requiera una investigación complementaria de fuentes para realizarla y remitirla a la Organización dentro del plazo fijado en el cronograma.

El trabajo individual y la participación en un grupo trabajando coordinadamente con miras a un objetivo concreto es un aspecto a reconocer como estimulo de esta clase de eventos, bien lo señala el profesor Eric Bergsten[2], unos de los autores del Vis Moot, cuando responde a una pregunta de un entrevistador, y este le inquiere acerca del por qué resulta

---

[2]   The Complete —but unofficial— Guide to the Willem C. Vis International Commerial Arbitratin Moot- 4th Edition. Jörge Risse Editor. 2017. Up Close and Personal interview with Professor Eric. E. Bergsten, p. 10. Texto traducido por el autor.

invaluable la participación en esta competencia, respondiendo: *"Yo creo que el Vis Moot es una experiencia educativa única porque no participas solo. Durante los estudios de derecho, los estudiantes de derecho generalmente estudian solos. Los estudiantes de derecho no trabajan en equipos. Los estudiantes de ingeniería y medicina si. Algunos pueden estudiar con amigos, pero aun así estudian ellos mismos para si. Cuando eres examinado tú estas sólo en el grado con tu propia presentación. Pero cuando tú practicas el derecho en un trabajo internacional o en un trabajo cualquiera, tú trabajas en equipo y tú tienes que aprender como se trabaja en equipo. El Vis Moot enseña precisamente eso. Yo creo que para algunos participantes eso es muy difícil de aprender —como trabajar en grupo— y que tus colegas cuenten contigo y que tú tengas las disposición de contar con tus colegas"*.

Este aspecto de la redacción de las memorias, de verdadero trabajo de gabinete, arduo en la medida de la exigencia que se den los mismo participantes con la asistencia de sus entrenadores, no es la única actividad que deben los participantes deben realizar, pues todo esto esta acompañado de diversas otras acciones, como lo es la parte logística para el viaje y la estadía, de los miembros del equipo. Alguna veces las Universidades solo asumen el costo de la inscripción, y no asumen los costos que significa el traslado y estadía de por lo menos cuatro miembros del equipos. Los entrenadores van por su propia cuenta.

En algunos casos los miembros del equipo que hacen practicas en Despachos e instituciones diversas ahorran durante los meses previos parte y sino todo lo que puedan recibir de sus salarios para poder sufragar los gastos que corresponden al traslado y estadía; las formas de procurarse recursos es diversa. Recuerdo en una de las competencias, que uno los chicos de una Universidad muy querida del sur de nuestro continente, me contaban que ese año habían tenido que rifar un cordero, que uno de los padres de los alumnos había regalado y en son de broma, por que lo de la rifa del cordero no lo era, me decía que por suerte como había sido ganado por ellos mismos lo habían podido rifar varias veces.

Puede resultar cómico y tener un tono irónico esta situación anecdótica, pero es una realidad que es afrontada como lo hacen los jóvenes con ingenio y con mucho sentido de responsabilidad y compromiso. Existen más casos, donde la colaboración ligada a la identificación con el alma matter y otros elementos propios de los sentimientos de solidaridad humana, hacen que se ingenien otras formas como hacer puestas en escena de obras inspiradas en alguna problemática que tiene que ver con valores humanos cuyo vinculación con instituciones jurídicas lo hacen atractivo para la comunidad, y se recolectan fondos.

Es probable que el esfuerzo de esta actividad sea mas grande de los resultados económicos que se puedan obtener, pero lo real es que el efecto generado, probablemente de modo impensado por la competencia y el propósito de generar la participación de los estudiantes, renueva la anquilosada indiferencia en que los seres humanos muchas veces nos encontramos, sin darnos cuenta que estamos en ella.

Culminada esta fase escrita, hay un periodo que nos conducirá a la etapa oral, y trae consigo la preparación del equipo para las rondas orales. Si bien estas fases tienen un carácter preclusivo, pues al finalización de una trae consigo la realización de la siguiente, esto no quiere decir que esto también sea así porque la preparación para la participación en la competencia puede ir desarrollándose, siendo que también la preparación a las rondas orales se puede ir produciendo desde antes de la convocatoria.

La comprobación de las habilidades blandas de los alumnos y el desarrollo de las mismas es importante, la comunicación mediante el lenguaje oral y corporal, el balance interior, el control interior y exterior son importantes, pues en suma no solo es saber escribirlo —fase escrita— sino también saber decirlo —fase oral—, y no solo simplemente decirlo, sino cómo decirlo frente aun un grupo de personas que no son sus pares, sino muchas veces con experiencia y conocimiento que los van a calificar.

Es verdad que en la fase oral, se comprueba que el grado de información que manejan los participantes es alto, y muchas veces he dicho y escuchado decir que no gustaría encontrarme un contrincante en un escenario real con el grado de preparación que alcanzan a tener estos participantes, esto se debe al trabajo realizado en el campo de la investigación y estudio realizado en el desarrollo del caso, demostrando en esta fase oral el grado de entrenamiento y trabajo en equipo que han ejercitado para llegar a esta fase.

La fase oral es la Fiesta de la Competencia, es el encuentro de la organización con los equipos, entrenadores, profesores, árbitros, todos esperan este gran momento, una jornada de intenso trabajo, mental y físico, y por que no decirlo espiritual, es la fiesta del encuentro y también es la fiesta del reencuentro, los competidores que regresan nuevamente al tener la oportunidad de volver a competir, los entrenadores y árbitros que vuelven a conectar esa historia de la vida que se suspendió al terminar la competencia anterior, en otro caso es la fiesta y el medio para conocer nuevos amigos, nuevas costumbres, tanto en el aspecto profesional y del conocimiento, como en las relaciones humanas. Si bien se viene a competir y ganar, no se puede dejar que también se hacen amigos y muy buenos, se dan muestras de solidaridad en distintos momentos, en el mundo practico de hoy diríamos se hacen los contactos, se construye la red de contactos, esto tiene su inicio en esta fase oral que se lleva a cabo como lo he indicado en una ciudad de un país, muchas veces distinto al del participante y muchas otras veces distinto también en el lenguaje y en la cultura, este es un ingrediente más a tomar en cuenta.

La fase oral se desarrolla en etapas y estas se dan mediante rondas eliminatorias, la primera ronda es la ronda general donde los equipos tiene la oportunidad de enfrentarse en varias veces con diferentes equipos, podríamos decir que es un todos contra todos, al final de esta primera ronda, que es la más extensa en el tiempo, quedan un grupo que juega como las eliminatorias de una campeonato de futbol o de tenis, los competidores se van enfrentando y de cada encuentro queda un ganador y un irremediable perdedor, de esta forma se va avanzando hasta llegar a la final el ultimo día de la competencia, día en el cual se elegirá el ganador total y único de la competencia.

Los encuentros son audiencias, en ellas participan los equipos quienes han sido informados acerca de quienes serán sus contrincantes, en estas audiencias, al igual que una real, participan los árbitros, quienes son los jurados que calificarán la participación de cada participante en particular y cada equipo como tal. El conocimiento del caso, la presentación del mismo, la oratoria, la forma de absolver las preguntas, el uso del lenguaje y las formas de proceder frente a un tribunal arbitral son evaluadas por los árbitros-jurados. La evaluación será proporcionada a la Organización para el conteo del puntaje y la publicitación de los resultados. La audiencia en la ronda general tiene un espacio muy esperado por los competidores y sus entrenadores que es cuando los árbitros-jurado dan sus apreciaciones acerca del desenvolvimiento de cada uno de los participantes y del equipo en conjunto, esta es un estadio de docencia total, en este espacio los árbitros y competidores bajo la influencia del principio de inmediatez dan consejos, sugerencias, y reciben preguntas y respuestas acerca de determinada situación ocurrida. En este espacio se revela parte de la esencia de la competencia cuyo propósito es eminentemente educativo, que bajo todo punto de vista y propósito es lo que pretenda una competencia.

En esta etapa, se condensa todas las experiencias y conocimientos adquiridos por los participantes durante su etapa de preparación, y es en esta etapa donde se vive los momentos mas intensos de la competencia, ya que para avanzar se dan públicamente los resultados, la noticia es generadora de grandes alegrías y de profundas tristezas. Es en estos momentos cuando se contrasta el conocimiento y el desenvolvimiento en las rondas orales. En este momento es cuando se aprende que lo que es ganar y perder, y sobre todo tener el conocimiento y la experiencia de saberse haber perdido, sin sentirse derrotado. De otro lado el triunfo es efímero, la realidad nos obliga a enfrentarnos con otro reto y eso hace que se valore el resultado, pero que no se duerman en los laureles de la victoria, sino que se tome nuevamente el camino a la batalla siguiente para hacer el triunfo imperecedero.

Hay otro escenario que si bien no es curricular dentro de la competencia, no puede dejarse de lado ya que es parte de él, me refiero la interrelación entre los árbitros que asisten a las competencias, estableciéndose vínculos que con el tiempo dejan de ser esporádicos, manteniéndose relaciones profesionales, de amistad y de negocios, la formación del llamado networking en los negocios. La relación directa entre los árbitros se extiende con los estudiantes a quienes se les conoce y reconoce en el desarrollo de su vida profesional. El resultado no planificado de la competencia toma una relevancia muy importante, desde este punto de vista.

V. SEMBRAR PARA COSECHAR

Considero que este espacio concedido, en el cual me he permitido no tratar un asunto de puro derecho en el campo del arbitraje y por lo cual pido las disculpas del caso, aunque debo reiterar que guarda mucha relación con la actividad viva y real de aquellos que practicamos derecho y en particular nuestra práctica basada en este instituto que es el arbitraje.

Es que en ocasión a esta celebración, quiero hacer la llamada para integrar este espacio cuyo resultado de provecho no tiene fronteras ni tiene actores exclusivos y proveen de una experiencia para la vida profesional con grandes beneficios para todos los actores.

Todos hemos dentro de nuestro desarrollo formativo, en la etapa de estudiante universitario, hemos de alguna u otra forma un acercamiento con las actividades que desarrollaríamos en el futuro, para ello hemos realizado las siempre tan anheladas practicas pre-profesionales, en algún lugar en el cual hemos tenido por alguna razón del esfuerzo y del destino la posibilidad de hacerlas. Luego, ya en el ejercicio profesional hemos dado lugar a estudiantes que en similar situación a la nuestra, cuando éramos también estudiantes, necesitan una practica pre-profesional para complementar sus estudio y nos adentramos en la parte formativa del estudiante que puede tener un cumulo de conocimientos, pero algo alejados de su aplicación en la vida diaria dentro de la profesión.

En este punto cuando quiero hacer la siguiente reflexión a partir de una pregunta: ¿No creen que el proceso formativo del estudiante es incompleto pues existe un evidente diferencia entre lo que sabe y lo que puede hacer? Para mi es claro que es así. La experiencia que permite una competencia de arbitraje, no solo esta para que el aprendiz pueda ejercer dentro de este campo, sino para que pueda desarrollarse en otro campos, quizá algunos en los cuales descubrirá mejor preferencia que la del arbitraje.

Para ello es preciso que dirijamos la vista a las competencias estableciendo algún tipo de vinculo con las universidades de modo que podamos hacer conocer o recordar cual es la clase de profesional que se necesita, y para ello comprometiéndose en la formación promoviendo y apoyando a los estudiantes en esta clase de competencias, de modo que se pueda mirar la competencias como el lugar donde se encontraran futuros colegas bien calificados para formar parte de los equipos de trabajo de las firmas y dado lo complicado que puede resultar asistir a una competencia, considerar al postulante a una practica o puesto, si dentro de sus actividades ha participado en una competencia de arbitraje, ello es un indicativo de su formación y de su empleabilidad dentro de una firma.

La responsabilidad social no puede excluir este escenario, y finalmente la dinámica es que para participar en los beneficios, debemos generar las condiciones para que estos se produzcan, creando vías que puedan permitir la mayor participación de los estudiantes, de esa forma tendremos un beneficio directo cuando contemos profesionales preparados e indirecto cuando encontremos en el ejercicio profesional con personas con un nivel profesional que enriquece nuestro entorno de un modo muy favorable para nuestras actividades.

REFERENCIAS

NOODT TAQUELA, M. B., La participación en competencias internacionales de arbitraje como estrategia de enseñanza-aprendizaje del derecho y como modo de iniciación en la investigación. Academia. Revista sobre enseñanza del derecho. Nº 14. Año 2016, p. 159. Buenos Aires. Argentina.

The Complete —but unofficial— Guide to the Willem C. Vis International Commerial Arbitratin Moot- 4th Edition. Jörge Risse Editor. 2017. Up Close and Personal interview with Professor Eric. E. Bergsten, p. 10. Texto traducido por el autor.

La nueva guía de la OEA para los contratos transfronterizos y el arbitraje internacional*

JOSÉ ANTONIO MORENO RODRÍGUEZ**

RESUMEN

La Guía sobre el Derecho Aplicable a los Contratos Internacionales en las Américas, aprobada por el Comité Jurídico Interamericano y por la asamblea de la Organización de Estados Americanos (OEA), es el resultado histórico de los esfuerzos continentales que se remontan al siglo XIX en las Américas. Los antiguos tratados resultan insatisfactorios, debido a soluciones cuestionables que proponían y en atención a las divergencias entre los mismos.

---

* Este artículo contiene extractos de la traducción al español de la ponencia preparada para el encuentro "Towards a Global Framework for International Commercial Transactions" (Lucerna, Suiza, 9 de septiembre de 2016), organizado por la Universidad de Lucerna y la Oficina Permanente de la Conferencia de La Haya de Derecho Internacional Privado. También incluye textos extractados de una contribución para el *Festschrift* que será publicado próximamente en Alemania en Honor al Profesor Herbert Kronke. Contribuyó en la traducción de ambos textos José Antonio Moreno Bendlin. Esta contribución copia también diversos extractos de la guía de la OEA en la que actuó como relator el Dr. Moreno Rodríguez.

** Magister en Derecho de la Universidad de Harvard, Doctor en Derecho de la Universidad Nacional de Asunción. Miembro del Comité Jurídico Interamericano de la Organización de Estados Americanos (OEA) y Relator de la Guía de la OEA sobre el Derecho Aplicable a los Contratos Comerciales Internacionales. Miembro del Grupo de Trabajo de la Conferencia de la Haya de Derecho Internacional Privado que elaboró los Principios de la Haya sobre Contratos Internacionales. Delegado ante la Comisión de Naciones Unidas para el Derecho Mercantil Internacional (CNUMDI). Anterior Presidente y Secretario General de la Asociación Americana sobre Derecho Internacional Privado (ASADIP). Miembro del Consejo de Gobierno del UNIDROIT y Presidente de su Grupo de Trabajo de Contratos de Inversiones en Tierras Agrícolas. Ex Miembro de la Corte de Arbitraje de la Cámara de Comercio Internacional (ICC). Miembro de Comités de Anulación del Centro Internacional de Arreglo de Diferencias Relativas a Inversiones (CIADI) y Árbitro en casos ante la Corte Permanente de Arbitraje de La Haya (PCA) y otros centros arbitrales. Profesor en varias universidades y autor de publicaciones en las Américas, Europa y Asia. Presidente del CEDEP (www.cedep.org.py). Miembro del estudio jurídico Altra Legal (www.altralegal.com).

La Guía puede servir de modelo para que se adopten normas acordes con instrumentos emanados de la OEA, como la Convención de México, y por la Conferencia de La Haya a través de sus llamados Principios de La Haya.

La Guía puede también servir a jueces, árbitros, partes contratantes y académicos, conforme se expone en el presente artículo.

Palabras clave: Guía sobre el Derecho Aplicable a los Contratos Internacionales en las Américas, ius commune, *lex mercatoria*, Conferencia de La Haya de Derecho Internacional Privado, Tratado de Montevideo, Conferencia Especializada Interamericana sobre Derecho Internacional Privado, Convención Interamericana sobre el Derecho Aplicable a los Contratos Internacionales, principios UNIDROIT, Contratos Comerciales Internacionales, soft law, CNUDMI, Convención de México, Código Bustamante.

ABSTRACT

The Guide on the Law Applicable to International Contracts in the Americas, approved by the Inter-American Juridical Committee and by the Assembly of the Organization of American States (OAS), is the historical result of continental efforts dating back to the 19th century in the Americas The old treaties are unsatisfactory, due to questionable solutions they proposed and in attention to the differences between them.

The Guide can serve as a model for the adoption of standards in accordance with instruments issued by the OAS, such as the Mexico Convention, and by the Hague Conference through its so-called Hague Principles.

The Guide may also serve judges, arbitrators, contracting parties and academics, as set forth in this article.

Key words: Guide on the Law Applicable to International Contracts in the Americas, ius commune, lex mercatoria, Hague Conference on Private International Law, Montevideo Treaty, Inter-American Specialized Conference on Private International Law, International Institute for the Unification of Private Law, UNIDROIT Principles, International Commercial Contracts, soft law, UNCITRAL, Mexico Convention, Bustamante Code.

I. INTRODUCCIÓN

En febrero de 2019, el Comité Jurídico Interamericano de la Organización de Estados Americanos (OEA), aprobó una *Guía sobre el Derecho Aplicable a los Contratos Internacionales en las Américas*[1].

La problemática del derecho aplicable a la contratación internacional se muestra, aún hoy, caótica en gran parte del orbe. Luego de una referencia histórica sobre los esfuerzos continentales y mundiales para abordarla, esta contribución hará alusión al nacimiento y el contenido de esta nueva guía de la OEA, como así también a su potencial para promover una mayor predictibilidad en la problemática del derecho aplicable a los arbitrajes internacionales relacionados con las Américas.

II. DESARROLLOS EN LOS SIGLOS XIX Y XX

Movimientos nacionalistas en Europa y las Américas frenaron la idea de un derecho universal, alejándose del *ius commune* y la *lex mercatoria* que se habían consolidado en tiempos medievales. A lo largo de las jurisdicciones con tradición civilista las naciones-Estados sancionaron códigos civiles y comerciales, mientras que países de tradición anglosajona desarrollaron su derecho autóctono con base en precedentes jurisprudenciales. Esto, a su vez, ha dado un peculiar impulso al derecho internacional privado, como una disciplina destinada a resolver el rompecabezas del "conflicto de leyes" —o conflictualismo—, en tiempos en que las soluciones nacionales que buscaban abordar el problema resultaron alarmantemente contradictorias[2]. "Lugar de ejecución", "lugar de cumplimiento" y otras fórmulas fueron, por ejemplo, propuestas para resolver temas referentes al derecho aplicable a un contrato internacional.

El jurista alemán Savigny fue muy influyente hacia mediados del siglo XIX, con su idea de unificar estas fórmulas en un tratado internacional que vinculara a todas las naciones que lo ratificaran[3]. Esta propuesta con-

---

[1]   Ver en: http://www.oas.org/es/sla/cji/comite_juridico_interamericano.asp.

[2]   De hecho, la disciplina se erige como rama independiente solo desde el siglo XIX. (G. KEGEL, *International Encyclopedia of Comparative Law*, Chapter 3, Fundamental Approaches, J. C. B. MOHR (P. SIEBECK)/ TÜBINGEN/ MARTINUS NIJHOFF PUBLISHERS/ DORDRECHT/ BOSTON/ LANCASTER, 1986, p. 5).

[3]   M. F. C. de SAVIGNY, *Sistema de Derecho Romano Actual*, Tomo Sexto, Segunda Edición, Centro Editorial de Góngora, Madrid, p. 137.

dujo a la inauguración de la *Conferencia de La Haya de Derecho Internacional Privado* en 1893, bajo el liderazgo del jurista holandés Asser[4]. Sin embargo, como se verá enseguida, más de cien años pasarían antes de que la Conferencia de La Haya —convertida en cuerpo permanente en 1955— pasara a ocuparse del derecho aplicable en los contratos internacionales.

Mientras tanto, las Américas tomaron la delantera. Uno de los *Tratados de Montevideo* de 1889, firmados en esa misma ciudad (el de *Derecho Civil Internacional*), específicamente aborda la cuestión de elección del derecho aplicable, aunque adoptando soluciones altamente controversiales en cuanto a la ausencia de elección, y guardando silencio en relación a la autonomía de las partes[5]. Estos antiguos Tratados de Montevideo siguen siendo aplicables entre Argentina, Bolivia, Colombia, Paraguay, Perú y Uruguay.

En 1940 nuevos tratados fueron firmados en Montevideo (ratificados solo por Argentina, Paraguay y Uruguay) que reafirmaron las antiguas soluciones con respecto a la ausencia de elección del derecho aplicable y una regla general —con excepciones— de la aplicabilidad del derecho del lugar de cumplimiento. Además, estos nuevos tratados dispusieron que cada Estado debería determinar por su cuenta la aceptación o no del principio de autonomía de las partes, una cuestión que, ante la ausencia de provisiones claras a ese efecto en legislaciones domésticas, se tornó muy controvertida en Brasil[6], Paraguay[7] y Uruguay[8].

---

[4]   En 1881 el jurista y político italiano Mancini intentó llevar adelante una conferencia de derecho internacional privado, que no se realizó. La iniciativa fue retomada por el flamenco Asser, bajo cuya influencia el gobierno de su país invitó en 1892 a principales Estados europeos a una conferencia para acordar codificación internacional de conflictos de leyes (M. WOLFF, *Derecho Internacional Privado*, Traducción española de la segunda edición inglesa por Antonio Marín López, Barcelona, Editorial Bosch, 1958, p. 44). Tal constituye la génesis de la Conferencia de La Haya de Derecho Internacional Privado.

[5]   Sobre las críticas, ver, por ejemplo, en D. HARGAIN/ G. MIHALI, *Régimen Jurídico de la Contratación Mercantil Internacional en el MERCOSUR*, Montevideo/ Buenos Aires, Julio César Faira Editor, 1993, p. 31, p. 39. Sobre el problema de la autonomía de la voluntad en los Tratados de 1889, ver en: R. SANTOS BELANDRO, *El Derecho Aplicable a los Contratos Internacionales*, 2ª Ed., Montevideo, Editorial Fundación de Cultura Universitaria, 1998, pp. 55-56.

[6]   N. DE ARAÚJO, *Contratos Internacionais*, 2ª Ed., Río de Janeiro, Librería e Editora Renovar Ltda., 2000, pp. 320-324.

[7]   Ver mi artículo sobre la "Autonomía de la Voluntad en el Derecho Internacional Privado Paraguayo", en el Libro *Homenaje a Tatiana Maekelt*, CEDEP, Asunción, 2010, pp. 409 y ss.

Muchos otros Estados en el continente, como Brasil, Chile y Venezuela, no incorporaron los Tratados de Montevideo. En cambio, ratificaron el llamado *Código Bustamante* de 1928, adoptado como resultado de la Sexta Conferencia Panamericana desarrollada en La Habana, Cuba, en 1928. Este Código, que regula varias cuestiones de derecho internacional privado, entre ellas el derecho aplicable a la contratación internacional, ofrece una solución distinta ante la ausencia de elección del derecho aplicable, a saber, la aplicabilidad del derecho del lugar de ejecución. Así también, el instrumento ha levantado muchas interrogantes con relación a si consagra o no la autonomía de las partes[9].

Para mediados del siglo XX existía un sentimiento generalizado de que los documentos mencionados previamente, adoptados en las Américas, resultaban insatisfactorios, primero, debido a las soluciones cuestionables que proponían y, segundo, debido a las divergencias entre los mismos. Para empeorar la situación, algunos Estados americanos —notablemente, aquellos de tradición anglosajona— no habían ratificado ninguno de estos instrumentos.

El establecimiento de la OEA en 1948 generó fuertes esperanzas de que la situación fuese finalmente resuelta. Tras cuidadosas evaluaciones, la OEA decidió en contra de la idea de elaborar un código general como el de Bustamante y, en su lugar, optó por trabajar hacia la codificación gradual de temas particulares en el ámbito de derecho internacional privado[10]. Esta idea empezó a convertirse en realidad en 1975 con la primera

---

8   Puede verse un amplio recuento en C. FRESNEDO DE AGUIRRE, *La Autonomía de la Voluntad en la Contratación Internacional*, Montevideo, FCU, 1991. Actualmente, existe un giro importante en este tema, analizado en perspectiva más amplia en el siguiente excelente trabajo: D. OPERTTI BADÁN, "El Derecho Internacional Privado en tiempos de globalización", en *Revista Uruguaya de Derecho Internacional Privado*, Año VI, N° 6, Montevideo, Editorial Fundación de Cultura Universitaria, 2005.

9   Queda abierto hasta hoy el debate a este respecto, aunque no caben dudas de que en el Código Bustamante sí se admite la autonomía para designar expresa o tácitamente al juez competente para dirimir controversias en tanto al menos uno de los litigantes tenga nacionalidad o domicilio en el país y en cuanto no exista un "derecho local contrario". (D. P. FERNÁNDEZ ARROYO, Acerca de la Necesidad y las Posibilidades de una Convención Interamericana sobre Competencia Judicial en Casos de Derecho Internacional Privado, pp. 120-121).

10   Ver, por ejemplo, en: J. M. ARRIGHI, "El proceso actual de elaboración de normas Interamericanas", en Jornadas de Derecho Internacional, Córdoba, Argentina, organizadas por la Universidad Nacional de Córdoba y la Secretaría General de la Organización de los Estados Americanos, Subsecretaría de Asuntos Jurídi-

Conferencia Especializada Interamericana sobre Derecho Internacional Privado (CI-DIP), convocada para adoptar ciertos instrumentos en temas como arbitraje y otros de derecho comercial y procesal internacional. Hasta la fecha han sido llevadas a cabo siete CIDIPs, las que han resultado en la adopción de 26 instrumentos internacionales (incluyendo convenciones, protocolos, documentos uniformes y leyes modelo)[11].

No fue hasta la CIDIP V, llevada a cabo en la Ciudad de México en el 1994, que se abordó la cuestión de la elección del derecho aplicable en los contratos internacionales. El instrumento resultante fue la *Convención Interamericana sobre el Derecho Aplicable a los Contratos Internacionales,* conocida comúnmente como la "Convención de México". Este documento claramente reconoce la autonomía de las partes (Artículo 7) y, en ausencia de elección, prevé la fórmula de la "conexión más cercana" (Artículo 8), la cual puede llevar tanto a la aplicación del derecho nacional como del derecho no estatal (es decir, principios del derecho comercial internacional, *lex mercatoria,* etcétera)[12]. En todo caso —haya habido o no elección— la Convención de México dispone que el derecho no estatal debe ser tomado en consideración si la justicia o la equidad así lo requieren[13].

---

cos, Washington, D. C., 2001; E. VILLALTA, "El Derecho Internacional Privado en el Continente Americano", en Los servicios en el Derecho Internacional Privado, ASADIP y Programa de Pos-Graduacao em Direito da Universidade Federal de Rio Grande do Sul, Porto Alegre, Brasil, 2014, pp. 23 y ss.

[11]   Ver en: http://www.oas.org/dil/esp/derecho_internacional_privado_conferencias.htm.

[12]   Así lo entendió Juenger, delegado de los Estados Unidos en las deliberaciones conducentes a la Convención de México. F. K. JUENGER, "The *Lex Mercatoria* and Private International Law", en: 60 *Louisiana Law Review,* 2000, pp. 1133-1148. La relevancia de esta opinión la resalta Siqueiros, redactor del proyecto de dicho instrumento, pues Juenger fue quien propuso la fórmula recogida en este artículo luego de un arduo debate y a modo de compromiso. J. L. Siqueiros, "Los Principios de UNIDROIT y la Convención Interamericana sobre el Derecho Aplicable a los Contratos Internacionales", en: *Contratación Internacional, Comentarios a los Principios sobre los Contratos Comerciales Internacionales del UNIDROIT,* México, Universidad Nacional Autónoma de México, Universidad Panamericana, 1998, p. 223. Con respecto a una norma similar incluida en la ley venezolana de derecho internacional privado, la Suprema Corte de Venezuela ha sentado que la fórmula de la conexión más cercana lleva a la *lex mercatoria,* que se encuentra conformada por costumbres comerciales y prácticas. *Banque Artesia Nederland, N. V. c. Corp Banca, Banco Universal CA* (Exp. 2014-000257), de 2014.

[13]   Lo que está expresado en otras palabras en el instrumento. Al respecto, el Artículo 10 de la Convención de México dispone: "Además de lo dispuesto en los

Sin embargo, la Convención de México fue ratificada solo por dos Estados: México y Venezuela. El instrumento europeo comparable con relación a la elección de derecho aplicable, conocido como el *Convenio de Roma* de 1980, ha gozado de un destino distinto. Este documento, adoptado por varios Estados europeos, en 2008 fue convertido en Reglamento Comunitario 593 de 2008 (llamado *Roma I*), lo que lo hizo aplicable — inicialmente con algunas excepciones— a toda la Unión Europea. Así como la Convención de México, el Convenio de Roma resuelve la cuestión en favor de la autonomía de las partes. Lamentablemente, incluye soluciones criticadas que favorecen el lugar de la prestación característica ante la ausencia de elección[14] y, además, descarta la aplicabilidad del derecho no estatal[15].

El Convenio de Roma se tornó relevante no solo por su adopción por el bloque europeo, sino también debido a su influencia en el proyecto de elaboración de la Convención de México en las Américas y, más recientemente, en la preparación de un instrumento que aborda la cuestión a una escala global.

III. HACIA SOLUCIONES UNIVERSALES: LOS PRINCIPIOS DE LA HAYA

El éxito de la Convención de Roma llevó a la Conferencia de La Haya de Derecho Internacional Privado a encarar estudios de viabilidad a inicios de la década de 1980 sobre la posibilidad de adoptar un instrumento similar a escala global. Este emprendimiento fue descartado tras haberse considerado las dificultades de obtener una ratificación masiva del instrumento pro-

---

artículos anteriores, se aplicarán, cuando corresponda, las normas, los usos de comercio y los principios de la contratación preponderantes en el derecho comparado, con la finalidad de realizar las exigencias impuestas por la equidad en el caso concreto".

[14] Ver G. A. BERMANN, "Rome I: A Comparative View", en: F. FERRARI/ S. LEIBLE (eds.), *Rome I Regulation, The Law Applicable to Contractual Obligations in Europe*, München, Sellier, 2009, p. 350.

[15] Ver críticas a esto en: M. J. BONELL, "El reglamento CE 593/2008 sobre la ley aplicable a las obligaciones contractuales («Roma I»). Es decir, una ocasión perdida", en: J. BASEDOW/ D. P. FERNÁNDEZ ARROYO/ J. A. MORENO RODRÍGUEZ (eds.) *Cómo se Codifica hoy el Derecho Comercial Internacional*, CEDEP y La Ley Paraguaya, 2010.

puesto, cuya falta haría del proyecto un fracaso[16]. Sin embargo, la cuestión fue revisitada en años recientes y los estudios de viabilidad que se llevaron a cabo entre el 2005 y 2009 indicaron que tal vez un tipo de instrumento diferente podría resultar exitoso y efectivo[17].

Con este propósito, se convino en 2009 un Grupo de Trabajo[18], el cual avanzó en la idea de —en vez de pretender la adopción de un tratado o instrumento de derecho duro o *hard law*— elaborar un instrumento de derecho blando *soft law*, inspirado en cuanto a la técnica de redacción en los muy elogiados *Principios UNIDROIT sobre los Contratos Comerciales Internacionales*, elaborados por el Instituto de Roma, conocido también por su acrónimo francés UNIDROIT[19]. Los Principios UNIDROIT desarrollan cuestiones de derecho sustantivo mientras que los Principios de La Haya —como son comúnmente referidos— se limitan a tratar cuestiones de elección de derecho aplicable, específicamente en relación a la autonomía de las partes.

La cuestión de la ausencia de elección no fue abordada en los Principios de La Haya, debido a que ello hubiese hecho del proyecto uno demasiado ambicioso, y quizás también porque tendría poco sentido regular el tema

---

[16]   Ver en: M. PERTEGÁS/ I. RADIC, "Elección de la ley aplicable a los contratos del comercio internacional. ¿Principios de La Haya?", en: J. BASEDOW/ D. P. FERNÁNDEZ ARROYO/ J. A. MORENO RODRÍGUEZ (eds.) *Cómo se Codifica hoy el Derecho Comercial Internacional*, CEDEP y La Ley Paraguaya, 2010, p. 341.

[17]   Puede accederse a los trabajos preparatorios a través del sitio www.hcch.net.

[18]   N. B. COHEN (Estados Unidos); The Hon. JUSTICE CLYDE CROFT (Australia); S. E. DARANKOUM (Canadá); A. DICKINSON, (Australia); A. S. EL KOSHERI (Egipto); B. FAUVARQUE-COSSON (Francia); L. G. E. SOUZA JR. (Brasil); F. J. GARCIMARTÍN ALFÉREZ (España); D. GIRSBERGER (Suiza); Y. GUO (China); M. E. KOPPENOL-LAFORCE (Países Bajos); D. MARTINY (Alemania); C. MCLACHLAN (Nueva Zelanda); J. A. MORENO RODRÍGUEZ (Paraguay); J. L. NEELS (Sudáfrica); Y. NISHITANI (Alemania); R. F. OPPONG (Reino Unido); G. SAUMIER (Canadá) e I. ZYKIN (Rusia). Como observadores se designó a los siguientes miembros: M. J. BONELL (UNIDROIT); F. BORTOLOTTI (Cámara de Comercio Internacional); T. LEMAY (CNUDMI); F. MAZZA (Corte de Arbitraje de la Cámara de Comercio Internacional); K. REICHERT (International Bar Association) y P. WERNER (International Swaps and Derivatives Association). Más adelante se sumaron al Grupo de Trabajo T. KADNER GRAZIANO (Suiza) y S. SYMEONIDES (Chipre), este último de dilatada trayectoria en el derecho norteamericano.

[19]   Ver en www.unidroit.org.

en un instrumento de *soft law*[20]. Dado que los Principios de La Haya —así como los Principios UNIDROIT— no están destinados a ser adoptados formalmente por Estados, su aplicabilidad normalmente será el resultado de haber sido seleccionados por las partes como derecho aplicable, en ejercicio de la autonomía de la voluntad.

Sin lugar a dudas, también se prevén otras formas de aplicación de los Principios de La Haya, notablemente como un modelo para legisladores y como herramienta de interpretación para jueces y árbitros, lo que podría justificar su futura ampliación. Sin embargo, está visto, la versión actual de los Principios —adoptada en primer lugar por una sesión diplomática de la Comisión Especial en el 2012[21] y finalmente por una resolución del Consejo en el 2014[22]— solo desarrolla cuestiones relacionadas a las partes y limitaciones a este respecto, prescriptas por el orden público.

Los Principios de La Haya, bien recibidos en prestigiosos círculos internacionales[23], han sido citados por una Corte de Apelaciones Argentina como herramienta interpretativa[24] y han influenciado de manera notoria la promulgación de legislación en el Paraguay (Ley 5393 de 2015)[25], así

---

[20]   Esto fue discutido ampliamente en las deliberaciones del Grupo de Trabajo en La Haya, de las que fui parte.

[21]   http://www.hcch.net/upload/wop/contracts_rpt2012e.pdf.

[22]   http://www.hcch.net/index_en.php?act=conventions.text&cid=135.

[23]   Ello si bien la admisión del derecho no estatal en los Principios de La Haya se encontró con los resentimientos de una coalición de "hombres del ayer". S. C. SYMEONIDES, *Codifying Choice of Law Around the World, An International Comparative Analysis*, Oxford University Press, New York, 2014, p. 143. Algunos critican la admisión en sí del derecho no estatal en el instrumento (R. MICHAELS, *Non-State Law in the Hague Principles on Choice of Law in International Contracts*, 2014, http:// papers.ssrn.com/sol3/papers.cfm?abstract_id=2386186, V a y b, y VI), en tanto que otros cuestionan el cambio introducido por la sesión de la Comisión Especial en La Haya de 2012 que alteró la propuesta del Grupo de Trabajo (A. DICKINSON, "A principled approach to choice of law in contract", en 2 *Journal of International Banking and Financial Law*, 2013, p. 152).

[24]   *D. G. Belgrano S.A. v. Procter & Gamble Argentina SRL* [2013] *Cámara Nacional de Apelaciones en lo Comercial, Sala A*. Este precedente es incluso anterior a la aprobación del texto final de los Principios de La Haya, por lo que la referencia está hecha a un borrador del mismo.

[25]   Sobre esta ley, de mi autoría, he escrito en algunas publicaciones, y la más reciente es: J. A. MORENO RODRÍGUEZ, "The new Paraguayan Law on international contracts: back to the past?", en *Eppur si muove: The age of Uniform Law - Festschrift for Michael Joachim Bonell, to celebrate his 70th birthday*, Unidroit (ed.), 2016.

como una propuesta de reforma al derecho australiano en la materia[26]. El ejemplo paraguayo volverá a ser mencionado más adelante.

IV. ¿Y AHORA QUÉ EN LAS AMÉRICAS?

Aunque los Principios UNIDROIT hayan marcado a los Principios de La Haya en cuanto a su técnica de elaboración, estos fueron sumamente influenciados, en cuanto a su contenido, por las soluciones propuestas tanto en el Convenio de Roma como en la Convención de México.

Más de veinte años han transcurrido desde la adopción de la Convención de México y, por supuesto, los Principios de La Haya también incorporaron desarrollos subsiguientes que allanaron el camino para encontrar soluciones a ciertas cuestiones nuevas, como, por ejemplo, la separabilidad de la cláusula de elección de derecho aplicable del contrato principal. Más aún, este instrumento de *soft law* ha incorporado mejores soluciones a ciertas cuestiones que, en la elaboración del instrumento interamericano, habían sido objeto de soluciones de compromiso debido a la complejidad de las negociaciones cuando se pretende la adopción de un tratado. Esta situación se dio, particularmente, con relación al derecho no estatal.

Ahora, ¿qué sigue para las Américas? ¿Insistirá la región en la ratificación de la Convención de México? ¿Debería ser modificada la Convención, tomando en consideración los nuevos desarrollos? ¿Quizás se debería preparar una ley modelo? La última pregunta ha ganado particular impulso tras la promulgación de la nueva ley paraguaya sobre el derecho aplicable a los contratos internacionales.

Recientemente, el Comité Jurídico Interamericano de la OEA analizó todas estas alternativas tras haber circulado un cuestionario entre los Estados miembros de la organización y especialistas reconocidos del derecho internacional privado. Las respuestas reflejan la percepción de que, evidentemente, los Principios de La Haya han llegado más lejos que la Convención de México y que sus disposiciones podrían servir para enmendar el documento interamericano[27].

---

[26]   Esto fue relatado por Brooke Marshall, en el congreso "Towards a Global Framework for International Commercial Transactions", referido en la nota 1.

[27]   La Convención Interamericana sobre Derecho Aplicable a Contratos Internacionales y el Avance de sus Principios en las Américas, Documento preparado por el Departamento de Derecho Internacional de la Secretaría de Asuntos Jurídi-

Sin embargo, considerando que la Convención de México, elaborada en el año 1994, ha recibido solamente dos ratificaciones, la verdadera pregunta es si un proceso para llegar a un convenio nuevo y revisado valdría el esfuerzo. Una posible respuesta es que dicho documento mejorado podría ser mejor recibido por la comunidad jurídica dentro de las Américas y, además, que ello daría la oportunidad de corregir la traducción al inglés del instrumento original, la cual fue criticada por juristas angloparlantes.

Pero el proceso de negociación y aprobación de una convención resulta muy complicado y costoso, mientras que otros tipos de instrumentos —como las leyes modelo y guías legislativas— han demostrado ser medios efectivos para armonizar soluciones de derecho internacional privado. En última instancia, sería mucho más efectivo para los Estados americanos el adoptar leyes nacionales acordes con las prácticas respaldadas por la OEA y por la Conferencia de La Haya, aplicables a todas las transacciones internacionales, en vez de promover la adopción de tratados como la Convención de México y su eventual modificación, lo que afectaría solamente a las partes contratantes de los países que la hayan ratificado.

Entonces, una ley modelo o una guía legislativa podrían ser una buena idea. Pero, ¿por qué simplemente una guía "legislativa"? ¿Por qué no una guía que sirva también para jueces, árbitros, partes contratantes y académicos?

La propuesta combina lo mejor de los dos mundos: en primer lugar, esta guía servirá como un instrumento educacional. Esto no es algo menor, considerando que una de las razones por las cuales la Convención de México ha encontrado una fuerte resistencia fue por la falta de información con relación a su contenido e implicaciones. Una guía podría superar este obstáculo.

En segundo lugar, la guía será una herramienta disponible para legisladores que tendrá en cuenta desarrollos recientes consagrados en los Principios de La Haya y que también cubrirá materias no abordadas expresamente en los mismos pero que fueron reguladas en la Convención de México, específicamente con respecto a la ausencia de elección de derecho.

En tercer lugar, la guía puede aprovecharse del hecho de que UNIDROIT, la CNUDMI y la Conferencia de La Haya están previendo un documento que explique la interacción entre los Principios de UNIDROIT, la

---

cos de la Organización de los Estados Americanos, accesible en: www.asadip.org/v2/?p=5535.

Convención de Viena sobre la Compraventa y los Principios de La Haya[28]. Referencia sobre esta interacción se puede hacer, también, con respecto al documento de la OEA.

Finalmente, la guía puede erigirse en una poderosa herramienta interpretativa en manos de jueces, árbitros y partes, considerando las incertidumbres alarmantes que todavía persisten en la materia de contrataciones internacionales. El instrumento expondrá soluciones basadas en el sentido común y altamente debatidas, que se encuentran tanto en los Principios de La Haya como en la Convención de México, explicando sus complejidades.

Otro factor importante a considerar con esta técnica de elaboración normativa es que, a diferencia de una convención, texto de derecho *duro,* la guía no requiere pasar por el costoso y engorroso proceso de adopción diplomática como el de las CIDIPs. El Comité Jurídico Interamericano tiene, entre sus facultades, la de elaborar instrumentos de derecho *blando* o *soft law*[29].

---

[28]   https://assets.hcch.net/docs/76dde3f7-1c46-4875-a06b-7c68042e7e28.pdf.

[29]   Los orígenes del organismo pueden remontarse al año 1906 y actualmente se encuentra regulado en la Carta de la OEA, en sus Artículos 99 a 105, que establecen su finalidad de promover el desarrollo progresivo y la codificación del derecho internacional y estudiar la posibilidad de armonizar las legislaciones de los países del continente. Está compuesto por 11 miembros elegidos de entre los Estados que componen la OEA. Como lo señala Negro, "su homóloga es la Comisión de Derecho Internacional (CDI) de las Naciones Unidas, pero, a diferencia de esta, el CJI puede también realizar por iniciativa propia los estudios y trabajos que considere convenientes. A diferencia de la CDI también puede, y de hecho lo ha venido haciendo, ocuparse de asuntos relativos al derecho internacional privado". Una rápida mirada a los informes y propuestas que el CJI ha elaborado recientemente atestiguan la importancia de la labor que realiza. Solo en los últimos cuatro años el CJI ha aprobado una Guía Legislativa sobre la privacidad y la protección de datos personales en las Américas (2015), unos Principios sobre recibos de almacenaje electrónicos para productos agrícolas (2016), unos Principios y Directrices sobre la defensa pública en las Américas (2016), unas Recomendaciones para fortalecer el ordenamiento jurídico interamericano en materia de bienes patrimoniales culturales (2017), una Guía Práctica de aplicación de la inmunidad jurisdiccional de las organizaciones internacionales (2018), y más recientemente una Guía sobre el derecho aplicable a los contratos comerciales internacionales en las Américas (2019). Además de ello, dentro de la agenda actual de trabajo del CJI están también incluidos temas relevantes del derecho internacional privado tales como la actualización de los principios sobre la protección de datos personales, la actualización de los principios sobre recibos de almacenaje electrónico para productos agrícolas, la liquidación y disolución de las sociedades simplifica-

V. EL CAMINO HACIA LA NUEVA GUÍA DE LA OEA

Se puede ver la luz al final del túnel. El nacimiento de la Convención de México generó enormes expectativas que no fueron alcanzadas por los acontecimientos que le siguieron, en particular, por el número escaso de ratificaciones, a pesar de los elogios que le han sido conferidos en círculos internacionales de académicos líderes en derecho internacional privado.

Actualmente, el fénix podría estar resurgiendo de entre sus cenizas, como fue evidenciado por dos acontecimientos recientes claves: la adopción de los Principios de La Haya y la promulgación de la nueva ley paraguaya sobre contratos internacionales.

Esta última sirve como modelo de cómo los Principios y la Convención de México pueden interactuar espléndidamente. ¿Por qué?

En lo que respecta a la selección del derecho, el legislador paraguayo entendió que los Principios de La Haya se encontraban alineados pero representan un avance sobre el texto de la Convención de México, muchos años luego de su entrada en vigor. Y, entre otros usos, los Principios de La Haya tienen como objetivo precisamente servir como modelo a los legisladores. La membresía en la Conferencia de La Haya incluye a 14 Estados Miembros de la OEA[30] y en el grupo de trabajo que redactó el documento se encontraban representantes de la región[31]. Consecuentemente, podría decirse que los Principios de La Haya reflejan una incorporación de perspectivas de las Américas.

Sin embargo, dichos principios solo se aplican en materia de selección del derecho aplicable a los contratos internacionales; los mismos no cubren casos en los que no hubo selección del derecho. Y en este tema el legislador paraguayo siguió a la Convención de México, lo que podría ser un modelo deseable a seguir.

---

das, y el estudio de la eficacia extraterritorial de las sentencias y laudos arbitrales extranjeros. D. NEGRO, "Redefiniendo el Rol de las Conferencias Especializadas de Derecho Internacional Privado (CIDIPS)", en *Jornadas 130 Aniversario, Tratados de Montevideo de 1889*, Fundación de Cultura Universitaria, Montevideo, 2019, pp. 724-726.

[30]   Varios de ellos representados en la sesión diplomática que recomendó la aprobación del documento. La reunión de la Comisión Especial sobre Elección de Derecho en Contratos Internacionales se llevó a cabo el 16 de noviembre de 2012; el reporte se encuentra en: https://assets.hcch.net/docs/735cb368-c681-4338-ae8c-8c911ba7ad0c.pdf.

[31]   L. G. E. Souza Jr. (Brasil) y J. A. Moreno Rodríguez (Paraguay).

Teniendo a mano estos antecedentes recientes de los Principios de La Haya y la nueva ley paraguaya, el Comité Jurídico Interamericano de la OEA preparó una *Guía sobre el Derecho Aplicable a los Contratos Internacionales en las Américas,* la cual debería coadyuvar a que la Convención de México sea incorporada a los derechos nacionales, ya sea a través de la ratificación estatal o ya sea por la adopción de sus soluciones en las leyes de derecho internacional privado de los Estados —en cuyo caso sería deseable incorporar, además, los avances acogidos por los Principios de La Haya, como fue hecho en el Paraguay—.

La guía encuentra antecedentes en numerosos trabajos. En el año 2015, ante la iniciativa de la Dra. Elizabeth Villalta en el seno del Comité Jurídico Interamericano —cuya membresía integraba a la sazón—, el Departamento de Derecho Internacional de la OEA procedió a enviar un cuestionario a los gobiernos de las Américas con respecto al tema de contratación internacional[32]. Estas respuestas han derivado en que el Comité y el referido Departamento elaboraran un informe sobre el estado de la cuestión[33]. El Comité decidió finalmente avanzar en la elaboración de una guía sobre el tema, a cuyo efecto el aludido departamento elaboró una sinopsis bien completa incluyendo diversas cuestiones a ser tratadas[34], incluyéndose allí información relevada de varios juristas de la región que gentilmente comprometieron su apoyo con respecto a sus derechos nacionales. Así también, la Dra. Elizabeth Villalta elaboró un comparativo entre la Convención de México de 1994 y los Principios de La Haya, ambos sobre contratos internacionales, lo cual también resultó muy útil como material preparatorio[35].

Contando con el apoyo de todos estos insumos, y con el permanente acompañamiento del Departamento de Derecho Internacional de la OEA[36], bajo relatoría del Dr. José A. Moreno Rodríguez se ha procedido a

---

[32] "Cuestionario referente a la aplicación de las Convenciones Interamericanas sobre Derecho Internacional Privado", documento CJI/doc.481/15.

[33] "La Convención interamericana sobre derecho aplicable a contratos internacionales y el avance de sus principios en las Américas", Documento OEA/SG, DDI/doc.3/16; ver también el documento "El derecho aplicable a los contratos internacionales", documento OEA/Ser.Q, CJI/doc.487/15 rev. 1).

[34] "Fomentación del derecho contractual internacional en las Américas - Una guía a los principios jurídicos", documento OEA/Ser.Q, CJI/doc XX/16)

[35] "El derecho aplicable a los contratos internacionales", documento CJI/doc.464/14 rev.1.

[36] Encabezado por el jurista Dante Negro y con una dedicación de tiempo muy importante asignada al proyecto y una participación y aportes importantes de la

redactar el primer borrador en español. Nuevamente con el apoyo del referido Departamento, dicho material fue traducido al inglés por el equipo de traducción de la OEA para ser considerado en la sesión de agosto de 2017 del Comité Jurídico Interamericano[37]. En ella el Comité ha debatido acerca del trabajo presentado y formulado observaciones sobre la labor realizada. Particularmente, se solicitó que la guía fuera bien explícita sobre las cuestiones en las que existe mayormente consenso y sobre aquellas a cuyo respecto se plantean soluciones divergentes, fijándose en este último caso posiciones o recomendaciones bien concretas. Finalmente, en febrero de 2019 se presentó a la sesión del Comité Jurídico Interamericano el segundo borrador de la guía, que fue objeto de aprobación final[38].

La guía cuenta con menos páginas que las inicialmente pensadas, considerándose la extensión del tema, y también que muchas guías aprobadas por organismos codificadores universales cuentan con bastante mayor extensión. Ha sido orientación dada por el Comité Jurídico de que el documento no fuera muy extenso y resulte lo más sencillo posible. Tal objetivo ha sido perseguido para la elaboración del texto que, por lo demás, evita en lo posible tecnicismos exagerados o continuas remisiones o incluso notas al pie, salvo las consideradas estrictamente necesarias.

La guía también tiene presente, de manera recurrente, los principales instrumentos existentes en el tema, como el reglamento europeo Roma I y particularmente la Convención de México de 1994 y los Principios de La Haya de 2015. Las disposiciones de estos instrumentos, e incluso algunos comentarios de los Principios de La Haya, se hallan muchas veces copiados literalmente en el texto de la guía a fin de no perderse fidelidad a los mismos.

---

también jurista Jeannette Tramhel, que ha contado además con la asistencia de colaboradores dentro de esa dependencia.

[37] La cuestión de la guía en materia de contratación internacional vino siendo tratada en sesiones del Comité Jurídico de marzo de 2016 en Washington y octubre de 2016 y marzo de 2017 en Río de Janeiro.

[38] La asamblea general de la OEA, en su 49 período ordinario de sesiones llevado adelante en Medellín, Colombia, del 26 al 28 de junio de 2019, ha resuelto "1. Agradecer al Comité Jurídico Interamericano (CJI) por la remisión de la Guía sobre el Derecho Aplicable a los Contratos Comerciales Internacionales en las Américas y de la Guía Práctica de Aplicación de la Inmunidad Jurisdiccional de las Organizaciones Internacionales, tomar nota de las mismas, y exhortarlo a que les dé la más amplia difusión posible por intermedio de su Secretaría Técnica". Ver en http://www.oas.org/es/49ag.

En lo relativo específicamente al derecho aplicable al arbitraje, la guía tuvo en cuenta particularmente la *Convención sobre el Reconocimiento y la Ejecución de las Sentencias Arbitrales Extranjeras de 1958*, ratificada por alrededor de 160 Estados[39]. La Guía también hace continua referencia a la *Ley Modelo de Arbitraje de la CNUDMI* de 2005, enmendada en 2006[40]. La Convención de Nueva York fue ratificada por casi todos los Estados de las Américas[41] y la Ley Modelo de la CNUDMI ha promovido la armonización e inspirado reformas jurídicas a lo largo del continente[42].

En su proceso de elaboración la guía se benefició con importantes comentarios emitidos por diversos juristas y organizaciones[43]. Diversos aportes provienen también de connotados árbitros o académicos relacionados

---

[39]   La Convención sobre el Reconocimiento y la Ejecución de Laudos Arbitrales Extranjeros. Firmada el 10 de junio de 1958, entrando en vigor el 7 de junio de 1959. 330 UNTS 3. Actualmente disponible en: http://www.uncitral.org/uncitral/en/ uncitral_texts/arbitration/NYConvention_status.html.

[40]   https://www.uncitral.org/pdf/spanish/texts/arbitration/ml-arb/07-87001_ Ebook.pdf.

[41]   Las excepciones son Belice, Granada, San Cristóbal y Nieves, Santa Lucía y Surinam.

[42]   Ley Modelo de la CNUDMI. Disponible en: http://www.uncitral.org/uncitral/ en/uncitral_texts/arbitration/1985Model_arbitration_status.html. Legislaciones basadas en la Ley Modelo fueron adoptadas en los distintos Estados Miembros de la OEA: Canadá (federalmente y en todas sus provincias y territorios), Chile, Costa Rica, República Dominicana, Guatemala, Honduras, Jamaica, México, Nicaragua, Perú, Estados Unidos (algunos estados) y Venezuela. Asimismo, Argentina ha avanzado hacia una nueva legislación (Ley de Arbitraje, aprobada el 26 de julio de 2018). Uruguay también aprobó una legislación que adopta la Ley Modelo. http://ciarglobal.com/uruguay-aprobado-por-el-senado-el-proyecto-de-ley-de-arbitraje-comercial-internacional/.

[43]   El borrador de la Guía fue considerado por la CNUDMI, UNIDROIT, la Conferencia de La Haya de Derecho Internacional Privado y por prominentes juristas, como Hans Van Loon, Daniel Girsberger, Jürgen Samtleben, Diego Fernández Arroyo, Joachim Bonell, Geneviève Saumier, Alejandro Garro, Marta Pertegás, Luca Castellani, Anna Veneziano, Paula All, Neale Bergman, Brooke Marshall, María Blanca Noodt Taquela, Nádia de Araújo, Cristian Giménez Corte, Laura Gama, Frederico Glitz, Valerie Simard, Jaime Gallegos, Ignacio García, Francisco Grob D., Antonio Agustín Aljure Salame, Lenin Navarro Moreno, Elizabeth Villalta, Pedro Mendoza, Nuria González, Mercedes Albornoz, Jan L. Neels, David Stewart, Antonio F. Pérez, Soterios Loizou, Cecilia Fresnedo, Claudia Madrid Martes, Eugenio Hernández Bretón, Gustavo Moser, Anayansy Rojas y José Manuel Canelas. La *American Bar Association* (*Section on International Law*) también proveyó valiosos comentarios, al igual que el Departamento de Justicia de Canadá.

al mundo del arbitraje[44]. Varios de los juristas consultados son, además, autoridades y miembros de la prestigiosa Asociación Americana de Derecho Internacional Privado (ASADIP), que aglutina a máximos especialistas de la materia en la región. Por Declaración fechada el 10 de enero de 2019, la ASADIP expresó apoyo al Borrador de la guía, según Mandato de la Asamblea General de la ASADIP de fecha 9 de noviembre de 2018. Luego, el 4 de marzo de 2019 la ASADIP brindó su apoyo al texto final[45].

VI. CONTENIDO DE LA GUÍA DE LA OEA

1. Estructura

La guía se encuentra precedida de *sumario de recomendaciones* en cuestiones de derecho aplicable a los contratos internacionales, dirigidas a legisladores, juzgadores y las partes y sus asesores. Luego contiene un *listado de abreviaciones* y otro *listado de términos en latín y otros lenguajes* utilizados en el documento.

A continuación, se encuentra la parte medular del documento, que es la *guía en sí*.

---

[44]   Además, comentaron también el documento los siguientes reconocidos exponentes del mundo arbitral: Felipe Ossa, Francisco González de Cossío, Alfredo Bullard, Fernando Cantuarias Salaverry, Roger Rubio y Dyalá Jiménez Figueres.

[45]   Ver en www.asadip.org. En las resoluciones referidas la ASADIP se comprometió a trabajar para establecer canales de cooperación con las autoridades nacionales, a fin de persuadirlas acerca de la enorme trascendencia que tendrá la guía sobre derecho aplicable a los contratos comerciales internacionales en las Américas. Así también, la ASADIP declaró que le dará la mayor difusión posible al documento en los ámbitos académico y jurídico. Debe tenerse presente que en su tercera sesión plenaria, celebrada el 21 de junio de 2017, la propia asamblea general de la OEA había encomendado "al Departamento de Derecho Internacional que promueva una mayor difusión del derecho internacional privado entre los Estados Miembros, en colaboración con los organismos y asociaciones que trabajan en este ámbito, entre otros, la Comisión de las Naciones Unidas para el Derecho Mercantil Internacional, la Conferencia de La Haya de Derecho Internacional Privado, el Instituto Internacional para la Unificación del Derecho Privado (UNIDROIT) y la Asociación Americana de Derecho Internacional Privado (ASADIP)" (AG/RES. 2909 (XLVII-O/17). Las distintas colaboraciones recibidas de estas organizaciones o sus integrantes se enmarcan, pues, dentro del espíritu del mandato asambleario arriba referido.

Al final, se encuentran diversos *anexos*, con una tabla comparativa entre la Convención de México y los Principios de La Haya; otra tabla de reconciliación entre los textos oficiales en español, inglés y francés en los que se encuentra formulada la Convención de México; y, por último, una tabla de legislaciones, una tabla de casos y un listado de bases de datos y otras fuentes electrónicas utilizadas para la elaboración de diversas partes de la guía.

2. Introducción, contexto y antecedentes de la guía

En la parte medular de la guía, la *introducción explicativa* de los objetivos perseguidos (*parte primera*), se encuentra seguida por su *contexto y antecedentes* (*parte segunda*), donde se refieren los principales métodos del derecho internacional privado y se relatan los antecedentes codificadores en las Américas y el mundo, entre los que resaltan en materia contractual los Tratados de Montevideo de 1889 y 1940, el Código Bustamante de 1928, el Convenio de Roma de 1980, la Convención de México de 1994 y los Principios de La Haya de 2015.

Un entendimiento básico de estos desarrollos es importante debido a la influencia de estos instrumentos —incluso recíproca— a través del tiempo. Además, los mismos han tenido incidencia significativa en el desarrollo de legislación doméstica en las Américas.

3. Derecho uniforme

La *parte tercera* describe los *avances recientes del llamado método uniforme*, sobre todo a partir de la labor homogeneizadora encarada por el Instituto de Roma o UNIDROIT y la Comisión de Naciones Unidas de Derecho Mercantil Internacional (UNCITRAL, CNUDMI en español), además de esfuerzos del sector privado y de otros desarrollos del mundo arbitral.

No debe perderse de vista que UNIDROIT, creada en 1926 bajo los auspicios de la Liga de las Naciones para modernizar y armonizar el derecho privado del orbe, cuenta, entre sus 63 Estados Miembros, a 13 que integran la OEA[46].

---

[46]   Argentina (1972), Bolivia (1940), Brasil (1940), Canadá (1968), Chile (1951), Colombia (1940), Cuba (1940), México (1940), Nicaragua (1940), Paraguay (1940), Estados Unidos (1964), Uruguay (1940), Venezuela (1940). Membresías actuales de UNIDROIT encontradas en: https://www.UNIDROIT.org/about-UNIDROIT/membership.

La CNUDMI, establecida bajo la órbita de Naciones Unidas en 1966, persigue similares objetivos, y diversos países en las Américas han adoptado muchos de sus instrumentos y también vinieron formando parte de la organización en el tiempo[47]. En el siguiente numeral de esta contribución se hace referencia específicamente a la Convención de Viena sobre Compraventa, avanzada por la CNUDMI.

La guía de la OEA alienta a los legisladores, en el curso de sus revisiones a sus regímenes domésticos, a tener en cuenta los avances hechos en el método uniforme y a considerar el uso de instrumentos de derecho uniforme en conjunto con las reglas de conflictos de leyes como suplementarios y complementarios en la aplicación e interpretación del derecho comercial internacional.

La *parte cuarta* describe el *método de interpretación uniforme* tratándose de textos internacionales, tanto en materia de conflicto de leyes como de derecho uniforme.

De hecho, la aproximación de normas no es suficiente. Cuando se adoptan convenciones internacionales armonizadoras, la armonización pretendida puede frustrarse si la interpretación de sus normas se realiza a la luz de conceptos domésticos y no desde una perspectiva comparativa. La interpretación debe ser, pues, autónoma, independientemente de las peculiaridades nacionales que puedan resultar inconsistentes con la uniformidad pretendida.

La guía consecuentemente alienta a los jueces y árbitros a considerar las ventajas del método de interpretación uniforme y a tener en cuenta el desarrollo de la jurisprudencia internacional a este respecto. La guía también alienta a las partes contratantes y sus asesores jurídicos a permanecer informados de los desarrollos relativos a la interpretación uniforme que pueda ser aplicada a sus contratos internacionales. Advierte, sin embargo, la guía que deberían tomarse en consideración instrumentos aplicables al caso específico en caso de que provean una decisión distinta y que también juzgadores en algunas jurisdicciones podrían no seguir esta interpretación liberal abogada por el instrumento.

---

[47]   Ver en: www.uncitral.org.

4. Alcance de la guía

La *parte quinta* se relaciona con el *alcance de la guía*, que se extiende a los contratos comerciales internacionales y a *temas que se encuentran excluidos*, como los relacionados a capacidad, relaciones familiares y sucesorias, insolvencia y otras.

Como la guía se relaciona con *contratos comerciales*, aunque en algunos sistemas se haga la distinción entre contratos "civiles" y "comerciales", no es esa la intención del instrumento, sino la de excluir a los "contratos de consumo", frecuentemente sujetos a normas imperativas dentro de legislaciones de "protección al consumidor", y "contratos de trabajo" que usualmente se sujetan a reglas especiales del derecho laboral.

La determinación del carácter *internacional* del contrato presenta desafíos que han sido abordados de manera diferente[48]. Documentos regulatorios recientes tanto en el tema contractual como en el arbitral usan el término *internacional* en sentido bien amplio. En general, es suficiente que las partes se hayan establecido o tengan residencia en diferentes jurisdicciones o que el lugar del cumplimiento o del objeto contractual se encuentra fuera del Estado donde se hallan establecidas las partes. La guía sigue este enfoque amplio.

5. Derecho no estatal

La *parte sexta* aborda la compleja problemática del *derecho no estatal* y diversas terminologías alusivas, como *usos, costumbres* y *prácticas, principios* y *lex mercatoria*.

Los Principios de La Haya optaron por la expresión *normas de derecho*, como equivalente al derecho no estatal y otros términos referidos a esta

---

[48]   (1) Un enfoque considera si es que las partes contratantes residen habitualmente o están domiciliadas o establecidas en Estados diferentes. (2) Un enfoque alternativo está en la transferencia de mercaderías de un Estado a otro o que la oferta y aceptación tengan lugar en dos Estados distintos, o que el lugar de la formación del contrato tenga lugar en un Estado y su ejecución en otro. (3) Una posición más amplia considera que la existencia de algún elemento extranjero internacionaliza al contrato. También existen criterios mixtos, como los que siguen, por ejemplo, en la Convención Relativa a una Ley Uniforme sobre la Compraventa Internacional de Mercaderías. Convención Relativa a una Ley Uniforme sobre la Compraventa Internacional de Mercaderías.

cuestión[49], para aprovechar el extraordinario desarrollo casuístico y doctrinario en el mundo del arbitraje con respecto a esta expresión en las pasadas décadas[50]. La frase fue también adoptada por la Ley Modelo de la CNUDMI de 1985[51], que se hizo eco de la terminología utilizada en las Reglas de Arbitraje de la CNUDMI de 1976 (modificadas en el año 2010)[52], que inspiraron reglas arbitrales a lo ancho del orbe[53]. Las leyes domésticas de numerosos países de Latinoamérica también usan la expresión "normas de derecho"[54].

La guía adopta esta terminología y aboga por que los regímenes domésticos relativos a los contratos internacionales reconozcan y clarifiquen el alcance del derecho no estatal. En este tema la Convención de México fue más allá que el Convenio de Roma de 1980. El instrumento muestra una apertura hacia el derecho no estatal que puede remontarse a los tra-

---

[49] Ver Comentario Oficial de la CNUDMI al Artículo 28. También ver el reporte del GT de la CNUDMI, reunión 18, marzo 1985 (A/CN.9/264, pp. 60-63).

[50] El autor de este artículo tiene conocimiento personal de esto debido a su participación en las deliberaciones sobre este punto.

[51] Anteriormente usado en el Artículo 42 del Convenio de Washington sobre Arreglo de Diferencias Relativas a Inversiones del 1965 y las leyes arbitrales de Francia y Yibuti.

[52] Reglas de Arbitraje de la CNUDMI (1976), adoptadas por la Asamblea General de la ONU el 15 de diciembre, 1976. UN Doc. A/RES/31/98; UNCITRAL Arbitration Rules (as revised in 2010), adopted by the UN General Assembly on December 6, 2010. UN Doc. A/RES/31/98; Texto disponible en: https://uncitral.un.org/en/texts/arbitration/contractualtexts/arbitration.

[53] J. J. BARCELÓ III/ A. VON MEHREN/ T. VARADY, *International Commercial Arbitration, a Transnational Perspective*, 4th ed. Thomson Reuters, 2009, p. 70.

[54] Por ejemplo, ver las siguientes: En Brasil, Artículo 2 de la Ley 9307 de 1996 sobre Arbitraje; en Colombia, Artículo 208.1 de la Ley 1818 de 1998 - Conciliación y Arbitraje (posiblemente reemplazada por la Ley 1563 de 2012); en Costa Rica, Artículo 22 de la Ley 7727 de 1997 - Ley sobre resolución alterna de conflictos y promoción de la paz social y el Artículo 28 de la Ley 8937 de 2011 - Ley sobre Arbitraje Comercial Internacional; en Chile Artículo 28.4 de la Ley 19.971 de 2004 - Arbitraje Comercial Internacional; en El Salvador, Artículos 59 y 78 del Decreto Legislativo 914 de 2002 - la Ley sobre Mediación, Conciliación y Arbitraje; en Guatemala, Artículo 36.3 de la Ley 67 de 1995 - Ley de Arbitraje; en Nicaragua, Artículo 54 de la Ley 540 de 2005 - Mediación y Arbitraje; en Perú, Artículo 57.2 de la Ley 1071 de 2008 - Ley de Arbitraje; en la República Dominicana, Artículo 33.4 de la Ley 489 de 2008 - Arbitraje Comercial; en Paraguay, Artículo 32 de la Ley 1879 de 2002 - Arbitraje y Mediación; y en Venezuela, la última parte del Artículo 8 de la Ley de Arbitraje Comercial de 1998.

bajos preparatorios[55]. Sin embargo, el texto no se encuentra libre del caos terminológico existente al momento de su redacción y también ha creado ciertas controversias que la guía apunta a clarificar, usando a los Principios de La Haya como norte[56].

Además, la guía alienta a avanzar sobre el *statu quo*, como lo hacen los Principios de La Haya[57], admitiendo el derecho no estatal no solo en el ámbito arbitral sino también en el judicial. La novel legislación paraguaya se encaminó en esta dirección.

---

[55]   OEA/Ser. K/XXI.5, CIDIP-V/doc.32/94 rev. 1, March 18, 1994, p. 3; OEA/Ser.K/ XXI.5, CIDIP V/14/93, December 30, 1993, pp. 28, 30. A pesar de que el instrumento no es explícito en este punto, José Luis Siqueiros, quien preparó el borrador, escribió en un artículo subsiguiente que el instrumento habla del *derecho aplicable* en lugar de la *ley aplicable*, no porque sea una mejor expresión, sino esencialmente para clarificar que la intención es cubrir a los usos internacionales, a los principios del comercio internacional, a la *lex mercatoria* y a expresiones similares. J. L. SIQUEIROS, "Los Principios de UNIDROIT y la Convención Interamericana sobre el Derecho Aplicable a los Contratos Internacionales", en: *Contratación Internacional, Comentarios a los Principios sobre los Contratos Comerciales Internacionales del UNIDROIT*, México, Universidad Nacional Autónoma de México, Universidad Panamericana, 1998, p. 222. La opinión de Siqueiros se encuentra respaldada por otros renombrados juristas que participaron en las negociaciones de la Convención de México, incluyendo al delegado estadounidense Friedrich Juenger y al mexicano Leonel Pereznieto Castro. Ver: F. K. JUENGER, "Los Principios de UNIDROIT y la Convención Interamericana sobre el Derecho Aplicable a los Contratos Internacionales", en *Contratación Internacional, id.*, p. 235; L. PEREZNIETO CASTRO, "Los Principios de UNIDROIT y la Convención Interamericana sobre el Derecho Aplicable a los Contratos", en *Contratación Internacional, id.*, pp. 210-212.

[56]   El Artículo 9, párrafo 2, de la Convención de México se refiere a "los principios generales del derecho comercial internacional aceptados por organismos internacionales". Similarmente, el Artículo 10 se refiere a "las normas, las costumbres y los principios del derecho comercial internacional, así como los usos y prácticas comerciales de general aceptación" Varios de estos términos utilizados en esos artículos son problemáticos. No queda claro a qué "organizaciones internacionales" se refiere el Artículo 9 o si el término está restringido a organizaciones intergubernamentales como la CNUDMI y UNIDROIT, o si incluye a entidades no gubernamentales como la CCI. Otras expresiones usadas en el Artículo 10, como costumbres, usos y prácticas, también permanecen indefinidas.

[57]   L. GAMA JR./ G. SAUMIER, "Non-State Law in the (Proposed) Hague Principles on Choice of Law in International Contracts", en: *El Derecho internacional Privado en los procesos de integración regional*, Jornadas de la ASADIP 2011, San José, Costa Rica, 24-26 de noviembre, ASADIP y Editorial Jurídica Continental, San José, 2011, pp. 62-63.

La guía también sigue a los Principios de La Haya, según los cuales las normas de derecho deben estar "aceptadas generalmente como un conjunto de normas neutral y balanceado en un plano internacional, supranacional o regional". El requerimiento de "neutralidad" clama por un cuerpo de normas capaz de resolver los problemas comúnmente encontrados en los contratos internacionales, en tanto que el requisito de "normas balanceadas" fue establecido para encarar el problema del poder negociador inequitativo que lleve a la aplicación de normas injustas o inequitativas. A su vez, la frase "conjunto de normas aceptados generalmente" tiende a disuadir a las partes de que elijan categorías vagas o inciertas como normas de derecho[58].

En el estado actual de cosas la aplicabilidad de los Principios UNIDROIT como derecho no estatal, si son elegidos por las partes, claramente emerge tanto de los Principios de La Haya como de la guía. Lo propio ocurre con la Convención de Viena de 1980, que puede ser elegida por las partes aun cuando no fuera aplicable al caso bajo sus propios términos.

6. Autonomía de la voluntad

La *parte séptima* de la guía aborda el problema de la *autonomía de la voluntad* en materia de contratación internacional. Se trata allí en exclusiva la cuestión de la libertad para elegir el derecho aplicable, y no la del poder de las partes de seleccionar la jurisdicción arbitral o estatal que tendrá competencia en casos de existir una controversia. En el plano global, este último problema se encuentra contemplado en la Convención de Nueva York y en el Convenio de La Haya sobre Elección de Foro adoptado en el 2005.

A pesar de que la autonomía de la voluntad es uno de los principios más aceptados en el derecho internacional privado contemporáneo, existen aún desacuerdos sobre sus modalidades, parámetros y limitaciones. Estos desacuerdos incluyen, por ejemplo, al método de elección —la que puede ser expresa o tácita—, a si debe o no existir una conexión entre el derecho elegido y los derechos domésticos de las partes contratantes; a si problemas extracontractuales pueden estar incluidos en la elección de derecho aplicable; a qué Estado puede, en su caso, imponer limitaciones sobre elección de derecho aplicable; y si se puede optar por la aplicación de derecho no estatal. Estas cuestiones son abordadas en la guía.

---

[58]   Ver M. PERTEGÁS/ B. A. MARSHALL, "Harmonization Through the Draft Hague Principles on Choice of Law in International Contracts", en: 39 *Brooklyn Journal of International Law*, 2014/3, pp. 997-998.

Si bien la autonomía de la voluntad sigue siendo controversial en algunas vetustas legislaciones de las Américas sobre conflicto de leyes en un ámbito judicial, en el arbitraje el principio se encuentra en la Convención de Nueva York, en la *Convención Interamericana sobre Arbitraje Comercial Internacional* ("Convención de Panamá") de 1975[59] y en la *Convención Interamericana sobre Eficacia Extraterritorial de las Sentencias y Laudos Arbitrales Extranjeros* ("Convención de Montevideo")[60]. De los 35 Estados Miembros de la OEA casi todos han ratificado la Convención de Nueva York, 19 han ratificado la Convención de Panamá[61] y 10 han ratificado la Convención de Montevideo[62]. A su vez, la Ley Modelo de la CNUDMI reconoce el principio de la autonomía de la voluntad en su Artículo 28 (1), mientras que su comentario resalta su importancia, debido a que varias legislaciones domésticas no reconocen ese poder de manera clara o completa. Gran parte de las leyes arbitrales latinoamericanas siguen a la ley modelo en esta solución[63].

7. *Elección expresa o tácita*

La *parte octava* de la guía se refiere a la *elección expresa o tácita del derecho*, remarcando que de alguna forma la elección debe resultar evidente o surgir claramente de las disposiciones del contrato y sus circunstancias.

---

[59]   *Inter-American Convention on International Commercial Arbitration*, adoptada en la CIDIP I en ciudad de Panamá, firmada el 1 de enero de 1975 y entrada en vigor el 16 de junio de 1976.

[60]   La convención interamericana sobre validez extraterritorial de sentencias extranjeras y laudos arbitrales, adoptada en Montevideo en la CIDIP-II, firmada el 8 de mayo de 1979 y entrada en vigor el 14 de junio de 1980.

[61]   http://www.oas.org/juridico/english/sigs/b-35.html.

[62]   http://www.oas.org/juridico/spanish/firmas/b-41.html.

[63]   Este es el caso, por ejemplo, en Chile (Artículo 28 de la Ley 19.971 de 2004 sobre arbitraje comercial internacional); en Colombia (Artículo 101 de la Ley 1563 sobre arbitraje nacional e internacional); en Guatemala (Artículo 36.1 de la Ley de Arbitraje); en Panamá (Artículo 3 del Decreto Legislativo de 1999, estableciendo el régimen general del arbitraje, la conciliación y la mediación), reemplazado por la Ley 131 de 2013; en Perú (Artículo 57 del Decreto 1071, que regula el arbitraje; en Perú, para los contratos con el Estado, el arbitraje es obligatorio (Artículo 45.1 de la Ley de Contrataciones del Estado, Ley 30225); en Brasil (Artículo 2 de la Ley 9307 de 1996); en Costa Rica (Artículo 28 de la Ley 8937 sobre arbitraje comercial internacional); en México (Artículo 1445 del Código del Comercio); y en Paraguay (Artículo 32 de la Ley 1879 de 2002 sobre arbitraje y mediación).

8. Validez formal de la elección del derecho

La *parte novena*, sobre la *validez formal de la elección del derecho*, expone que los acuerdos de elección de derecho aplicable pueden ser orales o vía comunicaciones electrónicas.

La guía, así como los Principios de La Haya, abogan fuertemente por un cambio de paradigma en esta cuestión, particularmente en Latinoamérica, en donde la forma escrita es un requisito en varias legislaciones domésticas.

Según la guía, los regímenes domésticos no deberían contener requisitos formales a no ser que las partes acuerden por los mismos. Es más, los juzgadores, al determinar la validez formal de la elección de derecho aplicable, no deberían imponer ningún requisito formal, a no ser que las partes los hayan pactado o si resultan requeridos por reglas imperativas aplicables. Sin embargo, las partes contratantes y sus asesores deben tomar en cuenta toda regla obligatoria que lidie con la validez formal que pudiera resultar aplicable.

9. Pactum de lege utenda

La parte décima de la guía se refiere al derecho aplicable al acuerdo de elección del derecho.

Cuando hay selección, el derecho que gobierna al contrato principal deriva de la elección de las partes. Sin embargo, allí nace la pregunta de cuál ley servirá como base para analizar la validez y las consecuencias del mencionado acuerdo de elección de derecho aplicable. Esta delicada cuestión de *pactum de lege utenda* o elección del derecho (*electio juris*)[64] crea un círculo vicioso debido a que una vez que la ley ha sido elegida, la ley que gobierna deriva de la voluntad de las partes; sin embargo, permanece la duda de sobre cuál ley está basado el pacto[65].

Han sido propuestas varias alternativas para encarar esta cuestión. Una opción es la de aplicar la *lex fori* (ley del lugar del litigio) para la cláusula de elección de derecho aplicable, lo cual podría, sin embargo, frustrar la intención de las partes. Otra opción es aplicar el derecho que hubiera go-

---

[64] F. DE LY, *International Business Law and Lex Mercatoria*, Países Bajos, Elsevier Science Publishers B. V., 1992, pp. 65-66.

[65] A. BRIGGS, *The Conflict of Laws*, Clarendon Law Series, Oxford, Oxford University Press, 2002, p. 149.

bernado de no haber existido una elección. No obstante, esto levantaría las mismas incertidumbres que las partes buscaban evitar al incluir una cláusula de elección de derecho aplicable. Una tercera opción es aplicar el derecho elegido en la cláusula de elección. Sin embargo, esta solución crea problemas en los casos en que dicha elección no fue acordada de manera adecuada.

En principio, la guía favorece la aplicación del derecho elegido por las partes. Sin embargo, admite que el Estado en el que una de las partes tiene su establecimiento pueda prevalecer bajo determinadas circunstancias[66].

La guía también se refiere a la innovadora disposición encontrada en el Artículo 6.2 de los Principios de La Haya, según la cual "si las partes utilizaron cláusulas estándar que designan dos Derechos diferentes y según ambos Derechos prevalecen las mismas cláusulas estándar, se aplica el Derecho indicado en esas cláusulas estándar; si según estos Derechos prevalecen distintas cláusulas estándar, o si no prevalece ninguna, no habrá elección del Derecho aplicable".

10. Separabilidad

La *parte undécima* de la guía lidia con la *separabilidad*, en virtud de la cual la invalidez de un contrato internacional no afecta necesariamente al acuerdo de elección de derecho aplicable. Es más, la efectividad o invalidez (ya sea de carácter sustantivo o formal) del contrato deberá ser evaluada conforme al derecho designado en el acuerdo en el que fue elegido.

Esta solución se encuentra alineada con lo dispuesto en los Principios de La Haya, en Roma I, y en lo que atañe a cuestiones jurisdiccionales, con el Convenio de 2005 sobre Acuerdos de Elección de Foro, así como, en arbitraje, con la Ley Modelo de la CNUDMI[67].

---

[66]   La disposición del Artículo 6.2 de los Principios de La Haya se encuentra en el medio entre Roma I, que lleva al derecho aplicable de haber existido tal acuerdo (Artículo 3.5) —con miras de dar el máximo efecto a la autonomía de la voluntad—, y la Convención de México, que da virtualidad al derecho aplicable al lugar del establecimiento de la parte afectada (Artículo 12). De acuerdo con la guía, al determinar si las partes acordaron sobre el derecho aplicable, los juzgadores deben tomar en cuenta el Artículo 6 de los Principios de La Haya y el Artículo 12, párrafo 2 de la Convención de México.

[67]   Artículo 16.

11. *Otros problemas relacionados con la elección del derecho*

La parte duodécima de la guía trata otros problemas relacionados con la elección del derecho en los contratos comerciales internacionales.

Aboga por que la elección de derecho aplicable puede ser modificada en cualquier momento y que ello, en su caso, no perjudicará su validez formal o los derechos de terceros.

También establece la guía que no se requiere ningún tipo de conexión entre el derecho elegido y las partes o su transacción. Este sigue siendo un requisito en algunos sistemas como el de los Estados Unidos, según el *Restatement* (Segundo) de Conflicto de Leyes, Artículo 187 (2) (a)[68]. No obstante, existe una tendencia hacia su abandono, como se puede constatar en instrumentos internacionales recientes[69], entre ellos Roma I[70], la Convención de México y los Principios de La Haya[71].

La guía además aborda al *renvoi* o la cuestión de si la aplicación de un derecho doméstico también incluye sus disposiciones de derecho internacional privado. De ser así, la guía aboga por la exclusión del *renvoi*, para proveer mayor certeza de cuál será el derecho aplicable, en consistencia con la Convención de México y los Principios de La Haya.

En relación con la *cesión de créditos* la guía favorece al máximo la autonomía de la voluntad, en consistencia con los Principios de La Haya[72].

---

[68] No así en Inglaterra (*Steel Authority of India Ltd. v. Hind Metals Inc.* (1984). Ver en: C. G. J. MORSE/ M. RUBINO-SAMMARTANO (eds.), Inglaterra, en: *Public Policy in Transnational Relationships*, Kluwer Law and Taxation Publishers, Deventer, Boston, 1991, p. 62.

[69] No se requiere una conexión razonable en varias convenciones internacionales sobre asuntos relacionados al transporte. No aparece ni en los Convenios de La Haya de 1955 sobre la Ley Aplicable a las Ventas de Carácter Internacional de Objetos Muebles Corporales; de 1986 sobre la Ley Aplicable a los Contratos de Compraventa Internacional de Mercaderías, ni en el Convenio de 1978 sobre la Ley Aplicable a los Contratos de Intermediarios y a la Representación.

[70] H. HEISS, "Party Autonomy", en: F. FERRARI/ S. LEIBLE (eds.), *Rome I Regulation, The Law Applicable to Contractual Obligations in Europe*, München, Sellier, 2009, p. 2.

[71] Ver J. A. MORENO RODRÍGUEZ, "La Convención de México sobre el Derecho Aplicable a la Contratación Internacional", Publicación de la Organización de Estados Americanos, 2006, III, D, 7. Esto, en cambio, está en concordancia con la práctica arbitral. Caso CCI Nº 4145 de 1984 XII (1987) Yearbook Comm. Arb., 97 (101). Caso CCI Nº 4367 de 1984, XI (1986) Yearbook Comm. Arb., 134 (139).

[72] Los Principios de La Haya disponen, en su Artículo 10, lo siguiente: "En el caso de una cesión contractual de los derechos que le competen al acreedor frente a su

12. Ausencia de elección del derecho

La *parte décima tercera* lidia con el problema de la *ausencia de elección del derecho*. En ese supuesto, la guía aboga por la fórmula de la *conexión más estrecha* que se encuentra en la Convención de México y rechaza otras como el "lugar de la ejecución" de los Tratados de Montevideo. La guía aboga por que si el juzgador encuentra que si el derecho no estatal resulta más apropiado, y por lo tanto tiene una conexión más estrecha con el caso que el derecho nacional, será directamente aplicado. Sobre este punto la guía aclara un problema de interpretación relacionado a la Convención de México[73].

---

deudor en virtud de un contrato que los vincula: (a) si las partes del contrato de cesión de crédito han elegido el Derecho que rige su contrato, el Derecho elegido rige los derechos y obligaciones del acreedor y del cesionario derivados de su contrato; (b) si las partes del contrato entre el deudor y el acreedor han elegido el Derecho que rige su contrato, el Derecho elegido rige (i) la oponibilidad de la cesión al deudor; (ii) los derechos del cesionario frente al deudor, y (iii) el carácter liberatorio de la prestación hecha por el deudor". Esto es consistente con la Convención de la ONU sobre la Cesión de Créditos en el Comercio Internacional (Nueva York, 2001) (Artículo 28 y 29) y la Ley Modelo de la CNUDMI sobre las operaciones garantizadas (2016) (Artículo 84 y 96). Convención de la ONU sobre la Cesión de Créditos en el Comercio Internacional. Adoptada el 12 de diciembre de 2001, aún no entrada en vigor. Texto disponible en: http://www.uncitral.org/uncitral/en/uncitral_texts/security/2001Convention_receivables.html.

[73] El Artículo 9 de la Convención de México estipula que para determinar la ley con el vínculo más estrecho se deben tomar en cuenta a "los principios generales del derecho comercial internacional aceptados por organismos internacionales". Esta fue una solución conciliatoria llegada por los negociadores de la Convención de México después de que los delegados de los Estados Unidos propusieran la aplicación directa de los Principios UNIDROIT al haber ausencia de elección. Friedrich Juenger, el delegado de los Estados Unidos, entendió que la fórmula acordada llevada de igual manera directamente a los Principios Unidroit. Ver en: F. K. JUENGER, "The Lex Mercatoria and Private International Law" en: *60 Louisiana Law Review*, 2000, pp. 1133, 1148. La relevancia de esta opinión es destacada por José Siqueiros, encargado de elaborar el borrador de la Convención de México, debido a que fue él el que propuso la solución conciliatoria.; J. L. SIQUEIROS, "Los Principios de UNIDROIT y la Convención Interamericana sobre el Derecho Aplicable a los Contratos Internacionales", en: *Contratación Internacional, Comentarios a los Principios sobre los Contratos Comerciales Internacionales del UNIDROIT*, México, Universidad Nacional Autónoma de México, Universidad Panamericana, 1998, p. 223. Con relación a una disposición similar incluida en la Ley Venezolana de Derecho Internacional Privado, la Corte Suprema de Venezuela señaló que la fórmula de vínculo más estrecho lleva a la *lex mercatoria*, que está compuesta por las

Con relación al arbitraje, existen grandes diferencias en lo que concierne a la forma en la que debe determinarse el derecho aplicable en los supuestos de ausencia de una elección efectiva. La guía expone distintos enfoques del derecho comparado: reglas de conflicto de leyes del lugar del arbitraje o de otra jurisdicción; aplicación acumulativa de las reglas de todos los estados con conexión; aplicación de principios generales o derecho no estatal; y, cuando haya autorización, el uso de *voie directe*.

En este último caso los árbitros no se encuentran obligados a hacer referencia a norma de conflicto alguna[74]. La elección directa no debe, sin embargo, ser vista como arbitraria, y al efecto pueden de todos modos tomarse como referencia nociones que forman parte del sistema conflictual[75]. La guía muestra cómo la Convención de México puede resultar aplicable en arbitrajes internacionales llevados a cabo en jurisdicciones dentro de las Américas. Debe considerarse que algunos estados aceptan la *voie directe* y que las reglas de varias instituciones arbitrales han hecho lo mismo. Ello da pie a que los árbitros apliquen la Convención de México en el uso efectivo de este poder.

13. *Dépeçage*

La *parte décima cuarta* de la guía se ocupa del *dépeçage* o "fraccionamiento" del derecho, para que distintas partes del contrato puedan verse gobernadas por diversas leyes. El *dépeçage* es una manifestación del principio de autonomía de la voluntad, enfrentado con doctrinas de localización del siglo XIX.

La guía aboga a favor de que los regímenes domésticos sobre el derecho aplicable a los contratos internacionales admitan el fraccionamiento del derecho. Es más, los juzgadores que cuenten con discreción en su labor interpretativa se encuentran alentados a admitir el *dépeçage*, cuando así lo estimen pertinente.

---

costumbres y prácticas internacionales. Banque Artesia Nederland, N. V. v. Corp Banca, Banco Universal CA (Exp. 2014-000257), of 2014 (ver en www.unilex.info).

[74] E. GAILLARD/ J. SAVAGE, *Fouchard Gaillard Goldman on International Commercial Arbitration*, Kluwer Law International, 1999, p. 876.

[75] T. H. WEBSTER, Handbook of Uncitral Arbitration, Commentary, Precedents and Materials for UNCITRAL based Arbitration Rules, Sweet & Maxwell, Thomson Reuters, 2010, p. 515.

14. Fórmula de interpretación flexible

La *parte décima quinta* se refiere a la flexibilidad en la interpretación de los contratos internacionales para mitigar la aplicación dura y estricta del derecho. En asuntos que involucren contratos internacionales la fórmula puede resultar de particular ayuda para arribar a una solución apropiada para el caso en concreto que se presente.

En las Américas una fórmula flexible ha sido aceptada por varios años a través del Artículo 9 de la *Convención Interamericana sobre Normas Generales de Derecho Internacional Privado* de 1979, ratificada por varios países de la región[76]. La Convención de México también contiene una fórmula flexible para determinar el derecho aplicable[77]. En el mundo del arbitraje el

---

[76] Argentina, Brasil, Colombia, Guatemala, Paraguay, Ecuador, México, Perú, Uruguay y Venezuela. Ver en: http://www.oas.org/juridico/spanish/firmas/b-45. html. El Artículo 9 de esta Convención dispone lo siguiente: "Las diversas leyes que puedan ser competentes para regular los diferentes aspectos de una misma relación jurídica serán aplicadas armónicamente, procurando realizar las finalidades perseguidas por cada una de dichas legislaciones. Las posibles dificultades causadas por su aplicación simultánea se resolverán teniendo en cuenta las exigencias impuestas por la equidad en el caso concreto". Herbert y Fresnedo de Aguirre han señalado que este artículo se basa en las doctrinas Americanas de Currie (de intereses de gobierno) y Cavers (de soluciones equitativas), en contraposición al sistema abstracto y automático que existía en Latinoamérica. La adopción de estas doctrinas tiene el mérito de permitir un campo interpretativo amplio para relajar al criterio rígido del continente hasta ese entonces. (Ver en: C. FRESNEDO DE AGUIRRE/ R. HERBERT, "Flexibilización Teleológica del Derecho Internacional Privado Latinoamericano", en: *Avances del Derecho Internacional Privado en América Latina, Liber Amicorum Jürgen Samtleben*, Montevideo, Editorial Fundación de Cultura Universitaria, 2002, p. 57. Ver también R. HERBERT, *La Convención Interamericana sobre Derecho Aplicable a los Contratos Internacionales*, 1 (1994) RUDIP, pp. 89-90).

[77] La Convención provee en su Artículo 10 lo siguiente: "Además de lo dispuesto en los artículos anteriores, se aplicarán, cuando corresponda las normas, las costumbres y los principios del derecho comercial internacional, así como los usos y prácticas comerciales de general aceptación con la finalidad de realizar las exigencias impuestas por la justicia y la equidad en la solución del caso concreto". Aunque la redacción análoga del mencionado Artículo 9 ha sido sugerida por juristas del Common Law, el Artículo 10 de la Convención de México fue sugerido por Gonzalo Parra Aranguren, Presidente de la delegación Venezolana, proviniendo el mismo de una tradición civilista. Convención Interamericana sobre Derecho Aplicable a los Contratos Internacionales, OAS Doc. OEA/Ser.K/XXI.5 (Mar. 17, 1994). Ver también: "La Quinta conferencia Especializada Interamericana sobre

Artículo 28 (4) de la Ley Modelo de la CNUDMI, copiada en varias regulaciones de arbitraje en las Américas, también incluye una fórmula flexible[78].

14.1. Alcance del derecho aplicable

La *parte décima sexta* de la Guía se refiere al *alcance del derecho aplicable*, es decir, a los aspectos que serán gobernados por el mismo.

La Convención de México y los Principios de La Haya proveen —en un lenguaje ligeramente distinto entre ellas— que el derecho aplicable al contrato gobernará su interpretación y delimitará los derechos y las obligaciones de las partes, el cumplimiento del contrato y las consecuencias del incumplimiento, la nulidad o la invalidez. Los Principios de La Haya agregan dos temas adicionales: la carga de la prueba y las obligaciones precontractuales.

En virtud a su inclusión, estos aspectos deben ser considerados como "contractuales", cosa que no es necesariamente así en los distintos sistemas jurídicos. La especificación de estos aspectos como sujetos de ser gobernados por el derecho aplicable al contrato reduce la probabilidad de que sean clasificados de otra manera como extracontractuales, con lo que se alienta la uniformidad de resultados. La guía aboga por que estos asuntos sean abordados por los regímenes domésticos relativos a los contratos comerciales internacionales.

15. *Orden público*

La parte *décima séptima* de la guía lidia con el *orden público (ordre public)*. Esta noción altamente discutida carece de consenso en relación a los varios términos usados para referirse a ella y su relevancia y aplicabilidad. También existe ciertamente una falta de comunicación efectiva entre académicos y abogados practicantes. Es más, este asunto, de por sí oscuro, se

---

Derecho Internacional Privado (CIDIP V), México, 1994)", Revista de la Fundación Procuraduría General de la República, Caracas, pp. 219-220.

[78] La solución fue originalmente incluida en la Convención Europea sobre Arbitraje de 1961 (Artículo VII) y calificada por un árbitro renombrado como uno de los logros más significativos del siglo XX, liberando al arbitraje de percepciones locales. M. BLESSING, "Choice of Substantive Law in International Arbitration", en *14 Journal of International Commercial Arbitration*, 1997/2, p. 54.

vuelve aún más opaco debido a la imprecisión, diversidad y confusión del vocabulario utilizado.

En línea con los Principios de La Haya y la Convención de México, la guía intenta aclarar este desorden y simplificar su terminología. Aborda las dos facetas del orden público en el contexto internacional. Una comprende a las *normas imperativas* del foro que deben ser aplicadas sin importar lo que digan las normas de conflicto de leyes. La otra excluye la aplicación del derecho indicado en la norma de conflicto de leyes si el resultado sería *manifiestamente incompatible* con el orden público del foro.

En su *primera faceta*, el orden público se encuentra manifestado a través de *normas imperativas* aplicadas directamente al caso internacional, sin consideración de las reglas de conflicto de leyes que podrían apuntar a una solución distinta. Muchos Estados tienen este tipo de disposiciones que, funcionando como *espada*, son aplicadas directamente a cuestiones transfronterizas, sin atender la intención de las partes o cualquier otra norma de conflicto de leyes. En su *segunda faceta*, el orden público sirve como *barrera* o *escudo* que impide la aplicación de derecho que hubiera sido de otra manera aplicable bajo las normas de conflicto de leyes.

En el arbitraje también resulta altamente controversial el orden público. Debido al carácter deambulatorio del arbitraje y a que los árbitros no son jueces u oficiales estatales, no puede hablar en este ámbito de un derecho nacional del foro (o *lex fori*). La *lex fori* contiene disposiciones de derecho internacional privado relacionadas, por ejemplo, a clasificación, a factores de conexión y al orden público.

El orden público como causal de denegación de reconocimiento o de ejecución de resoluciones o laudos extranjeros se encuentra proveído en el Artículo V (2) de la Convención de Nueva York y en el Artículo 36 de la Ley Modelo de la CNUDMI. Sobre el punto, la interpretación tiende a ser bastante restringida. En varios Estados la política de los jueces es la dar el máximo efecto posible al laudo arbitral, en lugar de proveer incentivos para que siga el litigio en los tribunales estatales.

La guía nota sobre la cuestión de orden público en el arbitraje fue uno de los asuntos "más sensibles" tratados en la elaboración de los Principios de La Haya. Los Principios no "confieren ningún poder adicional a tribunales arbitrales" y no "intentan dar a tribunales una ilimitada y libre discreción" a apartarse del derecho en principio aplicable. Al contrario, los tribunales pueden ser requeridos a tener en cuenta al orden público y las normas imperativas y, cuando sea apropiado, determinar la necesidad de que las mismas prevalezcan en el caso específico.

16. Existencia de otras convenciones o estados con más de un sistema jurídico o una unidad territorial

Finalmente, la parte décima octava de la guía aborda otras cuestiones, como las relacionadas a la existencia de otras convenciones, o de Estados que tengan más de un sistema jurídico o unidades territoriales.

VI. CONCLUSIÓN

El comercio internacional se mueve gracias al contrato. Paradójicamente, y de manera inconcebible, el problema del derecho aplicable a la contratación transfronteriza registra, hasta hoy día, severos anacronismos en varias regiones del mundo.

La cuestión solo ha sido abordada muy recientemente a nivel universal luego de los Principios de La Haya, aprobados en 2015. Falta todavía, empero, mucha tela que cortar para la implementación efectiva de sus soluciones a lo ancho del orbe.

Las Américas estuvieron a la vanguardia en la regulación convencional del tema, pues ya lo hicieron con los Tratados de Montevideo de 1889 y luego nuevamente de 1940, como así también con el llamado Código Bustamante de 1928. Se adelantó así la región en casi cien años a Europa, que recién en 1980 contó con una regulación convencional, luego convertida en 2008 en Reglamento Comunitario conocido como Roma I. Nuevamente las Américas, y ya en el ejido de la OEA, aprobaron la Convención de México de 1994, muy prestigiosa en respetados círculos internacionales.

Lo dicho en el párrafo anterior, está visto, no debe llevar a uno a engaños. Los primeros tratados americanos no solo contienen soluciones controversiales sino además incompatibles las unas con las otras, amén de otros problemas. Y el texto más reciente de la Convención de México, pese a sus aciertos, ha logrado apenas dos ratificaciones en el continente. El problema se agrava si se considera el notorio rezago que existe en numerosas legislaciones domésticas de la región que regulan el derecho internacional privado de la contratación, algunas decimonónicas y otras igualmente anacrónicas, o al menos inapropiadas para regular el fenómeno.

Si bien la mayoría de los países de la región ha *aggiornado* su normativa arbitral, textos convencionales como las Convenciones de Nueva York y de Panamá, y leyes inspiradas en el modelo de la CNUDMI, se muestran parcos o no se ocupan de muchas de las cuestiones de Derecho Internacional

Privado que pueden presentarse en los arbitrajes con respecto a los contratos internacionales allí dirimidos.

De allí, pues, la importancia de la reciente guía aprobada por el Comité
Jurídico de la OEA, pues no solo describe la problemática jurídica actual
de la contratación transfronteriza en el continente, sino proporciona, con
fuerte orientación pragmática, orientaciones a legisladores, juzgadores,
partes contratantes y sus asesores a fin de lidiar con la cuestión. La guía
tiene un objetivo pedagógico importante, considerando que precisamente
la ignorancia de los temas y desarrollos en ella abordados son los que han
impedido, por ejemplo, que textos modernos como la Convención de México sean bien recibidos, en ocasiones, y en otras a que muchas cuestiones
de derecho aplicable sean directamente obviadas o soslayadas en la praxis
de la contratación transfronteriza en la región.

La nueva guía de la OEA avizora un futuro esperanzador para el hoy
por lo general caótico escenario del derecho aplicable a la contratación
transfronteriza en las Américas. Es de augurar que quienes se encuentran
envueltos en el quehacer arbitral transfronterizo sacarán, sobradamente,
provecho del instrumento.

REFERENCIAS

ARRIGHI, J. M., "El proceso actual de elaboración de normas Interamericanas", en Jornadas de Derecho Internacional, Córdoba, Argentina, organizadas por la Universidad Nacional de Córdoba y la Secretaría General de la Organización de los Estados Americanos, Subsecretaría de Asuntos Jurídicos, Washington, D. C., 2001.

BARCELÓ, J. J./ VON MEHREN, A./ VARADY T., *International Commercial Arbitration, a Transnational Perspective*, 4th ed. Thomson Reuters, 2009.

BERMANN, G. A., "Rome I: A Comparative View", en: F. FERRARI/ S. LEIBLE (eds.), *Rome I Regulation, The Law Applicable to Contractual Obligations in Europe*, München, Sellier, 2009.

BRIGGS, A., *The Conflict of Laws*, Clarendon Law Series, Oxford, Oxford University Press, 2002.

BONELL, M. J., "El reglamento CE 593/2008 sobre la ley aplicable a las obligaciones contractuales («Roma I»). Es decir, una ocasión perdida", en: J. BASEDOW/ D. P. FERNÁNDEZ ARROYO/ J. A. MORENO RODRÍGUEZ (eds.) *Cómo se Codifica hoy el Derecho Comercial Internacional*, CEDEP y La Ley Paraguaya, 2010.

DE ARAÚJO, N., *Contratos Internacionais*, 2ª Ed., Río de Janeiro, Libraría e Editora Renovar Ltda., 2000.

DE LY, F., *International Business Law and Lex Mercatoria*, Países Bajos, Elsevier Science Publishers B. V., 1992.

DICKINSON, A., "A principled approach to choice of law in contract", en 2 *Journal of International Banking and Financial Law*, 2013.

FERNÁNDEZ ARROYO, D. P., Acerca de la Necesidad y las Posibilidades de una Convención Interamericana sobre Competencia Judicial en Casos de Derecho Internacional Privado.

FRESNEDO DE AGUIRRE, C./ HERBERT, R., "Flexibilización Teleológica del Derecho Internacional Privado Latinoamericano", en: *Avances del Derecho Internacional Privado en América Latina, Liber Amicorum Jürgen Samtleben*, Montevideo, Editorial Fundación de Cultura Universitaria, 2002.

FRESNEDO DE AGUIRRE, C., *La Autonomía de la Voluntad en la Contratación Internacional*, Montevideo, FCU, 1991.

GAILLARD, E./ SAVAGE, J., *Fouchard Gaillard Goldman on International Commercial Arbitration*, Kluwer Law International, 1999.

GAMA JR. L./ SAUMIER, G., "Non-State Law in the (Proposed) Hague Principles on Choice of Law in International Contracts", en: *El Derecho internacional Privado en los procesos de integración regional*, Jornadas de la ASADIP 2011, San José, Costa Rica, 24-26 de noviembre, ASADIP y Editorial Jurídica Continental, San José, 2011.

HARGAIN, D./ MIHALI, G., *Régimen Jurídico de la Contratación Mercantil Internacional en el MERCOSUR*, Montevideo/ Buenos Aires, Julio César Faira Editor, 1993.

HEISS, H., "Party Autonomy", en: F. FERRARI/ S. LEIBLE (eds.), *Rome I Regulation, The Law Applicable to Contractual Obligations in Europe*, München, Sellier, 2009.

HERBERT, R., *La Convención Interamericana sobre Derecho Aplicable a los Contratos Internacionales*, 1 (1994).

JUENGER, F. K., "The Lex Mercatoria and Private International Law" en: *60 Louisiana Law Review*, 2000.

JUENGER, F. K., "The *Lex Mercatoria* and Private International Law", en: 60 *Louisiana Law Review*, 2000.

MICHAELS, R., *Non-State Law in the Hague Principles on Choice of Law in International Contracts*, 2014.

MORENO RODRÍGUEZ, J. A., "The new Paraguayan Law on international contracts: back to the past?", en *Eppur si muove: The age of Uniform Law - Festschrift for Michael Joachim Bonell, to celebrate his 70th birthday*, Unidroit (ed.), 2016.

MORENO RODRÍGUEZ, J. A., "La Convención de México sobre el Derecho Aplicable a la Contratación Internacional", Publicación de la Organización de Estados Americanos, 2006.

NEGRO, D., "Redefiniendo el Rol de las Conferencias Especializadas de Derecho Internacional Privado (CIDIPS)", en *Jornadas 130 Aniversario, Tratados de Montevideo de 1889*, Fundación de Cultura Universitaria, Montevideo, 2019.

OPERTTI BADÁN, D., "El Derecho Internacional Privado en tiempos de globalización", en *Revista Uruguaya de Derecho Internacional Privado*, Año VI, N° 6, Montevideo, Editorial Fundación de Cultura Universitaria, 2005.

PERTEGÁS, M./ RADIC, I., "Elección de la ley aplicable a los contratos del comercio internacional. ¿Principios de La Haya?", en: J. BASEDOW/ D. P. FERNÁNDEZ ARROYO/ J. A. MORENO RODRÍGUEZ (eds.) *Cómo se Codifica hoy el Derecho Comercial Internacional*, CEDEP y La Ley Paraguaya, 2010.

PERTEGÁS, M./ MARSHALL, B. A., "Harmonization Through the Draft Hague Principles on Choice of Law in International Contracts", en: 39 *Brooklyn Journal of International Law*, 2014.

RUBINO-SAMMARTANO, M. (eds.), Inglaterra, en: *Public Policy in Transnational Relationships*, Kluwer Law and Taxation Publishers, Deventer, Boston, 1991.

SANTOS BELANDRO, R., *El Derecho Aplicable a los Contratos Internacionales*, 2ª Ed., Montevideo, Editorial Fundación de Cultura Universitaria, 1998.

SAVIGNY, *Sistema de Derecho Romano Actual*, Tomo Sexto, Segunda Edición, Centro Editorial de Góngora, Madrid.

SIQUEIROS, J. L., "Los Principios de UNIDROIT y la Convención Interamericana sobre el Derecho Aplicable a los Contratos Internacionales", en: *Contratación Internacional, Comentarios a los Principios sobre los Contratos Comerciales Internacionales del UNIDROIT*, México, Universidad Nacional Autónoma de México, Universidad Panamericana, 1998.

SIQUEIROS, J. L. "Los Principios de UNIDROIT y la Convención Interamericana sobre el Derecho Aplicable a los Contratos Internacionales", en: *Contratación Internacional, Comentarios a los Principios sobre los Contratos Comerciales Internacionales del UNIDROIT*, México, Universidad Nacional Autónoma de México, Universidad Panamericana, 1998.

SYMEONIDES, S. C., *Codifying Choice of Law Around the World, An International Comparative Analysis*, Oxford University Press, New York.

VILLALTA, E., "El Derecho Internacional Privado en el Continente Americano", en Los servicios en el Derecho Internacional Privado, ASADIP y Programa de Pos-Graduacao em Direito da Universidade Federal de Rio Grande do Sul, Porto Alegre, Brasil, 2014.

WEBSTER, T. H., Handbook of Uncitral Arbitration, Commentary, Precedents and Materials for UNCITRAL based Arbitration Rules, Sweet & Maxwell, Thomson Reuters, 2010.

WOLFF, M., *Derecho Internacional Privado*, Traducción española de la segunda edición inglesa por Antonio Marín López, Barcelona, Editorial Bosch, 1958.

¿Es razonable que jueces y árbitros tengan poderes probatorios distintos? Reflexiones sobre la iniciativa probatoria de los árbitros

GUILLERMO ORMAZÁBAL SÁNCHEZ[*]

RESUMEN

En el ordenamiento jurídico Español existe una diferencia respecto de árbitros y jueces acerca de la iniciativa probatoria, así para los árbitros hay una permisión casi ilimitada para recabar el material probatorio necesario, mientras que para los jueces existen una restricción más evidente. En principio no existe una justificación para tal diferenciación, sin embargo, la naturaleza procesal de ambas jurisdicciones justifica tal diferenciación, principalmente, porque el juez no puede ignorar las normas preclusivas sobre la proposición de ciertos medios de prueba pues podría generar un trato inequitativo para las partes; diferente posición tiene el árbitro, pues las normas no le generan restricción alguna, consecuentemente surge la duda si estas facultades podrían reducir la imparcialidad del juzgador.

Palabras clave: Derecho Probatorio, Arbitraje, Jurisdicción ordinaria, iniciativa probatoria, oficiosidad probatoria, principio de imparcialidad.

ABSTRACT

In the Spanish legal order, there is a difference with respect to arbitrators and judges about the evidential initiative, so for the arbitrators there is an almost unlimited permission to collect the necessary evidence, while for the judges there is a more obvious restriction. In principle there is no justification for such differentiation, however, the procedural nature of both jurisdictions justifies such differentiation, mainly, because the judge cannot ignore the preclusive rules on the proposition of certain means of proof as it could generate unequal treatment for the parties; The arbitrator has a different position, because the law does not generate any restrictions, consequently the question arises whether these powers could reduce the impartiality of both.

Key words: Evidential Law, Arbitration, Ordinary jurisdiction, evidential initiative, officiousness evidential, impartiality principle.

---

[*] Abogado de la Universidad de Barcelona (España); Doctor de la Universidad de Girona (España). Catedrático de la Universidad de Derecho Procesal de la Facultad de Derecho de Girona; Miembro del Centro de Estudios Avanzados del Proceso y de la Justicia; Miembro del European Law Institut; Miembro de la International Association of Procedural Law.

SUMARIO: I. CONSIDERACIONES PRELIMINARES. II. UNA MIRADA AL DERECHO HISTÓRICO. III. LA INICIATIVA PROBATORIA DEL ÁRBITRO EN EL DERECHO ARBITRAL COMPARADO. 1. Derechos arbitrales del civil law. 1.1. Portugal, Italia y Francia. 1.2. Alemania. 2. Derechos arbitrales del common law. Gran Bretaña. IV. LA INICIATIVA PROBATORIA DEL ÁRBITRO EN LOS REGLAMENTOS DE INSTITUCIONES ARBITRALES. 1. Instituciones arbitrales españolas. 2. Instituciones arbitrales internacionales. V. LA INICIATIVA PROBATORIA DEL ÁRBITRO EN LA LEY MODELO DE LA CNUDMI SOBRE ARBITRAJE COMERCIAL INTERNACIONAL. VI. LA INICIATIVA PROBATORIA DEL ÁRBITRO EN EL DERECHO ESPAÑOL VIGENTE. 1. El estado de la cuestión en la doctrina. 2. Facultad (y no potestad propiamente dicha) de iniciativa probatoria. 3. La aplicabilidad de la Ley de Enjuiciamiento Civil (LEC) y de la Ley Orgánica del Poder Judicial (LOPJ) al procedimiento arbitral y la naturaleza jurisdiccional o contractual del arbitraje. Límites constitucionales a la iniciativa probatoria de los árbitros. 4. Confianza de las partes en los árbitros y poderes de iniciativa probatoria de los mismos. 5. El caso particular del árbitro experto. VII. CONCLUSIÓN: EXISTEN RAZONES JUSTIFICADAS PARA DEFERIR AL ÁRBITRO Y AL JUEZ UN TRATAMIENTO DIVERSO EN CUANTO A LOS PODERES DE INICIATIVA PROBATORIA.

I. CONSIDERACIONES PRELIMINARES

La extensión o alcance de los poderes de iniciativa probatoria que la legislación española concede a los árbitros resulta cuando menos llamativa, ya que el principio de aportación de parte acostumbra a ponerse en conexión con el proceso civil, donde (salvando ciertas facultades, como señaladamente la de ordenar la práctica de diligencias finales) el juzgador posee poderes de iniciativa probatoria en la medida en que las pretensiones deducidas en el proceso no tengan carácter dispositivo o dicho carácter aparezca atenuado por la concurrencia de un interés público[1]. El procedimiento arbitral, por el contrario, viene a ser algo así como el procedimiento dispositivo por excelencia, pues en él las partes sólo pueden deducir un interés sobre el que poseen plena capacidad de disposición.

La perplejidad ahora expresada aumentó considerablemente en intensidad a la vista del debate doctrinal en relación con las facultades de iniciativa probatoria del juez penal en el juicio oral. Como es sabido, tras establecerse en el art. 728 LEC *que no podrán practicarse otras diligencias de prueba que las propuestas por las partes, ni ser examinados otros testigos que los comprendidos en las listas presentadas,* el art. 729.2º LECrim dispone que *se exceptúan de lo dispuesto en el artículo anterior (...) las diligencias de prueba*

---

[1]   *Cfr.* arts. 282 y 752.1.II LEC, referido a los procesos sobre capacidad, filiación, matrimonio y menores, donde se dice que sin perjuicio de las pruebas que se practiquen a instancia del Ministerio Fiscal y de las demás partes, el tribunal podrá decretar de oficio cuantas estime pertinentes.

no propuestas por ninguna de las partes, que el Tribunal considere necesarias para la comprobación de cualquiera de los hechos que hayan sido objeto de los escritos de calificación. No pocos autores y alguna jurisprudencia del Tribunal Supremo han sostenido, sin embargo, que tales poderes probatorios comprometen seriamente la imparcialidad del juzgador, lo aproximan al denostado paradigma inquisitivo y resultan contrarios al orden constitucional y a un sedicente modelo acusatorio o "adversarial", cuyos precisos contenido y consistencia permanecen aún ignotos[2]. Parece, en definitiva, enormemente chocante negar al juez civil que se ocupa de un asunto plenamente dispositivo unas facultades probatorias que los árbitros ostentan de modo casi absoluto y, al mismo tiempo, pretender sustraer al juzgador penal toda iniciativa probatoria en un contexto de nula vigencia del principio dispositivo, como es el caso de la práctica totalidad de las causas criminales.

Ante este panorama, me decidí a indagar sobre la razón de que la legislación española y comparada —histórica y vigente— haya dotado y dote a los árbitros de tan enérgicas facultades que, sin embargo, veda al juez estatal, incluso en las legislaciones que le confieren mayor grado de iniciativa probatoria.

II. UNA MIRADA AL DERECHO HISTÓRICO

Como acabo de anunciar, una mirada al Derecho histórico español permite comprobar hasta qué punto es constante la tradición jurídica española por lo que concierne a la atribución de plenas o casi plenas facultades probatorias a los árbitros. La Ley de 24 de julio de 1830, de Enjuiciamiento sobre Negocios y causas de comercio, en su art. 286[3], era bien clara al respecto así como La Ley de Enjuiciamiento civil de 1855, que contenía un

---

[2]   Para hacerse cargo sintéticamente del estado de la cuestión en la jurisprudencia, véase la exposición de ARMENTA DEU, *Lecciones de Derecho Procesal Penal*, pp. 37 y 38, Editorial Marcial Pons, Madrid 2010.

[3]   Concluso el término de prueba, examinarán los árbitros las probanzas hechas, y si hallasen que alguna de las partes hubiere reservado documentos conducentes para la aclaración del derecho deducido por cada una, ordenarán de oficio su presentación, o procederán a su reconocimiento si por cu calidad no se pudiere exigir aquella. Con el mismo objeto podrán ordenar a los litigantes que juren posiciones sobre los hechos no probados que sean concernientes a la cuestión del compromiso.

par de preceptos donde se profundiza o ahonda en la línea iniciada por su precedente de 1830[4].

Por su parte, el art. 27 La Ley 22 de diciembre 1953, que regula los arbitrajes de derecho privado[5], relativo al arbitraje de Derecho, disponía que *si los compromitentes han optado por un arbitraje de derecho, su tramitación se verificará de acuerdo con las siguientes normas: (...) 4ª Podrán practicarse en el arbitraje cualquier clase de pruebas, incluso por iniciativa de los árbitros, sujetándose, en cuanto a su celebración, a las normas generales de la Ley de Enjuiciamiento Civil.*

Es interesante observar en este precepto que la facultad de iniciativa probatoria atribuida a los árbitros se circunscribía al arbitraje de Derecho. Respecto al arbitraje de equidad, el legislador no señalaba nada de modo expreso. Más bien en sentido contrario, el art. 29.II disponía que, aunque los árbitros no quedaban sujetos a normas procedimentales concretas, debían *dar a las partes oportunidad adecuada de ser oídas y de presentar las pruebas que estimen necesarias, dirimiendo después el conflicto según su saber y entender.* Se refería, por tanto, sólo a las facultades probatorias de las partes, no a las del árbitro, lo que, por contraste con lo dispuesto para el arbitraje de Derecho, podría sugerir un trato diferenciado.

Y para finalizar este recorrido histórico, la Ley 36/1988, de 5 de diciembre, de arbitraje[6], antecedente de la ley arbitral actualmente vigente en España, establecía en su art. 26 que *los árbitros practicarán a instancia de parte, o por propia iniciativa, las pruebas que estimen pertinentes y admisibles en Derecho.*

III. LA INICIATIVA PROBATORIA DEL ÁRBITRO EN EL DERECHO ARBITRAL COMPARADO

También en el Derecho comparado está ampliamente extendida la tendencia a conferir a los árbitros una amplia iniciativa probatoria. Sobre todo

---

[4]   Concretamente, su art. 794 tenía el siguiente tenor: Aunque ninguna de las partes hubiere pedido prueba, los árbitros podrán recibir a ella los autos, determinando los hechos a que deba contraerse. En este caso la prueba no podrá ampliarse a ningún otro punto. Y, por su parte, el art. 801 señalaba que, también podrán los árbitros: 1º Exigir a las partes declaración sobre hechos que no resulten probados. 2º Hacer venir a los autos cualesquiera documentos que consideren necesarios para su decisión. 3º Ordenar el juicio pericial o practicar cualquier reconocimiento por sí mismos.

[5]   RCL\1953\1734. BOE 24 diciembre 1953, núm. 358, (p. 7587).

[6]   RCL\1988\2430. Jefatura del Estado. BOE 7 diciembre 1988, núm. 293, (p. 34605); rect. BOE 4 agosto 1989, núm. 185, (p. 25076).

en los países del así llamado *civil law*, o de Derecho continental, pero también en los del *common law*. He aquí un sintético y necesariamente incompleto panorama del estado de la cuestión.

1. Derechos arbitrales del civil law

1.1. Portugal, Italia y Francia

Los ordenamientos arbitrales de estos países (Ley n° 31/86, de 29 de agosto, de Arbitraje voluntario y el Código de Proceso civil italiano[7]), apenas contienen previsión alguna sobre la cuestión que nos ocupa. La ley procesal italiana en su art. 816-ter (*Istruzione probatoria*) se limita a recoger una disposición como la de nuestro art. 32 LA, que permite a los árbitros nombrar un o más peritos y que, como se vio, no es sino la incorporación, en esta ocasión al Derecho italiano, del art. 26 de la Ley modelo de la CNUDMI sobre arbitraje comercial internacional. Ello no obstante, una parte de la doctrina sostiene que, salvo pacto en contrario, los árbitros gozan de amplios poderes instructorios[8].

En enero de 2011, el legislador francés acometió una reforma de las disposiciones sobre arbitraje de su código de proceso civil[9]. El art. 1467 de dicho cuerpo legal dispone que el tribunal arbitral llevará a cabo los actos

---

[7] Modificado por el Decreto Legislativo de 2 de febrero de 2006, n. 40 (*Modifiche al codice di procedura civile in materia di processo di cassazione in funzione nomofilattica e di arbitrato, a norma dell'articolo 1, comma 2, della legge 14 maggio 2005, n. 80*).

[8] De este parecer son RUFFINI, V. y TRIPALDI, en *Commentario Breve al Diritto dell'arbitrato nazionale ed internazionale*, BENEDETTELLI, M. V./ CONSOLO C./ RADICATI DI BROZOLO, L. G. y AAVV (coordinadores BOCCAGNA, S./ MURONI, R./ SABATINI, M.) CEDAM, Milán 2010, comentario al art. 816 *ter* del *Codice di Procedura Civile*, p. 201, marginal 11 (*in mancanza di diversà volontà espressa dalle parti prima dell'inizio del giudizio, o in loro vece dagli arbitri, si retiene che questi ultimi godano di ampi poteri istruttori, non trovando automatica applicazione l'art. 115 cpc* [se trata del artículo que consagra el principio de aportación de parte en el proceso civil italiano: *salvi i casi previsti dalla legge, il giudice deve porre a fondamento della decisione le prove proposte dalle parti o dal pubblico ministero*]). De este parecer son también LA CHINA (*L'arbitrato il sistema e l'esperienza*, Milano, 2007, pp. 164 y ss.) y LAUDISA, citados por RUFFINI, V. y TRIPALDI. En contra de este parecer, los referidos autores citan a DANOVI, quien opina que el art. 115 cpc es aplicable al procedimiento arbitral del mismo modo que en el proceso civil (*Cfr. L'istruzione probatoria nella nuova disciplina dell'arbitrato*, in *Rivista di Diritto Processuale*, 2008, pp. 26 y ss.).

[9] Decreto 48/2011, de 13 de enero, sobre reforma del arbitraje.

de instrucción necesarios (término en el que debe entenderse comprendida cualquier diligencia de prueba), salvo que las partes no autoricen a hacerlo a alguno de sus miembros[10].

1.2. Alemania

En Alemania la legislación procesal ha atribuido durante largo tiempo plenas facultades de iniciativa probatoria a los árbitros. El § 1034 (1) ZPO, en su versión anterior la reforma de 1997, establecía derechamente que *antes de dictar el laudo, los árbitros deben oír a las partes e investigar sobre el fondo del asunto litigioso en la medida en que lo crean oportuno (...)*[11].

De modo mayoritario, la doctrina veía en este precepto una suerte de principio de oficialidad o investigación oficial limitado (*beschränkter Untersuchungsgrundsatz*)[12], en el sentido de que dicha oficialidad no llegaba tan lejos como para imponer a los árbitros una exhaustiva indagación o

---

[10] Le tribunal arbitral procède aux actes d'instruction nécessaires à moins que les parties ne l'autorisent à commettre l'un de ses membres. Respecto de la situación anterior a la reforma de 2011, que en la cuestión que nos ocupa no ha introducido novedades esenciales, DE BOISSÉSON afirma que selon l'alinéa 1 de l'article 1461, les arbitres, comme les juges, tranchent un litige, non seulement au vu de l'argumentation de les pièces fournies par les parties, mais aussi en fonction des éclaircissements qu'ils auront eux-mêmes réclames ou provoqués á l'aide des mesures d'instruction. *Cfr.* Le Droit français de l'arbitrage interne et International, GLN Editions 1990, marginal 291. p. 246. El mismo autor, al referirse a la prueba testifical y a la comparecencia de las partes, señala que los árbitros pueden actuar de oficio en ambos casos. *Cfr. op. cit.*, pp. 250 y 251.

[11] § 1034 ZPO (1) Bevor der Schiedsspruch erlassen wird, haben die Schiedsrichter die Parteien zu hören und das dem Streite zugrunde liegende Sachverhältnis zu ermitteln, soweit sie die Ermittlung für erforderlich halten. Rechtsanwälte dürfen als Prozessbevollmächtigte nicht zurückgewiesen werden; entgegenstehende Vereinbarungen sind unwirksam. Personen, die nach § 157 von dem mündlichen Verhandeln vor Gericht ausgeschlossen sind, dürfen zurückgewiesen werden. Versión vigente hasta 1997.

[12] Así, SCHWAB K. H./ WALTER G., *Schiedsgerichtsbarkeit*, 5° edición, BECK, München 1995, pp. 132-133, Rn. 5-8. En el mismo sentido, SCHLOSSER en STEIN/ JONAS, *Kommentar zur ZPO*, Band 7, TeilBand 2, §§ 946-1048 EGZPO, J. C. B. Mohr (Paul Siebeck) Tübingen 1994, marginal 13, p. 219. Una útil y sintética visión panorámica del estado de la doctrina al respecto puede consultarse en KNOBLACH, S., *Sachverhaltsermittlung in der internationalen Wirtschaftsschiedsgerichtsbarkeit. Eine rechtsvergleichende Untersuchung des deutschen und englischen Schiedsverfahrensrechts ind der IBA-Rules on the Taking of Evidence in International Commercial Arbitration*, Dunker&Humblot, Berlin 2003, pp. 84 y ss.

examen de los hechos sometidos a su enjuiciamiento, de suerte que las deficiencias en dicha tarea pudiesen conducir a anular el laudo. Se trataría, más bien, de que los árbitros podían investigar los hechos en la medida en que lo estimasen necesario ([...] *das dem Streite zugrunde liegende Sachverhältnis zu ermitteln, soweit sie die Ermittlung für erforderlich halten*). Sin embargo, muchos autores y la jurisprudencia no dejaban de advertir que los árbitros conculcaban aquél precepto si, habiendo aseverado que ciertos hechos habían de ser esclarecidos, no intentaban después poner los medios para indagar al respecto[13].

Dentro de los poderes probatorios del árbitro se incluye, según las fuentes consultadas, la facultad para decretar cualquier tipo de prueba[14] y para utilizar su saber o conocimiento privado (*privates Wissen*), lo que resultaría terminantemente vedado al juez estatal[15] y hace posible la práctica frecuente de designar árbitro a una persona perita o versada en la materia sobre la que trata el arbitraje.

Tales poderes probatorios, por amplios que resulten, encuentran su contrapeso en la voluntad de las partes, que podrían vincular a los árbitros al principio de aportación de parte en términos estrictos o acordar que ciertos hechos hayan de tenerse por probados con independencia de las indagaciones del árbitro[16].

---

[13]   En este sentido SCHWAB K. H./ WALTER G., Schiedsgerichtsbarkeit, 5° edición, BECK, München 1995, p. 133, marginal 5 in fine: Trotzdem ist soviel klar, daß das Schiedsgericht gesetzwidrig handelt, wenn es eine von ihm als nötig anerkannte Aufklärung unterläßt, bevor es sie versucht hat. En el mismo sentido, SCHLOSSER en STEIN/JONAS, Kommentar zur ZPO, Band 7, TeilBand 2, §§ 946-1048 EGZPO, J. C. B. Mohr (Paul Siebeck) Tübingen 1994, marginal 13, p. 219.

[14]   SCHWAB K. H./ WALTER G., Schiedsgerichtsbarkeit..., cit., p. 133, marginal 5°: (...) Wie zu ermitteln ist, darüber sagt das Gesetz nichts; auch das stellt es ins Ermessen der Schiedsrichter. In Betracht kommen: - Ausübung der Fragepflicht - Prozeßleitende Maßnahmen anderer Art - Beweiserhebungen.

[15]   *Cfr.* WALTER G., *Schiedsgerichtsbarkeit...*, cit. 133, Rn. 6. En el mismo sentido, SCHLOSSER en STEIN/ JONAS, *Kommentar zur ZPO*, Band 7... cit., marginal 13, p. 219.

[16]   SCHWAB K. H./ WALTER G., Schiedsgerichtsbarkeit..., cit., p. 133, marginal 7°: (...) Der ausgleich findet diese Freiheit in der Herrschaft der Parteien uber das Verfahren, die ihnen die Möglichkeit gibt, die Ermittlungen jederzeit dadurch für die Zukunft abzuschneiden, daß sie das Schiedsgericht an die volle Verhandlungsmaxime binden und durchgeführte Ermittlungen von der Berücksichtigung ausschließen, indem sie die Tatsache als feststehend oder nicht feststehend vereinbaren.

El caso es que los preceptos de la ZPO relativos al arbitraje fueron objeto en 1997 de una profunda reforma tras la cual el § 1034 (1) perdió por completo su contenido, al que acabamos de referirnos en las líneas anteriores. Dicha reforma tuvo por objeto adaptar el régimen del arbitraje a la Ley modelo de la CNUDMI sobre arbitraje comercial internacional. El legislador alemán transpuso a su ordenamiento el art. 19.2 de dicho texto[17]. Falta, sin embargo, toda referencia a la posibilidad de ordenar de oficio la práctica de prueba, a diferencia, por ejemplo, del legislador español que, mediante el art. 25.2 LA, añadió expresamente a lo dispuesto art. 19.2 de la Ley modelo de la CNUDMI la facultad de los árbitros para decretar prueba por propia iniciativa.

En términos literales, pues, en Derecho alemán no queda ya lugar para la iniciativa probatoria de los árbitros. No parece ser esa, sin embargo, la conclusión a la que llega la doctrina, que insiste en sostener que, pese a la ausencia de previsión expresa, los árbitros siguen gozando de las amplias facultades probatorias que les confería el antiguo § 1034 (1)[18].

2. Derechos arbitrales del common law. Gran Bretaña

El fuerte y tradicional arraigo del así denominado *adversarial system* en la cultura procesal anglosajona podría sugerir al lector no familiarizado con dicho mundo jurídico que los poderes del árbitro en los países del *civil law* estarían drásticamente limitados para salvaguardar con el máximo celo en aras de la imparcialidad. Como ahora se verá, sin embargo, el caso británico no hace sino desmentir, o al menos relativizar en buena medida, tal impresión inicial[19].

---

[17] § 1042 Allgemeine Verfahrensregeln. (...). (4) Soweit eine Vereinbarung der Parteien nicht vorliegt und dieses Buch keine Regelung enthält, werden die Verfahrensregeln vom Schiedsgericht nach freiem Ermessen bestimmt. Das Schiedsgericht ist berechtigt, über die Zulässigkeit einer Beweiserhebung zu entscheiden, diese durchzuführen und das Ergebnis frei zu würdigen.

[18] En este sentido, BAUMBACH/ LAUTERBACH/ ALBERS/ HARTMANN, *Kommentar zu ZPO*, Beck, München 2002, 60ª ed. § 1042, Rn 10, p. 2476, dice que *das Schiedsgericht hat das Sachverhältnis im Rahmen des Nötigen von sich aus zu ermitteln* („el tribunal arbitral debe investigar por sí mismo los hechos en la medida en que sea necesario"). Una interesante panorámica global del estado de la cuestión con abundantes referencias a la doctrina puede hallarse en KNOBLACH, S., *Sachverhaltsermittlung in der internationalen Wirtschaftsschiedsgerichtsbarkeit...*, cit., pp. 85 y ss.

[19] Al lector no familiarizado con la literatura jurídica anglosajona le puede resultar de interés consultar el ya referido trabajo de KNOBLACH, S., (*Sachverhaltsermitt-*

La *Arbitration Act* de 1996, casi coetánea con la gran reforma del proceso civil inglés llevada a cabo en 1997 (la denominada reforma Woolf), tiene en común con ésta última el incremento de los poderes del juzgador, tanto de los de dirección formal e impulso de las actuaciones, como de otros de mayor enjundia, como los relativos a la implicación del órgano judicial en materia probatoria. Precisamente en éste ámbito, las reglas 33 y 34 de la referida *Arbitration Act* de 1996 confieren a los árbitros sustanciosas facultades de iniciativa probatoria.

La letra (b) de la regla 33 (1) dispone que el tribunal arbitral adoptará modos de actuación adecuados a las circunstancias del caso concreto para evitar dilaciones o gastos innecesarios, así como para proveerse de los elementos que resulten lícitos y necesarios para fijar los hechos sobre los que deba decidir[20]. La regla 33 (2) no deja lugar a dudas respecto de la aplicación de dichas facultades al ámbito probatorio[21].

Pero aún hay más. Según la regla 34 (1), el tribunal arbitral, dejando siempre a salvo la facultad de las partes para decidir otra cosa, ha de resolver sobre cualquier cuestión relativa al procedimiento y a la prueba[22]. Y la regla 34 (2) especifica que dicha facultad incluye decidir si y en qué medida deba el tribunal arbitral tomar la iniciativa en el esclarecimiento de los hechos (letra g)[23].

Pese a todo lo expuesto, hay quien afirma que el árbitro británico hará bien en mostrar prudencia y moderación en el uso de dichas facultades, sobre todo cuando se trata de un arbitraje cuyas partes pertenecen a la cultu-

---

lung in der internationalen Wirtschaftsschiedsgerichtsbarkeit..., cit.), que contiene un completo estudio sobre el Derecho inglés y el alemán en punto a las facultades probatorias de los árbitros y una comparación de ambos ordenamientos.

[20] 33(1) The tribunal shall (...) (b) adopt procedures suitable to the circumstances of the particular case, avoiding unnecessary delay or expense, so as to provide a fair means for the resolution of the matters falling to be determined.

[21] 33(2) The tribunal shall comply with that general duty in conducting the arbitral proceedings, in its decisions on matters of procedure and evidence and in the exercise of all other powers conferred on it.

[22] 34(1) It shall be for the tribunal to decide all procedural and evidential matters, subject to the right of the parties to agree any matter.

[23] 34(2) Procedural and evidential matters include- (...) (g) whether and to what extent the tribunal should itself take the initiative in ascertaining the facts and the law.

ra jurídica del *common law*[24]. De hecho, la realidad ha demostrado que los árbitros británicos sólo usan de aquellas facultades de modo esporádico[25].

IV. LA INICIATIVA PROBATORIA DEL ÁRBITRO EN LOS REGLAMENTOS DE INSTITUCIONES ARBITRALES

Como podrá comprobarse a continuación, los reglamentos de las corporaciones que administran el arbitraje muestran una clara tendencia a recoger en la ordenación del procedimiento arbitral amplias facultades de iniciativa probatoria para los árbitros, tanto en el ámbito español como internacional.

1. *Instituciones arbitrales españolas*

Por razones de extensión me limitaré en este momento a citar las previsiones que en esta materia contienen los reglamentos de dos importantes instituciones arbitrales.

Por una parte, el Reglamento del Tribunal Arbitral de Barcelona, de 26 de julio de 2004, cuyo art. 17, rubricado *Ordenación de las pruebas*, señala en su apartado 2º que *los árbitros no podrán acordar de oficio la prueba pericial ni nombrar ellos en estos casos peritos sin autorización expresa del Tribunal Arbitral de Barcelona.* Como se ve, por lo tanto, dicho reglamento autoriza indirectamente a los árbitros a tomar la iniciativa en lo relativo a ordenar pruebas, con tal de que, si se trata de la pericial, lo autorice el **Tribunal Arbitral de Barcelona, disposición que parece claramente orientada a evitar un eventual desbocamiento de los costes del arbitraje y conjurar el peligro de que hubiesen de ser finalmente asumidos por la corporación administradora del arbitraje.**

El Reglamento de la Corte Española de Arbitraje, de 9 de marzo de 2010, es aún más directo en cuanto a la cuestión que analizamos en este trabajo. Su art. 23.2 dispone que *los árbitros podrán acordar la práctica de aquéllas otras pruebas que estimen oportunas para la correcta resolución de la controver-*

---

[24]   *Cfr.* CROWTER, H., The Proactive Arbitrator, JCI Arb (Journal of the Chartered Institut of Arbitrators), 1988, pp. 88 y 91. Citado por KNOBLACH, S., Sachverhaltsermittlung..., cit., p. 91.

[25]   *Cfr.* KARRER, P. A., Verfahren vor Schiedsgerichten und staatlichen Gerichten - von falschen und Warren Freunden, FS Sandrock, Heidelberg 2000, pp. 465 y 470. Citado por KNOBLACH, S., Sachverhaltsermittlung..., cit., p. 91.

sia sometida a arbitraje. Asimismo, podrán requerir de las partes la aportación a las actuaciones, dentro del término que al efecto establezcan, de cualquier información relevante, dato, documentación, bienes o pruebas que obren en poder de éstas o cuya práctica dependa directa o indirectamente de ellas.

2. Instituciones arbitrales internacionales

Las Commercial Arbitration Rules and Mediation Procedures

(Including Procedures for Large, Complex Commercial Disputes) de la American Arbitration Association (AAA) (en vigor desde el 1 de junio de 2009), autorizan en su regla 33 (titulada Inspection or Investigation) a los árbitros para ordenar *suo sponte* realizar una inspección o investigación relativa a los hechos sobre los que debe decidir.

Por su parte las *Rules on the Taking of Evidence in International Arbitration*, adoptadas el 29 de mayo de 2010 por el Consejo de la IBA (*International Bar Association*), contiene dos artículos donde se confiere a los árbitros facultades de iniciativa probatoria.

Se trata, en primer lugar, del art. 3.10, donde se permite a los árbitros que, antes de concluir el procedimiento, requieran a las partes la aportación de documentos o tomen medidas para traer a las actuaciones documentos en poder de otra persona o institución.

Por su parte, el art. 4.10 faculta al tribunal arbitral para que ordene a alguna parte que proporcione testigos o ponga los medios a su mano para que éstos comparezcan en las actuaciones, incluyéndose aquí los testigos cuya comparecencia no haya sido solicitada por las partes.

En fin, el art. 6 de dichas reglas reconoce a los árbitros iniciativa para nombrar peritos con el objeto de esclarecer algún aspecto; y el art. 7 dispone una facultad similar de los árbitros para inspeccionar por sí mismos o por un perito lugares, maquinaria, objetos, muestras, documentos etc.

V. LA INICIATIVA PROBATORIA DEL ÁRBITRO EN LA LEY MODELO DE LA CNUDMI SOBRE ARBITRAJE COMERCIAL INTERNACIONAL

Se trata de un texto elaborado bajo los auspicios de dicha entidad perteneciente a la ONU llamado a armonizar las legislaciones de todos los países del mundo en materia de arbitraje.

En su art. 19.2 referido al procedimiento, señala que, a falta de acuerdo, el tribunal arbitral podrá, con sujeción a lo dispuesto en la presente Ley, dirigir el arbitraje del modo que considere apropiado. Esta facultad conferida al tribunal arbitral incluye la de determinar la admisibilidad, la pertinencia y el valor de las pruebas. Nada expreso se dice, sin embargo, en cuanto a la facultad de ordenar prueba de oficio. En el art. 26.1.a) se establece, siempre salvo acuerdo en contrario de las partes, que los árbitros podrán nombrar uno o más peritos para que le informen sobre materias concretas que determinará el tribunal arbitral.

VI. LA INICIATIVA PROBATORIA DEL ÁRBITRO EN EL DERECHO ESPAÑOL VIGENTE

1. El estado de la cuestión en la doctrina

En la vigente Ley 60/2003, de 23 de diciembre, de arbitraje, se mantiene la tendencia a conferir a los árbitros plenos poderes de iniciativa probatoria.

Así, el art. 25.2, relativo al **procedimiento, señala que**

> a alta de acuerdo, los árbitros podrán, con sujeción a lo dispuesto en esta ley dirigir el arbitraje del modo que consideren apropiado. Esta potestad de los árbitros comprende la de decidir sobre admisibilidad, pertinencia y utilidad de las pruebas, sobre su práctica, incluso de oficio, y sobre su valoración.

Y, por su parte, el art. 32.1, referido al nombramiento de peritos por los árbitros, dispone que

> salvo acuerdo en contrario de las partes, los árbitros podrán nombrar, de oficio o a instancia de parte, uno o más peritos para que dictaminen sobre materias concretas y requerir a cualquiera de las partes para que facilite al perito toda la información pertinente, le presente para su inspección todos los documentos u objetos pertinentes o le proporcione acceso a ellos.

La del art. 25.2 LA constituye, como se ve, una facultad de la que las partes pueden prescindir si así lo estipulan en el convenio arbitral o en un momento posterior.

El art. 25.2 LA, por lo demás, supone una ampliación a lo que dispone el art. 19.2 de la Ley Modelo CNUDMI a la que antes me he referido. Dicho artículo incluye en las facultades directivas del árbitro las *de determinar la admisibilidad, la pertinencia y el valor de las pruebas*, mientras que el art. 25.2 LA añade la de decidir sobre la práctica de las pruebas, incluso de oficio.

El art. 32.1 LA, relativo a la facultad del árbitro para nombrar peritos por propia iniciativa, no es sino una concreción de la facultad general del art. 25.2 LA referida a la prueba pericial y que lleva a cabo la trasposición al ordenamiento español del art. 26.1.a) de la Ley Modelo CNUDMI, al que he aludido unas pocas líneas más arriba[26]. Como se vio éste artículo es el único que confiere expresamente a los árbitros un poder de iniciativa probatoria.

La atribución de tan amplios poderes de iniciativa procesal no ha suscitado entre la doctrina un especial entusiasmo sino más bien llamadas a la prudencia y a la contención en el uso de tales facultades[27]. Así, por ejemplo, CUBILLO LÓPEZ, opina que dicha facultad "*debe utilizarse con cautela, si se quiere preservar la imparcialidad a que está obligado todo árbitro, según el art. 17.1 de la actual LA. No ha de ser un expediente por el que los árbitros suplan la falta de actividad o de pericia de las partes en lo relativo a su iniciativa probatoria, de modo que les lleve a adoptar la posición procesal que correspondería a una de ellas. En este sentido, los árbitros han de esperar a la propuesta probatoria de las partes y, sobre todo, a su práctica, de suerte que la decisión de acordar una prueba de oficio se adopte, principalmente, cuando las ya practicadas les hayan dejado dudas acerca de los hechos examinados*"[28].

MARTÍNEZ GARCÍA ha sugerido incluso que la facultad de ordenar de oficio la práctica de prueba, genéricamente enunciada en el art. 25 LA, se refiere sólo a la pericial, es decir, al caso del art. 32 LA[29]. Aún compartiendo en parte los reparos en relación con la concesión a los árbitros de tan amplios poderes probatorios, me parece que dicha interpretación no se aviene con la voluntad del legislador, que, en este aspecto, como se vio, no hace sino entroncar con una tradición considerablemente dilatada.

---

[26] Sobre la prueba pericial en el arbitraje, véase PICÓ I JUNOY, *La prueba pericial en el arbitraje*, Anuario de justicia alternativa, Núm. 6/2005, febrero 2005 (consultado a través de la base de datos vLex).

[27] En relación con el art. 26 de la LA 1988, ÁLVAREZ ALARCÓN consideraba que la facultad de iniciativa probatoria contemplada en el precepto revestía carácter excepcional, lo que reafirmaría la vigencia del principio de aportación de parte en el arbitraje. *Cfr. El procedimiento de arbitraje*, Revista Justicia 1989-4, pp. 919 y 920.

[28] *Cfr. Comentarios a la nueva Ley de Arbitraje* (coord. Hinojosa Segovia), Capítulo *De la sustanciación de las actuaciones arbitrales*, Edit. Difusión Jurídica, Barcelona, 2004, pp. 131-166.

[29] *Cfr.* Comentario al art. 32 LA, en *Comentarios a la Ley de arbitraje*, AAVV (coordinadora BARONA VILAR), pp. 1082 y 1083).

Los autores que defienden las posturas más extensivas de los poderes de iniciativa probatoria del juzgador jurisdiccional, como PICÓ I JUNOY[30], ABEL LLUCH[31] o ETXEBERRIA GURIDI[32] o bien se muestran favorables a lo dispuesto en el art. 25 LA, o bien no formulan objeciones al respecto. Concretamente PICÓ I JUNOY señala en relación con la facultad prevista en el art. 32 LA, que faculta al árbitro para ordenar de oficio la prueba pericial, que *"de esta forma, la nueva LA vuelve a permitir la iniciativa probatoria del árbitro, sin que por ello puede criticarse el carácter presuntamente inquisitivo de dicha actividad, y la eventual pérdida de imparcialidad, como así se suele realizarse cuando ésta se atribuye al juez"*[33].

2. *Facultad (y no potestad propiamente dicha) de iniciativa probatoria*

La del art. 25.2 LA parece configurarse como una facultad de los árbitros, no como una obligación de tomar la iniciativa probatoria precisa esclarecer los hechos cuando estimen que las partes han dejado de aportar ciertas pruebas. La Sentencia de la Audiencia Provincial de Madrid (Sección 12ª), de 22 de enero de 2002 (RAJ\2002\111104, Ponente: Ilmo. Sr. D. Fernando Herrero de Egaña y Octavio de Toledo) compara, en este sentido, la facultad del árbitro para acordar la práctica de pruebas a las antiguas diligencias para mejor proveer (art. 340 LEC de 1881) y resalta que no cabe instar a nulidad del laudo alegando que el árbitro no acordó de propia iniciativa pruebas no solicitadas por las partes que hubiesen sido precisas para aclarar los hechos.

Si en vez de una facultad de acordar la práctica de pruebas, al árbitro se le impusiese una verdadera obligación de investigar y esclarecer los hechos (como en parte era el caso del antiguo § 1034 (1) ZPO), se podría llegar al absurdo de que una parte negligente salvase su dejadez o impericia de-

---

[30] Véase, por todas las numerosas obras en que el autor aborda la cuestión, El juez y la prueba. Estudio de la errónea recepción del brocardo iurex iudicare debet secundum allegata et probata, non secundum conscientiam y su repercusión actual. J. M. Bosch, Barcelona 2007.

[31] *Cfr. Iniciativa probatoria de oficio en el proceso civil*, Editorial Bosch, Barcelona 2005, pp. 96 y ss., quien traza una interesante panorámica histórica y doctrinal en relación con la iniciativa probatoria de los árbitros, sin emitir un juicio sobre la conveniencia o desacierto de dichas facultades.

[32] *Cfr. Las facultades judiciales en materia probatoria*, Editorial Tirant lo Blanch, Valencia 2003.

[33] *Cfr.* La prueba pericial en el arbitraje..., cit., p. 3.

nunciando la pasividad del órgano arbitral. Ello no obstante, el hecho de tratarse de una facultad soberana del árbitro y escapar así de todo control ulterior resulta en parte igualmente insatisfactorio: cuando un poder como el de acordar pruebas de oficio se configura como un poder que no reviste la naturaleza de potestad en sentido estricto (derecho y obligación al mismo tiempo), sino que constituye una mera facultad, existe el riesgo de ejercitarse de modo arbitrario, "*sólo para los amigos*", es decir, únicamente cuando el árbitro busque corroborar o demostrar una tesis preconcebida o fabricada con anterioridad al análisis de las pruebas presentadas por las partes.

3. La aplicabilidad de la Ley de Enjuiciamiento Civil (LEC) y de la Ley Orgánica del Poder Judicial (LOPJ) al procedimiento arbitral y la naturaleza jurisdiccional o contractual del arbitraje. Límites constitucionales a la iniciativa probatoria de los árbitros

En el diverso tratamiento que el legislador hace de los poderes probatorios de árbitros y jueces sale a relucir la confesada y —en muy buena parte— lógica tendencia del legislador a desvincular el arbitraje del proceso judicial. Ni la LEC ni la LOPJ son normas aplicables, ni siquiera de modo subsidiario, a la disciplina del arbitraje, donde predomina la libertad de las partes en la configuración del procedimiento. El hecho de que el legislador haya estimado prudente dotar a los árbitros de amplias facultades de iniciativa probatoria y no haya hecho lo propio en el proceso jurisdiccional civil no resulta, en este sentido, digno de reproche. Al acudir al arbitraje, por lo demás, las partes hacen evidente su voluntad de alejarse del funcionamiento de los tribunales de justicia y de las leyes de procedimiento a las que éstos están sujetos. Lo que no significa, evidentemente, que pretendan alejarse también de la protección que les dispensan los derechos fundamentales reconocidos en la Constitución. En este sentido, parece que también el árbitro debería quedar sujeto a lo que PICÓ I JUNOY denomina límites constitucionales a la iniciativa probatoria del juez civil y que cifra en los siguientes extremos[34]:

---

[34] PICÓ I JUNOY, El juez y la prueba. Estudio de la errónea recepción del brocardo iurex iudicare debet secundum allegata et probata, non secundum conscientiam y su repercusión actual. J. M. Bosch, Barcelona 2007, pp. 117 y 118.

A. La prueba ordenada de oficio debe limitarse necesariamente a los hechos discutidos por las partes, en virtud de los principios dispositivo y de aportación de parte.

B. Deben constar en el proceso las fuentes de prueba sobre las que posteriormente haya de tener lugar la actividad probatoria. De lo contrario *"sería incontrolable su fuente de conocimiento respecto de los elementos probatorios por él utilizados, lo que puede comprometer la debida confianza que objetivamente el juez debe merecer al justiciable".*

C. Debe observarse en todo caso el derecho de defensa, concediendo a las partes la oportunidad de rebatir el resultado de las pruebas, proponer otras, alegar lo que crean oportuno sobre su licitud, pertinencia o utilidad etc.

Tratándose, en efecto, de imperativos de orden constitucional, ninguna duda queda de que también vinculan al árbitro, sin que el poder de disposición de las partes pueda desplegar eficacia alguna.

DE ÁNGEL YÁGÜEZ quiere ver en el art. 25.2 LA *"una singular manifestación de la interpretación «contractualista» del arbitraje, frente a la denominada «jurisdiccionalista»"*[35]. Según el autor[36], *"en el proceso judicial las partes se someten a las reglas de juego de la ley, entre las que está que corre a cargo de cada contendiente el peso de proponer los medios con que intente acreditar sus alegaciones de hecho. En el arbitraje, al menos a la vista de este precepto, parece —según decía— que es como si las partes se hubieran puesto de acuerdo en un objetivo mínimo (el de que los árbitros pongan fin a los conflictos derivados de una relación jurídica determinada) pero dejando en manos de éstos no sólo los aspectos formales del procedimiento (...) sino también los que van más allá (procedimiento en sentido amplio)".*

---

[35]   *Cfr. Comentarios a la Ley de Arbitraje,* AAVV (coordinador Rodrigo Bercovitz Rodríguez), Edit. Tecnos, Madrid 1991, comentario al art. 26 de la LA de 1988, p. 437. El autor afirma que "en el proceso judicial las partes se someten a las reglas de juego de la ley, entre las que está que corre a cargo de cada contendiente el peso de proponer los medios con que intente acreditar sus alegaciones de hecho. En el arbitraje, al menos a la vista de este precepto, parece —según decía— que es como si las partes se hubieran puesto de acuerdo en un objetivo mínimo (el de que los árbitros pongan fin a los conflictos derivados de una relación jurídica determinada) pero dejando en manos de éstos no sólo los aspectos formales del procedimiento (...) sino también los que van más allá (procedimiento en sentido amplio)".

[36]   *Cfr.* Comentarios a la Ley de Arbitraje, ibidem.

A mi juicio, que la facultad de juzgar de los árbitros revista una naturaleza genuinamente jurisdiccional o nazca *ex contractu* no constituye por sí mismo razón alguna para decantarse a favor o en contra de la mayor o menor amplitud de los poderes de iniciativa probatoria de los árbitros. Los riesgos que puede entrañar un juez activo y beligerante no dependen del origen o naturaleza de una facultad o poder que, en cualquier caso, se ostenta y cabe ejercitar, sino de las consecuencias de dicho ejercicio[37].

---

[37]   Tampoco estoy de acuerdo con el razonamiento de YÁÑEZ VELASCO, quien también justifica la amplia facultad de iniciativa probatoria establecida en por art. 25.2 LA en la concepción contractualista del arbitraje, a lo que añade la supuesta falta de vigencia del principio de justicia rogada y la inaplicabilidad de las reglas de carga de la prueba del art. 217 LEC al procedimiento arbitral: "A pesar de todo conviene puntualizar que el arbitraje no es una justicia rogada sino una alternativa a la rogación, un pacto de sometimiento que por supuesto nace de la iniciativa de los interesados pero que su nota dispositiva no se equipara a la vertida en el juicio jurisdiccional civil. Y de nuevo es útil la concepción contractualista para observar las diferencias entre el principio dispositivo del proceso civil y la iniciativa de parte en el arbitraje. En éste se precisa que el árbitro resuelva la controversia en su conjunto, en el juicio jurisdiccional que o bien se estime una pretensión (del actor) en contra de la oposición (del demandado), o que se desestime la primera por no cumplirse con la carga de la prueba. De ahí resulta también una búsqueda de la verdad material más propia del proceso penal que del civil, aunque en éste, como ya se ha indicado, la iniciativa probatoria de oficio se venga contemplando también. Asimismo, no tendría sentido trasladar al arbitraje idénticos efectos *ounus probandi* y la duda sobre la prueba practicada que el juez civil utiliza para resolver. Por mucho que el árbitro pueda servirse de similares razonamientos en la motivación del laudo, el art. 217.1 LEC no puede vincularle como sucede con el personal jurisdiccional". *Cfr. Comentario a la nueva Ley de Arbitraje*, Editorial Tirant lo Blanch, Valencia 2004, p. 498. Sin acometer ahora una refutación extensa de esta opinión, baste aquí decir que no alcanzo a comprender las palabras del autor afirmando que el arbitraje es "una alternativa a la rogación", y que no convengo en que la falta de aplicación del art. 217 LEC conduzca a convertir el arbitraje en un procedimiento poco menos que inquisitivo, como la instrucción penal. Carga de la prueba e investigación oficial, por lo demás, no son nociones contrapuestas, ya que por ilimitada que resulte la facultad de iniciativa probatoria del juzgador, siempre puede suceder que, pese al celo investigador desplegado, ciertos hechos no lleguen a esclarecerse, lo que no exonera a los árbitros del deber de resolver sobre el fondo y, por ende, hace surgir la necesidad de atribuir a alguno de los litigantes los efectos negativos de dicha falta de esclarecimiento, operación en la que, aunque no se aplique como tal, pocas alternativas cabrán al árbitro que la de regirse, al menos en lo sustancial, por las reglas que contiene el art. 217 LEC. Que la facultad de iniciativa probatoria del juez no afecta a la carga de la prueba ha sido claramente expuesto por PICÓ I JUNOY, quien explica cómo aquella carga entra en juego en el momento de dictar sentencia, y no con anterioridad, a conse-

4. Confianza de las partes en los árbitros y poderes de iniciativa probatoria de los mismos

Está muy extendida entre los juristas la opinión de que la confianza que depositan las partes en la persona de los árbitros, sin duda un elemento esencial del arbitraje, justifica la atribución a éstos de plenos poderes probatorios. Las partes han confiado en ellos —se diría— para que escojan los medios oportunos y se conduzcan como crean conveniente para aclarar los hechos controvertidos y poner fin a la controversia.

Es evidente que, en cuanto a la confianza en la persona del juzgador, existe entre el arbitraje y el proceso judicial una diferencia radical. Las partes no tienen por qué confiar en el Juez, que se les asigna en virtud de rígidas reglas encaminadas a salvaguardar el a la vez derecho y garantía al juez ordinario predeterminado por la ley (*Cfr.* art. 24.2 CE). El juez les viene de algún modo dado, no acuden a él por razones de confianza, cosa que sí sucede en el arbitraje.

Sucede, sin embargo, que la razón por la que acostumbra a ponerse coto a la iniciativa probatoria del juez civil no es el mayor o menor grado de confianza que en él depositen las partes, sino, sobre todo, en el hecho de entenderse que ejercitar amplios poderes de iniciativa procesal podría menoscabar la imparcialidad de un juzgador que saltaría de ese modo a la arena donde los contendientes pugnan, con el riesgo de tomar partido o escorarse hacía alguno de ellos. Si el juez civil corre ese riesgo, ¿qué ignota circunstancia o inextricable cualidad personal haría al árbitro inmune a tan grave peligro? A mi juicio, ninguna. Es decir, supuesto que ejercitar amplios poderes probatorios resulte nocivo para la neutralidad de los juzgadores jurisdiccionales, otro tanto habría de suceder respecto de los arbitrales. En mi opinión, pues, la enorme confianza que las partes hayan podido depositar en los árbitros no justifica en modo alguno un tratamiento diverso respecto del procedimiento judicial.

Otra cosa es que no quepa exagerar sobre los riesgos supuestamente inherentes a la implicación del Juez civil en la aportación al proceso del

---

cuencia de la prohibición de *non liquet*. Véase al respecto, *El derecho a la prueba en el proceso civil*, JMBosch Editor, Barcelona 1996, pp. 238 y 239; y *El Juez y la Prueba...*, cit., pp. 107 y ss. Respecto del arbitraje, también en dicho sentido, GONZÁLEZ NAVARRO, A., *Comentarios a la Ley 60/3003, de 23 de diciembre, de arbitraje*, AAVV (coordinador GARBERÍ LLOBREGAT, J.), Editorial JMBosch, Barcelona 2004, Tomo I, comentario al art. 25, pp. 640 y ss.

material probatorio. Porque dicha implicación bien puede mantenerse en ciertos límites o desbordar toda medida. Y en medio de los extremos de la pasividad absoluta y la hiperactividad judicial abundan los grados, los matices y las intensidades.

Y otra cosa, también, es que la cuestión acerca de si y hasta qué punto la iniciativa probatoria del juez civil menoscaba su imparcialidad haya sido o no satisfactoriamente resuelta por la doctrina o por el legislador, o persistan —como así sucede— considerables dudas y perplejidades al respecto.

Aún reconociendo, como no podía ser de otro modo, la importancia y centralidad institucional que la confianza de las partes posee en el arbitraje, me temo también que la apelación a la confianza en los árbitros ha sido objeto de evidentes abusos.

La praxis del arbitraje da muy buena cuenta de supuestos en los que los árbitros, con una indudable crisis o confusión de identidad, asumen el papel de mediadores o amigables componedores e intentan contentar a todas las partes mediante la realización de ciertas concesiones. Y una cosa es que la controversia haya de resolverse en equidad, sin necesidad de atenerse a estrictas reglas legales, y otra bien diversa es desvirtuar la verdadera naturaleza del arbitraje, que constituye una verdadera controversia, donde las partes se enfrentan, pugnan o contienden, y donde un tercero dotado de *auctoritas* debe pronunciarse sobre el *quid iuris*, no excogitar un acuerdo equitativo, que los abogados o las partes podrían alcanzar, si lo deseasen, por sí mismas o con la ayuda de un mediador. Del mismo modo y por poner otro ejemplo, una cosa es que no haya de hacerse una interpretación estricta, literal del convenio arbitral y de los términos en que las partes fijaron la controversia, y otra diferente es que los árbitros se pronuncien sobre cuestiones que ni el convenio ni sus alegaciones establecieron como *thema decidendi*, por mucha confianza que en ellos hayan depositado los comprometientes[38].

---

[38]   A esta cuestión me referí en su día al tratar de la ejecución del laudo. *Cfr.* ORMAZÁBAL, *La ejecución de laudos arbitrales*, Editorial J. M. Bosch, Barcelona 1996, p.; y en mi artículo *La transacción en el procedimiento arbitral*. Actualidad y Derecho, 15 mayo 1995, pp. 1-7. Tal como decía entonces, el Tribunal Supremo insiste con reiteración en la "misión amistosa" de los árbitros, en el "móvil de paz social" del arbitraje y expresiones análogas, que le llevan a una interpretación favorecedora de la validez del laudo y a desestimar con frecuencia alegatos de extralimitación o incongruencia del laudo. Así la.
Sentencia del Tribunal Supremo de 15 de diciembre de 1987 aseveraba que "la jurisprudencia de esta sala ha sido uniforme y reiterada en cuanto a declarar

Me temo, como decía, que la invocación a la confianza debe hacerse con la debida prudencia, pues puede degenerar en un expediente para encubrir abusos y desviaciones de una correcta praxis arbitral y, a la larga, desincentivar o alejar a los ciudadanos y a los letrados de una institución cuya buena salud conviene al interés de la justicia en general.

5. El caso particular del árbitro experto

Con cierta frecuencia, las partes desean que su controversia sea resuelta por árbitros expertos en las cuestiones sobre las que versa la controversia, cuestiones acaso muy especializadas o que requieren particulares conocimientos. De este modo pretenden asegurarse el acierto de la resolución y ahorrarse los enormes dispendios que supone encargar costosas pruebas periciales.

---

que, si bien los árbitros no pueden traspasar los límites objetivos del compromiso, tampoco están obligados a interpretarlos con demasiada restricción apartándose de la misión amistosa y cordial confiada (...) no atendiendo para ello a la literalidad de las cláusulas compromisorias, sino procurar inducir la voluntad de las partes...". Mantenía entonces también que semejantes criterios hermenéuticos (carácter amistoso etc.) podían resultar perturbadores y que convenía que fuesen revisados. La esencia del arbitraje, también del de equidad, reside en el conflicto, en la pugna. Que las partes aparezcan irreconciliablemente enfrentadas o que mantengan durante el debate una posición distendida y amigable, resulta, *stricto sensu*, jurídicamente irrelevante. La "amistosidad", los móviles de paz y los módulos interpretativos semejantes utilizados por el TS son más propios del método autocompositivo (mediación, conciliación, transacción) que del arbitraje, que en definitiva es una institución análoga al proceso. Y por supuesto, tales consideraciones chocan, no poco habitualmente, con la realidad del tráfico: la abundancia de supuestos en los que las partes intentan separarse del arbitraje que pactaron en su día, que se manifiesta en la necesidad de acudir a la declinatoria para evitar que una vez concluido el convenio las partes acudan a la jurisdicción estatal, la necesidad de dotar al laudo de una fuerza ejecutiva contundente, semejante a la de la sentencia, lo que denota que las partes con frecuencia se obstinan en no cumplir lo acordado por los árbitros etc., son pruebas elocuentes de lo que se ha dicho y que hacen relación a aspectos centrales e institucionales del arbitraje. Tal vez no se puede exigir a los árbitros de equidad un rigor jurídico como el exigible de un órgano jurisdiccional público, de manera que efectivamente se precisa mitigar el rigor en la interpretación de los términos del convenio arbitral. Por lo demás, ese rigor sí es exigible a los árbitros de Derecho, que son abogados en ejercicio y que quedan vinculados en su decisión por estricto Derecho.

En este supuesto, el árbitro emplea su propio saber privado en la resolución de la cuestión. No se trata tanto, sin embargo, de que árbitro busque pruebas *sua sponte*, sino de una utilización —esperada, deseada y en dicho sentido "solicitada" por las partes— de unas máximas de experiencia que el juzgador civil no puede tener cuenta, aunque efectivamente las posea, más allá del ámbito del conocimientos o bagaje de una persona común bien cultivada y no especialista en un cierto ámbito técnico, científico, artístico etc.[39].

VII. CONCLUSIÓN: EXISTEN RAZONES JUSTIFICADAS PARA DEFERIR AL ARBITRO Y AL JUEZ UN TRATAMIENTO DIVERSO EN CUANTO A LOS PODERES DE INICIATIVA PROBATORIA

Como se ha constatado mediante el sucinto panorama comparativo trazado al inicio de este trabajo, la tendencia a conferir a los árbitros amplios poderes de iniciativa probatoria es constante en la tradición jurídica española y está muy extendida en otros ordenamientos extranjeros (incluso pertenecientes al ámbito del *common law*) y en la praxis de importantes instituciones arbitrales españolas y de otros países.

Sostuve en otra época que, excepto en el caso de los arbitrajes con objeto bagatelario y en el del nombramiento de árbitros expertos o peritos en una cierta materia, no existía peculiaridad o razón que justificase un régimen diferente en cuanto a los poderes de iniciativa probatoria para los árbitros y para los órganos judiciales[40]. Supuesto que buscar pruebas por propia iniciativa dañase la imparcialidad de los jueces, en la misma medida sucedería lo propio en el caso de los árbitros. El factor confianza, por grande e incondicional que ésta sea, no sería en este sentido, como se vio, relevante.

---

[39]   Véase al respecto, por todos, DE LA OLIVA SANTOS, A., *Derecho Procesal Civil. Proceso de declaración*, 3ª edición, Editorial Universitaria Ramón Areces, Madrid 2004, pp. 322 y 323. Es muy ilustrativo también a este respecto PÉREZ GIL, J., *El conocimiento científico en el proceso civil. Ciencia y tecnología en tela de juicio*, Editorial Tirant lo Blanch, Valencia 2010, pp. 111 y 112.

[40]   *Cfr. La iniciativa probatoria del árbitro. En El Derecho procesal del siglo XX*, pp. 669 a 690. Libro homenaje al Prof. Juan Montero Aroca. Coordinadores José Luis Gómez-Colomer, Silvia Barona Vilar, Pía Calderón Cuadrado. Editorial Tirant lo Blanch, Valencia 2012.

Tras una reflexión posterior, sin embargo, ahora creo que existen ciertas características del procedimiento antes los tribunales estatales que justifican un tratamiento distinto de la cuestión respecto del arbitraje, donde cabe otorgar a los árbitros un mayor protagonismo en la reunión del material probatorio. Por una parte, conferir al juez una iniciativa probatoria sin límites, supondría ignorar las reglas de preclusión relativas a la proposición de ciertos medios de prueba, tales como la documental, pericial o la prueba mediante soportes informáticos, amén de que podría introducir una evidente desigualdad de trato, ya que los litigantes potencialmente beneficiados por la introducción *ex officio* de la prueba gozarían de una segunda oportunidad de la que hubiesen carecido de no haber advertido el juez la insuficiencia u omisión de aquella prueba. En el arbitraje las reglas de preclusión en cuanto a la introducción de alegaciones y medios de prueba no son tan estrictas como en el procedimiento judicial.

En efecto, más que los inconvenientes relacionados con un posible deterioro de la imparcialidad, creo que es una razón de orden práctico, pero no por ello menos realista, la que se opone principalmente al ejercicio por parte del juez estatal de poderes de iniciativa probatoria. Se trata de la misma realidad de la Administración de Justicia, con sus habituales, universales y probablemente insoslayables problemas de saturación y sobrecarga de trabajo. Este es el factor que, en la práctica, dificulta en mayor medida la instauración de la figura de un juez activo en la búsqueda de las pruebas. El acopio del material probatorio, por dicha razón, es un cometido que ha de incumbir muy principalmente a los letrados de las partes. Que la deficiente actuación de éstas pueda ocasionar a sus patrocinados enormes perjuicios, no es un fenómeno desconocido ni probablemente evitable. Tal sucede cuando se interpone intempestivamente la demanda y el derecho reclamado ha prescrito, cuando no se realizan en el momento adecuado ciertas peticiones o se descuida presentar documentos, interponer un recurso dentro de plazo etc.

En todo caso, creo una exageración sostener que acordar pruebas de oficio, tanto en el arbitraje como en el proceso judicial, haya de resultar siempre y terminantemente perverso. Creo que en este punto no caben respuestas radicales o de principio[41]. Si se observan ciertos límites constitu-

---

[41]   El Prof. MONTERO AROCA critica con vehemencia las actuales tendencias propicias a incrementar las facultades de iniciativa probatoria del juez y ve en ellas raíces autoritarias cuando no totalitarias. *Cfr. La prueba judicial en el proceso civil*, Thompson/Civitas, 5ª edición, Madrid 2007, pp. 514 y ss.

cionales, a los que me referí en su momento, no cabe tachar de claramente inconveniente o descabellado que el legislador confiera a los juzgadores iniciativa en el acopio del material probatorio, aunque, personalmente, soy más partidario de la contención y de la subsidiariedad. El árbitro que no aguarda al resultado de la actividad probatoria de las partes y no se limita a llenar lagunas u omisiones más o menos claras, corre un cierto riesgo de tomar partido por algún contendiente. Por el contrario, si el árbitro se limita prudentemente a salvar claras deficiencias en la labor probatoria de las partes y recaba la aportación de elementos probatorios a los que se hizo referencia en las actuaciones, no cabe descartar que pueda desempeñar con responsabilidad y rigor el encargo que se le encomendó y no deteriorar su imparcialidad a los ojos de las partes.

En dicho sentido, el legislador español podría haber dispuesto que la facultad del art. 25.2 LA, que permite al árbitro practicar pruebas por propia iniciativa, no quedase configurada, como en la actualidad, como una facultad que entra en juego si las partes no pactan lo contrario, sino —de conformidad con la idea de subsidiariedad ya expuesta— como un poder que las partes pueden y deben atribuir expresamente a los árbitros si desean que éstos puedan usar de él. Soy consciente de que no es ése el parecer del legislador histórico español ni el de tantos legisladores de otros países, pertenecientes a culturas tan diversas como las del *common law* o el *civil law*.

Sea como fuere, el presente estudio sirve para comprender hasta qué punto necesita la legislación y la doctrina avanzar en el estudio sobre los riesgos, ventajas e inconvenientes derivados de atribuir a los juzgadores una mayor o menor iniciativa en el campo probatorio. Como se ha visto, el diverso tratamiento que reciben en este punto el arbitraje y el proceso judicial, que nos ha ocupado en líneas anteriores, carece de justificación y pone a las claras las dificultades para dilucidar la cuestión que late en fondo de la discusión: si y en qué medida la mayor implicación del juzgador en el acopio del material probatorio perjudica o no su imparcialidad o comporta inconvenientes de otro tipo[42]. Cercenar la iniciativa probatoria

---

[42] La cuestión, en el ámbito del arbitraje, ha llegado incluso a preocupar al análisis económico del Derecho. Quien esté interesado en dichos planteamientos o enfoques puede consultar al respecto, de HYUNG SONG SCHIN, *Adversarial and Inquisitorial Procedures in Arbitration*, agosto 1997, accesible por Internet en http://www.nuff.ox.ac.uk/users/Shin/PDF/adv.pdf El autor construye un modelo de toma de decisiones basado en la teoría del juego y llega a la conclusión de que el modelo *adversarial* ofrece al árbitro una información más adecuada para resolver correctamente.

del tribunal penal, conferirla a manos llenas al juzgador arbitral y otorgar facultades de iniciativa poco menos que residuales al juez civil entraña un tratamiento dispar que —de tenerla— merece una justificación y fundamentación que la ciencia procesal no ha alcanzado aún a aportar de modo completo y satisfactorio.

REFERENCIAS

ABEL LLUCH *Iniciativa probatoria de oficio en el proceso civil*, Editorial Bosch, Barcelona 2005.

ÁLVAREZ ALARCÓN *El procedimiento de arbitraje*, Revista Justicia 1989-4.

ARMENTA DEU, *Lecciones de Derecho Procesal Penal*, pp. 37 y 38, Editorial Marcial Pons, Madrid 2010.

BAUMBACH/ LAUTERBACH/ ALBERS/ HARTMANN, *Kommentar zu ZPO*, Beck, München, 2002, 60ª edición.

CROWTER, H., The Proactive Arbitrator, JCI Arb (Journal of the Chartered Institut of Arbitrators), 1988.

CUBILLO LÓPEZ *Comentarios a la nueva Ley de Arbitraje* (coord. Hinojosa Segovia), Capítulo *De la sustanciación de las actuaciones arbitrales*, Edit. Difusión Jurídica, Barcelona, 2004.

DE ÁNGEL YAGÜEZ *Comentarios a la Ley de Arbitraje*, AAVV (coordinador Rodrigo Bercovitz Rodríguez), Edit. Tecnos, Madrid 1991.

DE LA OLIVA SANTOS, A., *Derecho Procesal Civil. Proceso de declaración*, 3ª edición, Editorial Universitaria Ramón Areces, Madrid 2004. *Cfr. La prueba judicial en el proceso civil*, Thompson/Civitas, 5ª edición, Madrid 2007.

ETXEBERRIA GURIDI, *Las facultades judiciales en materia probatoria*, Editorial Tirant lo Blanch, Valencia 2003.

GONZÁLEZ NAVARRO, A., *Comentarios a la Ley 60/3003, de 23 de diciembre, de arbitraje*, AAVV (coordinador GARBERÍ LLOBREGAT, J.), Editorial JMBosch, Barcelona 2004, Tomo I.

HYUNG SONG SCHIN, *Adversarial and Inquisitorial Procedures in Arbitration*, agosto 1997.

AROCA, JUAN MONTERO, Coordinadores José Luis Gómez-Colomer, Silvia Barona Vilar, Pía Calderón Cuadrado. Editorial Tirant lo Blanch, Valencia 2012.

KARRER, P. A., Verfahren vor Schiedsgerichten und staatlichen Gerichten - von falschen und Warren Freunden, FS Sandrock, Heidelberg 2000.

MARTÍNEZ GARCÍA, "Comentario al art. 32 LA", en *Comentarios a la Ley de arbitraje*, AAVV (coordinadora BARONA VILAR).

ORMAZÁBAL, *La ejecución de laudos arbitrales*, Editorial J. M. Bosch, Barcelona 1996, y en mi artículo *La transacción en el procedimiento arbitral*. Actualidad y Derecho, 15 mayo 1995.

PÉREZ GIL, J., *El conocimiento científico en el proceso civil. Ciencia y tecnología en tela de juicio*, Editorial Tirant lo Blanch, Valencia 2010.

PICÓ I JUNOY, El juez y la prueba. Estudio de la errónea recepción del brocardo iurex iudicare debet secundum allegata et probata, non secundum conscientiam y su repercusión actual. J. M. Bosch, Barcelona 2007.

PICÓ I JUNOY, *La prueba pericial en el arbitraje*, Anuario de justicia alternativa, Núm. 6/2005, febrero 2005.

SCHWAB K. H./ WALTER G., Schiedsgerichtsbarkeit, 5° edición, BECK, München 1995.

YÁÑEZ VELASCO, *Comentario a la nueva Ley de Arbitraje*, Editorial Tirant lo Blanch, Valencia 2004.

El domicilio de sociedades extranjeras y la calificación internacional del arbitraje en la Ley 1563 de 2012

JORGE OVIEDO ALBÁN[*]

RESUMEN

El debate respecto del carácter nacional o internacional de un arbitraje cuando la controversia surge entre una sociedad colombiana y una sociedad constituida en el extranjero pero con una sucursal en Colombia es el objeto de estudio del presente artículo.

Para ello, se aborda la discusión desde la naturaleza propia del domicilio de la sociedad, la obligación que tiene una sociedad domiciliada en el extranjero de constituir una sucursal en Colombia, la naturaleza propia de dicha sucursal y su diferencia con la figura de agencia, así como las calidades y facultades de representación de sus respectivos administradores.

Palabras clave: Domicilio, sociedad extranjera, sucursales, agencias, administrador, clausula arbitral, arbitraje internacional.

ABSTRACT

The debate regarding the national or international nature of an arbitration procedure when the dispute arises between a Colombian company and a foreign company with a subsidiary in Colombia is the object of study of this article.

For this purpose, the discussion is approached from the nature of the company's domicile, the obligation of a foreign company to establish a subsidiary in Colombia, the nature of said subsidiary and its difference with the agency figure, as well as the qualities and powers of representation of its managers.

Key words: Legal domicilie, Foreign corporation, Subsidiaries, Agencies, Manager/Director, arbitration clause, international arbitration.

---

[*]   Abogado y Especialista en Derecho Comercial de la Pontificia Universidad Javeriana (Colombia); Magister en Derecho Privado y Doctor de la Universidad de los Andes (Chile). Profesor de la Facultad de Derecho y Ciencias Políticas de la Universidad de La Sabana. Árbitro del Centro de Arbitraje y Conciliación de la Cámara de Comercio de Bogotá. Conjuez de la Sala de Casación Civil de la Corte Suprema de Justicia.

I. INTRODUCCIÓN

Para efectos del tema objeto de análisis en este artículo, supóngase el siguiente caso:

Se celebra un contrato entre una sociedad "A" constituida en país extranjero que ha abierto una sucursal en Colombia y una sociedad "B" constituida y domiciliada en Colombia. En su contrato, las partes pactan una cláusula compromisoria conforme a la cual, cualquier diferencia que surja entre ellas a propósito de tal acuerdo, será dirimida por un tribunal de arbitramento. Este caso genera la siguiente pregunta: ¿en este caso se está ante un arbitraje "nacional" o "internacional"?

En efecto, la cuestión que corresponde analizar a efectos de esta calificación es la que tiene que ver con el domicilio de sociedades extranjeras que operan en Colombia y que conforme a la ley deben abrir sucursales en el país, de tal manera que el interrogante formulado surge del literal "a" del artículo 62, según el cual el arbitraje es internacional cuando "Las partes en un acuerdo de arbitraje tengan, al momento de la celebración de ese acuerdo, sus domicilios en Estados diferentes", y que también se puede plantear así: en este caso: ¿la sociedad extranjera está domiciliada en Colombia o en el país donde ha sido constituida?

Como bien se sabe, el artículo 62 de la Ley 1563 de 2012, estableció los siguientes criterios para calificar al arbitraje como internacional:

> "a) Las partes en un acuerdo de arbitraje tengan, al momento de la celebración de ese acuerdo, sus domicilios en Estados diferentes; o
> b) El lugar del cumplimiento de una parte sustancial de las obligaciones o el lugar con el cual el objeto del litigio tenga una relación más estrecha, está situado fuera del Estado en el cual las partes tienen sus domicilios; o
> c) La controversia sometida a decisión arbitral afecte los intereses del comercio internacional.
> Para los efectos de este artículo:
> 1. Si alguna de las partes tiene más de un domicilio, el domicilio será el que guarde una relación más estrecha con el acuerdo de arbitraje.
> 2. Si una parte no tiene ningún domicilio, se tomará en cuenta su residencia habitual".

Puede advertirse que tales criterios no son concurrentes, esto es: no deben verificarse todos, sino que son alternativos, lo cual se infiere de la redacción de la norma, que al final de lo establecido en cada ordinal emplea una "o"[1]. Así entonces, en un caso concreto, basta que se cumpla alguno de los requisitos mencionados, para que el arbitraje sea calificado como internacional, a efectos de la aplicación de las normas contenidas en la sección tercera de la Ley 1563 de 2012, relativas al arbitraje internacional, que comprenden los artículos 62 a 116.

Debe tenerse en cuenta que el pasado 20 de julio de 2019 fue radicado en el Congreso de la República por parte del Ministerio de Justicia, un proyecto de ley de reforma del actual estatuto arbitral contenido en la Ley 1563. Entre otros aspectos, el artículo 27 del proyecto que busca reformar algunos aspectos del actual artículo 62 establece que: "(...) En el caso de las sucursales de las sociedades extranjeras se tomará el domicilio de la principal en caso de que ésta haya celebrado el acuerdo de arbitraje".

Se considera que si bien esto puede contribuir a arrojar soluciones a las inquietudes que surgen de la norma vigente, también esta misma conclusión puede ser inferida por interpretación de la misma, como se busca demostrar en este artículo, así como también en el caso en que el acuerdo de arbitraje hubiese sido celebrado por la sucursal actuando por medio de su administrador.

Para efectos de lo planteado en este artículo se analizará primero el concepto "domicilio" en la legislación colombiana. En segundo lugar, se aludirá a la naturaleza de las sucursales y en tercer lugar a la calidad del administrador de la sucursal y los efectos que se derivan de los contratos celebrados por este.

II. EL CONCEPTO "DOMICILIO"

El concepto "domicilio", está establecido en el Derecho colombiano, en el artículo 76 del Código Civil, según el cual: "El domicilio consiste en la residencia acompañada, real o presuntivamente, del ánimo de permanecer en ella". En materia societaria, se entiende que "El domicilio de una sociedad es la circunscripción territorial (municipio o distrito) pactado en los estatutos sociales, en donde los asociados están llamados a ejercer sus

---

[1]   Según lo indicado en el Diccionario de la lengua española de la Real Academia, "O" significa: "*conj. disyunt.* Denota diferencia, separación o alternativa entre dos o más personas, cosas o ideas", disponible en: http://dle.rae.es.

derechos"[2]. Además, se prevé que las sociedades tengan domicilios principales y secundarios, según lo establece el artículo 110, numeral 3º del Código de Comercio, al señalar que en los estatutos societarios deberá indicarse el domicilio de la sociedad y de las sucursales.

El propio Código de Comercio define a las sucursales en el artículo 263, como: "...los establecimientos de comercio abiertos por una sociedad, dentro o fuera de su domicilio, para el desarrollo de los negocios sociales o de parte de ellos, administrados por mandatarios con facultades para representar a la sociedad".

También debe tenerse en cuenta que según también lo establece el Código de Comercio, las sociedades extranjeras, que dicho sea de paso se encuentran definidas en el artículo 469 del mismo Código así: "Son extranjeras las sociedades constituidas conforme a la ley de otro país y con domicilio principal en el exterior", para que puedan emprender negocios permanentes en Colombia, deben establecer una sucursal con domicilio en el territorio nacional, cumpliendo a su vez los requisitos que establece el artículo 471 de dicho Código. Igualmente cabe destacar que el artículo 474 del Código de Comercio señala que se tiene como actividades permanentes para efectos del artículo 471, entre otras, el intervenir como contratista en la ejecución de obras o en la prestación de servicios.

Así entonces, con una inferencia lógica simple se puede exponer la conclusión parcial que fluye del análisis de las normas mencionadas: la sociedad extranjera que celebre contratos para ejecutar obras o prestar servicios en el país, tiene la obligación de constituir una sucursal en Colombia,

---

[2]   REYES VILLAMIZAR, FRANCISCO, *Derecho societario*, t. 1, 3ª edición, Temis, Bogotá, 2016, p. 292. Agrega GABINO PINZÓN: "La adopción de un domicilio social, cumple importantes funciones de regulación jurídica que justifican ampliamente la exigencia legal de fijarlo con certeza en la escritura social (...) Porque el domicilio determina el lugar donde deben cumplirse las formalidades necesarias para la formación legal de la sociedad, especialmente las que tienen por fin dar publicidad a las cláusulas del contrato social, para efectos de su oponibilidad a terceros; porque el domicilio determina así mismo y por regla general la competencia de los jueces ante los cuales puede ser representada válidamente en las controversias o conflictos de derechos con los socios mismos y con terceros; porque el domicilio determina, de igual modo, el lugar donde han de cumplirse por la sociedad algunas obligaciones legales relacionadas con su funcionamiento (...) y porque ese domicilio —entendido como la sede de la dirección y la administración— sirve, finalmente, para determinar la nacionalidad de la sociedad (...)". PINZÓN, GABINO, *Sociedades comerciales, v. 1, teoría general*, Temis, Bogotá, 1988, p. 47.

establecimiento de comercio que es administrado por un mandatario que tiene facultades para representar a la sociedad. No sobra recordar, que si una sociedad abre un establecimiento de comercio cuyo administrador no tiene facultades para representar a la sociedad, se trata de una agencia, según lo que establece el artículo 264 del Código de Comercio.

III. LA NATURALEZA DE LAS SUCURSALES Y AGENCIAS

Lo expuesto en el párrafo anterior, también amerita algunas consideraciones con el fin de precisar los efectos jurídicos relevantes para el tema objeto de este artículo. Lo primero, es que ni la sucursal ni la agencia, son sociedades diferentes de la principal y además "...el concepto de sucursal supone dependencia económica y jurídica de la principal, y existe titularidad de una misma persona jurídica con tratamiento legal unitario. Ostenta el mismo nombre, mantiene la unidad de empresa, no tiene capital propio ni responsabilidad separada (...)"[3]. Esto coincide además, con la doctrina de la Superintendencia de Sociedades, la cual, expresada en oficio 220-50335 ha señalado:

"Es un pilar fundamental de la estructura jurídica que únicamente de las personas naturales o jurídicas, se predica la capacidad de ejercer derechos y contraer obligaciones (artículo 633 CC). En consecuencia, la sucursal de sociedad extranjera al ser un establecimiento de comercio mediante el cual actua aquella per se no puede ser titular de derechos en calidad de asociado, sino que lo será el ente al cual se le reconoce personería jurídica, es decir, la sociedad extranjera"[4].

En este oficio, además, la entidad reiteró lo conceptuado en oficio 220-58283 de 1996:

"4.1. Las personas jurídicas, al igual que las personas naturales, son las únicas dotadas por la ley de capacidad jurídica parta actuar y por ende ejercer derechos y contraer obligaciones.
4.2. Las sucursales, tanto de sociedades nacionales como extranjeras, son establecimientos de comercio y técnicamente pueden considerarse como prolongación de la casa matriz pero necesariamente como parte de la sociedad que se descentraliza mediante tal sistema.

---

[3]   NARVÁEZ GARCÍA, JOSÉ IGNACIO, *Derecho mercantil colombiano. Teoría general de las sociedades*, 8ª edición, Legis, Bogotá, 1998, p. 477.

[4]   Superintendencia de sociedades, oficio 220-50335 oficio 220-50335 de 30 de agosto de 2000, disponible en: https://www.supersociedades.gov.co/nuestra_entidad/normatividad/normatividad_conceptos_juridicos/3012.pdf.

4.3. Las actuaciones del establecimiento de comercio llamado sucursal, se fundamentan en la capacidad de obrar de la matriz, por cuanto tal como lo expresó este Despacho a través del oficio 220-60767 del 7 de diciembre de 1995, «...la matriz y la sucursal ostentan una uúica personalidad jurídica, habida cuenta que la segunda es meramente una prolongación de la primera y que es eéta quien exclusivamente adquiere los derechos que de su persona-lidad se derivan y se obliga por sus actuaciones...» "[5].

IV. LA CALIDAD DEL ADMINISTRADOR DE LA SUCURSAL

Lo que adicionalmente corresponde precisar, es lo relativo a la calidad de mandatario con representación, ostentada por el administrador de la sucursal, y los efectos que tal calidad implican para con la sociedad.

El contrato de mandato está definido en el artículo 1262 del Código de Comercio, como aquél "(...) por el cual una parte se obliga a celebrar o ejecutar uno o más actos de comercio por cuenta de otra. El mandato pue-de conllevar o no la representación del mandante. Conferida la represen-tación, se aplicarán además las normas del capítulo II del Título I de este libro". Las normas a las cuales remite este artículo son las comprendidas entre los artículos 832 a 844. Según se infiere de las mencionadas normas, el objeto del contrato de mandato consiste en encargar la gestión de ne-gocios jurídicos por cuenta de otra, que es quien asume las consecuencias de los mismos. El contrato de mandato se estructura a partir del encargo o confío de la gestión de uno o más actos jurídicos de parte del mandante al mandatario por cuenta del mandante, lo cual significa a su vez que el mandatario realiza la gestión como algo ajeno, de forma que los beneficios derivados de ella, así como los riesgos y pérdidas deberán ser asumidos por el mandante.

A su vez, la representación es entendida como una facultad legal o vo-luntaria para obrar en nombre de otra persona, de forma que los efectos de los actos realizados por el mandatario, se radican de forma directa en el representado, como si este hubiere actuado directamente, efecto que así está reconocido en el Derecho colombiano, en los artículos 1505 del Códi-go Civil y 833 del Código de Comercio[6]. Esto entonces significa, que si el

---

[5]   Superintendencia de Sociedades, oficio 220-58283 de 9 de diciembre de 1996, Doctrinas y Conceptos 1997, República de Colombia, Ministerio de Desarrollo Económico, Superintendencia de Sociedades, Bogotá, 1997, pág 423.

[6]   OSPINA FERNÁNDEZ, GUILLERMO; OSPINA ACOSTA, EDUARDO, *Teoría gene-ral del contrato y del negocio jurídico*, 7ª edición, Temis, Bogotá, 2016, p. 334.

mandatario es a su vez representante, no solamente obra en ejecución de su encargo por cuenta del mandante, sino también en nombre de este, de tal manera que los efectos de los contratos cuya gestión se encomiendan al mandatario, se radican directamente en el mandante, como si este mismo los hubiere celebrado o ejecutado[7].

De esta manera entonces, tratándose de contratos celebrados y/o ejecutados por el mandatario de una sucursal de una sociedad, ya fuere esta nacional o extranjera, se debe entender que los efectos derivados de los mismos se radican directamente en la sociedad directamente y en la otra parte con quien aquellos se hubieren convenido o bien ejecutado las obligaciones derivadas de estos, cuando lo que se hubiere encargado al mandatario sea ya el perfeccionamiento de dichos acuerdos o el cumplimiento de las prestaciones que de los mismos se derivaren. Esto además, lo ha entendido así la Superintendencia de Sociedades, la cual ha señalado en oficio 220-58283 de 9 de diciembre de 1996 ya citado, que la sucursal no goza de capacidad jurídica y por tanto no tiene facultad para contratar en nombre propio. Así lo precisó la Superintendencia en dicho oficio:

"La opinión de esta Superintendencia, desde antiguo, se orienta a subrayar que la casa matriz es la titular de la personería jurídica y que las sucursales son establecimientos de comercio a través de los cuales actúa la sociedad.

(...) si bien es cierto que nuestro sistema tiende a conferir una autonomía operativa a la sucursal, y con el fin de tener mecanismos de control jurídicos, contables y tributarios, ordena que estos establecimientos observen durante su permanencia en el país y en desarrollo de sus actividades permanentes las disposiciones legales por las cuales se rigen las sociedades colombianas, esto no significa que les conceda capacidad jurídica como si se tratase de sociedades. Ello indica que la compañía extranjera no es un tercero absoluto ni un tercero relativo con respecto a las acciones u omisiones de su representante, toda vez que de conformidad con lo previsto en el artículo 485 idem:
«La sociedad responderá por los negocios celebrados en el país al tenor de los estatutos que tengan registrados en la cámara de comercio al tiempo de celebración de cada negocio...».

Con fundamento en lo anterior, podemos insistir en que la sucursal, en este caso de sociedad extranjera, no es un ente autónomo distinto de la casa ma-

---

[7]   *Cfr.* BONIVENTO JIMÉNEZ, JOSÉ ARMANDO, *Contratos mercantiles de intermediación*, 2ª edición, Ediciones Librería del Profesional, Bogotá, 1999, pp. 35 a 41. OSPINA FERNÁNDEZ; OSPINA ACOSTA, *ob. cit.*, p. 340. Cabe destacar algunos apartes de la explicación de los profesores OSPINA: "1°) Dándose todos los requisitos legales de la representación, la eficacia del acto jurídico se desvía del representante al representado, como si este hubiera obrado por sí mismo. (...). 2°) Cómo el representado debe sufrir la eficacia del acto, la capacidad necesaria para celebrarlo debe apreciarse respecto de él. (...)". *Ibidem.*

triz por cuanto no goza de personería jurídica independiente, toda vez que es ésta quien la crea, por decisión del órgano de dirección, otorgándole a la sucursal ciertas facultades para el desempeño de las actividades que le asigna, observando las formalidades exigidas por la ley y sin desbordar el marco de capacidad de la persona jurídica creadora de este instrumento de descentralización e internacionalización del capitalismo"[8].

Así también lo indicó la Superintendencia en oficio No. 220-037204 de 28 de mayo de 2008:

"(...) se observa que quien en Colombia adelanta negocios permanentes es la sociedad extranjera como persona jurídica y no propiamente su sucursal, habida cuenta que esta última cumple simplemente la función de servir como vehículo de aquella para el desarrollo de su objeto social, con la connotación de un establecimiento de comercio que reviste algunas particularidades además de las generales previstas en los artículos 263 y 515 del Estatuto Mercantil.

(...) Lo anterior permite afirmar que es de la sociedad extranjera de la cual se predican en el país los atributos de la personalidad mas no de su sucursal, atributos entre los que se cuentan la capacidad, el patrimonio, el nombre, la nacionalidad y el domicilio"[9].

Además, en este mismo sentido, y precisamente en relación a una inquietud que le fuera formulada a propósito de una situación similar a la planteada en este artículo, se le preguntó a la Superintendencia de Sociedades: "(i) ¿Es la sucursal de una sociedad extranjera un sujeto de derechos? ¿Posee personería jurídica propia y diferente a la de su matriz en el exterior? (ii) ¿Qué implica la representación legal de las sucursales de sociedades extranjeras? ¿Obliga a la sucursal o a la matriz en el exterior?", frente a lo cual ha conceptuado:

"(...) la sucursal de sociedad extranjera que efectivamente carece de personería jurídica, como atributo autónomo, es la misma persona jurídica matriz, lo que explica que los actos que ella desarrolla son ejecutados en nombre de la matriz respectiva.

De ahí que los derechos y obligaciones de la sucursal, derivados de las relaciones jurídicas que establezca, son los mismos de la sociedad domiciliada en el exterior, cuyo administrador como se ha dicho, tiene facultades para representarla legalmente.

En ese orden de ideas, es dable inferir en concepto de este Despacho, que si bien es cierto, cuando la sociedad extranjera acuerde incorporar en Colombia una sucursal, debe fijar en el territorio nacional un lugar de domicilio donde haya de desarrollar sus actividades y negocios en los términos del numeral 2°, Artículo 472 del Código de Comercio, que necesariamente corresponda al lugar que se determine en la Resolución respectiva, el domicilio, entendi-

---

8   Superintendencia de Sociedades, oficio 220-58283 de 9 de diciembre de 1996, cit., p. 422.

9   Superintendencia de Sociedades, oficio 220-037204 de 28 de mayo de 2008, en: https://www.supersociedades.gov.co/nuestra_entidad/normatividad/normatividad_conceptos_juridicos/28719.pdf.

> *do como atributo de la personalidad jurídica, se reputa es el de la sociedad extranjera, distinto al domicilio de a sucursal, que para los efectos referidos a la ley colombiana representaría en lo pertinente «el lugar en que funciona la sede oficial de una sociedad a la que se envían los documentos comerciales u oficiales y en la que se reciben las notificaciones legales y en la que, en interpretación del artículo 127 del Decreto 2649 de 1993, deben exhibirse los libros de comercio...» (Oficio 220-065565 del 22 de agosto de 2012)"[10].*

Así entonces, tratándose de un contrato suscrito entre una sociedad constituida en país extranjero que cuenta con sucursal en Colombia y otra constituida y domiciliada también en Colombia entre quienes ostentaban la calidad de representantes legales de las mencionadas compañías a la hora de la celebración del contrato, se debe inferir que se trata de partes domiciliadas en Estados diferentes y de esta forma entonces, se cumple el requisito establecido en el literal "a" del artículo 62 toda vez que las partes del acuerdo de arbitraje tenían al momento de la celebración del mismo, su domicilio en Estados diferentes. Cabe recordar que a juicio de la doctrina que para efectos de la norma mencionada "(...) se concluye que se toma en cuenta el domicilio correspondiente a la sede que tomó la decisión de contratar"[11].

En cuanto a la presencia de una sucursal de una de las partes en Colombia, se considera que si bien esta situación puede considerarse como un caso de domicilios múltiples, contemplado ya por el mismo artículo 62, no debe dejarse de lado el que según lo previsto en la misma norma, el domicilio será el que guarde una relación más estrecha con el acuerdo de arbitraje.

Esta relación más estrecha se verifica en relación con el domicilio de la sociedad extranjera y no con el de la sucursal, no solamente por el hecho de haber sido esta sociedad por conducto de su representante legal quien celebró el contrato referido, sino además porque independientemente de que las obligaciones derivadas del mismo hubieren sido ejecutadas por la sucursal domiciliada en Colombia, al cumplirse tales prestaciones por el administrador que es un mandatario con facultad para representar, se entiende que las mismas se radican directamente en el mandante como si

---

[10]   Superintendencia de Sociedades, Oficio 220-134252 de 30 de agosto de 2018, disponible en: http://www.supersociedades.gov.co.

[11]   CÁRDENAS MEJÍA, J. P., "El criterio de internacionalidad en la Ley 1563 de 2012", pp. 12 a 13, disponible en http://ccacolombia.org/files/hCOPbxOMASzZTx-CZr0CWNnCg1OSDnOs3LntyNdw2.pdf.

este mismo hubiese actuado, todo conforme a la aplicación que corresponde efectuar de las reglas de la representación ya mencionadas. Lo mismo sucede en caso en que el contrato que contenga el pacto de arbitraje hubiere sido celebrado por el administrador de la sucursal, dado que de igual manera, al aplicarse las reglas de la representación, debe entenderse que es la principal representada, la que es parte directa del contrato y por ende del acuerdo de arbitraje.

V. CONCLUSIONES

Aunque la respuesta a la pregunta con la que inició este artículo se ha dado durante el desarrollo del mismo, a efectos de claridad se puede concluir:

En caso en que se celebre un contrato entre una sociedad "A" constituida en país extranjero que ha abierto una sucursal en Colombia y una sociedad "B" constituida y domiciliada en Colombia y si en el mismo las partes pactan una cláusula compromisoria conforme a la cual, cualquier diferencia que surja entre ellas a propósito de tal acuerdo, será dirimida por un tribunal de arbitramento, en este caso el arbitraje debe calificarse como "internacional", cumpliendo con uno de los supuestos del artículo 62 de la Ley 1563.

Lo anterior, se sustenta reconociendo cual es la naturaleza jurídica de la sucursal y el papel que juega el administrador de la misma, como mandatario con representación, de forma que al no tratarse de una sociedad con personalidad jurídica propia, la sucursal en si misma no es parte de los contratos respectivos, sino que lo es la principal e igualmente el administrador de aquella opera como mandatario representante por lo cual todos los contratos que eventualmente celebrare o las obligaciones derivadas de acuerdos que ejecutare, deben entenderse directamente asumidas por la sociedad principal y por tanto, a efectos de lo analizado, importará es el domicilio de esta y no el de la sucursal. Esta situación también cabe que sea entendida como una cuestión de establecimientos múltiples de tal maenera que es el domicilio de la principal el que guarda la relación más estrecha con el acuerdo de arbitraje, conclusión derivada de las normas vigentes y que resulta igual a la de la norma propuesta en el proyecto de ley de 2019.

REFERENCIAS

BONIVENTO JIMÉNEZ, J. A., *Contratos mercantiles de intermediación*, 2ª edición, Ediciones Librería del Profesional, Bogotá, 1999.

CÁRDENAS MEJÍA, J. P., "El criterio de internacionalidad en la Ley 1563 de 2012", pp. 12 a 13, disponible en http://ccacolombia.org.

NARVÁEZ GARCÍA, J. I., *Derecho mercantil colombiano. Teoría general de las sociedades*, 8ª edición, Legis, Bogotá, 1998.

OSPINA FERNÁNDEZ, G. y OSPINA ACOSTA, E., *Teoría general del contrato y del negocio jurídico*, 7ª edición, Temis, Bogotá, 2016.

PINZÓN, G., Sociedades comerciales, v. 1, teoría general, Temis, Bogotá, 1988.

REYES VILLAMIZAR, F., *Derecho societario*, t. 1, 3ª edición, Temis, Bogotá, 2016.

Superintendencia de sociedades, oficio 220-50335 de 30 de agosto de 2000, disponible en: http://www.supersociedades.gov.co.

Superintendencia de Sociedades, oficio 220-58283 de 9 de diciembre de 1996, Doctrinas y Conceptos 1997, República de Colombia, Ministerio de Desarrollo Económico, Superintendencia de Sociedades, Bogotá, 1997, pp. 420 a 424.

Superintendencia de Sociedades, oficio 220-037204 de 28 de mayo de 2008, en: http://www.supersociedades.gov.co.

Superintendencia de Sociedades, Oficio 220-134252 de 30 de agosto de 2018, disponible en: http://www.supersociedades.gov.co.

El carácter internacional del arbitraje

Adriana Polanía Polanía[*]
Dieksen Adolfo Sánchez Romero[**]

RESUMEN

El arbitraje por naturaleza carece de nacionalidad. Sin embargo, ante la necesidad de un mecanismo jurídico que logrará una regulación común que evitara los conflictos entre los Estados ante la implementación y acogida de este mecanismo alternativo de solución de controversias, surge la Ley Modelo de UNCITRAL como la herramienta adecuada para cumplir tal objetivo, tanto así que fue implementada por Colombia con el fin de dar seguridad jurídica en la internacionalidad de un arbitraje.

Palabras clave: Arbitraje internacional, Ley Modelo CNUDMI, Arbitraje nacional.

ABSTRACT

Arbitration by nature lacks nationality. However, given the need for a legal mechanism that achieves a common regulation that avoids conflicts between the States before the implementation and reception of this alternative dispute resolution mechanism, the UNCITRAL Model Law emerges as the appropriate tool to fulfill said objective, even so that it was implemented by Colombia in order to provide legal certainty in the internationality of an arbitration.

Key words: International arbitration, UNCITRAL Model Law, Domestic Arbitration.

SUMARIO: I. LA VOLUNTAD DE LAS PARTES Y LA INTERNACIONALIDAD. I. EL DOMICILIO O EL ESTABLECIMIENTO - SUCURSALES DE SOCIEDAD EXTRANJERA.

En el ordenamiento jurídico colombiano se establecieron dos regímenes aplicables a los procedimientos arbitrales que se adelanten: el ar-

---

[*] Abogada de la Universidad del Rosario, Especialista en Derecho Societario de la Pontificia Universidad Javeriana, Magister en International Legal Studies de la American University, Washington College of Law. Directora General de Adriana Polania & Asociados (Bogotá, Colombia); Árbitro del Centro de Arbitraje y Conciliación de la Cámara de Comercio de Bogotá; Árbitro de la American Arbitration Association y de Arbitac Centro de Arbitraje de Curitiba de Brasil.

[**] De la calificación del Arbitraje de Internacional en el Estatuto de Arbitraje Nacional e Internacional Colombiano.

bitraje nacional (Sección Primera de la Ley 1563 de 2012) y el arbitraje internacional (Sección Tercera de la Ley 1563 de 2012). Esta definición ha suscitado debates, entre otros temas: (i) sobre la existencia o no de nacionalidad en el arbitraje, (ii) sobre si las partes pueden (o pudieron) disponer del carácter nacional o internacional del arbitraje y la relevancia de la existencia de una sucursal de una sociedad extranjera debidamente constituida en el país para determinar si un arbitraje es nacional o internacional.

Sobre el primer punto, tal y como refiere Eduardo Silva Romero[1], el arbitraje es un procedimiento para la resolución de conflictos que inicialmente carece de nacionalidad, por su carácter meramente adjetivo. No obstante, la concepción del arbitraje internacional tiene fundamento en la ley modelo de UNCITRAL, que desde 1985 estableció una serie de criterios para establecer cuando un arbitraje es internacional con la idea principal de generar un modelo para una regulación común que disminuya los conflictos entre estados por la implementación de este mecanismo alternativo de solución de conflictos.

La ley modelo en mención influenció directamente la regulación inicial establecida en el ordenamiento jurídico colombiano para el arbitraje internacional. De este modo, en la exposición de motivos de la ley 315 de 1996, el legislador expresamente señaló su intención de adoptar las directrices establecidas en la ley modelo ya referida con adecuaciones según se cita a continuación:

> *"En el artículo 1° se recogen los criterios con base en los cuales se determina con claridad en que eventos se configura el arbitraje internacional. Dichos criterios fueron tomados en parte de la «Ley Modelo» de la Uncitral (Comisión de las Naciones Unidas Para el Derecho Mercantil Internacional), sobre arbitraje comercial internacional. Sin embargo, la redacción se ajustó para hacerla más acorde con la terminología aplicable al efecto en el ámbito nacional. Así, por ejemplo, en el numeral primero, el criterio de los «establecimientos en Estados diferentes» al momento de la celebración del pacto arbitral, se ajustó dejándose de lado el término «establecimiento» que en la legislación colombiana pretende tener otras connotaciones y se sustituyó por el de «domicilio en Estados diferentes»".*

---

[1]   De la calificación del Arbitraje de Internacional en el Estatuto de Arbitraje Nacional e Internacional Colombiano.

I. LA VOLUNTAD DE LAS PARTES Y LA INTERNACIONALIDAD

La voluntad de las partes, como reiteradamente ha definido la Corte Constitucional, es uno de los ejes fundamentales del arbitraje, tanto para el arbitraje nacional como para el internacional:

> *"19. Las características esenciales del arbitraje, según el precedente expuesto, son la voluntariedad, la temporalidad, la excepcionalidad y su naturaleza procesal.*
> *19.1. La voluntariedad se basa en reconocer que la activación de la justicia arbitral en cada caso concreto es una variable dependiente del acuerdo previo, libre y voluntario de las partes de someter a los árbitros la solución del caso. Como se indica en la sentencia C-947 de 2014 al ser un instrumento jurídico que desplaza a la jurisdicción ordinaria en el conocimiento de ciertos asuntos, «...tiene que partir de la base de que es la voluntad de las partes en conflicto, potencial o actual, la que habilita a los árbitros para actuar». En ese orden de ideas, «...es deber de las partes, con el propósito de dotar de eficacia a sus determinaciones, establecer con precisión los efectos que se siguen de acudir a la justicia arbitral y conocer las consecuencias jurídicas y económicas subsiguientes a su decisión; sólo así se puede hablar de un verdadero acuerdo», como en la ley 315 de 1996 y posteriormente en la ley 1563 de 2012"[2].*

Justamente, uno de los debates suscitados sobre el arbitraje internacional es si la voluntad de las partes puede alterar esta condición, es decir: si las partes pueden disponer que el arbitraje es nacional o internacional.

La ley 1563 de 2012 y la ley modelo UNCITRAL no generan duda sobre la imposibilidad de que las partes dispongan sobre la aplicación del régimen del arbitraje internacional, ya que señalan circunstancias objetivas que determinan la aplicación del régimen referido, sin prever de ningún modo la intervención de las partes, sin que esto significa que no sea posible para las partes modificar la estructura del proceso.

En la ley modelo de UNCITRAL se estableció que el arbitraje sería internacional cuando las partes tuvieran sus "establecimientos" en diferentes países:

> *"3) Un arbitraje es internacional si:*
> *a) las partes en un acuerdo de arbitraje tienen, al momento de la celebración de ese acuerdo, sus establecimientos en Estados diferentes (...)".*

---

[2]   Corte Constitucional, Sentencia C-538 del 5 de octubre de 2016, Magistrado Ponente: Luis Ernesto Vargas.

Y en la ley 1563 de 2012 se definió un criterio similar, pero empleando el término "domicilio" en vez de "establecimiento", modificación introducida desde la ley 315 de 1996:

> *"Se entiende que el arbitraje es internacional cuando:*
> *a) Las partes en un acuerdo de arbitraje tengan, al momento de la celebración de ese acuerdo, sus domicilios en Estados diferentes".*

Frente a la ley 1563 de 2012, vigente en este momento, debe señalarse que no cabe duda sobre la imposibilidad para las partes de alterar el carácter nacional o internacional del arbitraje. El legislador colombiano además de establecer los dos regímenes ya señalados estableció expresamente el ámbito de aplicación del régimen internacional en el artículo 62, a saber: (i) que la sede del arbitraje esté en Colombia y (ii) que se esté ante alguna de las circunstancias prevista en el mismo artículo.

Esta definición permite establecer que, frente a esta ley, el arbitraje será internacional cuando se cumplan cualquiera de los criterios allí establecidos y las partes no pueden modificar su connotación internacional. Criterio recogido por la Corte Suprema de Justicia:

> *"Para abreviar, a partir del 12 de julio de 2012 el arbitramento se considera internacional de manera objetiva, con independencia de la estipulación de las partes sobre la materia. Como el presente se promovió el 21 de septiembre de 2013, bastaba que los árbitros establecieran que las partes del contrato tenían su domicilio en países diferentes para establecer este linaje, sin que haya reproche en este proceder"[3].*

Sin embargo, la ley 315 de 1996 sí generó un debate entorno a la expresión de la voluntad de las partes para que el arbitraje sea internacional. Dicha ley estableció que:

> *"Será internacional el arbitraje cuando las partes así lo hubieren pactado, siempre que además se cumpla con cualquiera de los siguientes eventos:*
> *1. Que las partes, al momento de la celebración del pacto arbitral, tengan su domicilio en Estados diferentes".*

La inclusión de la condición *"cuando las partes así lo hubieren pactado"* llevó a pensar de manera recurrente que las partes expresamente tenían que señalar que el arbitraje era internacional para que adquiriera ese carácter.

---

[3]   Corte Suprema de Justicia, Sala de Casación Civil, Sentencia del 15 de enero de 2019, MP: Aroldo Wilson Quiroz Monsalvo, Radicación 11001-02-03-000-2016-03020-00.

Lo anterior no es otra cosa que establecer que estaba a disposición de las partes que el arbitraje fuera internacional o no.

Aunque el debate expuesto aún persiste, la Sala Civil de la Corte Suprema de Justicia ya se ha pronunciado sobre el tema, señalando que la interpretación según la cual se requiere que en el pacto arbitral exista un expreso señalamiento de su internacionalidad conllevaría a exigir una única forma de expresión de la voluntad que no corresponde a lo definido por el legislador:

> *"2.4. En todo caso, si en gracia de discusión se asintiera en la aplicación ultractiva de la ley 315,* **de la lectura de la norma se evidencia que el pacto de internacionalidad podía ser expreso o tácito, pues el legislador no consagró una determinada formalidad para concederle efectos jurídicos.**
> **Y es el que el canon legal exigía únicamente que «las partes así lo hubieren pactado», siendo aplicable la regla general de que la voluntad puede exteriorizarse a través del lenguaje articulado o de cualquier conducta inequívoca"**[4].
> (Negrita por fuera del texto original).

Además, aunando en argumentos sobre el tema, la Corte destacó el carácter meramente adjetivo del procedimiento arbitral y como su distinción entre nacional o internacional no tiene fundamentos sustanciales ni afecta la voluntad de las partes:

> *"Es cierto que el artículo 1° de la derogada ley 315 de 1996 dispuso que, para que el arbitraje sea internacional, era necesario que «las partes así lo hubieren pactado, siempre que además se cumpla con cualquiera de los siguientes eventos…». Sin embargo, esta exigencia no tiene linaje sustancial, en tanto su única finalidad es determinar el tipo de arbitramento y el derecho aplicable.*
> *Se trata, entonces, de una regla adjetiva para fijar la cuerda por la que deberá impulsarse el trámite, sin afectar el contrato que sirve de fuente al arbitramento, el cual producirá plenos efectos al margen de esta estipulación, al punto que la ausencia del convenio sobre la internacionalidad tiene como única repercusión que el proceso se torne local"*[5].

Sin embargo, el procedimiento que se adelante sí guarda estrecha relación con el derecho fundamental de las partes intervinientes al debido proceso. Por lo cual, es necesario determinar en qué medida las partes pueden alterar esta calificación con la expresión de su voluntad.

En nuestro criterio, los argumentos usados para definir que frente a la ley 1563 de 2012 las partes no pueden disponer sobre la aplicación del

---

[4]   Ibídem.
[5]   Ibídem.

régimen internacional también aplica frente a lo establecido en la ley 315 de 1996. Exigir que las partes expresamente señalaran que el arbitraje era internacional es la exigencia de una formalidad sin sustento. Otra interpretación conllevaría, por ejemplo, a que las partes pudiesen señalar que el objeto del pacto arbitral vincula los intereses de dos estados sin que el arbitraje se considerara internacional por no haber utilizado expresamente esa palabra.

Más allá de esto, la existencia de un pacto arbitral válido y la existencia del domicilio (o establecimientos) de las partes en diferentes estados debe (o debía) tenerse como fundamentos suficientes para determinar que dicho procedimiento arbitral es (o era) internacional. En la ley 315 de 1996 cuando el legislador quiso establecer la expresión de formalidades por las partes, así lo señaló, como sucede en las causales 3 y 4 del artículo 1 de dicha ley.

De la exposición de la ley 315 de 1996 también se puede extraer lo establecido en el párrafo anterior:

> "Se incluye así mismo un parágrafo en el que se deja claro que cuando quiera que opere alguno de los criterios determinantes del arbitraje internacional y adicionalmente medie un pacto arbitral, el trámite procedente para la solución del conflicto será el del arbitraje internacional previsto en esta ley"[6]. (Subrayado y Negrillas por fuera del Texto original).

Por lo cual, exclusivamente respecto a la primera causal analizada, aún de cara a ley 315 de 1996 y sin ninguna duda frente a la ley 1563 de 2012, el arbitraje será internacional si el domicilio de las partes se encuentra en diferentes estados, sin que se requiera comprobar un requisito adicional.

II. EL DOMICILIO O EL ESTABLECIMIENTO - SUCURSALES DE SOCIEDAD EXTRANJERA

Como se expuso, desde la ley 315 de 1996 y reiterándolo en la ley 1563 de 2012, el legislador colombiano decidió modificar el término "establecimiento" empleado en la ley modelo de UNCITRAL y utilizar el término "domicilio".

---

[6]   Proyecto de Ley Número 50 de 1995 Senado por la cual se regula el arbitraje internacional y se dictan otras disposiciones.

El Código Civil Colombiano establece que el domicilio de una persona es:

> *"ARTÍCULO 76. DOMICILIO. El domicilio consiste en la residencia acompañada, real o presuntivamente del ánimo de permanecer en ella".*

No obstante, el ordenamiento jurídico colombiano, más expresamente el comercial reconoce y asimila que una misma persona jurídica puede tener diferentes domicilios. Esta circunstancia específicamente frente a la causal primera para la determinación de aplicación del régimen de arbitraje internacional tiene gran importancia para el análisis respecto a las sociedades extranjeras que tienen una sucursal debidamente constituida en Colombia.

El Código de Comercio establece en su artículo 263 una definición general sobre las sucursales:

> *"ARTÍCULO 263. DEFINICIÓN DE SUCURSALES - FACULTADES DE LOS ADMINISTRADORES Son sucursales los establecimientos de comercio abiertos por una sociedad, dentro o fuera de su domicilio, para el desarrollo de los negocios sociales o de parte de ellos, administrados por mandatarios con facultades para representar a la sociedad.*
>
> *Cuando en los estatutos no se determinen las facultades de los administradores de las sucursales, deberá otorgárseles un poder por escritura pública o documento legalmente reconocido, que se inscribirá en el registro mercantil. A falta de dicho poder, se presumirá que tendrán las mismas atribuciones de los administradores de la principal".*

No obstante, para las sucursales de las sociedades extranjeras el mismo Código de Comercio prevé una regulación adicional en el artículo 471, en el cual se establece la obligación que tiene toda sociedad extranjera que quiera adelantar negocios permanentes en Colombia de constituir una sucursal, así:

> *"ARTÍCULO 471. REQUISITOS PARA EMPRENDER NEGOCIOS PERMANENTES EN COLOMBIA. Para que una sociedad extranjera pueda emprender negocios permanentes en Colombia, establecerá una sucursal con domicilio en el territorio nacional, para lo cual cumplirá los siguientes requisitos:*
> *1) Protocolizar en una notaría del lugar elegido para su domicilio en el país, copias auténticas del documento de su fundación, de sus estatutos, la resolución o acto que acordó su establecimiento en Colombia y de los que acrediten la existencia de la sociedad y la personería de sus representantes, y*
> *2) Obtener de la Superintendencia de Sociedades o de la Bancaria, según el caso, permiso para funcionar en el país".*

También se establecen una serie de requisitos adicionales para la constitución de una sucursal de sociedad extranjera. Estos están definidos en el artículo 472 del Código de Comercio:

> *"ARTÍCULO 472. CONTENIDO DEL ACTO POR EL CUAL SE ACUERDA ESTABLECER NEGOCIOS PERMANENTES EN COLOMBIA. La resolución o acto en que la sociedad acuerda conforme a la ley de su domicilio principal establecer negocios permanentes en Colombia, expresará:*
> *1. Los negocios que se proponga desarrollar, ajustándose a las exigencias de la ley colombiana respecto a la claridad y concreción del objeto social;*
> *2. El monto del capital asignado a la sucursal, y el originado en otras fuentes, si las hubiere;*
> *3. El lugar escogido como domicilio;*
> *4. El plazo de duración de sus negocios en el país y las causales para la terminación de los mismos;*
> *5. La designación de un mandatario general, con uno o más suplentes, que represente a la sociedad en todos los negocios que se proponga desarrollar en el país. Dicho mandatario se entenderá facultado para realizar todos los actos comprendidos en el objeto social, y tendrá la personería judicial y extrajudicial de la sociedad para todos los efectos legales, y*
> *6. La designación del revisor fiscal, quien será persona natural con residencia permanente en Colombia".*

Como se puede observar, uno de los requisitos para la constitución de una sucursal de sociedad extranjera en el país es que se defina en qué lugar tendrá su domicilio en Colombia. Lo que guarda relación directa con la vocación de permanencia de los negocios que realizará la sociedad.

Entonces, podría considerarse que las sociedades extranjeras que tienen sucursal debidamente constituida en Colombia tienen al menos dos domicilios: su domicilio principal ubicado en un estado diferente a Colombia y el domicilio que escogieron en Colombia. No obstante, se ha usado como fundamento a la Superintendencia de Sociedades[7]8 para negar que esto sea posible, ya que dicha entidad ha señalado que el domicilio de una sucursal, como atributo de la personalidad, siempre será la sede principal de la sociedad extranjera.

La anterior interpretación tiene un problema y es que haría absolutamente nugatorio y desconocería cualquier efecto de lo que la ley modelo UNCITRAL y la ley 1563 de 2012 previeron para la concurrencia de "domicilios". Nótese que con esta interpretación una sociedad, siempre, va a tener exclusivamente un "domicilio".

---

[7]   Oficio 220-134252 del 30 de agosto de 2018.

Justamente la posibilidad de que una persona tenga diferentes establecimientos fue prevista por la ley modelo UNCITRAL para arbitraje comercial internacional y con el término "domicilio" por la ley 1563 de 2012. En el Estatuto de Arbitraje se estableció de la siguiente manera:

> *"Para los efectos de este artículo:*
> *1. Si alguna de las partes tiene más de un domicilio, el domicilio será el que guarde una relación más estrecha con el acuerdo de arbitraje".*

En el proyecto de ley que cursa actualmente (Proyecto de ley 06/2019) se pretende zanjar esta discusión al señalar que, para las sociedades extranjeras, sin importar si tienen o no sucursal en Colombia, el "domicilio" para determinar si el arbitraje es nacional o internacional será la sede principal de la sociedad, lo que significa que en casos en que una de las partes sea una sociedad extranjera el arbitraje será siempre internacional. Lo anterior es un avance en una discusión que debe ceder frente a un interés superior que es brindar confianza y seguridad a quienes deciden acudir al arbitraje para solucionar sus conflictos, para que no sea por una diferencia de esta índole que se cuestionen procesos arbitrales a través de recursos extraordinarios o acciones constitucionales.

Para lo anterior se debe tener en cuenta que si bien las partes tienen una amplia disposición sobre el procedimiento arbitral (pueden fijar que un arbitraje internacional se adelante con el procedimiento de un arbitraje nacional, pueden adherirse a reglamentos de centros de arbitraje, etc.), en ningún caso van a poder disponer del recurso extraordinario de anulación, el cual se aplicará con base en los criterios objetivos para determinar si el arbitraje es internacional o no y con las causales establecidas para cada caso; justamente esa posibilidad de disponer sobre el procedimiento hace necesario que las partes establezcan qué condiciones prefieren, teniendo en cuenta que respecto a los procedimientos aplicables el estatuto arbitral es meramente adjetivo y su aplicación en el tiempo es la establecida en la ley para este tipo de regulaciones, en otras palabras: si el pacto arbitral es válido y nada se dijo sobre el procedimiento aplicable, será el procedimiento establecido en la ley vigente al momento de presentar la demanda o convocar el tribunal la que se aplicará, y lo anterior también aplica frente a la determinación del carácter nacional o internacional del arbitraje. Por lo demás, sería útil establecer si los criterios usados por el legislador para usar el término "domicilio" en desmedro de "establecimiento" están vigentes y fundamentados o, por el contrario, si es necesario aprovechar la discusión actual para asimilar la ley modelo en su totalidad en nuestro ordenamiento jurídico.

REFERENCIAS

Corte Constitucional, Sentencia C-538 del 5 de octubre de 2016, Magistrado Ponente: Luis Ernesto Vargas

Corte Suprema de Justicia, Sala de Casación Civil, Sentencia del 15 de enero de 2019, MP: Aroldo Wilson Quiroz Monsalvo, Radicación 11001-02-03-000-2016-03020-00.

Superintendencia de Sociedades. (30 de agosto de 2018). Oficio 220-134252.

Contribución especial para laudos arbitrales de contenido económico. Una barrera competitiva para Colombia en materia de arbitraje

GUSTAVO ANDRÉS PIEDRAHITA FORERO[*]
DIANA SALOMÉ GARCÍA ECHEVERRI[**]

RESUMEN

La contribución especial es un tributo establecido mediante la Ley 1819 de 2016, que en su artículo 364 obligó a aquellas personas naturales o jurídicas a realizar una contribución con destino a optimizar la administración de justicia cuando estas resulten favorecidas por el contenido económico de un laudo arbitral.

A lo largo del artículo se analizan las características de esta contribución especial, detallando el proceso legislativo que ha surtido la disposición por la cual se creó, la demanda presentada ante la Corte Constitucional para que se declare que ésta contraría la Constitución Colombiana, las características del hecho generador que da lugar al cobro de esta.

Palabras clave: Contribución arbitral especial, laudos de contenido económico, demanda de inconstitucionalidad.

ABSTRACT

The special contribution is a tax established by Law 1819 of 2016, which in its article 364 forced those natural or legal persons to make a contribution to optimize the administration of justice when they are favored by the economic content of an arbitration award.

---

[*]   Abogado de la Universidad de La Sabana, Especialista en Derecho Comercial y Magister en Derecho con énfasis en Derecho Mercantil de la Universidad Sergio Arboleda. Subdirector del Centro de Arbitraje y Conciliación de la Cámara de Comercio de Bogotá; Profesor de la Pontificia Universidad Javeriana, la Universidad del Rosario, la Universidad de La Sabana y la Universidad de Caldas.
[**] Abogada de la Universidad de Antioquia, Especialización en Derecho Comercial de la Pontificia Universidad Javeriana y Especialización de Derecho contractual de la Universidad del Rosario; Magister en Derecho de la Universidad de Zaragoza. Abogada Senior en el Área de Asesoría jurídica Corporativa de la Cámara de Comercio de Bogotá; Profesora de la Pontificia Universidad Javeriana.

Throughout this article the characteristics of this special contribution are analyzed, detailing the legislative process that by which the provision was created, the suit to have it declared that it violates the Colombian Constitution presented before the Constitutional Court, the characteristics of the generating event that gives rise to the collection the contribution.

Key words: Special arbitral contribution, reports of economic restraint, demand of unconstitutionality.

SUMARIO: I. INTRODUCCIÓN. II. CONTRIBUCIÓN ESPECIAL PARA LAUDOS ARBI-TRALES DE CONTENIDO ECONÓMICO. III. INICIATIVA LEGISLATIVA. IV. DEMANDA DE INCONSTITUCIONALIDAD. V. CONCLUSIONES.

I. INTRODUCCIÓN

La financiación de la justicia y de la rama judicial ha sido siempre una de las grandes preocupaciones para el Estado Colombiano. La consecución de recursos para el sostenimiento del sistema hace que constantemente se exploren opciones con miras a fortalecer a la tercera rama del poder público.

No obstante, esta labor tiene que ceñirse a principios constitucionales y legales que promuevan la obtención de nuevos recursos como un alivio y no como un problema adicional creado por el legislador, tal como sucedió con la expedición de la ley 1819 de 2016. Esta ley en su artículo 364 creó una contribución especial mediante la cual se constituía un gravamen sobre la persona natural o jurídica, o la entidad pública a cuyo favor se emitiera un laudo arbitral condenatorio de contenido patrimonial, con el objetivo de que los recursos que se lograran obtener se destinaran a la rama judicial.

Sin desconocer la intención altruista de la iniciativa y entendiendo que la financiación de la rama judicial debe estar siempre consignada en el centro de las preocupaciones estatales, cierto es que la creación de la contribución especial para laudos arbitrales no se ciñe a las exigencias constitucionales necesarias para el establecimiento de este tipo de tributos. Por ello, en sí misma, la norma enfrenta desde su marco legal una serie de deficiencias que a futuro la harían jurídicamente inviable.

Basta inicialmente con analizar el sujeto pasivo de la contribución, para darse cuenta inmediatamente que se presenta una marcada desigualdad tendiente a gravar únicamente a los laudos proferidos dentro de un trámite arbitral, pero no hace lo mismo con las sentencias expedidas por los jueces, a quienes en últimas y paradójicamente, va a beneficiar el tributo.

Y es que, si lo que se busca es el sostenimiento de la rama judicial a través del pago de una contribución dada por las condenas suscitadas, debería darse el mismo tratamiento entre las sentencias judiciales y los laudos arbitrales y no equivocadamente pretender gravar solo uno de ellos.

Más aun, cuando la esencia del arbitraje como mecanismo alternativo de solución de conflictos radica en la suscripción de un pacto arbitral mediante el cual las partes acuerdan extraerse de la justicia ordinaria para resolver aquellas disputas que entre ellas se puedan suscitar en desarrollo de su relación contractual.

Por lo tanto, resulta contradictorio por decir lo menos, que las partes habiéndose apartado de manera expresa y voluntaria de esa justicia, se vean abocados a pagar un tributo para el sostenimiento de un sistema del que ellos mismo han decidido extraerse, y no se genere la misma consecuencia cuando las decisiones sean tomadas por quienes integran el sistema judicial.

En este artículo, se abordará la contribución especial para los laudos arbitrales de contenido económico que fue creada con la reforma tributaria del año 2016, declarada posteriormente inconstitucional por la Corte Constitucional de Colombia, pero establecida nuevamente y en los mismos términos en el Plan Nacional de desarrollo del año 2019 sancionado por el Presidente de la República, con la única variación de excluir de ella el arbitraje internacional[1].

---

[1] Ley 1819 de 2016. Artículo 364 y Ley 1955 de 2019 - Plan Nacional de Desarrollo. Contribución especial para laudos arbitrales de contenido económico. Créase la contribución especial para laudos arbitrales de contenido económico a cargo de la persona natural o jurídica o el patrimonio autónomo a cuyo favor se ordene el pago de valor superior a setenta y tres (73) salarios mínimos legales mensuales vigentes. Estos recursos se destinarán a la financiación del Sector Justicia y de la Rama Judicial.
Serán sujetos activos de la contribución especial el Consejo Superior de la Judicatura, Dirección Ejecutiva de Administración Judicial, o quien haga sus veces, con destino al Fondo para la Modernización, Descongestión y Bienestar de la Administración de Justicia.
La contribución especial se causa cuando se haga el pago voluntario o por ejecución forzosa del correspondiente laudo.
La base gravable de la contribución especial será el valor total de los pagos ordenados en el correspondiente laudo, providencia o sentencia condenatoria. La

Se intentará hacer un recorrido por su trámite legislativo, así como una crítica a la norma expedida y a las condiciones que atentan contra principios constitucionales que con la contribución resultan abiertamente vulnerados, no como una defensa del arbitraje en sí mismo, sino como una defensa a la igualdad de los contribuyentes y usuarios de la justicia en Colombia.

II. CONTRIBUCIÓN ESPECIAL PARA LAUDOS ARBITRALES DE CONTENIDO ECONÓMICO

El régimen colombiano establece 5 elementos de validez de los tributos, con lo cual, las cargas impositivas deben contener: (i) un sujeto pasivo que es aquel obligado a realizar el pago. (ii) un sujeto activo que es quien recibe el recaudo correspondiente. (iii) una base gravable que es el monto sobre el cual se aplica la tarifa del impuesto. (iv) un hecho generador que es la actividad que crea la obligación de pago y (v) una tarifa que es el porcentaje establecido en la ley para el tributo.

Con estos parámetros, y aun teniendo presente que no existe nada menos popular que los impuestos, el gobierno colombiano ha intentado mantener el equilibrio fiscal a través de la creación, disminución, aumento o eliminación de tributos de diferente naturaleza.

De acuerdo con la norma, los elementos definidos para la contribución especial de laudos arbitrales que actualmente existe en Colombia son los siguientes: (i) El sujeto pasivo es aquella persona natural o jurídica, o el patrimonio autónomo a cuyo favor se ordene el pago de valor superior a setenta y tres (73) salarios mínimos legales mensuales vigentes; (ii) El sujeto activo será el Consejo Superior de la Judicatura, Dirección Ejecutiva de Administración Judicial, o quien haga sus veces; (iii) La base gravable será el valor total de los pagos ordenados en el correspondiente laudo, providencia o sentencia condenatoria, (iv) El hecho generador se presenta

---

tarifa será el dos por ciento (2%). En todo caso, el valor a pagar por concepto del impuesto no podrá exceder de mil (1.000) salarios mínimos legales mensuales vigentes.
El pagador o tesorero de la entidad pública o particular deberá retener la contribución al momento de efectuar el pago del monto ordenado en el laudo y lo consignará dentro de los tres (3) meses siguientes a la fecha del pago, a favor del Consejo Superior de la Judicatura, Dirección Ejecutiva de Administración Judicial. (...).

cuando se hace el pago voluntario o por ejecución forzosa del laudo, (v) y la tarifa corresponde al 2% del valor a pagar por el laudo, sin exceder 1.000 salarios mínimos legales mensuales vigentes[2].

Así las cosas, y teniendo en cuenta la manera en la cual quedó establecida la contribución, a grandes rasgos puede encontrarse un obstáculo inexplicable para la selección de los medios alternativos de solución de conflictos, que ubican a Colombia en una posición competitiva desventajosa para ser seleccionada como una plaza para el arbitraje nacional por las razones que pasarán a explicarse:

1. La imposición de un gravamen para el acceso a este mecanismo alternativo de justicia no es más que un obstáculo injustificado y un elemento de desincentivación a su uso, yendo en contravía con lo que establece incluso la Ley Estatutaria de Administración de Justicia.

2. El establecer en la legislación colombiana una contribución especial únicamente para laudos arbitrales conlleva un desconocimiento flagrante del principio de equidad tributaria, sobre el cual la Corte Constitucional se ha pronunciado en el pasado. Esto por cuanto la contribución genera un trato diferente frente a sujetos con similares condiciones como son los sujetos que resultan vencedores en las sentencias judiciales.

   Tal y como quedó establecido, no se grava a quien obtiene un resultado a través de una sentencia judicial, situación que sí ocurre cuando el usuario acude a la justicia arbitral, y es precisamente esta desigualdad la que genera un elemento adicional que haría menos beneficioso su resultado.

3. Esta norma impacta de manera negativa la seguridad jurídica como elemento necesario para el potencial crecimiento de la economía, los negocios y en consecuencia del País.

   No puede perderse de vista que quienes pueden resultar afectados con la contribución especial, son aquellas personas que en el pasado pactaron de manera voluntaria una cláusula compromisoria o pacto

---

[2] Para el año 2019 el salario mínimo legal mensual en Colombia corresponde a ochocientos veintiocho mil ciento dieciséis pesos ($816.116) que equivale a un valor aproximado de doscientos cincuenta y seis dólares (U.S. 256). Esta suma es calculada con base en una tasa representativa del mercado que rigió para el dos de mayo de 2019 de tres mil doscientos treinta y tres pesos ($3.233) por dólar según la información certificada de la Superintendencia Financiera de Colombia.

arbitral, incluso cuando ni siquiera se contemplaba la existencia de dicho tributo.

Sin embargo, con la creación de la contribución, la persona no puede optar por acudir a la justicia ordinaria porque ya se pactó un escenario que legalmente no puede desconocer, incluso a pesar de que evidentemente las condiciones fácticas sí han cambiado.

4. Otro aspecto importante es la naturaleza jurídica de los pagos ordenados cuando se administra justicia. No podría señalarse que quien resulte beneficiado con el resultado de un laudo arbitral obtiene un enriquecimiento gravable, cuando en realidad, el resultado de la decisión del tribunal arbitral es una reparación o restablecimiento de los derechos que han sido vulnerados por la conducta del condenado.

También es pertinente indicar que, para determinar la base gravable del impuesto, la norma no excluye el monto de las costas procesales que se causen en el laudo arbitral, imponiendo la tarifa sobre la suma total de los pagos ordenandos sin tener en cuenta que las cosas no son recibidas por el vencedor del pleito, sino por los abogados, jueces, y/o árbitros según corresponda.

En este sentido, y de manera práctica, el monto de la reparación se ve reducida no sólo en lo que debía recibir, sino también por el valor establecido a título de costas.

5. Resulta paradójico además, ver que el legislador impusiera una contribución especial para los usuarios de arbitraje destinada al funcionamiento del Consejo Superior de la Judicatura; es decir que quienes tendrían que pagar el gravamen, son precisamente el grupo de personas que han optado por extraerse de manera voluntaria de la justicia ordinaria, vulnerando así el principio de parafiscalidad que exige que los recursos que se obtienen con este tipo de contribuciones deben beneficiar al propio grupo del sector que las paga.

Todos estos argumentos se refuerzan cuando se tiene en cuenta la desigualdad de tributaria entre quienes resultan favorecidos en los laudos arbitrales y quienes resultan vencedores en las sentencias judiciales.

Causaría menos inconformidad una disposición cuyo fin benévolo es descongestionar la justicia en el País a costa de una contribución para los vencedores tanto en los procesos judiciales como en los trámites arbitrales. Un estado social de derecho implica la financiación equitativa de las necesidades de las personas, sobre todo, porque es un hecho que las decisiones oportunas configuran el mecanismo más idóneo para argumentar que existe la verdadera justicia.

Sin embargo, tal y como quedó configurada la contribución, el único efecto plausible es la limitación competitiva de Colombia coma plaza idónea para llevar a cabo arbitrajes nacionales.

III. INICIATIVA LEGISLATIVA

Una vez sentada la inconformidad de la desigualdad tributaria en este asunto y por ser de importancia para el análisis posterior, en este capítulo se sintetizará el trámite legislativo de la norma desde la reforma tributaria del año 2016, hasta llegar a la concreción de esta a través de la sanción presidencial del Plan Nacional de Desarrollo 2018-2022 impulsado por el Gobierno Nacional.

En los últimos 28 años, desde la expedición de la Constitución de 1991, en Colombia se han implementado más de 10 reformas tributarias con la intención de sanear y equilibrar las finanzas públicas[3].

Los aspectos objeto de reforma han variado de acuerdo con las contingencias y necesidades fiscales del momento, razón por la cual, se han creado y extinguido tributos, se han modificado las tarifas, y se han cambiado los sujetos obligados a pagar los impuestos.

Particularmente, y en lo que respecta a este capítulo, se hará referencia a la reforma tributaria contenida en la Ley 1819 de 2016 en la cual se creó la contribución especial para los laudos arbitrales de contenido económico[4].

---

[3]   Al respecto puede consultarse el artículo: Clark Granger, Yurany, Hernández, Jorge Ramos, (2018). La postura fiscal en Colombia a partir de los ajustes a las tarifas impositivas publicado por el Banco de la República, Borradores de Economía, 1038.

[4]   Artículo 364 de la Ley 1819 de 2016: CONTRIBUCIÓN ESPECIAL PARA LAUDOS ARBITRALES DE CONTENIDO ECONÓMICO. Créase la contribución especial para laudos arbitrales de contenido económico a cargo de la persona natural o jurídica o el patrimonio autónomo a cuyo favor se ordene el pago de valor superior a setenta y tres (73) salarios mínimos legales mensuales vigentes. Estos recursos se destinarán a la financiación del Sector Justicia y de la Rama Judicial.
Serán sujetos activos de la contribución especial el Consejo Superior de la Judicatura, Dirección Ejecutiva de Administración Judicial, o quien haga sus veces, con destino al Fondo para la Modernización, Descongestión y Bienestar de la Administración de Justicia.

Antes de revisar el tema particular, es necesario indicar que en Colombia las leyes ordinarias deben surtir 4 debates en el Congreso. Así las cosas, el proyecto se radica y los dos primeros debates se surten en la cámara de origen (bien sea Senado o Cámara de Representantes), y seguidamente pasa a la otra dependencia para realizar los dos debates restantes. Cuando el Congreso aprueba el proyecto, debe ser sancionado por el Presidente y la iniciativa se convierte en Ley[5].

Sin embargo, por disposición constitucional, algunos proyectos pueden tener mensaje de urgencia emitido por el Presidente de la República, lo cual implica reducir los tiempos para la emisión de la ley[6]. En este proceso, el primer debate de cada cámara se da de manera conjunta, es decir, lo

---

La contribución especial se causa cuando se haga el pago voluntario o por ejecución forzosa del correspondiente laudo.

La base gravable de la contribución especial será el valor total de los pagos ordenados en el correspondiente laudo, providencia o sentencia condenatoria. La tarifa será el dos por ciento (2%). En todo caso, el valor a pagar por concepto del impuesto no podrá exceder de mil (1.000) salarios mínimos legales mensuales vigentes.

El pagador o tesorero de la entidad pública o particular deberá retener la contribución al momento de efectuar el pago del monto ordenado en el laudo y lo consignará dentro de los tres (3) meses siguientes a la fecha del pago, a favor del Consejo Superior de la Judicatura, Dirección Ejecutiva de Administración Judicial (...).

[5] Constitución Política de Colombia. Artículo 157: Ningún proyecto será ley sin los requisitos siguientes:
1. Haber sido publicado oficialmente por el Congreso, antes de darle curso en la comisión respectiva.
2. Haber sido aprobado en primer debate en la correspondiente comisión permanente de cada Cámara. El reglamento del Congreso determinará los casos en los cuales el primer debate se surtirá en sesión conjunta de las comisiones permanentes de ambas Cámaras.
3. Haber sido aprobado en cada Cámara en segundo debate.
4. Haber obtenido la sanción del Gobierno.

[6] Ibidem. Artículo 163: El Presidente de la República podrá solicitar trámite de urgencia para cualquier proyecto de ley. En tal caso, la respectiva cámara deberá decidir sobre el mismo dentro del plazo de treinta días. Aun dentro de este lapso, la manifestación de urgencia puede repetirse en todas las etapas constitucionales del proyecto. Si el Presidente insistiere en la urgencia, el proyecto tendrá prelación en el orden del día excluyendo la consideración de cualquier otro asunto, hasta tanto la respectiva cámara o comisión decida sobre él.
Si el proyecto de ley a que se refiere el mensaje de urgencia se encuentra al estudio de una comisión permanente, ésta, a solicitud del Gobierno, deliberará conjuntamente con la correspondiente de la otra cámara para darle primer debate.

que técnicamente corresponde al primer debate de la cámara de origen y al tercer debate de la cámara restante se llevan a cabo al mismo tiempo, y posteriormente la plenaria de cada dependencia procede con el segundo y cuarto debate respectivamente.

Este mensaje de urgencia fue enviado por el Presidente de la República para el trámite de reforma tributaria objeto de análisis, y por esta razón, el proyecto fue discutido y aprobado en primer debate por la Cámara de Representantes en la cual fue radicada la iniciativa, y por el Senado de la República.

Seguidamente, se procedió con la discusión del segundo debate en plenaria de la Cámara de Representantes, y con el cuarto debate en el Senado de la República, para finalmente ser sancionado por el Presidente.

Visto esto, es procedente mencionar que, todo el proceso legislativo inició el día 19 de octubre de 2016 cuando el Gobierno Nacional radicó con solicitud de trámite de urgencia el proyecto de ley de la reforma tributaria que iniciaría su vigencia a partir del año 2017. Para ese momento, en la propuesta no se había hecho ninguna mención a la creación de una contribución especial para los laudos arbitrales de contenido económico (gaceta del Congreso número 894 de 2016).

El día 5 de diciembre de 2016, y siguiendo el trámite legislativo se presentó de manera conjunta la ponencia mayoritaria para primer debate en la Cámara de Representantes y el primer debate en el Senado de la República, lo cual equivale en el proceso legislativo ordinario al primer y tercer respectivamente. En esa oportunidad, se justificaron las razones para promover la iniciativa, pero dentro del texto aprobado no se incluyó ninguna referencia a la contribución de los laudos arbitrales. (gacetas del Congreso número 1088 y 1090 de 2016).

El día 6 de diciembre de 2016 fue discutido y aprobado por la comisión tercera constitucional permanente de la Cámara de Representantes y por la comisión tercera constitucional permanente del Senado, el proyecto de reforma tributaria en primer y tercer debate respectivamente (gaceta del Congreso número 1155 de 2016 y 1157 de 2016).

En el texto aprobado no quedó incluida la contribución especial mencionada, sin embargo, dentro de las discusiones sí se hizo referencia a la propuesta de crear la contribución por razones de conveniencia, y por ello, se dejó constancia del asunto con la intención de poner el tema a consideración para el segundo debate (gaceta 263 de 2017).

Siguiendo el curso legislativo, el día 19 de diciembre de 2016 fue publicado el informe mayoritario de ponencia para segundo debate en la plenaria de la Cámara de Representantes y el informe de ponencia para cuarto debate en plenaria del Senado. Como ya se indicó, en el trámite legislativo normal, estos debates corresponden al tercer debate en Cámara y el cuarto en Senado.

En estos informes, teniendo en cuenta las proposiciones presentadas en las comisiones conjuntas, se manifestó la posibilidad de crear una contribución especial para laudos arbitrales y sentencias condenatorias de contenido económico, con lo cual la propuesta se convirtió en un artículo que se incluyó en el proyecto de ley. (Gaceta del Congreso número 1158 de 2016 —Cámara— y 1156 de 2016 —Senado—).

Es necesario mencionar que, si bien las referencias al gravamen incluían sentencias y laudos de contenido económico, el texto propuesto sólo hizo mención de los laudos arbitrales, de contenido económico, con lo cual, la norma, aunque sólo estaba dirigida a tramites de este índole, quedó a la espera de alguna modificación que incluyera también las sentencias judiciales, como había sido la proposición inicial.

El día 22 de diciembre de 2016 fue aprobado en plenaria de la Cámara el proyecto de la reforma tributaria y con él, el artículo relacionado con la contribución especial para los laudos arbitrales sin ninguna modificación (gaceta 1178 de 2016 —Cámara—).

A su turno, el día 23 de diciembre de 2016 fue aprobado en plenaria del Senado el proyecto de la reforma tributaria y con él, el artículo relacionado con la contribución especial para los laudos arbitrales sin ninguna modificación (gaceta 1174 de 2016 —Senado—).

Posteriormente, el día 27 de diciembre de 2016, en el informe de conciliación de las propuestas discutidas de manera separada en la Cámara y en el Senado, se mantuvo el artículo tal cual se había propuesto en las plenarias y, en consecuencia, quedaría aprobado sin ninguna modificación (gacetas 1185 de 2016 —Cámara— y 1180 de 2016 —Senado—).

Finalmente, el 29 de diciembre de 2016 fue aprobada y sancionada la reforma tributaria, y la contribución especial de los laudos arbitrales, dejando por fuera las decisiones de contenido económico que, cumpliendo los mismos requisitos, fueran proferidas por los jueces, es decir las sentencias judiciales.

IV. DEMANDA DE INCONSTITUCIONALIDAD

Frente al panorama existente, la norma tal como quedó presentaba serios aspectos que tendrían que ser considerados, y por tanto, era procedente contra ella una demanda de inconstitucionalidad con el objeto de que la Corte la revisara y pudiera pronunciarse al respecto.

Vale la pena señalar que la propuesta normativa contenía sendos vicios tanto de fondo como de forma, con lo cual la probabilidad de que la misma no resistiera un estudio constitucional, aumentaba.

Inicialmente, el ya anunciado trato injustificado a los usuarios de la justicia arbitral se tornaba como el argumento más sólido en la medida que la contribución solo gravaría los laudos arbitrales y no haría lo mismo con las sentencias.

Pareciera como si para el legislador solo existiera un sujeto pasivo, estos son, los usuarios del arbitraje, ignorando aquellos que también acuden a la jurisdicción ordinaria, conllevando un tratamiento diferenciado y sin justificación alguna entre unos y otros.

Resulta claro que para quien legisló, el arbitraje resulta como una justicia solo para unos pocos, en el cual además el factor de onerosidad característico solo de este mecanismo, hace que se considere que a él solo acceden quienes tienen los recursos económicos para hacerlo.

No obstante, si se revisa el tema a profundidad se podría encontrar con que hay un gran porcentaje de demandas arbitrales de menor cuantía y otras tantas que se tramitan a través del arbitraje social. Así mismo, la figura del amparo de pobreza en el procedimiento arbitral es cada vez más solicitado.

En efecto y solo por citar un ejemplo[7], en el Centro de Arbitraje y Conciliación de la Cámara de Comercio de Bogotá la radicación de demandas arbitrales de menor cuantía ha tenido un incremento pasando de un 33% en el año 2014, a un 48% en el 2017.

A hoy, en el 2019 hay un 43% de demandas arbitrales de menor cuantía frente a otro 43% de demandas de mayor cuantía y un 8% de cuantía indeterminada, con lo cual resulta inexacto afirmar que el proceso arbitral

---

[7]   Información entregada por la Jefatura de Gestión del Conocimiento del Centro de Arbitraje y Conciliación de la Cámara de Comercio de Bogotá.

está destinado únicamente a procesos de grandes cuantías y a usuarios con grandes recursos económicos.

Aunado a lo anterior, establecer en la legislación colombiana una contribución especial únicamente para laudos arbitrales conllevaría un desconocimiento flagrante del principio de equidad tributaria, sobre el cual la misma corporación ya se había pronunciado en el pasado.

En efecto, la sentencia C-169 de 2014[8] *declaró inexequible el denominado "arancel judicial" sobre el cual se analizó si su establecimiento dentro del ordenamiento jurídico colombiano vulneraba entre otros, los fines esenciales del Estado, el debido proceso, el acceso a la administración de justicia la prevalencia del derecho sustancial, por señalar solo algunos elementos a considerar.*

En el mentado fallo se determinó que el legislador cuenta con restricciones de rango constitucional a la hora de imponer gravámenes tributarios que impacten el acceso a la justicia, en aras de no vulnerar el principio de equidad tributaria, el cual se vería afectado al darse uno de los tres siguientes casos: (i) no atender la capacidad de pago del contribuyente. (ii) regular un tributo en el que dos sujetos iguales resulten gravados de manera desigual y (iii) tener el tributo implicaciones confiscatorias.

Para el asunto que nos ocupa, resulta diáfano que la contribución especial para laudos arbitrales contiene los tres elementos señalados por la corte en la sentencia citada como quiera que no atiende la capacidad de pago del contribuyente como quiera que resultar beneficiado con un laudo a favor, no resulta un enriquecimiento sino el reconocimiento de una situación perjudicial anterior.

Se genera también un trato diferente a sujetos en iguales condiciones ya que se hace una diferenciación clara y evidente entre el usuario de la justicia ordinaria con aquel que ha optado por acudir al arbitraje como mecanismo de resolución de controversias, trasladándole si se quiere un elemento adicional que haría menos beneficioso su resultado.

Empero las consideraciones de tipo jurídico expuestas anteriormente, las cuales harían necesario no solo el estudio profundo por parte de la Corte, sino que las mismas analizadas en conjunto generarían la inexequibilidad de la norma, la Honorable Corte Constitucional en sentencia C-084

---

[8]   Sentencia C-169 de 2014. Magistrado Ponente Dra. María Victoria Calle. Declaró inconstitucional el denominado "arancel judicial" por considerar que el mismo vulneraba el principio de equidad tributaria.

del año 2019, si bien procedió a su declaración, la profirió, pero en razón a aspectos de forma sin analizar el fondo del asunto.

En el citado fallo, la Corte únicamente hizo énfasis al cargo propuesto por el demandante basado en la vulneración a los artículos 157 y 160 de la Constitución Política relacionados con los principios de identidad flexible y consecutividad aplicables a los trámites y aprobación de los proyectos de ley, ya que, tal como se vio en el acápite anterior, la norma se introdujo como un artículo nuevo en los informes de ponencia para las sesiones plenaria tanto de Cámara de Representantes como de Senado de la República sin que se hubiera introducido previamente ni en el proyecto ni en las ponencias de primer debate.

Así, y al no haber analizado de fondo los argumentos esbozados por el demandante los cuales tienen un eminente sustento jurídico, se dejó abierta la puerta para que la norma fuera propuesta nuevamente cumpliendo con los trámites legislativos señalados en la Constitución Política Colombiana.

En efecto, en el Plan Nacional de Desarrollo sancionado por el Presidente de la República, a través de la ley 1955 de 2019, el artículo referido a la contribución especial para laudos arbitrales fue nuevamente incluido en el mismo sentido que aquel que fuera declarado inexequible por la corte, poniendo sobre la mesa nuevamente los mismos argumentos que fueron desconocidos inicialmente por el legislador y que hacen que la norma mantenga los mismos vicios de los que sufrió en el pasado, excepción hecha de los laudos arbitrales proferidos en arbitrajes internacionales los cuales son excluidos de manera expresa en el nuevo articulado.

V. CONCLUSIONES

Tal y como se ha insistido a lo largo del documento, la contribución especial para laudos arbitrales aprobada dentro del plan nacional de desarrollo se convierte en una barrera para el arbitraje nacional como mecanismo alternativo de solución de conflictos. El simple hecho de hacer diferenciación entre laudos y sentencias ya de por sí genera una sensación de desigualdad para el usuario de la justicia que en principio podría hacer que se opte por acudir a la justicia ordinaria en desmedro del proceso arbitral.

Lo anterior, aunado a las demás razones de índole jurídico que se esbozaron a lo largo del documento dan cuenta de lo impertinente que resulta la contribución especial establecida en la ley 1955 de 2019, la cual lo único que genera en realidad es la desincentivación periódica del arbitraje yendo en contravía de la tendencia mundial que impulsa este mecanismo como una solución alternativa que se ofrece como más eficiente y rápida.

La Corte Constitucional al no haber analizado el fondo propuesto en la demanda de inexequibilidad interpuesta en contra del artículo 364 de la ley 1819 de 2016, y habiéndose quedado únicamente en aspectos meramente formales, allanó el camino para que con base en los mismos argumentos iniciales fuera propuesto un articulado similar, con los mismos vicios y las mismas falencias jurídicas, exponiendo como en efecto lo hace al arbitraje el cual es sin el menor asomo de duda una opción más que válida para quienes pretenden una resolución rápida, transparente y eficaz de sus conflictos.

REFERENCIAS

CLARK GRANGER, Y. y HERNÁNDEZ, J. R., (2018). La postura fiscal en Colombia a partir de los ajustes a las tarifas impositivas publicado por el Banco de la República, Borradores de Economía, 1038.

Sentencia C-169 de 2014. Magistrado Ponente Dra. María Victoria Calle. Declaró inconstitucional el denominado "arancel judicial" por considerar que el mismo vulneraba el principio de equidad tributaria.

El GAFTA y arbitraje en el mercado de cereales en Latinoamérica[*]

LUIS FERNANDO RINCÓN CUÉLLAR[**]
ISABEL RINCÓN LOGREIRA[***]

RESUMEN

El mercado de cereales a nivel latinoamericano está en constante aumento y con ello las controversias derivadas de éste tipo de transacciones, las cuales se resuelven en gran medida en el centro de arbitraje del GAFTA[1] elegido por los comerciantes latinoamericanos, en muchos casos, sin que las partes sepan que el litigio tendrá lugar en un foro lejano, con los consecuentes costos y riesgos por el desconocimiento de la ley que lo rige. Es así como se plantea la necesidad de crear un centro especializado en dicho sector acorde con las necesidades de esta región.

Palabras clave: Arbitraje comercial, Arbitraje Internacional, Mercado de Cereales, Arbitraje Latinoamericano, Arbitraje especial, GAFTA.

ABSTRACT

The cereal market in Latin American is constantly increasing and with it the derived controversies from this kind of transactions, which are largely resolved in the GAFTA arbitration center chosen by Latin American merchants, in many cases, without parties knowing that the dispute will take place in a distant forum, with the consequent costs and risks due to ignorance of the law that governs it. This is how, in this text, the need to create a specialized center in that sector is in line with the needs of this region is detailed.

---

[*] El contenido de este trabajo refleja exclusivamente el parecer de sus autores y no constituye opinión profesional ni asesoramiento jurídico alguno. Agradecemos la colaboración de Cielo Ángela Peña.

[**] Abogado de la Pontificia Universidad Javeriana. Profesor Universidad Nacional de Colombia, Escuela Superior de Economía y Negocios (El Salvador), Universidad Centroamericana José Matías Delgado (El Salvador). Socio/ Director General Rincón-Cuéllar & Asociados, MCIArb, Árbitro de la Cámara de Comercio de Bogotá (Colombia), Árbitro Cámara de Comercio de Medellín (Colombia), Árbitro de la Cámara de Comercio e Industria (El Salvador) y Árbitro de la Cámara de Comercio de Lima (Perú).

[***] Abogada Universidad de los Andes (Bogotá-Colombia), Abogada en Rincón-Cuéllar & Asociados.

[1] Grain and Feed Trade Association (GAFTA Por sus siglas en inglés)

Key words: Commercial Arbitration - International Arbitration - Cereal Market - Arbitration in Latin America - Commodity Arbitration - GAFTA.

SUMARIO: I. EL MERCADO DE CEREALES. 1. Situación del mercado a nivel mundial. 2. Actores y funcionamiento del mercado. 3. Condiciones especiales del mercado. 4. El mercado latinoamericano. II. EL ARBITRAJE EN EL MERCADO DE CEREALES. 1. Centros de Resolución de Conflictos Especializados. 2. Grain and Feed Trade Association (GAFTA). 2.1. Lista de árbitros. 2.2. Superintendentes aprobados por el GAFTA. 2.3. Apelación. 2.4. Sanción reputacional. III. EL ARBITRAJE EN EL MERCADO DE CEREALES EN LATINOAMÉRICA. IV. CONCLUSIÓN.

I. EL MERCADO DE CEREALES

1. Situación del mercado a nivel mundial

En la actualidad se han desarrollado diferentes avances y tendencias que llevan a incrementar la importancia del mercado de cereales en el mundo. Entre ellas se encuentran principalmente, la constante búsqueda por ampliar la tecnología para mejorar la producción, los cambios alimenticios de los consumidores, la utilización de estos insumos para diferentes fines como consumo animal, consumo humano, producción e industria, entre otros. Inclusive, un factor muy importante que ha llevado al crecimiento de éste específico sector del mercado ha sido el cambio de percepción de la sociedad frente a estos productos, es decir, han dejado de verse únicamente como materia prima para convertirse en una agroindustria compleja en la cual intervienen gran cantidad de actores (productores, transportadores tanto nacionales como internacionales, empresas comercializadoras, empresas compradoras y consumidores).

Todos aquellos factores, la condición de la tierra, más los tratados de libre comercio incentivan la competitividad dentro del mercado en donde los países, por lo general, buscan especializarse en la producción de ciertos insumos, para así obtener reconocimiento y liderar la cadena de comercialización de un producto determinado. Por ejemplo, en Chile la especialidad es la producción de avena, en Estados Unidos la mayor producción se basa en el sorgo y el maíz, al igual que México respecto del maíz, Brasil por la producción de la soya, mientras que Rusia es el mayor productor de trigo. Estudios sobre el mercado de granos en el mundo han determinado que el cereal más cultivado en el mundo es el trigo seguido del maíz (Cofas y Soares, 2013).

A título descriptivo, la Organización de Naciones Unidas para la Alimentación y la Agricultura (FAO por sus siglas en inglés) pronóstico la producción mundial de cereales para el año 2019 en 2706 millones de toneladas, cifra que supera en un 2% (53 millones de toneladas) la producción final de 2018 (FAO, 2019).

En este mismo informe, la FAO (2019) pronosticó para la producción mundial de trigo 766 millones de toneladas y para el arroz determinó 513,5 millones de toneladas. Cifras menores al pronóstico inicial debido a que las condiciones climáticas disminuyeron el rendimiento de países como India, Estados Unidos, Australia, China y Filipinas, que son aquellos principales productores de éstos cereales. Sin embargo, esta disminución dio paso a que mejoraran las perspectivas de producción en la Unión Europea, Madagascar y Colombia. Así mismo, la organización previó que la producción mundial de cereales secundarios como la cebada, la avena, el centeno, entre otros, ascenderá a 1427 millones de toneladas, ello debido a un pronóstico positivo para la Federación Rusa, Brasil y Sudáfrica.

A nivel de países proveedores de cereales, según el International Trade Center (ITC), en el 2018 Estados Unidos y Rusia lideraron exportaciones, seguidos por India, Argentina, Francia, Ucrania, Canadá, Australia, Tailandia y Brasil, con lo que se aprecia dos países latinoamericanos entre los mayores exportadores de este tipo de alimentos. Del mismo modo México ocupa el tercer lugar en la lista de países importadores de cereales. Para los próximos diez años se calcula que el mercado mundial de cereales crecerá un 13%, debido principalmente al desarrollo de una mayor productividad (García y Laval, 2019).

Las estadísticas presentadas en el mapa de comercio del ITC (2018) establecen que a nivel de la región latinoamericana, las exportaciones suman USD$14.259.749.000, lo que representa casi un 12% de la producción mundial. Mientras que, las importaciones alcanzan USD$15.442.567.000. Así, el mercado latinoamericano ha aumentado aproximadamente un 70% en los último diez años, con tendencia a crecer, en atención al aumento de la población y al crecimiento económico de varios de sus países.

Estos datos demuestran la cantidad de variaciones y las complejidades que envuelven el mercado de granos. Además, indican la participación de diversos países alrededor del mundo tanto como productores, exportadores, e importadores.

2. Actores y funcionamiento del mercado

Si bien existen cuatro grandes empresas comercializadoras de granos y cereales a nivel mundial las cuales son Archer Daniels Midland (ADM), Bunge, Cargill y Louis Dreyfus (conocidos comúnmente como ABCD), con aproximadamente un 75% del mercado (Gómez y Granados, 2016), en la actualidad, derivado del auge mencionado, han comenzado a aparecer una gran cantidad de empresas medianas y pequeñas, que realizan un intercambio de granos y cereales especialmente de países vecinos. Estas compañías se agrupan en diversos gremios, y para el caso latinoamericano pueden llegar a ser mas de 10 por cada país.

Las ABCD tienen una forma muy particular de operar su negocio, bajo características específicas. En primer lugar, se trata de empresas que, aunque se ubican entre las más grandes a nivel mundial son familiares, muy antiguas y en consecuencia tradicionales. Su antigüedad hace que cuenten con una larga experiencia en este mercado. Sin embargo, no son ampliamente conocidas por el público en general debido a que operan de manera discreta, evitan el protagonismo y las discusiones públicas. Este punto termina por ser una estrategia en tanto hay insuficiente conocimiento sobre la incidencia que tienen estas empresas en el mercado, no solamente en los precios de los alimentos sino también en "las condiciones de las cadenas de producción-consumo, desde la decisión de qué, cuánto y dónde producir hasta las condiciones de abastecimiento en los diversos mercados del consumo final" (Gómez y Granados, 2016, p. 33).

La importancia en el comercio internacional de estas empresas se debe en gran medida a la diversidad de sectores de mercado en los que participan, llegando a cubrir toda la cadena de comercialización. Para ello, se han enfocado en utilizar estrategias de integración vertical en donde todos los eslabones en el ciclo de producción son controlados por las mismas empresas. Es así como, gran parte de su efectividad se debe a que actúan sin necesidad de contratar con otras empresas por lo cual son "proveedoras de insumos, propietarias de tierras, productoras ganaderas y avícolas, procesadoras de alimentos, entidades financieras, transportistas y operadoras de elevadores de grano" (Murphy, Burch y Clapp, 2012, p. 8).

El mayor limitante que encuentran quienes quieren entrar a competir es que se trata de una actividad en la cual se manejan muy bajos márgenes de ganancia por lo que necesita grandes volúmenes de producto en todos sus ejes de operación. Por esta razón, se está ante una actividad con enorme escala de operación internacional, que manipula grandes volúmenes de productos delicados y perecederos por lo cual demanda condiciones muy específicas de producción, utilización, transporte e información.

Otro gran limitante que encuentra la competencia es el poder que estas empresas tienen por el manejo de información privilegiada que les permite anticiparse a las necesidades de cada país para un tiempo específico. En este sentido, las redes de contacto que han construido les permiten conocer sobre las condiciones de producción e inventarios de diversos países. En general, es un mercado en donde la experiencia que han adquirido las ABCD se refleja sobre todo en la asimetría de la información.

Dichas situaciones han ido morigerándose en los últimos años, debido al crecimiento continuo del mercado, al valor que representa en términos de miles de millones de dólares, al desarrollo de nuevos medios de comunicación y a la utilización de más canales de información que permiten su obtención con mayor facilidad. Así, han entrado, en los últimos años, diversos competidores como las japonesas Mitsubishi y Marubeni, otras compañías asiáticas como la Corporación Nacional China de Cereales, Aceites y Productos Alimentarios (COFCO por sus siglas en inglés), Olam International Limited cuya sede principal es en Singapur, el Grupo Noble con sede en Hong Kong, Wilmar International con sede en Singapur y grupo líder de negocios en el sector agrícola en Asia y el Grupo Charoen Pokphand con sede en Bangkok. Otras empresas que están estableciéndose rápidamente en todo el mundo son Glencore que comenzó con minerales y metales y se han expandido hacia las materias primas agrícolas y Sinar Mas, dedicada principalmente a la producción del aceite de palma. En América han aparecido varias empresas comercializadoras de cereales, en menor escala, pero representativas en el mercado latinoamericano, las cuales cuentan con grandes negociaciones en términos de cantidades y valores.

3. Condiciones especiales del mercado

El mercado mundial de granos está caracterizado por tratarse de un sector técnico en cuanto al manejo de los productos, con la particularidad de la rapidez con la que se realizan los acuerdos y el desarrollo de las operaciones de entrega. Los comercializadores están ubicados generalmente en diferentes partes del mundo y el lugar de despacho y entrega de las mercancías se encuentra en sitios diferentes. Por lo anterior, los puntos en que se basan las negociaciones están soportados en leyes diferentes que los cubren, y términos comunes definidos por la costumbre mercantil y acogidos por las diferentes entidades encargadas de recopilarlas.

Dada la agilidad con la que opera el comercio en este sector del mercado, teóricos como Caivano (1999), han determinado que una de las principales necesidades, para el flujo constante de negociaciones comerciales y el favorable desarrollo del mercado, es "contar con mecanismos idóneos para resolver prontamente los conflictos" (p. 3). Estos mecanismos deben tomar en consideración que se está ante un mercado con productos que generan estrechos márgenes de utilidad, por lo cual se manipulan enormes volúmenes de mercancía que requieren una logística específica. Entonces, se crea la necesidad "de que las obligaciones sean puntualmente cumplidas" (Caivano, 1999, p. 3).

4. El mercado latinoamericano

Si bien el mercado a nivel mundial no es tan formal en atención a la celeridad de las transacciones, los comerciantes latinoamericanos de granos y alimentos en general, firman contratos sin tener en consideración los métodos de resolución de conflictos. Esto supone que además, no tengan en cuenta el foro ni el procedimiento donde se van a solucionar los mismos.

Los conflictos que se generan son derivados especialmente respecto a la calidad del producto entregado o la demora en la entrega. Eventualmente se presentan contratos en los que se pactan varios embarques, y en donde los conflictos deben resolverse de una manera inmediata en razón a los cortos trayectos y a la necesidad de que, cuando existe una reclamación respecto de los primeros embarques, se resuelva el conflicto antes o mientras los siguientes embarques están en camino al puerto de destino. Así, se busca que las transacciones continúen y que la solución de la controversia no sea una barrera en el desarrollo del comercio.

La mayoría de los contratos que firman las partes contienen cláusulas que seleccionan arbitrajes establecidos en terceros países ajenos a Latinoamérica. Así, los árbitros terminan por ser extranjeros, cuyo idioma nativo es diferente al español y cuyo sistema de legislación aplicable es totalmente diferente. Esto se traduce en la dificultad del tribunal en entender las circunstancias y características propias del escenario de comercio latinoamericano. Si bien, puede tratarse de árbitros cuya especialidad sea el mercado de granos, no están al tanto del desarrollo del negocio en Latinoamérica.

En muchas ocasiones, cuando se acude a un foro de resolución de conflictos con sede en países anglosajones, la ley procesal aplicable (incluyendo por supuesto las normas bajo las que se realizará el trámite de anulación) corresponderá a un ordenamiento del Derecho Común (conocido como el Common law). Se trata de una circunstancia de difícil compresión para los actores del comercio latinoamericano, los cuales se desempeñan en ordenamientos de Derecho Civil (Civil Law), por lo que deben recurrir a un abogado del país en donde se llevará a cabo el arbitraje, lo que se traduce en costos mas altos. Todo lo anterior se resume en tres grandes problemas como son la duración, el costo del arbitraje y el desconocimiento de la ley del foro.

II. EL ARBITRAJE EN EL MERCADO DE CEREALES

1. *Centros de Resolución de Conflictos Especializados*

En esencia los métodos de resolución de conflictos para este tipo de mercado son de carácter técnico. A nivel mundial se destaca la *Grain and Feed Trade Association*[2] (GAFTA) con sede en Londres, la Global Pulse Confederation (GPC), la cual remite para efectos de arbitraje al GAFTA, y la International Seed Federation (ISF) que lleva a cabo la aplicación de su reglamento en centros de arbitraje del país del vendedor[3]. En menor grado se recurre a entidades como ICC para este tipo de mercados, o a cámaras individuales de los países, como la National Grain and Feed Association (NGFA) en Estados Unidos, la American Association Arbitration (AAA) y a nivel latinoamericano la Cámara arbitral de la Bolsa de Cereales de Buenos Aires (Argentina), país en donde fue pionera la Cámara Arbitral de Cereales de la Bolsa de Comercio de Rosario (Vázquez Palma, 2012).

2. *Grain and Feed Trade Association (GAFTA)*

GAFTA es una organización de carácter privado y gremial de comerciantes especializados, que cuenta con 1900 miembros en 98 países. Su objetivo principal es promover el comercio internacional del mercado de cereales y proteger los intereses de sus miembros en todo el mundo[4]. Es así, como una se las principales características de ésta organización es el desarrollo de contratos estándar. Cuenta con más de 100 modelos, los cuales aseguran que son utilizados por aproximadamente en el 80%[5] de las transacciones

---

[2]   Asociación de Comercio de Granos y Alimentos, GAFTA por sus siglas en inglés.
[3]   Artículo 5.2. Sección B sobre Reglas de Procedimiento de Arbitraje - ISF.
[4]   Tomado de: https://www.gafta.com/about.
[5]   Tomado de: https://www.gafta.com/All-Contracts.

del sector. Todos estos contratos contienen una cláusula arbitral la cual busca que se resuelvan las disputas a través de un mecanismo particular de arbitraje. Además, conforme los gremios de la antigüedad, aparte de las sanciones legales establecidas, se determinan unas sanciones gremiales de exclusión al que incumple.

Dicha Asociación fue creada hace más de cien años, constituida inicialmente por los exportadores ingleses de maíz (London Corn Trade Association —LCTA—) que buscaban proteger sus intereses. A partir de varias escisiones y uniones, en el año de 1971, llegaron a constituir la actual organización la Asociación de Comercio de Granos y Alimentos (GAFTA).

Desde sus inicios, una de las principales tareas que se propusieron como asociación fue adoptar formas estándar de contratos desarrollados por ellos mismos, con el objetivo de facilitar las negociaciones. En atención a la cantidad de leyes internacionales que cobijaban a los comerciantes, el GAFTA buscó apartar la jurisdicción interna y comenzó a manejar el tema de resolución de disputas mediante arbitraje. En resumen, se trata de una serie de contratos tipo[6] que buscan la estandarización de los diversos acuerdos que pueden surgir en las negociaciones del sector. Estos modelos están generalmente redactados teniendo en cuenta el tipo de grano o alimento, la región y el Incoterm que se pretende establecer.

Por medio de estos documentos se reglamenta, además, las calidades y condición de los productos, las garantías, los documentos de embarque, las condiciones de pago y los seguros. También tratan problemas y circunstancias excepcionales, daños e incumplimientos, así como reglas en cuanto al pesaje de las mercaderías, muestreo, análisis y métodos de aseguramiento. Además del ya mencionado sometimiento al sistema de arbitraje, el cual es administrado por dicha entidad (Vicetín, 2019, p .23).

Entonces, la mayor cualidad que se halla en la estrategia adoptada por ésta organización es que con estos contratos tipo se encontró una solución que facilita y asegura los acuerdos respecto de las condiciones generales de venta de esta clase de productos. Además, su uso recurrente también se debe a que han sido elaborados por una institución con alto nivel de experiencia y experticia en el tema.

---

[6]   Al igual que otras entidades internacionales especializadas como la Federación Internacional de Ingenieros Consultores (FIDIC), Federation of Oils, Seeds & Fats Associations Ltd (FOSFA), The Association of West European Ship, y American Cotton Shippers Association, entre otros.

Ahora, en temas de arbitraje, el GAFTA proporciona dicho servicio para resolver disputas comerciales y para ello establece una serie de reglas y un procedimiento por medio de los documentos No. 125 y 126. Además, cuenta con un servicio especializado para disputas marítimas a través de unas reglas de arbitraje, contenidas en el documento No. 127. También cuenta con el sistema de Mediación para ayudar a las partes a encontrar soluciones negociadas, cuyo procedimiento se encuentra establecido en las normas de mediación No. 128. En concordancia con la cláusula arbitral, estos modelos de contrato contienen una cláusula de domicilio que le da jurisdicción exclusiva a los tribunales ingleses Si bien en algunos casos menciona incoterms, trata de excluirlos de la aplicación del contrato. "Más que nada, esta disposición muestra tanto la confianza de la asociación en el manejo de disputas como su deseo de tener un control exclusivo para resolverlas". (Polovets, Smith, y Terry, 2013, p. 564).

Estos últimos puntos combinados generas controversia, ya que los comerciantes en muchos casos se adhieren al contrato o firman sin conocer, sin poder realizar una elección en la ley que resolverá sus controversias, ni el Tribunal que en última instancia va a proferir el eventual laudo.

Quienes están a favor de los contratos GAFTA critican principalmente la falta de idoneidad de la CISG para los mercados de productos básicos. "Si bien puede parecer extraño que GAFTA opte por excluir convenciones internacionales prominentes, como la Convención de las Naciones Unidas sobre los Contratos de Compraventa Internacional de Mercaderías (CISG), la exclusión de estas leyes genera previsibilidad. La CISG de las Naciones Unidas, por ejemplo, permite reservas y declaraciones por parte de los países ratificadores. Debido a la naturaleza internacional del comercio moderno de cereales y alimentos, permitir convenciones como la CISG de las Naciones Unidas podría presentar problemas en los que dos países han ratificado la convención, pero han Diferentes reservas. Para evitar este tipo de conflicto, GAFTA prefiere excluir esta y otras convenciones por completo". (Polovets, Smith, y Terry, 2013, p. 564).

Según Lisa Spagnolo (2010), una de las razones por las cuales en este mercado específico se busca excluir el uso de las CISG "es inapropiado, sobre la base de características sustantivas como la buena fe, la prueba estricta de terminación en incumplimiento fundamental, cura, reducción de precios y método de cálculo de daños". (2010). Además asegura que "esto hace que la CISG sea menos segura y precisa que la ley inglesa" (Spagnolo, 2010).

En relación con las posiciones expuestas, es pertinente mencionar lo anotado por el Profesor Fernández Rozas quien refiriéndose al arbitraje marítimo del GAFTA, en donde expone que "esta modalidad de arbitraje utiliza mayoritariamente el arbitraje de equidad y no de Derecho y ello puede presentar el inconveniente de experimentar las consecuencias de conferir a los árbitros unas facultades muy amplias y soslayar la aplicación de la Ley inglesa de arbitraje, pero tiene la ventaja de ahorrar los costes derivados de costosos dictámenes elaborados por expertos jurídicos" (2018, p. 370).

2.1. Lista de árbitros

El conocido juez Richard Posner, quien es citado por Olga K. Byrne (2013) menciona que las partes "prefieren un tribunal arbitral conocedor de la materia en controversia que un tribunal generalista con su austera imparcialidad pero limitado conocimiento de la materia" (p. 1818). En este caso, GAFTA termina siendo de gran ayuda en tanto, hasta cierto punto, es garantía para las partes que someten el caso, poder tener una lista de árbitros especializados[7], en donde se aseguran de que éstos estén suficientemente calificados y actualizados en las especificidades del comercio de granos. Sin embargo, la lista está enfocada en cierta medida en el mercado europeo-americano, por lo cual hay un desconocimiento de algunas regiones, lo que puede terminar siendo una falta de garantías para éste sector de comerciantes.

2.2. Superintendentes aprobados por el GAFTA

Otra de las facilidades que otorga el GAFTA es la lista de analistas y superintendentes (peritos) aprobados por el gremio. Se trata de un registro que está en constante actualización y que otorga gran prestigio para quienes hacen parte de él. Con éste registro se busca agrupar a los profesionales y/o expertos dedicados a la inspección de productos agrícolas. Estos expertos realizan una gran variedad de actividades encaminadas a la inspección, verificación, examen, evaluación de calidad y condiciones, muestras y mediciones de las mercancías. Todo ello en concordancia con las reglas establecidas por el GAFTA. Es así como, dentro de los mismos contratos tipo que hemos mencionado anteriormente, se establece la obli-

---

[7] https://www.gafta.com/Membership-Directory/arbitrators.

gación de que las partes que se encuentren en discrepancia o que deseen reclamar la calidad de un producto necesariamente tengan que acudir a los servicios de un superintendente aprobado por el GAFTA.

Esta obligación tiene tanto beneficios como desventajas. Entre las ventajas se encuentra que, el hacer uso de un superintendente aprobado por el GAFTA otorga mayores garantías en tanto se asegura el conocimiento actualizado, la expertica y la rigurosidad en los procedimientos a realizar por el experto. Sin embargo, se ha encontrado que la lista de expertos para Latinoamérica es muy reducida, por lo cual se generan grandes inconvenientes. Principalmente, hay mayores costos, menos familiaridad con el desarrollo de los negocios, más lentitud en el resultado esperado, y problemas para efectos de recaudos de prueba para hacer valer ante el Tribunal de Arbitraje.

2.3. Apelación

En el GAFTA, como ocurre en muchos arbitrajes de carácter técnico[8], se establece la posibilidad de que el Laudo sea revisado. En este caso, se otorga la posibilidad de recurrir al recurso de apelación ante las Salas de Apelación de esa misma asociación[9]. Esto no es común en los arbitrajes más conocidos, dado que en los diferentes reglamentos de arbitraje generalmente se establece que el laudo es definitivo y vinculante para las partes. En este sentido, se considera que "la impugnación del laudo es un tema muy controversial, hay quienes indican que al ser impugnado el laudo se desvirtúa la esencia del arbitraje, que en lugar de ser ágil se torna lento y tedioso. Es por ello que en algunas legislaciones se contempla el plazo en el que se debe de fallar" (Puac Carranza, 2017, p. 68).

2.4. Sanción reputacional

El arbitraje en el GAFTA no es público. Es un sector al cual le es muy importante la reputación, por lo que las decisiones que se toman pueden llegar a comprometer el buen nombre de los sujetos que actúan en el mercado. En estos mercados "las sanciones reputacionales operan mediante

---

[8]   Esto también se puede apreciar en el Reglamento de Arbitraje de la Cámara de Arbitraje Marítimo de Paris de 2007, las Reglas de Arbitraje para la Corte para Deporte (CAS), entre otros.

[9]   Art 10, 11, 12 y 13. Arbitration Rules No. 125.

la difusión de información negativa en el mercado: el incumplimiento es hecho público en los círculos del mercado en que el incumplidor opera, de modo que no vuelve a encontrar con quien contratar" (Virgós Soriano, M. 2007). EL GAFTA hace uso de ésta medida como sanción por incumplimiento de un laudo proferido por éste organismo. Entonces, se trata de una forma única y muy peculiar de lograr el cumplimiento de un laudo con la publicación de la decisión en la página web del GAFTA, sin perjuicio de la ejecución forzosa bajo la Convención de Nueva York.

III. EL ARBITRAJE EN EL MERCADO DE CEREALES EN LATINOAMÉRICA

En la práctica legal hemos constatado la necesidad de la creación de un centro de arbitraje accesible a los comerciantes latinoamericanos. Conformado por una lista de árbitros hispanohablantes que conozcan las negociaciones que se llevan a cabo y en general el mercado, en donde se tenga un sistema ágil de resolución de conflictos. La mayor parte de los comerciantes latinoamericanos que optan por este tipo de contratos modelo del GAFTA deben tener una asesoría de ley inglesa, lo cual aumenta el costo de transacción, en donde en ningún momento pueden alegar su ignorancia como excusa.

Es por ello que hemos venido trabajando en un centro de resolución de conflictos en materia de arbitraje de cereales y bienes básicos. Si bien se habla de los medios de resolución virtual, es necesario que haya una presencia física en el área, que otorgue confianza a los comerciantes, y que se promocionaría de manera directa, en ferias de alimentos y en congresos puntuales del sector. Es necesario que se cree un centro en donde se brinde a los comerciantes de granos de la región la seguridad, confianza y el atractivo suficiente para ventilar sus controversias en dicho foro y de tal forma, reducir los costos que implica acudir a foros de resolución de conflictos en otros países, más aun cuando la mayoría de controversias surgen entre comerciantes de nacionalidades latinoamericanas, en idioma español.

Conociendo lo anterior, es necesario que dicho centro de arbitraje, que puede depender de una cámara o de un centro ya instalado, tenga un área de práctica específica dentro del área general de arbitraje comercial. Por lo cual se busca que el centro escogido dedique un área a la resolución de conflictos entre comerciantes de granos con énfasis en el mercado latinoamericano.

IV. CONCLUSIÓN

El mercado de granos y en general el de alimentos en el mundo es un mercado muy particular, en el que tradicionalmente han sido protagonistas las denominadas ABCD. Sus características principales como la logística en el manejo de grandes volúmenes de mercancía, la asimetría de la información, las condiciones específicas de producción, utilización, transporte e información, se han constituido como barreras para la entrada de actores que permitan el surgimiento de competencia en el mercado. Sin embargo, como se estableció en el presente texto, esta situación está cambiando. Por lo que, se hace necesario que a estos actores se les facilite la resolución de controversias que puedan surgir en las transacciones, para que así, continúen con el normal desarrollo de sus negocios sin mayores interrupciones. Este ha sido el principal objetivo del GAFTA, dado que ha pretendido mayor agilidad, experticia y seguridad en las decisiones que resuelvan las controversias que surgen en el sector. Si bien su labor es muy importante a nivel mundial, se ha restringido a ciertas regiones, olvidando en gran medida el comercio latinoamericano.

Es por tal razón que la región latinoamericana necesita un centro de arbitraje especializado en este tipo de mercados, en donde valiéndose de los avances tecnológicos se cuente con un procedimiento ágil, árbitros de emergencia, peritos acuciosos, y en donde los árbitros verdaderamente aporten un valor agregado al comercio. Se pretende contar con especialistas (abogados y no abogados) que dominen el tema, que hagan parte del sector, y que tengan la autoridad y el tiempo para poder fallar con la rapidez que este tipo de mercado necesita. Además, en donde la ley del foro otorgue el respaldo necesario para los suscriptores de la cláusula compromisoria respectiva (Chernykh, 2017). Es precisamente en este punto en donde venimos trabajando con una serie de abogados y expertos de la región para efectos de poder instituir dicho centro, el cual esperamos ver funcionado en los próximos años.

REFERENCIAS

BYRNE, O. K. (2013), A New Code of Ethics for Commercial Arbitrators: The Neutrality of Party-Appointed Arbitrators on a Tripartite Panel. Fordham Urban Law Journal, Vol. 30, No. 6. Tomado de: https://ir.lawnet.fordham.edu/ulj/vol30/iss6/1/.

CAIVANO, R. J. (1999), La solución de controversias en el comercio de granos. Revista bolsa de cereales N° 3021. Tomado de http://www.cabcbue.com.ar/enlazados/arbitraje/solucion_controversias.pdf.

CHERNYKH, Y. (2017), The Last Citadel: The Restricted Role of Lawyers in Soft Commodity Arbitration. TDM (2). Tomado de: https://www.transnational-dispute-management.com/article.asp?key=2453.

COFAS, E. y SOARES, E. (2013), STUDY ON GRAIN MARKET IN THE WORLD. Scientific Papers Series Management, Economic Engineering in Agriculture and Rural Development, Vol. 13, Issue 2, PRINT ISSN 2284-7995, E-ISSN 2285-3952.

FAO (2019), Situación Alimentaria Mundial, Nota informativa de la FAO sobre la oferta y la demanda de cereales. Tomado de: http://www.fao.org/worldfoodsituation/csdb/es/.

FERNÁNDEZ ROZAS, J. C. (2018), Alternativas e incertidumbres de las cláusulas de solución de controversias en la contratación marítima internacional. Universidad Carlos III de Madrid, Vol. 10, No. 2, DOI: https://doi.org/10.20318/cdt.2018.4380. Tomado de: https://e-revistas.uc3m.es/index.php/CDT/article/view/4380/2926.

GARCÍA L. A.y Laval M. E. (2019), El mercado mundial de los cereales: temporada 2018/2019, situación política mundial y perspectivas para la próxima década. Ministerio de agricultura de Chile, Oficina de estudios y políticas agrarias. Tomado de: https://www.odepa.gob.cl/wp-content/uploads/2019/02/articulo-cereales_febrero.pdf.

GÓMEZ, L. y GRANADOS, R. (2016), *Las cuatro grandes empresas comercializadoras y los precios internacionales de los alimentos.* Economía Informa, Volumen 400, pp. 24-39. Tomado de: https://www.sciencedirect.com/science/article/pii/S0185084916300317.

INTERNATIONAL TRADE CENTER - ITC. (2018), Trade Map. Tomado de: https://www.trademap.org.

MURPHY, S., BURCH, D. y CLAPP, J. (2012), El lado oscuro del comercio mundial de cereales: el impacto de las cuatro grandes comercializadoras sobre la agricultura mundial. OXFAM. Tomado de: https://www-cdn.oxfam.org/s3fs-public/file_attachments/rr-cereal-secrets-grain-traders-agriculture-30082012-es_3.pdf.

POLOVETS, I., SMITH, M. y TERRY, B. (2013), GAFTA arbitration as the most appropriate forum for disputes resolution in grain trade. Arizona Journal of International and Comparative Law, 30 (3), 559-604.

PUAC CARRANZA, L. R. (2017), "El orden público como límite a la materia objeto de arbitraje en el arbitraje Comercial internacional", Universidad Rafael Landívar. Tomado de: http://recursosbiblio.url.edu.gt/tesisjrcd/2017/07/01/Puac-Luis.pdf.

SPAGNOLO, L. (2010), "Green Eggs and Ham: The CISG, Path Dependence, and the Behavioural Economics of Lawyers' Choices of Law in International Sales Contracts". Tomado de: http://www.cisg.law.pace.edu/cisg/biblio/spagnolo1.html.

VÁSQUEZ PALMA, M. F. (2012), El arbitraje institucional en Latinoamérica. Revista de Derecho Mercantil N° 34, pp. 67-136, ISSN:1794-0427. Tomado de http://

legal.legis.com.co/document/Index?obra=rmercantil&document=rmercant il_bc290c1946a4013ee0430a010151013e.

VICETÍN EXPORTACIONES (2019), Suplemento de prospecto programa global de emisión de valores de deuda fiduciaria por hasta V/N U$S 200.000.000. Tomado de: https://www.rosental.com/Fideicomisos/VICENTINEXPORTACIONESIII/ SuplementoDeProspecto.pdf.

VIRGÓS SORIANO, M. (2007), Arbitraje comercial internacional y convenio de Nueva York de 1958. La Ley: Revista jurídica española de doctrina, jurisprudencia y bibliografía, ISSN 0211-2744, Nº 2, pp. 1682-1691. Tomado de: https://dialnet.unirioja. es/servlet/articulo?codigo=2253652.

¿Una "nueva" (y casi desconocida) causal de anulación de laudo? La interpretación prejudicial en la justicia andina

GUSTAVO NILO RIVERA FERREYROS[*]

RESUMEN

La armonización normativa de las reglas comunitarias con el ordenamiento jurídico doméstico genera ciertas dificultades, en la medida que se producen contradicciones o vacíos normativos tal como ocurre con las causales de anulación de laudos arbitrales y la exigencia de pedir la interpretación prejudicial al Tribunal Andino. Así pues, la exigencia comunitaria constituye una nueva causal de anulación de laudos arbitrales cuando el Tribunal no solicita la interpretación prejudicial. Sin embargo, es necesario establecer si se trata de una nueva causal o podría adecuarse a las taxativas en la ley.

Palabras clave: CAN, Tribunal Andino, Causales de anulación, Interpretación perjudicial, Acuerdo de Cartagena, Arbitraje Comercial.

ABSTRACT

The normative harmonization of the community rules with the domestic legal system creates certain difficulties to the extent that there are contradictions or gaps, such as the grounds for setting aside of arbitration awards and the requirement to request the preliminary interpretation from the Andean Court. Thus, the Community requirement constitutes a new ground for annulment of arbitration awards when the Court does not request the preliminary interpretation. However, it is necessary to establish whether it is a new cause or could be adapted to the causal taxation in the law.

---

[*]   Abogado por la Universidad Nacional Mayor de San Marcos. Máster en Derecho de la Contratación Pública por la Universidad Castilla-La Mancha (España), estudios concluidos en Maestría de Derecho de la Empresa en la Pontificia Universidad Católica del Perú. MCIArb. Profesor de "Arbitraje" en la Universidad Peruana de Ciencias Aplicadas (UPC), Lima-Perú. Ha dictado los cursos "Contratos del Estado y Empresa" en la Maestría de Derecho de la Empresa de la PUCP y "Derecho Mercantil I" en la Facultad de Derecho de la misma universidad; así como "Derecho de la Competencia" en la Facultad de Derecho de la Universidad Nacional Mayor de San Marcos. Presidente y Vocal titular de la Sala 2 del Tribunal Superior de Responsabilidades Administrativas de la Contraloría General de la República (Perú). Socio del Estudio Rivera Ferreyros Abogados. Árbitro en arbitrajes privados y públicos.

Key words: CAN, Andean Court, Annulment causes, preliminary interpretation, Cartagena Convention, Commercial Arbitration.

> *"Las reglas hay que conocerlas y estudiarlas, pues sistematizan y ordenan la mente; pero no es con juicios axiomático-deductivos como el derecho es y debe ser aplicado. Hay que aprender a convivir con la incertidumbre creadora, con la angustia de buscar siempre una solución más justa o mejor, que será a su vez constantemente provisional"[1].*

I. INTRODUCCIÓN

En las últimas décadas venimos presenciando los esfuerzos que vienen dando los países para tratar de armonizar el derecho doméstico con el derecho comunitario, en un contexto cada vez más globalizante; en donde los choques y conflictos no son escasos, pues las normas comunitarias gene-ran cambios a veces profundos en los respectivos derechos nacionales, que se resisten a ceder espacio, más aún cuando estamos frente a instituciones jurídicas que parecen irreductibles, no solamente porque tienen desarro-llos legislativos y jurisprudenciales consistentes, sino además porque se en-cuentran arraigadas en la psiquis de los nacionales de cada país.

Así tenemos que, desde que se suscribió el denominado Acuerdo de Cartagena, allá por el año 1969, se han venido haciendo grandes esfuer-zos por armonizar las legislaciones internas de cada país (Perú, Colombia, Ecuador y Bolivia) con el derecho comunitario de la ahora denominada Comunidad Andina de Naciones (CAN), fundados en los principios de "*igualdad, justicia, paz, solidaridad y democracia /.../ ...que propendan al desarro-llo económico, equilibrado, armónico y compartido de sus países*"[2].

---

[1]   GORDILLO, Agustín, *Introducción al derecho*, Editorial Fundación de Derecho Ad-ministrativo, Buenos Aires-Argentina, 2000, pp. II-2/ II-3.

[2]   Ver Declaración inicial del Acuerdo de Integración Subregional Andino (Acuer-do de Cartagena).

De ello no podía escaparse el arbitraje, quien ahora ve como a través de una institución comunitaria: "la interpretación prejudicial"[3], parece generar una nueva causal de recusación, que no estaría contenida en las Leyes de Arbitraje de los países conformante de la Comunidad Andina de Naciones, lo cual a primera vista rompe con la idea de *numerus clausus* —en cuanto a las causales de anulación o nulidad— que parece establecerse en las respectivas legislaciones nacionales[4]. En esta corta aproximación, tra-

---

[3]   Fuentes Hernández señala que la figura de la interpretación prejudicial, es una "...figura trasplantada" del derecho de la integración europea, cuando, inicialmente, el Tratado constitutivo del mercado común de la Comunidad Europea del Carbón y del Acero, CECA, en abril de 1951, le asignó a una de sus instituciones comunes —el Tribunal de Justicia—, la competencia de pronunciarse, "con carácter prejudicial" *sobre la validez* de los acuerdos de la Comisión y del Consejo, en caso de que, en un litigio ante un Tribunal nacional, se cuestionara dicha validez. Posteriormente, en 1957 la cuestión prejudicial se reguló en el artículo 177 del Tratado de la Comunidad Económica Europea (CEE).../
/.../
En la etapa siguiente de la integración europea, el Tratado de Maastricht de 1992 fundacional de la Unión Europea (UE), el denominado "reenvío prejudicial" se reguló en el artículo 234 del Tratado de la Comunidad Europea.../
/.../
Finalmente, en el Tratado de Lisboa de 2009, la cuestión prejudicial se reguló en el actual artículo 267 del Tratado de funcionamiento del la Unión Europea y en el artículo 19.3 b) del Tratado de la Unión...". Al respecto ver FUENTES HERNÁNDEZ, Alfredo, "La interpretación prejudicial en la comunidad andina y su relevancia en el arbitraje nacional en Colombia, Bogotá 27 de setiembre de 2018, pp. 11-12, en www.centroarbitrajeconciliación.com /download/71835/1390937.

[4]   Por lo menos así parece estar establecido en las normas sobre arbitraje de los 4 países que actualmente conforman la Comunidad Andina de Naciones, tal como sigue:
PERÚ
Decreto Legislativo N° 1071. Decreto Legislativo que norma el arbitraje.
"Artículo 62.– Recurso de anulación.
Contra el laudo sólo podrá interponerse recurso de anulación. Este recurso constituye la única vía de impugnación del laudo y tiene por objeto la revisión de su validez por las **causales taxativamente establecidas** en el artículo 63".
COLOMBIA
Ley N° 1563 Por medio de cual se expide el Estatuto de Arbitraje Nacional e Internacional y se dictan otras disposiciones.
"**Artículo 40.** Recurso extraordinario de anulación. Contra el laudo arbitral procede el recurso extraordinario de anulación. el laudo arbitral de anulación, que deberá interponerse debidamente sustentado, ante el tribunal arbitral, con **indicación de las causales invocadas**, dentro de los treinta (30) días siguientes a su notificación o la de la providencia que resuelva sobre su aclaración, corrección o

taremos de explicar cómo funciona y si es posible considerarla como una "nueva" causal de anulación no contenida en las leyes de arbitraje de los países comunitarios andinos.

II. EL DERECHO ANDINO Y EL ACUERDO DE CARTAGENA

El Acuerdo de Cartagena, hoy Comunidad Andina de Naciones (CAN), nació con la finalidad de promover la integración económica y social subregional[5] y para alcanzar dicha integración, sin duda un aspecto impor-

---

adición. Por secretaría del tribunal se correrá traslado a la otra parte por quince (15) días sin necesidad de auto que lo ordene. Vencido aquel, dentro de cinco (5) siguientes, el secretario del tribunal enviará los escritos presentados junto con el expediente a la autoridad judicial competente para conocer del recurso".
ECUADOR
Ley de Arbitraje y Mediación.
"**Art. 30.**– Los laudos arbitrales dictados por los tribunales de arbitraje son inapelables, pero podrán aclararse o ampliarse a petición de parte, antes de que el laudo se ejecutoríe, en el término de tres días después de que ha sido notificado a las partes. Dentro de este mismo término los árbitros podrán corregir errores numéricos, de cálculo, tipográficos o de naturaleza similar. Las peticiones presentadas conforme a lo establecido en este artículo serán resueltas en el término de diez días contados a partir de su presentación.
Los laudos arbitrales no serán susceptibles de ningún otro recurso que no establezca la presente Ley.
Nulidad de los laudos.
Art. 31.– Cualquiera de las partes podrá intentar la acción de nulidad de un laudo arbitral, cuando...".
BOLIVIA
Ley N° 708.
Ley de Conciliación y Arbitraje.
"**Artículo 111. (RECURSO DE NULIDAD DE LAUDO ARBITRAL).** Contra el Laudo Arbitral dictado, solo podrá interponerse recurso de nulidad del Laudo Arbitral. Este recurso constituye la única vía de impugnación del Laudo Arbitral.
Artículo 112. (CAUSALES DE NULIDAD DEL LAUDO ARBITRAL).
La autoridad judicial competente declarará la nulidad del Laudo Arbitral por las siguientes causales...".

[5]   El Acuerdo de Integración Subregional Andino (Acuerdo de Cartagena), modificado por el Protocolo Modificatorio del Acuerdo de Integración Subregional Andino (Acuerdo de Cartagena), señala textualmente lo siguiente:
Artículo 1.– El presente Acuerdo tiene por objetivos promover el desarrollo equilibrado y armónico de los Países Miembros en condiciones de equidad, mediante *la integración y la cooperación económica y social*; acelerar su crecimiento y la gene-

tante será la "unificación" de los derechos en juego, lo cual trae algunas dificultades que salvar.

La primera de ellas será la armonización del Derecho convencional internacional que rige las relaciones en una comunidad regional[6] con el derecho interno de los Estados miembros, siendo que éste último se establece a partir del ejercicio de un poder soberano asignado dentro de una determinada estructura jerárquica interna. Esta armonización, podrá ser abordada desde dos perspectivas; la primera, en la cual se puede afirmar que al establecer relaciones de coordinación convencionales dentro de la comunidad regional no se está haciendo otra cosa que relativizar la soberanía legislativa de cada país y que éstos acepten una jerarquía normativa, en donde la norma comunitaria estará un escalón por encima de la norma nacional.

La otra forma de abordaje estará premunida de una mirada más integradora, pues permitirá a cada país aceptar la norma comunitaria como norma propia y no como norma extranjera, pues finalmente su elaboración surgirá del consenso de todos los países conformante de la comunidad, pues así lo expresó cada uno de ellos desde el Acuerdo de creación. Considero que este segundo abordaje es el que nos permitirá hacer de la Comunidad Andina una comunidad verdaderamente integrada.

Al respecto Sáchica refiriéndose a la integración señala que esta "... *es desde el punto de vista jurídico una redistribución de poderes entre los Estados intervinientes en el proceso y los órganos de la comunidad creada, pues quedan*

---

ración de ocupación; facilitar su participación en el proceso de integración regional, con miras a la formación gradual de un mercado común latinoamericano.

Asimismo, son objetivos de este Acuerdo propender a disminuir la vulnerabilidad externa y mejorar la posición de los Países Miembros en el contexto económico internacional; fortalecer la solidaridad subregional y reducir las diferencias de desarrollo existentes entre los Países Miembros.

Estos objetivos tienen la finalidad de procurar un mejoramiento persistente en el nivel de vida de los habitantes de la Subregión.

/.../

Artículo 7.– El Sistema tiene como finalidad permitir una coordinación efectiva de los órganos e instituciones que lo conforman, para profundizar *la integración subregional andina*, promover su proyección externa y consolidar y robustecer las acciones relacionadas con el proceso de integración.

[6]   Como quiera que actualmente los procesos de integración no son pocos, se ha venido generando estructuras de coordinación, que si bien es cierto se rigen por el Derecho Internacional, ha devenido en la rama conocida como el Derecho Comunitario o de la Integración.

capacitados todos para generar un Derecho derivado de un tratado constitutivo, común a toda el área y que se inserta en los ordenamientos jurídicos nacionales con valor superior al de la ley nacional, a la que desplaza o sustituye, en forma directa y automática"[7].

Con esta finalidad —la integración— la CAN en el Protocolo de Trujillo de 1996, ha creado una estructura organizacional denominado Sistema Andino de Integración que articula una serie de organismos, para que exista una efectiva coordinación y se haga realidad la integración deseada. Este Sistema es como sigue[8]:

A. **Organizaciones intergubernamentales:** Consejo Presidencial Andino, Consejo Andino de Ministros de Relaciones Exteriores, Comisión de la Comunidad Andina.

B. **Organizaciones Comunitarias:** Tribunal de Justicia, Parlamento Andino, Secretaría General, CAF-Banco de Desarrollo de América Latina, Fondo Latinoamericano de Reservas, Organismo Andino de Salud - Convenio Hipólito Unanue, Universidad Andina Simón Bolívar, Convenio Sociolaboral Simón Rodríguez.

C. **Instancias de participación de la sociedad civil:** Consejo Consultivo Empresarial, Consejo Consultivo Laboral, Consejo Consultivo de Pueblos Indígenas, Consejo Consultivo Andino de Autoridades Municipales.

De esas organizaciones destacaremos, para efectos de este trabajo, el Tribunal de Justicia de la Comunidad Andina.

La segunda dificultad que encontramos en esta armonización entre la norma comunitaria y la nacional, la podemos encontrar en la interpretación y la aplicación de la normativa andina en cada uno de los paises miembros de la CAN, pues nos enfrentamos a la aplicación de normas que podrían ser opuestas o distintas a la normativa nacional de algún país miembro de la Comunidad.

---

[7]   Sáchica, citado por PLATA LÓPEZ, Luis Carlos y YEPES CEBALLOS, Donna, "Naturaleza Jurídica de las Normas Comunitarias Andinas" en *Revista de Derecho* N° 31, Barranquilla-Colombia, 2009, pp. 200-201.

[8]   Información obtenida de la página web de la Comunidad Andina de Naciones: www.comunidadandina.org.

1. El Tribunal De Justicia Andino y la Justicia Andina

Como parte del Sistema Andino de Integración de la CAN, el 28 de mayo de 1979 se crea el Tribunal de Justicia de la Comunidad Andina, el cual estará conformado por un magistrado proveniente de cada país miembro y tendrá por objetivo lo siguiente:

A. Efectuar el *control de legalidad*, declarando la nulidad[9] de las Decisiones del Consejo Andino de Ministros de Relaciones Exteriores, de la Comisión de la Comunidad Andina, de las Resoluciones de la Secretaría General y de los Convenios a que se refiere el literal e) del Artículo 1 del Tratado de creación del Tribunal, siempre que se transgreda la normativa andina y sean impugnadas por algún país miembro, los órganos de la Comunidad o por alguna persona natural o jurídica, que vean afectados sus derechos subjetivos o interés legítimos.

B. *Verificar el cumplimiento* de la normativa Andina[10], por parte de los países miembros. Esta acción puede ser iniciada directamente por

---

[9] Es la denominada Acción de nulidad, la cual se encuentra regulada de la siguiente manera:
Tratado de Creación del Tribunal de Justicia de la Comunidad Andina.
/.../
De la Acción de Nulidad.
Artículo 17.– Corresponde al Tribunal declarar la nulidad de las Decisiones del Consejo Andino de Ministros de Relaciones Exteriores, de la Comisión de la Comunidad Andina, de las Resoluciones de la Secretaría General y de los Convenios a que se refiere el literal e) del Artículo 1, dictados o acordados con violación de las normas que conforman el ordenamiento jurídico de la Comunidad Andina, incluso por desviación de poder, cuando sean impugnados por algún País Miembro, el Consejo Andino de Ministros de Relaciones Exteriores, la Comisión de la Comunidad Andina, la Secretaría General o las personas naturales o jurídicas en las condiciones previstas en el Artículo 19 de este Tratado.
Artículo 18.– Los Países Miembros sólo podrán intentar la acción de nulidad en relación con aquellas Decisiones o Convenios que no hubieren sido aprobados con su voto afirmativo.
Artículo 19.– Las personas naturales y jurídicas podrán intentar la acción de nulidad contra las Decisiones del Consejo Andino de Ministros de Relaciones Exteriores, de la Comisión de la Comunidad Andina, de las Resoluciones de la Secretaría General o de los Convenios que afecten sus derechos subjetivos o sus intereses legítimos.
[10] Es la denominada Acción de Incumplimiento, la cual se encuentra regulada de la siguiente manera:
Tratado de Creacion del Tribunal de Justicia de la Comunidad Andina.
/.../

la Secretaría General, por la denuncia de un país miembro o alguna persona natural o jurídica que vea afectados sus derechos por el incumplimiento de un país miembro[11].

De la Acción de Incumplimiento.

Artículo 23.– Cuando la Secretaría General considere que un País Miembro ha incurrido en incumplimiento de obligaciones emanadas de las normas o Convenios que conforman el ordenamiento jurídico de la Comunidad Andina, le formulará sus observaciones por escrito. El País Miembro deberá contestarlas dentro del plazo que fije la Secretaría General, de acuerdo con la gravedad del caso, el cual no deberá exceder de sesenta días. Recibida la respuesta o vencido el plazo, la Secretaría General, de conformidad con su reglamento y dentro de los quince días siguientes, emitirá un dictamen sobre el estado de cumplimiento de tales obligaciones, el cual deberá ser motivado.

Si el dictamen fuere de incumplimiento y el País Miembro persistiere en la conducta que ha sido objeto de observaciones, la Secretaría General deberá solicitar, a la brevedad posible, el pronunciamiento del Tribunal. El País Miembro afectado podrá adherirse a la acción de la Secretaría General.

Artículo 24.– Cuando un País Miembro considere que otro País Miembro ha incurrido en incumplimiento de obligaciones emanadas de las normas que conforman el ordenamiento jurídico de la Comunidad Andina, elevará el caso a la Secretaría General con los antecedentes respectivos, para que ésta realice las gestiones conducentes a subsanar el incumplimiento, dentro del plazo a que se refiere el primer párrafo del artículo anterior. Recibida la respuesta o vencido el plazo sin que se hubieren obtenido resultados positivos, la Secretaría General, de conformidad con su reglamento y dentro de los quince días siguientes, emitirá un dictamen sobre el estado de cumplimiento de tales obligaciones, el cual deberá ser motivado.

Si el dictamen fuere de incumplimiento y el País Miembro requerido persistiere en la conducta objeto del reclamo, la Secretaría General deberá solicitar el pronunciamiento del Tribunal. Si la Secretaría General no intentare la acción dentro de los sesenta días siguientes de emitido el dictamen, el país reclamante podrá acudir directamente al Tribunal.

Si la Secretaría General no emitiere su dictamen dentro de los setenta y cinco días siguientes a la fecha de presentación del reclamo o el dictamen no fuere de incumplimiento, el país reclamante podrá acudir directamente al Tribunal.

Artículo 25.– Las personas naturales o jurídicas afectadas en sus derechos por el incumplimiento de un País Miembro, podrán acudir a la Secretaría General y al Tribunal, con sujeción al procedimiento previsto en el Artículo 24.

La acción intentada conforme a lo dispuesto en el párrafo anterior, excluye la posibilidad de acudir simultáneamente a la vía prevista en el Artículo 31, por la misma causa.

[11]   Esta denuncia por incumplimiento puede ser iniciada incluso ante un Juez nacional de acuerdo a lo señalado en el artículo 31 del Tratado de Creación del Tribunal Andino: *"Las personas naturales o jurídicas tendrán derecho a acudir ante los Tri-*

C. Efectuar la interpretación sobre el alcance de las normas comunitarias (interpretación prejudicial)[12]. Función que es materia del resente comentario.

D. Verificar de que los órganos de la CAN **cumplan con las actividades** a las que estuvieran obligadas, de acuerdo al ordenamiento andino[13].

E. Dirimir mediante arbitraje las controversias que surjan por aplicación o interpretación de contratos, convenios o acuerdos suscritos entre los propios òrganos e instituciones del Sistema Andino de Integra-

---

bunales nacionales competentes, de conformidad con las prescripciones del derecho interno, cuando los Países Miembros incumplan lo dispuesto en el Artículo 4 del presente Tratado, en los casos en que sus derechos resulten afectados por dicho incumplimiento", pero en ningún supuesto se podrá ejercer dicha acción de manera simultanea ante un juez nacional y ante el Tribunal de Justicia de la CAN, conforme lo señala el último párrafo del artículo 25 antes transcrito.

[12] Es la denominada interpretación prejudicial, la cual se encuentra regulada de la siguiente manera:
Tratado de Creacion del Tribunal de Justicia de la Comunidad Andina.
/.../
De la Interpretación Prejudicial.
Artículo 32.– Corresponderá al Tribunal interpretar por vía prejudicial las normas que conforman el ordenamiento jurídico de la Comunidad Andina, con el fin de asegurar su aplicación uniforme en el territorio de los Países Miembros.

[13] Es el denominado recurso por omisión o inactividad, el cual se encuentra regulada de la siguiente manera:
Tratado de Creacion del Tribunal de Justicia de la Comunidad Andina.
/.../
Del Recurso por Omisión o Inactividad.
Artículo 37.– Cuando el Consejo Andino de Ministros de Relaciones Exteriores, la Comisión de la Comunidad Andina o la Secretaría General, se abstuvieren de cumplir una actividad a la que estuvieren obligados expresamente por el ordenamiento jurídico de la Comunidad Andina, dichos órganos, los Países Miembros o las personas naturales o jurídicas en las condiciones del Artículo 19 de este Tratado, podrán requerir el cumplimiento de dichas obligaciones.
Si dentro de los treinta días siguientes no se accediere a dicha solicitud, el solicitante podrá acudir ante el Tribunal de Justicia de la Comunidad Andina para que se pronuncie sobre el caso.
Dentro de los treinta días siguientes a la fecha de admisión del recurso, el Tribunal emitirá la providencia correspondiente, con base en la documentación técnica existente, los antecedentes del caso y las explicaciones del órgano objeto del recurso. Dicha providencia, que será publicada en la Gaceta Oficial del Acuerdo de Cartagena, deberá señalar la forma, modalidad y plazo en los que el órgano objeto del recurso deberá cumplir con su obligación.

ción o suscritos con terceros. Asi como dirimir las controversias que surjan entre particulares por la aplicación o interpretación de contratos privados suscritos bajo las normas de la CAN[14].

En las líneas que siguen nos ocuparemos de la interpretación prejudicial, como eventual requisito para la validez de los pronunciamientos judiciales y arbitrales de los tribunales judiciales y arbitrales de los países miembros de la Comunidad Andina de Naciones y cuales serían las consecuencias de su incumplimiento por parte de los tribunales arbitrales.

2. La interpretación prejudicial

El concepto de la interpretación prejudicial subyace en la necesidad de que los jueces nacionales apliquen la norma comunitaria de manera uniforme, de ahí que se vean obligados a "consultar" al máximo Tribunal Andino el sentido y correcta interpretación de las normas comunitarias

---

[14]   Es la denominada Función Arbitral del Tribunal de Justicia Andina. Se trata de una función que no ha sido puesta en práctica, aunque debemos reconocer que estamos frente a un Sistema Arbitral *siu generis*, pues se trataría de un Tribunal "permanente" que actuaría como Tribunal Arbitral, lo que genera bastante resistencia en los operadores del arbitraje, pues precisamente una de las características de un Tribunal Arbitral es su "temporalidad". No obstante ello, los defensores de esta función podrían afirmar que en caso se activara, el Tribunal de Justicia de la Comunidad Andina se convertiría "temporalmente" en un Tribunal Arbitral para el caso concreto. No hay nada escrito ni resuelto aún, pero la discusión está abierta.
Esta función se encuentra regulada de la siguiente manera:
Tratado de Creación del Tribunal de Justicia de la Comunidad Andina.
/.../
Sección Quinta.
De la Función Arbitral.
Artículo 38.– El Tribunal es competente para dirimir mediante arbitraje las controversias que se susciten por la aplicación o interpretación de contratos, convenios o acuerdos, suscritos entre órganos e instituciones del Sistema Andino de Integración o entre éstos y terceros, cuando las partes así lo acuerden.
Los particulares podrán acordar someter a arbitraje por el Tribunal, las controversias que se susciten por la aplicación o interpretación de aspectos contenidos en contratos de carácter privado y regidos por el ordenamiento jurídico de la Comunidad Andina.
A elección de las partes, el Tribunal emitirá su laudo, ya sea en derecho o ya sea en equidad, y será obligatorio, inapelable y constituirá título legal y suficiente para solicitar su ejecución conforme a las disposiciones internas de cada País Miembro.

que debieran aplicar al resolver un caso concreto. En consecuencia, la interpretación judicial se convierte en la práctica en una técnica comunitaria para uniformizar la aplicación del derecho comunitario en cada uno de los países miembros.

Si bien es cierto, la interpretación prejudicial no es una figura jurídica originaria de la CAN pues viene importada de la Comunidad Europea (al respecto ver la cita al pie de página número 3, página 2 de este mismo artículo), quizá ha sido en la CAN en donde su aplicación ha sido más vigorosa, con algunas resistencias que acusan a esta figura como una forma esbozada o indirecta de legislar en los países miembros de la CAN, pues el Tribunal de Justicia de la Comunidad Andina de Naciones, a través de la figura de la interpretación prejudicial, estaría introduciendo una nueva causal de anulación de laudo, no establecida en las respectivas legislaciones nacionales, lo cual se encontraría prohibido, pues no sería una atribución otorgada a este Tribunal de Justicia Andino[15/16].

Zuñiga Schroder, respecto a la interpretación prejudicial y citando la sentencia del 25 de febrero de 1994, proceso 6-IP-93 del Tribunal de Justicia Andina, señala que ésta *"...puede ser definida como un mecanismo de cooperación entre el Juez nacional y el comunitario, en el cual éste último, representado por el Tribunal de Justicia, interpreta en forma objetiva la norma comunitaria, y al*

---

[15]   Al respecto ver TANGARIFE TORRES, Marcel, "Cooperación judicial internacional Iberoamericana: La interpretación prejudicial andina: ¿Mecanismo de cooperación o instrumento de interferencia en procesos judiciales y arbitrales" en Revista del Instituto Colombiano de Derecho Procesal N° 43, enero-junio 2016. En especial revisar las páginas 220 a 225.

[16]   No obstante, esta observación, debemos señalar que, en realidad, en virtud de la Supranacionalidad de las normas y organismos Comunitarios, éstos si pueden en principio interpretar normas comunitarias, cuyas consecuencias supongan cambios en el derecho interno de cada país. Así tenemos que, la resolución del Tribunal Andino de fecha 11 de julio de 2012, Proceso 57-IP-2012, señala al respecto lo siguiente: *Cabe señalar que, a razón del principio de aplicación inmediata del derecho comunitario, la norma andina pasa a formar parte del ordenamiento interno sin que sea necesaria ninguna fórmula especial de introducción o de recepción, generándose así para el juez nacional la obligación de cumplirla y aplicarla.*
En ese sentido, la suspensión del proceso y la consiguiente solicitud de interpretación prejudicial (cuando es obligatoria) constituye un requisito previo e indispensable para que el juez pueda dictar sentencia toda vez que él "no puede decidir la causa hasta no haber recibido la interpretación autorizada de las normas comunitarias". Este requisitos previo debe entenderse incorporado a la normativa nacional como una norma procesal de carácter imperativo y cuyo incumplimiento debe ser visto como una violación al debido proceso" p. 9.

primero le corresponde aplicar el derecho al caso concreto que se ventila en el orden interno. Su finalidad no es otra que resguardar la aplicación uniforme por todos los jueces en el territorio de los países miembros"[17]. Asimismo, citando la sentencia del 3 de setiembre de 1999, proceso 30-IP-99, Zuñiga agrega que: *"...la función del TJCA es la de interpretar la norma comunitaria desde el punto de vista jurídico, es decir, buscar el significado para precisar su alcance jurídico, función que difiere de la de aplicar la norma a los hechos, tarea que es exclusiva de juez nacional dentro de las esferas de su competencia"*[18].

En tal sentido, la figura de la interpretación prejudicial se deberá entender como un método de cooperación entre el Tribunal de Justicia Andina y el Juez Nacional; en donde el primero instruye respecto al sentido y alcances de la norma comunitaria y el segundo la aplica al dictar sus sentencias, en el sentido y alcances antes instruidos.

Para estos efectos, de acuerdo a la normativa andina, la interpretación prejudicial se podrá tramitar ante el Tribunal de Justicia Andina en dos supuestos diferentes, a saber:

A. **Solicitud facultativa:** Cuando la sentencia pueda ser recurrida en el derecho interno, el juez nacional **podrá** solicitar la interpretación al Tribunal de Justicia Andina[19]. Esta solicitud no paraliza el proceso y si llega el momento de sentenciar sin que hubiera llegado la interpretación, el juez nacional deberá resolver sin ella.

---

[17] ZUÑIGA SCHRODER, Humberto, *"Interpretación prejudicial en procedimientos de arbitraje en los regímenes andino y europeo"* en Revista de Economía y Derecho de la Universidad Peruana de Ciencias Aplicadas (UPC), Vol. 9, N° 35, 2012, 105.

[18] ZUÑIGA SCHRODER, Humberto, "Interpretación prejudicial en procedimientos de arbitraje en los regímenes andino y europeo", pp. 105-106.

[19] Textualmente la norma comunitaria establece lo siguiente:
Tratado de Creacion del Tribunal de Justicia de la Comunidad Andina.
/.../
"Sección Tercera.
De la Interpretación Prejudicial.
Artículo 33.– Los jueces nacionales que conozcan de un proceso en el que deba aplicarse o se controvierta alguna de las normas que conforman el ordenamiento jurídico de la Comunidad Andina, *podrán solicitar*, directamente, la interpretación del Tribunal acerca de dichas normas, siempre que la sentencia sea susceptible de recursos en derecho interno. Si llegare la oportunidad de dictar sentencia sin que hubiere recibido la interpretación del Tribunal, el juez deberá decidir el proceso...".

B. Solicitud obligatoria: Cuando la sentencia no pueda ser recurrida en el derecho interno, el juez nacional **deberá** solicitar la interpretación al Tribunal de Justicia Andina[20]. Ante esta solicitud el juez deberá suspender el trámite del proceso, hasta que el Tribunal Andino remita la interpretación solicitada.

Con lo cual la norma comunitaria delimita los supuestos en los cuales los jueces nacionales (de cada país miembro de la CAN) pueden o deben solicitar la interpretación prejudicial.

III. LA INTERPRETACIÓN PREJUDICIAL EN EL ARBITRAJE ¿FACULTAD U OBLIGACIÓN?

Una primera aproximación pareciera permitirnos afirmar que cuando abordamos la interpretación prejudicial, estamos frente a un incidente procesal que se solicita en procesos ordinarios (por lo menos así lo sugiere una lectura literal de la norma); por lo que, en principio sería una figura propia de los procesos ordinarios, del aparato u órgano estatal judicial (entiéndase Poder Judicial), pues si revisamos la normativa andina, podremos advertir que *no existe ninguna norma comunitaria que faculte u obligue a los tribunales arbitrales a solicitar la interpretación prejudicial ante el Tribunal Andino*[21].

---

[20]   Textualmente la norma comunitaria establece lo siguiente:
Tratado de Creacion del Tribunal de Justicia de la Comunidad Andina.
/.../
"Sección Tercera.
De la Interpretación Prejudicial.
Artículo 33.– /.../
En todos los procesos en los que la sentencia no fuere susceptible de recursos en derecho interno, el juez *suspenderá el procedimiento y solicitará* directamente de oficio o a petición de parte la interpretación del Tribunal".

[21]   Esta es una afirmación de TANGARIFE TORRES, Marcel, "Cooperación judicial internacional Iberoamericana: La interpretación prejudicial andina: ¿Mecanismo de cooperación o instrumento de interferencia en procesos judiciales y arbitrales", *op. cit.*, p. 220. Este mismo autor agrega más adelante, en relación a la interpretación prejudicial en la Comunidad Europea, una posición que resulta interesante, por ello, la transcribo a continuación: "...en la Unión Europea el Tribunal de Justicia ha señalado en reiteradas ocasiones que la interpretación prejudicial no cabe en procedimientos arbitrales, por cuanto estas controversias, por su misma naturaleza, no tiene influencia en el Derecho Comunitario Europeo. Aun cuando en los tribunales arbitrales se apliquen directivas o normas europeas, no

Sin embargo, esta afirmación se relativiza cuando abordamos la interpretación de la norma desde otras perspectivas, que no sean la literal.

En efecto, esta mirada literal de la norma comunitaria no ha sido acogida por el Tribunal de Justicia de la Comunidad Andina, quien ha establecido de manera categórica que este incidente procesal: la interpretación prejudicial, también es propio de los tribunales arbitrales, tal como lo señala taxativamente en la resolución de fecha 26 de agosto de 2011, Proceso 03-AI-2010: *"En este orden de ideas, se determina la obligatoriedad de solicitar la interpretación prejudicial de manera directa al Tribunal de Justicia de la Comunidad Andina, por parte de los árbitros, cuando el arbitraje sea en Derecho y verse sobre asuntos regulados por el Ordenamiento Jurídico Comunitario y funja como única o última instancia ordinaria".*

Esta afirmación nos lleva a preguntarnos ¿en cuál de los supuestos de la norma se encuentren los árbitros? ¿están facultados u obligados a tramitar la interpretación prejudicial? Para encontrar las respuestas, debemos determinar previamente si los árbitros funjen *como única o última instancia,* pues dependiendo del resultado que obtengamos, se podrá determinar si

---

es obligación de los árbitros solicitar la interpretación prejudicial del Tribunal de Justicia de a Unión Europea.

Al respecto, en el Asunto 61/65 (1966) Vaasen Gobbels, el Tribunal de Justicia de las Comunidades Europeas delimitó el concepto de órgano jurisdiccional y estableció una serie de criterios concurrentes, que resultan exigibles para calificar una jurisdicción, a fin de determinar si el tribunal arbitral tiene facultad o no de formular cuestiones prejudiciales. Dichos criterios son:

El órgano debe ser creado o tener origen en una norma de rango legal. Un tribunal arbitral no tiene origen en la norma de rango legal, sino que su competencia tiene origen en la voluntad autónoma de las partes /.../

La organización debe ser de carácter permanente. Un tribunal arbitral es en esencia, transitorio, ya que únicamente se constituye para resolver la controversia que someten a su decisión las partes /.../

El carácter obligatorio de la jurisdicción. La jurisdicción de los jueces y tribunales judiciales es obligatoria en virtud de la ley de su creación. Por el contrario, un tribunal arbitral únicamente nace en virtud de la autonomía de la voluntad de las partes /.../

Que adelante un procedimiento contradictorio.

Que profiera una decisión en Derecho.

Nótese que un tribunal arbitral, al cumplir únicamente algunos de estos requisitos concurrentes, no tiene la facultad de solicitar la interpretación prejudicial al Tribunal de Justicia de las Comunidades Europeas" (ver el artículo citado, pp. 220-221).

la solicitud de interpretación se convierta en una facultad o una obligación de los árbitros.

En ese sentido, es importante revisar las correspondientes leyes de arbitraje de cada uno de los países miembros de la Comunidad Andina, tal como sigue:

1. **BOLIVIA**: *Ley N° 708, Ley de Conciliación y Arbitraje (25 de junio de 2015). La norma Boliviana, en el artículo 111°, prevé solamente el recurso de nulidad contra el laudo, que deberá ser resuelto por la autoridad judicial:* **Artículo 111.** *(Recurso de nulidad del laudo arbitral). Contra el Laudo Arbitral dictado, solo podrá interponerse recurso de nulidad del Laudo Arbitral. Este recurso constituye la única vía de impugnación del Laudo Arbitral.*

2. **COLOMBIA**: *Ley N° 1563, Estatuto de arbitraje nacional e internacional (12 de julio de 2012). La norma Colombiana prevee dos tipos de recursos contra el laudo, que deben ser resueltos por la autoridad Judicial: El Recurso de anulación y el recurso de Revisión, previstos en los artículos 40° y 45° respectivamente:*

   "**Artículo 40**. *Recurso extraordinario de anulación. Contra el laudo arbitral procede el recurso extraordinario de anulación, que deberá interponerse debidamente sustentado, ante el tribunal arbitral, con indicación de las causales invocadas, dentro de los treinta (30) días siguientes a su notificación o la de la providencia que resuelva sobre su aclaración, corrección o adición. Por secretaría del tribunal se correrá traslado a la otra parte por quince (15) días sin necesidad de auto que lo ordene. Vencido aquel, dentro de los cinco (5) siguientes, el secretario del tribunal enviará los escritos presentados junto con el expediente a la autoridad judicial competente para conocer el recurso".*
   "**Artículo 45. Recurso de revisión.** *Tanto el laudo como la sentencia que resuelva sobre su anulación, son susceptibles del recurso extraordinario de revisión por las causales y mediante el trámite señalado en el Código de Procedimiento Civil. Sin embargo, quien tuvo oportunidad de interponer el recurso de anulación no podrá alegar indebida representación o falta de notificación. Cuando prospere el recurso de revisión, la autoridad judicial dictará la sentencia que en derecho corresponda".*

3. **ECUADOR**: *Codificación de la Ley de Arbitraje y Mediación (Registro Oficial 417 del 14 de diciembre de 2006, modificado el 21 de agosto de 2018). La norma Ecuatoriana prevé, lo que denomina como la acción de nulidad contra el laudo arbitral, como único recurso a ser resuelto por la autoridad judicial.*

   Art. 30.– *Los laudos arbitrales dictados por los tribunales de arbitraje son inapelables /.../. Los laudos arbitrales no serán susceptibles de ningún otro recurso que no establezca la presente Ley.*
   Nulidad de los laudos Art. 31.– *Cualquiera de las partes podrá intentar la acción de nulidad de un laudo arbitral, cuando...*

4. PERÚ: *Decreto Legislativo que norma el arbitraje (Decreto Legislativo 1071).* La norma Peruana prevé solamente al recurso de anulación contra el laudo arbitral, como único recurso a ser resuelto por la autoridad judicial

Artículo 62.– Recurso de anulación.
1. Contra el laudo sólo podrá interponerse recurso de anulación. Este recurso constituye la única vía de impugnación del laudo y tiene por objeto la revisión de su validez por las causales taxativamente establecidas en el artículo 63.
2. El recurso se resuelve declarando la validez o la nulidad del laudo. Está prohibido bajo responsabilidad, pronunciarse sobre el fondo de la controversia o sobre el contenido de la decisión o calificar los criterios, motivaciones o interpretaciones expuestas por el tribunal arbitral.

Si bien es cierto, no todas las legislaciones Andinas lo señalan textualmente, estemos frente a un recurso de nulidad, de anulación o acción de nulidad (incluso el recurso de revisión de la legislación Colombiana), de una lectura integral de las normas, podremos advertir que en todos los supuestos estamos frente a un recurso o acción extraordinaria[22], cuya característica más importante radica en el hecho que al ser extraordinaro, a través de este no se busca el reexamen de lo ya resuelto, sino una revisión de otro tipo (más formal si cabe precisar). Es decir, se trata de un recurso en donde la autoridad judicial estará prohibida de pronunciarse sobre el fondo de lo resuelto en el laudo arbitral, pues —insistimos— no se trata de una instancia revisora, sino de una acción de control judicial en la cual no se podrán revisar los hechos, los fundamentos ni las pruebas actuadas en el proceso arbitral.

En ese orden de ideas, la acotación efectuada en el artículo 33º del Tratado de Creación del Tribunal de Justicia de la Comunidad Andina a *"recursos en derecho interno"* es una referencia a los denominados recursos ordinarios, aquellos que se emplean para cuestionar el fondo de la controversia, lo que no sucede con los recursos antes acotados; incluso el recurso

---

[22] En referencia al recurso de anulación de la ley peruana de arbitraje, Avendaño Valdez señala lo siguiente; "...se trata de un recurso extraordinario. Este según el maestro Mario Alzamora Valdez, se caracteriza porque «sólo procede en los casos preestablecidos por el legislador, sirve para impugnar ciertos vicios de un fallo, los poderes del juez o tribunal que debe resolverlos son más limitados, puede exigirse para s interposición la constitución de un depósito y no está abierto sino en tanto que no sea viable un recurso ordinario». En pocas palabras, el recurso de anulación, es típicamente un recurso extraordinario que calza a la perfección en el concepto antes expuesto por el ilustre procesalista" AVENDAÑO VALDEZ, Jorge, Comentario al artículo 62º de la Ley de Arbitraje Peruana, Comentarios a la Ley Peruana de Arbitraje, T. I, Lima 2011, p. 685.

de revisión de la legislación Colombiana, si bien es cierto permite que se resuelva sobre hechos o medios probatorios, éstos en ningún caso serán los mismos analizados en el proceso arbitral, sino que existe la exigencia que este recurso se fundamente en hechos y pruebas nuevas (por lo que en la práctica la autoridad judicial no podrá entrar a revisar los hechos o pruebas consideradas en el arbitraje)[23].

Es en este sentido que el Sistema de Integración Andina ya se ha pronunciado en la Resolución 771, Dictamen 06-2003 de la Secretaría General de la CAN, la sentencia del proceso 076-IP-2009 (Tribunal de Justicia de la CAN), que ha sido abordado por Fuentes Hernández de la siguiente manera: *"La referencia a «recursos en el derecho interno» corresponde a **recursos ordinarios**. Es decir, debe tratarse de recursos contra sentencias que permitan la revisióndel caso a la luz de la aplicación que se dio a las normas jurídicas del ordenamiento comunitario, entre otras. Asi, el hecho de que contra las sentencias, o laudo en derecho procedan recursos extraordinarios como el de revisión, o nulidad, o la acción de tutela, ello no sería relevante para considerar que «la sentencia es susceptible de recursos en derecho interno», a los efectos del artículo 33 del Tratado del Tribunal, en razón que a través de ellos no podría revisarse la aplicación sustantiva que se hubiese hecho del ordenamiento juridico andino. Tampoco, la posibilidad de acudir al recurso extraordinario de casación, ha señalado el TJCA, podría considerarse una*

---

[23] Respecto al Recurso de Revisión de la legislación Colombiana, Herrera Mercado señala lo siguiente: "El artículo 45 de la Ley 1563 de 2012 (Estatuto Arbitral) dispone que tanto el laudo como la sentencia que resuelva sobre su anulación son susceptibles del recurso extraordinario de revisión por las causales y mediante el trámite señalado en las normas generales del proceso.
La finalidad del recurso de revisión es otorgar un medio de defensa cuando, luego de proferido un fallo que ha hecho tránsito a cosa juzgada, aparecen circunstancias que no fueron conocidas en el curso del proceso, o pruebas que no fueron incorporadas al mismo, o se evidencian graves irregularidades procesales, por lo que resulta imperativo concluir que la decisión recurrida fue adoptada sobre bases probatorias o procesales afectadas de una grave irregularidad /.../
En cuanto a la naturaleza de dicho recurso, se ha anotado que la revisión no pretende corregir errores *in judicando* ni puede fundamentarse en las mismas pruebas que sirvieron de soporte a la decisión que puso término al proceso, pues para estos yerros están previstos los recursos ordinarios dentro del propio proceso. La revisión, como lo ha señalado la doctrina y la jurisprudencia, habilita un examen detallado de ciertos hechos nuevos que afectan la decisión adoptada y el sentido de justicia que de ella emana. HERRERA MERCADO, Hernando, *"El Recurso de Revisión frente al laudo arbitral"* en www.ambitojuridico. com/noticias/columnista-impreso/mercantil-propiedad-intelectual-y-arbitraje/ el-recurso-de-revision.

«*instancia adicional*» *a los efectos de darle a la interpretación prejudicial el carácter de* «*facultativa*»[24].

En consecuencia, cuando hablemos de laudo arbitral y arbitraje, se puede afirmar que estamos frente a una instancia única; como consecuencia de ello, será obligación de los árbitros tramitar la solicitud de interpretación prejudicial, directamente al Tribunal Andino.

1. Interpretación de "juez nacional", de acuerdo a la Justicia Andina

El artículo 33° del Tratado de Creacion del Tribunal de Justicia de la Comunidad Andina, referido a la Interpretación Prejudicial, señala que serán los "jueces nacionales" quienes podrán o deberán (dependiendo del supuesto ante el cual nos encontremos) solicitar la interpretación ante el Tribunal Andino; pero el concepto de "*juez nacional*" no ha sido siempre el mismo para la Justicia Andina y ello tiene lógica, pues a la fecha de creación de la CAN y del Tribunal de Justicia el concepto de "juez" estaba referido al único personaje que se entendía ejercía jurisdicción o administraba justicia (por lo menos esa era la opinión mayoritaria); en este caso, el Juez que formalmente era parte de la autoridad judicial (Poder Judicial Estatal) de cada país miembro de la CAN. Sin embargo, el avance inevitable de otras formas de administrar justicia o de ejercer jurisdicción[25], hicieron

---

[24]   FUENTES HERNÁNDEZ, Alfredo, "*La interpretación prejudicial en la Comunidad Andina y su relevancia en el arbitraje nacional en Colombia*" en www.centroarbitrajeconciliación.com/ download/71835/1390937, p. 15.

[25]   Este cambio o variación conceptual en la figura del "Juez" hay que entenderla a partir de reconocer que las instituciones mutan con el devenir social y no podemos oponer el concepto tradicional o clásico a otras formas de administrar justicia, pues si definimos a la jurisdicción desde la perspectiva clásica, con todos sus atributos, entonces los únicos que podrán ejercer jurisdicción serán los "jueces" formalmente designados y conformantes de aparato judicial Estatal y ninguna otra autoridad o persona lo podrá hacer; pero si entendemos a los conceptos jurídicos como creaciones en continuo cambio y transformación, entonces podremos reconocer que el concepto moderno de jurisdicción radica principalmente en conocer y dictar el derecho, por tanto los Tribunales Administrativos, los arbitrales o todos aquellos distintos al concepto de "Juez del Poder Judicial" también ejercerán jurisdicción, pero con sus propias particularidades. Asimismo, habría que preguntarnos ¿porque es necesario tratar de encorsetar las figuras jurídicas en alguna teoría dogmática irreductible? cuando en realidad podemos entender al derecho, como una disciplina en permanente desarrollo y cambio, creo que el reto actual es entender ello.

que este concepto de "juez" (que parecía inamovible) fuera variando o evolucionando si se quiere.

Quizá una primera aproximacion a este cambio, fue dado por el Tribunal de Justicia, cuando el 25 de abril de 1989, dando respuesta a una consulta formulada por la doctora Ángela Vivas Martínez, prevé la posibilidad de que existan tribunales especiales en materias especializadas, que permitirían hablar de órganos que ejercen jurisdicción[26].

Posteriormente, el 9 diciembre de 1993, dando respuesta a una consulta formulada por el Instituto Nacional de Defensa de la Competencia y de la Protección de la Propiedad Intelectual —INDECOPI— (la agencia de competencia del Perú)[27], el Tribunal de Justicia Andino abre una puerta para considerar a los tribunales administrativos como entes que ejercen jurisdicción.

Zúñiga Schroder señala que el Tribunal de Justicia Andino *acogió una visión mas amplia* para definir al Juez en los procesos 14-IP-2007 y 130-IP-2017, afirmando lo siguiente:

> *"...un Estado pueda atribuir funciones judiciales a órganos diferentes del Poder Judicial para revestirlos de la competencia de proferir verdaderas sentencias judiciales /.../ Como conclusión, el término «Juez Nacional» denbe interpretarse incluyendo a los organismos que cumplen funciones judiciales, siempre que cumplan las condiciones mínimas señaladas por la Ley interna, para de esta manera tenerlos como legitimados para solicitar la interpretación prejudicial, cuando en el ejercicio de dichas funciones conozcan de un proceso en el que deba aplicarse o se controvierta algunas de las normas que integran el Derecho Comunitario Andino"[28].*

---

[26] Fuentes Hernández, citando la respuesta a esta consulta señala lo siguiente: "... puede darse el caso de organismos a los cuales las leyes nacionales encargan definir, en materias especializadas, algunas controversias específicas, como podría ser un tribunal especial, para el caso de que llegare a establecerse su calidad y funciones de órgano contencioso-administrativo". FUENTES HERNÁNDEZ, Alfredo, "La interpretación prejudicial en la Comunidad Andina y su relevancia en el arbitraje nacional en Colombia", *op. cit.*, p. 20.

[27] Si bien es cierto, el Tribunal de Justicia Andino no absolvió la interpretación prejudicial, el razonamiento nos permite entender la posibilidad de que existan otros organismos que ejercen jurisdicción. Ver Gaceta Oficial del Acuerdo de Cartagena Nº 146, año X, 31 de enero de 1994.

[28] Con ocasión de la resolución de fecha 26 de agosto de 2011, Proceso 03-AI-210, El Tribunal de Justicia Andino señala lo siguiente: *"Con ocasión de los procesos 14IP-2007 y 130-IP-2007, este Tribunal Comunitario amplió el concepto de juez nacional, a efectos de determinar quienes podían solicitar una interpretación prejudicial. En este sentido, se incluyó dentro de este concepto a las entidades administrativas que cumplan funciones ju-*

Con posterioridad el Tribunal Andino, en el marco de la Acción de incumplimiento interpuesta por la Empresa de Telecomunicaciones de Bogtá S.A. ESP (ETB S.A. ESP) contra la República de Colombia, llega a la conclusión de que el término "Juez" también alcanza a los tribunales arbitrales, señalando textualmente en la resolución de fecha 26 de agosto de 2011, Proceso 03-AI-2010, lo siguiente:

> "...la jurisdicción es la potestad de determinar el derecho a través de los procedimientos previstos legalmente, los ciudadanos pueden sustraer de la justicia ordinaria determinados casos y otorgarlos a árbitros independientes o a institucionales (sic) para que diriman un conflicto ransable, con iguales facultades que las otorgadas a los jueces ordinarios /.../ ...los árbitros tienen la capacidad de decidir el caso sometido a su conocimiento, pueden en consecuencia administrar justicia /.../ Los laudo arbitrales, emitidos or los árbitros tienen efecto de sentencia ejecutoriada y de cosa juzgada /.../ Los jueces nacionales, no pueden revisar los laudos pero si ejecutarlos. Por lo tanto, si los árbitros tienen funciones jurisdiccionales y actúan en última instancia y no dependen de los jueces nacionales, es decir, de acuerdo con la interpretación extensiva están incluidos dentro del concepto de juez nacional los árbitros que deciden en derecho..."[29].

En consecuencia, no cabe ninguna duda de que los árbitros son considerados "jueces nacionales" por parte del Tribunal de Justicia Andina y además que se trata de jueces de instancia única, por lo que se encuentran legalmente obligados a solicitar la interpretación prejudicial.

IV. EL RECURSO DE ANULACIÓN O NULIDAD DE LAUDO ARBITRAL (O ACCIÓN DE NULIDAD)

Tal como ya lo hemos referido líneas arriba, todos los países tienen un mecanismo que posee básicamente las mismas características, se trata de un recurso extraordinario que no tiene como propósito el reexamen del laudo, sino que se trata de uno vinculado al control judicial del mismo, que tiene causales taxativamente establecidas en las respectivas normas de arbitraje de cada país miembro de la CAN.

---

risdiccionales, como era el caso de la Superintendencia de Industria y Comercio de Colombia, Grupo de Trabajo de Competencia Desleal, que solicitó la interpretación judicial"Ver p. 27.

[29]   Ver páginas 27 y 28.

1. Las causales de anulación en las leyes de arbitraje de los países de la Comunidad Andina

Seguidamente procederemos a transcribir las causales de anulación o nulidad de laudo arbitral, contenidas en cada una de las normas nacionales sobre arbitraje, de cada país miembro de la CAN, con la finalidad de efectuar —a continuación— un contraste con la causal de anulación o nulidad identificada por el Tribunal Andino (no solicitar la interpretación prejudicial)[30].

---

[30] Al respecto la varias veces señalada resolución del Tribunal Andino de fecha 26 de agosto de 2011, Proceso 03-AI-2010 de señala textualmente lo siguiente: *"Al respecto, con todo lo manifestado y, en aplicación de los artículos 33 del Tratado de Creación del Tribunal de Justicia Andina y 123 de su Estatuto, esta corporación considera que debe quedar claro que el Consejo de Estado de la República de Colombia, al analizar la nulidad de los laudos arbitrales debió actuar como un verdadero juez comunitario, es decir, ha debido velar por la validez y la eficacia del ordenamiento jurídico comunitario andino y solicitarle al Tribunal de Justicia de la Comunidad Andina la interpretación prejudicial, en relación con dos temas fundamentales:*
Si el Tribunal de Arbitramento, al conocer la controversia y advertir de la existencia de normas comunitarias aplicables a los casos en cuestión (de oficio o a pedido de parte), debió solicitar la interpretación prejudicial al Tribunal de Justicia de la Comunidad Andina, para resolver los laudos arbitrales y así agotar el debido proceso.
Si la falta de solicitud de interpretación prejudicial por parte del Tribunal Arbitral, generaría una nulidad procesal, por vulneración al debido proceso.
/.../
En este marco, el juez nacional debe garantizar que todos los operadores jurídicos nacionales cumplan en debida forma el orden comunitario /.../ En el caso concreto, no sólo bastaba que el Consejo de Estado argumentara que las causales de nulidad son taxativas y que su función tiene como límite dichas normas, sino que con base en toda la carga que proviene del orden supranacional comunitario hiciera evidente que en el proceso arbitral era necesario y obligatorio la solicitud de la interpretación prejudicial al Tribunal de Justicia de la Comunidad Andina, ya que de lo contrario, existirían operadores con funciones judiciales aplicando el derecho comunitario sin contar con la interpretación del Tribunal Comunitario, lo que sin duda alguna afectaría la validez y eficacia del orden supranacional" p. 25.
Por su parte la resolución del Tribunal Andino de fecha 11 de julio de 2012, Proceso 57-IP-2012, señala lo siguiente: "En el caso de la consulta obligatoria, cuando no cabe un recurso ulterior, el incumplimiento el trámite constituye una clara violación al principio fundamental del debido proceso y, en consecuencia, debería acarrear su nulidad, si es que dicha sentencia puede ser materia de un recurso de casación o de un recurso de amparo, toda vez que las normas que garantizan el

A. BOLIVIA

"Artículo 112. (CAUSALES DE NULIDAD DEL LAUDO ARBITRAL)
I. La autoridad judicial competente declarará la nulidad del Laudo Arbitral por las siguientes causales:
1. Materia no arbitrable.
2. Laudo arbitral contrario al orden público.
3. Cuando la parte recurrente pruebe cualquiera de las siguientes causales
a) Que exista nulidad o anulabilidad de la cláusula arbitral o convenio arbitral, conforme la Ley Civil.
b) Que se hubiera afectado al derecho a la defensa de una de las partes, durante el procedimiento arbitral.
c) Que el Tribunal Arbitral se hubiera extralimitado manifiestamente en sus facultades en el Laudo Arbitral, con referencia a una controversia no prevista en la cláusula arbitral o en el convenio arbitral.
d) Que el Tribunal Arbitral se hubiera compuesto irregularmente
/.../".

B. COLOMBIA

"Artículo 41. Causales del recurso de anulación. Son causales del recurso de anulación:
1. La inexistencia, invalidez absoluta o inoponibilidad pacto arbitral
2. La caducidad de la acción, la falta de jurisdicción o de competencia.
3. No haberse constituido el tribunal en forma legal.
4. Estar el recurrente en alguno de los casos de indebida representación, o falta de notificación o emplazamiento, siempre que no se hubiere saneado la nulidad.
5. Haberse negado el decreto de una prueba pedida oportunamente o haberse dejado de practicar una prueba decretada, sin fundamento legal, siempre y cuando se hubiere la omisión oportunamente mediante el recurso de reposición y aquélla pudiera tener incidencia en la decisión.
6. Haberse proferido el laudo o la decisión sobre su aclaración, adición o corrección después del vencimiento del término fijado el proceso arbitral.
7. Haberse fallado en conciencia o equidad, debiendo ser en derecho, siempre que esta circunstancia aparezca manifiesta en laudo.
8. Contener el laudo disposiciones contradictorias, errores aritméticos o errores por omisión o cambio de palabras o alteración de éstas, siempre que estén comprendidas en la parte resolutiva o influyan en ella y hubieran sido alegados oportunamente ante el tribunal arbitral.
9. Haber recaído el laudo sobre aspectos no sujetos a la decisión de los árbitros, haber concedido más de lo pedido o no haber decidido sobre cuestiones sujetas al arbitramento".

C. ECUADOR

"Nulidad de laudos

---

derecho al debido proceso son de orden público y de ineludible cumplimiento"
p. 9.

Art. 31.– Cualquiera de las partes podrá intentar la acción de nulidad de un laudo arbitral, cuando:
a) No se haya citado legalmente con la demanda y el juicio se ha seguido y terminado en rebeldía. Será preciso que la falta de citación haya impedido que el demandado deduzca sus excepciones o haga valer sus derechos y, además, que el demandado reclame por tal omisión al tiempo de intervenir en la controversia;
b) No se haya notificado a una de las partes con las providencias del tribunal y este hecho impida o limite el derecho de defensa de la parte;
c) Cuando no se hubiere convocado, no se hubiere notificado la convocatoria, o luego de convocada no se hubiere practicado las pruebas, a pesar de la existencia de hechos que deban justificarse;
d) El laudo se refiera a cuestiones no sometidas al arbitraje o conceda más allá de lo reclamado; o, e) Cuando se hayan violado los procedimientos previstos por esta Ley o por las partes para designar árbitros o constituir el tribunal arbitral.
e) Cuando se hayan violado los procedimientos previstos por esta Ley o por las partes para designar árbitros o constituir el tribunal arbitral".

D. PERÚ

"Artículo 63.– Causales de anulación.
1. El laudo sólo podrá ser anulado cuando la parte que solicita la anulación alegue y pruebe:
a. Que el convenio arbitral es inexistente, nulo, anulable, inválido o ineficaz.
b. Que una de las partes no ha sido debidamente notificada del nombramiento de un árbitro o de las actuaciones arbitrales, o no ha podido por cualquier otra razón, hacer valer sus derechos.
c. Que la composición del tribunal arbitral o las actuaciones arbitrales no se han ajustado al acuerdo entre las partes o al reglamento arbitral aplicable, salvo que dicho acuerdo o disposición estuvieran en conflicto con una disposición de este Decreto Legislativo de la que las partes no pudieran apartarse, o en defecto de dicho acuerdo o reglamento, que no se han ajustado a lo establecido en este Decreto Legislativo.
d. Que el tribunal arbitral ha resuelto sobre materias no sometidas a su decisión.
e. Que el tribunal arbitral ha resuelto sobre materias que, de acuerdo a ley, son manifiestamente no susceptibles de arbitraje, tratándose de un arbitraje nacional.
f. Que según las leyes de la República, el objeto de la controversia no es susceptible de arbitraje o el laudo es contrario al orden público internacional, tratándose de un arbitraje internacional.
g. Que la controversia ha sido decidida fuera del plazo pactado por las partes, previsto en el reglamento arbitral aplicable o establecido por el tribunal arbitral".

Como podrá advertirse, en todos los supuestos normativos de los países de la Comunidad Andina (antes transcritos), se parte de establecer claramente las causales del recurso, las cuales parecen constituirse en una suerte de *numerus clausus,* por lo que en principio, solamente podría interponerse el recurso de anulación o nulidad con alguna o varias de estas causales, de manera exclusiva.

En tal sentido, nos preguntamos si el incumplimiento en solicitar la interpretación prejudicial ¿generaría una causal autónoma distinta a las previstas en cada ordenamiento legal? o quizá ¿habría que encuadrar la ausencia de la interpretación prejudicial en alguna causal de anulación o nulidad, prevista en las correspondientes normas nacionales de arbitraje? Trataremos de responder a estas preguntas en las siguientes líneas.

V. EL INCUMPLIMIENTO EN SOLICITAR LA INTERPRETACIÓN PREJUDICIAL ¿CONSTITUYE UNA CAUSAL AUTÓNOMA DE ANULACIÓN DEL LAUDO?

Tal como ya lo hemos señalado anteriormente, una de las consecuencias de no cumplir con la solicitud de interpretación prejudicial, según el propio Tribunal Andino, es que se podrá interponer el recurso de anulación o nulidad por esta omisión, tal como se podría colegir del Proceso 149-IP-2011, cuando señala lo siguiente: *"Si el juez de única o ultima instancia ordinaria expide sentencia sin solicitar la interpretación prejudicial, se generarán los siguientes efectos: …La sentencia dictada adolecería de nulidad /…/ Es importante recordar que la violación de las normas procesales es la base para alegar una violación al «derecho al debido proceso»".*

En ese sentido, teniendo en cuenta que el único recurso que procede contra el laudo (a ser resuelto por el Poder Judicial), es el recurso de anulación o nulidad (o acción de nulidad), habría que preguntarse si el Tribunal Andino está creando una nueva causal via interpretación amplia de las normas comunitarias, o si por el contrario la podríamos encontrar dentro de las causales tasadas en cada una de las leyes de arbitraje de los países miembros de la CAN.

Ahora bien, la causal de anulación o nulidad de laudo arbitral, se configuraría por el incumplimiento en solicitar la interpretación prejudicial al Tribunal Andino, cuando ello resultaba obligatorio para los árbitros (tal como lo hemos señalado líneas arriba). En tal sentido, de expedirse un laudo sin cumplirse con tramitar la interpretación, los árbitros lo habrían emitido trasgrediendo una norma imperativa de obligatorio cumplimiento, lo que a su vez habría generado una trasgresión al debido proceso, tal como el propio Tribunal Andino lo ha señalado en el Proceso 149-IP-2011 (transcrito líneas arriba). En ese sentido tratemos de verificar si estas circunstancias podrían encuadrar en alguna de las causales establecidas en las leyes nacionales de arbitraje:

1. BOLIVIA

Revisando la legislación Boliviana, podremos advertir que si tendríamos causales establecidas en la norma de arbitraje y estas serían:

1. Laudo arbitral contrario al orden público.
2. Cuando la parte recurrente pruebe cualquiera de las siguientes causales
/.../
b) Que se hubiera afectado al derecho a la defensa de una de las partes, durante el procedimiento arbitral.

En consecuencia, la falta de solicitud de interpretación prejudicial en contraste con su Ley de Arbitraje no constituye una causal autónoma para interponer e recurso de anulación o nulidad, por tanto a la luz de la norma Boliviana, carece de objeto cualquier discusión al respecto.

2. COLOMBIA

Revisando cada uno de las causales prevista en la Ley de Arbitraje, parece que no existe ninguna causal propia, que nos permita afirmar que la falta de interpretación está contenida en algunas de ellas. En consecuencia, para la legislación Colombiana si parece constituirse en una nueva causal del recurso de anulación, pues de una simple lectura podemos advertir que ninguna de las causales encuadra en los hechos.

3. ECUADOR

Al igual que en el caso Colombiano, para el Ecuador también parece que se trata de una nueva causal para su denominada acción de nulidad, pues de una lectura de sus causales no aparece ninguna propia que pueda incluir el supuesto el incumplimiento en solicitar la interpretación prejudicial al Tribunal Andino

4. PERÚ

Al igual que en el caso Colombiano, en la legislación Peruana sobre arbitraje, si encontramos una causal propia de anulación en donde encuadraría el incumplimiento en solicitar la interpretación prejudicial, tal como sigue:

1. El laudo sólo podrá ser anulado cuando la parte que solicita la anulación alegue y pruebe:

/.../
b) *Que una de las partes no ha sido debidamente notificada del nombramien-*
*to de un árbitro o de las actuaciones arbitrales, o **no ha podido por cualquier***
otra razón, hacer valer sus derechos.

Para el caso Peruano, la frase "*...no ha podido por cualquier otra razón, hacer valer sus derechos*" incluye también todos los supuestos de trasgresión al debido proceso[31], en donde encuadraría perfectamente, el incumplimiento en solicitar al Tribunal Andino la interpretación prejudicial. Por lo que, para este supuesto, la legislación Peruana tiene causal propia de anulación.

En consecuencia, se puede advertir que la afirmación de que el incumplimiento de solicitar la interpretación prejudicial genera o crea una causal autónoma para interponer el recurso de anulación o nulidad, no es aplicable de manera uniforme en las legislaciones de cada país miembro de la CAN, pues en el caso de Bolivia y Perú si existen causales establecidas en sus propias normas internas.

---

[31] Castillo Freyre y otros, al respecto señalan lo siguiente: "En relación a la causal regulada por el literal b) Cantuarias señala que ésta causal de anulación debe ser alegada y probada por quien la invoca y tiene por misión salvaguardar el debido proceso y el derecho de defensa de las partes" CASTILLO FREYRE, Mario y otros, "La Ley de Arbitraje. Análisis y comentarios a diez años de su vigencia" Gaceta Jurídica, Lima 2018, p. 751.

REFERENCIAS

AVENDAÑO VALDEZ, J., Comentario al artículo 62º de la Ley de Arbitraje Peruana, Comentarios a la Ley Peruana de Arbitraje, T. I, Lima 2011

CASTILLO FREYRE, M. y otros, "La Ley de Arbitraje. Análisis y comentarios a diez años de su vigencia" Gaceta Jurídica, Lima 2018.

FUENTES HERNÁNDEZ, A., "La interpretación prejudicial en la comunidad andina y su relevancia en el arbitraje nacional en Colombia", Bogota 27 de setiembre de 2018.

PLATA LÓPEZ, L. C. y YEPES CEBALLOS, D., *"Naturaleza Jurídica de las Normas Comunitarias Andinas"* en Revista de Derecho Nº 31, Barranquilla-Colombia, 2009.

TANGARIFE TORRES, M., "Cooperación judicial internacional Iberoamericana: La interpretación prejudicial andina: ¿Mecanismo de cooperación o instrumento de interferencia en procesos judiciales y arbitrales" en Revista del Instituto Colombiano de Derecho Procesal Nº 43, enero-junio 2016.

ZUÑIGA SCHRODER, H., "Interpretación prejudicial en procedimientos de arbitraje en los regímenes andino y europeo" en *Revista de Economía y Derecho de la Universidad Peruana de Ciencias Aplicadas (UPC)*, Vol. 9, Nº 35, 2012.

Paradoja de Teseo: ¿sin consentimiento hay arbitraje?

Nicolás Rosero Espinosa[*]

RESUMEN

Tradicionalmente el arbitraje ha estado dominado por un paradigma consensual, de acuerdo al cual, el libre consentimiento de las partes dota de esencia a este mecanismo. Usualmente las ideas que limitan o rechazan esa naturaleza son proscritas. No obstante, los tiempos avanzan, y con ellos, el arbitraje ha debido adaptarse a escenarios que distan de aquellos que dieron su origen, lo cual ha generado que conceptos, como el "consentimiento", deban ser reformulados. En ese sentido, se propone analizar situaciones donde tal consentimiento es relegado a un papel secundario, priorizando otro tipo de características o principios que rodean a este mecanismo; esto con la finalidad de establecer si el rol que —teóricamente— se le ha asignado al consentimiento sigue vigente o si ha llegado el momento de sincerar el estado de cosas, y admitir que el consentimiento no es más la "piedra angular" del arbitraje. La pregunta que subyace a este análisis, inspirada en la paradoja de Teseo, es si el arbitraje, luego de ser desprovisto de su paradigma consensual, seguirá siendo el mismo que conocemos.

Palabras clave: Arbitraje Comercial, Cláusula Arbitral, Consensualidad, Arbitraje de Inversión, Arbitraje por Defecto, Arbitraje Internacional.

ABSTRACT

Traditionally, arbitration has been dominated by a consensual paradigm, according to which the parties' consent provides this mechanism with its essence. Generally, the opinions that limit or reject this nature are marginalized. However, times change, and arbitration has had to adapt to scenarios different from those where it originated, which has implied that concepts such as "consent" must be reformulated. In this regard, it is proposed to analyze situations in which consent is relegated to a secondary role, giving priority to other characteristics or principles of this mechanism; in order to establish whether the role that has —theoretically— been assigned to consent is still valid, or if it is time to admit that consent is no longer the "cornerstone" of arbitration. The question that underlies this analysis, inspired by Theseus' Paradox, is whether the arbitration after being deprived of its consensual paradigm remains the same we know.

---

[*] Abogado de la Universidad Nacional de Colombia. Asociado del área de arbitraje y solución de controversias del Estudio Echecopar (Asociado a Baker&McKenzie International). Embajador de Arbitrator Intelligence para Colombia. Miembro de la Junta Directiva de COLVYAP y Arbitraje Alumni. Miembro fundador y Sub-Editor de Very Young Arbitration Blog.

Key words: Commercial Arbitration, arbitration clause, consensual, Investment Arbitration, Default Arbitration, International Arbitration.

> **SUMARIO:** I. INTRODUCCIÓN. II. EL CONSENTIMIENTO Y SU ROL EN EL ARBITRAJE: ¿CONTINÚA SIENDO LA "PIEDRA ANGULAR" DEL ARBITRAJE? 1. Arbitraje comercial: una criatura contractual. 2. "Arbitration without privity" en arbitraje de inversión. 3. El consentimiento en arbitraje deportivo. 4. Arbitraje estatal: experiencia de Perú. 5. Observación final. III. CAMBIO DE PARADIGMA: DE REGLA A PRINCIPIO. 1. Acceso a la Administración de Justicia. 2. Transparencia. 3. Eficiencia. IV. UNA OPORTUNIDAD PARA EL ARBITRAJE POR DEFECTO (*DEFAULT ARBITRATION*). 1. Cómo opera el consentimiento por defecto. 2. Elementos del arbitraje por defecto. 3. Tratados bilaterales de arbitraje: expresión del arbitraje por defecto en arbitraje internacional. V. CONCLUSIONES.

I. INTRODUCCIÓN

Cuenta la leyenda que el barco en el que Teseo regresó de Creta, luego de derrotar al minotauro, era conservado mediante el reemplazo de las tablas estropeadas, por nuevas y resistentes. A tal punto que los filósofos de la época llegaron a cuestionarse si aquel barco, luego de que sus componentes fueran reemplazados, continuaba siendo el mismo o si su identidad era diferente. Reflexión similar se propone frente al arbitraje, especialmente si al reemplazar al consentimiento, uno de sus componentes esenciales, y quizá el más esencial, por otros principios, continuaría siendo el mismo, o si nos encontraríamos ante una figura jurídica distinta.

Al ser el consentimiento un elemento arraigado en la consciencia de quienes practican en arbitraje, es natural que exista rechazo a propuestas que intentan limitarlo o prescindir de él. Prueba de ello son las críticas hacia el "arbitraje obligatorio"[1], mediante el cual la ley impone la solución de controversias por la vía arbitral, y sobre el cual se ha llegado a señalar que no constituye un "verdadero"[2] arbitraje, pues el arbitraje "es cuestión de consentimiento, no de coerción"[3].

---

[1] STREINGRUBER, Andrea Marco. *Consent in international arbitration.* Reino Unido: Oxford University Press. 2012, pp. 23-24.

[2] STREINGRUBER, Andrea Marco. The Mutable and Evolving Concept of "Consent" in International Arbitration - Comparing rules, laws, treaties and types of arbitration for a better understanding of the concept of "Consent". Oxford University Comparative Law Forum 2. 2012 en: ouclf.iuscomp.org.

[3] Stolt-Nielsen, S.A. v. Animalfeeds Int'l Corp., 559 U.S. 662, 678-80 (2010): "arbitration is a matter of consent, not coercion".

Sin embargo, estas palabras —si bien al día de hoy conservan vigencia— han ido menguando su fuerza en la práctica, debido a situaciones en las que el consentimiento pasa a un segundo plano, o donde resulta más una ficción, que una realidad. El presente artículo plantea analizar algunas de esas situaciones, a fin de preguntarse si el consentimiento continúa ostentado el papel protagónico que tradicionalmente se le ha asignado en el arbitraje, o si, nos encontramos en un momento en el cual conviene aceptar que su papel puede —y/o debe— ser reducido, en favor de otras características o principios del arbitraje.

En ese sentido en una primera parte (II) se analizará la dinámica del consentimiento en diversos tipos de arbitrajes (comercial, de inversiones, deportivo y estatal). Seguidamente (III) se planteará si hay lugar a un cambio en el paradigma consensual del arbitraje, hacia uno que propenda por privilegiar otros principios o características de este mecanismo. Con base en ello, (IV) se realizarán algunas consideraciones en torno a la idea del arbitraje por defecto (*default arbitration*), y finalmente, (V) se plantearán las conclusiones.

II. EL CONSENTIMIENTO Y SU ROL EN EL ARBITRAJE: ¿CONTINÚA SIENDO LA "PIEDRA ANGULAR" DEL ARBITRAJE?

Definir al arbitraje separado del consentimiento es percibido como levantar un edificio desprovisto de sus pilares principales. De antaño, el consentimiento ha sido calificado como la "piedra angular"[4] del arbitraje, a tal punto que esta afirmación se ha convertido en un axioma (o dogma) que pocas veces admite opinión en contrario. Quienes soportan esta posición, resaltan que las partes son las mejores calificadas para determinar la manera cómo resolver sus controversias, por lo que en ellas recae la decisión de alejarse de la vía judicial para acudir a los árbitros.

En ese sentido, el consentimiento consiste en la manifestación de las voluntades de dos o más sujetos, quienes libremente escogen el arbitraje como método para resolver sus controversias, poseyendo además el poder

---

[4]   Lefkovitz v. Wagner, 395 F. 3d 773, 780 (2005); YOUSSEF, Karim. *The Limits of Consent: The Right or Obligation to Arbitrate of Non-Signatories in Groups of Companies* en: HANOTIAU, Bernard y SCHWARTZ, Eric. *Multiparty Arbitration*. Dossiers of the ICC Institute of World Business Law. Kluwer Law International; International Chamber of Commerce. 2010, p. 72.

para definir su alcance y diseñar sus reglas. Bajo esta perspectiva, el consentimiento dota de legitimidad al arbitraje, toda vez que son las mismas partes quienes reconocen el poder de los árbitros para emitir resoluciones vinculantes y decidir definitivamente la controversia[5].

Asimismo, esta autonomía de las partes se traduce en una de las características más apreciadas por los usuarios del arbitraje[6], a saber, su flexibilidad y adaptabilidad lo cual "explica su atractivo para el intercambio transfronterizo. En términos de la teoría de sistemas, el arbitraje internacional está marcado por estructuras de expectativa cognitiva. Las expectativas cognitivas se definen como el conocimiento social que es modificado en casos de decepción y, por lo tanto, permite los procesos de aprendizaje. Esto es lo que la autonomía de las partes principalmente representa: una adaptación de las estructuras legales de acuerdo con las necesidades de los actores individuales"[7].

Esa flexibilidad y adaptabilidad del arbitraje ha hecho que su uso se expanda notablemente a múltiples áreas que, por su naturaleza, no necesariamente corresponden con los principios comerciales en medio de los cuales el arbitraje ha germinado, y donde rige la consensualidad. Paradójicamente, ello ha llevado a que en muchas de estas áreas (incluyendo también la comercial) el consentimiento deba malearse, y ceder espacio frente a otras características del arbitraje. Esta situación es descrita en forma clara por KAUFMANN-KOHLER y PETER:

> "Cada vez más, el concepto clásico de arbitraje basado en el consentimiento está siendo complementado por otros conceptos del arbitraje que ignoran en gran medida este requisito. Esto es así especialmente en las áreas de deportes, transacciones con consumidores y arbitrajes de inversión basados en tratados o legislaciones nacionales. Esto es natural, ya que el arbitraje se convierte en el método más común para resolver disputas internacionales. Uno puede optar por aferrarse al dogma del consentimiento y, cuando no exista un consentimiento verdadero y significativo, confiar en una ficción de consentimiento. Pero si simplemente conservamos la apariencia de consentimiento,

---

[5]   DAVID, Rene. *Arbitration in international trade.* Deventer. 1985, p. 5; FERNÁNDEZ ARROYO, Diego. *El auge del arbitraje frente al debate sobre su legitimidad.* Organización de los Estados Americanos. 2015, pp. 263-264.

[6]   CUNIBERTI, Guilles. Beyond Contract - The Case for Default Arbitration in International Commercial Dispute. Fordham International Law Journal, Vol. 32. 2008, p. 430.

[7]   MATTLI, Walter y DIETZ, Thomas. *International Arbitration and Global Governance: Contending Theories and Evidence.* Reino Unido: Oxford University Press. 2014, p. 137.

*esta justificación para el arbitraje ya no es convincente. De hecho, puede ser
más preciso e intelectualmente honesto admitir simplemente que existe un arbitraje sin consentimiento. Una vez hecha esa admisión, uno puede investigar
los requisitos que han venido para reemplazar el consentimiento (...) este tipo
de investigación es más probable que identifique las verdaderas fuerzas en
juego y, así, proteger los intereses de los usuarios del arbitraje de manera más
efectiva que insistiendo en un dogma obsoleto"[8].*

Esta opinión es compartida en el presente escrito, y con base en ello se
plantearán algunas situaciones en las que se puede ilustrar la "decadencia"
del consentimiento en el arbitraje. Es importante precisar que la idea de
consentimiento que se toma como base para el presente análisis es amplia,
incluyendo no solo el poder de las partes para decidir si ir o no arbitraje,
sino también, la posibilidad —aunque sea potencial— de regular todo aspecto del procedimiento arbitral en situación de igualdad. Esto, en aras de
ser coherente con la relevancia que tradicionalmente se le ha atribuido a
este concepto dentro el arbitraje.

Quienes defienden el carácter consensual del arbitraje, señalando que,
en todo caso, una parte tiene el derecho de abstenerse de contratar (como
ocurre, por ejemplo, en contratos por adhesión[9] o en materia deportiva),
caen dentro de un callejón sin salida, puesto que dicha defensa en realidad le resta valor al consentimiento. No porque aquí se defienda que en
determinadas relaciones jurídicas no es válido que el consentimiento tenga
un alcance más acotado, sino porque frente al arbitraje el tratamiento es
especial, debido a que implica una renuncia a la jurisdicción estatal, y por
el carácter independiente y autónomo que se le otorga pacto arbitral, que
impide ponerlo al mismo nivel del resto de disposiciones contractuales.

Hecha esta precisión, a continuación, se verá la dinámica del consentimiento en el (1) arbitraje comercial, (2) de inversión, (3) deportivo y (4) estatal.

---

[8]   KAUFMANN-KOHLER Gabrielle, PETER, Henry. "Formula 1 racing and arbitration: the FIA tailor-made system for fast track dispute resolution". En: Arbitration
International 17. 2001. p. 186.

[9]   Incluso en materia de contratación por adhesión, particularmente en derecho del
consumo, se suele dar un tratamiento especial al arbitraje por su naturaleza consensual. Una muestra de ello es la legislación colombiana, en la cual se ha previsto
la figura de la "opción de pacto arbitral" (artículo 2.2.4.2.10.1 y ss. del Decreto
Único Reglamentario 1069 de 2015) donde el proveedor tiene la potestad de incluir como opción una cláusula arbitral, pero es el consumidor quien finalmente
decide si la acepta o no. De esta manera, ambas partes brindan —de manera libre
y espontánea— su consentimiento para arbitrar sus controversias.

1. Arbitraje comercial: una criatura contractual

La máxima que dicta que el "arbitraje es una criatura del contrato"[10] describe el entendimiento generalizado del arbitraje comercial. Ello esencialmente se debe al convenio arbitral, el cual usualmente recibe un tratamiento similar al de un contrato (aunque tenga características que lo diferencian de la mayoría)[11]. Así, por ejemplo, el consentimiento de este acuerdo surge de la concurrencia de una oferta y una aceptación[12]. Igualmente, en ejercicio de la libertad contractual, las partes son libres para negociar el alcance del convenio arbitral[13] y diseñar las reglas que eventualmente regirán el procedimiento.

Por lo general, esa libertad es vista como una ventaja, sin embargo, su indebido ejercicio puede conllevar diversos inconvenientes. No se debe olvidar que todo contrato es necesariamente incompleto en algún grado, ya sea debido a que es imposible para las partes predecir y regular todos los escenarios que podrían presentarse en su relación contractual[14] (lo cual H. L. A. HART califica como "relativa ignorancia de los hechos" y "relativa indeterminación de los objetivos"[15]), o por los costos de suscribir un acuerdo de manera más completa[16]. Uno de los principales riesgos de un convenio arbitral mal diseñado es incurrir en "patologías"[17], es decir, deficiencias en la redacción del convenio que le impiden surtir plenos efectos[18].

---

[10]   United Steelworkers of Am. v. American Mfg. Co., 363 U.S. 564, 569-70 (1960).

[11]   GRAVES, Jack. ICA and the Writing Requirement: Following modern trends towards liberalization or are we stuck in 1958? Belgrade L. Rev. No. 36. 2009, p. 40.

[12]   STEINGRUBER, Andrea. *Consent in international arbitration, op. cit.*, p. 83.

[13]   CARBONNEAU, Thomas. *The Exercise of Contract Freedom in the Making of Arbitration Agreements.* Vanderbilt Journal of Transnational Law. Vol. 36. 2003, pp. 1192-1193.

[14]   BARNETT, Randy E. The Sound of Silence: Default Rules and Contractual Consent. Virginia Law Review. 1992, pp. 821-822.

[15]   HART, H. L. A. *The Concept of Law.* Reino Unido: Oxford University Press. 2012, p. 128.

[16]   GRAVES, Jack. Arbitration as Contract: The Need for a Fully Developed and Comprehensive Set of Statutory Default Legal Rules. William and Mary Business Law Review. 2011, p. 237.

[17]   EISEMANN, Fréderic. *La clause d'arbitrage pathologique.* Arbitrage commercial: essais in memoriam Eugenio Minoli. 1974, p. 129: "tout comme le système d'éclairage le plus perfectionné s'avère inutile en cas de défaillance de l'interrupteur qui le commande, le système juridique le plus favorable á l'arbitrage ne pourra porter ses fruits á défaut de clause d'arbitrage correctement rédigée".

[18]   GONZALES DE COSSIO, Francisco. *Arbitraje.* Editorial Porrúa. 3rd edn. 2011, p. 132.

Ahora bien, dos de las situaciones más comunes donde se presentan discusiones relacionadas a esa libertad contractual de las partes, es en torno a las cláusulas arbitrales escalonadas y sobre la extensión del pacto arbitral a no signatarios. Respecto a las cláusulas arbitrales escalonadas, estas se caracterizan por establecer que previamente a iniciar un arbitraje, las partes deben agotar algunos escalones previos, formados por otros mecanismos alternativos de solución de controversias[19]. A pesar que en un primer momento ambas partes consintieron libremente en agotar dichos escalones, suele ocurrir que, al presentarse una controversia, la parte accionante ignora las etapas previas e inicia directamente el arbitraje.

Aunque en estricto ello configure un incumplimiento contractual y un desconocimiento de la voluntad manifestada por las partes, los tribunales arbitrales suelen tolerar este tipo de situaciones permitiendo que el arbitraje avance. En Colombia, de hecho, mediante el artículo 13 del Código General del Proceso, el legislador fue mucho más allá y restringió en su totalidad el pacto de este tipo de cláusulas por considerarlas un supuesto obstáculo a la administración de justicia. Si bien no se pretende discutir —en esta oportunidad— las razones detrás de este tipo de determinaciones[20], lo anterior muestra uno de los casos donde se ha visto como algo positivo relegar el consentimiento a un rol secundario.

En lo que respecta a la extensión del convenio arbitral a no-signatarios, se discute si un sujeto debe ser atraído al arbitraje, a pesar de no haber suscrito expresamente dicho convenio[21]. En este contexto, se presenta una de las más notables discusiones sobre el consentimiento y la naturaleza contractual del convenio arbitral, especialmente, en torno al efecto relativo de los contratos[22] (en el marco del *civil law*) o la *doctrine of privity of*

---

[19] GUTIÉRREZ BERNAL, Rafael, et al. *Las Cláusulas Escalonadas o Multinivel: Su Aproximación en Colombia*. Arbitraje: revista de arbitraje comercial y de inversiones. 2012; Klaus Peter Berger, "Law and Practice of Escalation Clauses" [2006] 22 AI 1, at 1.

[20] Al respecto, ver ROSERO, Nicolás. Regulación de las cláusulas escalonadas en Colombia: ¿contradicción de principios entre el derecho procesal y el arbitraje? Revista Instituto Colombiano de Derecho Procesal. No. 46. 2017.

[21] GRAVEL, Serge y PETERSON, Patricia. French Law and Arbitration Clauses - Distinguishing Scope from Validity: Comment on ICC Case No. 6519 Final Award. McGill Law Journal. 1992, p. 528.

[22] FAUVARQUE-COSSON, Bénédicte y MAZEAUD, Denis. European Contract Law: Materials for a Common Frame of Reference: Terminology, Guiding Principles, Model Rules. Munich: Selier European Law Publishers. 2008, pp. 440-443.

contract[23] *(en el common law)*. De acuerdo con estas doctrinas, solo podrán ser parte de un contrato quienes han asumidos obligaciones o responsabilidades derivadas del mismo[24]. A partir de ello, el no-signatario debería entenderse como un sujeto que no suscribe el convenio arbitral, pero que realmente sí es parte, toda vez que lo ha consentido al asumir derechos y/u obligaciones[25], o por sus actos.

Determinar si un no-signatario es parte o no es una labor compleja, especialmente si se considera que en contrataciones complejas intervienen diversos sujetos que asumen múltiples roles, y que no necesariamente tienen la intención de obligarse. Ello ha llevado a desarrollar diversas teorías, algunas de las más notables son las establecidas en el caso *Thomson*, tales como incorporación por referencia, asunción, agencia, levantamiento del velo corporativo/alter ego y estoppel[26]. Pero estas teorías, lejos de ser criterios objetivos para determinar la voluntad de las partes, dejan un margen *gris* en el cual se crea el riesgo de atraer al arbitraje a un tercero que nunca lo pensó así[27].

Muestra de ello es el uso de conceptos como consentimiento tácito o implícito[28], según los cuales, la participación del no signatario en la negociación, celebración, ejecución o terminación del contrato da lugar a presumir que es parte de la operación económica y por ende le es aplicable la cláusula arbitral[29], esto se basa en el principio según el cual quien se be-

---

23   TREITEL. G. H. *An Outline of the Law of Contract*. Oxford University Press. 6th edn. 2004, pp. 97-101; Tweddle v Atkinson [1861] EWHC QB J57, [1861] 1 B&S 393, 121 ER 762; SUFF, Marnah. *Essential Contract Law*. Cavendish Publishing Limited. 2nd edn. 2000, p. 133.
24   *Ibid.*
25   GRAHAM A, James. *La atracción de los no firmantes de la cláusula compromisoria en los procedimientos arbitrales*. Biblioteca Jurídica virtual del Instituto de Investigaciones Jurídicas de la UNAM. 2008, p. 384.
26   Thomson-CSF, S.A. v. American Arbitration Association. United States Court of Appeals, Second Circuit. 64 F. 3d 773. 1995.
27   BYRNES, Jaime y POLLMAN, Elizabeth. Arbitration, consent and contractual theory: the implications of EEOC v. Waffle House. Harvard Negotiation Law Review. 2003, p. 308.
28   PARK, William. Non-signatories and international contracts: An arbitrator's dilemma" in Permanent Court of Arbitration en: Multiple Parties in International Arbitration. Oxford University Press. 2009, p. 3.
29   HANOTIAU, Bernard. Complex Arbitrations, Multiparty, Multicontract, Multiissue and Class Actions. Kluwer Law International. 2005, p. 51; ROMERO SILVA,

neficia del contrato también debe soportar las cargas del mismo[30]. Pero el grado de participación del no signatario carece de una línea divisoria bien definida para determinar cuándo es una parte y cuando un tercero, por lo que podría vincularse a quien no ha consentido el acuerdo arbitral, a partir de una mera presunción.

Las situaciones antes señaladas muestran cómo en arbitraje comercial, donde se supone que la naturaleza consensual de este mecanismo alcanza su máxima expresión, se genera un margen donde el consentimiento pasa a un segundo plano.

2. *"Arbitration without privity" en arbitraje de inversión*

Se suele identificar tres puertas de entrada al arbitraje de inversión, a saber: (i) a través de un acuerdo directo entre las partes[31]; (ii) mediante las normas del Estado receptor de la inversión[32] que invitan a los inversionistas a resolver las controversias por esta vía; o (iii) a través de acuerdos internacionales de inversión (AII) qué prevé el arbitraje para controversias Estado-inversionista[33]. En el primer caso, salvando las diferencias, ocurre una situación similar a la explicada anteriormente respecto del arbitraje comercial, sin embargo, en los dos últimos se presenta lo que se ha denominado como *arbitration without privity*[34].

Este concepto, acuñado por PAULSSON, fue inicialmente considerado como un "nuevo mundo"[35] dentro del arbitraje, por ser una forma no contractual[36] de solución de controversias internacionales, donde la parte

---

Eduardo. El artículo 14 de la nueva Ley Peruana de Arbitraje. Lima Arbitration. No. 4. 2011, p. 62.

[30] Everett v. Paul Davis Restoration, Inc., 771 F. 3d 380 (7th Cir. 2014). 12-3407.

[31] SCHREUER, Christoph et al. *The ICSID Convention: A Commentary*. Cambridge University Press. 2nd edn. 2013, p. 192.

[32] *Ibid*, at 196.

[33] *Ibid*, at 205.

[34] BORN, Gary. International Commercial Arbitration: Commentary and Materials. Kluwer Law International. 2nd edn. 2001, p. 191.

[35] PAULSSON, Jan. *Arbitration Without Privity*. ICSID Review - Foreign Investment Law Journal. 1995, p. 232: "(...) the claimant need not have a contractual relationship with the defendant and where the tables could not be turned: the defendant could not have initiated the arbitration, nor is it certain of being able even to bring a counterclaim".

[36] WERNER, Jacques. *The Trade Explosion and Some Likely Effects on International Arbitration*. Journal of International Arbitration. Vol. 14. 1997, p. 15.

perjudicada puede plantear sus reclamaciones de modo directo, sea que se haya suscrito o no un acuerdo arbitral con su contraparte[37]. En ese sentido, el procedimiento arbitral deja de tomar como base un contrato, a estar sustentado por un acuerdo internacional de inversión (o una ley)[38].

Bajo este esquema, la formación del consentimiento, cuya fuente es un AII, se presenta en dos escalas. Por una parte, el consentimiento entre los Estados parte, quienes, al suscribir una cláusula de solución de controversias en el AII, extienden una oferta pública a todos los inversionistas que cumplan los requisitos necesarios. Este consentimiento se entiende otorgado desde el mismo momento en que entra en vigencia el tratado[39]. Por otro lado, el consentimiento de los inversionistas surge a partir de su aceptación a dicha oferta[40], la cual usualmente se brinda al iniciar el arbitraje. Cuando el arbitraje de inversión se basa en una ley, la oferta pública solo proviene del Estado huésped de la inversión, y el acuerdo arbitral se forma con la aceptación del inversionista, quien tampoco en este caso interviene en su formación.

Este modelo se aparta de la típica formación del convenio arbitral en materia contractual, dando una visión renovada a este convenio, ya no como una donde las dos partes del arbitraje intervienen en su diseño, sino donde el inversionista se somete a las reglas que los Estados previamente ya han fijado, dejando un margen limitado al inversionista para escoger (p. ej: diversos AII permiten al inversionista elegir vías diferentes a la arbitral para resolver su controversia[41]). Es decir, el consentimiento —o en todo caso, su alcance— se ven limitados.

No obstante, aun cuando el esquema del consentimiento en este caso diverge de la típica formación del contrato, se han planteado posiciones que intentan asimilarlo a la idea tradicional de un acuerdo arbitral[42].

---

[37] PAULSSON, Jan. *Arbitration Without Privity, op. cit.*, p. 233.

[38] BORN, Gary. International Commercial Arbitration: Commentary and Materials, *op. cit.*, p. 192; ATAMAN-FIGANMEŞE, İnci. Manufacturing Consent to Investment Treaty Arbitration by Means of the Notion of Arbitration without Privity. Annales de la Faculté de Droit d'Istanbul. 2011, p. 188.

[39] Lanco International Inc. v. The Argentine Republic, ICSID Case No ARB/97/6, Preliminary Decision on Jurisdiction, 8 December 1998, at 43.

[40] DOLZER, Rudolf y SCHREUER, Christoph. *Principles of International Investment Law.* Oxford University Press. 1st edn. 2008, pp. 242-243.

[41] DOUGLAS, Zachary. *The International Law of Investment Claims.* Cambridge University Press. 2009, p. 152.

[42] STEINGRUBER, Andrea. *Consent in international arbitration, op. cit.*, pár. 5.51-5.55.

Esto se ejemplifica en el caso *Occidental v. Ecuador,* ante la English Court of Appeal:

> *"the agreement to arbitrate which results by following the treaty route is not itself a treaty. It is an agreement between a private investor on the one side and the relevant State on the other"[43].*

En sentido similar se pronunció la U.S. Court of Appels for the Second Circuit en el caso *Chevron v. Ecuador:*

> *"the BIT merely creates a framework through which foreign investors, such as Chevron, can initiate arbitration against parties to the Treaty. In the end, however, this proves to be a distinction without difference, since Ecuador, by signing the BIT, and Chevron, by consenting to arbitration, have created a separate binding agreement to arbitrate (...) All that is necessary to form an agreement to arbitrate is for one party to be a BIT signatory and the other to consent to arbitration of an investment dispute in accordance with the Treaty's terms. In effect, Ecuador's accession to the Treaty constitutes a standing offer to arbitrate disputes covered by the Treaty; a foreign investor's written demand for arbitration completes the «agreement in writing» to submit the dispute to arbitration"[44].*

Estas decisiones, apoyadas también por la doctrina[45], entienden que al momento en que el inversionista expresa su consentimiento al arbitraje, se forma un acuerdo arbitral separado y autónomo del tratado, pero el cual no es un tratado en sí, sino un contrato. En consecuencia, se presenta lo que en un principio se advertía, esto es, que se crean ficciones para seguir manteniendo al consentimiento como piedra angular del arbitraje, aun cuando su rol sea distinto al usual. Lo cuestionable de esto es que, se plantea un rechazo a diferente, como si *per se* fuese algo negativo, pero lo cierto es que los inversionistas, quienes serían eventualmente los más "afectados" por esta situación, por el contrario, han aprovechado bastante bien esta vía para formular sus reclamos contra los Estados.

---

[43]   Occidental Exploration & Production Company v. The Republic of Ecuador, [2005] EWCA Civ 1116.

[44]   Republic of Ecuador V. Chevron Corp. United States Court of Appeals, Second Circuit. 638 F. 3d 384 (2011).

[45]   CRAWFORD, James R. *Treaty and Contract in Investment Arbitration.* Arbitration International. 2008, p. 361; STEINGRUBER, Andrea. *Consent in international arbitration, op. cit.,* pár. 5.54.

3. El consentimiento en arbitraje deportivo

El arbitraje deportivo posiblemente sea uno de los escenarios donde más se ha hecho ostensible la discusión en torno al consentimiento en arbitraje. Al hablar de arbitraje deportivo, concretamente se hace referencia a los procedimientos adelantados ante el Tribunal de Arbitraje Deportivo (o TAS, por sus siglas en francés), por ser la institución con mayor trayectoria en la materia y la usualmente recurrida a nivel profesional deportivo.

De acuerdo con el Reglamento Procesal del TAS (Regla R27) solo se podrá iniciar un arbitraje ante esta institución, cuando así haya sido pactado. Aunque esto compagine con la consensualidad del arbitraje, un sector considera que hablar de ello en arbitraje deportivo es un abuso del lenguaje[46], dado que, en la práctica, no existe consentimiento mutuo de las partes. Esto se debe a que, por lo general, los convenios arbitrales se encuentran incorporados en los estatutos o regulaciones de las federaciones, asociaciones o cuerpos deportivos[47], y respecto de los cuales, el deportista se encuentra en una posición de desventaja, no teniendo más opción que aceptar el arbitraje.

El caso de Guillermo Cañas es paradigmático en esta materia por las consideraciones del Tribunal Federal Suizo, el cual señaló que los deportes competitivos se caracterizan por una estructura jerárquica tanto a nivel nacional como internacional, en ese sentido existe una relación "vertical" entre los deportistas y las organizaciones deportivas, que —se supone— no es equiparable a la relación "horizontal" que existe en materia contractual. Por tal razón, el atleta ve limitadas sus opciones:

> *"An athlete wishing to participate in competitions organized under the control of a federation that stipulates rules governing recourse to arbitration has no choice but to accept the arbitration clause, namely by adhering to the by-laws of such sports federation here the clause is inserted. This is even more applicable to a professional athlete who is confronted with the following dilemma: to consent to arbitration or practice sports as an amateur "*[48].

---

[46] PAULSSON, Jan. *Arbitration of International Sports Disputes* en: Arbitration International. 1993. Vol. 9, p. 361.

[47] A modo de ejemplo, esto es señalado en el Estatuto de la Union Cycliste Internationale (UCI) en sus artículos 71 y 72, así como, en el artículo 8 de los Estatutos de la Fédération Internationale de Football Association (FIFA).

[48] Guillermo Cañas v. ATP Tour. Swiss Federal Tribunal Decision 4P.172_2006. 22 de marzo de 2007. DTF 133 III 235, 4.3.2.2.

Consideraciones similares planteó el Tribunal Supremo español, en el caso del ciclista Roberto Heras, a saber:

> *"En el presente caso no consta que el recurrente haya prestado libremente su consentimiento a la sumisión al TAS, pues no se puede considerar que se ha otorgado libremente dicho compromiso si se exige como requisito sine qua non para ejercer su profesión, estando la cláusula compromisoria incluida en un documento de adhesión (la licencia federativa)"[49].*

En este sentido, las federaciones deportivas poseen una suerte de monopolio sobre el ejercicio profesional de los deportes, por lo cual, un deportista que esté deseoso de participar en competiciones profesionales no tendrá más opción que aceptar el arbitraje[50], quiera o no (*nolens volens*). Esto, se ha considerado como un *arbitration with forced consent*[51], para diferenciarlo del arbitraje obligatorio, pues en el primero el procedimiento se soporta en un acuerdo arbitral producto de una oferta y una acepción, mientras que en el segundo es la ley la que impone esa vía de solución de controversias.

¿Significa lo anterior que se debería proscribir el arbitraje ante el TAS? No, de hecho, el éxito que ha logrado este arbitraje deportivo responde a una necesidad histórica por una justicia acorde a las necesidades del deporte, como se comentará más adelante. Sin embargo, esto se desconoce al poner el énfasis en el consentimiento para arbitrar.

4. Arbitraje estatal: experiencia de Perú

Una mención especial merece la experiencia peruana en materia de arbitrajes de contrataciones con el Estado, donde la ley obliga a incorporar un convenio arbitral. Esto ha sido interpretado como un arbitraje obligatorio, dado que no se habilita una opción diferente para resolver las controversias. No obstante, hay quienes, a pesar de ello, defienden su carácter consensual, señalando que hay consentimiento en tanto que al participar en la convocatoria pública y/o al suscribir el contrato con el Estado, se da

---

49   Tribunal Supremo. Sala de lo Contencioso-Administrativo. Sección Quinta Sentencia N° 708/2017 del 25 de abril de 2017 (Madrid).

50   ZEN-RUFFIEN, P. "Droit du sport". Suiza: Schulthess Verlag. 2002, p. 506 citado en: ORTEGA SÁNCHEZ, Ricardo. *Arbitraje Jurídico Deportivo.* Bogotá: Diálogos de saberes. 2012, p. 54.

51   RIGOZZI, Antonio. *L'arbitrage international en matière de sport.* Basel: Helbing & Lichtenhahn. 2005, p. 475.

una manifestación de voluntad hacia el arbitraje, y que quien no lo desee así, simplemente debe abstenerse de contratar[52].

Más allá de esas discusiones sobre el consentimiento, se debe reconocer que la decisión de someter estas controversias a arbitraje constituye una forma de generar confianza en los particulares, al dotarlos de un mecanismo mucho más efectivo que la justicia estatal. Si se dejara a las entidades estatales la decisión de ir o no a arbitraje, posiblemente nunca se utilizaría esta vía, por el recelo que existe a pactar en contra de la regla general (la justicia del Estado), considerado posibles auditorías públicas o controles[53].

5. Observación final

Como se ha podido apreciar anteriormente, el consentimiento se ha convertido en un elemento discursivo, que en muchas ocasiones no ofrece soluciones a discusiones reales del arbitraje. El problema no es en si que se exija el consentimiento, sino que se utilice como un elemento axiomático, que es imprescindible en todos los casos, pues como se ha visto, no es así. Es por ello que se propone una visión diferente de este elemento, como se pasará a explicar.

III. CAMBIO DE PARADIGMA: DE REGLA A PRINCIPIO

Sin duda el "paradigma"[54] consensual, ha sido largamente el dominante en arbitraje, eso se demuestra por la tendencia a señalar que existe en circunstancias en las cuales es difícil comprobarlo, o cuanto menos, inoficioso hacerlo. Es por ello que se propone aquí una visión del consentimiento que no hace otra cosa que entenderlo como en la realidad se demuestro,

---

[52] CANTUARIAS SALAVERRY, Fernando. *Participación del Estado peruano en arbitrajes comerciales.* Lima: Revista Advocatus. No. 7. 2002, p. 182.

[53] KUNDMÜLLER, Franz. El Arbitraje en Contratación Pública: (Des)confianza y Aporía: Breves Comentarios al Proyecto de Reglamento de la Nueva Ley de Contrataciones del Estado en: Revista Derecho & Sociedad. Nº 44, p. 261.

[54] Se aprovecha la conceptualización de "paradigma" formulada por KUHN, Thomas. *La estructura de las revoluciones científicas.* México: Fondo de Cultura Económica. 1971, p. 13: "Considero a éstos como realizaciones científicas universalmente reconocidas que, durante cierto tiempo, proporcionan modelos de problemas y soluciones a una comunidad científica".

esto es, como un elemento más del arbitraje. Pero no en el rol preponderante que se le ha asignado, donde se podría asimilarlo a una regla.

Por el contrario, es más recomendable y honesto verlo como un principio, en los términos que DWORKIN establece, es decir, como un "mandato de optimización", que a diferencia de las reglas que se aplican todo o nada, consisten en normas que ordenan la realización de algo en la mayor medida de lo posible, dentro de las posibilidades jurídicas y fácticas existentes[55].

Bajo esta visión, sería posible compatibilizar la idea consensual del arbitraje con otras características o principios del mismo mecanismo, a partir de una ponderación a la luz de las circunstancias concretas. Aceptando que existen ocasiones en las que el consentimiento puede ceder ante un objetivo mayor. A continuación, se identifican valores y principios que podrían justificar una reducción del paradigma consensual.

1. Acceso a la Administración de Justicia

La visión del arbitraje como un medio de administración de justiciase ha ido consolidando en diversas jurisdicciones, principalmente en Latinoamérica, al estar acompañada de un proceso de constitucionalización que le ha dado ese sentido al arbitraje[56]. Si bien la regla general es que son los Estados quienes tienen a su cargo la administración de la justicia, el arbitraje ha ido ganando espacio para el mismo fin, especialmente en escenarios donde la institucionalidad del Estado no es la idónea.

El contexto social juega un papel determinante en la manera de concebir al arbitraje y los casos en los que debe ser utilizado. Las sociedades han mostrado contextos donde el acceso a la justicia no se garantiza a todas las personas, o no de la manera adecuada a las controversias que se presentan. Esto se relaciona con lo que PAULSSON resalta como "islotes de justicia"[57],

---

[55] ALEXY, Robert. *Teoría de los Derechos Fundamentales*. Madrid: Centro de Estudios Políticos y Constitucionales. 2001, p. 86.

[56] En Colombia el artículo 116 de la Constitución Política reconoce al arbitraje como un medio transitorio de administración de justicia, de manera similar ocurre con el artículo 139º de la Constitución Política del Perú.

[57] PAULSSON, Jan. *"Enclaves of justice"*. University of Miami Legal Studies Research Paper No. 2010-29 disponible en: https://ssrn.com/abstract=1707504; Sin embargo, la analogía es aprovechada por GONZÁLEZ DE COSSÍO, Francisco. "Arbitraje Deportivo en Iberoamérica". En http://www.gdca.com.mx/PDF/arbitraje/Conferencia%20FGC%20Evento%20TAS%2028%20abril%202014.pdf.

es decir, espacios independientes a la institucionalidad, donde los sujetos pueden encontrar una manera de suplir las deficiencias para acceder a una adecuada forma de justicia.

Un ejemplo de esto es el arbitraje deportivo, donde se presentan casos en los que la sumisión de una controversia al poder judicial podría equivaler a una denegatoria de justicia. Por ejemplo, los mejores años de rendimiento físico de un deportista podrían pasar mientras espera a que una suspensión por *doping* sea resuelta en un poder judicial saturado. Ilustra claramente esta situación, los tribunales ad hoc conformados ante el TAS para los Juegos Olímpicos, lo cuales deben decidir dentro de las 24 horas de presentada la solicitud[58], lo que difícilmente podría lograrse por otro mecanismo de solución de controversias litigioso. Lo anterior, justifica este sistema de solución de controversias, aun cuando sea claro que no posee una naturaleza consensual[59].

Una justificación similar se ha utilizado en la naciente propuesta de "The Hague Rules on Business and Human Rights Arbitration", mediante la cual se busca extender la aplicación del arbitraje a controversias relacionadas con derechos humanos en un contexto de negocios. Si bien el consentimiento es un punto que es objeto de discusión por parte del equipo redactor de estas reglas, es de resaltar el acento puesto en el arbitraje como una forma de superar las barreras para acceder a la justicia, a saber:

> *"(...) that international arbitration could overcome some of the legal and practical barriers faced by individuals when bringing human rights claims through the existing mechanisms of redress, particularly national courts. In line with the UNGPs' corporate responsibility to respect human rights, BHR arbitration would provide both businesses and individuals with a consent-based private judicial process in which expert arbitrators chosen by the parties would be able to ascertain the violation of BHR obligations and offer due relief"[60].*

---

[58] Article 18 Time limit: "The Panel shall give a decision within 24 hours of the lodging of the application. In exceptional cases, this time limit may be extended by the President of the ad hoc Division if circumstances so require".

[59] RIGOZZI, Antonio y ROBERT-TISSOT, Fabrice. *"Consent" in Sports Arbitration: Its Multiple Aspects* en: GEISINGER, Elliott y TRABALDO, Elena. Sports Arbitration: A Coach for Other Players? Jurisnet LLC. 2015, p. 60.

[60] Center for International Legal Cooperation. International Arbitration of Business and Human Rights Disputes: Elements for consideration in draft arbitral rules, model clauses, and other aspects of the arbitral process. 2018, disponible en: https://www.cilc.nl/project/the-hague-rules-on-business-and-human-rights-arbitration/.

Se observa aquí un ejemplo de la adaptabilidad del arbitraje, a fin de lograr un objetivo loable. Si la ruta trazada lleva a buen puerto, y se logra la protección de derechos humanos por esta vía, no sería extraño que su uso se haga extensivo a casos en los que la consensualidad no necesariamente esté presente. no haya una consensualidad. En todo caso, la propuesta es aún joven para saberlo con certeza.

Otro escenario en el que se han utilizado "criterios de justicia material"[61], para justificar la limitación del consentimiento, es en el derecho obligatorio laboral que aplica en Colombia para la solución de controversias relativas a reivindicaciones con fines económicas y profesionales.

2. Transparencia

En los últimos tiempos la transparencia ha tomado un papel protagónico en el arbitraje, dando lugar a propuestas que abogan por darle mayor publicidad al procedimiento arbitral, así como generar mayor control en el nombramiento de árbitros[62] (donde esencialmente se aboga por la neutralidad de estos), por identificar algunas. Esta búsqueda por la transparencia, lastimosamente, responde a situaciones que, a pesar de ser aisladas, afectan la buena imagen el arbitraje, toda vez que se aprovecha su flexibilidad para objetivos perversos.

En ese sentido, el consentimiento de las partes podría convertirse en un obstáculo para combatir tales objetivos. Si, por ejemplo, las partes pactan expresamente que desean que su arbitraje sea confidencial, difícilmente podrían prevenirse situaciones irregulares en el procedimiento. Dependiendo de las circunstancias y de los intereses en juego, podría abrirse una ventana para que exista un mayor control en los arbitrajes, a fin de evitar hechos como corrupción, pago de sobornos o "arbitrajes simulados"[63], aun cuando no corresponda con el deseo por confidencialidad.

---

[61]   CORTE CONSTITUCIONAL DE COLOMBIA. Sentencia C-330/12 del 9 de mayo de 2012. Expediente D-8677.
[62]   Entre estas, se resalta la propuesta de Arbitrator Intelligence.
[63]   En Perú se presentaron casos de "arbitrajes simulados", por los cuales se fingían las circunstancias para dar inicio a procesos arbitrales, a fin de apropiarse ilegalmente de propiedades de terceros.

También existen otras propuestas menos aclamadas, como es el caso de la restricción a la selección unilateral de co-árbitros[64], con la cual se busca modificar el método por el cual cada una de las partes puede nombrar a uno de los árbitros, debido a los peligros morales y sesgos que ello representa. Una propuesta de este tipo ilustra una amplia restricción a la naturaleza consensual del arbitraje, aún cuando ataque directamente a un problema real[65]. En este tipo de casos, se podría optar por soluciones proporcionales, que compaginen en la mayor medida de lo posible la consensualidad y la transparencia, como, por ejemplo, el "screened selection process" que establece el International Institute for Conflict Prevention & Resolution.

En cualquier caso, la discusión en torno a la transparencia y neutralidad exigida en el arbitraje comporta una trascendencia notable, que en ocasiones puede superar al consenso entre las partes, debido a que está directamente relacionada con la legitimidad de este mecanismo. De hecho, "la transparencia, conjuntamente con un mayor alcance de la responsabilidad de los actores del arbitraje, puede servir como una base más firme de legitimidad cualquiera sea el tipo de arbitraje involucrado"[66], incluso mayor al consentimiento.

3. Eficiencia

Una de las razones que se acostumbra a esbozar para elegir el arbitraje en lugar de la justicia estatal, es la mayor eficiencia que ofrece la vía arbitral. Si en abstracto se comparan los tiempos y costos de someter una controversia a la justicia estatal o al arbitraje, probablemente este último prevalezca. Aun así, esa eficiencia es relativa, pues está lejos de considerarse dentro de las principales ventajas del arbitraje, como lo demuestra la encuesta de Queen Mary University y White & Case, que pone a la celeri-

---

[64]   PAULSSON, Jan. *Moral hazard in international dispute.* Inaugural Lecture as Holder of the Michael R. Klein Distinguished Scholar Chair University of Miami School of Law. 2010 disponible en: https://www.arbitration-icca.org/media/0/12773749999020/paulsson_moral_hazard.pdf.

[65]   Una de las formas como esto se comprueba es mediante el análisis de las opiniones disidentes de los árbitros, a favor de la parte que lo nombró. Al respecto, ver VAN DEN BERG, Albert. *Dissenting Opinions by Party-Appointed Arbitrators in Investment Arbitration* en: Looking to the Future: Essays on International Law in Honor of W. Michael Reisman. 2011, pp. 821-843.

[66]   FERNÁNDEZ ARROYO, Diego. *op. cit.*, p. 269.

dad y los costos como unas de las opciones menos favoritas de quienes se dedican al arbitraje[67].

Esto ha generado un afán por mejorar esa eficiencia, siendo así un escenario ideal para que se planteen discusiones frente al consentimiento de las partes y la flexibilidad del procedimiento. Demasiada flexibilidad, utilizada en forma irresponsable, puede conllevar a obstáculos y costos en el proceso, por lo cual puede ser conveniente limitarla en determinadas circunstancias. Un ejemplo de ello son las Reglas de Procedimiento Abreviando del Reglamento de Arbitraje de la CCI (artículo 2[68]), que proscribe la posibilidad de nombrar a un tribunal arbitral trimembre, a pesar que las partes así lo hayan pactado.

En torno a esta disposición se presentó una discusión en la que cuestionamos[69] dicha regla por establecer una excesiva restricción al derecho de las partes para nombrar a sus árbitros. No obstante, entre las razones señaladas para defender esta regla, se invocó la "eficiencia y bajos costos"[70] que representaría para resolver controversias de cuantías menores. Si bien por esta parte se opina que otras reglas menos invasivas pudieron ser utilizadas por la CCI[71], lo anterior muestra que la eficiencia puede imponerse al consentimiento, argumentando mayores beneficios para los usuarios o para ahorrar determinadas discusiones.

---

[67] Queen Mary University of London y White & Case. 2018 International Arbitration Survey: The Evolution of International Arbitration. Disponible en: http://www.arbitration.qmul.ac.uk/research/2018/, p. 7-8. Según esta encuesta, de las 10 características que más se valoran del arbitraje, la celeridad ocupa el 8° lugar con un 12% y los costos el 9° con tan solo el 3%; y, entre las peores características del arbitraje, los costos ocupan el 1° lugar y la falta de celeridad el 4°.

[68] "Artículo 2 Constitución del tribunal arbitral. 1. Aunque sea contrario a alguna disposición del acuerdo de arbitraje, la Corte podrá nombrar un árbitro único".

[69] Lat Am lawyers criticise ICC expedited procedure. Global Arbitration Review. 2016. Disponible en: https://globalarbitrationreview.com/article/1072592/lat-am-lawyers-criticise-icc-expedited-procedure.

[70] First expedited ICC cases are under way. Global Arbitration Review. 2017. Disponible en: https://globalarbitrationreview.com/article/1147177/first-expedited-icc-cases-are-under-way.

[71] Por ejemplo, artículo 51 del Reglamento de la Corte de Arbitraje de Madrid.

IV. UNA OPORTUNIDAD PARA EL ARBITRAJE
POR DEFECTO (*DEFAULT ARBITRATION*)

1. *Cómo opera el consentimiento por defecto*

En un estudio realizado en Europa para determinar el porcentaje de la población que consentía ser donantes de órganos, se identificó una diferencia sustancial entre países como Austria, Hungría, Francia o Portugal, cuyo porcentaje era casi cercano al 100%, en comparación a otros países, como Alemania o Dinamarca que no superaban el 12%[72]. La explicación ante la notable diferencia entre los países analizados, respondió a que, mientras en los primeros el consentimiento para ser donante se presumía (y quien no deseara serlo, debía manifestarlo), en los demás, la regla era al revés, es decir, quien deseara ser donador tenía que manifestarlo expresamente[73].

Este ejemplo ilustra la manera cómo operan las "default rules". La finalidad de estas reglas es dar un empujoncito (*nudge*[74]) hacia la que se considera como la mejor opción posible. Cabe aclarar que no se busca imponer la adopción de determinada decisión, pues las personas conservan la posibilidad elegir[75] si aceptar la regla (*opt in*) o de rechazarla (*opt out*). Lo cierto es que estas reglas están presentes en muchas de las decisiones que se toman cotidianamente, aunque pasen desapercibidas. En derecho[76], por ejemplo, son observables en materia contractual, donde sirven para llenar los vacíos que la voluntad de las partes ha dejado[77].

El diseño de una *default rule* requiere de un análisis respecto a qué decisión tomaría una persona en condiciones normales, y que cuenta con

---

[72]   JOHNSON, Eric y GOLDSTEIN, Daniel. *Do Defaults Save Lives?* Science, Vol. 302, p. 1338.

[73]   SUNSTEIN, Cass R. *Deciding by Default*. University of Pennsylvania Law Review. 2013, p. 4.

[74]   THALER, Richard y SUNSTEIN, Cass. *Nudge: Improving Decisions About Health, Wealth and Happiness.* Yale University Press. 2008, p. 3.

[75]   SUNSTEIN, Cass R. The Storrs Lectures: Behavioural Economics and Paternalism. Yale Law Journal. 2014, pp. 1881-1882.

[76]   En relación al uso de la mediación por defecto, ver: Nadja Alexander, "Nudging cross-border mediation forward" (*Kluwer Mediation Blog*, 12 April 2014) http:// kluwermediationblog.com/2014/04/14/nudging-cross-border-mediation-forward/ accessed 14 February 2016.

[77]   AYRES, Ian y GERTNER, Robert. Filling Gaps in Incomplete Contracts: An Economic Theory of Default Rules. Yale Law School. 1989, p. 87.

la información suficiente[78]. Su eficiencia responde a la manera cómo los seres humanos pensamos y/o nos comportamos, entre las razones que se esbozan para sustentar el poder persuasivo de estas reglas está[79], la inercia o procrastinación, es decir, la tendencia a conservar el *statu quo*, evitando los riesgos o esfuerzos de una opción diferente, lo que a su vez se relaciona con la aversión a perder. Esto se refuerza por la ausencia de información suficiente o experiencia para optar por una regla distinta, caso en el cual se prefiere seguir la regla por defecto, al considerarla una recomendación implícita de expertos[80], de la cual no conviene alejarse.

2. Elementos del arbitraje por defecto

La idea del arbitraje por defecto (*default arbitration*) consiste en prever que toda controversia o determinado tipo de controversias, ante la ausencia de pacto en contrario, debe ser resuelta a través de un procedimiento arbitral[81/82]. La dinámica del consentimiento seguiría vigente, pues las partes podrían ejercer su libertad aceptando la regla por defecto, eligiendo una opción diferente, o aceptándola, pero estableciendo los términos bajo los cuales desean que su procedimiento arbitral sea llevado a cabo. En ese sentido, la aplicación del arbitraje por defecto sería en dos sentidos:

A. Aplicación total: En defecto de pacto en contrario, las partes resolverán sus controversias mediante arbitraje, el cual contendrá reglas prestablecidas. Las partes conservarán la libertad de modificar tales reglas.

B. Aplicación parcial: En caso de que las partes hayan pactado un convenio arbitral, pero debido a una redacción desafortunada, dejaron vacíos que afectan la operatividad de dicho acuerdo, será posible aplicar las reglas por defecto a fin de llenar esos vacíos y permitir que el arbitraje continúe. Con esto se busca evitar patologías.

---

[78]   N. Craig Smith et al., "Smart Defaults: From Hidden Persuaders to Adaptive Helpers" [2009] 3 ISIC 1, at 15-16; SUNSTEIN, Cass R. *Deciding by Default, op. cit.*, p. 31.

[79]   SUNSTEIN, Cass R. *Deciding by Default, op. cit.*, pp. 17 a 20.

[80]   SUNSTEIN, Cass R. *Why societies need dissent.* Harvard University Press. 2003, pp. 32-37.

[81]   CUNIBERTI, Guilles. Beyond Contract - The Case for Default Arbitration in International Commercial Dispute, *op. cit.*, p. 419; MOSES, Margaret. Challenges for the future - the diminishing role of consent in arbitration. TDM. 2014, p. 21.

[82]   CUNIBERTI, Guilles, *op. cit.*, pp. 469-470.

En la actualidad ya existen ejemplos de esto, como el artículo 3 de la Convención Interamericana sobre Arbitraje Comercial Internacional de 1975 (también conocida como "Convención de Panamá") el cual señala que "[a] falta de acuerdo expreso entre las partes el arbitraje se llevará a cabo conforme a las reglas de procedimiento de la Comisión Interamericana de Arbitraje Comercial [«CIAC»]". Es decir, si las partes no pactan el reglamento aplicable, por defecto aplicará el Reglamento el CIAC. Cabe señalar que 19 países del continente americano han ratificado esta convención, únicamente con reserva de Estados Unidos quien no se opuso a esta regla[83].

Otro ejemplo, es el numeral 3 del artículo 7 del Decreto Legislativo 1071 de 2008, que norma el arbitraje en Perú, el cual ofrece una solución a los casos en los cuales las partes pactan de manera errada la institución arbitral que administrará el procedimiento, señalando que en tal situación el arbitraje será ad hoc[84].

La propuesta de un arbitraje por defecto se justifica en el protagonismo que ha ganado en la solución de controversias comerciales, principalmente en el ámbito internacional, donde su uso es constante. Cabe recordar que la idea de una regla por defecto es sugerir a los usuarios la mejor opción disponible, para lo que se deberá considerar las expectativas de sentido común que comparten la mayoría de personas que escogen el arbitraje para la solución de controversias[85].

Para ello será relevante considerar las principales ventajas que ofrece el arbitraje internacional, entre las que destacan la ejecutabilidad de los

---

[83]   Organización de Estados Americanos (OEA Convención Interamericana sobre Arbitraje Comercial Internacional, disponible en: http://www.oas.org/juridico/spanish/firmas/b-35.html revisado el 14 de junio de 2019: "2.Los Estados Unidos de América aplicarán las reglas de procedimiento de la Comisión Interamericana de Arbitraje Comercial que estén vigentes en la fecha en que depositen el instrumento de ratificación, al menos que con posterioridad los Estados Unidos de América tomen una decisión oficial de adoptar y aplicar las modificaciones ulteriores de dichas reglas".

[84]   "3. En caso de falta de designación de una institución arbitral, se entenderá que el arbitraje es *ad hoc*. La misma regla se aplica cuando exista designación que sea incompatible o contradictoria entre dos o más instituciones, o cuando se haga referencia a una institución arbitral inexistente, o cuando la institución no acepte el encargo, salvo pacto distinto de las partes".

[85]   GRAVES, Jack. Arbitration as Contract: The Need for a Fully Developed and Comprehensive Set of Statutory Default Legal Rules, *op. cit.*, p. 244.

laudos, evitar un sistema jurídico en particular o las cortes nacionales, flexibilidad, la posibilidad de nombrar a los árbitros, confidencialidad, privacidad, y neutralidad[86]. Además, de ello, evitaría muchas discusiones en torno a acuerdo arbitrales incompletos, o mal redactados, debido a que existirían reglas aplicables supletoriamente.

Ciertamente, la consolidación de la idea de arbitraje por defecto implicará repensar muchos elementos de lo que hoy en día es el arbitraje, sin embargo, como ya se ha visto, la adaptabilidad de este mecanismo hace que sea una posibilidad alcanzable. Basta pensar en los cambios que desde su origen ha tenido este mecanismo[87] para darse cuenta de ello. Hasta el siglo XIX en Francia la idea de una cláusula compromisoria era impensable[88], curiosamente en la actualidad esta es una de las jurisdicciones donde el arbitraje ha tenido un mayor desarrollo. No se ve entonces razón para pensar que lo mismo no podría ocurrir con el arbitraje por defecto.

Probablemente tome tiempo consolidar esta idea, mientras tanto, son bienvenidas las propuestas que buscan materializarla, como el caso de los Tratados Bilaterales de Arbitraje.

3. *Tratados bilaterales de arbitraje[89]: expresión del arbitraje por defecto en arbitraje internacional*

Los Tratados Bilaterales de Arbitraje[90] (o "BAT", por sus siglas en inglés) son una propuesta planteada por Gary Born[91], con el objetivo de crear tratados entre dos Estados, o más (caso en el cual es más apropiado referirse

---

[86] Queen Mary University of London y White & Case. 2018 International Arbitration Survey: The Evolution of International Arbitration, *op. cit.*

[87] OPPETIT, Bruno. *Théorie de l'arbitrage*. Presses Universitaires de France. 1998, p. 9.

[88] Compagnie l'Alliance v. Prunier, Cass. civ., 10 July 1843, S. 1843.1.564 at 566.

[89] Al respecto, ver ROSERO, Nicolás. *Tratados bilaterales de arbitraje y consentimiento: ¿fin del paradigma consensual en el arbitraje?* Cámara de Comercio de Bogotá. Disponible en: https://www.centroarbitrajeconciliacion.com/Otros-servicios/Articulos-academicos revisado el 15 junio de 2019.

[90] BORN, Gary. *BITS, BATS and Buts: Reflections on International Dispute Resolution*. WilmerHale. 2015. Disponible en: https://www.wilmerhale.com/-/media/files/Shared_Content/Editorial/News/Documents/BITs-BATs-and-Buts.pdf revisado el 15 junio de 2019.

[91] BORN, Gary. *Draft Model Bilateral Arbitration Treaty*. WilmerHale. 2015, disponible en: https://www.wilmerhale.com/uploadedFiles/Shared_Content/Editorial/News/Documents/Draft-Model-BAT.pdf revisado el 15 junio de 2019.

a ellos como Tratados Multilaterales de Arbitraje —MATs—), por lo cuales acuerden que diferentes categorías de controversias comerciales surgidas entre empresas nacionales de tales Estados, serán resueltas por defecto a través de arbitraje internacional.

El ámbito de aplicación de los BATs o MATs estará restringido a lo que los Estados determinen[92]. La decisión de los Estados al suscribir este tipo de tratados se basaría en las "expectativas fundamentales de las partes por una forma neutral e independiente de solución de controversias ante cualquier desacuerdo surgido de acuerdo comerciales internacionales"[93].

Para evitar problemas de arbitrabilidad se propone que estos tratados apliquen únicamente a controversias de naturaleza contractual o, en todo caso, disponibles. Excluyendo, así, controversias relativas al derecho del consumo, derecho laboral, derecho de familia, y en general, aquellas que por su naturaleza no pueden ser objeto de libre disposición por las partes.

En el mismo sentido, para evitar discusiones sobre arbitrabilidad subjetiva, se exige que las partes de la controversia sean "compañías"[94], incorporadas u organizadas bajo el derecho de cualquiera de los Estados contratantes[95]. La propuesta no incluye a particulares, pero los Estados son libres de incluirlos y exigirle requisitos adicionales, de considerarlo necesario (por ejemplo, desarrollar actividades económicas en el territorio de los Estados)[96].

En torno al consentimiento, si bien se señala que los BATs se inspiran en el esquema del *arbitration without privity*[97], no resulta asimilable, pues ninguna de las partes de la controversia (y el eventual arbitraje) participan de la formación del convenio arbitral. Son terceros (los Estados partes) quienes diseñan el acuerdo que da origen al arbitraje. En consecuencia, si surge una controversia dentro del alcance del Tratado y entre partes que cumplen con los requisitos exigidos por el mismo, estas deberán resolverla

---

[92]　*Ibid*, p. 16.
[93]　*Ibid*.
[94]　*Ibid*: "In this context, a company is any juridical entity organized for profit, regardless of their size, business structure, shape, or private or governmental. This definition includes corporation, company, partnership, limited partnership, trust, sole proprietorship, joint venture, association, or similar organizations".
[95]　*Ibid*.
[96]　*Ibid*, p. 18.
[97]　BORN, Gary. BITS, BATS and Buts: Reflections on International Dispute Resolution, *op. cit.*, p. 10.

por medio de arbitraje, el cual se regirá por reglas procesales que el tratado dispondrá y que también aplicaran por defecto. No obstante, las partes
pueden excluir expresamente la aplicación del tratado, ya sea para elegir
otro medio de solución de controversias o para diseñar un convenio arbitral acorde a sus preferencias.

Resulta alentador este tipo de propuestas, a fin de construir el puente
que permita llegar hacia la consolidación del arbitraje por defecto, el cual
no es otra cosa que un eslabón en la cadena evolutiva de este mecanismo
de solución de controversias. Lo más importante para ello es superar el
miedo a lo desconocido[98].

V. CONCLUSIONES

Aceptar la idea de un arbitraje desprovisto de consentimiento, o cuanto
menos limitado en ese sentido, implica aceptar verdades que muchas veces
pasan desapercibidas

La primera de ellas, es que el arbitraje se ha convertido en algo más
que solo un medio para resolver controversias entre comerciantes, pasando a convertirse en el mecanismo por excelencia para solucionar multiplicidad de. Esto habla muy bien de la flexibilidad y adaptabilidad de este
mecanismo. Justamente por ello, se debe evitar trasladar de forma calcada
los postulados que en un momento caracterizaron al arbitraje, incluyendo su naturaleza consensual. Por el contrario, es preciso estar abiertos a
posibilidades en las que dichas características cedan dependiendo de las
circunstancias.

Esto lleva a un segundo aspecto, y es que, en relación al consentimiento,
la teoría no siempre compagina con la realidad. En la práctica, son diversas
las situaciones en las que este elemento pasa —y debe pasar— a un segundo lugar, en aras de privilegiar valores como la justicia, la transparencia o
la eficiencia. Ello es algo positivo, siempre que se haga en procura de un
mayor beneficio para los usuarios del arbitraje, lo cual debe constituir el
criterio primordial al momento de tomar decisiones relativas al procedimiento que limiten el consentimiento.

Por esa razón, se propone una visión del consentimiento flexible, que
abogue por su aplicación en la mayor medida de la posible, siempre que

---

[98] *Ibid*, p. 14.

no imposibilite realizar otro tipo de principios del arbitraje; caso en el cual debe ser limitado o restringido. Su grado de limitación deberá hacerse en proporción al beneficio que represente para las partes, siempre respetando los postulados más básicos de igualdad, justicia y debido proceso.

Este contexto podría permitir la materialización de propuestas como el arbitraje por defecto, la cual es coherente con lo señalado, pues considera al arbitraje como la mejor opción para solucionar determinadas controversias, por lo cual es válido incentivar su uso como regla general, permitiendo siempre a los usuarios optar por opciones diferentes.

Con base en lo señalado, retomando la pregunta planteada al principio de este escrito, es posible afirmar que el arbitraje nunca ha dejado de ser tal por el simple de ver limitado o restringido el consentimiento, y tampoco dejará de serlo mientras no pierda su norte, que es responder a las necesidades de los usuarios en una forma omnicomprensiva, incluyendo principios como los analizados, y no imponiendo dogmas, susceptibles de caer en desuso.

REFERENCIAS

ALEXY, R., *Teoría de los Derechos Fundamentales*. Madrid: Centro de Estudios Políticos y Constitucionales. 2001.

ATAMAN-FIGANMEŞE, I., Manufacturing Consent to Investment Treaty Arbitration by Means of the Notion of Arbitration without Privity. Annales de la Faculté de Droit d'Istanbul. 2011.

AYRES, I. y GERTNER, R., Filling Gaps in Incomplete Contracts: An Economic Theory of Default Rules. Yale Law School. 1989.

BARNETT, R E., The Sound of Silence: Default Rules and Contractual Consent. Virginia Law Review. 1992.

BORN, G., *BITS, BATS and Buts: Reflections on International Dispute Resolution*. Wilmer-Hale. 2015.

BORN, G., International Commercial Arbitration: Commentary and Materials. Kluwer Law International. 2nd edn. 2001.

BYRNES, J. y POLLMAN, E., Arbitration, consent and contractual theory: the implications of EEOC v. Waffle House. Harvard Negotiation Law Review. 2003.

CANTUARIAS SALAVERRY, F., *Participación del Estado peruano en arbitrajes comerciales*. Lima: Revista Advocatus. No. 7. 2002.

CARBONNEAU, T., *The Exercise of Contract Freedom in the Making of Arbitration Agreements*. Vanderbilt Journal of Transnational Law. Vol. 36. 2003.

CORTE CONSTITUCIONAL DE COLOMBIA. Sentencia C-330/12 del 9 de mayo de 2012. Expediente D-8677.

CUNIBERTI, G., Beyond Contract - The Case for Default Arbitration in International Commercial Dispute. Fordham International Law Journal, Vol. 32. 2008.

DAVID, R., *Arbitration in international trade*. Deventer. 1985.

DOLZER, R. y SCHREUER, C., *Principles of International Investment Law*. Oxford University Press. 1st edn. 2008.

DOUGLAS, Z., *The International Law of Investment Claims*. Cambridge University Press. 2009.

EISEMANN, F., *La clause d'arbitrage pathologique*. Arbitrage commercial: essais in memoriam Eugenio Minoli. 1974.

Everett v. Paul Davis Restoration, Inc., 771 F. 3d 380 (7th Cir. 2014). 12-3407.

FAUVARQUE-COSSON, B. y MAZEAUD, D., European Contract Law: Materials for a Common Frame of Reference: Terminology, Guiding Principles, Model Rules. Munich: Selier European Law Publishers. 2008.

FERNÁNDEZ ARROYO, D., *El auge del arbitraje frente al debate sobre su legitimidad*. Organización de los Estados Americanos. 2015.

GONZALES DE COSSIO, F., *Arbitraje*. Editorial Porrúa. 3rd edn. 2011.

GRAHAM A, J., *La atracción de los no firmantes de la cláusula compromisoria en los procedimientos arbitrales*. Biblioteca Jurídica virtual del Instituto de Investigaciones Jurídicas de la UNAM. 2008.

GRAVEL, S. y PETERSON, P., French Law and Arbitration Clauses - Distinguishing Scope from Validity: Comment on ICC Case No. 6519 Final Award. McGill Law Journal. 1992.

GRAVES, J., ICA and the Writing Requirement: Following modern trends towards liberalization or are we stuck in 1958? Belgrade L. Rev. No. 36. 2009.

GRAVES, J., Arbitration as Contract: The Need for a Fully Developed and Comprehensive Set of Statutory Default Legal Rules. William and Mary Business Law Review. 2011.

Guillermo Cañas v. ATP Tour. Swiss Federal Tribunal Decision 4P.172_2006. 22 de marzo de 2007.

GUTIÉRREZ BERNAL, R,, et al. *Las Cláusulas Escalonadas o Multinivel: Su Aproximación en Colombia.* Arbitraje: revista de arbitraje comercial y de inversiones. 2012.

HANOTIAU, B., Complex Arbitrations, Multiparty, Multicontract, Multiissue and Class Actions. Kluwer Law International. 2005.

HART, H. L. A., *The Concept of Law.* Reino Unido: Oxford University Press. 2012.

JOHNSON, E. y GOLDSTEIN, D., *Do Defaults Save Lives?* Science, Vol. 302.

KAUFMANN-KOHLER G. y PETER, H., "Formula 1 racing and arbitration: the FIA tailor-made system for fast track dispute resolution". En: Arbitration International 17. 2001.

KLAUS PETER BERGER, "Law and Practice of Escalation Clauses" [2006].

KUHN, T., *La estructura de las revoluciones científicas.* México: Fondo de Cultura Económica. 1971.

KUNDMÜLLER, F., El Arbitraje en Contratación Pública: (Des) confianza y Aporía: Breves Comentarios al Proyecto de Reglamento de la Nueva Ley de Contrataciones del Estado en: Revista Derecho & Sociedad. Nº 44.

Lanco International Inc. v. The Argentine Republic, ICSID Case No ARB/97/6, Preliminary Decision on Jurisdiction, 8 December 1998.

Lefkovitz v. Wagner, 395 F. 3d 773, 780 (2005).

MATTLI, W. y DIETZ, T., *International Arbitration and Global Governance: Contending Theories and Evidence.* Reino Unido: Oxford University Press. 2014.

MOSES, M., Challenges for the future - the diminishing role of consent in arbitration. TDM. 2014.

Occidental Exploration & Production Company v. The Republic of Ecuador, 2005.

OPPETIT, B., *Théorie de l'arbitrage.* Presses Universitaires de France. 1998.

ORTEGA SÁNCHEZ, R., *Arbitraje Jurídico Deportivo.* Bogotá: Diálogos de saberes. 2012

PARK, W., Non-signatories and international contracts: An arbitrator's dilemma in Permanent Court of Arbitration en: Multiple Parties in International Arbitration. Oxford University Press. 2000.

PAULSSON, J., *Arbitration of International Sports Disputes* en: Arbitration International. 1993.

PAULSSON, J., *Arbitration Without Privity.* ICSID Review - Foreign Investment Law Journal. 1995.

PAULSSON, J., *Moral hazard in international dispute.* Inaugural Lecture as Holder of the Michael R. Klein Distinguished Scholar Chair University of Miami School of Law. 2010.

Republic of Ecuador V. Chevron Corp. United States Court of Appeals, Second Circuit. 638 F. 3d 384 (2011).

RIGOZZI, A. y ROBERT-TISSOT, F., *"Consent" in Sports Arbitration: Its Multiple Aspects* en: GEISINGER, Elliott y TRABALDO, Elena. Sports Arbitration: A Coach for Other Players? Jurisnet LLC. 2015.

RIGOZZI, A., *L'arbitrage international en matière de sport.* Basel: Helbing & Lichtenhahn. 2005.

ROMERO SILVA, E., El artículo 14 de la nueva Ley Peruana de Arbitraje. Lima Arbitration. No. 4. 2011.

ROSERO, N., Regulación de las cláusulas escalonadas en Colombia: ¿contradicción de principios entre el derecho procesal y el arbitraje? Revista Instituto Colombiano de Derecho Procesal. No. 46. 2017.

SCHREUER, C., et al., *The ICSID Convention: A Commentary.* Cambridge University Press. 2nd edn. 2013.

Stolt-Nielsen, S.A. v. Animalfeeds Int'l Corp., 559 U.S. 662, 678-80 (2010).

STREINGRUBER, A. M., *Consent in international arbitration.* Reino Unido: Oxford University Press. 2012.

STREINGRUBER, A. M., The Mutable and Evolving Concept of "Consent" in International Arbitration - Comparing rules, laws, treaties and types of arbitration for a better understanding of the concept of "Consent". Oxford University Comparative Law Forum 2. 2012.

SUFF, M., *Essential Contract Law.* Cavendish Publishing Limited. 2nd edn. 2000.

SUNSTEIN, C. R., *Deciding by Default.* University of Pennsylvania Law Review. 2013.

SUNSTEIN, C. R., The Storrs Lectures: Behavioural Economics and Paternalism. Yale Law Journal. 2014.

SUNSTEIN, C. R., *Why societies need dissent.* Harvard University Press. 2003.

THALER, R. y SUNSTEIN, C., *Nudge: Improving Decisions About Health, Wealth and Happiness.* Yale University Press. 2008.

Thomson-CSF, S.A. v. American Arbitration Association. United States Court of Appeals, Second Circuit. 64 F. 3d 773. 1995.

TREITEL. G. H., *An Outline of the Law of Contract.* Oxford University Press. 6th edn. 2004.

Tribunal Supremo. Sala de lo Contencioso-Administrativo. Sección Quinta Sentencia N° 708/2017 del 25 de abril de 2017 (Madrid).

Tweddle v Atkinson [1861] EWHC QB J57, [1861] 1 B&S 393, 121 ER 762.

United Steelworkers of Am. v. American Mfg. Co., 363 U.S. 564, 569-70 (1960).

WERNER, J., *The Trade Explosion and Some Likely Effects on International Arbitration.* Journal of International Arbitration. Vol. 14. 1997.

YOUSSEF, K., *The Limits of Consent: The Right or Obligation to Arbitrate of Non-Signatories in Groups of Companies* en: HANOTIAU, Bernard y SCHWARTZ, Eric. *Multiparty Arbitration.* Dossiers of the ICC Institute of World Business Law. Kluwer Law International; International Chamber of Commerce. 2010.

La renuncia al recurso de anulación de los laudos y el reconocimiento de laudos anulados - un análisis crítico hacia la deslocalización de los laudos

SEBASTIÁN SALAZAR CASTILLO[*]

RESUMEN

En el presente escrito, se hace un estudio de las diversas aproximaciones que ha tomado el mundo hacia la ya tradicional posición crítica de algunos sectores de la doctrina sobre la necesidad del recurso de anulación de los laudos en la sede del arbitraje. Además, se realiza un breve análisis de casos en donde se ha procedido a reconocer y ejecutar laudos a pesar de haberse anulado en la sede, lleva a realizar una evaluación crítica sobre el funcionamiento y utilidad misma del recurso de anulación, pasando la ley modelo de UNCITRAL, el estatuto arbitral colombiano, el caso belga de 1985 y las recientes reformas de la legislación francesa sobre el particular.

Palabras clave: Recurso de anulación de laudos arbitrales, Reconocimiento de laudos, Ley Modelo, Arbitraje Internacional, Arbitraje en Colombia, Deslocalización.

ABSTRACT

In the present paper, a study of the multiple approaches that the world has taken towards the now traditional critical position of several doctrinal sectors over the actual need for the annulment of awards at the seat of arbitration is made. Additionally, a brief analysis of cases in which Courts have proceeded to recognize and enforce arbitration awards despite being set aside at the seat, takes us to perform a critical evaluation on the actual workings and utility

---

[*] Abogado y Especialista en Derecho Privado-Económico de la Universidad Nacional de Colombia, Magister en Derecho Internacional, Inversiones, Comercio y Arbitraje de la Universidad de Heidelberg (Alemania) y de la Universidad de Chile. Socio en Rincón Cuéllar & Asociados (Bogotá, Colombia); Miembro de la Junta Directiva del Colegio de Abogados Comercialistas; Árbitro del Centro de Arbitraje y Conciliación de la Cámara de Comercio de Bogotá (Colombia) Alternative Dispute Resolution ADR (PERÚ) y Árbitro internacional bajo reglas UNCITRAL; Profesor de la Facultad de Derecho, Ciencias Políticas y Sociales de la Universidad Nacional de Colombia, de la Universidad de La Sabana (Colombia), Colegio Mayor Nuestra Señora del Rosario, Universidad de Medellín, entre otras.

of the annulment remedy, going through UNCITRAL's Model Law, Colombian arbitration law, the Belgian case of 1985 and the recent reforms to French law on the subject.

Key words: Annulment of arbitral awards, Recognition of awards, Model Law, International Arbitration, Arbitration in Colombia, delocalization.

I. INTRODUCCIÓN

Un estudio de las diversas aproximaciones que ha tomado el mundo hacía la ya tradicional posición crítica de algunos sectores de la doctrina sobre la necesidad del recurso de anulación de los laudos en la sede del arbitraje, así como un breve análisis de casos en donde se ha procedido a reconocer y ejecutar laudos a pesar de haberse anulado en la sede, lleva a realizar una evaluación crítica sobre el funcionamiento y utilidad misma del recurso de anulación, pasando por casos como la ley modelo, el estatuto arbitral colombiano, el caso Belga de 1985 y las recientes reformas de la legislación francesa sobre el particular.

El desarrollo del derecho arbitral, específicamente en materia internacional, ha sido una constante, aumentada y exacerbada por el continuo desarrollo del comercio internacional y la contratación internacional que esto ocasiona.

Así las cosas, el mundo ha presenciado como, en desarrollo de los constantes procesos de apertura de mercados, el aumento en el flujo del intercambio internacional de bienes y servicios, ha llevado a una necesaria potenciación de la contratación internacional, ocasionando por supuesto una aumento de las problemáticas que los riesgos adicionales, y en ocasiones aumentados, que dicho tipo de contratación trae consigo.

Teniendo en cuenta los diversos retos que el comercio internacional supone para los contratantes, incluyendo pero sin limitarse, a los costos aumentados de los fletes, el riesgo de incumplimiento, los costos de seguros de transporte de mercancía y la distribución de cargas en el negocio entre los contratantes, la contratación internacional ha tenido que desarrollar de forma continua, mejores y más adecuadas herramientas jurídicas para suplir las necesidades de los contratantes y otorgar la tan preciada seguridad en el desarrollo de sus actividades económicas internacionales.

El florecimiento de dichos mecanismos trae como consecuencia, al otorgar mejores condiciones de seguridad jurídica y garantías futuras de cumplimiento de las obligaciones acordadas entre las partes, un aumento a su vez de las intenciones de los comerciantes de embarcarse en proyectos que les permitan conquistar mercados internacionales, ampliando su *target* de clientes y aumentando sus posibilidades de crecimiento económico, al no tener que verse limitados por las necesidades de los mercados nacionales.

En consecuencia, el desarrollo del comercio internacional ha llevado a un aumento y desarrollo de la contratación internacional que, a su vez tiene como consecuencia un aumento del comercio internacional por las mayores seguridades y tranquilidad que otorga al comercio al desarrollar nuevos y mejorados mecanismos de protección a los contratantes, por lo que estaríamos presenciando un fenómeno auto-catalítico que tiene como consecuencia un aumento sostenido y exponencial de ambas categorías, una específicamente en el aspecto económico y la otra en el aspecto netamente jurídico. Esta y muchas otras características del arbitraje le han llevado al estado de ser considerado "el método de solución de conflictos más adecuado para el comercio internacional" (Aljure, 2012, p. 231).

Como parte de las herramientas desarrolladas por la contratación internacional para suplir necesidades presentes en el comercio internacional puede claramente listarse el mecanismo arbitral para la solución internacional de las controversias, desarrollándose durante las últimas décadas para permitir un adecuado sistema, no solo dirimir las controversias que surgen entre las partes de la relación negocial, sino además para ofrecer mejores condiciones jurídicas para lograr el fin último de los contratantes: obtener la adecuada compensación en casos, por ejemplo, de incumplimiento contractual y la efectiva posibilidad de colectar las sumas que las decisiones arbitrales le conceden.

Para estos efectos, el sistema arbitral ha desarrollado mecanismos para el reconocimiento internacional del contenido de los laudos arbitrales, particularmente, y pese a la existencia de otros claros documentos importantes en la materia, la Convención de Nueva York sobre reconocimiento y la ejecución de las sentencias arbitrales extranjeras de1958 (a la cual se referirá en adelante como "La Convención de Nueva York"), que ha llevado a sectores de la doctrina a calificar dicho documento como "La convención más trascendente en la historia del derecho privado" (Moreno, 2010, p. 5)

Bajo los auspicios de dicha convención, las partes pueden solicitar el reconocimiento del laudo dictado en el extranjero y lograr su posterior ejecución en cualquier Estado firmante de la Convención, logrando con esto la no despreciable consecuencia de permitir la materialización de las condenas en procesos arbitrales en los 156 países que hacen parte de dicha Convención (UNCITRAL, 2015).

Adicionalmente, atendiendo la celeridad exigida por el mundo del comercio actual, en donde la búsqueda constante de los comerciantes es la de encontrar mecanismos que otorguen celeridad y no intervengan negativamente en el desarrollo de sus actividades comerciales, el arbitraje ha adoptado diversos mecanismos para lograr decisiones finales, vinculantes y definitivas en plazos cortos, buscando constantemente restringir todos los elementos que, identificados con el ejercicio arbitral y el paso del tiempo, se identifica son inconvenientes o suponen demoras injustificadas o innecesarias en el proceso. Ejemplos de estos esfuerzos pueden identificarse en los procedimientos abreviados de arbitraje desarrollados por diversas instituciones arbitrales.

Como parte de dichos mecanismos, debe tenerse en cuenta, para efectos del presente escrito y reconociendo la existencia, por supuesto, de otros importantes elementos, el carácter del trámite arbitral como uno predominantemente, de única instancia, es decir, sin la existencia en principio de recursos que permitan una revisión del fondo del asunto discutido en la mayoría de los países y constituyendo esto en una tendencia a nivel internacional (Born, 2012).

La ausencia de una etapa de apelación de los laudos, como regla general, otorga una disminución sustancial en los tiempos de resolución de los conflictos internacionales, quedando únicamente el recurso de anulación como recurso en contra de los laudos. Dicha posición ha sido ampliamente adoptada por diversos países en el mundo, atendiendo una fuerte influencia de la Ley Modelo de Arbitraje de la CNUDMI (En adelante en el presente escrito denominada "Ley Modelo"), que en su artículo 34.1 establece que "Contra un laudo arbitral sólo podrá recurrirse ante un tribunal mediante una petición de nulidad (...)".

Por otro lado, la Convención de Nueva York, si bien permite el reconocimiento y ejecución de laudos extranjeros, otorga la facultad (elemento facultativo este que será objeto de análisis a mayor profundidad más adelante en el presente escrito) de denegar el reconocimiento del laudo cuando el mismo se encuentre inmerso en alguna de las causales contempladas en su artículo V, causales estas que, además coinciden en general con las causales también taxativas contempladas en la mayoría de las legislaciones nacionales que han adoptado (o se han influenciado) de la Ley Modelo para efectos del recurso de anulación.

Como consecuencia de lo anterior, el sistema arbitral prevé principalmente dos eventualidades para oponerse al laudo arbitral (Várady, Barceló III, & Von Mehren, 2009), sea en búsqueda de su anulación o de su no reconocimiento (ambas eventualidades fuertemente restringidas a vicios netamente formales y no sustanciales del laudo atacado).

Así las cosas, es el objeto del presente escrito realizar un análisis, desde el derecho comparado, de las diversas posibilidades que se ofrecen a los contratantes en cuanto a la extensión de la revisión de los laudos por la vía del recurso de anulación, haciendo especial énfasis en la forma como diversas legislaciones nacionales han contemplado la posibilidad de ofrecer a las partes, en el marco del arbitraje, la posibilidad de renunciar previamente al recurso de anulación, dejando como única etapa de revisión del laudo el eventual trámite de reconocimiento y ejecución a la luz de la Convención de Nueva York.

Seguidamente se analizará, como elemento dirigido a la crítica del sistema actual de doble revisión del laudo por las mismas causales (por cuanto en términos generales y en diversas legislaciones las causales de anulación y de no reconocimiento de los laudos según la Convención de Nueva York son muy similares), los casos en los que incluso la jurisprudencia internacional ha restado importancia a la anulación del laudo concediendo el reconocimiento y ejecución del mismo pese a haber sido anulado.

II. EL RECURSO DE ANULACIÓN DE LOS LAUDOS ARBITRALES

El recurso de anulación, como se mencionó anteriormente, supone la posibilidad que se concede a las partes del proceso arbitral para, dentro de un término posterior a la expedición del laudo, solicitar ante la autoridad se anule el mismo como consecuencia de estar éste inmerso en alguna causal, generalmente a causa de vicios formales, contemplada dentro de la ley nacional.

Lo primero que hay que afirmar al respecto es que la Convención de Nueva York no extiende su aplicación a la anulación de los laudos extranjeros (o no domésticos), sino que se limita, en su artículo V a detallar las causales taxativas que permitirán al Estado, de forma facultativa, no conceder el reconocimiento de dicho laudo.

Así mismo, la jurisprudencia ha reconocido que la Convención de Nueva York, al no tratar el tema, tampoco restringe a los Estados su facultad y autoridad de supervisión sobre los laudos, incluyendo dentro de la misma la posibilidad de anular el laudo arbitral (United States Court of Appeals, Second Circuit, Yusuf Ahmed Alghanim & Sons v. Toys "R" Us Inc, 1997).

No obstante lo anterior, la doctrina si ha sido enfática en afirmar que la Convención de Nueva York, si bien no restringe la capacidad de los Estados para supervisar los laudos a través del recurso de anulación contra los mismos, si ha manifestado que los procesos de anulación de los laudos de carácter nacional deben estar limitados a las causales de no reconocimiento de la Convención de Nueva York o a los principios internacionales en forma general. Dicha posición parte precisamente de que entender que los Estados pueden establecer revisiones por tribunales nacionales a asuntos más allá de los expresamente permitidos por la Convención de Nueva York (incluso revisiones de fondo del laudo atacado), equivaldría a permitirles sustraerse de su obligación principal bajo tal Convención, la cual es permitir el reconocimiento de laudos no domésticos (Born, 2014)

Igualmente ha sido clara la jurisprudencia al interpretar quienes son los jueces competentes para conocer de dicho recurso de anulación. Al respecto, la posición predominante es que únicamente los tribunales del país en el que el laudo fue hecho y los tribunales del país con cuyas leyes el laudo fue realizado pueden ser competentes para conocer de una eventual anulación del laudo (United States District Court, S. D. New York, International Standard Electric Corporation v. Bridas S.A., 1990)

III. DESLOCALIZACIÓN DEL ARBITRAJE

Como posible contraposición a todo lo anterior y como manifestación de numerosos años de esfuerzos del derecho del arbitraje internacional por sustraerse, cada vez en mayor medida, del control e intervención de los tribunales nacionales, han surgido con diferentes niveles de vehemencia a lo largo de las décadas, fuertes voces en la doctrina abogando por la denominada "deslocalización" de los trámites arbitrales.

En principio, es importante tener en cuenta que el término *deslocalización*, desde el inicio, necesita una desambiguación que permita comprender a que faceta de dicho fenómeno se está haciendo alusión.

Principalmente, existen dos concepciones diferentes que encuentran asilo en el término *deslocalización*, aunque analizados a la luz de lo que en términos definitivos ambas posiciones predican, podría afirmarse que se trata de la corriente que supone una prevalencia de la autonomía de la voluntad sobre todo tipo de atadura estatal, sea por la aplicación de normas sustanciales nacionales a las controversias o por intervención y control nacional a la actividad arbitral propiamente dicha.

El primero de ellos, se relaciona con la creciente tendencia hacia la utilización de normas transnacionales como norma aplicable al fondo de las controversias. Esta acepción del término *deslocalización* propende por el fortalecimiento del principio de autonomía de la voluntad, librando a las partes contratantes de las ataduras de no poder elegir la norma aplicable a su conflicto, en principio, y tener que recurrir, por ejemplo, a las teorías de conflicto de normas para su posterior determinación. Una vez esta batalla fue decidida a favor de la autonomía de la voluntad de las partes, el camino continuó hacia ahora exigir que la elección de la ley aplicable al fondo del asunto, si bien estaba al arbitrio de las partes, no se restringiera únicamente a la aplicación de una ley nacional (Moses, 2012).

Bajo este segundo desarrollo de la primera acepción de *deslocalización* esbozada en el presente escrito, reclaman los contratantes la posibilidad de someter sus controversias a reglas de derecho (no leyes en el sentido formal del término) originadas en la costumbre internacional del comercio y, en ocasiones, condensadas por las codificaciones internacionales que entidades transnacionales como la UNIDROIT han realizado (v.gr. los denominados Principios Unidroit sobre los Contratos Comerciales Internacionales en su más reciente versión de 2016).

Es esta teoría, y su avance, la que ha potenciado el crecimiento y desarrollo de la que ha sido denominada la *Nueva Lex Mercatoria* (Ruiz Abou-Nigm, 2005) y su aplicabilidad a los conflictos comerciales en donde se haga expresa alusión a la misma como derecho aplicable al contrato o donde se prevea, entre otras cosas, la aplicación de la costumbre y los principios del comercio internacional o el derecho internacional de los negocios.

Aparte de lo anterior, una segunda acepción de la *deslocalización*, que cuenta además con mayor recepción entre la comunidad académica, está orientada a entender dicho término como un fenómeno en donde, si bien igualmente se reclama la autonomía de la voluntad en el fondo, se orienta particularmente hacia el crecimiento del desapego del arbitraje internacional de los distintos mecanismos de control y revisión por parte de los estados nacionales (Dike, 2015). Tras la experiencia Belga, de cual se hablará más adelante, algunos doctrinantes han considerado que la total deslocalización ha sido un total fracaso, al menos por el momento (Blackaby, Partasides, Redfern, & Hunter, 2009).

Dentro de este espectro de liberalización del arbitraje del control nacional, puede claramente entenderse incluida la redacción del Art. 5 de la Ley Modelo de Arbitraje, que expresamente ordena la no intervención o participación de los jueces nacionales en un trámite arbitral internacional, salvo aquellos específicos aspectos en donde taxativamente la ley así lo permita:

En los asuntos que se rijan por la presente Ley, no intervendrá ningún tribunal salvo en los casos en que esta Ley así lo disponga.

Es importante sin embargo aclarar que, dentro de las definiciones de dicho documento, específicamente en el artículo 2 literal C, se contempla que "tribunal" significa un "órgano del sistema judicial de un país".

Como consecuencia de esta segunda forma de entender el concepto de *deslocalización*, ha surgido una tendencia internacional hacia otorgar a las partes contratantes la posibilidad de renunciar al recurso de anulación posterior, convirtiendo esto entonces en una situación en donde la voluntad de las partes prevalecerá, dada la excepción específicamente consagrada en la norma, sobre la facultad del Tribunal estatal para conocer de un recurso que, principalmente, fundamenta su existencia en el derecho del Estado mismo para verificar y controlar el cumplimiento de las normas procesales en el desarrollo de las trámites arbitrales hechos en su país o haciendo uso de sus normas procesales.

III. ANÁLISIS DE LA RENUNCIA AL RECURSO DE ANULACIÓN DESDE EL DERECHO COMPARADO

Son diversas las legislaciones que se han acercado a la posibilidad de otorgar a las partes la facultad de renunciar al acceso al control estatal por vía de anulación.

Como parte del presente análisis, se realizará un estudio sobre diversas normas nacionales y la forma como se han aproximado a esta forma de *deslocalización* de los laudos, permitiendo a las partes acceder, dadas ciertas condiciones, a la posibilidad de no permitir a las partes posteriormente acceder al recurso de anulación, logrando con esto, si las partes lo desean, que el análisis y verificación formal del laudo arbitral sea hecho, por las causales contempladas en la Convención de Nueva York, una única vez en la sede del reconocimiento.

En principio, la Ley Modelo no contempla dentro de su redacción, tanto la originalmente adoptada en 1985 como en su revisión de 2006, del recurso de anulación como único recurso procedente contra el laudo arbitral, la posibilidad de otorgar a las partes la facultad de renunciar al acceso al recurso de anulación.

Teniendo en cuenta que dicho derecho, esto es, el acceso a los tribunales nacionales para procurar la anulación de un laudo bajo las causales establecidas es un derecho ampliamente aceptado y reconocido en el mundo arbitral, se torna específicamente necesario que la ley expresamente faculte a las partes para renunciar a dicho derecho, estableciendo si es el caso los eventos en que dicha renuncia puede ser válidamente hecha.

1. El caso Inglés

El caso inglés trae consigo diversos elementos a analizar, dada la posición tomada por el legislador en el *English Arbitration Act*. En principio, es relevante anotar que si bien el acceso a la revisión es potestativa (por cuanto se otorga a los Tribunales nacionales a conocer de la apelación presentada por las partes, más sujeto a que no haya acuerdo en contrario adoptado por los contratantes) así:

> Section 69 (1) English Arbitration Act
> "Appeal on point of law.
> (1)
> **Unless otherwise agreed by the parties**, a party to arbitral proceedings may (upon notice to the other parties and to the tribunal) appeal to the court on a question of law arising out of an award made in the proceedings. An agreement to dispense with reasons for the tribunal's award shall be considered an agreement to exclude the court's jurisdiction under this section.
> (...)" (Negritas fuera de texto original).

Como puede verse, entonces, la redacción del la sección 69 precitada, concede a las partes la posibilidad de restringir la revisión de fondo de lo decidido por el tribunal arbitral en el laudo.

Dicha posibilidad, se otorga a las partes de forma facultativa y se necesita por tanto que las mismas lleguen a acuerdo, sea anterior o posterior al laudo, en dicho sentido, pudiendo por tanto excluir la revisión sustancial del laudo ante los jueces ingleses.

No se extiende, sin embargo, esta facultad a las previsiones contenidas en la sección 67 (4), relativa a las eventuales objeciones jurisdiccionales y las decisiones que al respecto tome el juez nacional, orientadas en principio a la posibilidad de confirmar, variar o anular el laudo [Sección 67 (3)].

Igualmente se encuentra vetada la voluntad de las partes en el sentido de excluir sus restricciones convencionales a los recursos como consecuencia de serias irregularidades [Sección 68 (4)], como consecuencia de las violaciones procesales consagradas en el inciso (2) de dicha normativa.

Así las cosas, como se mencionó, el caso inglés presupone una situación particular al permitir la renuncia a recursos, particularmente al orientado a la revisión sustancial de lo decidido por el tribunal arbitral en el laudo, mientras restringe dicha eliminación de revisiones por el juez inglés en las eventualidades de recursos orientados a socavar el laudo por inconvenientes relativos a la competencia del tribunal o a vicios formales como el fraude, violaciones al procedimiento acordado por las partes, entre otras.

2. El caso Belga

El caso de Bélgica es uno que históricamente corresponde analizar puntualmente, dadas las variaciones normativas realizadas en 1985 y en 1998.

En principio el legislador belga, en un intento por atender las crecientes corrientes que reclamaban la deslocalización de los laudos desde el completo desapego al trámite de la anulación de los laudos en el lugar en que es desarrollado el arbitraje, realizó una modificación al artículo 1717 del *Code Judiciaire* excluyendo de forma completa la procedencia del recurso de anulación cuando ninguna de las partes, sea natural o jurídica, tiene su residencia o ciudadanía en Bélgica.

Esto fue regulado de la siguiente manera:

> The Belgian Court **can take cognizance of an application to set aside only if** at least one of the parties to the dispute decided in the arbitral tribunal is either a physical person having Belgium nationality or residing in Belgium, or a legal person formed in Belgium or having a branch or some seat of operation there (Negrita fuera de texto original)

Bajo esta aproximación, los tribunales belgas únicamente podían conocer de la anulación si alguna de las partes era nacional o tenía su domicilio en Bélgica. Tras la realización de esta modificación, en el año 1985 y con el ánimo de atraer un mayor número de arbitrajes internacionales con partes extranjeras que tomaran a Bélgica como la sede para realizar su arbitraje, de forma irónica se logró el efecto contrario (Moses, 2012). Desde la expedición de dicha modificación, los contratantes, en parte temerosos de escoger una sede de arbitraje que expresamente prohíbe a sus Cortes conocer y controlar en el origen el laudo y, aparentemente extrañando dicha protección, dejaron de acordar a Bélgica como sede para sus eventuales controversias (Dike, 2015).

Al identificar lo que puede ser considerado un error de cálculo por parte del legislador belga y tras evidenciar durante varios años el comportamiento logrado por Suiza al adoptar una posición alterna y menos radical frente al asunto (tema que se analiza en el presente escrito al hablar del "caso suizo"), Bélgica modificó en 1998 nuevamente su normativa internacional para aproximarse a la posición moderada adoptada por diversos países hoy en día.

Dicha modificación, que no sufrió cambios tras la realizada recientemente al código belga en 2013, expresamente prevé en su artículo 1718:

> By an explicit declaration in the arbitration agreement or by a later agreement, **the parties may exclude any application for the setting aside of an arbitral award**, where none of them is a natural person of Belgian nationality or a natural person having his domicile or normal residence in Belgium or a legal person having its registered office, its main place of business or a branch office in Belgium. (Negritas fuera de texto original).

Bajo este mecanismo, claramente menos radical que la prohibición expresa al recurso de anulación contemplada en la redacción del artículo 1718 de la versión de 1985 precitada, se contempla en efecto la posibilidad a renunciar al recurso de anulación más sometido al expreso pacto de las partes.

Es decir, donde se excluía de forma expresa y total la procedencia del recurso de anulación en los casos en donde las partes en el conflicto no fuesen nacionales o residentes en Bélgica (siendo personas naturales o jurídicas) ahora se adopta, tras el ejemplo dado por Suiza pocos años atrás, una posición en donde se privilegia la autonomía de la voluntad con la restricción nacional.

Sobre esta fórmula es importante detenerse, aún cuando será analizada en adelante en algunos otros casos en donde el legislador optó por permitir la renuncia al recurso de anulación en forma similar.

La previsión parte de dos premisas fundamentales:

La primera, que los jueces nacionales tienen, por regla general, la facultad de conocer de los asuntos de anulación de los laudos, de conformidad con las normas que internamente regulan este asunto particular, más dicha facultad podrá ser restringida por voluntad de las partes (tanto con antelación como con posterioridad al surgimiento del conflicto), mientras dicho acuerdo se dé de forma explícita.

En segundo lugar, se contempla que dicha renuncia, cumplido el anterior requisito, no será válida sino en los casos en que es realizada por una persona natural que no sea ciudadana o tenga su residencia en Bélgica o por una persona jurídica que no esté constituida bajo las leyes de Bélgica, que no tenga su principal domicilio negocial en Bélgica o cualquier tipo de sucursal en Bélgica.

Este segundo punto igualmente merece atención en cuanto a sus motivos y extensión.

En principio, es importante resaltar la razón por la que se exige como requisito fundamental que la renuncia se limite única y exclusivamente a las personas que cumplan con los requisitos antes listados, extendiéndose esto a ambas partes.

Como se observará más adelante en el presente escrito, si bien la posibilidad de renunciar al recurso de anulación ha sido considerada como una ventaja convencional, orientada a buscar mayor celeridad en los trámites arbitrales, lo cierto es que necesariamente se ha entendido debe ser limitada a aquellos casos en donde las partes son estrictamente extranjeras o con domicilio en el exterior, pues permitir aún a nacionales (por lo menos bajo este esquema planteado hasta el momento) llevaría a la parte nacional del Estado en donde se desarrolla el arbitraje a un posible escenario de completa desprotección.

Por tal motivo, legislaciones como la colombiana, han optado por retirar el carácter de "nacional" o "local" a los laudos que, aunque hayan sido proferidos en ese país, lo hayan sido en un proceso en donde se renunció al recurso de anulación. Como se analizará en el denominado "caso colombiano" en el presente artículo, Colombia hace necesario el trámite de reconocimiento a los laudos proferidos en Colombia en arbitrajes internacionales en donde se haya renunciado al recurso de anulación y se pretendan ejecutar en Colombia (Como puede identificarse en el artículo 111 Numeral 2 de la ley 1563 de 2012). Lo anterior, aunque no expresamente, basándose en la posibilidad que tiene cada Estado, con base en el artículo 1 (3) de la Convención de Nueva York, de determinar cuales sentencias arbitrales son consideradas "nacionales".

En atención a lo anterior, la posición tomada por Bélgica tras su modificación de 1998 contempla una vía que ha sido recibida de mejor forma que la inicialmente planteada, todo parte del camino recorrido por diversas legislaciones del mundo por atender y regular, por un lado, la creciente exigencia doctrinaria hacia la deslocalización y la de los contratantes hacia la celeridad y, por el otro la seguridad jurídica y tranquilidad que otorga el control judicial a los laudos arbitrales.

3. El caso Suizo

Ahora, al analizar la experiencia de Suiza en cuanto a su participación a nivel internacional en el desarrollo de las teorías y posibilidades tendientes a renunciar al recurso de anulación, se hace necesario en primera medida afirmar que su regulación es, en su versión actual, similar en cuanto a la aproximación que tiene la redacción actual de la ley Belga.

Es en toco caso importante anotar que, pese a la similitud normativa actual, fue primero el legislador suizo quién para el año de 1987, modificó la ley suiza en materia de Derecho Internacional Privado, concediendo como se ve igualmente a las partes la facultad de renunciar al recurso de anulación. Es así como, el artículo 192 de la mencionada ley prevé:

> Article 192 (1)
> If none of the parties have their domicile, their habitual residence, or a business establishment in Switzerland, they may, by an express statement in the arbitration agreement or by a subsequent written agreement, **waive fully the action for annulment or they may limit it to one or several of the grounds listed in Art. 190 (2).** (Negritas fuera de texto original).

Como puede verse de la redacción del artículo precitado, es claro que la posición tomada en la norma difiere de la adoptada en la ley Belga de 1985, sirviendo de tendencia para la redacción posterior y similar adoptada en la versión modificada de la ley Belga de 1997, en donde se entiende como facultativo el derecho de las partes de renunciar al recurso de anulación.

Como elementos concordantes entre las normas, encontramos la presencia de los dos mismos elementos analizados en el caso Belga, esto es, la facultad que en general tienen los jueces de conocer de la anulación, salvo que expresamente las partes manifiesten su acuerdo de no adelantar dicho trámite, por un lado, y la necesidad de que tal renuncia sea hecha nuevamente solamente cuando ambas partes no sean residentes en Suiza.

Sin embargo, de la redacción de la norma pueden extraerse algunas precisiones particulares:

En primer lugar, debe notarse que la norma no estima necesario diferenciar entre las personas naturales y las personas jurídicas, entendiendo por tanto que se extiende a ambos tipos de personas.

En el mismo orden es importante resaltar como el carácter de nacional o ciudadano suizo no hace parte de los escenarios que impedirían una eventual renuncia al recurso. Bajo dicho entendido, la norma contempla entonces un parámetro en cuanto a las partes que prefiere el criterio del domicilio, residencia y/o establecimiento de negocios, sobre el criterio de la nacionalidad de la parte. Bajo este esquema, se entenderá posible entonces que un ciudadano suizo, que no tenga su domicilio, residencia habitual o establecimiento de negocios en Suiza podrá válidamente renunciar al recurso de anulación.

En segundo lugar, igualmente importante, es que la norma, bajo esta redacción, aclara que las partes podrán limitar completamente el recurso de anulación o, si es su deseo, limitar las causales de anulación en una o varias de las expresamente consagradas en la ley.

La redacción de la versión modificada de la ley Belga no contempla esta particularidad, por cuanto deberá entenderse que la posibilidad otorgada a las partes es una de todo o nada, es decir, o permiten el recurso de anulación con todas sus causales o lo eliminan completamente, igualmente impidiendo su ejercicio para todas las causales de eventual anulación del laudo.

Sobre el particular únicamente quedaría referirse a si esta limitación de causales que permite la ley suiza aplicaría tanto a las causales que se ejercen a solicitud de parte como aquellas que pueden ser decretadas de oficio por el juez que conoce del asunto. Dada la naturaleza que habitualmente existe tras las causales de oficio (incluso refiriéndose en términos generales a las legislaciones que puedan adoptar una posición similar a la Suiza en la materia) que tienen su origen en la Convención de Nueva York, particularmente contempladas en el Art. V (2) de dicho documento internacional, se sostiene ahora que si podrían igualmente las partes limitar la posibilidad del juez de conocer dichas causales si no han restringido totalmente la procedencia del recurso de anulación del laudo.

Lo anterior, pese a que dichas causales de oficio se orientan principalmente a una protección del orden público internacional del Estado cuyos jueces están conociendo de la anulación o concediendo posibles anulaciones a procesos arbitrales que se hayan adelantado donde el asunto sometido a consideración de los árbitros no es arbitrable, se fundamenta en diversos motivos:

El primero de ellos se orienta a entender que "*qui potest plus, potest minus*". Bajo esta concepción, si la norma concede a las partes la posibilidad de renunciar en su totalidad al recurso de anulación, debe entenderse, por supuesto, que dicha renuncia impediría al juez nacional conocer incluso de dicha anulación por causales de oficio y, por tanto, carecería de sentido decir que si renuncia totalmente al recurso podrá restringir las causales de oficio, pero si sólo limita las causales a algunas de las contempladas en dicha eventualidad no podría hacerlo.

En segundo lugar, debe tenerse en cuenta que las teorías de la deslocalización que han llevado a los legisladores a ofrecer la posibilidad de renunciar al recurso de anulación se basan, no en la completa falta de control del laudo en sus vicios formales, sino en que dicha revisión será hecha por el juez nacional en sede de reconocimiento. Así las cosas, entender las facultades de vigilancia de los jueces nacionales en las causales de oficio bajo la naturaleza antes esbozada es igualmente afirmar que el orden público internacional que no debe violarse es el del Estado en donde el laudo va a tener efectos en la realidad, es decir, en la sede de reconocimiento y no en un país que únicamente tiene como vínculo con el laudo haber sido el lugar en donde físicamente —y en ocasiones ni siquiera esto— los árbitros se reunieron a adelantar el trámite arbitral o cuyas leyes procesales fueron usadas para adelantar el proceso, aún cuando ninguna parte tenga dicha nacionalidad ni los árbitros hayan puesto pie alguno en dicho Estado.

Así las cosas, el caso suizo se establece igualmente como un hito histórico importante en el desarrollo de las permisiones nacionales a la posibilidad de renunciar al recurso de anulación.

4. El caso Colombiano

Procederemos ahora a realizar un análisis de la legislación colombiana y su aproximación al tema específico en comento.

Lo primero que debe mencionarse es que, de las leyes analizadas en el presente escrito, se toma la ley colombiana (Ley 1563 de 2012) principalmente por tratarse de una ley altamente basada en la Ley Modelo, fruto del esfuerzo legislativo hecho por el Estado Colombiano para modernizar la legislación nacional de arbitraje aplicable tanto a arbitrajes nacionales como internacionales y que en su parte internacional supuso un importante avance respecto de las legislaciones existentes antes de su promulgación (Carrizosa Calle, 2013).

Así las cosas y, tras encontrar su principal fundamento e inspiración en la Ley Modelo, el legislador colombiano incorporó algunas modificaciones, con diferentes grados de incidencia práctica, en el texto específico recomendado por la UNCITRAL en la ley modelo. La Ley Modelo, como se ha mencionado antes y, según las mismas Notas explicativas sobre la Ley Modelo, en su numeral 5 exponen "(...) se elaboró para hacer frente a las disparidades entre las diversas leyes nacionales de arbitraje. La necesidad de perfeccionamiento y armonización se basó en la comprobación de que las leyes nacionales solían ser particularmente inadecuadas para regular los casos internacionales".

Dentro de dichas modificaciones, y orientado específico al tema del presente escrito, debe resaltarse la inclusión realizada por la Ley 1563 de 2012 en su artículo 107 inciso segundo, en donde se concede la posibilidad y requisitos para la renuncia al recurso de anulación.

La ley colombiana en comento parte de la base, directamente inspirada en el Artículo 34 (1) de la Ley Modelo, bajo la cual el único recurso procedente en contra del laudo arbitral es el recurso de anulación, aclarando incluso en su texto que el tribunal nacional que conozca de dicho trámite de anulación lo hará exclusivamente a partir de las causales contempladas en dicha ley (Artículo 108 de la misma y que refleja las causales contempladas en el Artículo V de la Convención de Nueva York), específicando además que en ningún caso se revisará sustancialmente lo decidido:

> *ARTÍCULO 107. LA ANULACIÓN COMO ÚNICO RECURSO JUDICIAL CONTRA UN LAUDO ARBITRAL. Contra el laudo arbitral solamente procederá el recurso de anulación por las causales taxativamente establecidas en esta sección. En consecuencia, la autoridad judicial no se pronunciará sobre el fondo de la controversia ni calificará los criterios, valoraciones probatorias, motivaciones o interpretaciones expuestas por el tribunal arbitral.*

No obstante lo anterior, el inciso segundo contemplado en dicho artículo no encuentra su fundamento directo en la Ley Modelo, por cuanto, como se mencionó anteriormente, la Ley Modelo no contempla expresamente en su redacción la posibilidad de ofrecer, en forma alguna, la renuncia al recurso de anulación, aunque como se verá más adelante algunos Tribunales han entendido que pese a no concederse expresamente podrá realizarse bajo una ley nacional que replique la Ley Modelo completamente en este asunto, por cuanto tampoco prohíbe dicha renuncia de forma expresa.

Es así como la legislación colombiana adopta una postura, claramente no inspirada en los intentos unificadores de las leyes de arbitraje internacional buscada por la Ley Modelo sino en atención a criterios de deslocalización y a la influencia de legislaciones que habían reconocido dicha posibilidad, como se analizó en los casos pasados en el presente escrito, regulándolo así:

> *ARTÍCULO 107.*
> *(...)*
> *Cuando ninguna de las partes tenga su domicilio o residencia en Colombia, las partes podrán, mediante declaración expresa en el acuerdo de arbitraje o mediante un acuerdo posterior por escrito, excluir completamente el recurso de anulación, o limitarlo a una o varias de las causales contempladas taxativamente en la presente sección. (Subrayas fuera de texto original).*

Como puede identificarse, la posición adoptada por la legislación colombiana se acerca más a la redacción adoptada por la legislación de Suiza, en donde, como se comentó, se prefiere el criterio del domicilio o residencia por encima del criterio de la nacionalidad de las partes.

Igualmente, se establece expresamente que la limitación podrá ser total del recurso o solamente orientada a restringir una o varias de las causales contempladas en la ley, en donde es válido nuevamente afirmar, como se explicó anteriormente en el caso Suizo, que podrá por tanto limitarse incluso las causales conocidas como "de oficio" por los mismos motivos esbozados brevemente con antelación.

Complementando lo anterior, el artículo 111 numeral 2 de la norma arbitral colombiana, prevé la necesidad de realizar el procedimiento de reconocimiento a los laudos dictados en procesos donde se haya renunciado al recurso de anulación, cuando dichos laudos pretendan ejecutarse en Colombia, así:

> *ARTÍCULO 111. RECONOCIMIENTO Y EJECUCIÓN. Los laudos arbitrales se reconocerán y ejecutarán así:*
> *2. Los laudos dictados en arbitrajes internacionales cuya sede sea Colombia se considerarán laudos nacionales y, por ende, no estarán sujetos al procedimiento de reconocimiento y podrán ser ejecutados directamente sin necesidad de este, **salvo cuando se haya renunciado al recurso de anulación, caso en el cual será necesario su reconocimiento.** (Negritas fuera de texto original).*

Así las cosas, si bien la Convención de Nueva York obliga a los Estados a reconocer los laudos extranjeros, también extiende su aplicación a las "sentencias arbitrales que no sean consideradas como sentencias nacionales en el Estado en que se pide su reconocimiento y ejecución" [Artículo 1.1)]. Como se puede evidenciar de la redacción de la norma, en el presente caso el legislador colombiano construye sobre la posibilidad dada en la Convención de Nueva York para someter al proceso de reconocimiento laudos dictados en Colombia.

5. El caso francés

Finalmente, dentro del análisis comparado de legislaciones nacionales escogidas para el presente escrito, teniendo en cuenta que por supuesto se tienen presentes diversas legislaciones con elementos a analizar, más que la extensión del presente escrito no permite abarcar, procederemos a dar una mirada a la propuesta francesa respecto del tema del presente escrito.

El Código de Procedimiento Francés, tras la modificación realizada bajo el Decreto No. 2011-48 de 13 de enero de 2011, contempla en su artículo 1522:

> *By way of a specific agreement the parties may, at any time, expressly waive their right to bring an action to set aside. Where such right has been waived, the parties nonetheless retain their right to appeal an enforcement order on one of the grounds set forth in Article 1520.*

La presente modificación normativa merece, en el marco del análisis que ahora se realiza, especial atención, como clara consecuencia de la redacción misma del artículo y la posición que adopta frente al asunto de la renuncia al recurso de anulación.

Sobre el particular, en principio, es necesario detenerse sobre los elementos mismos de la redacción del artículo, dado que, como puede verse, guarda silencio en cuanto a categorizaciones de las partes respecto de su nacionalidad o, incluso, su domicilio o lugar habitual de negocios.

La redacción de la ley procesal francesa concede, por tanto, la facultad a las partes de renunciar al recurso de anulación, sin estipular como requisito específico que las partes deban no ser de nacionalidad francesa o deban no residir en Francia para que dicha renuncia sea válida.

Es importante en todo caso anotar que el segundo requisito, es decir, la necesidad de que el acuerdo sea específico o expreso sobre el particular si es mantenido en la legislación francesa, suponiendo entonces una continuidad con lo contemplado en las anteriores legislaciones analizadas.

Es evidente que las teorías de deslocalización que han motivado las previsiones normativas de renuncia al recurso de anulación se han percatado de que la anulación podría ser obviada únicamente en aquellos casos en donde hacerlo no suponga una completa falta de control sobre el laudo arbitral, dejando esa función al Juez nacional en sede de reconocimiento en virtud de la Convención de Nueva York y sus causales de no reconocimiento de los laudos.

Por tanto, se ha fundamentado la necesidad de mantener la limitación a que la renuncia sea aplicable únicamente a laudos en donde ambas partes no tengan su domicilio en el Estado que contempla la renuncia en su norma, más con esto se permite la existencia de control formal del laudo en todo caso en que pretenda ser ejecutado en Francia, con independencia del domicilio o nacionalidad de las partes en el proceso.

Con lo anterior se permite que las partes, aún nacionales o domiciliados franceses, renuncien al recurso de anulación, sin someter el laudo entonces al trámite de reconocimiento como sucede, por ejemplo, en el caso de la norma colombiana.

Así las cosas, como puede leerse en la norma, se prevé que en todo caso en caso de renuncia al recurso de anulación, la parte contra quién se pretenda ejecutar en Francia el laudo arbitral, aún dictado en territorio francés y por tanto no sujeto a la Convención de Nueva York, permitirá a la parte ejecutada apelar la orden de ejecución de dicho laudo.

Lo más importante entonces de esta permisión de apelación de la orden de ejecutar el laudo recae en que se concede a dicha parte la facultad de oponer como medios de defensa en dicho trámite las causales contempladas en el artículo 1520 del Código de Procedimiento Francés, en donde se prevén las causales de anulación del laudo. Con lo anterior se modifica la postura anteriormente adoptada en Francia, en donde por virtud del Decreto 81-500 de 1981, no era dable a las partes reducir el control judicial de los laudos.

Así las cosas, el efecto que en definitiva se logra es que, aún si un residente o domiciliado francés renuncia al recurso de anulación (y por el hecho de ser un laudo doméstico ejecutable directamente sin intervención de las causales de no reconocimiento contempladas en la Convención de Nueva York) en todo caso podrá ejercer defensas basadas en dichas causales (a) cuando pese a ser domiciliado francés se busque el reconocimiento y ejecución en un país distinto a Francia o (b) cuando siendo domiciliado francés se busque su ejecución en Francia, por cuanto podrá ejercer las mismas causales de defensa que tendría en el trámite de reconocimiento.

En efecto, otras legislaciones en el mundo han adoptado posturas diversas sobre el asunto de la reducción, ampliación o eliminación del control judicial, de forma convencional o legal, como ha explicado en detalle la más reconocida doctrina internacional (Caivano, 2011). No pretende el presente artículo, por su extensión, realizar un análisis comprehensivo de la situación, sino presentar tendencias particulares en la materia, como fueron explicadas.

IV. BREVE ANÁLISIS DEL RECONOCIMIENTO DE LAUDOS ANULADOS

Finalmente, como último punto antes de proceder a las conclusiones anunciadas al inicio del presente escrito, realizaremos un muy breve análisis de casos específicos en donde las Cortes nacionales, en sede de reconocimiento, han aceptado reconocer laudos pese a haber sido los mismos anulados durante el trámite de anulación en la sede del arbitraje.

Primeramente, es importante resaltar que la Convención de Nueva York contempla en su artículo V (1) (e) como causal de no reconocimiento de los laudos que los mismos hayan sido anulados, así:

> e) Que la sentencia no es aun obligatoria para las partes o ha sido anulada o suspendida por una autoridad competente del país en que, o conforme a cuya ley, ha sido dictada esa sentencia.

Así las cosas, específicamente en materia de arbitrajes con fines de ser ejecutados en un lugar diferente de la sede del arbitraje y donde corresponda adelantar el trámite de reconocimiento, uno de los principales efectos de la anulación (como resultado del trámite de anulación ante los jueces legítimamente competentes para conocer de dicho trámite) es precisamente el de convertir al laudo en uno potencialmente no reconocible (y por tanto no ejecutable) ni en el país en que fue dictado al entenderse generalmente que el mismo ha dejado de existir para el mundo del derecho (Born, 2012) ni en ningún otro país como consecuencia de estar este inmerso en una causal de acuerdo con la Convención de Nueva York citada anteriormente.

No obstante lo anterior, diversas autoridades judiciales en distintos Estados han desarrollado teorías que permitirían la ejecución de dichos laudos en sus jurisdicciones, aún pese a haber sido anulados en la sede y encontrarse inmersos en la causal de no reconocimiento de la Convención de Nueva York.

Si bien un análisis puntual de los diversos casos y teorías según las cuales se ha ejecutado laudos anulados excede la extensión del presente escrito, tomaremos particularmente dos de dichas teorías y un caso hito en cada una.

En principio, debemos ubicar a las Cortes que han reconocido laudos anulados en la sede del arbitraje como consecuencia de haber simplemente hecho caso omiso de dicha anulación.

Una decisión de gran importancia en este punto fue el caso *Yukos* (Corte de Apelación de Ámsterdam, Yukos Capital SARL v. Oao Rosneft, 2009) en donde se solicitó ante los jueces Holandeses el reconocimiento y posterior ejecución de un laudo que había sido anulado en Rusia.

Al conocer del caso, la Corte de Apelaciones de Ámsterdam, decidió reconocer el laudo a pesar de la anulación dada en la sede y pese a haber sido dictada por el Juez competente para conocer de ella (a diferencia de lo que ocurrió en otros casos citados dentro de esta teoría como el caso *Karaha Bodas* o el caso *Castillo Bozo).*

Los motivos esbozados por la Corte en el presente caso parten, como habitualmente sucede en este tipo de razonamientos, de la base de que la legislación que obliga a los Estados a reconocer los laudos extranjeros (Convención de Nueva York) no les obliga a denegar el reconocimiento sino solamente les faculta para ello, por lo que podrán, si así se decide, reconocer el laudo y ejecutarlo localmente a pesar de estar éste inmerso en una causal del artículo V de la Convención de Nueva York (en el caso de los laudos anulados, particularmente la causal contenida en el artículo V (1) (e).

Además de lo anterior, como motivo para reconocer pese a la decisión de nulidad, se fundamenta el presente caso en una completa desestimación de la decisión de nulidad tomada por el Juez en Rusia, afirmando la Corte de Apelaciones de Ámsterdam que diversos factores hacían de dicho fallo uno que no debía tenerse en cuenta:

1. Que los índices internacionales claramente mostraban una clara falta de independencia de los jueces rusos frente al poder ejecutivo, recibiendo los primeros instrucciones del segundo, así como siendo usados como una herramienta política.

2. Que el demandado, esto es Rosneft, tenía un conocido vínculo con el poder ejecutivo ruso.

3. Que de forma oculta se desarrollaban actividades que afectaban la imparcialidad o independencia.

Como consecuencia de todo lo anterior, concluyó que la decisión del Juez Ruso no debía ser tenida en cuenta al existir muy altas probabilidades de que la misma fuese el resultado de un proceso carente de imparcialidad e independencia (González de Cossío, 2014).

Ahora, en segundo lugar, analizaremos los casos en donde las Cortes han decidido reconocer y ejecutar el laudo argumentando que la decisión de anulación no significa su no reconocimiento si aplicando la ley local el reconocimiento no contraría la norma del lugar del reconocimiento.

En este punto, considero relevante hacer uso del caso *Hilmarton* (Corte de Casación de Francia, Société Hilmarton Ltd. v Société Omnium de Traitment et de Valorisation, 1994) en donde la Corte de Casación francesa decidió reconocer el laudo pese a la decisión tomada por los jueces suizos de anular el mismo.

En este caso, la Corte francesa fundamentó su decisión en diversos argumentos:

1. El laudo anulado es una decisión de carácter internacional, por lo que no cesa internacionalmente su existencia por la anulación local.

2. El artículo VII de la Convención de Nueva York concede la posibilidad de utilizar la norma que sea más beneficiosa para el reconocimiento, permitiendo por tanto reconocer el laudo si la norma local es más beneficiosa.

3. En efecto el laudo podía ser reconocido y ejecutado por cuanto el mismo no viola el orden público internacional de Francia.

En virtud de lo anterior, claramente se identifica una posición en la que la Corte da una prelación evidente a la aplicación de las normas del lugar del reconocimiento, como el lugar en donde el laudo en efecto tendrá efectos reales y llegará a materializar lo decidido en el mismo.

Tras este breve recuento, se pretende demostrar como las teorías de la deslocalización de los laudos han sobrepasado incluso la posibilidad que se otorga a las partes de pretermitir el trámite de anulación en la sede, llegando incluso a conceder la posibilidad de reconocer dichos laudos a pesar de la anulación. Con lo anterior, se fortalece la tendencia hacia la deslocalización, por cuanto se trasciende de la simple posibilidad de renunciar al recurso y se llega a que, incluso, la decisión de dicho recurso podría tenerse como irrelevante por cuanto el que decidirá sobre su materialización posterior será el juez de reconocimiento, por tanto reduciendo en este tipo de casos el espectro de generación de efectos reales en el caso para la anulación a aquellos casos en donde la sede del arbitraje será la misma en donde se busque el reconocimiento y por tanto el trámite de reconocimiento no deba ser adelantado en el caso puntual.

Como consecuencia, la existencia del denominado "doble control" estaría llamado a ceder en favor de la revisión del laudo en sede reconocimiento, toda vez que el control ejercido en la anulación es uno que aplica criterios del Estado en donde el laudo fue expedido, mientras el segundo refleja el del Estado en donde va a ser ejecutado. Las anteriores teorías, sumadas a lo sucedido en casos como *Chromalloy* (Cour d'appel de Paris, République arabe d'Egypte v. Société Chromalloy Aero Services, 1996), *Lapine Technology*, en donde la Corte del Distrito del Norte de California afirmó que las partes no pueden establecer controles judiciales convencionales porque la jurisdicción estatal no se construye mediante contratos (Lapine Technology Corp. v. Kyocera Corp., 1995) y *Betchel*. En donde el razonamiento partió del fin mismo de facilitar el reconocimiento de los laudos como parte de los principios fundantes del arbitraje como es visto por Francia (Cour d'appel de Paris, Direction Générale de l'Aviation Civile de l'Emirat de Dubaï v. Société International Bechtel Co., 2005), entre otros. Como ha mencionado la doctrina, la deslocalización de los laudos y las teorías franco-americanas existentes harían que el control "sobrevuele" el control nacional de anulación en preferencia del control del reconocimiento (Fernández Rozas, 2005).

V. CONCLUSIONES

A modo de corolario de los diversos análisis realizados en el presente escrito, se procederá a realizar una puntualización final de argumentos, con el fin de clarificar y aglutinar lo dicho.

La protección concedida por el recurso de anulación, que como se dijo anteriormente deberá contener causales que no superen aquellas contempladas en el artículo V de la Convención de Nueva York, tiene como principal motivo, al igual que las causales de no reconocimiento en el precitado artículo en la Convención, conceder a las partes la posibilidad de hacer revisar el laudo aunque sea sólo por motivos formales o vicios procesales ocurridos en el trámite arbitral.

Esta protección no es en forma alguna nimia o carente de valor. Es ya bastante que las partes, al decidir acceder al arbitraje, sacrifiquen el principio la protección de una doble instancia para revisar la sustancia o fondo del eventual laudo, en procura de la celeridad como una de las más importantes ventajas al momento de hablar de arbitraje y de escogerlo como mecanismo alternativo de solución de conflictos.

Por lo tanto, la protección de la revisión formal que se realiza en el recurso de anulación y en el trámite de reconocimiento otorga a las partes por lo menos la posibilidad de hacer revisar por las autoridades nacionales que en efecto se hayan protegido sus derechos en cuanto al trámite dado en el curso del proceso arbitral, que no se hayan excedido las funciones de los árbitros, decidido sin tener competencia para ello, entre otras cosas, protección que surge de la esencial vigilancia de protección al debido proceso y al derecho a la defensa de las personas, derecho claramente debe ser protegido.

No obstante lo anterior, el desarrollo de las teorías de deslocalización de los laudos han llegado a permear las legislaciones nacionales, llegando al punto en que, indistintamente de si se trata de legislaciones que atiendan criterios de homogenización internacional (como lo son las inspiradas en la Ley Modelo) o normas que no toman como criterio dichos esfuerzos internacionales, en diversas formas pero claramente inspiradas por los mismos principios, han crecientemente concedido la posibilidad a las partes de renunciar al recurso de anulación de los laudos, dando prevalencia por tanto a la voluntad de las partes y a una eventual celeridad del trámite posterior al laudo, aunque sin perder de vista que la revisión formal del laudo deberá realizarse, apoyándose para ello en la revisión que se haga en el trámite de reconocimiento, o mediante mecanismos similares, como se explicó en el caso francés.

Finalmente, aunado a la forma como la deslocalización (en su dimensión de desligar el laudo de controles nacionales) se han desarrollado teorías a nivel internacional que permiten, por diversos motivos, hacer caso omiso de los efectos de la anulación y del hecho de ser ésta una eventual causal de no reconocimiento, dejando claro con esto no solo que la revisión formal del laudo y de las causales de anulación/no reconocimiento no sólo pueden dejarse únicamente al Juez en sede de reconocimiento sino que aún cuando se permita al Juez de la sede conocer de la anulación, los efectos de dicha anulación podrán ser ignorados por el juez de reconocimiento (en los casos en donde la ejecución será realizada en un lugar distinto del de la sede del arbitraje).

Todo lo anterior construye hacia la idea de que, como se ha mencionado, la revisión que en últimas se haga en reconocimiento tendrá prelación sobre la realizada en sede anulación, presentándose el claro debate alrededor del verdadero efecto de la anulación en dichos casos, pues si la misma no tendrá la vocación de impedir la ejecución del laudo salvo en el país de la sede (y en aquellos en donde los motivos de anulación sean compartidos por el lugar de destino), restando abiertamente importancia a la misma y poniendo en duda los costos y tiempos que se dedican al trámite de anulación.

REFERENCIAS

ALJURE, A. (2012), *El Contrato Internacional.* Bogotá, Colombia: Legis.

BLACKABY, N./ PARTASIDES, C./ REDFERN, A. y HUNTER, M. (2009), *Redfern and Hunter on International Arbitration.* Oxford: Oxford University Press.

BORN, G. (2012), *International Arbitration: Law and Practice.* London, England: Kluwer Law International.

BORN, G. (2014), *International Commercial Arbitration.* London, England: Kluwer Law International.

CAIVANO, R. (2011), *Control Judicial en el Arbitraje.* Buenos Aires: Abeledo Perrot.

CARRIZOSA CALLE, M. (2013), Visión General del Arbitraje Internacional. En C. C. Arbitraje, *Estatuto Arbitral Colombiano* (pp. 359-375). Bogotá, Colombia: Legis Editores.

COMISIÓN DE LAS NACIONES UNIDAS PARA EL DERECHO MERCANTIL INTERNACIONAL (1958), *Convención Sobre el Reconocimiento y Ejecución de Sentencias Arbitrales Extranjeras.* Nueva York.

CORTE DE APELACIÓN DE ÁMSTERDAM (28 de mayo de 2009), Yukos Capital SARL v Oao Rosneft, 200.005.269/1 (Corte de Apelación de Ámsterdam 28 de 05 de 2009).

CORTE DE CASACIÓN DE FRANCIA (23 de marzo de 1994), Société Hilmarton Ltd. v Société Omnium de Traitment et de Valorisation, 848 (Corte de Casación de Francia 23 de 03 de 1994).

COUR D'APPEL DE PARIS (14 de enero de 1996), République arabe d'Egypte v. Société Chromalloy Aero Services, 95/23025 (Cour d'appel de Paris 14 de enero de 1996).

COUR D'APPEL DE PARIS (29 de September de 2005), Direction Générale de l'Aviation Civile de l'Emirat de Dubaï v. Société International Bechtel Co., 2004/07635 (Cour d'appel de Paris 29 de September de 2005).

DIKE, O. (10 de 09 de 2015), *Dundee University.* Recuperado el 10 de 09 de 2015, de Dundee University: http://www.dundee.ac.uk/cepmlp/gateway/files.php?file=cepmlp_car13_2_230684919.pdf.

FERNÁNDEZ ROZAS, J. C. (2005), El Arbitraje Comercial Internacional entre la Autonomía, la Anacionalidad y la Deslocalización. *Revista Española de Derecho Internacional, LVII,* 605-637.

GONZÁLEZ DE COSSÍO, F. (2014), Ejecución de Laudos Anulados: Hacia un estándar analítico uniforme. *Revista de Arbitraje PUCP,* 117-125.

MORENO, J. A. (2010), La Convención Más Trascendente de la Historia del Derecho Privado. Asuncion, Paraguay: CEDEP.

MOSES, M. (2012), The Principles and Practice of International Comercial Arbitration. Cambridge: Cambridge University Press.

RUIZ ABOU-NIGM, V. (2005), The Lex Mercatoria and its current relevance in international commercial arbitration. En F. d. Uruguay). Montevideo, Uruguay: Fundación de Cultura Universitaria (FCU).

U.S. DISTRICT COURT FOR THE NORTHERN DISTRICT OF CALIFORNIA (11 de December de 1995) Lapine Technology Corp. v. Kyocera Corp., 909 F. Supp. 697 (U.S. District Court for the Northern District of California 11 de December de 1995).

UNCITRAL (8 de 09 de 2015), *uncitral.org*. Recuperado el 8 de 09 de 2015, de uncitral. org: http://www.uncitral.org/uncitral/es/uncitral_texts/arbitration/NYConvention_status.html.

UNITED STATES COURT OF APPEALS (10 de September de 1997), Yusuf Ahmed Alghanim & Sons v Toys "R" Us Inc, 1757 (United States Court of Appeals 10 de September de 1997).

UNITED STATES DISTRICT COURT SD NEW YORK (24 de August de 1990), International Standard Electric Corporation v Bridas S.A., 745 (United States District Court SD New York 24 de August de 1990).

VÁRADY, T./ BARCELÓ III, J. J., y VON MEHREN, A. T. (2009), *International Commercial Abitration A Transnational Perspective* (4th edition ed.). St. Paul, United States of America: West.

La intervención judicial en el arbitraje comercial internacional

VERÓNICA SANDLER OBREGÓN[*]

RESUMEN

La adopción de la Ley Modelo de Arbitraje de la CNUDMI por la Republica Argentina, representa el deseo de brindar un mayor grado de autonomía al arbitraje, bajo el entendido que entre el poder judicial y el arbitraje existe una relación de complementación. La autonomía en el ámbito arbitral no es absoluta, pues la jurisdicción ordinaria siempre podrá intervenir en excepcionales situaciones, pues el objetivo del juez ante la presencia de un acuerdo arbitral será respetar el deseo de las partes de acudir a arbitraje.

Palabras clave: CNUDMI, Ley Modelo, Ley Arbitral de Argentina, Arbitraje, Intervención judicial, Autonomía.

ABSTRACT

The adoption of the UNCITRAL Model Arbitration Law by the Argentine Republic, represents the desire to provide a greater degree of autonomy to arbitration, under the understanding that there is a complementary relationship between the ordinary jurisdiction and arbitration. Autonomy in the arbitration field is not absolute, since ordinary jurisdiction can always intervene in exceptional situations, since the objective of the judge in the presence of an arbitration agreement will be to respect the desire of the parties to resort to arbitration.

Key words: UNCITRAL, Model Law, Argentine Arbitration Law, Judicial Intervention, Autonomy.

---

[*] Abogada y Especialista en Derecho Privado de la Universidad de Buenos Aires (Argentina); Posgrado en Dirección de Entretenimiento y Medios de la Universidad de Palermo; Doctorando de la Universidad Austral. Profesora de la Facultad de Derecho de la Universidad de Buenos Aires y Representante ICC YAF *(Young Arbitrators Forum)* por el Capítulo Latinoamericano del Grupo de Jóvenes Árbitros de la Cámara de Comercio Internacional, Miembro fundadora de la Woman Way in Arbitration.

la decisión sobre recusación. 3.4. Intervención en caso de desacuerdos sobre la remoción o renuncia de árbitros. 3.5. Revisión de la decisión de los árbitros sobre su competencia. 3.6. Asistencia para la práctica de pruebas. 3.7. Control judicial sobre el laudo, en jurisdicción primaria. 3.8. Reconocimiento y ejecución de decisiones arbitrales extranjeras (medidas cautelares y laudos). III. EL TRIBUNAL COMPETENTE PARA EL EJERCICIO DE ESAS FUNCIONES. IV. CONCLUSIONES.

I. INTRODUCCIÓN

Mediante la ley 27.449, sancionada en julio de 2018[1], la Argentina aprobó una Ley de Arbitraje Comercial Internacional (en adelante, referida como LACI).

La LACI reproduce, con pocos cambios, el texto de la Ley Modelo de Arbitraje Comercial Internacional de la Comisión de las Naciones Unidas para el Derecho Mercantil Internacional (CNUDMI/UNCITRAL), con las enmiendas que se introdujeron en 2006 a su versión original (en adelante, referida como Ley Modelo)[2].

Es importante señalar, a los efectos del presente artículo, que uno de ejes centrales que se propuso la Ley Modelo fue reducir la injerencia del Poder Judicial en el arbitraje internacional. Lo que, desde otro costado, implica brindar al arbitraje de un alto grado de autonomía. Con ello, y dado que la Ley Modelo refleja el consenso prácticamente universal acerca de lo que debe ser una legislación sobre arbitraje, la Argentina se suma a los países en los cuales un arbitraje internacional debe ser llevado con la mínima intervención del Poder Judicial.

II. LAS INTERFACES ENTRE EL ARBITRAJE Y EL PODER JUDICIAL BAJO LA LACI

A continuación, se analizará (II.1) el ámbito de aplicación de la LACI, (II.2) el principio general aplicable a la intervención judicial y (II.3) los casos puntuales de intervención judicial previstas por la LACI.

---

[1]   Publicada en el Boletín Oficial el 26 de julio de 2018.
[2]   Un análisis comparativo de la LACI y la Ley Modelo puede verse en Caivano, Roque J. y Sandler Obregón, Verónica: "La nueva ley argentina de arbitraje comercial internacional", Revista de Arbitraje Comercial y de Inversiones, vol. XI, N° 2, septiembre de 2018, pp. 576-600.

1. El ámbito de aplicación de la LACI

En sus dos primeros artículos, la LACI delimita su ámbito material y territorial de aplicación, así el artículo 1 dispone que se aplicará "al arbitraje comercial internacional, y lo regirá en forma exclusiva, sin perjuicio de cualquier tratado multilateral o bilateral vigente en la República Argentina"; y el artículo 2 prescribe que sus disposiciones "se aplicarán únicamente si la sede del arbitraje se encuentra en el territorio de la República Argentina, con excepción de los capítulos II y III del título II, los capítulos IV y V del título V y los capítulos I y II del título IX".

En consecuencia, como regla, para que un arbitraje esté regido por la LACI deben darse tres condiciones: el arbitraje debe ser comercial, internacional y tener sede en la Argentina.

Con respecto a la primera condición, la LACI define cuando un arbitraje es comercial, estableciendo que será comercial cuando las controversias a que se refiere se relacionan con "cualquier relación jurídica, contractual o no contractual, de derecho privado o regida preponderantemente por él" (artículo 6). Con la explícita intención de incluir dentro del concepto de comercial a la mayor cantidad posible de vínculos jurídicos, el mismo artículo dispone que "la interpretación será amplia y en caso de duda, deberá juzgarse que se trata de una relación comercial".

Esta norma, inspirada en la nota al artículo 1.1 de la Ley Modelo[3], significa que, a los fines de la LACI, sólo quedan excluidas de la noción de "comerciales" las relaciones jurídicas que, en forma inequívoca, estén regidas en forma "exclusiva o preponderante" por el derecho público.

Con respecto a la segunda condición, la LACI también establece cuándo un arbitraje es internacional. Conforme el artículo 3, la internacionalidad

---

[3]   A través de esta nota, la Secretaría de la CNUDMI sugiere que "debe darse una interpretación amplia a la expresión «comercial» para que abarque las cuestiones que se plantean en todas las relaciones de índole comercial, contractuales o no. Las relaciones de índole comercial comprenden las operaciones siguientes, sin limitarse a ellas: cualquier operación comercial de suministro o intercambio de bienes o servicios, acuerdo de distribución, representación o mandato comercial, transferencia de créditos para su cobro (*factoring*), arrendamiento de bienes de equipo con opción de compra (*leasing*), construcción de obras, consultoría, ingeniería, concesión de licencias, inversión, financiación, banca, seguros, acuerdo o concesión de explotación, asociaciones de empresas y otras formas de cooperación industrial o comercial, transporte de mercancías o de pasajeros por vía aérea, marítima, férrea o por carretera".

del arbitraje se verifica cuando: (a) Las partes en un acuerdo de arbitraje tienen, al momento de la celebración de ese acuerdo, sus establecimientos en Estados diferentes[4]; o (b) El lugar del arbitraje, el lugar de cumplimiento de una parte sustancial de las obligaciones de la relación comercial o el lugar con el cual el objeto del litigio tenga una relación más estrecha, está situado fuera del Estado en el que las partes tienen sus establecimientos[5].

La tercera condición, para que aplique la LACI, es que el arbitraje tenga sede en la Argentina, salvo algunas de sus disposiciones, que se aplican aún cuando el arbitraje tenga sede en otro país.

En relación con el concepto de "sede" del arbitraje, como suele aclararse, no alude al lugar físico en que se llevan a cabo los actos procesales[6], sino al vínculo jurídico con un determinado ordenamiento legal, y su elección implica fundamentalmente que (i) son los tribunales judiciales de ese lugar quienes en principio cumplirán las funciones de apoyo o control sobre el arbitraje; (ii) es la legislación sobre arbitraje de ese lugar la que regirá sus efectos; y (iii) el laudo se considerará dictado en ese lugar[7].

Sin perjuicio de la regla que establece que la LACI se aplica a arbitrajes que tengan sede en la Argentina, el artículo 2 dispone que algunas de sus disposiciones se aplicarán también cuando la sede del arbitraje no sea la Argentina:

A. los artículos 19 y 20, que establecen la obligación de un tribunal judicial de remitir a las partes a arbitraje cuando se presenta ante él una demanda sobre un asunto sometido a arbitraje[8];

---

[4]   Conforme el artículo 4°, si alguna de las partes tiene más de un establecimiento, se considerará tal el que guarde una relación más estrecha con el acuerdo de arbitraje; y si una parte no tiene ningún establecimiento, se tomará en cuenta su residencia habitual.

[5]   La LACI no reprodujo el artículo 1.3(c) de la Ley Modelo, que conceptúa como internacional a aquel en que "las partes han convenido expresamente en que la cuestión objeto del acuerdo de arbitraje está relacionada con más de un Estado". A semejanza de las leyes de arbitraje internacional de Chile y de Uruguay, para la LACI el arbitraje sólo puede ser internacional cuando existan puntos reales de contacto con más de un país, sin que la voluntad de las partes pueda, por sí sola, determinar la internacionalidad del arbitraje.

[6]   El artículo 66 de la LACI faculta al tribunal arbitral a reunirse en cualquier lugar que estime apropiado para celebrar deliberaciones entre sus miembros, para oír a los testigos, a los peritos o a las partes, o para examinar mercancías u otros bienes o documentos.

[7]   Caivano, Roque J.: "La sede del arbitraje", Rev. ED, 6/04/2017.

B. el artículo 21, que reconoce a las partes la facultad de solicitar medidas cautelares judicialmente sin que ello importe una renuncia al acuerdo arbitral[9];

C. los artículos 56 a 60, que establece las condiciones para el reconocimiento y ejecución, en la Argentina, de medidas cautelares dictadas en arbitrajes con sede en el extranjero;

D. el artículo 61, que autoriza a los tribunales judiciales argentinos a dictar medidas cautelares al servicio de actuaciones arbitrales, aun cuando la sede de ese arbitraje no sea la Argentina;

E. y los artículos 102 a 105, que regulan el reconocimiento y ejecución, en la Argentina, de laudos extranjeros.

En resumen, dado que la LACI no aplica a cualquier arbitraje, y que su artículo 1 dispone que la ley regirá el arbitraje comercial internacional "en forma exclusiva", la Argentina ha pasado de un régimen "monista" en materia de arbitraje, donde los arbitrajes domésticos y los internacionales estaban sujetos a un mismo régimen legal, a uno "dualista".

En concreto, los arbitrajes comerciales internacionales estarán regidos por la LACI, mientras que aquellos que, por oposición, carezcan de esa condición (domésticos o no-comerciales), seguirán sometidos a las normas del código procesal que aplique en la sede del arbitraje y del Código Civil y Comercial de la Nación.

2. *El principio general en materia de intervención judicial*

El artículo 12 de la LACI dispone que "en los asuntos que se rijan por la presente ley, no intervendrá ningún tribunal salvo en los casos en que esta ley así lo disponga"[10].

---

8   De manera que los tribunales judiciales argentinos deben declararse incompetentes y remitir a las partes a arbitraje, aun si la sede de ese arbitraje no está en la Argentina.

9   Es decir que los tribunales argentinos no podrán considerar renunciado un acuerdo arbitral en un caso cuya sede sea la Argentina si una de las partes acudió a un juez extranjero a solicitar una medida cautelar.

10   Para comprender esta disposición y, en general, todas las de la LACI, debe recordarse que, en base a su terminología, cuando se hace referencia a "tribunal", sin mayor referencia, alude a un tribunal judicial (artículo 7, inc. c).

Esta disposición, que reproduce el artículo 5 de la Ley Modelo, es una de las más relevantes de toda la LACI, en tanto apunta a regular un aspecto de enorme impacto jurídico y de gran importancia práctica. Por un lado, esta norma implica adoptar una concepción moderna del arbitraje, desde su alcance autonomo al Poder Judicial y que puede llevarse a cabo con mínimas interferencias judiciales.

Sin ninguna duda, este principio de intervención minima, hace al arbitraje más eficiente, y a su propia esencia[11], por constituir una herramienta, elegida por las partes, para resolver sus controversias fuera el Poder Judicial[12].

Autorizada doctrina explica que si bien la actividad arbitral internacional no puede desvincularse completamente de la actividad jurisdiccional del Estado, es evidente el proceso de debilitamiento de esa injerencia estatal, que muestra una marcada tendencia hacia el reforzamiento la autonomía del arbitraje comercial internacional; en base al pacto de las las partes de que sus controversias sean resueltas sin intervención judicial[13].

La regla del artículo 12 de la LACI, coherentemente con esa presunción, determina que los tribunales judicial deben limitar su actuación a las labores de apoyo y de control que la propia ley detalla. En el mismo sentido, en las Notas Explicativas de la Secretaría de la CNUDMI sobre la Ley Modelo puede leerse la justificación de esta norma: "Existe una tendencia a limitar la intervención judicial en el arbitraje comercial internacional. Al parecer, esta tendencia se justifica porque las partes en un acuerdo de arbitraje adoptan deliberadamente la decisión de excluir la competencia judicial y, en particular en los casos comerciales, prefieren la conveniencia práctica y la irrevocabilidad a prolongadas batallas judiciales" (#14).

---

[11]　Se ha dicho que el arbitraje comercial internacional es autónomo "por naturaleza", y que no puede concebirlo sin esa autonomía, que deriva de su propia filosofía (Racine, Jean-Baptiste: "Réflexions sur l'autonomie de l'arbitrage commercial international", Revue de l'arbitrage, 2005, N° 2, pp. 305 y ss.).

[12]　El arbitraje es producto de un acuerdo entre las partes, que no implica la derogación del poder soberano del Estado sino, simplemente, una derivación de la atribución que aquellas tienen de regular sus propios intereses, en el ámbito de su libertad (Beresford Hartwell, Geoffrey M.: "Arbitration and the Sovereign Power", Journal of International Arbitration, vol. 17, N° 2, 2000, pp. 11 y ss.).

[13]　Fernández Rozas, José Carlos: "El arbitraje comercial internacional entre la autonomía, la nacionalidad y la deslocalización", *Revista Española de Derecho Internacional*, vol. LVII, 2005, pp. 605 y ss.

El principio general contenido en el artículo 12 de la LACI, en otras palabras, significa que no habrá más vías de acceso al Poder Judicial que las previstas en la LACI en base a la idea de que las intervenciones judiciales en el arbitraje deben limitarse a aquellas que sean estrictamente necesarias.

El funcionamiento del arbitraje en la actualidad es, comparado con el de hace algunas pocas décadas, mucho menos dependiente del Poder Judicial. Y el control que se reserva a los tribunales judiciales sobre las decisiones de los árbitros es hoy mucho más reducido.

Algunas funciones tradicionalmente asignadas a los jueces respecto del arbitraje han desaparecido:

A. al reconocer a los árbitros la facultad de dictar medidas cautelares, ya no es imprescindible recurrir al Poder Judicial para obtenerlas, aunque pueda ser necesario requerir su auxilio para hacerlas cumplir compulsivamente;

B. desde que se eliminó el doble juego de acuerdos para someterse a arbitraje (cláusula compromisoria más compromiso arbitral), ya no debe recabarse judicialmente la celebración del compromiso para complementar el convenio arbitral[14].

C. por la intervención de terceros particulares que están en mejor condición para cumplir las funciones tradicionalmente asignadas: a modo de ejemplo, las leyes de arbitraje de Perú y Ecuador defieren a las Cámaras de Comercio la atribución de designar árbitros cuando alguna de las partes omita hacerlo o no se pueda cumplir el procedimiento de designación convenido (artículos 23 (d) y 16, respectivamente).

Con todo, algún grado de cooperación del Poder Judicial sigue siendo necesario, fundamentalmente para prestar el *imperium* del que carecen los árbitros cuando deba requerirse el cumplimiento coactivo de alguna decisión arbitral[15]. Y, desde luego, es indispensable que existan mecanismos de supervisión judicial de lo que resuelvan los árbitros.

---

[14] Ver, Caivano, Roque J.: "La acción judicial para la celebración forzada del compromiso arbitral", *Rev. JA*, 1999-III-53.

[15] Aun así, algunas legislaciones buscan evitar el recurso al Poder Judicial para ejecutar medidas cautelares: la Ley de arbitraje de Ecuador dispone que "para la ejecución de las medidas cautelares, los árbitros, siempre que las partes así lo estipularen en el convenio arbitral, solicitarán el auxilio de los funcionarios públicos, judiciales, policiales y administrativos que sean necesarios, sin tener que recurrir

3. Las intervenciones judiciales autorizadas por la LACI

De la lectura de la LACI surge que, como excepción a la regla del artículo 12, los únicos supuestos en que los tribunales judiciales pueden actuar respecto de cuestiones sometidas a arbitraje, son los contemplados en los artículos 21, 24, 25, 31, 32, 37, 61, 78, 99 y 102.

Como se desarrollará, en términos generales son funciones de cooperación o de control judicial sobre el arbitraje.

3.1. Dictado de medidas cautelares

El artículo 21 de la LACI dispone que:

"no será incompatible con un acuerdo de arbitraje que una parte, ya sea con anterioridad a las actuaciones arbitrales o durante su transcurso, solicite de un tribunal la adopción de medidas cautelares ni que el tribunal conceda esas medidas". Y el artículo 61 establece que *"el tribunal gozará de la misma competencia para dictar medidas cautelares al servicio de actuaciones arbitrales, con independencia de que éstas se sustancien o no en el país de su jurisdicción, que la que disfruta al servicio de actuaciones judiciales. El tribunal ejercerá dicha competencia de conformidad con sus propios procedimientos y teniendo en cuenta los rasgos distintivos de un arbitraje internacional".*

De ello se deriva que, sin perjuicio de que la ley autoriza a los árbitros a dictar medidas cautelares (artículo 38), el Poder Judicial conserva facultades cautelares que, por tanto, son concurrentes con las de los árbitros. Lo que significa que, aun luego de constituido el tribunal arbitral, las partes pueden optar por solicitar las medidas cautelares a un tribunal judicial, sin que ello pueda considerarse una renuncia a la jurisdicción arbitral.

Este esquema, es el mismo establecido por el Código Civil y Comercial de la Nación[16], y en la mayoría de las normas del derecho comparado[17], lo

---

a Juez ordinario alguno del lugar donde se encuentren los bienes o donde sea necesario adoptar las medidas" (artículo 9, párr. 3º).

[16] El artículo 1655 del CCyCN, luego de facultar a los árbitros a adoptar "las medidas cautelares que estimen necesarias respecto del objeto del litigio", dispone que "las partes también pueden solicitar la adopción de estas medidas al juez, sin que ello se considere un incumplimiento del contrato de arbitraje ni una renuncia a la jurisdicción arbitral; tampoco excluye los poderes de los árbitros".

[17] En la legislación peruana, sin embargo, las facultades cautelares son exclusivas de los árbitros. En arbitrajes domésticos, los tribunales judiciales sólo pueden dictar medidas cautelares antes de que se constituya el tribunal arbitral, y aun esas

que se justifica por dos razones. En primer lugar, porque los tribunales arbitrales, en general, no son permanentes sino que se constituyen para cada caso, lo que genera la imposibilidad fáctica de pedir la medida cautelar en sede arbitral antes de que exista el tribunal arbitral[18].

En segundo lugar, porque no obstante que las atribuciones cautelares de los árbitros son hoy reconocidas en casi todas las legislaciones, todavía existe una suerte de resistencia cultural a aceptar la idea de que un juez privado, carente de *imperium*, pueda adoptar decisiones cautelares. Lo que lleva a que, en la práctica, no siempre sea fácil lograr su ejecución compulsiva[19].

3.2. Designación de árbitros

Los artículos 24 y 25 de la LACI contemplan la posibilidad de requerir la intervención judicial para designar árbitros, en caso que las partes no hubiesen convenido un procedimiento distinto, o no hubiese sido posible lograr la designación a través del acordado por ellas. Inicialmente, el artículo 24 establece, como regla general, que las partes pueden "acordar libremente el procedimiento para el nombramiento del árbitro o los árbitros".

La misma norma luego dispone que, de no haberse acordado, cada parte nombrará un árbitro y estos dos nombrarán al tercero (salvo que se tratase de árbitro único, en cuyo caso será designado por acuerdo entre las partes). Y, como hipótesis final, el artículo 24 dispone que si uno o más árbitros no pudiesen designarse por las reglas estipuladas ni por las supleto-

---

medidas son susceptibles de revisión por el tribunal arbitral una vez constituido (Decreto Legislativo 1071/2008, artículo 47).

[18] Para solucionar este problema, en los últimos años varias instituciones han idea el sistema de "árbitro de emergencia", que resumidamente consiste en la posibilidad de designar, antes de constituido el tribunal arbitral, un árbitro al solo efecto de dictar una medida cautelar que no pudiera esperar hasta que aquel se conforme. Tal es, por ejemplo, el caso del actual Reglamento de Arbitraje de la CCI, que en su Apéndice V regula esta figura.

[19] Ejemplo de ello es la sentencia de la Cámara de Apelaciones de Mar del Plata en el caso "Sasso", en el cual se negó a ordenar la ejecución de una medida cautelar dispuesta por el Tribunal de Arbitraje del Colegio de Abogados, con el argumento de que un tribunal judicial "no puede ejecutar la instrumentación de una medida que los árbitros no están en condiciones de dictar", porque "nuestra legislación procesal adscripta a que la función jurisdiccional es exclusivamente ejercida por el Poder Judicial, impide que los árbitros las decreten" (CCyC Mar del Plata, sala 1°, 7/07/1998, "Sasso Nicolás c. Neyra Osbelia", Rev. JA 1998-IV-46).

rias establecidas en la ley, podrá solicitarse al tribunal judicial que lo haga. De igual modo, el artículo 25 autoriza a recurrir a la autoridad judicial para requerir la designación por vía judicial cuando se hubiese convenido un procedimiento de designación, pero éste no pudiera cumplirse (porque alguna de las partes no actúa conforme a lo estipulado, porque las partes o los coárbitros no logran acordarlo, o porque el tercero a quien se le encomendó esa función no la cumple).

3.3. Revisión de la decisión sobre recusación

El artículo 31 de la LACI prevé una instancia de revisión judicial sobre la recusación, en los siguientes términos:

> *"Si no prosperase la recusación incoada con arreglo al procedimiento acordado por las partes o en los términos del artículo 30, la parte recusante podrá pedir, dentro de los treinta (30) días siguientes al recibo de la notificación de la decisión por la que se rechaza la recusación, al tribunal competente conforme al artículo 13, que decida sobre la procedencia de la recusación, decisión que será irrecurrible; mientras esa petición esté pendiente, el tribunal arbitral, incluso el árbitro recusado, podrá proseguir las actuaciones arbitrales y dictar un laudo".*

Como principio general, la LACI deja a las partes la libertad de convenir libremente el procedimiento de recusación de los árbitros (artículo 29). En ausencia de acuerdo, la recusación debe dirigirse al propio tribunal arbitral, debiendo plantarse, fundadamente, dentro de los quince días siguientes a aquel en que tenga conocimiento de la constitución del tribunal arbitral o de cualquiera de las causas por las que vaya a recusarlo. Si el árbitro no renuncia, la recusación es resuelta por el tribunal arbitral.

Pero esa decisión, si la recusación es rechazada, no es final. El artículo 31 de la LACI habilita un recurso judicial contra la decisión que no admite la recusación. Si bien se mira, esta norma se inspira en la misma lógica del recurso que prevé el artículo 37 de la LACI[20]: a efectos de preservar el funcionamiento autónomo del arbitraje, se permite que los árbitros adopten una decisión inicial, aunque por la trascendencia que el legislador le atribuye, esas decisiones no son finales, sino que se admite contra ellas un recurso ante el tribunal judicial.

---

[20]   Esta norma hace revisable judicialmente la decisión de los árbitros sobre su propia competencia, cuando es adoptada como previa, y si éstos se declaran competentes.

Si bien el recurso del artículo 31 parece estar concebido para revisar judicialmente la decisión *de los árbitros* que rechaza la recusación, podría interpretarse que es admisible contra *cualquier* decisión que rechace la recusación, aunque no haya sido adoptada por los árbitros. Ello porque el artículo 29 de la LACI, cuando faculta a las partes a convenir el procedimiento de recusación, lo hace "sin perjuicio de lo dispuesto en el artículo 31". Por lo que puede interpretarse como admisible, también, contra la decisión de un tercero a quien las partes hubiesen encomendado resolver la recusación.

3.4. Intervención en caso de desacuerdos sobre la remoción o renuncia de árbitros

El artículo 32 de la LACI dispone que:

> *"cuando un árbitro se vea impedido, de jure o de facto, en el ejercicio de sus funciones o por otros motivos no las ejerza dentro de un plazo razonable, cesará en su cargo si renuncia o si las partes acuerdan su remoción. De lo contrario, si subsiste un desacuerdo respecto a cualquiera de esos motivos, cualquiera de las partes podrá solicitar del tribunal competente conforme al artículo 13 una decisión que declare la cesación del mandato, decisión que será irrecurrible".*

Remoción y renuncia son dos de las causas por las que puede operar la terminación del mandato de los árbitros. En la remoción, son las partes quienes separan al árbitro de su función[21], y en la renuncia es el árbitro quien decide voluntariamente apartarse del cargo. Tanto en uno como en otro caso, la decisión no puede ser incausada: las partes no pueden remover injustificadamente a un árbitro, y éste no puede renunciar sin una causa que lo justifique[22]. Y esas causas son, fundamentalmente, dos: que el árbitro esté imposibilitado de ejercer sus funciones o que haya sido recusado[23]. El objeto de la intervención judicial que dispone el artículo 32 de la

---

[21] Una de las acepciones del verbo "remover" en el Diccionario de la Real Academia Española es "deponer o apartar a alguien de su empleo o destino".

[22] En igual sentido, el CCyCN menciona, entre los deberes del árbitro, el de "permanecer en el tribunal arbitral hasta la terminación del arbitraje, excepto que justifique la existencia de un impedimento o una causa legítima de renuncia" (artículo 1662, inc. b).

[23] Es importante considerar que, frente a una recusación, el árbitro puede renunciar o la parte contraria a quien planteó la recusación aceptarla (artículo 30, *in fine*).

LACI es, precisamente, decidir si existen o no los motivos que se invocan para remover al árbitro, o que éste invoca para renunciar, cuando alguna de las partes o el árbitro discrepen acerca de su justificación. Los desacuerdos a que se refiere la LACI pueden consistir en que el árbitro no acepta las razones por las cuales es removido, o porque alguna de las partes considera injustificada la renuncia del árbitro.

3.5. Revisión de la decisión de los árbitros sobre su competencia

El artículo 35 de la LACI consagra expresamente el principio *kompetenz-kompetenz*, en virtud del cual se faculta al tribunal arbitral a resolver las objeciones que se planteen sobre su propia competencia. Históricamente se razonaba que si alguna de las partes cuestionaba la competencia de los árbitros[24], éstos no carecían de atribuciones para pronunciarse, debiendo la cuestión ser decidida judicialmente. La regla del artículo 35 permite que los árbitros no pierdan automáticamente su jurisdicción por el mero planteo de una de las partes y que puedan juzgar si la tienen o no. El principio se complementa con la obligación que, salvo excepciones, el artículo 19 de la LACI impone a los tribunales judiciales de remitir a las partes al arbitraje cuando alguna de ellas, en infracción al acuerdo arbitral, promueve una demanda en sede judicial[25].

Sin embargo, la atribución de competencia a los árbitros para decidir sobre su propia competencia no implica que esa decisión sea final. El principio *kompentez-kompetenz* no establece que el tribunal arbitral sea el juez exclusivo de su competencia, sino que es quien primero debe pronunciarse[26]. Aunque su decisión está sujeta a revisión judicial, porque si bien es razonable que los árbitros tengan la "primera palabra" sobre su competencia, también lo es que los tribunales judiciales tengan la "última"[27].

---

[24] Por medio de la negación a la existencia o validez del acuerdo arbitral, o sea disputando su alcance *ratione materiae* o *ratione personae*.

[25] Esta regla se conoce como el efecto negativo del principio *kompetenz-kompetenz*. Rivera (h), Julio: "El efecto negativo del principio competence-competence en el arbitraje internacional", Revista del Colegio de Abogados de la Ciudad de Buenos Aires, tomo 79, N° 1, agosto de 2018, pp. 58 y ss.

[26] Silva Romero, Eduardo: *El contrato de arbitraje*, ed. Legis y Universidad del Rosario, Bogotá, 2005, p. 580.

[27] Sanders, Pieter: "UNCITRAL's Model Law on international and commercial arbitration: Present situation and future", Arbitration International, vol. 21, N° 4, 2005, pp. 443 y ss.

El primer párrafo del artículo 37 de la LACI permite al tribunal arbitral resolver las objeciones jurisdiccionales en forma previa, junto con el laudo final. Y el control judicial opera en ambos casos.

Si el pronunciamiento de los árbitros sobre su competencia forma parte del laudo final, la revisión judicial se dará en el marco de los recursos que caben contra ese laudo. En el marco de la LACI, ese recurso es el de nulidad del artículo 99, que autoriza a un tribunal judicial a anular un laudo cuando el tribunal arbitral carecía de jurisdicción para emitirlo, sea porque el acuerdo no era válido [artículo 99 (a) (i)], sea porque el laudo decide sobre controversias no previstas en el acuerdo de arbitraje o contiene decisiones que exceden sus términos [artículo 99 (a) (iii)], sea porque el objeto de la controversia no era susceptible de arbitraje [artículo 99 (b) (i)].

Y si la decisión sobre competencia se tomó en forma previa, la LACI prevé, en el segundo párrafo del artículo 37, una vía de revisión judicial:

> *"Si, como cuestión previa, el tribunal arbitral se declara competente, cualquiera de las partes, dentro de los treinta (30) días siguientes al recibo de la notificación de esa decisión, podrá solicitar del tribunal competente conforme al artículo 13 que resuelva la cuestión, y la resolución de este tribunal será irrecurrible; mientras esté pendiente dicha solicitud, el tribunal arbitral podrá proseguir sus actuaciones y dictar un laudo".*

Como surge de su propio texto, el recurso judicial sólo es admisible cuando los árbitros se declaran competentes, no cuando se declaran incompetentes. Y es un recurso inmediato, aunque carece de efectos suspensivos: en el esquema de la LACI, el control judicial de esta decisión no se pospone hasta el dictado del laudo final, como sucede en algunas otras legislaciones comparadas[28], pero no impide la continuación de las actuaciones arbitrales (ni siquiera el dictado del laudo)[29].

---

[28] El Código Judicial de Bélgica (artículo 1690.4), el Código Procesal Civil de Holanda (artículo 1052.4) o la Ley de Arbitraje de Perú (artículo 41.4) sólo permiten que la decisión de los árbitros sobre su competencia, aun cuando haya sido adoptada como previa, sea impugnada luego de dictado el laudo final.

[29] Ello, parecería que no impide que el tribunal arbitral, si considera prudente hacerlo, suspenda el procedimiento, ni tampoco que el tribunal judicial que conoce del recurso lo disponga. Que el recurso carezca, por sí mismo, de efectos suspensivos no significa que los árbitros no puedan decidir suspender las actuaciones ni que, de manera preventiva y si se acreditan los extremos que autorizan el dictado de una medida cautelar, el tribunal judicial no pueda ordenar que las actuaciones arbitrales se suspendan hasta tanto la competencia de los árbitros sea confirmada.

Este recurso no está condicionado a la existencia de "causales", como sucede con el de nulidad del artículo 99 de la LACI. La ley lo establece para que el tribunal judicial "resuelva la cuestión", lo que implica consagrar la facultad del órgano judicial de revisar *de novo* la decisión arbitral sobre competencia y convierte a este en "recurso de apelación".

3.6. Asistencia para la práctica de pruebas

El artículo 78 de la LACI dispone que:

> *"el tribunal arbitral o cualquiera de las partes con la aprobación del tribunal arbitral podrá pedir la asistencia de un tribunal competente de la República Argentina para la práctica de pruebas. El tribunal podrá atender dicha solicitud dentro del ámbito de su competencia y de conformidad con las normas que le sean aplicables sobre medios de prueba".*

Esta intervención judicial, destinada a obtener de los jueces el auxilio para lograr la incorporación de alguna medida de prueba que no pueda obtenerse voluntariamente, se justifica por la falta de *imperium* de los árbitros. Por ejemplo, si se requiere la declaración de un testigo que se rehúsa a comparece al tribunal arbitral, o información en poder de algún tercero que no la proporciona voluntariamente a requerimiento del tribunal arbitral, será necesario requerirla a través de un tribunal judicial, que cuenta con atribuciones para imponer coactivamente el cumplimiento de una determinada conducta.

Con todo, con el objeto de preservar la autoridad de los árbitros para conducir el procedimiento arbitral, la LACI mantiene la decisión de requerir la cooperación judicial en cabeza del tribunal arbitral: la solicitud al juez debe ser hecha por el tribunal arbitral, o por alguna de las partes con su aprobación.

3.7. Control judicial sobre el laudo, en jurisdicción primaria

El alcance del control judicial sobre los laudos es una de las mayores innovaciones de la LACI respecto del régimen recursivo previsto en el CPCCN.

El CPCCN prevé que, contra los laudos dictados por árbitros de derecho, caben los mismos recursos que contra las sentencias judiciales, salvo que sean renunciados (artículo 758)[30]. Sin embargo, el recurso de nulidad es irrenunciable (artículo 760)[31]. Ello significa que los laudos de derecho son en principio apelables judicialmente, y que siempre son recurribles por nulidad. En este último caso, la propia ley prevé las causales de nulidad: falta esencial del procedimiento, haber fallado los árbitros fuera del plazo o sobre puntos no comprometidos, o contener el laudo decisiones incompatibles entre sí en la parte dispositiva (artículos 760 y 761).

La LACI, en cambio, admite únicamente un recurso judicial de nulidad, y sistematiza los motivos por los cuales un laudo puede ser anulado.

La clave de este esquema surge de la aplicación armónica de los artículos 98 y 99 de la LACI. El primero dispone que "contra un laudo arbitral *sólo* podrá recurrirse ante un tribunal mediante una petición de nulidad conforme a los artículos 99 y 100". El segundo, que el laudo "sólo podrá ser anulado" por las causales allí previstas.

El término "sólo", contenido en ambos artículos, significa que no existe otro recurso judicial contra los laudos que no sea el de nulidad, y que no existen otras causales de nulidad que las señaladas en el artículo 99.

La justificación de esta disposición surge de las Notas Explicativas de la CNUDMI sobre el texto de la Ley Modelo, cuyo artículo 34 es reproducido en los artículos 98 a 101 de la LACI: "Los recursos de impugnación del laudo a disposición de las partes difieren ampliamente de un ordenamiento a otro, y esta disparidad dificulta sobremanera la armonización de la legislación de arbitraje internacional. Algunos reglamentos de arbitraje obsoletos, al establecer regímenes paralelos aplicables a la impugnación tanto de un laudo como de una decisión judicial, prevén diversos recursos con plazos distintos (y, por lo general, largos) para interponerlos y con extensas listas de motivos para ejercitarlos. Esa situación (preocupante para quienes intervienen en el arbitraje comercial internacional) se ha mejorado en alto grado en la Ley Modelo, ya de que en ella se enuncian motivos uniformes de impugnación del laudo y plazos bien delimitados para ejercitar el recurso" (parágrafo 44). "La primera medida para mejorar el estado de cosas descrito consiste en admitir solamente un tipo de recurso, con exclusión de cualquier otro previsto en una ley procesal del Estado de que

---

[30] Los dictados por árbitros de equidad, en cambio, son irrecurribles (artículo 771).
[31] También es irrenunciable la impugnación de la validez de un laudo de amigables componedores, aunque en este caso no procede como recurso sino a través de una acción de nulidad (artículo 771).

se trate" (parágrafo 45). "Otra mejora introducida por la Ley Modelo es que enumera en forma exhaustiva los motivos por los que un laudo podrá declararse nulo" (parágrafo 46).

A diferencia de las inadecuadas causales de nulidad del CPCCN, la LACI contiene un elenco integral y coherente de las circunstancias que pueden llevar a la anulación de un laudo. Esquemáticamente, las causales están divididas en dos grupos: algunas que deben ser invocadas y probadas por la parte interesada, y algunas que pueden ser aplicadas de oficio por el tribunal judicial.

Las que deben ser acreditadas por quien pide la nulidad del laudo son: (I) Que una de las partes en el acuerdo de arbitraje estaba afectada por alguna incapacidad o restricción a la capacidad, o que dicho acuerdo no es válido[32]; (II) Que la parte no ha sido debidamente notificada de la designación de un árbitro o de las actuaciones arbitrales o no ha podido, por cualquier otra razón, hacer valer sus derechos; (III) Que el laudo se refiere a una controversia no prevista en el acuerdo de arbitraje o contiene decisiones que exceden los términos del acuerdo de arbitraje[33]; o (IV) Que la constitución del tribunal arbitral o el procedimiento arbitral no se han ajustado al acuerdo entre las partes[34]. Las que pueden derivar en la anulación del laudo aunque no hayan sido invocadas son: (I) Que, según la ley argentina, el objeto de la controversia no es susceptible de arbitraje; o (II) Que el laudo es contrario al orden público argentino.

Aunque en este aspecto la LACI también ha seguido el texto de la Ley Modelo, el legislador argentino optó por reducir el plazo para la interposición de este recurso: la Ley lo establece en tres meses desde la notificación del laudo, mientras la LACI lo fija en treinta días[35].

---

[32] La validez del acuerdo arbitral se juzga en virtud de la ley a que las partes lo hubieran sometido, o si nada se hubiera indicado a este respecto, en virtud de la ley argentina.

[33] Si las disposiciones del laudo que se refieren a las cuestiones sometidas al arbitraje pueden separarse de las que no lo están, sólo se podrán anular estas últimas.

[34] Salvo que ese acuerdo estuviera en conflicto con una disposición de la LACI de la que las partes no pudieran apartarse o, a falta de dicho acuerdo, que no se han ajustado a la LACI.

[35] Debe recordarse que, conforme lo establece el artículo 108 de la LACI, los plazos se computan por días corridos, aunque, si el vencimiento se produjera en un día inhábil, se considerará prorrogado el plazo hasta el primer día hábil siguiente.

La LACI reproduce, en el artículo 101, una norma también contenida en la Ley Modelo que constituye una novedad en el derecho positivo argentino: cuando una parte lo solicite, el tribunal judicial puede suspender el trámite del recurso de nulidad y reenviar el caso al tribunal arbitral para que reanude las actuaciones arbitrales o adopte cualquier otra medida que pudiera eliminar los motivos para la nulidad. El propósito de esta norma es intentar evitar, si fuese posible, la anulación del laudo, permitiendo al tribunal arbitral remediar las razones por las cuales podría ser anulado[36].

3.8. Reconocimiento y ejecución de decisiones arbitrales extranjeras (medidas cautelares y laudos)

Finalmente, la LACI prevé la intervención de los tribunales judiciales argentinos para obtener, en el país, el reconocimiento y ejecución de medidas cautelares (artículo 56) o del laudo (artículo 102) cuando se trate de decisiones adoptadas por tribunales arbitrales con sede fuera de la Argentina.

Siguiendo el régimen de la Ley Modelo[37], y con la finalidad de superar las dudas que se plantearon en torno a la ejecutabilidad de las medidas cautelares extranjeras al amparo de la Convención de Nueva York[38], la LACI prevé de manera expresa que las medidas cautelares arbitrales pueden ser reconocidas y ejecutadas en la Argentina, estableciendo las condiciones bajo las cuales ello tendrá lugar.

El artículo 56 dispone que "toda medida cautelar ordenada por un tribunal arbitral se reconocerá como vinculante y, salvo que el tribunal arbi-

---

[36] Esta es una potestad que tiene el tribunal judicial ante el cual tramita el recurso de nulidad, aunque esa medida debe ser solicitada por alguna de las partes.

[37] La versión original de la Ley Modelo (de 1985) sólo contenía una norma general facultando a los árbitros a dictar medidas cautelares. La enmienda de 2006 incorporó un régimen integral, completo y detallado, que incluye no sólo las condiciones bajo las cuales un tribunal arbitral puede adoptar medidas cautelares, sino también precisiones sobre sus efectos extraterroriales.

[38] Esta duda se presenta, fundamentalmente, porque el artículo 1 de la Convención no define qué se considera "sentencia", y porque la doctrina y la jurisprudencia internacionales no son uniformes en orden a interpretar si una medida cautelar puede calificar como sentencia. Ver, Caivano, Roque J.: "La Convención de Nueva York y la ejecución de las medidas cautelares", en *Arbitraje Comercial y Arbitraje de Inversión*, ed. Instituto Peruano de Arbitraje, Lima, 2009, pp. 25 y ss.

tral disponga otra cosa, será ejecutada al ser solicitada tal ejecución ante el tribunal competente".

Y el artículo 59 prevé las únicas razones por las cuales un juez argentino puede denegar el reconocimiento o ejecución de una medida cautelar dispuesta por un tribunal arbitral extranjero. A instancia de parte, el reconocimiento puede denegarse si (I) Una de las partes en el acuerdo de arbitraje estaba afectada por alguna incapacidad o restricción a la capacidad, o el acuerdo no es válido; (II) La parte afectada no ha sido debidamente notificada de la designación de un árbitro o de las actuaciones arbitrales o no ha podido, por cualquier otra razón, hacer valer sus derechos; (III) La decisión se refiere a una controversia no prevista en el acuerdo de arbitraje o excede los términos del acuerdo de arbitraje; (IV) La constitución del tribunal arbitral o el procedimiento arbitral no se han ajustado al acuerdo celebrado entre las partes; (V) No se ha cumplido la decisión del tribunal arbitral sobre la prestación de la garantía que corresponda a la medida cautelar otorgada por el tribunal arbitral; o (VI) La medida cautelar ha sido revocada o suspendida por el tribunal arbitral o, en caso de que esté facultado para hacerlo, por un tribunal del Estado en donde se tramite el procedimiento de arbitraje o conforme a cuyo derecho dicha medida se otorgó. Y, aun sin invocación, si el tribunal judicial comprueba que (I) La medida cautelar es incompatible con las facultades que se le confieren[39]; (II) Según la ley argentina, el objeto de la controversia no es susceptible de arbitraje; o (III) El reconocimiento o la ejecución serían contrarios al orden público internacional argentino.

La intervención judicial que cabe a los tribunales argentinos en el control de medidas cautelares arbitrales está limitado a la verificación de que no exista ninguna de las causales que, conforme la ley, obstan a su reconocimiento y ejecución. Esta limitación surge expresamente del artículo 60, que dispone que "toda determinación a la que llegue el tribunal respecto de cualquier motivo enunciado en el artículo 59 será *únicamente* aplicable para los fines de la solicitud de reconocimiento y ejecución de la medida cautelar", añadiendo que el tribunal judicial "no podrá emprender, en el ejercicio de dicho cometido, una revisión del contenido de la medida cautelar". Sin embargo, esta limitación tiene una excepción: de acuerdo con el artículo 58, el tribunal judicial puede, "si lo considera oportuno", exigir una contracautela del solicitante, si el tribunal arbitral no se pronun-

---

[39]   A menos que decida reformular la medida para ajustarla a sus propias facultades y procedimientos a efectos de poder ejecutarla, aunque sin modificar su contenido.

ció sobre ella o si esa garantía es necesaria para proteger los derechos de terceros.

En relación con el laudo, la LACI replica las disposiciones del artículo 36 de la Ley Modelo, que a su vez se han basado en las de la Convención de Nueva York.

El artículo 104 contiene la enumeración de las únicas causas que pueden obstar al reconocimiento y ejecución. A instancia de la parte que resiste el reconocimiento, quien a su vez tiene la carga de probarlo, un juez argentino sólo puede denegarlo si: (i) Una de las partes en el acuerdo de arbitraje estaba afectada por alguna incapacidad o restricción a la capacidad, o el acuerdo arbitral no es válido[40]; (ii) La parte contra la cual se invoca el laudo no ha sido debidamente notificada de la designación de un árbitro o de las actuaciones arbitrales o no ha podido, por cualquier otra razón, hacer valer sus derechos; (iii) El laudo se refiere a una controversia no prevista en el acuerdo arbitral o contiene decisiones que exceden sus términos[41]; (iv) La constitución del tribunal arbitral o el procedimiento arbitral no se ajustaron al acuerdo o, en defecto de tal acuerdo, no se han ajustado a la ley del país de la sede del arbitraje; o (v) El laudo no es aún obligatorio para las partes o ha sido anulado o suspendido por un tribunal judicial del país en el cual, o conforme a cuyo derecho, ha sido dictado. Adicionalmente, el reconocimiento puede ser denegado si el tribunal judicial comprueba: (i) Que, según la ley argentina, el objeto de la controversia no es susceptible de arbitraje; o (ii) Que el reconocimiento o la ejecución del laudo serían contrarios al orden público internacional argentino.

En relación con esta última causal, debe subrayarse que la LACI alude al "orden público internacional argentino", mención que no surge de la Ley Modelo. De esta forma, la LACI ha recogido normativamente la distinción conceptual entre orden público interno y orden público internacional.

Como se sabe, el primero es entendido como el conjunto de normas imperativas locales, preponderantemente aplicables a las relaciones jurídicas domésticas, que no pueden dejarse de lado por la voluntad de las partes; es decir, aquellas normas respecto de las que no opera la autonomía de la

---

[40] Validez que se juzga en virtud de la ley a que las partes han sometido el acuerdo arbitral o, si nada se hubiera indicado, en virtud de la ley del país en que se haya dictado el laudo.

[41] No obstante, si las disposiciones del laudo que se refieren a las cuestiones sometidas al arbitraje pueden separarse de las que no lo están, se podrá dar reconocimiento y ejecución a las primeras.

voluntad por estar involucrado el interés general[42], mientras que el orden
público internacional refiere al conjunto de principios fundamentales sobre los cuales se asienta el ordenamiento jurídico del foro, los denominados principios de "moralidad y justicia", o de "justicia universal" (*natural
justice*) inspiradores de ese ordenamiento[43].

La consecuencia de esta decisión de política legislativa, en la Argentina deberá aplicarse el estándar que muchos tribunales judiciales han ido
elaborando[44]: el reconocimiento y ejecución de un laudo no podrá ser denegado por contravenir normas imperativas del derecho interno sino, únicamente, cuando el laudo vulnere los principios fundamentales del ordenamiento jurídico argentino, es decir, cuando se transgreden las nociones
básicas de justicia y moralidad sobre las cuales aquel se asienta[45].

---

[42]   Lalive, Pierre: "Ordre Public transnational (ou réellement international) et arbi-
       trage international", Revue de l'arbitrage, 1986, pp. 329 y ss.
[43]   Grigera Naón, Horacio A.: "Reconocimiento y ejecución de laudos arbitrales en
       América Latina", ponencia presentada en la XII Conferencia Interamericana de
       Arbitraje Comercial, Cali, Colombia, noviembre de 1994.
[44]   *U.S. Court of Appeals for the Second Circuit*, 23/12/1974, "Parsons & Whittemore
       Overseas Co. Inc. v. Société Generale de l'industrie du Papier (Rakta)", 508 F.
       2d 969 (2nd Cir. 1974); Corte Suprema Federal Alemana (*Bundesgerichtshof*),
       15/05/1986, citado por Sikiric, Hrvoje: "*Arbitration proceedings and public policy*",
       Croatian Arbitration Yearbook, vol. 7, 2000, pp. 85 y ss.; Corte Suprema de Justicia
       de Colombia, sala Civil, 6/08/2004, sentencia N° 11001-0203-000-2001-0190-01,
       citada por Cárdenas Mejía, Juan Pablo: "Las causales que pueden ser declaradas
       de oficio para negar el reconocimiento de un laudo", Revista Internacional de
       Arbitraje, N° 6, enero-junio 2007, pp. 61 y ss.; *Tribunal fédéral suisse*, 3/04/2002,
       "X. c. Y.", AFT 128 III 191, 4P.282/2001; *English Court of Appeals*, 1987, "Deutsche
       Schachtbau-und Tiefbohrgesellscaft mbh (DST) v. Ras Al Khaimah National Oil
       Company (Rakoil)", [1987] 2 Lloyd's Rep. 246 et ss.
[45]   International Law Association, Committee on International Commercial Arbi-
       tration: "Final report on public policy as a bar to enforcement of international
       arbitral awards", adoptado en la Conferencia de New Delhi (2002). Entre otras
       consideraciones, interesa destacar aquí que se recomienda que "el carácter final
       de un laudo dictado en el contexto de un arbitraje comercial internacional debe
       ser respetado salvo excepcionales circunstancias" (Recomendación 1.a); que "es-
       tas excepcionales circunstancias pueden darse si el reconocimiento o ejecución
       de un laudo dictado en un arbitraje internacional puede contravenir el orden
       público internacional" (Recomendación 1.b); que "orden público internacional
       es usado para designar el conjunto de principios y reglas reconocidas por un Es-
       tado que, por su naturaleza, pueden impedir el reconocimiento y ejecución de
       un laudo dictado en un contexto internacional" (Recomendación 1.c); y que ese
       orden público internacional de un Estado "incluye: (i) Principios fundamentales

III. EL TRIBUNAL COMPETENTE PARA EL EJERCICIO DE ESAS FUNCIONES

El artículo 6 de la Ley Modelo es una de las normas que la CNUDMI dejó deliberadamente en blanco, para que el país que recoja su texto determine, en función de las características de su propio sistema judicial, qué tribunal cumplirá las funciones que la ley reconoce a los tribunales judiciales.

La LACI regula esta cuestión en el artículo 13. De esta norma surgen dos precisiones: en relación con la competencia por territorio y por material, la ley determina que intervendrán los tribunales judiciales con competencia en materia comercial de la sede del arbitraje; y en relación con la competencia por grado, la LACI distingue entre las funciones judiciales de "apoyo" o "cooperación" (que recaen en tribunales de primera instancia) y las de "control" (que recaen en tribunales de segunda instancia).

La primera precisión es importante para evitar posibles cuestiones de competencia entre los distintos tribunales en que, por materia y territorio, se organiza el Poder Judicial argentino. La segunda es, a nuestro juicio, acertada porque atribuye las funciones de auxilio judicial[46] a juzgados de primera instancia que, por ser unipersonales, están en condiciones de cumplirlas con mayor celeridad; mientras que las funciones de control[47] son deferidas a las cámaras de apelaciones, que en la mayoría de las jurisdicciones son tribunales colegiados, lo que en principio ofrece mayores garantías.

La LACI no especifica cuáles serán los tribunales judiciales competentes para dictar medidas cautelares (artículos 21 y 61), para brindar la asisten-

---

relativos a la justicia o a la moral, que ese Estado desea proteger aunque no esté directamente involucrado; (ii) Reglas diseñadas para servir a intereses políticos, sociales o económicos esenciales de este Estado; y (iii) La obligación del Estado de respetar sus obligaciones hacia otros Estados u organismos internacionales" (Recomendación 1.d).

[46] Se trata, fundamentalmente, de las funciones consignadas en los artículos 24 y 25, consistentes en proveer la designación de un árbitro, si las partes no hubiesen convenido un procedimiento distinto o si, habiéndolo convenido, no hubiese podido lograrse la designación a través de él.

[47] Se trata, fundamentalmente, de la revisión de la decisión sobre recusación o remoción de un árbitro (artículos 31 y 32), de la decisión del tribunal arbitral que se declara competente en forma previa (artículo 37), o del recurso de nulidad contra el laudo (artículo 99).

cia a los árbitros para la práctica de pruebas (artículo 78), ni para intervenir en el trámite de reconocimiento y ejecución de medidas cautelares arbitrales (artículo 56) o del laudo (artículo 102). De ello se deriva que estas funciones serán cumplidas por el tribunal con competencia en el lugar donde la petición se realice[48].

IV. CONCLUSIONES

El artículo 12 de la LACI expresa la intención del legislador argentino de brindar al arbitraje del mayor grado de autonomía posible. Que no implica más que establecer que, entre el Poder Judicial y el arbitraje, existe una relación de complementación. Esta complementación supone que los tribunales de justicia deben impedir la frustración del objetivo perseguido por las partes al celebrar el acuerdo arbitral, absteniéndose de intervenir cuando existe una cláusula arbitral; que deben colaborar con el arbitraje, supliendo la falta de *imperium* de los árbitros y prestando asistencia para la ejecución compulsiva de sus decisiones; y que el control debe reducirse a los casos en que la propia ley autoriza la revisión de las decisiones arbitrales[49].

Aunque la autonomía total del arbitraje no es posible, y probablemente tampoco deseable, el esquema de la LACI se adapta a los requerimientos del arbitraje comercial internacional del siglo XXI: un sistema de justicia privada creado por las partes que, para cumplir su objetivo, debe poder desarrollarse con el menor grado de interferencia posible. Y ello se logra, principalmente, sentando un principio como el que surge del artículo 12 de la LACI, y circunscribiendo las excepciones a aquellos casos en los cuales la intervención judicial sea necesaria o justificada, sea para colaborar con el sistema arbitral, sea para ejercer sobre las decisiones de los árbitros un grado de control compatible con los postulados constitucionales[50].

---

[48]   En relación con la competencia material, es posible interpretar que debe intervenir el tribunal judicial competente en materia comercial en el lugar donde esa petición se realice.

[49]   Rivera, Julio César: "El principio de autonomía del arbitraje. Claroscuros del derecho argentino", Revista de la Academia Nacional de Derecho, noviembre de 2005, pp. 1 y ss.

[50]   Conviene recordar que, desde el precedente "Fernández Arias c. Poggio", la Corte Suprema de Justicia ha señalado que las decisiones jurisdiccionales de órganos no judiciales debe estar sujeta a "control judicial suficiente" (CSJN, 19/09/1960, "Fernández Arias, Elena c. Poggio, José", Fallos: 247:646).

De esa forma, se logra articular un reparto claro de las atribuciones de árbitros y jueces, del que resultan claros los límites de ambos, y que no tiene otro propósito que respetar, al mismo tiempo, la voluntad de las partes y las garantías constitucionales.

REFERENCIAS

CAIVANO, R. J., "La acción judicial para la celebración forzada del compromiso arbitral", *Rev. JA*, 1999-III-53.

CAIVANO, R. J., "La Convención de Nueva York y la ejecución de las medidas cautelares", en *Arbitraje Comercial y Arbitraje de Inversión*, ed. Instituto Peruano de Arbitraje, Lima, 2009.

CAIVANO, R. J., "La sede del arbitraje", *Rev. ED*, 6/04/2017.

FERNÁNDEZ ROZAS, J. C., "El arbitraje comercial internacional entre la autonomía, la nacionalidad y la deslocalización", *Revista Española de Derecho Internacional*, vol. LVII, 2005.

GRIGERA NAÓN, H. A., "Reconocimiento y ejecución de laudos arbitrales en América Latina", ponencia presentada en la XII Conferencia Interamericana de Arbitraje Comercial, Cali, Colombia, noviembre de 1994.

INTERNATIONAL LAW ASSOCIATION, COMMITTEE ON INTERNATIONAL COMMERCIAL ARBITRATION, "Final report on public policy as a bar to enforcement of international arbitral awards", adoptado en la Conferencia de New Delhi (2002).

LALIVE, P., "Ordre Public transnational (ou réellement international) et arbitrage international", *Revue de l'arbitrage*, 1986.

SANDERS, P., "UNCITRAL's Model omerc international and omercial arbitration: Present situation and future", *Arbitration International*, vol. 21, N° 4, 2005.

SILVA ROMERO, E., *El contrato de arbitraje*, ed. Legis y Universidad del Rosario, Bogotá, 2005.

RACINE, J. B., "Réflexions sur l'autonomie de l'arbitrage commercial international", *Revue de l'arbitrage*, 2005.

RIVERA (h), J., "El efecto negativo del principio competence-competence en el arbitraje internacional", *Revista del Colegio de Abogados de la Ciudad de Buenos Aires*, tomo 79, N° 1, agosto de 2018.

RIVERA, J. C., "El principio de autonomía del arbitraje. Claroscuros del derecho argentino", *Revista de la Academia Nacional de Derecho*, noviembre de 2005.

ROQUE J. y SANDLER OBREGÓN, V., "La nueva ley argentina de arbitraje comercial internacional", *Revista de Arbitraje Comercial y de Inversiones*, vol. XI, N° 2, septiembre de 2018.

The arbitrators' powers to sanction misconduct (or the psychological comfort of having a life vest under your seat) *

JESÚS SARACHO AGUIRRE**
RAFAEL CARLOS DEL ROSAL CARMONA***

RESUMEN

Conforme la cuestión de las "guerrilla tactics" en el arbitraje internacional ha ganado más peso, se han ido desarrollando diversas propuestas, desde un punto de vista regulatorio, orientadas a corregir las desviaciones de los estándares éticos de las partes y sus abogados, incluyendo la imposición de sanciones. A pesar de estos esfuerzos bienintencionados, lo cierto es que son numerosas las desventajas relativas a la aplicación de medidas puramente punitivas en el arbitraje. Este tipo de medidas, en muchas ocasiones, pueden exceder (e incluso socavar) el principal deber de los árbitros: dictar un laudo ejecutable. Este capítulo examina: las fuentes del poder de los árbitros para imponer sanciones, el concepto de conducta indebida, algunas medidas habituales en arbitraje que podrían considerarse sanciones, así como los potenciales problemas de ejecución derivados de la imposición de medidas punitivas. El capítulo concluye que los árbitros deben ser extremadamente cuidadosos al considerar la posibilidad de sancionar a una parte o a sus abogados, y, en su lugar, habrían de centrarse en ejercitar correctamente sus poderes de dirección del procedimiento.

Palabras clave: Ética jurídica, estándares éticos, poderes sancionatorios del árbitro, dirección del proceso arbitral.

ABSTRACT

As the issue of "guerrilla tactics" in international arbitration has attracted increasing attention, there have been several proposals to improve the ethical regulation of parties and counsels, including the use of sanctions. Despite these well-intended efforts, there are numerous

---

* The views expressed in this chapter are the authors' personal views and do not necessarily represent the views of the ICDR, AAA, Uría Menéndez Abogados, SLP, or any of its employees.

** Jesús Saracho Aguirre (MCIArb) is a Senior Associate in Uría Menéndez Abogados, SLP's International Arbitration Department.

*** Rafael Carlos del Rosal Carmona is an International Case Counsel at the International Centre for Dispute Resolution ("ICDR"), a division of the American Arbitration Association, Inc. ("AAA").

shortcomings related to the application of purely punitive measures in arbitration. These kinds of measures can often exceed —if not undermine— the arbitrators' main duty: to issue an enforceable award. This chapter examines: the source of arbitrators' power to sanction misconduct, the concept of misconduct itself, some common measures in arbitration that could be considered sanctions, and potential enforceability problems that could arise regarding the imposition of punitive measures. It concludes that arbitrators should be extremely careful when considering sanctioning a party or its counsels, and, instead, focus on correctly exercising their procedural management powers.

Key words: Legal ethics, ethical standards, sanctioning powers of the arbitrator, direction of the arbitration process.

> **SUMARIO:** I. INTRODUCTION. II. SANCTIONS IN INTERNATIONAL ARBITRATION: FUNDAMENTAL ISSUES. 1. Sources of arbitrators' sanctioning powers. 2. The concept of misconduct in international arbitration. III. COMMON SANCTIONS IN PRACTICE: ADVERSE INFERENCES AND ALLOCATION OF COSTS. 1. Adverse inferences. 2. Cost-allocation. IV. POTENTIAL ENFORCEABILITY PROBLEMS RELATED TO SANCTIONS. 1. Due process considerations. 2. Potential impact on the appearance of impartiality and independence. 3. Excess of authority. 4. Public policy. V. CONCLUSION.

I. INTRODUCTION

In 2016, Scott McCartney published an article in The Wall Street Journal under the headline, "Do Planes Really Need Life Vests?"[1] The article started by stating that "you may think that the life vest under your airplane seat will save your life if the aircraft ends up in the water", to then explain that, although life jackets may appear great on paper, the reality is that they are so difficult to find and cumbersome to put on in an real emergency that, when U.S. Airways Flight 1549 splashed down in the Hudson River in 2009, only four of 150 people managed to properly don their life vest.

The arbitrators' powers to sanction misconduct are similar to life vests: on paper, they may seem an excellent tool to prevent the use of guerrilla tactics and other types of misconduct; however, their application in practice presents a wide array of concerns that must be considered carefully by arbitrators. Thus, although the growing amount of scholarly work about ethical misconduct and dilatory tactics in arbitration has also led to an in-

---

[1] *See* Scott McCartney, *Do Planes Really Need Life Vests?*, THE WALL STREET JOURNAL (20 Jan. 2016), https://www.wsj.com/articles/do-planes-really-need-life-vests-1453310773.

creased focus on the potential use of sanctions as a response[2], this chapter describes how the imposition of sanctions in arbitration involves several problems in itself[3]. The reason for this is that the arbitrators' main duties are to issue an enforceable award[4] and to fairly and expeditiously resolve the disputes, not to punish a misbehaving party to the dispute[5].

In order to study the theoretical and practical problems of sanctions, we begin in section two by analyzing the sources of the arbitrators' sanctioning powers and the concept of misconduct in international arbitration. In section three, we discuss some commonly applied measures in arbitration that have been described as sanctions (in particular, adverse inferences and cost-allocation). Section four explores some potential enforceability problems associated with punitive measures, including due process concerns, potential matters of impartiality and independence, situations involving the overstepping of authority and the importance of the public-policy exception. Finally, section five offers some concluding remarks, explaining that the best option to resist guerrilla tactics is robust procedural management by arbitrators rather than the imposition of sanctions.

II. SANCTIONS IN INTERNATIONAL ARBITRATION: FUNDAMENTAL ISSUES

1. Sources of arbitrators' sanctioning powers

The existence and extent of arbitrators' sanctioning powers is not readily apparent. In litigation, procedural rules generally grant courts broad

---

[2]   In this regard, arbitration users seem to also be concerned about the potential lack of sanctions in response to dilatory tactics. *See* Paul Friedland & Stavros Brekoulakis, White & Case & Queen Mary University of London, 2018 International Arbitration Survey: The Evolution of International Arbitration 8 (2018), http:// www.arbitration.qmul.ac.uk/media/arbitration/docs/2018-International-Arbitration-Survey—The-Evolution-of-International-Arbitration-(2).PDF.

[3]   In order to avoid restricting the analysis in this chapter, we will use the word "sanction" in a relatively broad sense.

[4]   *See* Günther J. Horvath, *The Duty of the Tribunal to Render an Enforceable Award*, JOURNAL OF INTERNATIONAL ARBITRATION (Kluwer Law International 2001, Volume 18 Issue 2) pp. 135-158.

[5]   See Elliot Geisinger, "Soft Law" and Hard Questions: ASA's Initiative in the Debate on Counsel Ethics in International Arbitration, 37 ASA SPECIAL SERIES 17, 22 (2015).

powers to sanction misconduct by parties and counsel[6], consistent with their public nature and general purpose. However, arbitrators —creatures of contract— are appointed for the relatively narrow goal of resolving the parties' specific dispute. Furthermore, the seat's rules for court procedures are not automatically applicable to arbitration[7], including those on sanctions[8]. The question of the potential sources of the arbitrators' sanctioning powers is further complicated in international cases by the interplay between divergent sets of national law and applicable ethical rules, which may in some cases even conflict with each other[9].

The most important source of arbitrators' general authority is, naturally, party autonomy. Parties are able to agree to specify a number of potential sanctions for the arbitrators to impose in cases of misconduct. In fact, the parties could technically agree to limit the potential ability of arbitrators to impose any sanctions. Nonetheless, these scenarios are virtually never encountered in practice, as parties are usually silent on sanctions in their arbitration agreements. Besides, even in cases in which the parties have set out an agreement on this issue, granting arbitrators expansive sanctioning powers may violate some jurisdictions' public policy during annulment or enforcement proceedings[10]. Limiting the available sanctions may be equally problematic[11].

---

[6]   See, e.g., FED. R. CIV. P. 11(c); L. E. Civ. Art. 247, BOE n. 7, 8 Jan. 2000 (Spain).

[7]   Gary Born, International Commercial Arbitration 2197-99 (2nd ed. 2014).

[8]   See, e.g., Georgene M. Vairo, Sanctions and Arbitration Proceedings, in AAA HANDBOOK ON COMMERCIAL ARBITRATION 305, 305-06, 316-17 (3rd ed. 2016).

[9]   See 2013 IBA Guidelines on Party Representation, Preamble ("Unlike in domestic judicial settings, in which counsel are familiar with, and subject, to a single set of professional conduct rules, party representatives in international arbitration may be subject to diverse and potentially conflicting bodies of domestic rules and norms"); See also 2019 Código de Buenas Prácticas Arbitrales del Club Español del Arbitraje, Deberes de los Abogados, 1. Introducción ("El C.BB.PP asume que en un arbitraje las partes estarán representadas por abogados que podrán estar, sobre todo en arbitrajes internacionales, sujetos a reglas deontológicas diferentes. Además, pueden tener relevancia las reglas deontológicas en la sede o lugar del arbitraje, así como las del país donde se celebren físicamente las audiencias. La consecuencia de todo lo anterior es una situación de potencial asimetría y confusión. Existe una dificultad añadida: en general las reglas deontológicas de la abogacía carecen de normas específicas para el arbitraje, lo que crea lagunas e incertidumbres". Available at: https://www.clubarbitraje.com/wp-content/uploads/2019/06/cbbpp-cea.pdf.

[10] See section 4(d) below.

[11] See Margaret Moses, Arbitrator Power to Sanction Bad Faith Conduct: Can It Be Limited by the Arbitration Agreement? AUSTRALIAN LAW JOURNAL, 84.

This does not mean that party autonomy is irrelevant for the purposes of our analysis, but its importance is usually more indirect. Hence, parties could choose as the seat of arbitration a jurisdiction that allows the imposition of some sanctions, either explicitly in its arbitration law, or as established in its case law[12]. In addition, some broad clauses on the remedies arbitrators can award have been construed to include sanctioning powers[13]. However, many jurisdictions do not directly address the issue of sanctions in arbitration, generating uncertainty as to whether and to what extent they might be appropriate, and others even regulate it in a contradictory way[14]. Moreover, some jurisdictions may deal only with very specific sanctions, such as adverse inferences[15], while others may prohibit specific types of sanctions[16].

The arbitral rules agreed by the parties may also grant arbitrators sanctioning powers. Many arbitration rules provide arbitrators with extensive discretion to manage the proceedings[17], which could be interpreted as includ-

---

[12] In the context of "judicial penalties", *see, e.g.*, Alexis Mourre, *Judicial Penalties and Specific Performance in International Arbitration, in* PERFORMANCE AS A REMEDY: NON-MONETARY RELIEF IN INTERNATIONAL ARBITRATION 355, 361 (Michael E. Schneider & Joachim Knoll eds., ASA SPECIAL SERIES No. 30, 2011).

[13] Although, in a U.S. domestic setting, *see, e.g.*, David v. Abergel, 46 Cal. App. 4th 1281, 1283-85 (Cal. Ct. App. 1996) (deciding that a clause establishing that an arbitrator could "grant any remedy or relief to which a party is entitled under California law" was enough to justify an award on attorneys' fees imposed as a sanction under the California Code of Civil Procedure); Seagate Tech. v. W. Dig. Corp., 854 N.W.2d 750, 762-65 (2014) (affirming that "the arbitrator did not clearly exceed his authority... by issuing punitive sanctions" in a case with a clause that "broadly authorized the arbitrator to grant «injunctions or other relief»").

[14] For examples of contradicting rulings within the U.S., see Tracey B. Frisch, Death by Discovery, Delay, and Disempowerment: Legal Authority for Arbitrators to Provide a Cost-Effective and Expeditious Process, 17 CARDOZO J. CONFLICT RESOL. 155, 171-75 (2015).

[15] *See, e.g.*, Arbitration Act 1996 c. 23, § 41(7)(b) (Eng.) ("English Arbitration Act").

[16] For example, prohibiting conditional fines in connection with evidence production, *see* 25 § LAG (1999:116) OM SKILJEFÖRFARANDE (t.o.m. SFS 2018:1954) (Swedish Arbitration Act, an English translation of which is available at https://sccinstitute.com/media/408924/the-swedish-arbitration-act_1march2019_eng.pdf).

[17] *See* HKIAC Administered Arbitration Rules, Art. 13(1), version effective 1 Nov. 2018 ("HKIAC Rules"); ICC Arbitration Rules, Art. 22(2), version effective 1 Mar. 2017 ("ICC Rules"); ICDR International Arbitration Rules, Art. 20(1), version effective 1 Jun. 2014 ("ICDR Rules"); LCIA Arbitration Rules, Art. 14(5), version effective 1 Oct. 2014 ("LCIA Rules"); Arbitration Rules of the Arbitration Institute

ing the sanctioning of misconduct. Furthermore, some rules include either general provisions on sanctions[18] or explicitly allow adverse inferences[19] and cost-allocation based on the parties' conduct[20]. Despite this, arbitral rules are also insufficient to fully mitigate the uncertainty. The rules addressing sanctions include vague references to the arbitrators' power to impose them[21] and those sanctions that are explicitly mentioned are relatively lax, like reprimands[22]. As a result, based on these rules, it is impossible to confirm, for example, if monetary fines fall within arbitrators' authority. Additionally, even if sanctions were to be appropriate under some arbitral rules, they may nevertheless still conflict with either the law of the seat, the law of the place of enforcement or the lawyers' rules of professional conduct.

Similarly, some soft law rules may also play a role regarding sanctions. Notably, the IBA Rules on the Taking of Evidence in International Arbitration are a popular instrument that parties and arbitrators may agree to apply during the course of the proceedings, and which develop arbitrators' authority to adopt adverse inferences and other evidentiary issues in more detail than any arbitral rules[23]. Nevertheless, their scope is naturally limited to misconduct related to evidentiary matters. More generally, the 2013 IBA Guidelines on Party Representation are likely the most comprehensive attempt at codifying ethical rules of conduct in international arbitration, dealing with very diverse issues[24], as well as addressing some of the remedies for misconduct previously discussed[25]. Interestingly, apart from pro-

---

of the Stockholm Chamber of Commerce, Art. 23(1), version effective 1 Jan. 2017 ("SCC Rules"); Singapore International Arbitration Centre Rules, Art. 19(1), version effective 1 Aug. 2016 ("SIAC Rules"); UNCITRAL Arbitration Rules, Art. 17, version effective 16 Dec. 2013 ("UNCITRAL Rules").

[18] *See* AAA Commercial Arbitration Rules, Art. R-58(a), version effective 1 Oct. 2013 ("AAA Rules"); LCIA Rules, Art. 18(6); SIAC Rules, Art. 27(1).

[19] *See* SCC Rules, Art. 35(3); ICDR Rules, Art. 20(7).

[20] *See* LCIA Rules, Art. 28(4); ICC Rules, Art. 38(5); ICDR Rules, Art. 20(7); SCC Rules, Art. 49(6).

[21] *See* AAA Rules, Art. R-58(a); SIAC Rules, Arts. 27(l) and 39(4).

[22] *See* LCIA Rules, Art. 18(6).

[23] *See* International Bar Association, IBA Rules on the Taking of Evidence in International Arbitration (2014) ("IBA Rules").

[24] These issues include, among others, communications with the arbitrators, document production, and witnesses and experts. *See* INTERNATIONAL BAR ASSOCIATION, IBA GUIDELINES ON PARTY REPRESENTATION IN INTERNATIONAL ARBITRATION 6-7, 10-11, 13-14 (2013) ("IBA Guidelines on Party Representation").

[25] *Id.* at 16.

viding arbitrators with general sanctioning authority, they also raise various practical considerations that arbitrators should keep in mind when dealing with misconduct[26]. Although the IBA Guidelines on Party Representation constitute a useful development in the field, they are nevertheless not as frequently adopted as other soft law instruments[27], and it is doubtful that they can be applied absent the parties' agreement[28]. The most recent instrument launched (June 2019) dealing with the sanctions that the arbitrators may impose to the parties and their counsels is the *Código de Buenas Prácticas del Club Español del Arbitraje.*

Even if these potential sources are not sufficient to confirm the existence of the arbitrators' sanctioning authority —either because the sources are not applicable or because they do not sufficiently regulate the issue— scholars seem to agree that arbitrators may be deemed to have such authority to some very limited extent as an inherent power[29]. As previously mentioned, the arbitrators' main purpose is to resolve the dispute before them, which requires that they have the necessary tools to handle the procedure fairly and expeditiously[30]. To the extent that sanctions are strictly necessary to meet that goal, they should be available to arbitrators. In that sense, it is safe to assume that the more removed they are from the goal of fairly and expeditiously resolving the dispute, the more likely they are to encounter legal obstacles in domestic courts. This is illustrated by how adverse inferences, when used as a strictly necessary mechanism to decide cases, are generally deemed appropriate if a party refuses to produce a document[31], while imposing coercive fines could prove more problematic.

---

[26]   *Id.* Notice how one of the factors for the tribunal to consider is "the need to preserve... the enforceability of the award[.]"

[27]   See David Arias, Soft Law Rules in International Arbitration: Positive Effects and Legitimation of the IBA as a Rule-Maker, 6 INDIAN J. ARB. L. 29, 41 (2018).

[28]   See Michael Hwang & Jennifer Hon, A New Approach to Regulating Counsel Conduct in International Arbitration, 33 ASA BULL. 658, 658-59 (2015).

[29]   *See* Maxi Scherer, *Inherent Powers to Sanction Party Conduct, in* INHERENT POWERS OF ARBITRATORS 105, 122-23 (Franco Ferrari & Friedrich Rosenfeld eds., 2018).

[30]   These two elements are paradigmatically enshrined in England, *see* English Arbitration Act, *supra* note 15, at § 33(1). Developing these two aspects in connection with sanctions, *see* Oliver Browne & Robert Price, *Saving Time and Money by Sanctioning Bad Behaviour*, TRANSNAT'L DISP. MGMT, Sept. 2018, at 5-6.

[31]   However, some scholars argue that, technically, this is probably an exercise of implied powers as per the applicable arbitral rules, rather than inherent powers. *See* Scherer, *supra* note 29, at 120-22. Also note that, as explained in section 3(a),

2. The concept of misconduct in international arbitration

Sanctions are a response to misconduct but defining the concept of misconduct itself can be complicated in international arbitration, as what might be considered zealous advocacy by counsel in one culture could be regarded as unethical behavior in another[32]. An initial approach to address this issue could be to understand misconduct as a deviation by an ethical subject from some pre-established ethical rules. However, this raises two intertwined questions: (i) what the applicable ethical rules are, and (ii) who are the ethical subjects. Both aspects are connected because the applicable rules would often ascertain their scope, including who is subject to them. Nevertheless, once again, the nature of arbitration makes it complicated to identify a clear set of applicable ethical rules, to the extent that some scholars have described arbitration as an "ethical no-man's land"[33].

National laws can provide some interesting guidance on this issue. For instance, many legal systems recognize the notion of good faith, broadly defined as a duty of honesty and fair conduct with implications in many legal matters, including the obligation to arbitrate in good faith[34]. It has been explained that this obligation would consequently prohibit, among other bad faith actions: frivolous dilatory tactics, illegally obtaining evidence from the counterparty, or unduly influencing the tribunal[35]. A related idea is the concept of abuse of process, which refers to actions in the context of an adjudicatory procedure that, although not illegal by themselves, are exercised in an excessive manner with prejudicial effect to the other party[36].

Nonetheless, relying on any specific interpretation of good faith or similar concepts may be insufficient in many instances, or even entail questionable consequences. Hence, while investment tribunals have relied on abuse

---

adverse inferences are more accurately described as part of the arbitrators' evidentiary powers, and not as sanctions.

[32] See "Chapter 21: Legal Representation and Professional Conduct in International Arbitration", in Gary B. Born, International Commercial Arbitration (Second Edition), 2nd edition (© Kluwer Law International; Kluwer Law International 2014) pp. 2832-2894.

[33] Catherine A. Rogers, Ethics in International Arbitration 18 (2014).

[34] *See, e.g.*, Bernardo M. Cremades, *Good Faith in International Arbitration*, 27 AM. U. INT'L L. REV. 761, 770-76, 786-88 (2012).

[35] *Id.* at 787.

[36] *See* Emmanuel Gaillard, *Abuse of Process in International Arbitration*, 32 ICSID REV. 1, 16-18 (2017).

of process in some important decisions[37], its relevance is usually limited to very particular situations, such as when an investor attempts to access investor protection in an abusive manner, or when multiple proceedings are initiated in order to increase the chances of success[38]. In the absence of a more general international standard, it could be argued that arbitrators should resort to the application of national law, which would require a potentially complex determination as to the applicable law. However, the strict outcome of that approach may lead to undesirable outcomes in some instances. A typical example would be a situation in which the respective attorneys for each party to an arbitration are members of the bars of jurisdictions with very different legal traditions. It could be argued that each attorney should be subject to the ethical rules of his or her own bar association, but those rules may adopt entirely divergent views on matters such as witness preparation, with one set of rules restricting it and the other encouraging it[39]. Following this approach strictly could then result in inequality of arms between the parties.

The previous scenario also highlights the problem of identifying the ethical subjects. Ethical rules established by bar associations are only applicable to admitted lawyers, but do not cover potential misconduct by the parties they represent, and it is not hard to imagine circumstances in which the misconduct could be attributed to the party and not the party's lawyer. For instance, a lawyer could ask the client to produce a document pursuant to an order of the arbitral tribunal, but that party may nevertheless refuse to produce it, even against the advice of legal counsel. Another question regarding ethical subjects is who should be in charge of implementing sanctions for misconduct. In connection with ethical rules for attorneys, apart from the problems already identified, the corresponding bar associations will have their own disciplinary procedures to sanction misconduct, raising the question of what role, if any, the arbitral tribunal could play[40].

---

[37] For a relatively recent example, *see* Philip Morris Asia Ltd. v. Australia, PCA Case No. 2012-12, Award on Jurisdiction and Admissibility, 545-54 (17 Dec. 2015).

[38] *See, e.g.,* Hervé Ascensio, *Abuse of Process in International Investment Arbitration*, 13 CHINESE J. INT'L L. 763, 771-75 (2014); Gaillard, *supra* note 36, at 3-10.

[39] See, e.g., Peter Halprin & Stephen Wah, Ethics in International Arbitration, 2018 J. DISP. RESOL. 87, 101 (2018); Anna Magdalena Kubalczyk, Evidentiary Rules in International Arbitration - A Comparative Analysis of Approaches and the Need for Regulation, 3 GRONINGEN J. INT'L L. 85, 93-94 (2015).

[40] Explaining the problems arbitrators would have even if they simply decided to report misconduct to a local bar association, *see* Scherer, *supra* note 29, at 128.

Some arbitral rules and guidelines may provide particular solutions to these problems, albeit limited in scope. Thus, by submitting their disputes to arbitration, parties agree to abide by the ethical rules of the arbitral institution and arguably, by accepting to represent these parties in arbitration, their legal counsel does as well[41]. Moreover, these institutional rules can clarify who should be the sanctioning authority, either the institution or the arbitrators, as well as the corresponding sanction. However, the lack of specificity in these instruments and the absence of well-established practice regarding their application severely restrict their utility. These limitations explain why the idea of a Global Arbitration Ethics Council was proposed to handle unethical behavior, although the proposal failed to receive sufficient support to become a reality[42].

Although it is challenging to find any precise answers on this issue, once again, the focus should be on the goal of achieving a fair and expeditious arbitral process. As with arbitral rules, the parties and their legal counsel commit to this objective by, respectively, agreeing to arbitrate or to represent a party to the arbitration. Regarding who should be the sanctioning authority, in practice, arbitrators are normally in the best position to ensure that those involved in the proceedings act ethically and consistently with this objective[43], while institutions usually concentrate on their supervisory duties over arbitrators. Accordingly, regarding the specific application of ethical rules, arbitrators will be best suited to decide the extent to which they can rely on any particular national laws or soft law. In so doing, they should take into account that their main purpose is not to be ethical enforcers, but to fairly and expeditiously handle the proceedings in line

---

[41]   As examples of ethical guidelines applicable to counsel, *see* ICDR Rules, Art. 16, in connection with the AAA-ICDR Standards of Conduct for Parties and Representatives; LCIA Rules, Art. 18(5), in connection the Annex to the LCIA Rules: General Guidelines for the Parties' Legal Representatives. For a more detailed analysis on some issues related to the arbitrators' authority over counsel misconduct, *see* section 4(c) below.

[42]   *See* Sebastiano Nessi, *Creation of a Global Arbitration Ethics Council: the Swiss Arbitration Association declares that time has not yet come*, PRACTICAL LAW: ARBITRATION BLOG (10 Nov. 2016), http://arbitrationblog.practicallaw.com/creation-of-a-global-arbitration-ethics-council-the-swiss-arbitration-association-declares-that-time-has-not-yet-come/.

[43]   See, e.g., Edna Sussman & Solomon Ebere, All's Fair in Love and War - Or Is It? Reflections on Ethical Standards for Counsel in International Arbitration, 22 AM. REV. INT'L ARB. 611, 621-22 (2011)

with the parties' mandate[44]. This also requires that arbitrators consider all circumstances of the dispute, including the complexities involved in international dispute resolution.

III. COMMON SANCTIONS IN PRACTICE: ADVERSE INFERENCES AND ALLOCATION OF COSTS

The range of potential acts of misconduct is very broad and there are various tools potentially available to arbitrators to deal with them[45]. Rather than attempting to briefly address each of them, this section focuses on adverse inferences and cost-allocation. These two potential sanctions are probably the most relevant in practice due to two interconnected reasons: (i) they are more generally accepted, and therefore relatively less controversial; and (ii) they are more commonly found in practice[46]. Other sanctions that, while less frequent, can nevertheless create enforceability issues are mentioned in the following section.

1. *Adverse inferences*

As indicated, arbitrators' powers are usually more limited than those of courts, including in connection with evidence. Thus, if a party refuses to produce a document, arbitrators cannot hold that party in contempt, and their ability to impose coercive penalties will depend on the *lex arbitri*[47], and should be used cautiously[48]. While, in some jurisdictions, it might be possible to request judicial assistance to obtain evidence[49], the scope of judicial assistance might be restricted[50], and will likely involve delays in the

---

[44]   *See* Geisinger, *supra* note 5, at 22.

[45]   See, e.g., Günther J. Horvath, Guerrilla Tactics in Arbitration, an Ethical Battle: Is There Need for a Universal Code of Ethics?, 2011 AUSTRIAN Y. B. INT'L ARB. 297, 299-303 (2011).

[46]   *See* BORN, *supra* note 7, at 2858.

[47]   *See* Mourre, *supra* note 12, at 369.

[48]   See, e.g., Alexander Sevan Bedrosyan, Adverse Inferences in International Arbitration: Toothless or Terrifying, 38 U. PA. J. INT'L L. 241, 249 (2016).

[49]   *See* UNCITRAL Model Law on International Commercial Arbitration, Art. 27 ("UNCITRAL Model Law").

[50]   See, e.g., Nathan D. O'Malley & Shawn C. Conway, Document Discovery in International Arbitration-Getting the Documents You Need, 18 TRANSNAT'L LAW. 371, 376-77 (2005); Reinmar Wolff, Judicial Assistance by German courts in Aid

arbitral process[51]. However, it is generally accepted that arbitrators have the authority to make adverse inferences[52].

Adverse inferences can be defined as an assumption that the content of a relevant piece of evidence which was not produced by a party without a satisfactory justification is contrary to that party's interest in the case[53]. Despite this definition, there remains debate as to exactly how adverse inferences are applied in practice. In that sense, some legal scholars have distinguished between improper and proper adverse inferences. The former refer to situations in which the non-production of a document by a party has a negative impact on the weighing of contradicting evidence already presented, while the latter refers to circumstances where the inference arising from non-production by one party fills a genuine evidentiary gap in the case presented by the other party[54]. In other words, proper adverse inferences have the effect of shifting the burden of proof, while improper ones only affect the weighing of evidence[55].

Irrespective of the type of adverse inference, it is widely recognized that the application of an adverse inference requires the absence of a reasonable excuse justifying the non-production of evidence. An obvious reason for non-production would be if a party is not in possession of a document, which means that the requesting party has to provide at least some evi-

---

of International Arbitration, in INTERNATIONAL ARBITRATION AND THE COURTS 233, 238 (Devin Bray & Heather L. Bray eds., 2015).

[51] See, e.g., Daniel J. Rothstein, A Proposal To Clarify U.S. Law on Judicial Assistance in Taking Evidence for International Arbitration, 19 AM. REV. INT'L ARB. 61, 65 (2008).

[52] For an old example of this general acceptance, *see* Leahy Edward R. & Kenneth J. Pierce, *Sanctions to Control Party Misbehavior in International Arbitration*, 26 VA. J. INT'L L. 291, 301-02 (1986).

[53] *See* IBA Rules, at 20.

[54] *See* Simon Greenberg & Felix Lautenschlager, *Adverse Inferences in International Arbitral Practice*, 22 ICC INT'L CT. ARB. BULL. 43, 45-47 (2011).

[55] See Arif Hyder Ali & Tatiana E. Sainati, Adverse Inferences: A Proposed Methodology in the Light of.
Investment Arbitrations Involving Middle Eastern States, 3 BCDR INT'L ARB. REV. 293, 300-01 (2016). However, note that some commentators disagree, and argue there is no shifting of the burden of proof. See, e.g., Guilherme Rizzo Amaral, *Burden of Proof and Adverse Inferences in International Arbitration: Proposal for an Inference Chart*, 35 J. INT'L ARB. 1, 11 (2018).

dence that it cannot produce the document itself and that the other party has access to the document[56].

In any other scenarios, the non-producing party has to convince the arbitrators of the existence of a reasonable excuse. For instance, if it is alleged that the requested document was destroyed for good cause, the non-producing party must produce evidence corroborating that fact. Other justifications may be related to legal (rather than factual) issues. Allegations that a document cannot be produced because it is privileged should be thoroughly considered to avoid jeopardizing the enforceability of an award[57], especially in cases where the standards of privilege might differ[58]. In addition, national security can be invoked in cases with state parties as a reason to refuse the production of evidence[59], although the state party will need to adequately explain the national-security risk and why it could not comply through other alternatives such as providing redacted versions or summaries[60].

In light of this overview about their application, the question is whether adverse inferences can be described as actual sanctions. Many commentators have treated adverse inferences as sanctions[61] and it could be argued that they are because they follow the regular structure of sanctions. Thus, the lack of production of evidence without any appropriate justification would constitute an act of misconduct, and the negative inference would be the appropriate penalty. However, even if the unjustified non-production can be considered an act of misconduct, adverse inferences can be better classified as an evidentiary rule, rather than a sanction[62]. Their main goal is not to punish a party's ethical violation, but to correctly assess the

---

[56]   See, e.g., Jeremy K. Sharpe, Drawing Adverse Inferences from the Non-production of Evidence, 22 ARB. INT'L 549, 554, 557 (2006).

[57]   See, e.g., Patricia Shaughnessy, Dealing with Privileges in International Commercial Arbitration, 51 SCANDINAVIAN STUD. L. 451, 468 (2007).

[58]   Addressing this problem, *see* ICDR Rules, Art. 22.

[59]   *See* Ali & Sainati, *supra* note 55, at 310-11.

[60]   For an enforcement case where the tribunal found that the state party did not prove the existence of a national security risk, even though the tribunal eventually refused to draw an adverse inference, *see* Cour d'appel [CA] [regional court of appeal], Paris, 1e ch., 21 Mar. 2017, 15/17234.

[61]   For an old example, *see* Edward & Pierce, *supra* note 52, at 299-301.

[62]   *See* Sam Luttrell, *Ten Things to Consider When Seeking Adverse Inferences in International Arbitration, in* 40 UNDER 40 INTERNATIONAL ARBITRATION 281, 285-86 (Carlos Gonzalez-Bueno ed., 2018); Jeffrey Waincymer, PROCEDURE AND EVIDENCE IN INTERNATIONAL ARBITRATION 775 (2012).

evidence. Consequently, not all instances of non-production of evidence should lead to an adverse inference, as arbitrators may conclude that an adverse inference is not necessary or appropriate for the specific case[63]. This is also consistent with the fact that, even under arbitral rules that do not specifically address adverse inferences, they are deemed to be available as part of the arbitrators' evidentiary powers[64].

Although adverse inferences are not technically sanctions, when using them, arbitrators should bear in mind some of the same ideas that would apply to sanctions. In particular, arbitrators should ensure that both parties are aware of the possibility of drawing an adverse inference and should grant both parties the opportunity to be heard in connection with the issue[65], even though some of the most arbitration-friendly jurisdictions may not require it in some circumstances[66]. Furthermore, the extent of any adverse inference should be narrow and based on all particular circumstances of the case, including any other evidence presented[67].

2. Cost-allocation

Arbitrators' authority to allocate costs is widely recognized. Most arbitral rules specifically codify that authority[68] and arbitrators regularly exercise it. It is also accepted that cost-allocation authority may be modulated by the parties' agreement; contracts sometimes include a provision on how

---

[63] For a practical example, *see, e.g.,* [2019] SGHC 69 (Sing).

[64] Recognizing that arbitrators can draw adverse inferences under the UNCITRAL and ICSID Rules, even though they do not specifically codify it, *see, e.g.,* Frédéric Gilles Sourgens et al., EVIDENCE IN INTERNATIONAL INVESTMENT ARBITRATION 149-50 (2018).

[65] For an example where the reviewing court seemed to focus on this issue, although in a case where the tribunal refused to draw adverse inferences, *see* [2008] SGHC 67 (Sing.).

[66] *See* CA, Paris, 1e ch., 28 Feb. 2017, 15/06036 (considering that the arbitral tribunal did not need to specifically ask the parties on the adverse inference drawn, as it had already been established that the IBA Rules would apply and they allow adverse inferences).

[67] Criticizing a decision of the Iran-U.S. Claims Tribunal for the excessive extent of an adverse inference, *see* C. F. Amerasinghe, *Presumptions and Inferences in Evidence in International Litigation,* 3 L. & PRAC. INT'L CTS. & TRIBS. 395, 409-10 (2004).

[68] *See* HKIAC Rules, Art. 34(3); ICC Rules, Art. 38(4); ICDR, Art. 34; LCIA Rules, Art. 28(2); SCC Rules, Art. 50; SIAC Rules, Art. 35(1), UNICTRAL Rules, Art. 42(1).

costs should be allocated, which could even reference attorneys' fees[69]. The question of whether arbitrators can allocate attorneys' fees absent the parties' agreement is slightly more complicated, as explored below in section 4 (c). Absent the parties' agreement, the main elements examined by arbitrators in their cost allocation are: the outcome of the case, the reasonableness of the costs, and the parties' conduct during the case[70].

The outcome of the case is probably the most important of these elements, but how it should specifically impact the cost-allocation is a topic of debate. Hence, the trend among arbitrators seems to be to allocate costs in favor of the winning party[71]. However, there is no consensus regarding how to allocate costs in situations where a party does not fully succeed on all its claims. One alternative would be a strict application of the "costs follow the event" approach, under which a party which succeeds in more than half of what it claimed is entitled to recover costs[72]. The other option would be to allocate costs based on the relative success of a party, which would require allocating costs proportionally to the outcome in relation to the claims presented[73]. On top of this, determining who the winning party is can be complicated in some cases. Some common methods to address this issue include considering whether a party succeeded in its main claim, analyzing the case claim-by-claim or issue-by-issue, or focusing on the total damages awarded in light of the total damages claimed[74]. As a result, scholars have described this area as lacking predictability and consistency[75].

The costs to be allocated also need to be reasonable. The problem is how to define what is reasonable. It is commonly accepted that some cost-bene-

---

[69] *See* John F. Coyle & Christopher R. Drahozal, *An Empirical Study of Dispute Resolution Clauses in International Supply Contracts*, 52 VAND. J. TRANSNAT'L L. 323, 370-71 (2019).

[70] Although it is not the focus of this article, note that the conduct of the parties in connection with settlement negotiations can have an impact too. *See, e.g.,* Vivian Ramsey, *Establishing Claims for Damages, Costs and Interest in International Arbitration*, 26 AM. U. INT'L L. REV. 1211, 1236-39 (2011).

[71] *See* ICC Comm'n Arb.& ADR, *Decisions on Costs in International Arbitration*, ICC DISP. RESOL. BULL., Dec. 2015, at 4-5.

[72] See, e.g., Christopher Koch, Is There a Default Principle of Cost Allocation in International Arbitration?, 31 J. INT'L ARB. 485, 492 (2014).

[73] *Id.*, at 493.

[74] *See* ICC Comm'n Arb.& ADR, *supra* note 71, at 11.

[75] See, e.g., Robert H. Smit & Tyler B. Robinson, Cost Awards in International Commercial Arbitration: Proposed Guidelines for Promoting Time and Cost Efficiency, 20 AM. REV. INT'L ARB. 267, 272 (2009).

fit analysis of the costs and claim amounts involved is adequate[76], although a mechanical application of any formula should be discouraged. In addition, there are other more subjective aspects that might influence the reasonableness of costs, such as the complexity of the issues involved[77]. Consequently, arbitrators have great discretion on this matter, which should be decided on a case-by-case basis.

Finally, the parties' conduct during the proceedings also plays a role in cost-allocation. In particular, a party engaged in bad faith acts to delay the case might find itself liable for a higher percentage of the costs than it otherwise would have, or could receive a smaller cost-allocation in its favor[78]. It could be argued that, among the most generally accepted tools of arbitrators, this mechanism most closely approximates an actual sanction. Cost-allocation is normally decided at the end of the procedure, so the goal is obviously not related to the expeditious advancement of the case. Furthermore, the potential misconduct is an element that does not easily fall within the other aspects relevant for cost allocation, arguably having some intrinsic significance in cost determinations.

Still, even if cost-allocation based on misconduct can be deemed to be a sanction —which is questionable— in the authors' view its goal should not be punitive. While cost-allocation might, as a side effect, promote other objectives, such as preventing guerrilla tactics, even in this type of scenario, its central purpose should be compensatory[79], as the party that suffers from the guerrilla tactics is forced to spend additional resources to deflect them. In that sense, if a party's behavior is generally obstructive throughout the case, a general cost-allocation against it might be justified and the causal nexus between the obstructive acts and the costs might be reviewed in a less strict manner. Nonetheless, in a situation where the misconduct can be

---

[76]   *See* Waincymer, *supra* note 62, at 1231. Describing several other factors, *see* ICC Comm'n Arb.& ADR, *supra* note 74, at 12.

[77]   Describing other factors, *see* ICC Comm'n Arb.& ADR, *supra* note 74, at 13. "IV. The Award: Costs (Arts. 38 to 40)", in Tobias Zuberbühler, Klaus Muller, et al., Swiss Rules of International Arbitration: Commentary, (© Kluwer Law International; Kluwer Law International 2005) pp. 320-338.

[78]   See IBA Rules, at 20. Among scholarly writings, see, e.g., Stephan Wilske, Arbitration Guerrillas at the Gate: Preserving the Civility of Arbitral Proceedings when the Going Gets(Extremely) Tough, 2011 AUSTRIAN Y. B. INT'L ARB. 315, 327-28 (2011).

[79]   See Mika Savola, Awarding Costs in International Commercial Arbitration, 63 SCANDINAVIAN STUD. L. 275, 292 (2017).

easily confined to one procedural incident, allocating all costs against the misbehaving party could be excessive[80], and therefore the allocation could arguably contravene the aforementioned element of reasonableness, even if the applicable rules provide, in principle, sufficient margin of discretion for the arbitrators to do it[81]. A better approach in such circumstances could be to issue an interim decision on costs[82]. In any event, it seems advisable for arbitrators to discuss the potential cost-allocation with the parties as soon as possible[83] and to provide justified cost decisions[84].

IV. POTENTIAL ENFORCEABILITY PROBLEMS RELATED TO SANCTIONS

1. *Due process considerations*

One of the oft-cited concerns for arbitrators is the dreaded "due process paranoia". This idea refers to arbitrators' fear of exercising some case-management powers due to the possibility that the award may be annulled or denied enforcement because one party was not granted an opportunity

---

[80]   See also section 4(d) below for issues on excessive penalties. Damages that go beyond compensatory damages to constitute a punishment of the wrongdoer (punitive or exemplary damages) are contrary to public policy in some civil law states. See "Chapter 15: International Arbitral Awards: Legal Framework", in Gary B. Born, International Arbitration: Law and Practice (Second Edition), 2nd edition (© Kluwer Law International; Kluwer Law International 2015) pp. 283-310.

[81]   *See* ICC Comm'n Arb.& ADR, *supra* note 74, at 14 (asserting that "it is entirely within the discretion of the tribunal to find that a party's improper conduct or bad faith is the sole determinative factor in its decision on costs"). However, criticizing the idea of arbitrators imposing punitive measures, including in connection with cost-allocation, *see* Pedro J. Martínez Fraga, *King or Arbitrator: Exploring the Inherent Authority of Arbitrators to Impose Sanction within the Framework of the 2010 IBA Rules on the Taking of Evidence in International Arbitration*, 2011 SPAIN ARB. REV. 57, 70-71 (2011).

[82]   *See* Savola, *supra* note 79, at 302.

[83]   See Piotr Nowaczyk & Konrad Czech, Rethinking Costs and Costs Awards in International Arbitration: A Call for Less Criticism of Arbitration Costs, but Improvement of Costs Allocation Practices, 33 ASA BULL. 494, 508-09 (2015); Luis Fernando Rodríguez, Allocating Costs to Foster Efficiency and Fairness, in 40 UNDER 40 INTERNATIONAL ARBITRATION 150-51 (Carlos Gonzalez-Bueno ed., 2018).

[84]   *See* Rodríguez, *supra* note 83, at 154-57; Waincymer, *supra* note 62, at 1258.

to present its case[85]. Although this concern is sometimes exaggerated, it is possible that some procedural decisions by the arbitrators could affect a party's due process rights, leading to a challenge to the award either in connection with that party's right to be heard, as expressly enshrined in the New York Convention[86], or as a breach of procedural public policy[87]. A typical example would be when a tribunal unreasonably refuses to postpone a hearing when one party is unable to attend[88].

Thus, sanctions related to a party's ability to file submissions or present evidence could, in principle, fall under this category. However, courts have been very reluctant to vacate or deny enforcement on this ground as many have recognized the arbitrators' broad discretion to handle procedural matters, including determinations as to what evidence should be admissible[89]. Accordingly, arbitrators would usually have authority to, for example, disregard witness statements or expert reports if the respective witness or expert refuses to participate in the hearing without a valid reason[90]. In that regard, adverse inferences would even more clearly fall within that authority, as they would arguably not directly affect a party's ability to pres-

---

[85]   See, e.g., Klaus Peter Berger & J. Ole Jensen, Due Process Paranoia and the Procedural Judgment Rule: A Safe Harbor for Procedural Management Decisions by International Arbitrators, 14 REVISTA BRASILEIRA DE ARBITRAGEM 73, 78 (2017).

[86]   See Convention on the Recognition and Enforcement of Foreign Arbitral Awards, Art. V(1)(b), 10 Jun. 1958, 330 UNTS 38 ("New York Convention"). Note that the grounds for denying recognition under the New York Convention are very similar to the grounds for annulment of an award under the UNCITRAL Model Law.

[87]   Id., at Art. V(2)(b). Note that due process overlaps with the procedural component of public policy. See INTERNATIONAL LAW ASSOCIATION, FINAL REPORT ON PUBLIC POLICY AS A BAR TO ENFORCEMENT OF INTERNATIONAL ARBITRAL AWARDS 7 (2002) ("ILA Report").

[88]   For a recent example, see Högsta Domstolen [HD] [Supreme Court] 2018-05-04 Ö 3626-17 (Swed.), https://www.arbitration.sccinstitute.com/Swedish-Arbitration-Portal/Supreme-Court/The-Supreme-Court2/The-Supreme-Court/d_3259325-judgment-in-the-swedish-supreme-court-4-may-2018.-case-no.-o-3626-17. For more examples, see Berger & Jensen, supra note 85, at 86-87.

[89]   See, e.g., UNCITRAL Secretariat, Guide on the Convention on the Recognition and Enforcement of Foreign Arbitral Awards 173-75; Andrés Jana et al., Article V(1)(b), in Recognition and Enforcement of Foreign Arbitral Awards: A Global Commentary on the New York Convention 231, 248-51 (Herbert Kronke et al. eds., 2010).

[90]   See IBA Guidelines, at 11-12, 14.

ent evidence[91]. Furthermore, some investment arbitration cases appear to confirm that arbitrators may exclude illegally obtained evidence, at least under certain circumstances[92].

Despite this, courts have also upheld challenges to awards in some cases, although only in extreme circumstances. For instance, and although involving a U.S. domestic employment dispute, in *Attia v. AudioNamix, Inc.*, an arbitrator terminated a case as a sanction and issued a default judgment in favor of respondent[93], leading to the award being annulled[94]. This example is exceedingly rare not only because default judgments are not available in arbitration, but also because the arbitrator imposed as a sanction the termination of the claimant's claim, an extremely uncommon sanction. Remarkably, a key factor in the court decision seemed to be that the arbitrator, after cancelling a hearing on the motion for sanctions, decided to exclude the claimant's submission in connection with the motion[95]. This illustrates the importance of allowing both parties to present arguments before imposing sanctions in order to ensure that they are granted an adequate opportunity to present their case and that they are treated equally[96].

---

[91] For an example of a court upholding the use of adverse inferences, *see* CA 15/06036, *supra* note 66.

[92] See Carolyn B. Lamm et al., An Arbitrator's Duties: Due Process and Trust in Investor-State Arbitration, BCDR INT'L ARB REV. 357, 365-66 (2015); James H. Boykin & Malik Havalic, Fruits of the Poisonous Tree: The Admissibility of Unlawfully Obtained Evidence in International Arbitration, TRANSNAT'L DISP. MGMT, Oct., 2014, at 5-10; Edna Sussman, Cyber Intrusion as the Guerrilla Tactic: An Appraisal of Historical Challenges in an Age of Technology and Big Data, in EVOLUTION AND ADAPTATION: THE FUTURE OF INTERNATIONAL ARBITRATION (Jean Kalicki & Mohamed Abdel Raouf eds., ICCA Congress Series No. 20, forthcoming 2019) (manuscript at 5-8) (available at https://papers.ssrn. com/sol3/papers.cfm?abstract_id=3278203) (Sussman also notes that there are no bright lines regarding these circumstances).

[93] Attia v. AudioNamix, Inc., 14 Civ. 706 (RMB), at 7 (SDNY Sep. 21, 2015).

[94] *Id.*, at 16-17 (noting that "Attia was denied a «fundamentally fair hearing[.]»").

[95] *Id.*, at 14 ("Attia was prejudiced by Arbitrator Townley's decision to strike his Affidavit"), 15 ("Attia was further prejudiced because the decision to strike his Affidavit left the declaration of Respondents' expert, Matthew Blake, entirely unchallenged").

[96] *See* AAA Rules, Art. R-58(b). As an example of an award that was denied enforcement on the basis that the tribunal treated the parties differently by excluding a late submission by one party and relying on a late submission from the other, *see* the case mentioned in UNCITRAL SECRETARIAT, *supra* note 89, at 172.

2. Potential impact on the appearance of impartiality and independence

It is widely accepted that, although the New York Convention does not specifically address it, arbitrators must be impartial and independent throughout the case[97]. In particular, lack of impartiality or independence can negatively affect a party's right to be heard, the composition of the arbitral, or the forum's public policy[98]. The right to be heard can be violated because "a party does not really have an opportunity to be heard if the arbitrator is not in fact listening"[99]. Nonetheless, this requires meeting a very high standard, and parties challenging an award frequently focus on the other two alternatives[100]. Regarding the composition of the arbitral tribunal, it is understood that, absent an agreement by the parties to the contrary, such composition entails the selection of arbitrators who will remain neutral[101]. Regarding the forum's public policy, it has been recognized that the requirement of the arbitrators' impartiality and independence forms part of a state's international public policy[102].

In connection with sanctions, the concern would be that the imposition of sanctions could be viewed as an illustration of the arbitrators' lack of impartiality and independence. An old and oft-cited case on arbitrators' behavior affecting their appearance of impartiality and independence involved a dispute between a Portuguese party and a Norwegian party[103]. In that case, the court removed the arbitrator because "[t] he Italians are all liars" and "[t]he same thing applies to the Portuguese"[104]. Applying the same rationale to sanctions, the fear could be that, by describing a party's egregious or severe misconduct that prompted the imposition of sanctions, the arbitrators may be providing arguments to that party to challenge their award due to an appearance of lack of impartiality and independence.

---

[97] In contrast, note that the UNCITRAL Model Law specifically codifies the arbitrators' continuous disclosure obligation in Art. 12(1).

[98] *See* New York Convention, *supra* note 86, respectively at Arts. V(1)(b), V(1)(d), and V(2)(b).

[99] BORN, *supra* note 7, at 3525.

[100] *See*, Rafael Carlos del Rosal Carmona, *Lack of Impartiality or Independence as Grounds to Deny Enforcement under the New York Convention, in* 60 YEARS OF THE NEW YORK CONVENTION: KEY ISSUES AND FUTURE CHALLENGES 137, 140 (Katia Fach Gómez & Ana Mercedes López Rodríguez eds., 2019).

[101] *Id.*, at 141.

[102] *See, e.g.,* ILA Report, *supra* note 87, at 6.

[103] Catalina (Owners) v Norma (Owners), [1938] 61 Lloyd's Law Reports 360 (KB).

[104] *Id.*, at 7.

In spite of this possibility, the chances of success of such a challenge would generally be minimal. The above case represents an isolated example in which the arbitrator acted improperly because his negative comments were not based on any previously documented misconduct by a party, but only on an underlying bias towards nationals of specific countries. Sanctions adequately justified by a party's actions during the proceedings are consequently different in nature; courts from various jurisdictions have confirmed that, except in extraordinary circumstances, an arbitrator's expressing of negative views about a party's conduct is not sufficient to vacate or deny enforcement of an award[105]. Nevertheless, arbitrators should bear in mind the possibility that a party could challenge the award on this ground. As such, in any decision imposing sanctions, they should attempt to minimize the use of negative adjectives to describe the misconduct and instead focus on the objective facts justifying the sanction.

3. Excess of authority

Consistent with the contractual origin of arbitration, the arbitrators' authority is limited by the scope of the arbitration agreement. The New York Convention codifies the excess of authority as a ground to deny enforcement[106], so imposing sanctions without sufficient authority can entail enforceability problems for the award. Fortunately, the New York Convention also provides for partial enforcement of the award if the decisions outside the submission to arbitration can be separated, which means that the impact of some improperly imposed sanctions can be limited[107]. In fact, the two common scenarios that will be explored in this section can sometimes be separated from the main award: the imposition of sanctions on legal counsel and the issue of attorneys' fees in cost-allocations.

The most controversial sanctions imposed on legal counsel are monetary sanctions and disqualification of counsel. The majority of arbitration laws are silent on this issue, with some exceptions[108]. As previously men-

---

[105] *See* KAREL DAELE, CHALLENGE AND DISQUALIFICATION OF ARBITRATORS IN INTERNATIONAL ARBITRATION 427 (2012), Browne & Price, *supra* note 30, at 6-9; BORN, *supra* note 7, at 1878-79.

[106] *See* New York Convention, *supra* note 86, at Art. V(1)(c).

[107] Id.

[108] See Stephan Wilske, Sanctions against Counsel in International Arbitration - Possible, Desirable or Conceptual Confusion, 8 CONTEMP. ASIA ARB. J. 141, 156-57 (2015).

tioned, some rules and guidelines from arbitral institutions may provide a basis for sanctioning counsel, but their scope is too limited to clearly provide an answer regarding these particular sanctions. An argument could be made more generally that, even without such arbitral rules or guidelines, by representing a party in arbitration, an attorney voluntarily submits himself to the authority of the arbitrators[109]. However, in practice, court decisions addressing this possibility have adopted divergent conclusions[110]. In investment arbitration, at least one tribunal explicitly considered that it lacked authority to impose monetary sanctions on counsel[111], and other cases explained that disqualification of counsel is only appropriate in extraordinary circumstances[112]. As a result, sanctions on counsel should generally be discouraged and only applied when the parties have specifically agreed on them, or in circumstances in which such measures are the only way to preserve the integrity of the proceedings.

In contrast, regarding attorneys' fees, the seat of arbitration is usually of paramount importance. In most jurisdictions, courts will regularly award attorneys' fees to the winning party at the end of the proceedings; arbitrators will be considered to have the same authority. Nevertheless, a few important jurisdictions follow the "American Rule"[113], i.e., each party must normally bear its own attorneys' fees, which would also apply to arbitration[114]. Fortunately, parties can contract out of the "American Rule"[115], and the arbitral rules of most international institutions specifically allow the allocation of attorneys' fees as long as they are reasonable, so the parties' agreement on

---

[109]   *Id.*, at 163. *See* also Sam McMullan, *Holding Counsel to Account in International Arbitration*, 24 LEIDEN J. INT'L L. 491, 509 (2011).

[110]   Against it, *see* the cases cited in Frisch, *supra* note 14, at 176-77 (2015); Sam McMullan, *supra* note 109, at 507-08; in favor, *see* the cases in Wilske, *supra* note 108, at 163-64; Scherer, *supra* note 29, at 124.

[111]   *See* Pope & Talbot Inc. v Canada, UNCITRAL Arbitration Rules, Decision by Arbitral Tribunal 7-12 (27 Sept. 2000).

[112]   *See* Rompetrol Group, N. V. v. Romania, ICSID Case No. ARB/06/3, Decision of the Tribunal on the Participation of a Counsel 15-16 (12 Jan 2010); Hrvatska Elektroprivreda, d.d. v. Slovenia, ICSID Case No. ARB/05/24, Tribunal's Ruling regarding the participation of David Mildon QC in further stages of the proceedings 33-35 (6 May 2008). Note, however, that this is arguably not in fact a sanction for counsel's misconduct, *see* Scherer, *supra* note 29, at 113-14.

[113]   These jurisdictions are the U.S., Japan and China. *See* Susan Franck, *Rationalizing Costs in Investment Treaty Arbitration*, 88 WASH. U. L. REV. 769, 794 n .128 (2011).

[114]   See, e.g., John Yukio Gotanda, Awarding Costs and Attorneys' Fees in International Commercial Arbitrations, 21 MICH. J. INT'L L. 1, 10-11 (1999).

[115]   *Id.*, at 12-13.

any of these rules suffices to grant arbitrators this authority[116]. Still, the most relevant element is the parties' agreement, which may override these rules and specify that each party will bear its own legal costs, or it may even allow the allocation of attorneys' fees in cases where no arbitral rules are identified[117]. Consequently, the determination as to whether cost-allocation can include attorneys' fees will depend, in order of importance, on the parties' agreement, the arbitral rules, and the seat of arbitration.

4. Public policy

Arguments based on the public-policy exception are frequently raised against arbitral awards, despite their slim chances of success in most jurisdictions. A commonly accepted definition of public policy describes it as encompassing: (i) fundamental principles of justice or morality that the state wishes to protect even if not directly concerned; (ii) rules essential to the political, social, or economic interests of the state; and (iii) duty to respect international obligations[118]. In addition, it is generally accepted that the New York Convention should be interpreted as referring to international public policy, which means that the case must be considered in the international context of a cross-border dispute, resulting in a more restrictive scope than national public policy[119]. Despite these efforts to limit its scope, it is clear that awards involving sanctions can be negatively affected by public-policy considerations.

Apart from the potential due process concerns previously mentioned, sanctions imposed on a party may encounter problems with public policy if they result in a monetary gain for the other party beyond any compensatory purpose. An example of this could be punitive damages, which exist in common law jurisdictions, especially the U.S., but are completely alien to civil law jurisdictions, which have traditionally refused to enforce them[120].

---

[116] *See* HKIAC Rules, Art. 34(1)(d); ICC Rules, Art. 38(1); ICDR Rules, Art. 34; LCIA Rules, Art. 28(3); SCC Rules, Art. 50; UNCITRAL Rules, Art. 40(2)(e). For a rare exception with no mention to reasonableness, *see* SIAC Rules, Art. 37.

[117] *See, e.g.* Reliastar Life Ins. v. EMC Nat'l Life Co., 564 F. 3d 81, 86 (2d Cir. 2009).

[118] *See* ILA Report, *supra* note 87, at 6.

[119] *See, e.g.*, Emmanuel Gaillard & John Savage, Fouchard Gaillard Goldman on International Commercial Arbitration 996-98 (Emmanuel Gaillard & John Savage eds., 1999).

[120] See Cedric Vanleenhove, A Normative Framework for the Enforcement of U.S. Punitive Damages in the European Union: Transforming the Traditional "¡No Pa-

Although some recent cases seem to be more accepting of the possibility of enforcing punitive damages, courts carefully review the amounts awarded[121]. This is also generally applicable to the imposition of monetary sanctions on a party, and even when the law of the seat or the parties' agreement allows them, courts may find that these sanctions violate their public policy if the amount of the sanctions is excessive[122]. Consequently, imposition of any punitive sanction should normally be avoided unless there is a clear legal or contractual basis for them, and even then, arbitrators should approach them with extreme caution.

V. CONCLUSION

The emphasis on initiatives on ethical regulation and measures to prevent dilatory tactics should generally be welcomed. However, an in-depth analysis shows that there are still important concerns with the use of sanctions in international arbitration. The arbitrators' main objective is to resolve the parties' dispute fairly and expeditiously, not to act as watchdogs for ethical violations[123]. Accordingly, their sanctioning powers are very restricted, and usually more closely connected to the goal of properly handling the proceedings. Even to the limited extent that arbitrators may have some sanctioning authority, the imposition of purely punitive measures may jeopardize the enforceability of the award, and arbitrators should be extremely careful when resorting to sanctions. If they do, they should ensure that all parties are aware of the potential imposition of sanctions, that they are granted an opportunity to comment on the issue, and that the decision about sanctions is sufficiently reasoned, taking into account all relevant circumstances.

This does not mean that there are no solutions to guerrilla tactics and similar problems. However, the correct response is a more robust applica-

---

     sarán!", 41 VT. L. REV. 347, 353-55; 358-59; 361 (2016).

[121]   *Id.*, at 364; 366. *See* also Reza Mohtashami et al., *Non-compensatory Damages in Civil and Common Law Jurisdictions - Requirements and Underlying Principles, in* THE GUIDE TO DAMAGES IN INTERNATIONAL ARBITRATION 33 (John A. Trenor ed., 2nd ed. 2018).

[122]   For a case in which the amount awarded by an arbitrator based on a penalty clause was deemed excessive, *see* Supremo Tribunal de Justiça [Supreme Court], 14 Mar. 2017, 103/13.1YRLSB.S1 (Port.).

[123]   *See* Geisinger, *supra* note 5, at 22.

tion of the arbitrators'case-management powers[124]. These powers are more in line with arbitration's goal to fairly and efficiently resolve disputes and therefore fall much more clearly within the arbitrators' scope of authority. Consequently, as long as both parties are treated equally and are adequately heard, arbitrators should feel confident employing all procedural management tools at their disposal. In that regard, a good step in that direction could be for scholars and practitioners to avoid classifying as sanctions some mechanisms that are not technically sanctions, such as adverse inferences, which are merely a manifestation of the arbitrators' evidence-assessment authority. Wrongly describing them and other tools as sanctions can have precisely the opposite effect, making arbitrators wary of using them due to enforceability concerns, thus falling victim to the often-criticized due-process paranoia.

---

[124] *See* Scherer, *supra* note 29, at 114; Berger & Jensen, *supra* note 85, at 94.

REFERENCES

Arbitration Act 1996 c. 23, § 41.

ARIAS, D., Soft Law Rules in International Arbitration: Positive Effects and Legitimation of the IBA as a Rule-Maker, 6 INDIAN J. ARB. L. 29, 41 (2018).

ASCENSIO, H., Abuse of Process in International Investment Arbitration, 13 CHINESE J. INT'L L. 763, 771-75 (2014); Gaillard, *supra* note 36, at 3-10.

BERGER, K. P. & OLE JENSEN, J., Due Process Paranoia and the Procedural Judgment Rule: A Safe Harbor for Procedural Management Decisions by International Arbitrators, 14 REVISTA BRASILEIRA DE ARBITRAGEM 73, 78 (2017).

BORN, G. B., International Arbitration: Law and Practice (Second Edition), 2nd edition (© Kluwer Law International; Kluwer Law International 2015) pp. 283-310.

BORN, G. B., International Commercial Arbitration (Second Edition), 2nd edition (© Kluwer Law International; Kluwer Law International 2014) pp. 2832-2894.

BORN, G. B., International Commercial Arbitration 2197-99 (2Nd Ed. 2014).

BOYKIN, J. H. & HAVALIC, M., Fruits of the Poisonous Tree: The Admissibility of Unlawfully Obtained Evidence in International Arbitration, TRANSNAT'L DISP. MGMT, Oct., 2014, at 5-10.

CREMADES, B. M.,Good Faith in International Arbitration, 27 AM. U. INT'L L. REV. 761, 770-76, 786-88 (2012).

BROWNE, O. & PRICE, R., Saving Time and Money by Sanctioning Bad Behaviour, TRANSNAT'L DISP. MGMT, Sept. 2018, at 5-6.

DAELE, K., Challenge and Disqualification of Arbitrators in International Arbitration 427 (2012), Browne & Price, *supra* note 30, at 6-9; BORN, *supra* note 7, at 1878-79.

David v. Abergel, 46 Cal. App. 4th 1281, 1283-85 (Cal. Ct. App. 1996) (deciding that a clause establishing that an arbitrator could "grant any remedy or relief to which a party is entitled under California law" was enough to justify an award on attorneys' fees imposed as a sanction under the California Code of Civil Procedure); Seagate Tech. v. W. Dig. Corp., 854 N.W.2d 750, 762-65 (2014) (affirming that "the arbitrator did not clearly exceed his authority... by issuing punitive sanctions" in a case with a clause that "broadly authorized the arbitrator to grant «injunctions or other relief»").

DEL ROSAL CARMONA, R. C., Lack of Impartiality or Independence as Grounds to Deny Enforcement under the New York Convention, in 60 Years of the New York Convention: Key Issues and Future Challenges 137, 140 (Katia Fach Gómez & Ana Mercedes López Rodríguez eds., 2019).

EDWARD, L. R. & PIERCE, K. J., Sanctions to Control Party Misbehavior in International Arbitration, 26 VA. J. INT'L L. 291, 301-02 (1986).

GAILLARD, E. & SAVAGE, J., Fouchard Gaillard Goldman on International Commercial Arbitration 996-98 (Emmanuel Gaillard & John Savage eds., 1999).

GEISINGER, E., "Soft Law" and Hard Questions: ASA's Initiative in the Debate on Counsel Ethics in International Arbitration, 37 ASA SPECIAL SERIES 17, 22 (2015).

GREENBERG, S. & LAUTENSCHLAGER, F., Adverse Inferences in International Arbitral Practice, 22 ICC INT'L CT. ARB. BULL. 43, 45-47 (2011).

HALPRIN, P. & WAH, S., Ethics in International Arbitration, 2018 J. DISP. RESOL. 87, 101 (2018); Anna Magdalena Kubalczyk, Evidentiary Rules in International Arbitration - A Comparative Analysis of Approaches and the Need for Regulation, 3 GRONINGEN J. INT'L L. 85, 93-94 (2015).

HORVATH, G. J., Guerrilla Tactics in Arbitration, an Ethical Battle: Is There Need for a Universal Code of Ethics?, 2011 AUSTRIAN Y. B. INT'L ARB. 297, 299-303 (2011).

HORVATH, G. .J, The Duty of the Tribunal to Render an Enforceable Award, JOURNAL OF INTERNATIONAL ARBITRATION (Kluwer Law International 2001, Volume 18 Issue 2) pp. 135-158.

HWANG, M. & HON, J., A New Approach to Regulating Counsel Conduct in International Arbitration, 33 ASA BULL. 658, 658-59 (2015).

HYDER ALI, A. & SAINATI, T. E. , Adverse Inferences: A Proposed Methodology in the Light of Investment Arbitrations Involving Middle Eastern States, 3 BCDR INT'L ARB. REV. 293, 300-01 (2016).

ICC Comm'n Arb.& ADR, *supra* note 74, at 13. "IV. The Award: Costs (Arts. 38 to 40)", in Tobias Zuberbühler, Klaus Muller, et al., Swiss Rules of International Arbitration: Commentary, (© Kluwer Law International; Kluwer Law International 2005) pp. 320-338.

INTERNATIONAL LAW ASSOCIATION, FINAL REPORT ON PUBLIC POLICY AS A BAR TO ENFORCEMENT OF INTERNATIONAL ARBITRAL AWARDS 7 (2002) ("ILA Report").

LAMM, C. S. B., et al., An Arbitrator's Duties: Due Process and Trust in Investor-State Arbitration, BCDR INT'L ARB REV. 357, 365-66 (2015)

MARTÍNEZ FRAGA, P. J., King or Arbitrator: Exploring the Inherent Authority of Arbitrators to Impose Sanction within the Framework of the 2010 IBA Rules on the Taking of Evidence in International Arbitration, 2011 SPAIN ARB. REV. 57, 70-71 (2011).

MCCARTNEY, S., Do Planes Really Need Life Vests?, The Wall Street Journal (20 Jan. 2016), https://www.wsj.com/articles/do-planes-really-need-life-vests-1453310773.

MOHTASHAMI, R. et al., Non-compensatory Damages in Civil —and Common Law Jurisdictions— Requirements and Underlying Principles, in The Guide to Damages in International Arbitration 33 (John A. Trenor ed., 2nd ed. 2018).

MOSES, M., Arbitrator Power to Sanction Bad Faith Conduct: Can It Be Limited by the Arbitration Agreement? AUSTRALIAN LAW JOURNAL, 84.

NESSI, S., Creation of a Global Arbitration Ethics Council: the Swiss Arbitration Association declares that time has not yet come, Practical Law: Arbitration Blog (10 Nov. 2016), http://arbitrationblog.practicallaw.com/creation-of-a-global-arbitration-ethics-council-the-swiss-arbitration-association-declares-that-time-has-not-yet-come/.

O'MALLEY, N. D. & CONWAY, S. C., Document Discovery in International Arbitration-Getting the Documents You Need, 18 Transnat'l Law. 371, 376-77 (2005); Reinmar Wolff, Judicial Assistance by German courts in Aid of International Arbitration, in International Arbitration And The Courts 233, 238 (Devin Bray & Heather L. Bray eds., 2015).

Philip Morris Asia Ltd. v. Australia, PCA Case No. 2012-12, Award on Jurisdiction and Admissibility, 545-54 (17 Dec. 2015).

RODRÍGUEZ, L. F., Allocating Costs to Foster Efficiency and Fairness, in 40 UNDER 40 INTERNATIONAL ARBITRATION 150-51 (Carlos Gonzalez-Bueno ed., 2018).

Rompetrol Group, N. V. v. Romania, ICSID Case No. ARB/06/3, Decision of the Tribunal on the Participation of a Counsel 15-16 (12 Jan 2010); Hrvatska Elektroprivreda, d.d. v. Slovenia, ICSID Case No. ARB/05/24, Tribunal's Ruling regarding the participation of David Mildon QC in further stages of the proceedings 33-35 (6 May 2008). Note, however, that this is arguably not in fact a sanction for counsel's misconduct, see Scherer, *supra* note 29, at 113-14.

ROTHSTEIN, D. J., A Proposal To Clarify U.S. Law on Judicial Assistance in Taking Evidence for International Arbitration, 19 AM. REV. INT'L ARB. 61, 65 (2008).

SEVAN BEDROSYAN, A., Adverse Inferences in International Arbitration: Toothless or Terrifying, 38 U. PA. J. INT'L L. 241, 249 (2016).

SHARPE, J. K., Drawing Adverse Inferences from the Non-production of Evidence, 22 ARB. INT'L 549, 554, 557 (2006).

SMIT, R. H. & ROBINSON, T. B., Cost Awards in International Commercial Arbitration: Proposed Guidelines for Promoting Time and Cost Efficiency, 20 AM. REV. INT'L ARB. 267, 272 (2009).

SUSSMAN, E. & EBERE, S., All's Fair in Love and War - Or Is It? Reflections on Ethical Standards for Counsel in International Arbitration, 22 AM. REV. INT'L ARB. 611, 621-22 (2011)

SUSSMAN E., Cyber Intrusion as the Guerrilla Tactic: An Appraisal of Historical Challenges in an Age of Technology and Big Data, in EVOLUTION AND ADAPTATION: THE FUTURE OF INTERNATIONAL ARBITRATION (Jean Kalicki & Mohamed Abdel Raouf eds., ICCA Congress Series No. 20, forthcoming 2019).

UNCITRAL Secretariat, Guide on the Convention on the Recognition and Enforcement of Foreign Arbitral AWARDS 173-75; Andrés Jana et al., Article V (1) (b), in RECOGNITION AND ENFORCEMENT OF FOREIGN ARBITRAL AWARDS: A GLOBAL COMMENTARY ON THE NEW YORK CONVENTION 231, 248-51 (Herbert Kronke et al. eds., 2010).

VAIRO, G. M., Sanctions and Arbitration Proceedings, in AAA Handbook On Commercial Arbitration 305, 305-06, 316-17 (3rd ed. 2016).

VANLEENHOVE, C., A Normative Framework for the Enforcement of U.S. Punitive Damages in the European Union: Transforming the Traditional "¡No Pasarán!", 41 VT. L. REV. 347, 353-55; 358-59; 361 (2016).

WILSKE, S., Arbitration Guerrillas at the Gate: Preserving the Civility of Arbitral Proceedings when the Going Gets (Extremely) Tough, 2011 AUSTRIAN Y. B. INT'L ARB. 315, 327-28 (2011).

WILSKE, S., Sanctions against Counsel in International Arbitration - Possible, Desirable or Conceptual Confusion, 8 CONTEMP. ASIA ARB. J. 141, 156-57 (2015).

YUKIO GOTANDA, J., Awarding Costs and Attorneys' Fees in International Commercial Arbitrations, 21 MICH. J. INT'L L. 1, 10-11 (1999).

Las reglas de Praga[*]

GONZALO STAMPA[**]

RESUMEN

Las Reglas de Praga sobre la tramitación eficiente de los procedimientos están disponibles para partes y árbitros desde el 14 de diciembre de 2018. Las Reglas de Praga conforman un nuevo texto pararregulatorio, estructurado en doce artículos, basado en el estricto respeto al principio de autonomía de la voluntad de las partes y diseñado para facilitar la gestión eficiente de los procedimientos arbitrales. Su desarrollo debe abordarse desde una colaboración continua entre partes y árbitros.

Palabras clave: Reglas de Praga, Arbitraje Internacional, Solución de conflictos, Procedimiento arbitral.

ABSTRACT

The Prague Rules on the Efficient Conduct of Proceedings in International Arbitration are available to parties and arbitrators since 14 December 2018. The Prague Rules constitute voluntary suggestions which are technically based and designed to facilitate the efficient conduct of arbitral proceedings, by way of the continual cooperation of parties and arbitrators in their development. Its recommendations are based on the strictest respect for the principle of the autonomy of the parties and structured in twelve articles.

Key words: Prague Rules, International Arbitration, Conflict Resolution, Arbitration Procedure.

---

[*] El contenido de este trabajo refleja exclusivamente el parecer de su autor y no constituye opinión profesional ni asesoramiento jurídico alguno. Este trabajo ha sido originalmente publicado en MENÉNDEZ ARIAS, M., *Anuario de arbitraje 2019.* 1ª Ed. Madrid. Ed. Civitas. 2019, pp. 89-129. ISBN: 978-84-1308-522-7.

[**] Abogado, DEA y Doctor en Derecho de la Universidad Complutense de Madrid; Master of Laws (LLM) en Derecho Mercantil y Societario (QMW School of International Arbitration) University of London; FCIArb. Socio de Stampa Abogados. Subdirector del Centro Internacional de Mediación, Conciliación y Negociación (CIAMEN), Miembro de ICC Corte Internacional de Arbitraje, Association Suisse de l'Arbitrage, Thailand Arbitration Centre (THAC), Lithuanian Arbitration Association (LAA), CIMA Corte Civil y Mercantil de Arbitraje, Corte Española de Arbitraje y Club Español del Arbitraje.

I. DELIMITACIÓN

Sir Francis Bacon recomendaba la práctica de la lectura en su ensayo *Sobre los Estudios* (1625), *"...pero no para contradecir y refutar; ni para creer y dar por sentado; ni para encontrar conversación y discurso; sino para pesar y considerar..."*[1] textos como el que aquí nos ocupa: el nuevo texto pararregulatorio procedimental —de uso voluntario— del que las partes y los árbitros disponen desde el 14 de diciembre de 2018, denominado Reglas de Praga sobre la tramitación eficiente de los procedimientos en el arbitraje internacional y conocido, vulgarmente, como las Reglas de Praga, que es la denominación que utilizaremos en este artículo. La concepción y elaboración de este nuevo texto derecho indicativo (*soft law*)[2] ha generado uno de los debates técnicos más vívidos que se recuerdan en las últimas décadas en el arbitraje internacional; una razón, por tanto, suficiente para acaparar nuestro interés.

La ciudad de Praga fue capital de Sacro Imperio Romano, sede de la primera Universidad de Europa Central, poseedora de una de las joyas del arte gótico europeo —su catedral de San Vito— y topónimo de este nuevo texto pararregulatorio. Pero Praga también adquirió fama histórica por la cuestionable afición de sus habitantes a las defenestraciones de enviados, representantes políticos y dirigentes —acaecidas en 1419, 1483, 1618

---

[1]   BACON, F., *Essays, Civil and Moral.* Vol. III, Part 1. The Harvard Classics. P. F. Collier & Son, 1909-14; Bartleby.com, 2001. www.bartleby.com/3/1/. New York. Traducción Mario Bojórquez.

[2]   LANDOLT, P., "What Remains to be Done? Future Para-regulatory Texts Projects", en FAVALLI, D. (Ed.), *The Sense and Non-Sense of Guidelines, Rules and other Para-regulatory Texts in International Arbitration. ASA Sepecial Series No. 37.* JurisNet. New York, 2015, pp. 139-169; MOURRE, A. (25 de mayo de 2017), *La Soft law como condición para el desarrollo de la confianza en el arbitraje internacional.* Conferencia dictada en la X Conferencia Internacional Hugo Grocio sobre Arbitraje. Fundación San Pablo CEU. Madrid. 2018, p. 12: *"...El desarrollo de la soft law es un elemento de objetivación del arbitraje que aumenta la confianza y la aceptabilidad del proceso..."*; STACHER, M., "The Authority of Pararegulatory Texts", en FAVALLI, D. (Ed.), *The Sense and Non-Sense of Guidelines, Rules and other Para-regulatory Texts in International Arbitration. ASA Sepecial Series No. 37.* JurisNet. New York. 2015, pp. 117-127.

y 1948— como expresión, mejorable, de su descontento con el contenido de los mensajes o de las decisiones comunicadas.

Si la tercera defenestración de 1618 desencadenó la Guerra de los Treinta Años, los términos iniciales de las Reglas de Praga podían presagiar el comienzo de una nueva confrontación, centrada esta vez entre el derecho común anglosajón y derecho civil continental[3], con la recuperación, 400 años más tarde, de esta ancestral tradición centroeuropea como inicio de esa agria contienda, si bien limitada, en esta ocasión, a aquellos especialistas en arbitraje comercial internacional discrepantes con el alcance inicial de estas recomendaciones.

Sin embargo, afortunadamente y en contra de las previsiones más agoreras, la aprobación de las Reglas de Praga el 14 de diciembre de 2018 evitó el recrudecimiento de este manido choque de culturas jurídicas en el arbitraje internacional. La ambigüedad constructiva —aplicada por Kissinger en otros escenarios de gestión de egos, de análoga complejidad— recondujo las severas diferencias surgidas sobre el contenido de estas Reglas en sus primeros borradores.

El resultado fue un acuerdo *in extremis* sobre los términos necesarios para que su redacción resultase aceptable dentro de la comunidad arbitral. En definitiva, la evolución de sus directrices evitó que el arbitraje internacional —valga aquí la expresión coloquial— tirase su reputación por la ventana en este imperial escenario europeo, ya habituado a finales históricos abruptos.

El epicentro de esta discusión doctrinal se localizó en Moscú, en la mañana del 20 de abril de 2017. La Asociación Rusa de Arbitraje celebraba su IV Conferencia Anual. Su primer debate se desarrolló bajo el sugerente título de *La progresiva americanización del arbitraje internacional: ¿es el momento adecuado para desarrollar reglas inquisitivas sobre la prueba? (Creeping Americanization of International Arbitration: Is It The Right Time To Develop Inquisitorial Rules Of Evidence?)*. Y sí, efectivamente, parece que lo fue.

En las fechas siguientes se conformaría un grupo de trabajo, compuesto por treinta profesionales, con una formación mayoritaria de derecho civil continental y de procedencia centroeuropea[4]. Su objetivo era valorar los

---

[3]   GOODMAN-EVERARD, R. E., "Cultural Diversity in International Arbitration - a Challenge for Decision-Makers and Decision-Making", *Arbitration International*, 1991, pp. 155-164.

[4]   Reglas de Praga, Nota del Grupo de Trabajo, Anexo I.

trabajos preparatorios realizados desde 2016 y acometer un análisis comparado de las técnicas de gestión procedimental del arbitraje disponibles en diferentes jurisdicciones. El trabajo de campo fue ingente, al incluir la formulación de un cuestionario de 37 preguntas, agrupadas en 10 materias, y su remisión a diversos profesionales para su cumplimentación[5]. Recabada toda la información requerida desde 29 países distintos, el primer borrador de las Reglas de Praga estaba dispuesto para su difusión en enero de 2018 y, desde el 8 de abril de 2018, disponible en su página web. Los especialistas arbitrales desarrollaron entonces diversos debates monográficos a lo largo de los diferentes eventos convocados anualmente por todo el mundo, *"...incluyendo Austria, Bielorrusia, la República Popular China, España, Estados Unidos de América, Francia, Georgia, Letonia, Lituania, Polonia, Portugal, Reino Unido, Rusia, Suecia y Ucrania..."*[6].

El borrador inicial concebía las Reglas de Praga como un texto pararregulatorio, aplicable total o parcialmente por las partes contendientes, siempre y cuando mediase su acuerdo previo[7]. Las sucesivas versiones —incluido su texto final— mantendrían este carácter voluntario, piedra de clave para comprender plenamente su funcionamiento y utilidad.

El Grupo de Trabajo identificó aquellos aspectos principales en los que los prescriptores del arbitraje centraban sus reiteradas críticas en los últimos tiempos —el tiempo de tramitación de las actuaciones y su coste financiero para las partes— y, sobre esta base, aisló y resumió las que, en su opinión, conformaban las causas de estos desajustes:

(i)   una práctica probatoria laxa, excesivamente permisiva e inclinada a los estándares del derecho común anglosajón, en detrimento de los principios aplicables en el derecho civil continental;

(ii) una práctica probatoria alejada de la voluntad de las partes y apoyada más en los abogados que en los árbitros, cuyas facultades de dirección de las actuaciones estaban anuladas, por el temor a las eventuales responsabilidades en las que pudieran incurrir a causa de sus decisiones de gestión o de tramitación, es decir, el fenómeno conocido como paranoia arbitral[8]; y

---

[5]   Reglas de Praga, Nota del Grupo de Trabajo, Anexo II.

[6]   Reglas de Praga, Nota del Grupo de Trabajo.

[7]   Sentencia de la Sección Décima de la Audiencia Provincial de Madrid, de 30 junio 2011.

[8]   SCHOOL OF INTERNATIONAL ARBITRATION, QUEEN MARY AND WESTFIELD COLLEGE, UNIVERSITY OF LONDON, *2010 International Arbitration Sur-*

(iii) una práctica probatoria con una eficacia final, cuando menos, discutible, si se compara el tiempo y los recursos invertidos por las partes en su compilación, presentación y defensa ante el tribunal arbitral con sus eximios resultados para la determinación de la controversia, admitidos en diversas ocasiones por los propios árbitros[9].

A través de este ejercicio, el Grupo de Trabajo identificó un descontento latente de las partes con el desarrollo de un procedimiento arbitral progresivamente alejado de sus deseos y necesidades, por causas ajenas a su voluntad; un hartazgo, silencioso y constante; un riesgo serio y cierto, en definitiva, de alcanzar el temido rechazo de sus prescriptores a utilizar, en lo sucesivo, esta opción para la solución pacífica de sus controversias comerciales internacionales.

Así las cosas, el alcance de las Reglas de Praga se concentró, en principio, en la tramitación de la práctica de la prueba en el arbitraje internacional, con la finalidad de soslayar los inconvenientes detectados y paliar, en lo posible, el alejamiento progresivo de sus usuarios, proporcionando respuestas definidas a sus inquietudes.

El Grupo de Trabajo estructuró sus recomendaciones en once artículos, formulados para que las partes recuperasen la propiedad sobre el procedimiento. Las directrices resaltaban los principios inspiradores del mode-

---

vey: Choices in International Arbitration. London, 2010, pp. 2, 3 y 26. El resultado de esta encuesta revela que un 12% de los profesionales y prescriptores encuestados atribuyeron su insatisfacción final con el arbitraje a una tramitación inadecuada del procedimiento acordado, bien por la excesiva flexibilidad con que fue ejecutado, bien por una falta de control adecuado de su desarrollo. Un 11% de los profesionales consultados residenciaron tal responsabilidad exclusivamente en la conducta de los árbitros, atribuyéndoles la responsabilidad del origen de los retrasos. Los datos en los que el estudio sustenta sus conclusiones revela que tal responsabilidad es compartida entre árbitros e instituciones arbitrales, en tanto que ambos tienen la obligación de evitar tales excesos de las partes con un adecuado control del procedimiento arbitral. COMISIÓN DE LAS NACIONES UNIDAS PARA EL DERECHO MERCANTIL INTERNACIONAL (CNUDMI), *Notas sobre la organización del proceso arbitral.* 1996. Recuperado de https://www.uncitral.org/pdf/spanish/texts/arbitration/arb-notes/arb-notes-s.pdf, ¶¶ 4-5. BERGER, K. P., JENSEN, J. O., "Due process paranoia and the procedural judgment rule: a safe harbour for procedural management decisions by international arbitrators", *Arbitration International,* 2016, pp. 415-435.

9   Borrador de las Reglas de Praga, Nota del Grupo de Trabajo.

lo del procedimiento inquisitivo en la práctica de la prueba[10] y devolvían expresamente a los árbitros sus facultades de dirección de las actuaciones arbitrales (reconociendo su poder de decisión y su poder de ejecución), como protección frente a eventuales recusaciones motivadas por su mero y simple ejercicio[11].

La controversia, por tanto, estaba servida.

Este planteamiento inicial del borrador de las Reglas de Praga era una declaración de principios, una confrontación entre reglas y sistemas aparentemente contrapuestos en materia probatoria. Su redacción parecía querer apartarse, de repente y sin motivo aparente, de los enriquecedores resultados del mestizaje inteligente de ambos sistemas jurídicos —el de derecho común y el de derecho civil— en el diseño responsable del procedimiento arbitral por los contendientes[12]. Una parte de los profesionales especializados en la materia consideraron este primer borrador de las Reglas de Praga como una inaceptable afrenta comparativa directa a las Reglas de la International Bar Association sobre la práctica de la prueba en el arbitraje internacional[13], cuyas recomendaciones ya estaban arraigadas en este campo desde su primera versión del 28 de mayo de 1983 (también muy criticada, por cierto[14]) y, asimismo, sujetas

---

[10]   Borrador de las Reglas de Praga, Artículos 3 (determinación de los hechos), 4 (prueba documental); 5 (testigos); 6 (peritos); y 7 (*iura novit curia*).

[11]   Borrador de las Reglas de Praga, Nota del Grupo de Trabajo; Artículos 2 (sobre la iniciativa del tribunal arbitral); 8 (audiencia); 9 (asistencia en un acuerdo transaccional); 10 (conclusiones desfavorables); y 11 (imputación de costas).

[12]   Borrador de las Reglas de Praga, Nota del Grupo de Trabajo: "*...bajo la perspectiva del derecho continental, las Reglas IBA se inclinan aún hacia los principios del derecho común, con una aproximación más contradictoria a la exhibición de documentos, a los testigos y a los peritos de parte. Por si fuera poco, el derecho de las partes a repreguntar a los testigos casi se da por descontado... A la luz de estos antecedentes, los redactores de las Reglas de Praga creen que el desarrollo de reglas para la tramitación de la práctica de prueba, basadas primordialmente en el modelo de procedimiento inquisitivo y que potencien las funciones de los tribunales, contribuirán a aumentar la eficiencia en el arbitraje internacional. Al adoptar un enfoque más inquisitorial, las nuevas reglas ayudarán a partes y tribunales a reducir el tiempo y los costes de los arbitrajes...*".

[13]   NAISH, V. & WARDER, R. (8 de noviembre de 2018), "The Prague Rules: is the happy partnership between the common law and civil law evidentiary tradition in arbitration really a fiction?". Recuperado de http://arbitrationblog.practicallaw.com/the-prague-rules-is-the-happy-partnership-between-the-common-law-and-civil-law-evidentiary-tradition-in-arbitration-really-a-fiction/.

[14]   SHENTON, D. W., "An Introduction to the IBA Rules of Evidence", *Arbitration International*, 1985, p. 118.

en su aplicación a los estrictos límites de su carácter de recomendación voluntaria[15].

Desde ese mismo instante, la relevancia de las Reglas de Praga encalló en un debate comparativo estéril sobre las analogías y diferencias existentes entre ambos textos pararregulatorios, centrado en intentar determinar la primacía de unas recomendaciones sobre otras y ajeno a las eventuales ventajas de las Reglas de Praga para partes y árbitros o a su utilidad técnica y real para resolver los desajustes detectados. La discusión se encaminó por derroteros conocidos para los especialistas[16], pero alejados de las soluciones que las partes contendientes demandaban para superar sus preocupaciones sobre la eficacia del arbitraje, una institución jurídica muy sensible a inadaptaciones injustificadas[17]. El Grupo de Trabajo entendió, no obstan-

---

[15]   Sentencia de la Sala de lo Civil y de lo Penal del Tribunal Superior de Justicia de Madrid, de 16 de julio de 2013: "...*las normas del IBA son un recurso que el Comité Internacional de Arbitraje proporciona a las partes y a los árbitros, para obtener un procedimiento eficiente y equitativo, reglas que se pueden adoptar al inicio o durante el arbitraje y que permite que sean utilizadas como guías para los procedimientos, incluso se pueden incorporar a los convenios arbitrales...*"; Sentencia del Tribunal Federal Suizo, de 20 marzo 2008, 4A_506/2007, ¶3.3.2.2 (http://www.servat.unibe.ch/dfr//bger/080320_4A_506-2007.html): "...*Ces lignes directrices n'ont certes pas valeur de loi... Ces lignes directrices énoncent des principes généraux...*".

[16]   COSTA E SILVA, P. (16 de julio de 2018), "Arbitration, Jurisdiction and Culture: Apropos the Rules of Prague". Recuperado de; HENRIQUES, D. G., "The Prague Rules: Competitor, Alternative or Addition to the IBA Rules on the Taking of Evidence in International Arbitration?", *ASA Bulletin*, 2018, pp. 351-363; KOCUR, M. (19 de agosto de 2018), "Why Lawyers from Civil Law Jurisdictions Do Not Need the Prague Rules". Recuperado de http://arbitrationblog.kluwerarbitration.com/2018/08/19/why-lawyers-from-civil-law-jurisdictions-do-not-need-the-prague-rules/; RIZZO AMARAL, G. (5 de julio de 2018), "Prague Rules v. IBA Rules and the Taking of Evidence in International Arbitration: Tilting at Windmills. Part I". Recuperado de http://arbitrationblog.kluwerarbitration.com/2018/07/05/prague-rules-v-iba-rules-taking-evidence-international-arbitration-tilting-windmills-part/; RIZZO AMARAL, G. (6 de julio de 2018), "Prague Rules v. IBA Rules and the Taking of Evidence in International Arbitration: Tilting at Windmills. Part II". Recuperado de http://arbitrationblog.kluwerarbitration.com/2018/07/06/prague-rules-v-iba-rules-taking-evidence-international-arbitration-tilting-windmills-part-ii/.

[17]   MOURRE, A. (25 de mayo de 2017), *La Soft law como condición para el desarrollo de la confianza en el arbitraje internacional*. Conferencia dictada en la X Conferencia Internacional Hugo Grocio sobre Arbitraje. Fundación San Pablo CEU. Madrid. 2018, pp. 8-9: "...*Creo que si no tomamos medidas adecuadas para que el arbitraje conserve la confianza del público y de los Estados como un medio justo, legítimo y eficiente para resol-*

te, que *"...el contenido de estos debates permitió comprender que la utilización de las Reglas —inicialmente concebidas para su aplicación en controversias afectantes a compañías radicadas en jurisdicciones de derecho civil— podía extenderse, de hecho, a cualesquiera otros procedimientos arbitrales en los que la naturaleza de la disputa o su importe justificase una tramitación procedimental más directa, con una mayor involucración activa del tribunal en su gestión; una práctica generalmente bienvenida por los usuarios del arbitraje..."*[18].

El resultado de esta autocrítica constructiva fue un texto revisado en su redacción y contenido y ampliado en su alcance; un texto que, aun desprovisto de todo atisbo de confrontación innecesaria, contenía todavía una crítica hábil y moderada a las causas de la excesiva ralentización en la que está incurriendo la tramitación del arbitraje en la actualidad, en detrimento de una de sus características más destacadas en su promoción. Las recomendaciones formulaban propuestas atractivas para la superación de estos obstáculos, desde el estricto respeto al principio de la autonomía de las partes, dueñas del procedimiento y base de todo el andamiaje arbitral[19].

Esta remodelación alcanzó incluso a su título y a su contenido. Las Reglas de Praga ampliarían su espectro de aplicación a todo el procedimiento arbitral y, en consecuencia, serían denominadas, en lo sucesivo, como las Reglas sobre la tramitación eficiente de los procedimientos en el arbitraje internacional. La bizantina discusión comparativa con las Reglas de la International Bar Association sobre la práctica de la prueba en el arbitraje internacional quedaba así agotada y superada, para centrarse en la valoración de su utilidad técnica como nuevo texto pararregulatorio procedimental, que, entre otras materias, abordaba la práctica de la prueba. Sutil.

El fundamento conceptual de las Reglas de Praga es realista y humilde. Es realista porque las Reglas de Praga devuelven el procedimiento arbitral a las partes —sus verdaderos dueños— y aceptan implícitamente el carácter específico y único de cada arbitraje como un microcosmos todavía alejado de la consecución del pregonado objetivo de la homogeneización

---

ver disputas internacionales, podría haber una reacción anti-arbitral parecida, aunque con formas diferentes, a la que ocurrió en contra del arbitraje de inversión... El peligro para el arbitraje es que se amplíe una brecha, que se cree una desconexión entre las expectativas del público y la forma en que nosotros, la comunidad de arbitraje, nos percibimos...".

[18]   Reglas de Praga, Nota del Grupo de Trabajo.

[19]   MOURRE, A. (25 de mayo de 2017), *La Soft law como condición para el desarrollo de la confianza en el arbitraje internacional.* Conferencia dictada en la X Conferencia Internacional Hugo Grocio sobre Arbitraje. Fundación San Pablo CEU. Madrid. 2018, p. 5: *"...El arbitraje es fundamentalmente un ejercicio de la libertad humana...".*

de unas actuaciones aplicables a todo tipo de controversia, con desprecio a sus características jurídicas y culturales concurrentes y a las verdaderas necesidades de las partes allí involucradas. Es humilde porque las Reglas de Praga, de acordar las partes su aplicación, "*...pretenden proporcionar a los tribunales arbitrales y a las partes unas pautas o sugerencias para incrementar la eficiencia del arbitraje, potenciando un papel más activo de los tribunales arbitrales en la tramitación de los procedimientos...*"[20], a través de la compilación en un solo documento de técnicas de tramitación procedimental ya conocidas[21].

La aplicación de las Reglas de Praga depende del acuerdo de las partes, con pleno respeto al principio de autonomía de las partes en el arbitraje, que, como veremos, se manifiesta, de forma recurrente, a lo largo de sus disposiciones[22]. La redacción de su Artículo 1.2 podría albergar la esperanza de algunos árbitros de ver legitimada una decisión que considerase su contenido, pese a la ausencia de acuerdo alguno de las partes para su aplicación en el procedimiento arbitral. Pero la salvedad expresa de su redacción —"*...después de haber oído a las partes...*"— limita tal esperanza a mínimos; su aplicación por el árbitro, previa audiencia de las partes y pese a la obtención de una postura contraria a su consideración en el procedimiento, conformaría una decisión audaz, con efectos previsiblemente directos en la eventual validez del laudo que se dictase con inobservancia de tales acuerdos.

Las Reglas de Praga respetan la naturaleza contractual del arbitraje, tanto en su origen como en su desarrollo[23]. Su origen deriva de la autonomía de la voluntad de las partes, libres para convenir en someter a arbitraje todas aquellas materias disponibles conforme a Derecho[24], para acordar el diseño responsable de un procedimiento arbitral que instrumente la

---

[20] Reglas de Praga, Preámbulo.

[21] PANOV, A. (11 de octubre de 2018), "Why the Prague Rules may be needed?". Recuperado de http://arbitrationblog.practicallaw.com/why-the-prague-rules-may-be-needed/.

[22] COMISIÓN DE LAS NACIONES UNIDAS PARA EL DERECHO MERCANTIL INTERNACIONAL (CNUDMI), *Notas sobre la organización del proceso arbitral de 2016.* Recuperado de https://documents-dds-ny.un.org/doc/UNDOC/GEN/V16/018/32/PDF/V1601832.pdf?OpenElement, ¶ 3.

[23] GAILLARD, E. & SAVAGE J., *Fouchard, Gaillard, Goldman on International Commercial Arbitration.* Kluwer Law International. Dordrech. 1999, §§ 11, 44 y 45.

[24] Ley 60/2003, de 23 de diciembre, de Arbitraje, Artículo 2.1 (España); Código Federal Suizo de Derecho Internacional Privado, de 18 de diciembre de 1987, Capítulo 12, Artículo 177.1., que fundamenta la arbitrabilidad de la controversia en la naturaleza comercial o patrimonial de la reclamación (Sentencia del Tribunal

exposición ordenada de sus respectivas posiciones litigiosas y para pactar la elección del árbitro, a quien atribuirán una competencia exclusiva temporal en la decisión de su disputa. Su desarrollo —afectado por el principio de relatividad contractual— circunscribe los efectos de tales actuaciones arbitrales a los límites estrictos de la relación jurídica de la que deriven tales diferencias, a las partes que así hayan consentido en resolver sus eventuales discrepancias contractuales y al árbitro o a los árbitros nombrados —por las partes o por la institución arbitral a la que las partes se hayan sometido— para emitir su decisión al respecto. Las Reglas de Praga respetan estas características, al estar concebidas con un carácter inclusivo, por cuya virtud las partes pueden acordar su aplicación total o parcial, su aplicación selectiva o su aplicación complementaria o conjunta con otras directrices o recomendaciones[25]. Su concepción flexible fomenta un diseño responsable conjunto del procedimiento arbitral por partes y árbitro, adaptado a las concretas necesidades de cada supuesto específico.

II. CONTENIDOS

Las recomendaciones de las Reglas de Praga están estructuradas en doce artículos, agrupables en las siguientes áreas de tramitación procedimental: gestión del procedimiento (2.1); práctica de la prueba (2.2); y decisión (2.3).

1. Gestión del procedimiento

En el momento en que el tribunal arbitral recibe el expediente, comienza la transición entre la fase previa o administrativa y la fase de alegaciones del arbitraje. Los contenidos de los Artículos 2, 8 y 9 de las Reglas de Praga resultan aplicables para asegurar un desarrollo previsible de esta

---

Federal Suizo de 23 de junio de 1992, dictada en el asunto *Ficantieri-Cantieri Navali Italiani SpA and Oto Melara, SpA., (ASA Bulletin,* 1993, p. 63).

[25] Reglas de Praga, Artículo 1. COMISIÓN DE LAS NACIONES UNIDAS PARA EL DERECHO MERCANTIL INTERNACIONAL (CNUDMI), *Notas sobre la organización del proceso arbitral de 2016.* Recuperado de https://documents-dds-ny.un.org/doc/UNDOC/GEN/V16/018/32/PDF/V1601832.pdf?OpenElement, ¶ 6. INTERNATIONAL CHAMBER OF COMMERCE, *Conducción eficaz del arbitraje.* ICC Publishing, Publicación 866-0 SPA. Paris, 2015; INTERNATIONAL CHAMBER OF COMMERCE, Commission Report, *Controlling Time and Costs in Arbitration.* 2nd Ed. ICC Publishing. Publication 861. Paris, 2014.

transición; persiguen la adecuada sustanciación del procedimiento arbitral desde la doble perspectiva de partes y árbitro, motivo por el cual entendemos que la comprensión completa de su alcance recomienda su análisis conjunto.

La formulación de estas directrices en la Reglas de Praga respeta el principio de libertad de las partes en su cooperación para la organización responsable del procedimiento adaptado a sus verdaderas necesidades para la solución eficaz de la controversia planteada[26]. Con su adopción por las partes, el árbitro obtiene, asimismo, las ventajas derivables del reconocimiento expreso de sus poderes de documentación, dirección, decisión y ejecución en la tramitación de estas actuaciones, mediante el establecimiento de un factor de conexión contractual. El conocimiento, el consentimiento y el compromiso de las partes afectará directamente al desarrollo eficiente tanto de la reunión preliminar, como de la conferencia de gestión[27].

1.1. La reunión preliminar y la conferencia de gestión

En el procedimiento arbitral, las partes, por un lado, delimitan sus pretensiones y aportan ordenadamente al expediente aquellos instrumentos probatorios de los que deseen servirse en sustento de las mismas para su análisis y valoración por el árbitro. Por otro lado, las partes presumen que el árbitro designado para dirimir sus diferencias conoce los mecanismos procedimentales disponibles para canalizar eficazmente este conocimiento y detenta la diligencia necesaria como para aplicar sus contenidos, con pleno respeto a sus acuerdos y a sus derechos fundamentales de audiencia, contradicción e igualdad y dentro de los estándares exigibles de imparcialidad y objetividad. Es decir, las partes presumen *prima facie* la capacidad técnica del árbitro para identificar y seleccionar textos pararregulatorios

---

[26] KAUFFMAN-KOHLER, G., "Qui contrôle l'arbitrage? Autonomie des parties, pouvoirs des arbitres et principe d'efficacité", en AAVV, *Liber Amicorum Claude Reymond - Autour de l'arbitrage*. LITEC. 2004, p. 153; LEW, J. D. M., MISTELIS, L. A. & KRÖLL, S. M., *Comparative International Arbitration*. Kluwer Law International. The Hague, 2003, pp. 34-35 y 523-527; SANDERS, P., *International Encyclopædia of Comparative Law. Chapter 12: Arbitration*. Ed. Martinus Nijhoff. Dordrech, 1996, pp. 102-104.

[27] BÖCKSTIEGEL, K. H., "Party Autonomy and Case Management - Experiences and Suggestions of an Arbitrator", *Schieds*, 2013, pp. 1-5; NATER-BASS, G. (febrero de 2015), *The Arbitrator's Initiative: Shaping the Procedure*. En GEISINGER, E. (presidencia), *The Arbitrators' Initiative: When, Why and How Should It Be Used?* ASA Annual Conference, celebrada en Ginebra, Suiza.

como el que aquí nos ocupa y procurar su adecuada adaptación al procedimiento concreto, con la finalidad de facilitar su tramitación ordenada, con razonable eficiencia.

El árbitro, por su parte, impulsa la tramitación del procedimiento, desde la flexibilidad, con pleno cumplimiento de estos acuerdos organizativos de las partes —siempre que no vulneren el orden público procedimental— y con completa observancia en su desarrollo de los principios imperativos antes indicados[28]. Pero, si en el desempeño de sus funciones, el árbitro afronta situaciones huérfanas de acuerdo alguno de las partes sobre la *lex arbitrii* aplicable o en las que concurran actitudes procedimentales renuentes, debe tener reconocidas entonces las facultades necesarias adoptar aquellas medidas que estime oportunas para dirigir las actuaciones en el modo que considere apropiado y dentro de los límites irrenunciables del procedimiento arbitral; un factor de conexión —legal o contractual— que legitime al árbitro para adoptar aquellas medidas necesarias para propiciar, en definitiva, la eficacia del arbitraje planteado.

En el caso de que las partes acuerden su aplicación, el Artículo 2 de las Reglas de Praga[29] establece un factor de conexión contractual expreso para que el árbitro ejercite frente a las partes, sin cortapisas, su poder de dirección de las actuaciones —que incluye el poder de decisión y el poder de ejecución, limitado, por supuesto, a las partes— al atribuirle la iniciativa en toda la organización de las actuaciones arbitrales[30]. Dentro de los instrumentos a su disposición para cumplir con las obligaciones derivadas de esta facultad, el Artículo 2.2 contempla expresamente la convocatoria de las partes para la celebración de una reunión preliminar, tan pronto como reciba el expediente y comience la fase de transición a la que anteriormente nos referíamos. Partes y árbitro deberán concebir y aplicar sus contenidos de conformidad con su Artículo 1.3, es decir, con respeto "...*a*

---

[28] Reglas de Praga, Artículo 1.4. BÜHRING-UHLE, C., KIRCHHOFF, L. & SCHE-RER, G., *Arbitration and mediation in international business*. 2nd Ed. Kluwer Law International. Alphen aan den Rijn, 2006, pp. 69-104; PARK, W. W., "Two Faces of Progress Fairness and Flexibility in Arbitral Procedure", *Arbitration International*, 2007, pp. 499-504. Ley Modelo, Artículo 19.2; Reglamento UNCITRAL (2010), Artículo 17.1; Reglamento CCI (2017), Artículo 22.2; Reglamento DIS (2018), Artículos 21.1 y 21.3.

[29] Reglas de Praga, Artículo 2.

[30] Laudo Interlocutorio de la Cámara de Comercio Internacional, dictado en el asunto 1512, Árbitro Pierre Lalive, *ICCA Yearbook I* (1976), p. 128: "...*the arbitrators have a wide discretion in matters of procedure*...".

las disposiciones legales imperativas de lex arbitrii, *así como las de los reglamentos aplicables y las de los acuerdos procedimentales de las partes...".*

UNCITRAL viene recomendando la organización de la reunión preliminar desde 1996[31], por lo que no es una herramienta novedosa de tramitación procedimental. Los principales reglamentos arbitrales han acogido progresivamente esta sugerencia, adoptando en sus disposiciones denominaciones tan diversas como *"reunión preliminar"*[32], *"conferencia previa a la vista"*, *"conferencia preparatoria"*[33], *"examen previo a la vista"*[34], *"conferencia sobre la conducción del procedimiento"*[35], *"audiencia preliminar"*[36] o *"audiencia procedimental preliminar"*[37] para articular esta recomendación.

La reunión preliminar conforma el primer escenario procedimental donde, previsiblemente, aflorarán los diferentes bagajes jurídicos de las partes y de sus respectivos abogados y del árbitro; esta aproximación condicionará tanto su celebración, como la posterior tramitación del procedimiento y debe quedar, por tanto, confinada a las decisiones estratégicas de los abogados de las partes.

La vigencia del principio dispositivo de las partes en el procedimiento arbitral se manifiesta, entre otros aspectos, en la delimitación del *thema decidendum*. La utilización de la reunión preliminar en el inicio del arbitraje debe permitir a las partes y al árbitro delimitar el perímetro de la con-

---

[31]   COMISIÓN DE LAS NACIONES UNIDAS PARA EL DERECHO MERCANTIL INTERNACIONAL (CNUDMI), *Notas sobre la organización del proceso arbitral.* 1996. Recuperado de https://www.uncitral.org/pdf/spanish/texts/arbitration/arb-notes/arb-notes-s.pdf, ¶¶ 4-5.

[32]   JAMS, Comprehensive Rule 16.

[33]   Reglamento de Arbitraje OMPI (2014), Artículo 47.

[34]   COMISIÓN DE LAS NACIONES UNIDAS PARA EL DERECHO MERCANTIL INTERNACIONAL (CNUDMI), *Notas sobre la organización del proceso arbitral.* 1996. Recuperado de https://www.uncitral.org/pdf/spanish/texts/arbitration/arb-notes/arb-notes-s.pdf, ¶¶ 7-9; SANDERS, P., *International Encyclopædia of Comparative Law. Chapter 12: Arbitration.* Ed. Martinus Nijhoff. Dordrech, 1996, pp. 105-106; SANDERS, P., *Quo Vadis Arbitration? Sixty Years of Arbitration Practice.* Kluwer Law International. The Hague, 1999, pp. 241-242.

[35]   Reglamento CCI (2017), Artículo 24; Reglamento DIS (2018), Artículos 27.2 a 27.8; INTERNATIONAL CHAMBER OF COMMERCE, *Conducción eficaz del arbitraje.* ICC Publishing, Publicación 866-0 SPA. Paris, 2015, pp. 13-15; Stockholm Arbitration Institute of the Stockholm Chamber of Commerce, Administrative Guidelines (January 2017), ¶ 6.

[36]   AAA, Commercial Rule R-20.

[37]   Reglamento LCIA (2014), Artículo 14.1; LCIA Notes for Arbitrators, ¶ 23.

troversia planteada y, dentro de tal contorno, perfilar —conjuntamente y con responsabilidad— las respectivas pretensiones litigiosas de las partes, mediante un intercambio de pareceres, en presencia del árbitro, en los que pueden delimitarse los hechos controvertidos y los no controvertidos.

Una vez considerados todos estos extremos y al amparo de sus necesidades, las partes, con el árbitro, pueden abordar la organización de las actuaciones necesarias para la tramitación de un procedimiento adaptado a las razonables y previsibles exigencias de los contendientes; de un procedimiento ajustado, en definitiva, a la disputa suscitada.

Es previsible que, en línea con lo que dispone la redacción de este Artículo de las Reglas de Praga y su aplicación conjunta con su apartado quinto, su desarrollo abarque la discusión del calendario procedimental y la posibilidad de que el árbitro, una vez oídas las partes, pueda considerar algunas de las cuestiones de hecho o de derecho planteadas como cuestiones de previo pronunciamiento, pueda limitar el número y longitud de las alegaciones escritas necesarias para permitir a las partes exponer adecuadamente su asunto, pueda determinar plazos razonables y sus indicaciones formales y esté facultado para definir la forma y el alcance de las solicitudes de exhibición documental —incluyendo la identificación de fuentes de prueba y las indicaciones sobre su obtención, sobre su aportación al procedimiento y sobre su práctica— o pueda exponer su posición provisional sobre la utilidad de la prueba aportada o la distribución de su carga durante el procedimiento, sin prejuzgar el fondo del asunto debatido y sin que tales apreciaciones, por sí mismas, impliquen fundamento alguno para su eventual recusación[38].

La reunión preliminar ofrece, asimismo, una oportunidad para que el árbitro anticipe aquellos riesgos procedimentales que puedan dificultar la tramitación de las actuaciones y, junto con las partes, diseñe los mecanismos que estimen apropiados para su corrección o su decisión durante el procedimiento.

---

[38] Reglas de Parga, Artículo 2.4, *in fine*. Reglamento CCI (2017), Apéndice IV. COMISIÓN DE LAS NACIONES UNIDAS PARA EL DERECHO MERCANTIL INTERNACIONAL (CNUDMI), *Notas sobre la organización del proceso arbitral de 2016*. Recuperado de https://documents-dds-ny.un.org/doc/UNDOC/GEN/V16/018/32/PDF/V1601832.pdf?OpenElement, ¶¶ 65-71; BÖCKSTIEGEL, K. H., "Arbitrator's Case Management: Experiences and Suggestions", en AKSEN, G. & BRINER, R. (Ed.), *Global Reflections on International Law, Commerce and Dispute Resolution: Liber Amicorum in Honour of Robert Briner*. International Chamber of Commerce Publications (693). 2005, p. 127.

La paranoia arbitral queda así neutralizada en los albores del procedimiento, lo que permite a los intervinientes su desarrollo limpio, concentrado en la decisión de la controversia planteada.

Los Artículos 2.3 y 2.4. de las Reglas de Praga también proporcionan soluciones ante la eventual imposibilidad de que las partes puedan delimitar su controversia en la reunión preliminar, es decir, en los albores del procedimiento. Sus textos, de acordarse su aplicación, facultan al árbitro —mediante una mención tácita— para que convoque a las partes a la celebración de una conferencia de gestión —adicional y posterior a la reunión de preliminar— con una doble finalidad: (i) identificar aquellos aspectos aún pendientes de decisión y (ii) asegurar una organización adecuada de las audiencias, con pleno respeto a los derechos procedimentales fundamentales de las partes durante su celebración. En la actualidad, existen identificados tres métodos posibles de celebración de las conferencias de gestión: la conferencia de revisión del asunto (*Case Review Conference*)[39], la Apertura Kaplan (*Kaplan Opening*)[40] y el Método Böckstiegel (*Böckstiegel Method*)[41]. Todos ellos tienen cabida dentro del Artículo 2 de las Reglas de Praga.

Partes y árbitro plasmarán el resultado de la reunión preliminar en un acta de misión o en una primera orden procedimental, complementada, eventualmente, por un conjunto de normas procedimentales y por un calendario realista de actuaciones procedimentales. Esta es una práctica frecuente y común en el arbitraje, por lo que la adopción de esta Regla 2 por las partes sólo puede contribuir a su seguridad jurídica dentro del procedimiento arbitral; un objetivo, por lo demás, comprensible y loable.

El Artículo 8 de las Reglas de Praga dispone la posibilidad de que las audiencias sólo se celebren en aquellos supuestos en los que existan declaraciones de testigos o ratificaciones de peritos. Su texto también recoge una práctica cada vez más frecuente: el uso de la tecnología al servicio del arbitraje[42]. La utilización de la videoconferencia puede servir para ahorrar

---

[39] PARTASIDES, C. & VESEL, S., "A Case Review Conference, or Arbitration in Two Acts", *Arbitration*, 2015, pp. 167-168.

[40] KAPLAN, N., "If it Ain't Broke, Don't Change It", *Arbitration*, 2004, pp. 172-175.

[41] PAULSSON, K. H., "The Timely Arbitrator: Reflections on the Böckstiegel Method", *Arbitration International*, 2006, pp. 19-26; BÖCKSTIEGEL, K. H., "Party Autonomy and Case Management - Experiences and Suggestions of an Arbitrator", *Schieds*, 2013, pp. 1-5.

[42] Reglamento CCI (2017), Apéndice IV; LCIA Notes for Arbitrators, ¶ 33.

significativamente en costes y superar los problemas logísticos, derivados de los diferentes husos horarios mundiales. Pero las partes también deben sopesar los aspectos estratégicos, inherentes a este tipo de declaraciones, asegurando, en todo momento, la adopción de aquellos mecanismos suficientes para la plena protección de sus derechos procedimentales fundamentales en su práctica.

1.2. La facilitación de acuerdos transaccionales: aproximaciones

El Artículo 9 de las Reglas de Praga[43] conforma, en nuestra opinión, una de las partes más débiles de sus disposiciones. Su idea inicial es correcta, porque ofrece a las partes la posibilidad de alcanzar soluciones transaccionales a la controversia planteada y está, por tanto, en línea con uno de los objetivos principales del arbitraje[44]. Su ejecución es, sin embargo, discutible, ya que las formas en las que este Artículo contempla su instrumentación son discutidas en el arbitraje: la actuación de un mismo árbitro como facilitador del acuerdo y la conversión del árbitro en mediador provisional durante el procedimiento. Mientras que la primera opción puede tener un cierto atractivo (siempre que se ejecute con cautela), la segunda, sin embargo, no resulta recomendable, en nuestra opinión; al menos, en aquellos arbitrajes que involucren partes ajenas a la cultura asiática. Analicemos los motivos en los que fundamentamos esta conclusión.

1.2.1. El árbitro como facilitador del acuerdo

La posibilidad de que el árbitro pueda proponer a las partes un acuerdo transaccional durante las actuaciones se conoce técnicamente como *"la aproximación alemana"*[45] o como *"the Zurich Way"*[46] y tiene una inspiración procesal, cuya traslación directa al arbitraje no ha estado exenta de dudas.

---

[43] Reglas de Praga, Artículo 9.
[44] LORD WOOLF, *Access to Justice: Interim Report to the Lord Chancellor on the civil justice system in England and Wales. HMSO. London. 1995, Capítulo 1, §§7 and 16 (b)-(c).*
[45] EHLE, B., "The Arbitrator As A Settlement Facilitator", en AAVV, *Walking a Thin Line. What an Arbitrator Can Do, Must Do or Must Not Do.* Bruylant. Brussels. 2010, pp. 79 -95, p. 80.
[46] STUTZER, H., "Settlement Facilitation: Does the Arbitrator have a Role? The «Referentenaudienz» - the «Zurich-Way» of settling the Case", *ASA Bulletin*, 2017, pp. 589-609. EHLE, B., "SIA 150:2018 - Modern Swiss Arbitration Rules for Construction Disputes", *ASA Bulletin*, 2018, pp. 895-905, especialmente en pp. 898-900.

Mientras esta actuación del árbitro puede resultar aceptada en algunas jurisdicciones de derecho civil europeo y asiático con esta tradición judicial[47], el derecho común anglosajón[48] puede premiar este tipo de iniciativas del árbitro con su eventual recusación, por parcialidad razonable (regla de la *reasonable apprehension of bias* y *Sussex Justices Test*[49]).

De ser acordada su aplicación por las partes, el Artículo 9.1 debiera proporcionar al árbitro un factor de conexión contractual para apoyar la legitimación de una propuesta transaccional, cuya aplicación estaría reforzada por el Artículo 2.5, que hemos analizado anteriormente. Sin embargo, el Artículo 1.3 —es decir, el respeto *"...a las disposiciones legales imperativas de* lex arbitrii, *así como las de los reglamentos aplicables y las de los acuerdos procedimentales de las partes..."*— también debe ser considerada. La formulación de este Artículo 9.1 falla, en nuestra opinión, en el hecho de que no proporciona solución definitiva alguna a las partes para solventar la carencia apuntada. De nuevo, nos encontramos ante una cuestión que no es novedosa, pero cuya consideración sobre la base de este Artículo puede complicar, aún más, el desarrollo del procedimiento, en aquellos supuestos en los que las partes omitan acordar otros contrapesos.

UNCITRAL advirtió sobre los eventuales riesgos de recusación que este tipo de iniciativas podían acarrear al árbitro y se ha limitado a recomendar la cautela en el momento de su proposición y de su ejecución en el procedimiento arbitral, de forma que siempre esté sujeta a que la *lex arbitrii* aplicable permita este tipo de actuaciones[50]. El Reglamento DIS

---

[47]   Hong Kong Arbitration Ordinance (2011), Artículo 33; Singapore Arbitration Act (2002), Artículo 63.

[48]   COLLINS, M., "Do International Arbitral Tribunals have any Obligations to Encourage Settlement of the Disputes Before Them?", *Arbitration International*, 2003, pp. 333-343.

[49]   *R. v. Sussex Justices; Ex parte Mc Carthy* [1924]1 KB 256, p. 259: *"...Justice should not only be done, but should manifestly and undoubtedly be seen to be done...".* LUTTRELL, S., *Bias Challenges In International Commercial Arbitration: The Need For A "Real Danger" Test.* Kluwer Law International. Alphen aan den Rijn, 2009, p. 162.

[50]   COMISIÓN DE LAS NACIONES UNIDAS PARA EL DERECHO MERCANTIL INTERNACIONAL (CNUDMI), *Notas sobre la organización del proceso arbitral.* 1996. Recuperado de https://www.uncitral.org/pdf/spanish/texts/arbitration/arb-notes/arb-notes-s.pdf, ¶ 47. COMISIÓN DE LAS NACIONES UNIDAS PARA EL DERECHO MERCANTIL INTERNACIONAL (CNUDMI), *Notas sobre la organización del proceso arbitral de 2016.* Recuperado de https://documents-dds-ny.un.org/doc/UNDOC/GEN/V16/018/32/PDF/V1601832.pdf?OpenElement, ¶ 72. *Bias*

(2018)[51], el Reglamento CIETAC (2015)[52] el Apéndice IV del Reglamento CCI (2017)[53], el Reglamento del Centro Belga de Arbitraje y Mediación (CEPANI) (2013)[54], el Reglamento de Arbitraje Internacional (2012)[55], el Reglamento de la Cámara Arbitral de Milán (2010)[56] y el Reglamento del Centro para la Resolución Eficaz de Conflictos (CEDR) (2009)[57] conforman algunos de los reglamentos arbitrales que regulan expresamente la posibilidad de que el árbitro ejecute esta facultad pacificadora, pero con máxima cautela y siempre previa solicitud y aprobación escrita de las partes para su ejercicio[58].

El Artículo 9.1 de las Reglas de Praga recoge algunos de estos elementos esenciales; en concreto, exige el previo consentimiento de todas las partes —si bien formulado de forma negativa— y la necesidad de que dicho consentimiento sea escrito. Nada dice, por el contrario, acerca de la conveniencia de que sean las partes quienes soliciten tal actuación del ár-

---

Challenges In International Commercial Arbitration: The Need For A "Real Danger" Test. Kluwer Law International. Alphen aan den Rijn, 2009, pp. 1-28.

[51]   Artículos 26 y 27.4 (ii).

[52]   Artículo 47.

[53]   Apéndice IV. INTERNATIONAL CHAMBER OF COMMERCE, Commission Report, *Controlling Time and Costs in Arbitration.* 2nd Ed. ICC Publishing. Publication 861. Paris, 2014, ¶¶ 41-42.

[54]   Apéndice III, ¶ 7.

[55]   Artículo 15.8.

[56]   Artículo 22.1.

[57]   Artículo 5.

[58]   Directrices IBA sobre conflictos de interés en arbitraje interancional (2014), ¶ I (4) (d) y explicación; CIArb Guideline for Arbitrators on the use of ADR Procedures (2011), ¶ 7; AAA Code of Ethics (2004), Canon IV, Section 7. ABRAMSON, H., "Protocols for International Arbitrators Who Dare to Settle Cases", *Ame. Rev. of Int. Arb.*, 1999, pp. 1-17; GREENWOOD, L., "A Window of Opportunity? Building a Short Period of Time into Arbitral Rules in Order for Parties to Explore Settlement", *Arbitration International*, 2011, pp. 199-210; KAUFMANN-KOHLER, G., "When Arbitrators Facilitate Settlement: Towards a Transnational Standard: Clayton Utz/University of Sydney International Arbitration Lecture", *Arbitration International*, 2009, pp. 187-206; LALIVE, P., "The Role of Arbitrators as Settlement Facilitators-A Swiss View", en VAN DEN BERG, A. J. (Ed.), *New Horizons in International Commercial Arbitration. ICCA Congress Series 12.* Kluwer Law International. The Hague. 2005, pp. 556-564; MARRIOTT, A. (QC), "Arbitrators and Settlement", en VAN DEN BERG, A. J. (Ed.), *New Horizons in International Commercial Arbitration. ICCA Congress Series 12.* Kluwer Law International. The Hague. 2005, pp. 533-546; RAESCHKE-KESSLER; H., "The Arbitrator as Settlement Facilitator", *Arbitration International,* Volume 21, 2005, pp. 523-536.

bitro, por lo que le resultará conveniente conocer y manejar, con soltura, las principales recomendaciones de buenas prácticas arbitrales sobre esta concreta materia para evitar innecesarias situaciones de riesgo y desconfianza por las partes.

No obstante y dada la regulación que ya consta en los reglamentos de las principales instituciones arbitrales, el atractivo de este Artículo de las Reglas de Praga para partes y árbitro estará previsiblemente limitado a arbitrajes *ad hoc* o a aquellos otros que se tramiten bajo reglamentos carentes de referencias a este aspecto.

1.2.2. El árbitro como mediador

La segunda cuestión que regula los Artículos 9.2 y 9.3 de las Reglas de Praga es la posibilidad de que el mismo árbitro ejerza, simultáneamente, funciones de mediador durante la tramitación del procedimiento arbitral y, si esta opción falla, pueda retornar a su anterior posición de árbitro. En definitiva, su texto faculta a las partes para utilizar la figura del denominado *med-arb*[59].

En la actualidad, existen dos posiciones encontradas.

Aquellos favorables a esta actuación combinada esgrimen, como premisa, que esta actuación permite a las partes beneficiarse de los efectos completos de los mecanismos alternativos de resolución de controversias, a un coste razonable. El mismo árbitro puede actuar como mediador, porque ya conoce los problemas planteados en el arbitraje y su alcance respectivo para las respectivas posiciones defendidas por las partes involucradas[60]. El hecho de que las partes no deban reiterar sus posiciones a otra persona diferente —el mediador— puede suponer, en su opinión, un significativo ahorro de costes y de tiempo, que redundará en la utilización posterior de

---

[59] BERGER, K. P., "Integration of Mediation Elements into Arbitration: «Hybrid» Procedures and «Intuitive» Mediation by International Arbitrators", *Arbitration International*, 2003, pp. 387-403. DEASON E. E., "Combinations of Mediation and Arbitration with the Same Neutral: A Framework for Judicial Review", 5 *Y. B. Arb. & Mediation* 219 (2013).

[60] EBE, R., "Results and Observations: How a Multistep Med-Arb Produced a Fast(er) Settlement", *Alternatives Newsletter (International Institute for Conflict Prevention & Resolution)*, Vol. 29, No. 4 (April 2011). EBE, R., "A Different Approach to Conducting Med-Arb In Complex Commercial Litigation Matters", *Alternatives Newsletter (International Institute for Conflict Prevention & Resolution)*, Vol. 29, No. 3 (March 2011).

este mecanismo de resolución de controversias en otras diferencias que puedan surgir.

La discusión entre las partes puede servir para acercar posturas y para afinar sus respectivas reclamaciones. Y, en todo caso, el acuerdo que eventualmente alcanzasen —bajo supervisión del árbitro— podría ser instrumentado como un laudo transaccional, sometido a control jurisdiccional, con efectos vinculantes y de cosa juzgada y susceptible de ser reconocido y ejecutado internacionalmente dentro de aquellos estados firmantes del Convenio de Nueva York de 1958[61].

Y es aquí, en este punto concreto (el control judicial del laudo), donde todo el armazón de esta posición colapsa.

El principal argumento contrario a este tipo de actuaciones combinadas reside en la quiebra de los principios de audiencia, contradicción e igualdad de las partes y en la potencial existencia —razonable— de una parcialidad del árbitro, derivada de su predisposición hacia los argumentos de una de las partes, una vez conocidas las ventajas e inconvenientes de sus respectivas alegaciones; es decir, el árbitro puede prejuzgar, aún sin quererlo.

Cualquier experto en materia arbitral que haya tenido la ocasión de participar en una mediación comercial —bien como abogado, bien como mediador— conoce los riesgos potenciales a derivarse de actuaciones típicas de la mediación o de la conciliación, como la reunión separada del mediador con cada una de las partes (*caucus*), la ocultación de posiciones contrarias a las partes —conocidas por el mediador, pero no revelables a la parte contraria, salvo su expresa autorización— o la posibilidad de que el mediador ejerza cierta propensión en una parte al convencimiento sobre la bondad de las ofertas de la parte contraria, con la finalidad de permitirles a todos alcanzar un acuerdo razonable. La eventual concurrencia de esta posibilidad suele tener un efecto paralizante en las partes contendientes, ya que saben que el árbitro puede ser mediador y, si falla, árbitro, de nuevo.

En nuestra opinión, dos son los motivos que justifican este recelo.

---

[61]   *Gao Haiyan and Xie Heping* v. *Keeneye Holdings Ltd and New Purple Golden Resources Development Ltd*, CACV 79/2011, Court of Appeal, 2 December 2011. KAUFMANN-KOHLER, G., "When Arbitrators Facilitate Settlement: Towards a Transnational Standard: Clayton Utz/University of Sydney International Arbitration Lecture", *Arbitration International*, Volume 25, 2009, pp. 187-206.

El primer motivo son sus riesgos potenciales para el laudo, derivados de las dificultades que el tercero imparcial puede afrontar para desempeñar eficazmente ambos papeles en una misma controversia, al prejuzgar —siquiera intuitivamente— en detrimento de aquella parte con la que tenga una menor empatía. La figura del mediador se identifica con la cercanía a las partes, individual y conjuntamente, derivada de la ausencia de un procedimiento pautado y del carácter no vinculante de la decisión que se pueda alcanzar, siempre de naturaleza transaccional. Sin embargo, la figura del árbitro, como decisor privado e independiente de las partes contendientes, exige la adopción de soluciones objetivas, basadas en los hechos alegados y el resultado de la prueba practicada por las partes, en sustento de sus respectivas pretensiones litigiosas. En el desempeño de esta delicada función, la empatía con las partes, por obvias razones, queda arrumbada, ignorada, so pena de incurrir en causa de recusación o, lo que peor, en parcialidad en la decisión y afectar, así, a la eficacia jurídica del laudo en la que se instrumente.

El segundo motivo es que este punto está mejor resuelto por la International Bar Association, al disponer que *"...el árbitro deberá renunciar si, como consecuencia de su participación en el proceso conciliatorio, se generan dudas que le impidan mantener su imparcialidad e independencia en las siguientes instancias del procedimiento..."*[62].

2. *Práctica de la prueba*

2.1. **Principios informantes**

Finalizada la reunión preliminar y delimitada formalmente la controversia, la tramitación del arbitraje se adentra en de sus fases más delicadas: la procedimental. Su objeto primordial es que, a su término, las partes hayan proporcionado ordenadamente al árbitro suficientes elementos de convicción para decidir la controversia planteada. Su desarrollo conforma una expresión adicional del principio dispositivo de las partes en el diseño del procedimiento arbitral, estructurado, por lo general, en torno a tres trámites básicos[63]: la etapa de alegaciones, la etapa de prueba y la etapa de conclusiones.

---

[62]   IBA Guidelines on Conflict of Interest in International Arbitration (2014), ¶ I (4) (d).

[63]   Ley Inglesa de Arbitraje (1996), Artículo 1 (b); *Pantechniki S.A. Contractors & Engineers* v. *República de Albania* (Caso CIADI No ARB/07/21). Laudo de 30 de julio

Las recomendaciones contenidas en los Artículos 3 a 6 de las Reglas de Praga persiguen facilitar a las partes y al árbitro el desarrollo de la etapa de prueba, el alma del procedimiento.

El derecho consuetudinario anglosajón y el derecho civil continental coinciden en identificar la averiguación y la determinación de los hechos litigiosos discutidos como el objetivo último de la práctica de la prueba[64]; un objetivo trasladable al arbitraje y que, en nuestra opinión, justifica acometer el análisis de su alcance desde la doble perspectiva de las partes y del árbitro. Las partes concentrarán sus esfuerzos procedimentales en esta fase en practicar los medios probatorios aceptados como procedentes, con la finalidad de acreditar al árbitro la existencia y veracidad de los hechos litigiosos previamente alegados en favor de sus respectivas pretensiones y de refutar las alegaciones y fundamentos sostenidos de adverso, mediante su *"...arte de administrar las pruebas..."*[65]. El árbitro, por su parte, deberá recabar de las partes en esta fase todos estos elementos de convicción, con observancia de las pautas de actuación convenidas por las partes, con consideración de las disposiciones imperativas de la *lex arbitrii* aplicable y con las limitaciones derivadas del principio de relatividad contractual que informa el arbitraje.

El Artículo 3.1 *in fine* de las Reglas de Praga radica la carga de la prueba en las partes[66] y, sobre tal base, determina su deber de aportar al procedimiento aquellos instrumentos que entiendan adecuados para demostrar sus respectivas posiciones litigiosas (*affirmanti incumbit probatio*)[67], con independencia de que el árbitro tenga reconocida la iniciativa para determinar los hechos litigiosos[68]. Las partes tienen el deber de calibrar los respectivos medios probatorios de los que disponen y de identificar —con razonable antelación— aquellos otros que, eventualmente, puedan preci-

---

de 2009, en http://icsid.worldbank.org.

[64] LEW, J. D. M. "Document Disclosure, Evidentiary Value of Documents and Burden of Evidence", en GIOVANNINI, T. & MOURRE, A. (Eds.), *Written Evidence and Discovery in International Arbitration: New Issues and Tendencies.* ICC Institute of World Business Law. Paris, 2009, pp. 11-27.

[65] BENTHAM, J., *Tratado de las pruebas judiciales.* Comares. Granada. 2001, p. 6.

[66] Reglamento UNCITRAL (2010), Artículo 27.1.

[67] Reglas de Praga, Artículos 3.1., 4.1 y 5.1.

[68] Reglas de Praga, Artículo 3.1. VAN HOUTTE, V., "Adverse Inferences in International Arbitration", en GIOVANNINI, T. & MOURRE, A. (Eds.), *Written Evidence and Discovery in International Arbitration: New Issues and Tendencies.* ICC Institute of World Business Law. Paris, 2009, pp. 195-217, en p. 196.

sar para sustentar sus pretensiones durante el procedimiento; aspectos ambos que deben quedar organizados y solventados en la reunión preliminar o, como muy tarde, en la conferencia de gestión.

El árbitro está legitimado para dirigir la práctica probatoria dentro del procedimiento arbitral (poder de dirección), de forma que, como competencia exclusiva, puede obtener y valorar la pertinencia de la prueba propuesta por los contendientes para acreditar alguno o algunos extremos debatidos, atendiendo al cumplimiento por los proponentes de los requisitos de utilidad y licitud exigidos para su admisión (poder de documentación y de supervisión).

Una vez comprobada su pertinencia y admitida su práctica en el procedimiento, el árbitro dispone y dirige su ejecución, mediante un intercambio ordenado entre las partes contendientes de sus respectivos pareceres y de fuentes e instrumentos probatorios, según las pautas convenidas entre ellas y el contenido de las disposiciones aplicables de *lex arbitrii*. El árbitro moderará estas actuaciones —incluidas las que se practiquen en sala— sirviéndose de su poder de dirección de las actuaciones arbitrales, que incluye el poder de decisión y el poder de ejecución, con el alcance limitado, derivado de la aplicación del principio de relatividad contractual que informa el arbitraje.

El Artículo 3 de las Reglas de Praga recoge expresamente estos principios probatorios básicos de las partes y legitima la iniciativa del árbitro para determinar los hechos litigiosos, mediante el ejercicio de su poder de documentación[69], complementado por su poder de dirección[70], de decisión[71] y de ejecución[72].

Si las partes acuerdan su aplicación al procedimiento, quedará establecido el factor de conexión contractual requerido para legitimar la actuación del árbitro frente a las partes durante la tramitación de esta etapa probatoria, previa su consulta y con independencia de actitudes estratégicamente renuentes. Así, el árbitro estará expresamente facultado para solicitar a las partes —en cualquier momento— la aportación de pruebas documentales relevantes al procedimiento[73], para decidir el nombramiento de peritos, para disponer la ordenación de inspecciones

---

[69] Reglas de Praga, Artículos 3.1, 3.2, 6.1., 6.6 y 6.7.
[70] Reglas de Praga, Artículos 3.3, 5.9 y 6.2.
[71] Reglas de Praga, Artículos 4.3, 4.4, 5.2, 5.3, 5.5 y 5.7.
[72] Reglas de Praga, Artículos 3.2, 4.6, 6.2, 6.4, 6.6 y 6.7.
[73] Reglamento UNCITRAL, Artículo 27.3.

oculares o para adoptar *"...aquellas otras medidas que considere apropiadas para la determinación de los hechos..."*. Asimismo, dentro de su poder de dirección y supervisión, el árbitro estará facultado para fijar plazos perentorios de aportación y para valorar la entidad de las pruebas propuestas y su relación con el fondo debatido, con la finalidad de sopesar la conveniencia de rechazar razonadamente la práctica de alguno de los medios propuestos o de establecer las directrices precisas para su correcta ejecución durante su práctica, sin temor a resultar recusado por tal motivo[74] o a que el laudo vea condicionada negativamente su validez, por decisiones de esta naturaleza procedimental.

2.2. Mecanismos probatorios disponibles. Discovery arbitral y prueba pericial

El principio dispositivo de las partes informa el diseño de aquellos mecanismos que entiendan adecuados para aportar a las actuaciones los elementos de convicción de los que deseen servirse en sustento de sus pretensiones, mediante acuerdos globales o puntuales. Su ejecución estará informada, en todo momento, por los principios de proximidad a las fuentes de prueba, de lealtad y de cooperación en el procedimiento arbitral[75], con la finalidad de garantizar el respeto a sus derechos procedimentales fundamentales.

Los instrumentos probatorios más frecuentes incluyen la prueba documental, la solicitud de aportación de documentos específicos en poder de una de las partes o de terceros y relevantes para la determinación del fondo del asunto (discovery arbitral), la prueba testifical y las pruebas periciales, sobre concretos aspectos técnicos del asunto. Los Artículos 4 a 6 de las Reglas de Praga regulan algunos aspectos de su práctica, dentro de las facultades y poderes anteriormente descritos y con la finalidad de propiciar un debate litigioso eficaz en su tramitación y útil para la determinación de la controversia. Analicemos los aspectos más relevantes.

La redacción del Artículo 4.2 de las Reglas de Praga ha generado interpretaciones sobre su supuesto rechazo a la utilización del discovery arbitral[76]. Su texto recomienda, como regla general, *"...evitar cualquier método*

---

[74] Reglas de Praga, Artículo 2.4, *in fine*.
[75] Código de Proceso Civil Francés, Artículo 1.464.3º.
[76] WYSS, L. & ZÜRCHER, N. (17 de diciembre de 2018), "The Prague Rules on the Taking of Evidence - all that is new is good?". Recuperado de https://www.brats-

de exhibición documental, incluido el discovery electrónico...". Sin embargo, esta determinación no implica la exclusión tajante de la práctica del discovery (exhibición) en el procedimiento, sino su tramitación conforme a las pautas técnicas procesales inglesas del mecanismo probatorio conocido como disclosure (revelación y puesta disposición), referido a la aportación al proceso sólo de aquellos de documentos específicos, identificados por las partes y relevantes para determinar el fondo de la controversia, poseídos por una de las partes contendientes y de imposible acceso para la parte solicitante y de uso más común en el arbitraje.

La importante reforma procesal civil inglesa de 1999 —la reforma de Lord Woolf[77]— incorporó los criterios de proporcionalidad, razonabilidad y especificidad para la concesión de este tipo de solicitudes, completados por las posteriores recomendaciones de Lord Jackson, sobre una gestión de este tipo de incidentes probatorios y extensibles al discovery electrónico, respetuosa con las exigencias de rentabilización y celeridad de los procesos o, si se prefiere, de sus costes y plazos de ejecución[78].

Estos criterios y recomendaciones están fácilmente identificados en las principales regulaciones específicas existentes sobre el funcionamiento del discovery arbitral[79], al articular los poderes de documentación y de dirección del procedimiento reconocidos, en exclusiva, al árbitro. Las Reglas de Praga también contienen estos requisitos, tal y como acredita la redacción de sus Artículos 4.3 y 4.5, con un mensaje tácito: *"...se espera de las partes que se aseguren de que sus letrados sepan que el procedimiento arbitral no es el lugar*

---

chi.ch/uebersicht/detail/bratschi-arbitration-blog-the-prague-rules-on-the-taking-of-evidence-all-that-is-new-is-good.html?type=999. KOCUR, M. (19 de agosto de 2018), "Why Lawyers from Civil Law Jurisdictions Do Not Need the Prague Rules". Recuperado de http://arbitrationblog.kluwerarbitration.com/2018/08/19/why-lawyers-from-civil-law-jurisdictions-do-not-need-the-prague-rules/.

[77] LORD WOOLF, *Access to Justice: Final Report to the Lord Chancellor on the civil justice system in England and Wales.* HMSO. London. 1996, Capítulo 12, §§37-52.

[78] LORD JACKSON, *Review of Civil Litigation Costs: Preliminary Report.* Volume II. TSO. Norwich. 2010, Parte 8, Capítulos 40 y 41, pp. 373-400.

[79] BERGER, K. P., *International Economic of Arbitration.* Kluwer. Boston. 1993, p. 430 *et seq*; BERNSTEIN R., TACKABERRY J. & MARRIOTT, A., *Handbook of Arbitration Practice.* Sweet & Maxwell. London. 1998, pp. 2-308; BORN, G. I*nternational Commercial Arbitration in the United States.* Kluwer Law and Taxation Publishers. 1994, p. 837. SCHERRER, M. & BAIZEAU, D., "Swiss Rules of International Arbitration Awards", en AAVV, *The Swiss Rules of International Arbitration: Five Years of Experience. Conference of June 19, 2009.* Dr. Rainer Früegg. Basel. 2009, pp. 129-151, en p. 140.

para una aproximación consistente en «...no dejar piedra sin levantar...» ... '[80]. Si las partes acuerdan la adopción de estas recomendaciones, incorporarán un refuerzo positivo consensual para evitar la práctica de las denominadas *expediciones de pesca* en este tipo de incidentes probatorios.

De conformidad con estos Artículos, las partes, mediante una petición razonada, pueden instar al árbitro el ejercicio razonado de su poder de documentación, para la obtención y aportación a las actuaciones de aquellas pruebas documentales específicas (i) que ni estén en posesión de la parte solicitante, ni pueda ésta obtenerlas de adverso si no es con la ayuda del árbitro o, en su defecto, con la obtención del auxilio judicial pertinente (principio de especificidad y principio de disponibilidad) y (ii) sobre las que la parte solicitante haya acreditado razonadamente al árbitro su relevancia para demostrar una cuestión concreta, discutida o a discutir en el curso del procedimiento arbitral (principio de causalidad).

Destaca en este punto el carácter inclusivo de las Reglas de Praga, ya que mantienen silencio sobre la tramitación de este tipo de incidentes procedimentales.

Ante este mutismo, nada impide, por tanto, a las partes que dicha tramitación se fundamente, por ejemplo, en el Artículo 3 de las Reglas de la International Bar Association sobre la práctica de la prueba en el arbitraje internacional[81] o en la aplicación del Protocolo sobre revelación de documentos y práctica de prueba testifical en arbitrajes comerciales, elaborado por The International Institute for Conflict Prevention and Resolution (CPR) y vigente desde 2009; en especial, en el aspecto relativo la máxima protección de aquellos documentos confidenciales, por referirse a correspondencia o documentación elaborada por asesores jurídicos de las partes contendientes; incluso, de aquéllos obtenidos por vía o en soporte electrónicos[82].

---

[80]   Protocolo CPR, Sección Primera, Consideraciones Generales, apartado (a), titulado *Principios informantes de la revelación de documentos.*

[81]   Que impone al solicitante de este tipo de incidentes probatorios detallar ante el árbitro competente los documentos que se precisan, contemplando, al menos, la identificación del autor del documento afectado, la fecha del documento (aunque sea con relativa aproximación), el contenido —en lo posible— de tal documento y la relación entre la importancia probatoria del documento interesado y la cuestión sustantiva específica a dirimir en el arbitraje mediante la admisión de este medio de prueba.

[82]   Si los mismos fuesen presentados por error y la parte que los hubiese presentado no renunciase a las prerrogativas inherentes a la condición reservada de tales

Una vez recibida esta solicitud, el árbitro, en el ejercicio exclusivo del principio de supervisión, valorará su pertinencia desde dos perspectivas complementarias: (i) la contractual —analizando la existencia y el alcance de cualquier acuerdo procedimental de las partes sobre este particular[83]— y (ii) la procedimental, sopesando —en aplicación de los principios de especificidad y de causalidad— la importancia de la fuente de prueba o del documento o documentos específicos cuya exhibición y aportación a las actuaciones se pretenda, en relación con el *thema decidendi*. De acreditarse ambas perspectivas por el instante, el árbitro velará seguidamente por la adecuada protección de los derechos procedimentales fundamentales de las partes. La tabla conocida como *Redfern Schedule* puede facilitar la tramitación eficiente de este incidente procedimental[84].

Estas recomendaciones aplican, en definitiva, los principios de especificidad y causalidad como instrumentos básicos para la limitación del alcance del discovery arbitral y de la amplitud de la discrecionalidad de árbitros y partes en el cumplimiento del poder de documentación y de supervisión y del deber de información, respectivamente.

En línea con lo dispuesto en el Artículo 29 del Reglamento UNCITRAL, el Artículo 6 de las Reglas de Praga aclara el alcance de la competencia del árbitro para nombrar peritos a su instancia, con el objeto de ilustrarle sobre alguno o algunos aspectos de la controversia analizada. Su discre-

---

documentos, el Protocolo CPR recomienda a los árbitros que dispongan su inmediata devolución a la parte que los aportó, sin que los mismos se unan a las actuaciones procedimentales, ni su contenido sea valorado por el tribunal arbitral en la elaboración del laudo final. Reglas de Praga, Artículo 4.8.

[83] En este supuesto entendemos como protocolo de actuación recomendable que el tribunal arbitral —descartando, en su caso, las que procedan— compruebe la existencia de alguna de estas cinco posibilidades: (i) si existe un sometimiento de las partes a una legislación arbitral concreta; (ii) si las partes se han sometido a un reglamento institucional concreto; (iii) si las partes han acordado expresamente un procedimiento incidental específico en supuestos de *discovery* arbitral; (iv) si las partes han excluido la aplicación del *discovery* arbitral; o (v) si las partes no han dispuesto nada al respecto. KAUFFMAN-KOHLER, G. & BÄRTSCH, P., "Discovery in international arbitration: How much is too much", *German Arbitration Journal*, 2004, p. 13, especialmente en p. 14; STÜRNER, R., "Derecho procesal y culturas jurídicas", *Revista Ius et Praxis*, 2007, pp. 435-462.

[84] REDFERN, A. & HUNTER M., *Teoría y práctica del arbitraje comercial internacional.* 4ª Ed. La Ley. Buenos Aires. 2007, p. 433. INTERNATIONAL CHAMBER OF COMMERCE, *Técnicas para controlar el tiempo y los costos en el arbitraje.* International Chamber of Commerce Publications (843). Paris. 2007, ¶ 55.

cionalidad en el ejercicio del poder de documentación queda limitada, al indicar que el árbitro que deseé servirse de una prueba pericial adicional a la remitida por las partes deberá recabar —razonada y justificadamente— su parecer sobre su conveniencia, de forma que si ambas partes coinciden en un innecesariedad, su práctica no podrá realizarse. Si, por el contrario, las partes aceptan la práctica de esta prueba, el Artículo 6 de las Reglas de Praga proporciona los parámetros técnicos necesarios para garantizar su práctica adecuada, primando la previsibilidad de las actuaciones y la seguridad jurídica sobre cualesquiera otras consideraciones. Si esta disposición se analiza en conjunto con su Artículo 2.3, en el supuesto de que el arbitraje afectado contemple la práctica de pruebas periciales complejas y el árbitro entienda procedente el nombramiento de peritos, adicionales a los ya propuestos por las partes, resulta recomendable considerar la utilización del denominado Protocolo Sachs (*Sachs Protocol*)[85] y proponer a las partes su práctica en la conferencia de gestión.

3. *Decisión*

3.1. Planteamiento

El desarrollo de la fase de decisión es una competencia exclusiva del árbitro, sin presencia de las partes. Su objeto es la adopción de una decisión motivada sobre la controversia planteada. Las Reglas proporcionan pautas aplicables a esta fase en sus Artículos 7, 10, 11 y 12.

3.2. Deliberaciones

El Artículo 12 de las Reglas de Praga es, obviamente, aplicable a aquellos supuestos en donde un tribunal colegiado sea el encargado de dirimir la controversia.

---

[85]   SACHS, K., "Protocol on Expert Teaming: A New Approach to Expert Evidence", en VAN DEN BERG, J. (Ed.), *Arbitration Advocacy in Changing Times*. International Council for Commercial Arbitration. The Netherlands. 2011, pp. 135-148. CHARTERED INSTITUTE OF ARBITRATORS, *Practice Guideline 10: Guidelines on the use of Tribunal-Appointed Experts, Legal Advisers and Assessors*. 2011, en http://www. ciarb.org/guidelines-and-ethics/guidelines/practice-guidelines-protocols-and-rules, ¶ 3. CHARTERED INSTITUTE OF ARBITRATORS, *Protocol for the Use of Party-Appointed Expert Witnesses in International Arbitration*. 2007, en http://www.ciarb. org/guidelines-and-ethics/guidelines/practice-guidelines-protocols-and-rules.

Al cierre de las actuaciones arbitrales, el árbitro se enfrentará a la soledad de su reflexión consciente y meticulosa sobre el resultado de los elementos de convicción a su presencia y su influencia en la decisión que adopte. Esta soledad estará ocasionalmente compartida en el supuesto de tribunales colegiados, pero siempre acotada por el secreto de las deliberaciones desarrolladas entre sus componentes.

El Artículo 12.2 de las Reglas de Praga distingue entre aquellas deliberaciones que el tribunal arbitral celebra antes de las audiencias y aquellas otras que acontecen después de finalizada la práctica de prueba y una vez remitidas las conclusiones.

En el primer supuesto, el Retiro Reed (*Reed Retreat*)[86], la conferencia de revisión del asunto (*Case Review Conference*) y la Apertura Kaplan (*Kaplan Opening*) —estas dos últimas, una vez que las partes hayan abandonado las salas donde se celebren— conforman formatos adecuados para la celebración de estas reuniones preparatorias de las audiencias, dirigidas a comprender adecuadamente la controversia. Su convocatoria por el presidente del tribunal arbitral exige a los árbitros su comparecencia con un trabajo previo efectuado, consistente en tener un preciso conocimiento de las posiciones de las partes, de los contenidos sobre los que, previsiblemente, versarán los interrogatorios y los debates en sala y sobre los posibles obstáculos procedimentales que pueden existir o pueden surgir durante el desarrollo de las audiencias. Este dominio de la materia debatida permitirá al tribunal arbitral obtener posteriormente los elementos necesarios para redactar y fundamentar su decisión sobre la controversia planteada.

El segundo supuesto es más delicado, en tanto que afecta a la conformación de la voluntad del tribunal arbitral: las deliberaciones. Su finalidad es el intercambio de pareceres entre los componentes del tribunal arbitral sobre la ponderación y calificación de jurídica de las circunstancias concurrentes en la controversia analizada, según el resultado de la prueba practicada en las actuaciones y dentro de las normas jurídicas acordadas como aplicables por las partes. Su desarrollo —preferiblemente, armónico[87]— exige un escrupuloso respeto al principio de colegialidad[88]. Asimismo, el

---

[86]   REED, L., "Arbitral Decision-making: Art, Science or Sport?", *The Kaplan Lecture 2012*. Hong Kong. December 2, 2012.

[87]   DERAINS, Y., "The Arbitrator's Deliberation", *Am. U. Int'l L. Rev.* Vol. 27, No. 4, 2012, pp. 911-923.

[88]   LEBOULANGER, P., "Principe de collégialité et délibéré arbitral", en WESSNER, P. & BOHNET, F. (Ed.), *Mélanges en l'honneur de François Knoepfler*. Helbing & Li-

presidente del tribunal arbitral debe velar por el estricto respeto a los derechos de defensa de las partes, con la finalidad de evitar que la deliberación devenga patológica, con situaciones de abuso de poder de alguno o algunos de los componentes del tribunal arbitral, generadas por un desprecio frontal al principio de imparcialidad que debe informar su conducta[89].

Si las partes convienen en la aplicación de este Artículo de las Reglas de Praga a las actuaciones existirá un factor de conexión contractual expreso para fundamentar las consecuencias de cualquier quiebra de los principios informantes de las deliberaciones y delimitar el alcance de su impacto en la eficacia final del laudo que eventualmente sea dictado.

3.3. *Iura Novit Curia*

El Artículo 7 de las Reglas de Praga regula una materia sobre la que, en la actualidad, no existe consenso en el arbitraje sobre el alcance de su aplicación. Si las partes acuerdan la consideración por el árbitro de este Artículo[90], sus recomendaciones contribuirán a generar algo más de seguridad jurídica en la aplicación de este criterio tan discutido en un procedimiento arbitral concreto[91].

La utilización del principio *iura novit curia* procede, entre otros, en aquellos supuestos en los que existan partes en rebeldía, en los que la solución jurídica de la controversia resulte imposible con los argumentos proporcionados por las partes, en los que el laudo pueda suponer un pre-

---

chtenhahn Verlag. Bâle. 2005, pp. 259-267. Sentencia de la Sala Primera del Tribunal Supremo, de 15 de febrero de 2017. Sentencia de la Sección Octava de la Audiencia Provincial de Madrid, de 27 de octubre de 2014. Sentencia del Juzgado de Primera Instancia 43 de Madrid, de 20 de septiembre de 2013.

[89] GOLDSTEIN, M. J., "Living (or not) with the partisan arbitrator: are there limits to deliberations secrecy?", *Arbitration International*, 2016, pp. 589-600. HANOTIAU, B., "Misdeeds, Wrongful Conduct and Illegality in Arbitral Proceedings", en VAN DEN BERG, A. J. (Ed.), *International Commercial Arbitration: Important Contemporary Questions. ICCA Congress Series 11*. Kluwer Law International. The Hague. 2003, pp. 261-287.

[90] ARROYO, M. (Ed.). *Arbitration in Switzerland: the Practitioner's Guide*. Kluwer Law International. The Netherlands. 2013, p. 174. WAINCYMER, J., "International Arbitration and the Duty to Know the Law", *Journal of International Arbitration*, 2011, pp. 201-242, nota a pie de página 25, p. 209.

[91] KAUFMANN-KOHLER, G., "The Arbitrator and the Law: Does He/She Know It? Apply It? How? And a Few More Questions", *Arbitration International*, 2005, pp. 631-638.

cedente vinculante para otras decisiones posteriores o en los que concurra algún aspecto de derecho imperativo, amparado por el orden público. Sobre esta base, el alcance del principio *iura novit curia* en el arbitraje abarca la posibilidad de que el árbitro, en su decisión, considere aspectos jurídicos ignorados o mal planteados por las partes o modifique las calificaciones jurídicas realizadas por las partes. Pero la cuestión más delicada se plantea en su ejecución por el árbitro en el procedimiento, con pleno respeto a los derechos de audiencia, contradicción e igualdad de las partes.

Nuestro análisis debe comenzar en las cuatro recomendaciones principales del Comité de Arbitraje Internacional de la International Law Association, de 2008, sobre la determinación del derecho sustantivo aplicable en el arbitraje comercial internacional[92]: (i) el árbitro siempre debe recabar el parecer de las partes sobre cómo desean determinar y aplicar la ley sustantiva; (ii) el árbitro debe ser consciente de que las legislaciones nacionales, eventualmente aplicables como *lex arbitrii*, carecen de un criterio homogéneo en la aplicación de este principio y sus impactos sobre la eventual validez del laudo que se dicte son heterogéneos; (iii) el árbitro debe analizar, con carácter preferente, las aportaciones de las partes durante el procedimiento sobre derecho sustantivo aplicable; y (iv) el árbitro debe abstenerse de plantear *sua sponte* cuestiones de esta naturaleza, salvo que afecten al orden público.

La *lex arbitrii* debe analizarse, sobre todo, desde la perspectiva del control judicial del laudo. En términos generales, podemos identificar la existencia de dos aproximaciones distintas a esta cuestión, con un punto de inicio común, antes apuntado: el derecho común anglosajón y el derecho civil continental coinciden en radicar la carga de la alegación y determinación de los hechos litigiosos en las partes —al igual que recoge el Artículo 7.1 de las Reglas de Praga— y en delimitar de esta forma el contorno al cual debe circunscribirse la decisión que adopte el juzgador. Sin embargo, ambos sistemas difieren en el tratamiento de la invocación del derecho extranjero en el procedimiento.

---

[92] International Law Association, Resolución 6/2008, adoptada durante la septuagésimo tercera Conferencia de la Asociación, celebrada en Río de Janeiro, los días 17 a 21 de agosto de 2008. INTERNATIONAL LAW ASSOCIATION, "International Commercial Arbitration Committee's Report and Recommendations on «Ascertaining the Contents of the Applicable Law in International Commercial Arbitration»", *Arbitration International*, 2010, pp. 193-220.

El derecho común anglosajón tiende a calificar la invocación del derecho extranjero como un hecho que debe ser probado por las partes, de forma que los jueces no pueden excederse en su análisis de las cuestiones planteadas por las partes en el debate sobre esa cuestión. La extensión de este principio a la esfera arbitral tiene uno de sus más claros exponentes en los Artículos 34.1 y 34.2.g de la Ley Inglesa de Arbitraje de 1996, donde se autoriza al tribunal arbitral a aplicar *ex officio* y con discrecionalidad el derecho extranjero en el supuesto de que exista silencio por las partes sobre tales criterios. No obstante, esta discrecionalidad es limitada, porque el árbitro siempre deberá recabar de las partes su parecer sobre tales conclusiones, antes de trasladar las mismas a su decisión, de conformidad con su Artículo 33. De no observarse este principio, el laudo podría incurrir en nulidad, por quiebra del principio el proceso debido o del principio de audiencia[93].

Por el contrario, el derecho civil continental considera el derecho extranjero como una cuestión de derecho, de forma que los jueces pueden tener mayor libertad en su análisis y consideración para la resolución de la cuestión debatida, planteando incluso la valoración de cuestiones conexas y necesarias que surjan durante su desarrollo. No obstante, no podemos considerar que este criterio sea homogéneo. Veamos algunos ejemplos.

En Francia se aplica la máxima de que los hechos son para las partes y el derecho para los jueces (*da mihi factum, dabo tibi jus*). Sin embargo, esta aparente discrecionalidad del decisor está limitada por la aplicación de los principios de disposición y de contradicción, tal y como reflejan los Artículos 12.3 y 16 del Código Procesal Civil Francés. Así, las partes pueden acordar, expresamente, la limitación de la discrecionalidad decisoria del juez —de forma que sólo aplique algunos preceptos en su razonamiento— y el juez siempre vendrá obligado a recabar el parecer de las partes sobre cualquier cuestión jurídica que pretenda plantear o considerar *motu proprio*.

Sin embargo, la invocación del derecho extranjero supone una excepción a este principio, en tanto que, pese a considerarse como una cuestión de hecho, en realidad se acomete su tratamiento como una cuestión de derecho. De esta forma, el juez tiene la obligación de acometer su valoración de oficio y asegurarse de su correcta aplicación al supuesto concreto[94],

---

[93] Reglamento LCIA (2014), Artículo 22.1.(iii); Reglamento de Arbitraje de la Corte de la Cámara de Comercio Polaca, § 6.

[94] Cour de cassation, 1re chambre civile, 23 janvier 2007, *Griguer c/ sté Pet Technologies limited* - cassation de cour d'appel d'Amiens, chambre éco, 15 avril 2004: "...

para lo cual siempre puede recabar la ayuda o el parecer de las partes (*certificat de coutume*). Sólo si la determinación del derecho extranjero resulta imposible o las partes ignoran la invitación a cooperar, el juez podrá aplicar la ley del foro.

El arbitraje internacional en Francia está regulado por un capítulo especial de su Código Procesal Civil, reformado en 2011 y aplicable a aquellos procedimientos basados en acuerdos arbitrales suscritos con posterioridad al 1 de mayo de 2011[95]. En materia de ley aplicable, su Artículo 1511 dispone que el árbitro resolverá la controversia de conformidad con las normas jurídicas acordadas por las partes, quienes disponen de autonomía reconocida para limitar el alcance de su aplicación. El árbitro tiene así la obligación de aplicar estos preceptos, aunque, por su naturaleza privada, carece de normas de conflicto aplicables. Los principios de disponibilidad, audiencia, contradicción e igualdad resultan aplicables —Artículos 1509 y 1510 del Código Procesal Civil— lo que implica la nulidad de aquellos laudos en los que los árbitros hayan aplicado el principio *iura novit curia* en el fundamento de su decisión, sin haber oído previamente a las partes[96]. Finlandia tiene una aplicación similar de este principio, justificada por la necesidad de evitar actuaciones o decisiones sorpresivas del árbitro[97].

En España, el árbitro tiene reconocida su obligación de resolver las cuestiones planteadas por las partes, conforme a las normas sustantivas aplicables, incluso aunque hayan sido erróneamente invocadas por las partes durante el procedimiento. El límite de la interpretación del árbitro en su aplicación de este principio radica en que su análisis no puede desviarse de los hechos invocados por las partes y debe sustentarse siem-

---

Il incombe au juge français qui reconnaît applicable un droit étranger d'en rechercher, soit d'office, soit à la demande d'une partie qui l'invoque, la teneur, avec le concours des parties et personnellement s'il y a lieu, et de donner à la question litigieuse une solution conforme au droit positif étranger...".

[95] Décret nº 2011-48 du 13 janvier 2011.

[96] Cour de cassation, Première chambre civile, Arrêt n 785 du 29 juin 2011 (10-23.321). *Overseas Mining Investments Limited v. Commercial Caribbean Niquel*; Cour d'appel de Paris, Pôle 1, Chambre 1, Arrêt du 15 mars 2016, nº 14/19164. *République de Madagascar v. De Sutter P. K., S.A. DS2*, et al.; Cour d'appel de Paris, Pôle 1, Chambre 1, Arrêt du 3 décembre 2009, nº 08/13168. *Engel Austria GmbH v. Don Trade*; Cour d'appel de Paris, Chambre 1, Section C, Arrêt du 19 juin 2008, nº 06/17901. *Gouvernement de la République arabe d'Egypte v. Société Malicorp Ltd.*

[97] Sentencia del Tribunal Supremo Finlandés, de 2 de julio de 2008, *Werfen Austria v. Polar Electro*, KKO 2008:77, en relación con los Artículos 41.1 y 41.4 de la Ley Finlandesa de Arbitraje (967/1992).

pre en los hechos invocados por las partes en relación con sus respectivas pretensiones[98].

En Suiza, su Tribunal Supremo ha declarado procedente la aplicación del principio *iura novit curia* en el arbitraje internacional y ha obligado a los árbitros a su aplicación de oficio. Su decisión dictada en el asunto *Tvornica*[99] establece la clave para la delimitación del extremo aquí debatido: el derecho de audiencia de las partes afecta, en especial, a la determinación de los hechos litigiosos, mientras que su subsunción en la calificación jurídica conforma un elemento de valoración que, siempre que no haya sido limitado por las partes en el acuerdo arbitral, compete en exclusiva al árbitro (como parte integrante de su poder de decisión), quien debe ejercerlo con audiencia de las partes para no incurrir en decisiones sorpresivas o inesperadas[100].

El Artículo 7.2 de las Reglas de Praga conforma un factor de conexión convencional que fija un criterio previsible para las partes. En nuestra opinión, su formulación acoge una combinación razonable de las cuatro recomendaciones principales del Comité de Arbitraje Internacional de la International Law Association, de 2008, con los criterios establecidos por el Tribunal Supremo Suizo para la aplicación de este principio por el árbitro en su decisión, sin sorpresas para las partes contendientes.

3.4. Conclusiones desfavorables e imposición de costas

Los Artículos 10 y 11 de las Reglas de Praga deben analizarse conjuntamente, en tanto que abordan las consecuencias procedimentales derivables del incumplimiento por las partes de su obligación de actuar de buena

---

[98]   Sentencia de la Sala Primera del Tribunal Supremo de 11 de febrero de 2010. Sentencia de la Sección Vigésima de la Audiencia Provincial de Madrid de 27 de octubre de 2008. Sentencias de la Sala de Civil y de lo Penal del Tribunal Superior de Justicia de Madrid de 3 de diciembre de 2013, de 9 de junio de 2015, de 7 de julio de 2015, de 10 de febrero de 2016, de 18 de mayo de 2016, de 15 de junio de 2016 y de 5 de julio de 2016.

[99]   Tribunal Federal Suizo, Sección Civil, BGE 130 III 35, decisión de 30 de septiembre de 2003.

[100]   Tribunal Federal Suizo, Sección Civil: BGE 130 III 35, decisión de 30 de septiembre de 2003; 4A_254/20101, decisión de 3 de agosto de 2010; 4A_464/2009, decisión de 15 de febrero de 2010; 4A_400/2008, decisión de 9 de febrero de 2009. *Caratube International Oil Company, LLP.* v. *Republic of Kazahstan* (Caso CIADI No ARB/08/12), decisión del Comité ad hoc, de 21 de febrero de 2014, ¶¶ 94 y 130.

fe durante la tramitación del procedimiento. La formulación de este principio impregna la conducta de las partes y las decisiones del árbitro.

Las partes tienen un deber de diligencia hacia la tramitación del procedimiento, manifestado a través de los principios de lealtad y cooperación. Su infracción puede consumarse mediante la práctica de maniobras dilatorias (tácticas de guerrilla), como la retención indebida de pruebas relevantes requeridas por el árbitro o su aportación al procedimiento en soportes inservibles, la solicitud de práctica de pruebas irrelevantes para la determinación de la controversia, el planteamiento de incidentes injustificados técnicamente. De convenir las partes en su aplicación, el Artículo 10 de las Reglas de Praga proporciona el factor de conexión convencional necesario para que el árbitro analice, establezca y, eventualmente, aplique las conclusiones desfavorables, adversas o contraindicios para la parte renuente en su decisión sobre el aspecto concernido por esta actitud[101].

La doctrina de la carga dinámica de la prueba permite derivar presunciones de la conducta procedimental exhibida por las partes durante la contienda arbitral: la denominada prueba de indicios o de conjeturas, una prueba indirecta que afecta a la comprobación de un hecho de difícil o imposible demostración, con la acreditación de un segundo hecho íntimamente relacionado con el primero. De esta forma, la verificación del segundo hecho afectará a la consideración del primero como hecho comprobado, con la aplicación de las consecuencias jurídicas correspondientes. Los requisitos técnicos exigidos son tres: (i) una explicación razonada del

---

[101]   Cour d'appel de Paris, Pôle 1, Chambre 1, Arrêt du 28 Février 2017, n° 15/06036. *Dresser-Rand Holdings Spain, SLU v. Diana Capital I, FCR et al.* y Sentencia de la Cour d'Appel de Paris, Pôle 1 - Chambre 1, de 21 de marzo de 2017, 15/17234. BEDROSYAN, A. S., "Adverse Inferences in International Arbitration: Toothless or Terrifying?", *U. Pa. J. Int'l L*, 2016, pp. 243-272. GREENBERG, S. & LAUTENSCHLAGER, F., "Adverse Inferences in International Arbitral Practice", en KRÖLL, S., MISTELIS, L. A., ROGERS, V. & PERALES VISCASILLAS, P. (Eds.), *Liber Amicorum Eric Bergsten. International Arbitration and International Commercial Law: Synergy, Convergence and Evolution*. Kluwer Law International. Alphen aan den Rijn, 2011, p. 179. SCHARF, M. P. & DAY, M., "The International Court of Justice's Treatment of Circumstantial Evidence and Adverse Inferences", *Chicago Journal of International Law*, 2012, pp. 123-151. SHARPE, J. K., "Drawing Adverse Inferences from the Non-production of Evidence", *Arbitration International*, 2006, pp. 549-572. VAN HOUTTE, V., "Adverse Inferences in International Arbitration", en GIOVANNINI, T. & MOURRE, A. (Eds.), *Written Evidence and Discovery in International Arbitration: New Issues and Tendencies*. ICC Institute of World Business Law. Paris, 2009, pp. 195-217.

decisor para considerar la pretensión como estimada, mediante la prueba indirecta; (ii) la existencia de una pluralidad de indicios de cuyo contenido probatorio el decisor pueda obtener consecuencias racionales; y (iii) la ausencia de explicación alternativa, razonable y plausible expuesta por el demandado[102].

El árbitro, por su parte, debe decidir en el laudo sobre la procedencia de la imposición de costas y su distribución entre las partes. Las costas arbitrales abarcan los honorarios y gastos razonables del árbitro, los costes razonables de representación letrada de las partes, los costes razonables de los peritos utilizados por las partes, los costes razonables de traslado y estancia de los testigos y los costes de organización y administración del procedimiento arbitral[103]. En principio, las partes son las que mejor conocen la estrategia a desarrollar en defensa de sus pretensiones y las fuerzas que deben destinar a la consecución del fin que persiguen en el procedimiento arbitral. El Artículo 11 de las Reglas de Praga legitima al árbitro para valorar, además, en su decisión todos los factores concurrentes, con la finalidad de determinar el montante de las costas que deben recuperar las partes y distribuir su carga valorando *"...la conducta procedimental de las partes en el*

---

[102]   Laudo Parcial dictado en el Asunto CCI 16391, en INTERNATIONAL CHAMBER OF COMMERCE, *ICC Dispute Resolution Bulletin*, 2016.1, p. 150: *"...276. The prerequisites for such an adverse inference are generally the following: (i) the party seeking the adverse inference must produce all available evidence corroborating the inference sought; (ii) the party requesting adverse inference must establish that the requested party has, or should have, access to the evidence sought; (iii) the inference sought must be reasonable, consistent with facts in the record and logically related to the likely nature of the evidence withheld; (iv) the party seeking the adverse inference must produce prima facie evidence; and (v) the inference opponent must know, or have reason to know, of its obligations to produce evidence rebutting the adverse inference sought..."*; en el mismo sentido, Laudo Final dictado en el Asunto CCI 12990, en INTERNATIONAL CHAMBER OF COMMERCE, *Special Supplement 2013: Tackling Corruption in Arbitration*, 2013, p. 52, y Laudo Final dictado en el Asunto CCI 13515, en INTERNATIONAL CHAMBER OF COMMERCE, *Special Supplement 2013: Tackling Corruption in Arbitration*, 2013, p. 66. *African Holding Company of America, Inc. et Société Africaine de Construction au Congo SARL v. La République Démocratique du Congo* (Caso CIADI No ARB/05/21). Laudo parcial sobre jurisdicción, de 29 de julio de 2008, ¶¶ 26-31, en http://icsid.worldbank.org/ Icsid. *Metal-Tech Ltd. v. The Republic Of Uzbekistan* (Caso CIADI No ARB/10/3), Laudo de 4 de octubre de 2013, ¶¶ 204-207, en http://icsid.worldbank.org/Icsid. 5.

[103]   "ICC Commission Report. Decisions on Costs in International Arbitration", en INTERNATIONAL CHAMBER OF COMMERCE, *ICC Dispute Resolution Bulletin*, 2015.2.

arbitraje, incluida su cooperación y asistencia —o su carencia— en la tramitación eficiente y diligente del procedimiento...", la complejidad de la materia debatida y la defensa razonable de las respectivas posiciones litigiosas de las partes.

III. CONCLUSIÓN

"*...Sé breve en tus razonamientos, que ninguno hay gustoso si es largo...*", recomendaba El Quijote a Sancho. Así, hemos acometido un análisis somero y sistematizado del alcance de las Reglas de Praga en el procedimiento arbitral, que sólo aspira a ser el comienzo de otros estudios posteriores más fundados, una vez que el transcurso del tiempo haya demostrado la utilidad o inutilidad práctica de estas Reglas y la aceptación de su uso como texto parraregulatorio procedimental. Hemos conducido este análisis desde una autoimpuesta objetividad, huyendo de comparaciones alevosas con otras directrices, con la única finalidad de comprobar el fundamento de las críticas severas que han recibido estas Reglas. Su desarrollo nos ha permitido comprender que este conjunto de sugerencias es de aplicación voluntaria para las partes y que, sólo de acordarse su aplicación, implica una exigencia de capacidad técnica adicional hacia el árbitro que, en el ejercicio del *receptum arbitrii*, acepte su función decisoria limitada, específica y temporal sobre una controversia específica. Con sus aciertos y sus errores (susceptibles, seguro, de corrección) son sugerencias voluntarias, técnicamente fundamentadas, diseñadas para facilitar la tramitación eficiente del procedimiento arbitral, mediante la continua cooperación de partes y árbitro en su desarrollo y el respeto al pilar básico del arbitraje: la autonomía de la voluntad de las partes para diseñar —dentro de unos límites legales razonables— el instrumento que mejor se adapte a la resolución eficaz de sus controversias por el árbitro.

REFERENCIAS

ABRAMSON, H., "Protocols for International Arbitrators Who Dare to Settle Cases", *Ame. Rev. of Int. Arb.*, 1999, pp. 1-17.

AKSEN, G. & BRINER, R. (Ed.), *Global Reflections on International Law, Commerce and Dispute Resolution: Liber Amicorum in Honour of Robert Briner*. International Chamber of Commerce Publications (693). 2005.

ARROYO, M. (Ed.). *Arbitration in Switzerland: the Practitioner's Guide*. Kluwer Law International. The Netherlands. 2013.

BACON, F., *Essays, Civil and Moral.* Vol. III, Part 1. The Harvard Classics. P. F. Collier & Son, 1909-14; Bartleby.com, 2001. www.bartleby.com/3/1/. New York. Traducción Mario Bojórquez.

BEDROSYAN, A. S., "Adverse Inferences in International Arbitration: Toothless or Terrifying?", *U. Pa. J. Int'l L,* 2016, pp. 243-272

BENTHAM, J., *Tratado de las pruebas judiciales.* Comares. Granada. 2001.

BERGER, K. P., "Integration of Mediation Elements into Arbitration: «Hybrid» Procedures and «Intuitive» Mediation by International Arbitrators", *Arbitration International,* 2003, pp. 387-403.

BERGER, K. P., *International Economic of Arbitration.* Kluwer. Boston. 1993.

BERGER, K. P., JENSEN, J. O., "Due process paranoia and the procedural judgment rule: a safe harbour for procedural management decisions by international arbitrators", *Arbitration International*, 2016, pp. 415-435.

BERNSTEIN R., TACKABERRY J. & MARRIOTT, A., *Handbook of Arbitration Practice.* Sweet & Maxwell. London. 1998.

BÖCKSTIEGEL, K. H., "Arbitrator's Case Management: Experiences and Suggestions", en AKSEN, G. & BRINER, R. (Ed.), *Global Reflections on International Law, Commerce and Dispute Resolution: Liber Amicorum in Honour of Robert Briner.* International Chamber of Commerce Publications (693). 2005, p. 127.

BÖCKSTIEGEL, K. H., "Major Criteria for International Arbitrators in Shaping an Efficient Procedure", *Arbitration in the Next Decade. ICC International Court of Arbitration Bulletin-1999 Special Supplement.* International Chamber of Commerce Publications. Paris, 1999, pp. 49-53.

BÖCKSTIEGEL, K. H., "Party Autonomy and Case Management - Experiences and Suggestions of an Arbitrator", *Schieds,* 2013, pp. 1-5.

BORN, G. *International Commercial Arbitration in the United States.* Kluwer Law and Taxation Publishers. 1994.

BÜHRING-UHLE, C., KIRCHHOFF, L. & SCHERER, G., *Arbitration and mediation in international business.* 2nd Ed. Kluwer Law International. Alphen aan den Rijn, 2006.

CHARTERED INSTITUTE OF ARBITRATORS, *Practice Guideline 10: Guidelines on the use of Tribunal-Appointed Experts, Legal Advisers and Assessors.* 2011.

CHARTERED INSTITUTE OF ARBITRATORS, *Protocol for the Use of Party-Appointed Expert Witnesses in International Arbitration.* 2007.

COLLINS, M., "Do International Arbitral Tribunals have any Obligations to Encourage Settlement of the Disputes Before Them?", *Arbitration International,* 2003, pp. 333-343.

COMISIÓN DE LAS NACIONES UNIDAS PARA EL DERECHO MERCANTIL INTERNACIONAL (CNUDMI), *Notas sobre la organización del proceso arbitral de 2016.* Recuperado de https://documents-dds-Ny.un.org/doc/UNDOC/GEN/V16/018/32/PDF/V1601832.pdf?OpenElement.

COMISIÓN DE LAS NACIONES UNIDAS PARA EL DERECHO MERCANTIL INTERNACIONAL (CNUDMI), *Notas sobre la organización del proceso arbitral*. 1996. Recuperado de https://www.uncitral.org/pdf/spanish/texts/arbitration/arb-notes/arb-notes-s.pdf.

COSTA E SILVA, P. (16 de julio de 2018), "Arbitration, Jurisdiction and Culture: Apropos the Rules of Prague". Recuperado de http://arbitrationblog.kluwerarbitration.com/2018/07/16/arbitration-jurisdiction-culture-apropos-rules-prague-part/.

DEASON E. E., "Combinations of Mediation and Arbitration with the Same Neutral: A Framework for Judicial Review", 5 *Y. B. Arb. & Mediation* 219 (2013).

DERAINS, Y., "The Arbitrator's Deliberation", *Am. U. Int'l L. Rev.* Vol. 27, No. 4, 2012, pp. 911-923.

EBE, R., "A Different Approach to Conducting Med-Arb In Complex Commercial Litigation Matters", *Alternatives Newsletter (International Institute for Conflict Prevention & Resolution)*, Vol. 29, No. 3 (March 2011).

EBE, R., "Results and Observations: How a Multistep Med-Arb Produced a Fast (er) Settlement", *Alternatives Newsletter (International Institute for Conflict Prevention & Resolution)*, Vol. 29, No. 4 (April 2011).

EHLE, B., "The Arbitrator As A Settlement Facilitator", en AAVV, *Walking a Thin Line. What An Arbitrator Can Do, Must Do or Must Not Do*. Bruylant. Brussels. 2010.

EHLE, B., "SIA 150:2018 - Modern Swiss Arbitration Rules for Construction Disputes", *ASA Bulletin*, 2018, pp. 895-905.

FAVALLI, D. (Ed.), *The Sense and Non-Sense of Guidelines, Rules and other Para-regulatory Texts in International Arbitration. ASA Sepecial Series No. 37*. JurisNet. New York, 2015.

GAILLARD, E. & SAVAGE J., *Fouchard, Gaillard, Goldman on International Commercial Arbitration*. Kluwer Law International. Dordrech. 1999.

GIOVANNINI, T. & MOURRE, A. (Eds.), *Written Evidence and Discovery in International Arbitration: New Issues and Tendencies*. ICC Institute of World Business Law. Paris, 2009.

GOLDSTEIN, M. J., "Living (or not) with the partisan arbitrator: are there limits to deliberations secrecy?", *Arbitration International*, 2016, pp. 589-600.

GOODMAN-EVERARD, R. E., "Cultural Diversity in International Arbitration - a Challenge for Decision-Makers and Decision-Making", *Arbitration International*, 1991, pp. 155-164.

GREENBERG, S. & LAUTENSCHLAGER, F., "Adverse Inferences in International Arbitral Practice", en KRÖLL, S., MISTELIS, L. A., ROGERS, V. & PERALES VISCASILLAS, P. (Eds.), *Liber Amicorum Eric Bergsten. International Arbitration and International Commercial Law: Synergy, Convergence and Evolution*. Kluwer Law International. Alphen aan den Rijn, 2011, p. 179.

GREENWOOD, L., "A Window of Opportunity? Building a Short Period of Time into Arbitral Rules in Order for Parties to Explore Settlement", *Arbitration International*, 2011, pp. 199-210.

HANOTIAU, B., "Misdeeds, Wrongful Conduct and Illegality in Arbitral Proceedings", en VAN DEN BERG, A. J. (Ed.), *International Commercial Arbitration: Important Contemporary Questions. ICCA Congress Series 11*. Kluwer Law International. The Hague. 2003, pp. 261-287.

HENRIQUES, D. G., "The Prague Rules: Competitor, Alternative or Addition to the IBA Rules on the Taking of Evidence in International Arbitration?", *ASA Bulletin*, 2018, pp. 351-363.

INTERNATIONAL CHAMBER OF COMMERCE, "ICC Commission Report. Decisions on Costs in International Arbitration", en INTERNATIONAL CHAMBER OF COMMERCE, *ICC Dispute Resolution Bulletin*, 2015.2.

INTERNATIONAL CHAMBER OF COMMERCE, Commission Report, *Controlling Time and Costs in Arbitration*. 2nd Ed. ICC Publishing. Publication 861. Paris, 2014.

INTERNATIONAL CHAMBER OF COMMERCE, Conducción eficaz del arbitraje. ICC Publishing, Publicación 866-0 SPA. Paris, 2015.

INTERNATIONAL LAW ASSOCIATION, "International Commercial Arbitration Committee's Report and Recommendations on «Ascertaining the Contents of the Applicable Law in International Commercial Arbitration»", *Arbitration International*, 2010, pp. 193-220.

KAPLAN, N., "If it Ain't Broke, Don't Change It", *Arbitration*, 2004, pp. 172-175.

KAUFFMAN-KOHLER, G. & BÄRTSCH, P., "Discovery in international arbitration: How much is too much", *German Arbitration Journal*, 2004, p. 13.

KAUFFMAN-KOHLER, G., "Qui contrôle l'arbitrage? Autonomie des parties, pouvoirs des arbitres et principe d'efficacité", en AAVV, *Liber Amicorum Claude Reymond - Autour de l'arbitrage*. LITEC. 2004, p. 153.

KAUFMANN-KOHLER, G., "The Arbitrator and the Law: Does He/She Know It? Apply It? How? And a Few More Questions", *Arbitration International*, 2005, pp. 631-638.

KAUFMANN-KOHLER, G., "When Arbitrators Facilitate Settlement: Towards a Transnational Standard: Clayton Utz/University of Sydney International Arbitration Lecture", *Arbitration International*, 2009, pp. 187-206.

KOCUR, M. (19 de agosto de 2018), "Why Lawyers from Civil Law Jurisdictions Do Not Need the Prague Rules". Recuperado de http://arbitrationblog.kluwerarbitration.com/2018/08/19/why-lawyers-from-civil-law-jurisdictions-do-not-need-the-prague-rules/.

KRÖLL, S., MISTELIS, L. A., ROGERS, V. & PERALES VISCASILLAS, P. (Eds.), *Liber Amicorum Eric Bergsten. International Arbitration and International Commercial Law: Synergy, Convergence and Evolution*. Kluwer Law International. Alphen aan den Rijn, 2011.

LALIVE, P., "The Role of Arbitrators as Settlement Facilitators-A Swiss View", en VAN DEN BERG, A. J. (Ed.), *New Horizons in International Commercial Arbitration. ICCA Congress Series 12*. Kluwer Law International. The Hague. 2005, pp. 556-564.

LANDOLT, P., "What Remains to be Done? Future Para-regulatory Texts Projects", en FAVALLI, D. (Ed.), *The Sense and Non-Sense of Guidelines, Rules and other Para-regulatory Texts in International Arbitration. ASA Sepecial Series No. 37*. JurisNet. New York, 2015, pp. 139-169.

LEBOULANGER, P., "Principe de collégialité et délibéré arbitral", en WESSNER, P. & BOHNET, F. (Ed.), *Mélanges en l'honneur de François Knoepfler*. Helbing & Lichtenhahn Verlag. Bâle. 2005, pp. 259-267.

LEW, J. D. M. "Document Disclosure, Evidentiary Value of Documents and Burden of Evidence", en GIOVANNINI, T. & MOURRE, A. (Eds.), *Written Evidence and Discovery in International Arbitration: New Issues and Tendencies*. ICC Institute of World Business Law. Paris, 2009, pp. 11-27.

LEW, J. D. M., MISTELIS, L. A. & KRÖLL, S. M., *Comparative International Arbitration*. Kluwer Law International. The Hague, 2003, pp. 34-35 y 523-527.

LORD JACKSON, *Review of Civil Litigation Costs: Preliminary Report. Volume II*. TSO. Norwich. 2010.

LORD WOOLF, *Access to Justice: Final Report to the Lord Chancellor on the civil justice system in England and Wales*. HMSO. London. 1996.

LUTTRELL, S. *Bias Challenges In International Commercial Arbitration: The Need For A "Real Danger" Test*. Kluwer Law International. Alphen aan den Rijn, 2009.

MARRIOTT, A. (QC), "Arbitrators and Settlement", en VAN DEN BERG, A. J. (Ed.), *New Horizons in International Commercial Arbitration. ICCA Congress Series 12*. Kluwer Law International. The Hague. 2005, pp. 533-546.

MOURRE, A. (25 de mayo de 2017), *La Soft law como condición para el desarrollo de la confianza en el arbitraje internacional*. Conferencia dictada en la X Conferencia Internacional Hugo Grocio sobre Arbitraje. Fundación San Pablo CEU. Madrid. 2018.

NATER-BASS, G. (febrero de 2015), *The Arbitrator's Initiative: Shaping the Procedure*. En GEISINGER, E. (presidencia), *The Arbitrators' Initiative: When, Why and How Should It Be Used?* ASA Annual Conference, celebrada en Ginebra, Suiza.

PANOV, A. (11 de octubre de 2018), "Why the Prague Rules may be needed?". Recuperado de http://arbitrationblog.practicallaw.com/why-the-prague-rules-may-be-needed/.

PARK, W. W., "Two Faces of Progress Fairness and Flexibility in Arbitral Procedure", *Arbitration International*, 2007, pp. 499-504.

PARTASIDES, C. & VESEL, S., "A Case Review Conference, or Arbitration in Two Acts", *Arbitration*, 2015, pp. 167-168.

PAULSSON, K. H., "The Timely Arbitrator: Reflections on the Böckstiegel Method", *Arbitration International*, 2006, pp. 19-26.

RAESCHKE-KESSLER; H., "The Arbitrator as Settlement Facilitator", *Arbitration International*, 2005, pp. 523-536.

REDFERN, A. & HUNTER M., *Teoría y práctica del arbitraje comercial internacional*. 4ª Ed. La Ley. Buenos Aires. 2007, p. 433.

REED, L., "Arbitral Decision-making: Art, Science or Sport?", *The Kaplan Lecture 2012*. Hong Kong. December 2, 2012.

RIZZO AMARAL, G. (5 de julio de 2018), "Prague Rules v. IBA Rules and the Taking of Evidence in International Arbitration: Tilting at Windmills. Part I". Recuperado de http://arbitrationblog.kluwerarbitration.com/2018/07/05/prague-rules-v-iba-rules-taking-evidence-international-arbitration-tilting-windmills-part/.

RIZZO AMARAL, G. (6 de julio de 2018), "Prague Rules v. IBA Rules and the Taking of Evidence in International Arbitration: Tilting at Windmills. Part II". Recuperado de http://arbitrationblog.kluwerarbitration.com/2018/07/06/prague-rules-v-iba-rules-taking-evidence-international-arbitration-tilting-windmills-part-ii/.

SACHS, K., "Protocol on Expert Teaming: A New Approach to Expert Evidence", en VAN DEN BERG, J. (Ed.), *Arbitration Advocacy in Changing Times*. International Council for Commercial Arbitration.. The Netherlands 2011, pp. 135-148.

SANDERS, P., *International Encyclopædia of Comparative Law. Chapter 12: Arbitration*. Ed. Martinus Nijhoff. Dordrech, 1996.

SANDERS, P., *Quo Vadis Arbitration? Sixty Years of Arbitration Practice*. Kluwer Law International. The Hague, 1999.

SCHARF, M. P. & DAY, M., "The International Court of Justice's Treatment of Circumstantial Evidence and Adverse Inferences", *Chicago Journal of International Law*, 2012, pp. 123-151.

SHARPE, J. K., "Drawing Adverse Inferences from the Non-production of Evidence", *Arbitration International*, 2006, pp. 549-572.

SCHERRER, M. & BAIZEAU, D., "Swiss Rules of International Arbitration Awards", en AAVV, *The Swiss Rules of International Arbitration: Five Years of Experience. Conference of June 19, 2009*. Dr. Rainer Früegg. Basel. 2009, pp. 129-151.

SCHOOL OF INTERNATIONAL ARBITRATION, QUEEN MARY AND WESTFIELD COLLEGE, UNIVERSITY OF LONDON, *2010 International Arbitration Survey: Choices in International Arbitration*. London, 2010.

SHENTON, D. W., "An Introduction to the IBA Rules of Evidence", *Arbitration International*, 1985, p. 118.

STACHER, M., "The Authority of Para-regulatory Texts", en FAVALLI, D. (Ed.), *The Sense and Non-Sense of Guidelines, Rules and other Para-regulatory Texts in International Arbitration. ASA Sepecial Series No. 37*. JurisNet. New York. 2015, pp. 117-127.

STÜRNER, R., "Derecho procesal y culturas jurídicas", *Revista Ius et Praxis*, 2007, pp. 435-462.

STUTZER, H., "Settlement Facilitation: Does the Arbitrator have a Role? The «Referentenaudienz» - the «Zurich-Way» of settling the Case", *ASA Bulletin*, 2017, pp. 589-609.

VAN DEN BERG, A. J. (Ed.), *International Commercial Arbitration: Important Contemporary Questions. ICCA Congress Series 11*. Kluwer Law International. The Hague. 2003.

VAN DEN BERG, A. J. (Ed.), *New Horizons in International Commercial Arbitration. ICCA Congress Series 12*. Kluwer Law International. The Hague. 2005.

VAN HOUTTE, V., "Adverse Inferences in International Arbitration", en GIOVANNINI, T. & MOURRE, A. (Eds.), *Written Evidence and Discovery in International Arbitration: New Issues and Tendencies*. ICC Institute of World Business Law. Paris, 2009, pp. 195-217.

AAVV, *Liber Amicorum Claude Reymond - Autour de l'arbitrage*. LITEC. 2004.

AAVV, *The Swiss Rules of International Arbitration: Five Years of Experience. Conference of June 19, 2009*. Dr. Rainer Früegg. Basel. 2009.

WAINCYMER, J., "International Arbitration and the Duty to Know the Law", *Journal of International Arbitration*, 2011, pp. 201-242.

WESSNER, P. & BOHNET, F. (Ed.), *Mélanges en l'honneur de François Knoepfler*. Helbing & Lichtenhahn Verlag. Bâle. 2005.

WYSS, L. & ZÜRCHER, N. (17 de diciembre de 2018), "The Prague Rules on the Taking of Evidence - all that is new is good?". Recuperado de https://www.bratschi. ch/uebersicht/detail/bratschi-arbitration-blog-the-prague-rules-on-the-taking-of-evidence-all-that-is-new-is-good.html?type=999.

El sistema de solución de controversias de la OMC

NICOLÁS TORRES ÁLVAREZ[*]

RESUMEN

El sistema de solución de controversias de la OMC es una de las piedras angulares del sistema multilateral de comercio basado en reglas.

Desde sus inicios, el sistema fue creado para alcanzar una solución técnica y jurídica a las diferencias entre los participantes de dicho sistema, con el fin de darle orden al mismo y para evitar que las controversias se resuelvan con actos de fuerza.

El sistema ha evolucionado desde uno en donde los participantes a quienes se les hacía un reclamo tenían herramientas que les daban la capacidad de evitar resoluciones que les afectaran, hasta el actual en donde cada participante debe sujetarse a las decisiones de todos los demás y que se apoya en expertos independientes para determinar la resolución de las controversias.

El sistema también cuenta con un mecanismo de apelación, que es un elemento esencial para mantener la coherencia de las decisiones que se adoptan de conformidad con el sistema.

El sistema no está exento de retos, especialmente ahora que uno de sus Miembros lo ha cuestionado y lo tiene al borde del bloqueo. Teniendo en cuenta el bien común que representa el sistema multilateral de comercio y el respeto a sus reglas, los gobiernos, las empresas y la comunidad académica deben ponerse del lado del sistema para conservarlo.

Palabras clave: Organización Mundial de Comercio, Sistema de solución de controversias, Carta de La Habana, GATT, Órgano de Apelación.

ABSTRACT

The WTO dispute settlement system is one of the cornerstones of the multilateral rules-based trading system.

Since its inception, the system was created to reach technical and legal solution to the differences between the participants in the system, to maintain order in World trade and to avoid acts of force to resolve disputes among participants.

The system has evolved from one where the participants who made a claim had tools that gave them the ability to avoid decisions that would affect them, up to the current one where each participant must abide by the decisions of all the rest, and that relies on independent experts to determine the resolution of the dispute.

[*] Abogado y Especialista en Derecho Financiero de la Universidad del Rosario, Magister en Derecho de la Universidad de Chicago. Ex Jefe Negociador Internacional del Ministerio de Comercio, Industria y Turismo.

The system also has an appeal mechanism, which is essential to maintain the consistency of the decisions adopted in accordance with the system.

The system is not exempt from challenges, especially now that one of its members has questioned it to the point of a possible deadlock. Taking into account that the multilateral trading system and the respect of its rules is a common international good, Governments, enterprises and the academic community should be on the side of the system to keep it.

Key words: World Trade Organization, Dispute resolution system, Havana Charter, GATT, Appellate Body.

I. INTRODUCCIÓN

El propósito de este artículo es ilustrar a los lectores acerca de las características del sistema de solución de controversias de la Organización Mundial del Comercio (OMC), que es uno de los más exitosos modelos para resolver litigios entre Estados.

A continuación de esta introducción, en la segunda sección se hará un repaso de los antecedentes del sistema. Posteriormente, en la tercera sección se destacarán dichas las características, principios, objetivos y carácter del mecanismo, incluido el mecanismo de apelación. En la cuarta sección se indicarán algunos de los retos que el sistema tiene por delante. En la última sección se presentan las conclusiones. En el anexo se hará un paralelo con el arbitraje internacional.

II. ANTECEDENTES DEL MECANISMO DE SOLUCIÓN DE CONTROVERSIAS DE LA OMC

1. La Carta de la Habana

En esta sección hablaremos de algunas características salientes del mecanismo de solución de controversias multilateral.

Para ello es conveniente acudir en primera instancia al mecanismo que tenía prevista la "Carta de la Habana" para una Organización Internacional de Comercio, que es la antecesora de la OMC.

Dicha Carta tenía anexo el Acuerdo GATT de 1947, único instrumento que entró en vigor en esa época y que fue la columna vertebral de las reglas del sistema multilateral de comercio hasta 1994.

El mecanismo de solución de controversias de la Carta de la Habana ya contaba con una característica que es fundamental en los sistemas de solución de solución de controversias comerciales, la prohibición de adoptar medidas económicas unilaterales contrarias a las disposiciones de la Carta. No obstante, el mecanismo aún tenía un escollo que debió ser superado años más tarde, que consiste en la intervención de la parte interesada en las decisiones del mecanismo[1].

En efecto, si luego de las consultas entre la parte reclamante y el demandado no se llegaba a una solución satisfactoria, las reglas de la Carta de la Habana tenían previsto un arbitraje, cuya realización dependía de la voluntad del demandado y de la intervención de la Junta Ejecutiva cuyas decisiones estaban sujetas a la Conferencia, en la que todas las partes, incluyendo al demandado, podían decidir la revocatoria o modificación de las decisiones de la Junta Ejecutiva. Así mismo, si luego de esa intervención se mantenía la diferencia y como consecuencia de ello, se autorizaba al reclamante para suspenderle al demandado concesiones derivadas de la Carta, la este último tenía la posibilidad de retirarse de la Organización.

2. *El Acuerdo GATT de 1947*

Como ya se dijo, la Carta de la Habana nunca entró en vigor, salvo por uno de sus anexos, el Acuerdo GATT de 1947. Este acuerdo que fue la regla fundamental del sistema multilateral de comercio durante muchos años, también tiene disposiciones en materia de solución de controversias en sus artículos XXII y XXIII.

Dado que estas disposiciones se redactaron en el contexto de la elaboración de la Carta de la Habana, también se caracterizan por la intervención

---

[1]   Conferencia de las Naciones Unidas sobre Comercio y Empleo celebrada en La Habana, Cuba del 21 de noviembre de 1947 al 24 de marzo de 2948. Acta Final y Documentos Conexos. Lake Success, Nueva York (1948). Recuperado de https://www.wto.org/spanish/doc_s/legal_s/havana_s-pdf.

de la parte interesada en las decisiones del mecanismo. Esto es lo que en la jerga de la OMC se conoce como el consenso positivo o afirmativo. Es decir, las decisiones para resolver una controversia requerirían que ninguna de las Partes Contratantes se opusiera, incluyendo las partes en contienda. Dado que normalmente una de ellas se afectaba con la decisión, había un gran incentivo para evitar el consenso.

La diferencia con el sistema de la Carta de La Habana está en la institucionalidad que se aplicó de conformidad con el Acuerdo GATT. Si luego de las consultas entre las Partes Contratantes que mantienen una diferencia no se logra una solución aceptable para ambas y que sea compatible con el Acuerdo GATT, la cuestión se sometía a todas las Partes Contratantes, las cuales, si bien inicialmente asumieron la tarea ellas mismas por conducto del Consejo del GATT, posteriormente comenzaron a apoyarse en grupos de trabajo, que a la postre fueron denominados paneles. Nuevamente, el Acuerdo GATT tenía prevista la posibilidad de que se le autorizara a la Parte Contratante reclamante a suspenderle concesiones derivadas del Acuerdo GATT a la Parte Contratante demandada. En tal caso, esta última podía denunciar el Acuerdo, de manera similar a como estaba previsto en la Carta de La Habana.

Como se puede ver, tanto la Carta de la Habana como el Acuerdo GATT le otorgaban mucha participación y deferencia al demandado en la solución de la controversia, con lo cual se le resta eficacia al mecanismo, si bien en un número limitado de los más de 100 casos que se tramitaron en esa época las Partes Contratantes demandadas no ejercieron esa especie de poder de veto que les daban las reglas, principalmente por intereses sistémicos[2].

No obstante, considero conveniente destacar una regla prevista en el Acuerdo GATT que ya lo ponía en la dirección del actual mecanismo de solución de controversias de la OMC, como es la presunción de la anulación o menoscabo de beneficios cuando se encuentra una violación. Esta regla no estaba codificada en el Acuerdo GATT, sino que fue un desarrollo de los grupos de trabajo que apoyaban a las Partes Contratantes en la solución de las controversias bajo ese mecanismo. Al transferir la carga de la prueba

---

[2]   Evolución Histórica del Sistema de Solución de Diferencias de la OMC. Organización Mundial del Comercio. Recuperado de https://www.wto.org/spanish/tratop_s/dispu_s/disp_settlement_cbt_s/c2s1p1_s-htm.

al demandado, le restaba el poder que le otorgaba la regla del consenso positivo[3].

III. EL MECANISMO DE SOLUCIÓN DE CONTROVERSIAS DE LA OMC

1. Características

El mecanismo de solución de controversias de la OMC se edificó sobre la experiencia de los 47 años en los que el Acuerdo GATT de 1947 fue la regla fundamental del sistema multilateral de comercio. Uno de los cambios más importantes que se hizo a las reglas del actualmente vigente mecanismo fue el de cambiar el consenso positivo por el consenso negativo. Es decir, que la adopción de las decisiones se efectúa salvo que todos los Miembros no estén de acuerdo con las mismas. Así se evita darle poder de veto a aquél Miembro que no esté satisfecho con la decisión. Esta regla es opuesta a la que se utiliza en la OMC para la adopción de sus demás decisiones, que es la del consenso simple, es decir, que las decisiones se adoptan siempre que no haya algún Miembro que se oponga.

El consenso negativo se aplica para la adopción de las decisiones sobre los siguientes asuntos:

A. Establecimiento del grupo especial (artículo 6 párrafo 1 del ESD)

B. Adopción del informe del grupo especial (artículo 16 párrafo 4 del ESD)

C. Adopción del informe del OA (artículo 17 párrafo 14 del ESD)

D. Autorización para suspender concesiones u otras obligaciones (artículo 22 párrafo 6 del ESD)

Una característica fundamental del mecanismo de solución de controversias de la OMC es que las recomendaciones de los grupos especiales y el Órgano de Apelación (OA) (así como las soluciones mutuamente satisfactorias) no pueden entrañar el aumento o la reducción de los derechos

---

[3] Lacarte Muró, Julio A. Os primeiros anos do Órgão de Apelação e do Sistema de Solução de Controvérsias na OMC: Uma perspectiva histórica. En Baptista, Luis Olavo, Celli Junior, Umberto, Yanovich, Alan (Ed.) (2007) *10 anos de OMC, uma análise do Sistema de Solução de Controvérsias e Perspectivas*. São Paulo, Brasil. Edições Aduaneiras Ltda.

y obligaciones establecidos en los acuerdos abarcados. Esto es muy importante, porque significa que si bien cada caso se examina en sus propios méritos, la conclusión del mismo no puede desbordar los Acuerdos de la OMC. Es decir, así se haya encontrado que la medida en cuestión es incompatible con la normativa de la Organización y se haya demostrado que con ello se produjo una afectación comercial, no es posible que las recomendaciones o las soluciones mutuamente acordadas se salgan del marco de derechos y obligaciones de la Organización. Hay una excepción notoria a este principio y es la autorización que eventualmente se puede otorgar al Miembro reclamante para suspender concesiones u otras obligaciones al Miembro demandado. Esa situación iría en contra del principio de Nación Más Favorecida, que es una de las piedras angulares de la normativa e institucionalidad de la OMC. No obstante, hay que aclarar que el ESD señala que se trata de una situación temporal y que lo preferible sería la aplicación plena de la recomendación de poner una medida en conformidad con los acuerdos abarcados.

Otra característica de las reglas del actual sistema de solución de controversias de la OMC es que en los casos de incumplimiento de las obligaciones contraídas en virtud de un acuerdo abarcado, se presume que la medida constituye un caso de anulación o menoscabo. Esto significa que normalmente existe la presunción de que toda transgresión tiene efectos desfavorables para otros Miembros. Esta regla es muy importante porque, a diferencia del derecho civil, el reclamante que alega una transgresión no necesita acreditar el daño para hacer una reclamación. Solo deberá hacerlo si solicita autorización para suspender concesiones, lo cual ocurre cuando ya hay un informe adoptado por el OSD y sus recomendaciones y resoluciones no se aplican en el plazo prudencial.

Así mismo, las reglas del mecanismo de solución de controversias de la OMC eliminan la posibilidad de retirarse de la Organización por estar en desacuerdo con las determinaciones que se adopten en el marco de su mecanismo de solución de controversias.

2. Principios

El sistema de solución de controversias de la OMC es uno de los más avanzados en el ámbito de los organismos internacionales.

A diferencia de los sistemas de otras varias instituciones internacionales, se caracteriza por su independencia y especialización. Así mismo, cuenta con un mecanismo permanente de revisión. Su normativa tiene herramientas para promover el cumplimiento de sus conclusiones y recomendaciones.

El sistema de la OMC es un desarrollo del sistema que se aplicaba antes de la existencia de ese organismo internacional, bajo el Acuerdo GATT. Sin embargo, tiene una diferencia fundamental con su predecesor, pues la adopción de sus decisiones ya no depende de las Partes en la controversia, sino que involucra a todos los Miembros de la Organización.

Los principios fundamentales del sistema se encuentran en el Entendimiento de Solución de Diferencias (ESD), anexo al Acuerdo de Marrakech por el que se establece la Organización Mundial del Comercio y que se conoce comúnmente como el Acuerdo de la OMC.

El sistema constituye un elemento esencial para aportar seguridad y previsibilidad al sistema multilateral de comercio y sirve para preservar los derechos y obligaciones de los Miembros y para aclarar las disposiciones vigentes de los acuerdos abarcados[4]. Cabe destacar que hay varias disposiciones del ESD que reiteran que el resultado de la aplicación de sus disposiciones no puede entrañar el aumento o la reducción de los derechos y obligaciones establecidos en los acuerdos abarcados.

De otra parte, en cuanto a su relación con el derecho internacional público, el ESD dispone que la interpretación de las disposiciones de los acuerdos abarcados se realizará de conformidad con las normas usuales de interpretación del derecho internacional público[5].

El objetivo del mecanismo de solución de controversias de la OMC es hallar una solución positiva a las diferencias, dando siempre preferencia a las soluciones mutuamente aceptables para las partes en la controversia[6]. En caso de no alcanzarse un acuerdo entre las partes, el mecanismo da la posibilidad de que grupos de expertos examinen los reclamos que cualquier Miembro de la OMC formule frente a la compatibilidad de una o varias medidas de otro Miembro, respecto de las disposiciones de los acuerdos abarcados por el Entendimiento. No obstante, el Entendimiento hace un llamado a los Miembros de la OMC a reflexionar sobre la utilidad de

---

[4]   Entendimiento de Solución de Diferencias. Organización Mundial del Comercio. Artículo 3 párrafo 2.

[5]   Entendimiento de Solución de Diferencias. Organización Mundial del Comercio. Artículo 3 párrafo 2.

[6]   Entendimiento de Solución de Diferencias. Organización Mundial del Comercio. Artículo 3 párrafo 7.

actuar al amparo de los procedimientos ante los grupos especiales, porque privilegia las soluciones mutuamente acordadas[7].

Los expertos que conforman dichos grupos deben ser independientes de la Organización y de las Partes de la controversia y deben contar con formación y experiencia en diversos campos, particularmente los campos del derecho mercantil internacional o la política comercial internacional[8].

Cuando abocan su labor deben hacer una evaluación objetiva de los asuntos que les hayan sometido y formular las conclusiones que ayuden al Órgano de Solución de Diferencias (OSD) de la Organización a hacer las recomendaciones o dictar las resoluciones previstas en los acuerdos abarcados, que permitan la solución satisfactoria de las cuestiones, de conformidad con los derechos y obligaciones previstos en el ESD y los acuerdos de la OMC que dicho Entendimiento abarca[9].

Los grupos de expertos, denominados "grupos especiales" en la jerga de la OMC, pueden recabar información y asesoramiento técnico de cualquier persona o entidad que estimen conveniente, acudiendo a cualquier fuente pertinente y consultando la opinión de expertos[10].

El resultado del examen y conclusiones de los grupos especiales está contenido en un informe, que debe adoptarse por el OSD de la OMC[11]. Este último está conformado por todos los Miembros de la Organización, incluidas las partes de la controversia. A diferencia de los demás órganos de la OMC, sus decisiones en relación con los informes de los grupos especiales y las recomendaciones que de ellos se derivan se adoptan por consenso negativo[12]. Es decir, que salvo que todos los Miembros de la OMC decidan no adoptar un informe, éste se adopta, lo cual es garantía de la eficacia del trabajo que los grupos especiales le presentan al sistema.

---

[7]   Entendimiento de Solución de Diferencias. Organización Mundial del Comercio. Artículo 3 párrafo 7.

[8]   Entendimiento de Solución de Diferencias. Organización Mundial del Comercio. Artículo 8 párrafo 1.

[9]   Entendimiento de Solución de Diferencias. Organización Mundial del Comercio. Artículo 11.

[10] Entendimiento de Solución de Diferencias. Organización Mundial del Comercio. Artículo 13.

[11] Entendimiento de Solución de Diferencias. Organización Mundial del Comercio. Artículo 16.

[12] Entendimiento de Solución de Diferencias. Organización Mundial del Comercio. Artículo 2 párrafo 4 notal al pie 1.

Otra característica del sistema de solución de controversias de la OMC es que cuenta con un órgano permanente de revisión, denominado Órgano de Apelación (OA). Dicho órgano está integrado por personas de prestigio reconocido, con competencia técnica jurídica, en comercio internacional y en la temática de los acuerdos abarcados. Los miembros del OA no pueden estar vinculados a ningún gobierno y deben ser representativos en términos generales de la composición de la OMC[13].

La función del OA es examinar las cuestiones de derecho tratadas en el informe del grupo especial y las interpretaciones jurídicas formuladas por éste, siguiendo los procedimientos que el mismo Órgano puede adoptar de conformidad con la autorización que le dio la membresía.

En cuanto a las determinaciones que hacen los grupos especiales y el OA, cabe destacar que son el producto de deliberaciones que gozan de confidencialidad, lo cual es garantía de la independencia de criterio de quienes participan en ellas; se adoptan por consenso, lo cual asegura no solo la calidad de las mismas sino también el esfuerzo por conjugar los diferentes puntos de vista de quienes intervienen en las discusiones; además de formular recomendaciones pueden sugerir la forma en que el Miembro a la que van dirigidas podría aplicarlas, lo cual puede redundar en una mayor precisión de las mismas; y los informes del OA deben ser aceptados sin condiciones por las partes en la controversia, siempre que se hayan adoptado por el OSD.

El ESD cuenta con disposiciones para promover el cumplimiento de las conclusiones y recomendaciones adoptadas por el OSD. Así, otorga al Miembro al que se le dirigen dichas recomendaciones un plazo prudencial para aplicarlas, que debería ser en principio el propuesto por dicho Miembro, o uno fijado de común acuerdo con el Miembro reclamante[14]. El Entendimiento también dispone de procedimientos especiales en caso de desacuerdo en cuanto a la existencia de medidas destinadas a cumplir las recomendaciones y resoluciones adoptadas por el OSD, o su compatibilidad con un acuerdo abarcado[15]. Así mismo, el Entendimiento prevé la posibilidad de otorgar compensaciones en caso de no haberse aplica-

---

[13] Entendimiento de Solución de Diferencias. Organización Mundial del Comercio. Artículo 17 párrafo 3.

[14] Entendimiento de Solución de Diferencias. Organización Mundial del Comercio. Artículo 21 párrafo 3.

[15] Entendimiento de Solución de Diferencias. Organización Mundial del Comercio. Artículo 21 párrafo 5.

do las recomendaciones dentro del plazo prudencial y como último recurso, la posibilidad de suspender la aplicación al Miembro afectado de concesiones u otras obligaciones resultantes de los acuerdos abarcados, de conformidad con ciertos principios y procedimientos previstos en el Entendimiento[16].

3. Objetivos

Los objetivos del procedimiento de solución de controversias de la OMC son los siguientes:

A. Aportar seguridad y previsibilidad al sistema multilateral de comercio

B. Preservar los derechos y obligaciones de los Miembros en el marco de los acuerdos abarcados

C. Aclarar las disposiciones de dichos Acuerdos, de conformidad con las normas usuales de interpretación del derecho internacional público

D. Lograr una solución satisfactoria de las cuestiones en las que un Miembro considere que las ventajas resultantes del sistema se hallan menoscabadas por las medidas adoptadas por otro Miembro

Es decir, que el mecanismo sirve para garantizar el cumplimiento de las disposiciones que reglamentan el sistema multilateral de comercio y para dar previsibilidad sobre el contenido y alcance de las mismas, preservando un equilibrio adecuado entre los derechos y obligaciones de los Miembros.

4. Carácter judicial o cuasi judicial

En este punto quisiera referirme al carácter judicial o cuasi judicial del mecanismo de solución de controversias de la OMC.

Para que haya lugar a tramitar una controversia de conformidad con el sistema de la OMC, el recurso a ese sistema debe aceptarse de manera general y previa por las Partes (como sucede en el arbitraje). Como la OMC es una institución, la forma de alcanzar esa aceptación es adhiriendo a su acuerdo constitutivo (el Acuerdo de Marrakech, uno de cuyos anexos es el ESD).

---

[16]   Entendimiento de Solución de Diferencias. Organización Mundial del Comercio. Artículo 22.

Otra característica del sistema de la OMC es que el recurso al procedimiento de solución de diferencias no debe considerarse como un acto contencioso (según lo dispone el párrafo 10 del artículo 3 del ESD).

Desde que fueron establecidas a mediados del siglo XX, las reglas multilaterales para la solución de controversias sobre las reglas de comercio internacional buscan ordenar y organizar el comercio mundial, de tal manera que se conserve un entorno de comercio libre de obstáculos injustificados y de competencia desleal, otorgando el mismo trato a todos los socios comerciales y procurando que no se discriminen los productos importados ni los servicios prestados desde otro país ni a sus prestadores en virtud de las protecciones otorgadas a los productos o los prestadores de servicios nacionales. Estas reglas evitan que las retaliaciones por problemas comerciales se den en un entorno sin reglas y por la fuerza.

En ese sentido, las diferencias entre socios comerciales por el incumplimiento de las referidas reglas se dan de conformidad con un procedimiento previamente establecido, en donde se respeta el debido proceso y en donde la imposición de medidas retaliatorias debe estar previamente autorizada. Ello evita que las controversias en esta materia se resuelvan por la fuerza, como solía ocurrir en el pasado. Ese es un elemento común a todos los procedimientos que buscan reglar la solución de controversias, incluidos los procedimientos judiciales y el arbitraje comercial.

5. Mecanismo de apelación

La característica que describiré a continuación no es común a los procedimientos que buscan reglar las controversias y es una innovación, en particular respecto de los mecanismos de solución de controversias internacionales, en el sentido de que aplican el derecho internacional, que involucran a partes de diferentes nacionalidades y que son resueltas por un tribunal u organismo internacional. Dicha característica es la existencia de un mecanismo de apelación.

Como se mencionó atrás, el OA es un componente que distingue al sistema de la OMC y que aporta enormemente a los objetivos de su mecanismo de solución de controversias. El ESD dispone que el Órgano y sus siete miembros tienen carácter permanente (estos últimos por períodos de 4 años renovables por una sola vez). Estos últimos deben ser expertos y no estar vinculados con ningún gobierno, si bien son representativos de la composición geográfica de la Organización. Las apelaciones tienen únicamente por objeto cuestiones de derecho tratados en el informe del grupo especial y las interpretaciones jurídicas de dicho grupo. Las opiniones expresadas en el informe son anónimas. El OA está facultado para establecer sus procedimientos de trabajo.

Fruto de su revisión de los informes de los grupos especiales, el OA puede confirmar, modificar o revocar las constataciones y conclusiones jurídicas del grupo especial. Respecto de las recomendaciones que formule como consecuencia de su análisis, también puede sugerir la forma de aplicarlas. Los informes del OA que sean adoptados por el OA deben ser aceptados sin condiciones por las partes en la controversia.

Mucha agua ha corrido bajo el puente de las actuaciones del OA. Siempre hay al menos un Miembro de la Organización que está insatisfecho con sus análisis, conclusiones y recomendaciones y últimamente se ha puesto en tela de juicio su objetividad y el alcance de su mandato, al punto que uno de los Miembros más grandes de la OMC ha bloqueado en los últimos tiempos las nombramientos para ocupar las vacantes que han quedado en el OA por haberse vencido el término de su encargo.

En este punto me permito hacer referencia a los 12 puntos planteados por el Profesor Ricardo Ramírez Hernández[17], quien fuera miembro del OA hasta 2018 en su discurso de despedida, para revisar determinadas reglas que afectan el trabajo de ese cuerpo:

- Independencia e Imparcialidad. Este es un punto que no es negociable para el profesor Ramírez, dado que constituye un elemento esencial de este órgano y actualmente está relacionado con la situación de bloqueo a la que se halla sometido este cuerpo. Debido a dicho bloqueo, su membresía se ha reducido de siete miembros que dispone el ESD a tres, porque no ha sido posible contar con el consenso de los Miembros de la OMC que se requiere para la elección de los miembros del OA, dadas las quejas de algunos Miembros de la OMC con las decisiones de anteriores miembros del OA. Cuando se acabe el período de dos de ellos en diciembre de 2019, sin que haya posibilidad de reelegirlos por haber ocupado sus posiciones durante dos períodos, y si se mantiene el bloqueo para no reemplazar aquellos que cesan en sus funciones, el OA quedará paralizado porque ya no se podrán conformar salas de tres miembros para atender los casos.

---

[17]   Discurso de despedida del miembro del OA Ricardo Ramírez-Hernández. Publicado en https://www.wto.org/spanish/tratop_s/dispu_s/ricardoramirezfarwellspeech_s.htm.

Como lo sostiene el profesor Ramírez, se requiere una solución de fondo y antes de que haya una parálisis total del Órgano, que podría tener consecuencias impredecibles.

- Plazo de 90 días para expedir el informe. El profesor Ramírez dice que si bien esta regla fue un ícono del mecanismo de solución de controversias de la OMC, se ha vuelto poco realista, en virtud de la gran cantidad de informes de grupos especiales que se apelan, así como de los asuntos objeto de las apelaciones, la cantidad de jurisprudencia que ahora debe revisarse para cada caso y la longitud de las comunicaciones escritas del apelante y del apelado. Ramírez sugiere que la membresía busque soluciones pragmáticas, tales como el límite al tamaño de las comunicaciones escritas o la posibilidad de hacer juicios sumarios.

- Opinión consultiva. Este punto refiere la tensión que hay entre el objetivo del mecanismo de solución de controversias de hallar una solución positiva a las diferencias y la obligación del OA de examinar cada una de las cuestiones planteadas por las partes. En opinión de Ramírez, hay oportunidades en las que se abusa de esta última situación y se le plantean al OA cuestiones que no son necesarias para resolver la controversia o se buscan interpretaciones de los acuerdos abarcados que no se requieren para dicha resolución. También menciona que hay Miembros que piden al OA desaprobar afirmaciones de los grupos especiales que no se han incluido dentro de los términos de referencia de la apelación. Dice que incluso se le pide al OA revisitar hallazgos de hecho que hacen los grupos especiales cuando claramente eso se encuentra fuera de las funciones del OA.

- Reenvío. También se destaca en el discurso que el reenvío, que no existe actualmente en el procedimiento de solución de controversias de la OMC, podría ser una buena herramienta para mejorar el sistema. De conformidad con el Entendimiento de Solución de Controversias, solo el OA puede confirmar, modificar o revocar las constataciones y conclusiones jurídicas de un grupo especial. En ese sentido, hoy no cabe la posibilidad de que el OA le reenvíe ciertos aspectos, en particular probatorios, a un grupo especial para que los vuelva a analizar y con ello el análisis de OA que solo tiene por objeto cuestiones de derecho tratadas en el informe del grupo especial y las interpretaciones jurídicas formuladas por éste, quedan incompletas.

- Llenado de brechas. Para Ramírez hay tensión entre las discusiones diplomáticas y las discusiones jurídicas. Como se dijo, las reglas del sistema multilateral de comercio son el producto de negociaciones diplomáticas en las que los Miembros hacen compromisos para alcanzar acuerdos, en los que muchas veces el lenguaje es suficientemente ambiguo para que unos y otros pueden interpretar el alcance de una determinada disposición a su favor. En ese sentido, la facultad del OA es importante, pero muchas veces choca con la intención o los objetivos de los Miembros, quienes desean que una determinada disposición se interprete de una u otra manera. Incluso, las reglas para interpretación previstas en la Convención de Viena sobre el Derecho de los Tratados a veces imponen estándares de interpretación que hacen difícil el trabajo del OA.

• Precedente. El mecanismo de solución de controversias de la OMC se aplica entre países con diversas tradiciones jurídicas. Están aquellos cuyos sistemas jurídicos se basan en el derecho continental, de tradición francesa y otros cuyos sistemas se basan en el *common law*, de tradición anglosajona. Hay varias reglas en el ESD que apuntan a la solución de un caso en concreto en donde se han presentado cuestiones que generan diferencias específicas entre dos Miembros de la OMC en particular. No obstante, se ha reconocido el valor que tiene referenciar la manera como en oportunidades anteriores se han resuelto casos por parte de grupos especiales y del OA, porque resultan antecedentes útiles. Y si bien algunos estudiosos han analizado si el cuerpo normativo de la OMC tiene carácter constitutivo o carácter contractual, la práctica, tanto de los Miembros, como de los grupos especiales y del OA es a continuar utilizando los análisis efectuados en casos anteriores como referentes para resolver otros casos. El profesor Ramírez hace un paralelo en su discurso a la manera desordenada como se han resuelto casos de controversias entre inversionistas y Estados y cómo ello ha cuestionado incluso la redacción y el alcance de varias disposiciones en los acuerdos de promoción y protección de inversiones y generado una tendencia mundial a revisarlos. En el caso de la OMC, las reglas del sistema multilateral de comercio se consideran un esquema valioso que contribuye a facilitar los flujos de comercio internacional, dándole previsibilidad a quienes intervienen en el mismo. Por tanto, y sin perjuicio de la facultad de los Miembros para acordar interpretaciones autorizadas de las disposiciones de los Acuerdos, se considera que los grupos especiales y el OA juegan un importante papel en esta materia.

- Daños. En sección posterior se hablará más en detalle de las fallas de las reglas del ESD sobre daños y remedios. El discurso de despedida del profesor Ramírez destaca ese problema, en particular respecto del carácter prospectivo de los remedios y de cómo encontrar una buena solución a este asunto constituye un mecanismo para disuadir a los Miembros de aplicar restricciones comerciales de manera unilateral.

- Reelección. Como se dijo anteriormente, el OA los miembros del OA son elegidos por un período de cuatro años, el cual solo podrá renovarse por una vez por otros cuatro años. Ramírez destaca el carácter voluntario de la renovación del período de un miembro del OA. En sus palabras, la reelección es una opción, no un derecho. Por eso hace un llamado para que así como hay un procedimiento acordado entre los Miembros de la OMC para la elección inicial de los miembros del OA, también debería haber un procedimiento para su reelección.

- Regla 15. El discurso del profesor Ramírez se refiere a la automaticidad de esta regla de los Procedimientos de Trabajo para el Examen en Apelación. La regla consiste en la posibilidad para un miembro del OA de terminar de sustanciar una apelación que le hubiere sido asignada durante su período, una vez dicho período haya finalizado, siempre que tenga autorización del OA y que dicha situación se haya notificado al OSD. La discusión se produjo al retiro del propio profesor Ramírez en virtud del debate de la membresía sobre esta regla y a sugerencia de que los miembros deberían dar su autorización en cada caso. Ramírez considera que una regla que otorgue discreción a la membresía para extender o no el período de un miembro del OA en estas circunstancias no solo generaría incertidumbre sino que también evitaría tener una determinación expedita en casos como éste.

- Transparencia. El profesor Ramírez aboga por que todas las audiencias que adelantan las salas del OA sean públicas, incluso con transmisión en vivo, manteniendo la confidencialidad, cuando sea requerido.

- Español. Tradicionalmente los Miembros de la OMC que tienen las economías más grandes han sido los mayores usuarios del sistema de solución de controversias de la OMC. No obstante, hay una participación creciente de Miembros que ostentan la calidad de países en desarrollo. Un número apreciable de esos Miembros tienen al español como su lengua materna. Ramírez hace un llamado para que la participación de esos Miembros hagan más relevante la utilización de este idioma en los casos que se adelantan bajo el mecanismo de solución de controversias de la OMC.

• OMC y Acuerdos Comerciales Regionales. Finalmente, Ramírez propone que la institucionalidad del mecanismo de solución de controversias de la OMC también se pueda utilizar en las controversias que surgen en el marco de los acuerdos comerciales regionales y bilaterales. Esta es una propuesta novedosa, en particular por la escasa utilización del marco regional y bilateral para resolver diferencias entre las partes de los referidos acuerdos regionales y porque habría que considerar si hay alguna diferencia —aparte de la base jurídica— de acudir a la institucionalidad de la OMC, en el marco multilateral o en el marco regional. Así mismo, habría que definir cuáles serían las reglas de procedimiento y los principios que aplicarían de ocurrir ese tipo de situación, dado que en la OMC se aplica el ESD, mientras que en los acuerdos comerciales regionales se aplican dichos acuerdos. Además, recuérdese que una característica saliente del mecanismo de la OMC es que permite la participación de terceros, que pueden participar en la controversia porque pueden tener interés en preservar el sistema.

En este punto también vale la pena notar que los Miembros de la OMC cuentan con el apoyo de una Secretaría que en esta materia presta asistencia a los grupos especiales, particularmente en los aspectos jurídicos, históricos y de procedimiento de los asuntos de que se trate y de facilitar apoyo técnico y de secretaría. Así mismo, el ESD dispone que la Secretaría pondrá a disposición de los países en desarrollo Miembros un experto jurídico de modo que garantice la constante imparcialidad de sus actuaciones. Contar con el apoyo de una secretaría sería un plus en los acuerdos comerciales regionales en los que las partes decidieran solicitar la colaboración de la OMC. No obstante, en tal caso, la membresía debe evaluar la manera de evitar conflictos de intereses.

IV. RETOS DEL MECANISMO DE SOLUCIÓN DE CONTROVERSIAS DE LA OMC

Para terminar quisiera referirme a algunos retos que considero que el mecanismo de solución de controversias de la OMC tiene por delante.

En primer lugar me referiré a un asunto de actualidad, ya que es causa de la situación que vive actualmente el sistema, como es el de la tensión entre el mecanismo y algunos Miembros de la Organización, por cuenta de las conclusiones y recomendaciones en algunos informes de grupos especiales y del OA adoptados por el OSD.

En segundo lugar me referiré a los retos que tiene el mecanismo en cuanto a la duración de sus procedimientos, en el marco de las prácticas que algunos de los Miembros han tenido en los últimos años.

Finalmente, me referiré a los problemas que plantean los remedios del actual sistema y sus características.

1. Tensión con los miembros

Dada su importancia, el mecanismo de solución de controversias de la OMC siempre ha tenido mucha visibilidad y ha sido objeto de críticas y recomendaciones. Unas de esas recomendaciones se encuentran en un informe preparado para la OMC en 2004.

En ese informe se indica "Existe una cantidad enorme de publicaciones especializadas y centradas en políticas sobre el sistema de solución de diferencias. Esto es una prueba del interés general y del público en el tema, y así como de la importancia que se le reconoce y, quizá, del valor del sistema". Pero también se dice que "Es importante que el sistema sea comprendido mejor, no sólo por los diplomáticos, funcionarios públicos y legisladores que tienen que participar en él, sino también por el público en general, es decir, la ciudadanía de los países a cuyo servicio está el sistema"[18].

Esto no siempre es fácil si se tiene en cuenta que los Acuerdos de la OMC son instrumentos de derecho internacional negociados entre Estados soberanos. La negociación de dichos instrumentos es en sí misma una expresión de la soberanía de los Estados que se refleja, entre otros, en el hecho de que todos ellos desean alcanzar sus intereses y atender sus necesidades y sensibilidades, en el marco de sus características jurídicas, institu-

---

[18]   Sutherland, Peter (Presidente). Bhagwati, Jagdish. Botchwey, Kweis. Fitzgerald, Niall. Hamada, Koichi, Jackson, John H. Lafer, Celso. De Montbrial, Thierry. 2004. El futuro de la OMC, Una respuesta a los desafíos institucionales del nuevo milenio - Informe del Consejo Consultivo al Director General Supachai Panitchpakdi. Organización Mundial del Comercio. Párrafos 265 y 268.

cionales y de política. Por ello, los Acuerdos de la OMC, como tantos otros no gozan de la perfección jurídica y el detalle en el lenguaje que pueden tener otros textos normativos reglamentarios que se expiden al nivel de las autoridades domésticas. Esos textos necesitan dejar espacio para que unos y otros Estados que los suscriben puedan afirmar que están cumpliendo sus objetivos al hacerlo. Una máxima que hay entre negociadores, en particular los de los textos de la OMC, es que el mejor texto es el que deja igualmente descontentos a todos los que lo suscriben. Tal vez es así, porque un texto que se pueda calificar así es equilibrado y ha alcanzado y resuelto el mínimo común de los intereses y sensibilidades.

Esto hace que la tarea de los grupos especiales y del OA de la OMC sea especialmente difícil. Como se indicó atrás, a ellos les corresponde la interpretación del alcance y las implicaciones de los textos normativos de la OMC. Pero no solo eso, también deben decidir si las medidas adoptadas por alguno de sus Miembros son compatibles con dichos textos normativos. Más aún, les corresponde analizar si tales medidas están justificadas de conformidad con los referidos textos normativos.

Como se dijo que los textos normativos de la OMC no son suficientemente claros y precisos. Pueden tener interpretaciones diferentes respecto de una misma norma. De otra parte, los grupos especiales y el OA se ven abocados a hacer una revisión y evaluación de medidas de política que un Miembro ha adoptado en su sabiduría y soberanía. Si bien al suscribir el Acuerdo de la OMC los Miembros han aceptado que el cumplimiento de su normativa está sujeto a supervisión de conformidad con las reglas del mecanismo de solución de controversias, ya cuando se ven abocados a una diferencia, esa aceptación tiende a ponerse en tela de juicio por parte de aquellos sectores de la sociedad que no consideran que sus intereses, necesidades y sensibilidades se atienden con las interpretaciones, conclusiones y recomendaciones del OSD.

Por eso, los grupos especiales y el OA tienen que acudir a su objetividad e independencia, así como a la pericia y conocimientos de sus Miembros, para que sus informes reflejen los principios de bien común internacional imbuidos en el Acuerdo de la OMC. Especial cuidado habrán de tener los grupos especiales y el OA cuando deciden completar vacíos o ejercer economía procesal. De sus interpretaciones y de la manera como las hagan dependerá el mantenimiento de la confianza en este importante instrumento internacional.

Así mismo, es importante mantener la divulgación de los principios y objetivos del sistema de comercio multilateral, para que los diferentes grupos de la sociedad puedan comprenderlo como un todo y puedan apreciar los beneficios que puede generar, en especial para los países en desarrollo. Un mejor conocimiento puede entrañar una mayor aceptación no solo del sistema en general sino también de las decisiones del mecanismo de solución de controversias en particular.

1.1. Retos del mecanismo en cuanto a su duración

El mecanismo de solución de controversias de la OMC tiene 4 etapas, consultas, grupo especial y apelación, cumplimiento y remedios, las cuales están sujetas a diferentes plazos.

No obstante, el mecanismo se ha visto a prueba en los últimos tiempos tanto por la dificultad para gestionar y analizar los casos como por la capacidad institucional para desarrollarlos. En efecto, ha habido casos con muchos hechos y argumentos. Así mismo, la Secretaría de la OMC, que sirve de apoyo a los grupos especiales y al OA tiene una capacidad limitada y fija para prestar ese apoyo. Finalmente, el bloqueo al que se encuentra sometido el nombramiento de nuevos miembros del OA para suplir las vacantes que han quedado por el cumplimiento del período ha representado un enorme reto tanto para la Organización como para sus Miembros.

Si sumamos todos los plazos previstos en el ESD, la solución definitiva de una diferencia podría tomar alrededor de 3 años. Sin embargo, por las razones que se acaban de mencionar, el sistema ha ido ampliando paulatinamente ese plazo. De acuerdo con la siguiente tabla contenida en un artículo de Brewster[19] elaborado con la información disponible en 2011, en el período más reciente del que se disponía información, los casos estaban durando en promedio más de 5 años, solo hasta la etapa del panel de cumplimiento y sin tomar en consideración el plazo prudencial ni la etapa de los remedios.

---

[19]   Brewster, Rachel. 2011. The Remedy Gap: Institutional Design, Retaliation, and Trade Law Enforcement. *The George Washington Law Review. Vol. 80 No. 1.* Página 122.

Table 1. Average Time for Completing Dispute Resolution Stages

	Initial Panel (no appeal)	Initial Panel (with appeal)	Compliance Panel (no appeal)	Compliance Panel (with appeal)
Average Time: First Five Years (1995–1999)	14.0 months (426 days) 13 cases	16.7 months (510 days) 42 cases	5.1 months (157 days) 3 cases	7.8 months (239 days) 2 cases
Average Time: Second Five Years (2000–2004)	16.1 months (492 days) 19 cases	19.6 months (593 days) 32 cases	9.9 months (303 days) 3 cases	12.1 months (370 days) 6 cases
Average Time: Third Five Years (2005–2009)	17.0 months (520 days) 9 cases	24.9 months (759 days) 13 cases	9.5 months (290 days) 2 cases	16.2 months (495 days) 11 cases

El sistema va a tener que encontrar formas de hacer más efectivos los procedimientos, para evitar que su prolongación devenga en disminuir la capacidad del mecanismo de hacer cumplir las disposiciones del Acuerdo sobre la OMC.

1.2. Retos del mecanismo en cuanto a los remedios

El ESD permite la adopción de medidas temporales en caso de que no se apliquen en un período prudencial las recomendaciones y resoluciones adoptadas por el OSD. Dichas medidas son la compensación y la suspensión de concesiones u otras obligaciones, si bien estas medidas no son preferibles a la aplicación plena de una recomendación de poner una medida en conformidad con los acuerdos abarcados.

Si el Miembro afectado no cumple con las recomendaciones adoptadas por el OSD dentro del plazo prudencial, podrá entablar negociaciones con los Miembros que acudieron al mecanismo de solución de controversias, con miras a hallar una compensación mutuamente aceptable.

Si en un plazo de 20 días no se puede alcanzar un acuerdo sobre dicha compensación, se podrá pedir autorización al OSD para suspender la aplicación al Miembro afectado de concesiones u otras obligaciones resultantes de los acuerdos abarcados. El ESD tiene reglas para la determinación de las concesiones a suspender. En particular, se toma en consideración el ámbito de los acuerdos abarcados sobre el que se pueden suspender dichas concesiones. Así mismo, se tiene en cuenta la proporcionalidad de la suspensión respecto de la anulación o menoscabo alcanzados con las medidas acusadas. En caso de desacuerdo sobre el cumplimiento de estas reglas, el caso será dirimido mediante arbitraje.

De este entramado de disposiciones quisiera destacar varios aspectos que constituyen retos para el mecanismo y los Miembros de la OMC. En primer lugar, estos remedios vienen después de un prolongado tiempo (aproximadamente 3 años en el mejor de los casos). En segundo lugar, se aplican hacia el futuro. En tercer lugar, los remedios tienen un carácter reparador y no preventivo. En cuarto lugar, son remedios temporales que deben levantarse si el Miembro cumple con las recomendaciones del OSD.

En mi opinión, esta mezcla de características le resta eficiencia a los referidos remedios. En efecto, un Miembro puede mantenerse en incumplimiento durante un período prolongado sin que haya ninguna consecuencia negativa. Tomando en consideración que las medidas que se examinan mediante el mecanismo implementan políticas de los Miembros y que el período de quienes toman esas decisiones puede expirar antes de que haya una consecuencia negativa para ese Miembro, sería deseable que los plazos para llegar a estas consecuencias fuesen más cortos, porque de lo contrario se incentiva a las autoridades de un Miembro a pasarle a la siguiente administración el manejo de este tipo de situaciones. Así mismo, el hecho de que solo se alcance esta etapa después de un tiempo considerablemente largo y que el remedio solo aplique hacia el futuro, es un incentivo adicional para los gobiernos de pasarle el asunto a sus sucesores. A lo anterior se une el hecho de que los remedios son temporales en tanto el Miembro afectado modifica o ajusta su medida de conformidad con las recomendaciones que le ha dado el OSD.

Otro aspecto es el carácter reparador y no preventivo de los remedios previstos por el mecanismo. Dada la presunción de anulación o menoscabo que deviene de un incumplimiento, el mecanismo de la OMC funciona como el arbitraje comercial clásico, en el sentido de que los incumplimientos generan daño y que el daño debe indemnizarse. No obstante, acá no estamos en presencia de obligaciones y derechos de carácter contractual, como suele ocurrir en el arbitraje comercial. Estamos ante las reglas del sistema multilateral de comercio, que estableció principios mínimos para la regulación del comercio internacional. El sistema tiene efectos sobre políticas de Estado, que no deberían tratarse como cláusulas de un contrato. Por tanto, sonaría mucho más razonable que los remedios prevengan las conductas que rompan con las reglas del sistema a que tengan un carácter reparador, que, dados los plazos arriba señalados, y que el ámbito de negocios afectado por estas reglas depende de la solidez financiera de sus actores, puede ser tardío y conllevar la salida del mercado de muchas empresas.

Para finalizar esta sección considero importante hablar del tema de la secuencia. Desde hace años los Miembros de la OMC envueltos en controversias en las que hay reclamos acerca del incumplimiento de las recomendaciones del OSD vienen discutiendo si frente al vencimiento del plazo otorgado al Miembro afectado para dicho cumplimiento procede directamente acudir al procedimiento para la autorización de la suspensión de concesiones o si primero debe agotarse el procedimiento para verificar la existencia de medidas destinadas a cumplir las recomendaciones y resoluciones o a la compatibilidad de dichas medidas con un acuerdo abarcado. Este asunto se conoce entre los Miembros como el de "secuencia". En muchos casos, los Miembros involucrados han hecho acuerdos privados para resolverlo y han acordado que primero se adelantará el procedimiento del grupo especial con el que se verifica el cumplimiento y solo en caso de verificarse el incumplimiento procederá la solicitud de autorización para suspender concesiones. Sin embargo, aún en ese caso, el tiempo que toma llegar a una situación de suspensión de concesiones puede ser muy prolongado. Por las razones que se acaba de indicar, el reto al que se ve abocado el mecanismo es de ser lo más eficiente posible. Una posibilidad es disminuir el tiempo de la verificación acerca de la existencia de una medida de cumplimiento.

V. CONCLUSIÓN

"Con fallos sonados, algunas veces controversiales y otras muy vitoreados, el sistema ha ordenado la eliminación de barreras comerciales, como medidas antidumping y compensatorias; ha aclarado la relación y el orden entre comercio y otros fines, como la salud, el medio ambiente y la moral pública; ha generado impactos en el diseño y la aplicación de políticas públicas, como ha sucedido en los casos referentes a energía y de medidas sanitarias y fitosanitarias; y ha enfrentado a chicos y grandes con resultados diversos"[20].

Es de esperar que, como en otras áreas del derecho internacional en donde hay Estados que ceden una parte de su soberanía en beneficio de un bien común internacional, haya tensión entre las instituciones establecidas para supervisar el cumplimiento de la normativa internacional y los Estados que deben cumplirla. La OMC no es la excepción. Desde la referida

---

[20]   Puentes. Volume 16 - Number 2. International Centre for Trade and Sustainable Development. Geneva, 9 April 2015.

Carta de la Habana, durante la vigencia exclusiva del Acuerdo GATT de 1947 y ahora con la OMC y su marco jurídico, es natural que pueda haber desacuerdos, no solo entre sus Miembros sino también con la propia Organización; más si se trata de hacer cumplir sus reglas.

El sistema multilateral de comercio está basado en reglas, que prevén unos principios básicos para que el comercio internacional se pueda dar pacíficamente, no solo entre sus Miembros, sino al interior de los mismos. La OMC promueve el principio básico de mantener la competitividad entre los proveedores de sus Miembros y remover las barreras innecesarias al comercio, privilegiando respecto de ellas el arancel, como política básica de regulación del comercio internacional. Así mismo, promueve que sus Miembros que sean países en desarrollo puedan apalancarse en el comercio para alcanzar un desarrollo sostenible.

Sin embargo, por el valor económico y la importancia política y social de los asuntos que pueden verse afectados por el comercio, siempre habrá una tensión entre los principios y los fines del sistema multilateral de comercio basado en reglas y otras esferas que afectan tanto a las comunidades nacionales como a la comunidad internacional. El mecanismo de solución de controversias maneja unos equilibrios muy delicados cuyo alcance y efectos pueden evaluarse bajo diferentes ópticas. En ese sentido, si bien siempre hay la posibilidad de evaluar los análisis de los grupos especiales y del OA y sus conclusiones y recomendaciones desde una perspectiva estrictamente jurídica, también es necesario hacerlo desde una perspectiva de política económica.

El costo para la economía mundial de tener un comercio internacional desordenado, no sujeto a reglas, imprevisible y dominado exclusivamente por las economías que tienen mayor tamaño y poder político es muy grande. Por eso es importante ver a la OMC y en este caso particular a su mecanismo de solución de controversias como un sistema ordenado de reglas que está orientado hacia el desarrollo económico y en el que los países en desarrollo juegan un papel importante. Los empresarios y diseñadores de política de estos países pueden aprovechar las oportunidades que un sistema así les ofrece.

No obstante, como se señaló a lo largo de este artículo, el sistema se enfrenta a una serie de retos que deberá solucionar en el futuro.

VI. ANEXO: MECANISMO DE SOLUCIÓN DE CONTROVERSIAS DE LA OMC Y ARBITRAJE

El mecanismo de solución de controversias en la OMC tiene elementos parecidos a los de un sistema de arbitraje mercantil. Las partes en contienda dan su consentimiento previo para la aplicación del mecanismo para resolver sus diferencias. El análisis de los argumentos y de las pruebas presentadas por las partes se realiza por expertos designados por ellas. Las partes dan un mandato limitado a los expertos para el análisis de su caso. Las diferencias se resuelven de conformidad con un procedimiento previamente establecido. Hay una secretaría para apoyar el trabajo de los expertos.

No obstante, el mecanismo de la OMC tiene diferencias con el arbitraje mercantil. Para comenzar, las partes en contienda son Miembros de la OMC. Los Miembros de la OMC son casi todos Estados, salvo por algunos de ellos que no tienen esa calidad, pero que son territorios aduaneros distintos; es decir, aplican sus propias disposiciones aduaneras a las importaciones y exportaciones desde su territorio. Este es un elemento distintivo del sistema de la OMC, porque a diferencia del arbitraje mercantil, las partes en una diferencia de la OMC no tienen como actividad principal la de realizar actos de comercio; realizan actos soberanos.

De ahí la segunda diferencia con el arbitraje mercantil, en cuanto a sus objetivos. El ESD señala que el objetivo del mecanismo es hallar una solución positiva a las diferencias. No obstante, también indica que el sistema de solución de controversias de la OMC es un elemento esencial para aportar seguridad y previsibilidad y también refiere al mantenimiento de un equilibrio adecuado entre los derechos y obligaciones de los Miembros. Normalmente las controversias en la OMC se suscitan por medidas de sus Miembros, cuyo ámbito comprende cualquier acción o inacción del Miembro. Corresponde a las diferentes instancias del sistema buscar la solución a las inquietudes que un Miembro le presenta a otro, en el marco de los derechos y obligaciones previstos en los acuerdos abarcados, dándole una interpretación razonada a sus disposiciones de manera que se haga un aporte a la estabilidad de las reglas del sistema multilateral de comercio y manteniendo el equilibrio de los derechos y obligaciones de los Miembros.

Un elemento importante del mecanismo de solución de controversias es la búsqueda de soluciones entre las partes. Por tratarse de un mecanismo de controversias principalmente entre Estados soberanos, es importante que sus diferencias puedan ser objeto de acuerdos entre ellos, como sujetos de derecho internacional. A diferencia de los particulares, los Estados tienen derechos y obligaciones que provienen de las fuentes del derecho internacional, no del derecho privado. En ese sentido, las soluciones que encuentren deben tener fundamento en el derecho internacional y no en el derecho privado. Esa es una diferencia importante respecto del arbitraje mercantil.

En otro campo, las controversias de la OMC, a diferencia de los laudos arbitrales de tribunales comerciales que procuran la restitución de los derechos y la indemnización de los daños causados, concluyen en una recomendación al Miembro respectivo para poner la medida en discusión en conformidad con el acuerdo abarcado por el ESD respecto del cual es incompatible, si bien el sistema prevé la posibilidad de compensación y en últimas de suspender concesiones. Según lo ordena el Entendimiento, el primer objetivo es obtener la supresión de la medida, siendo posible modificarla de manera que se alcance dicha su compatibilidad con el acuerdo abarcado. Dado que las medidas bajo análisis son actos soberanos del Miembro demandado, la supresión o modificación de las mismas también requiere el ejercicio de su soberanía y de los procedimientos estatales correspondientes para el ejercicio de dicha soberanía.

En ocasiones puede resultar difícil que un Miembro de la OMC ceda soberanía al punto de suprimir o modificar una medida que ha adoptado para adelantar políticas públicas. En ese caso puede proceder la compensación o la suspensión de concesiones. No obstante, estas últimas son acciones temporales y subsidiarias al objetivo principal de aplicar plenamente las recomendaciones de poner una medida en conformidad con los acuerdos abarcados. Las tres soluciones son, en todo caso, una forma de hallar un equilibrio entre los derechos y las obligaciones del Miembro afectado, que es uno de los principios por los que se rige el sistema.

Otro punto que se destaca como diferencia entre uno y otro sistema es la base jurídica de referencia para determinar el eventual incumplimiento de derechos y obligaciones. La normativa aplicada por los tribunales de arbitraje mercantil está contenida en estatutos jurídicos que han sido redactados con técnica y precisión jurídicas. Entre tanto, la base jurídica que sirve de referencia al mecanismo de solución de controversias de la OMC son acuerdos internacionales, redactados por diplomáticos en los que no puede primar la rigurosidad ni la precisión jurídicas, porque se trata de cuerpos normativos que resultan de negociaciones que toman en consideración los intereses y las sensibilidades de los Estados que participan en dichas negociaciones. Por tanto, la tarea de los tribunales arbitrales difiere de la de los grupos especiales y el OA. En ese sentido, la tarea de estos últimos se parece más a la de los jueces políticos de los países (como los tribunales constitucionales), a quienes corresponde interpretar y aplicar principios generales de política pública.

En el caso de la OMC, las reglas del sistema multilateral de comercio están contenidas en su Acuerdo constitutivo y en sus anexos y están redactadas como el mínimo común denominador que pudieron aceptar todos los países que participaron en la negociación de las mismas. Es por ello que la tarea de los grupos especiales, pero en especial la tarea del OA de la OMC es tan importante para esclarecer cuáles fueron los objetivos detrás de esas disposiciones y por ende cuál es el alcance de su redacción. Si bien el OA debe resolver cada caso en sus propios méritos, las interpretaciones que hace en cada caso son una guía importante, no solo para casos posteriores, sino también para los propios Miembros, quienes de esa manera pueden comprender mejor cómo adoptar medidas que sean compatibles con sus derechos y obligaciones bajo la OMC.

Sin pretender agotar las diferencias entre el arbitraje mercantil y el mecanismo de solución de controversias de la OMC, se destaca la institucionalidad. En el arbitraje mercantil los tribunales de arbitramento examinan el caso y adoptan las decisiones, de conformidad con el mandato que han recibido de las partes. Si bien los tribunales pueden apoyarse en secretarías ad-hoc o institucionalizadas, éstas no hacen parte de la institución del arbitramento. Por su parte, el mecanismo de solución de controversias de la OMC se adelanta por un órgano de la Organización, que es el OSD, compuesto por todos los Miembros y que es el que formalmente hace las recomendaciones al Miembro cuyas medidas se han cuestionado y vigila la aplicación de las recomendaciones o resoluciones adoptadas. Los grupos especiales son instrumentos del OSD y si bien podrían ser vistos como tribunales arbitrales, no lo son, porque no tienen la autoridad de adoptar disposiciones respecto de las partes en contienda.

De otra parte, el sistema de solución de controversias de la OMC cuenta con el OA, arriba descrito, el cual solo puede resolver sobre puntos de derecho, pero que hace una enorme contribución a la Organización por cuanto es el órgano técnico que analiza con rigor jurídico el alcance e interpretación de las disposiciones de los acuerdos abarcados y de esa manera facilita a los Miembros su mejor entendimiento y aplicación. En el OA se encarna el principio del ESD, conforme al cual el sistema debe aportar previsibilidad a sus Miembros sobre sus derechos y obligaciones. En ese sentido, cumple una importante función económica que, entre otras, promueve los negocios y la inversión.

No obstante, algunos académicos ven esta situación desde otra perspectiva, que han denominado activismo judicial del OA. El análisis de estos estudiosos puede resumirse así. El Acuerdo de la OMC y sus anexos, que comprende los acuerdos abarcados, así como sus entendimientos, es fruto de negociaciones políticas hechas por diplomáticos, en donde se ha acordado el mínimo común aceptable para las partes que intervinieron en las negociaciones, en las que se ha buscado, entre otros, dar un marco para resolver la tensión entre las políticas de liberalización del comercio internacional y otras políticas que también son fundamentales para que los Miembros puedan cumplir los objetivos que sus constituyentes les han encomendado en diversos campos. Por tanto, bajo esta óptica, un grupo de expertos, como son los miembros del OA, no deberían reemplazar a las autoridades políticas de los Miembros, representadas en los diplomáticos que negociaron los acuerdos[21].

Quienes analizan esta situación a la luz de la institucionalidad de la OMC sostienen que las diferencias entre los Miembros se deberían resolver en el marco de los órganos y comités de la Organización, en los que los Miembros pueden presentarse mutuamente inquietudes y buscar resolverlas utilizando las disposiciones de los Acuerdos. Sin embargo, a mi juicio, la dificultad de este análisis está en que cuando ello ocurre, los representantes de los Miembros no representan el interés general de toda la Organización, ni hacen análisis técnicos. Sus argumentos tienden a satisfacer el interés individual del Miembro que representan y el análisis suele caracterizarse por elementos políticos, más que por elementos económicos y jurídicos.

1. Procedimientos de "arbitraje" previstos en el ESD

Cabe anotar que el ESD de la OMC contempla otros procedimientos que denomina de arbitraje. Hay tres casos específicos señalados en el Entendimiento:

---

[21]   Thorstensen, Vera. O papel do Órgão de Apelação - Visão das comunidades diplomática e académica. En Baptista, Luis Olavo, Celli Junior, Umberto, Yanovich, Alan (Ed.) (2007) *10 anos de OMC, uma análise do Sistema de Solução de Controvérsias e Perspectivas*. São Paulo, Brasil. Edições Aduaneiras Ltda.

El arbitraje para determinar el plazo para cumplir las recomendaciones y resoluciones de los grupos especiales o del OA, que son adoptadas por el OSD[22].

El arbitraje para resolver la impugnación sobre el nivel de suspensión de concesiones u otras obligaciones propuesta por cualquiera de las partes que haya recurrido al procedimiento de solución de controversias en el evento que el Miembro afectado no haya puesto en conformidad con un acuerdo abarcado las medidas declaradas incompatibles o no haya cumplido de otro modo las recomendaciones o resoluciones adoptadas dentro del plazo prudencial que le otorga el Entendimiento o el que se fije mediante arbitraje[23].

El arbitraje como medio alternativo de solución de diferencias para facilitar la resolución de litigios que tengan por objeto cuestiones claramente definidas por las partes[24].

Estos tres tipos de procedimiento son diferentes pero tienen elementos comunes, algunos de ellos similares al arbitraje mercantil. Por ejemplo, en todos los casos, los árbitros, en principio, son designados por las partes. En los primeros dos procedimientos, si no hay acuerdo entre las partes sobre quién cumplirá el rol de árbitro, éste podrá ser designado por el Director General de la OMC, previa consulta con las partes. Tal vez estos dos procedimientos son los que tienen más elementos en común con los procedimientos previstos en el ESD mediante los cuales ordinariamente se resuelven las controversias entre los Miembros de la OMC. De hecho, podría decirse que constituyen etapas de dichos procedimientos, más que procedimientos separados. Por eso, los parámetros que se utilizan para su trámite y resolución tienen elementos comunes, no solo para la designación de los árbitros y el apoyo de la institucionalidad de la OMC, sino también para su resolución.

El tercer caso es una alternativa a la solución de controversias por la vía de los grupos especiales y el OA. De conformidad con el artículo 25 del ESD este tipo de arbitraje se caracteriza por lo siguiente:

---

[22]   Entendimiento de Solución de Diferencias. Organización Mundial del Comercio. Artículo 21 párrafo 3.

[23]   Entendimiento de Solución de Diferencias. Organización Mundial del Comercio. Artículo 22 párrafo 6.

[24]   Entendimiento de Solución de Diferencias. Organización Mundial del Comercio. Artículo 25.

Antes del comienzo de las actuaciones del arbitraje, las partes deben notificar su acuerdo de recurrir al arbitraje a todos los Miembros de la OMC.

Las partes fijan el procedimiento que debe seguirse; se puede optar por un procedimiento que no sea el habitual del ESD, y llegar a un acuerdo sobre las normas y procedimientos que estimen apropiados para el arbitraje, incluida la selección de los árbitros.

Las partes deben definir claramente las cuestiones en litigio.

Las partes deben convenir acatar el laudo arbitral.

Una vez emitido, el laudo deberá notificarse al OSD y a los Consejos y Comités pertinentes de la OMC que supervisen los acuerdos en cuestión.

Las disposiciones de los artículos 21 y 22 del ESD sobre las medidas correctivas y la vigilancia de la aplicación de la decisión son aplicables también al laudo arbitral.

Los demás Miembros sólo podrán participar en el arbitraje con el acuerdo de las partes directamente interesadas.

De conformidad con la información suministrada en la página Web de la OMC, hasta la fecha solo se ha recurrido a este caso en relación con una diferencia. El procedimiento no se utilizó como alternativa al procedimiento del grupo especial y el OA, sino en la etapa de aplicación, cuando ya se había adoptado el informe del grupo especial. Las partes pidieron a los árbitros que determinasen el nivel de la anulación o el menoscabo de las ventajas causado por la violación demostrada en el informe del grupo especial. Con los procedimientos normales del ESD las partes pueden obtener una determinación vinculante del nivel de anulación o menoscabo, recurriendo a un arbitraje al amparo del párrafo 6 del artículo 22 del ESD[25].

Si bien no hay muchos antecedentes sobre este tipo de procedimiento, y el que hay hasta el momento no es representativo de sus alcances, podría decirse que es una manera de alcanzar la resolución de una diferencia entre los Miembros de la OMC de manera independiente al mecanismo institucional que se aplica en la Organización, pero con la ventaja de que lo que allí se resuelva también es obligatorio y puede hacerse cumplir bajo las reglas previstas en el ESD.

---

[25]   Módulo de Formación sobre el Sistema de Solución de Diferencias: Capítulo 8. Organización Mundial del Comercio. Recuperado de https://www.wto.org/spanish/tratop_s/dispu_s/disp_settlement_cbt_s/c8s2p1_s.htm.

Algunos analistas sostienen que este procedimiento podría resolver de manera temporal el bloque al que se encuentra sometido el sistema, en particular por parte de los Estados Unidos. No obstante, nada asegura que ese Miembro se someta a dicho procedimiento de manera generalizada, lo cual generaría más incertidumbre para el sistema[26].

---

[26] Reinsch, William Alan. Caporal, Jake. Heering, Jonas. Critical Questions. Center for Strategic and International Studies. (2019). Recuperado de https://www.csis.org/analysis/artice-25-effective-way-avert-WTO-crisis.

REFERENCIAS

BAPTISTA, L. O./ CELLI JUNIOR, U. y YANOVICH, A. (Ed.), *10 anos de OMC, uma análise do Sistema de Solução de Controvérsias e Perspectivas*. São Paulo, Brasil. Edições Aduaneiras Ltda., 2007.

PETERSMANN, E. U., *The GATT/WTO Dispute Settlement System*. London. Kluwer Law International, 1997.

YERXA, R. y WILSON, B. (Ed.), *Key Issues in the WTO Dispute Settlement: The First Ten Years*. New York City. Cambridge University Press, 2005.

BREWSTER, R., The Remedy Gap: Institutional Design, Retaliation, and Trade Law Enforcement, *George Washington Law Review, Volume 80 No. 1*. 102-158, 2011.

MAVROIDIS, P., Remedies in the WTO Legal System: Between a Rock and a Hard Place. *European Journal of International Law, Volume 11 No. 4*. 763-813, 2000.

SUTHERLAND, P. (Presidente). BHAGWATI, J./ BOTCHWEY, K./ FITZGERALD, N./ HAMADA, K./ JACKSON, J. H./ LAFER, C. y DE MONTBRIAL, T., El futuro de la OMC, Una respuesta a los desafíos institucionales del nuevo milenio - Informe del Consejo Consultivo al Director General Supachai Panitchpakdi. Organización Mundial del Comercio, 2004.